大学入学 共通テスト

歴史総合、日本史探究の点数が面白いほどとれる本

河合塾講師、
東進ハイスクール・
東進衛星予備校講師
山中裕典

＊この本は、小社より 2020 年に刊行された『大学入学共通テスト　日本史Bの点数が面白いほどとれる本』に、最新の学習指導要領と出題傾向に準じた加筆・修正を行い、また、歴史総合科目に対応する部分を盛り込み、令和７年度以降の大学入学共通テストに対応させた改訂版です。

＊**この本には「赤色チェックシート」がついています。**

＊本書にもとづいているデータは、2024 年９月現在の情報が最新です。

＊本書の内容は、同シリーズ『改訂版　大学入学共通テスト　歴史総合、世界史探究の点数が面白いほどとれる本』から一部引用しています。

はじめに

▶大学入学共通テストの「日本史探究」って、どんな試験？

2021年度にセンター試験から「思考力・判断力」が問われる共通テストに移行し、2025年度に科目が「日本史Ｂ」から「日本史探究」に変わりますが、史料・絵・図表を用いた資料読解問題では、**読み取った具体的な情報を、抽象的な選択肢の文章と適合させて正誤を判定し**、年代配列問題では、**抽象的な選択肢の文章から具体的な出来事を思い出して、どの時期のことなのかを特定する**という点は続くでしょう。こうした「具体→抽象」「抽象→具体」のプロセスを習得するには、基礎的な知識を一個一個バラバラに覚えるのではなく、それらがどのように関連しているのかを理解することが大切です。覚えた知識を使いこなせるようになれば、読み取りも時期の判断もできるのです。

そこで、この本は、日本史の「つながり」（ある出来事と別の出来事の相互関連）を考えながら覚えられるよう、**年表**や**図解**をたくさん示し、全体の流れをていねいに説明しました。政治史・外交史では原因と結果の関係を、社会史・経済史では構造やしくみを、文化史では特徴や時代背景を、それぞれ理解できるようになっています。過去にセンター試験や共通テストで出題された歴史用語を確実に習得して、「基本をカンペキに」できますよ！

▶「歴史総合」は、「日本史探究」で学んだ時代感覚とつなげよう

共通テストで「日本史探究」と組み合わせて受験することが多い「歴史総合」は、18世紀以降の世界と日本の歴史（近現代史が中心）を扱います。世界史の知識を細かく覚えなくても大丈夫ですが、日本史から世界史への「ひろがり」（同じ時期における状況どうしの関係）を理解することが必要です。

そこで、この本は、**「歴史総合」で扱われる世界史の知識を分割して整理し、日本史探究（19～30章）の各章の最後に配置していく**ことで、同じ時期の日本史と世界史がどのように結びつくのかをつかめるようにしました。

▶本書の構成・内容・活用法

①：どの章を読むときにも、まず最初に**総合年表**（**原始・古代、中世、近世、近代・現代**）を見て、これから自分が読んでいく章の「世紀の数字（年代の数字）」と「タテ（前後）・ヨコ（左右）に位置する項目」を確認します。

②：まず、**各章のはじめの年表**にある見出し（例；1 旧石器文化）と重要語句を、タテ（前後）・ヨコ（左右）の関係に注意しながら目を通していきます。

③：次に、**各章の本文**を読み進めていきましょう。**図・年表・まとめ**にも目を通してください。歴史の構造のイメージや、出来事の前後関係を含めた歴史の流れや、間違えやすい用語の区別などが、つかめるようになっています。
④：ある章を読み終わったら、知識の確認に便利なセンター試験の過去問を用いた**チェック問題にトライ！**で、解答力が身についているかチェックします。この本をマスターしたあとで、共通テスト日本史Bの過去問（2021年度以降）を入手し、解答時間を決めた実戦的な演習を進めるとよいです。
⑤：19〜30章の**各章の最後に配置した「歴史総合」**は、「日本史探究」の同じ章と照らし合わせながら読むと効果的です。第30章の最後には、共通テスト「歴史総合」の**サンプル問題・試作問題**の一部を紹介しています。
⑥：最後に（これが重要！）、**教科書**を読みましょう。今読み終えた章の内容にあてはまる部分を教科書のなかから探し、**本文・写真・史料**に目を通します。この本を読んで理解を深めたあとで教科書を読むと、効果的です。

▶謝辞

私に「人にものを教える」仕事にたずさわるきっかけを作ってくださった、かつて私が河合塾で教わった故・権田雅幸先生と、これまでに私が中学・高等学校や予備校の職場でお世話になった先生方に、感謝の言葉を申し上げます。
これまで私が教えてきた生徒の皆さんの、私を見つめる「まなざし」が、この本を執筆する後押しをしてくれました。本当に、ありがとうございました。
今回の改訂では、歴史総合の執筆に際し、この参考書シリーズで世界史を担当する平尾雅規先生に多大なご教示を頂戴しました。ありがとうございます。
KADOKAWA 編集部の丸岡希実子さんは、執筆が遅れがちな私を叱咤激励してくださいました。また、もと KADOKAWA の伊達勇人さんは、私にとって初の著作刊行のきっかけを作ってくださいました。感謝申し上げます。

▶受験生の皆さんへのメッセージ

これからの学習において、また入試本番において、そしてその先の人生において、いろいろな場面で心に浮かべてほしい言葉を贈ります。

冷静に判断
大胆に決断

受験勉強を通して、皆さんの人生が豊かなものになるよう願っています。

山中（やまなか）　裕典（ひろのり）

もくじ

はじめに ...2
この本の特長と使い方 ...6

Ⅰ 原始・古代

総合年表 ...8
第１章　日本列島と人間社会（旧石器・縄文・弥生時代）...10
第２章　ヤマト政権の成立と展開（古墳時代）...26
第３章　律令国家の成立（飛鳥時代）...38
第４章　奈良時代の律令政治（奈良時代）...52
第５章　平安時代の貴族政治（平安時代前期・中期）...70
第６章　平安時代の地方社会（平安時代前期・中期）...84
第７章　古代文化 ...98

Ⅱ 中世

総合年表 ...114
第８章　武家政権の成立（平安時代後期～鎌倉時代初期）...116
第９章　鎌倉幕府の展開（鎌倉時代前期・中期・後期）...130
第10章　室町幕府の支配（鎌倉時代末期～室町時代中期）...144
第11章　中世社会の展開（鎌倉・室町期のテーマ史、室町時代後期）...158
第12章　中世文化 ...176

Ⅲ 近世

総合年表 ...194
第13章　織豊政権（安土・桃山時代）...196
第14章　江戸幕府の支配体制（江戸時代初期）...208
第15章　近世社会の展開（江戸時代前期）...226
第16章　江戸幕府の政治改革（江戸時代中期）...242

第17章　幕藩体制の動揺（江戸時代後期）...256
第18章　近世文化 ...270

Ⅳ　近代・現代

総合年表 ...290
第19章　欧米列強との接触（江戸時代末期）...294
歴史総合のための世界史「近代化と私たち」1産業革命 ...310
第20章　明治政府の成立（明治時代初期）...314
歴史総合のための世界史「近代化と私たち」2市民革命 ...333
第21章　立憲政治の展開（明治時代前期・中期）...336
歴史総合のための世界史「近代化と私たち」3国民国家 ...356
第22章　日清・日露戦争（明治時代中期・後期）...358
歴史総合のための世界史「近代化と私たち」4帝国主義 ...380
第23章　資本主義の形成（明治時代の社会・経済）...382
歴史総合のための世界史「近代化と私たち」5第２次産業革命 ...402
第24章　第一次世界大戦（大正時代）...404
歴史総合のための世界史「国際秩序の変化や大衆化と私たち」1第一次世界大戦とロシア革命 ...424
第25章　近代文化 ...430
歴史総合のための世界史「国際秩序の変化や大衆化と私たち」2大衆社会と市民生活 ...448
第26章　政党内閣の時代と満洲事変（昭和時代初期）...450
歴史総合のための世界史「国際秩序の変化や大衆化と私たち」3世界恐慌 ...470
第27章　日中戦争・太平洋戦争（昭和時代の戦前・戦中期）...472
歴史総合のための世界史「国際秩序の変化や大衆化と私たち」4ファシズムと第二次世界大戦 ...490
第28章　占領下の日本（昭和時代の戦後期）...494
歴史総合のための世界史「国際秩序の変化や大衆化と私たち」5戦後の国際秩序 ...512
第29章　国際社会への復帰（昭和時代中期）...518
歴史総合のための世界史「グローバル化と私たち」1冷戦と世界経済 ...534
第30章　現代の日本（昭和時代後期～平成時代）...550
歴史総合のための世界史「グローバル化と私たち」2世界秩序の変容とグローバル化 ...568

さくいん ...582

この本の特長と使い方

年表の内容を説明しています。(1)(2)…の番号は年表の中の番号と対応しています。あわせて確認しましょう。

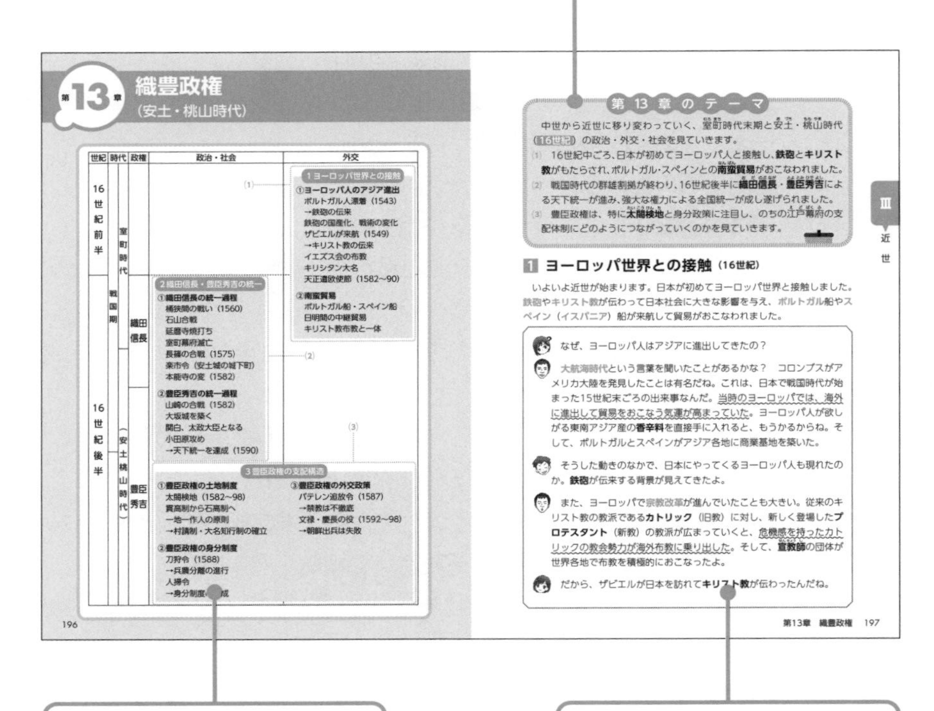
第13章 織豊政権（安土・桃山時代）

世紀	時代	政権	政治・社会	外交
16世紀前半	室町時代			1 ヨーロッパ世界との接触 ①ヨーロッパ人のアジア進出 ポルトガル人漂着（1543） →鉄砲の伝来 鉄砲の国産化、戦術の変化 ザビエルが来航（1549） →キリスト教の伝来 イエズス会の布教 キリシタン大名 天正遣欧使節（1582~90） ②南蛮貿易 ポルトガル船・スペイン船 日明間の中継貿易 キリスト教布教と一体
16世紀後半	戦国期	織田信長	2 織田信長・豊臣秀吉の統一 ①織田信長の統一過程 桶狭間の戦い（1560） 石山合戦 延暦寺焼打ち 室町幕府滅亡 長篠の合戦（1575） 楽市令（安土城の城下町） 本能寺の変（1582） ②豊臣秀吉の統一過程 山崎の合戦（1582） 大坂城を築く 関白、太政大臣となる 小田原攻め →天下統一を達成（1590）	
	（安土桃山時代）	豊臣秀吉	3 豊臣政権の支配構造 ①豊臣政権の土地制度 太閤検地（1582~98） 貫高制から石高制へ 一地一作人の原則 →村請制・大名知行制の確立 ②豊臣政権の身分制度 刀狩令（1588） →兵農分離の進行 人掃令 →身分制度の完成	③豊臣政権の外交政策 バテレン追放令（1587） →禁教は不徹底 文禄・慶長の役（1592~98） →朝鮮出兵は失敗

196

第13章のテーマ

中世から近世に移り変わっていく、室町時代末期と安土・桃山時代（16世紀）の政治・外交・社会を見ていきます。

(1) 16世紀中ごろ、日本が初めてヨーロッパ人と接触し、**鉄砲**と**キリスト教**がもたらされ、ポルトガル・スペインとの**南蛮貿易**がおこなわれました。

(2) 戦国時代の群雄割拠が終わり、16世紀後半に**織田信長**・**豊臣秀吉**による天下統一が進み、強大な権力による全国統一が成し遂げられました。

(3) 豊臣政権は、特に**太閤検地**と身分政策に注目し、のちの江戸幕府の支配体制にどのようにつながっていくのかを見ていきます。

1 ヨーロッパ世界との接触（16世紀）

いよいよ近世が始まります。日本が初めてヨーロッパ世界と接触しました。鉄砲やキリスト教が伝わって日本社会に大きな影響を与え、ポルトガル船やスペイン（イスパニア）船が来航して貿易がおこなわれました。

なぜ、ヨーロッパ人はアジアに進出してきたの？

大航海時代という言葉を聞いたことがあるかな？ コロンブスがアメリカ大陸を発見したことは有名だね。これは、日本で戦国時代が始まった15世紀末ごろの出来事なんだ。当時のヨーロッパでは、海外に進出して貿易をおこなう気運が高まっていた。ヨーロッパ人が欲しがる東南アジア産の**香辛料**を直接手に入れると、もうかるからね。そして、ポルトガルとスペインがアジア各地に商業基地を築いた。

そうした動きのなかで、日本にやってくるヨーロッパ人も現れたのか。**鉄砲**が伝来する背景が見えてきたよ。

また、ヨーロッパで宗教改革が進んでいたことも大きい。従来のキリスト教の教派である**カトリック**（旧教）に対し、新しく登場した**プロテスタント**（新教）の教派が広まっていくと、危機感を持ったカトリックの教会勢力が海外布教に乗り出した。そして、**宣教師**の団体が世界各地で布教を積極的におこなったよ。

だから、ザビエルが日本を訪れて**キリスト教**が伝わったんだね。

第13章 織豊政権 197

この章で扱う事項をわかりやすく年表にまとめています。まずは全体の流れを見渡して理解しましょう。

共通テストで重要な、「歴史の大きな流れ・動き」を先生と生徒の会話形式で説明しています。

共通テスト「歴史総合、日本史探究」の範囲を網羅し、出題される事項・語句を精選しました。また、それらを予想される出題の傾向に合わせて掲載しました。ですから、本書に掲載されている語句、図表はいずれも共通テストの日本史で重要なものばかりです。しっかり理解して、本番に自信を持って臨みましょう。

年表に重要事項をわかりやすくまとめて掲載しています。

図でわかりやすく説明しています。本文とあわせて確認しましょう。

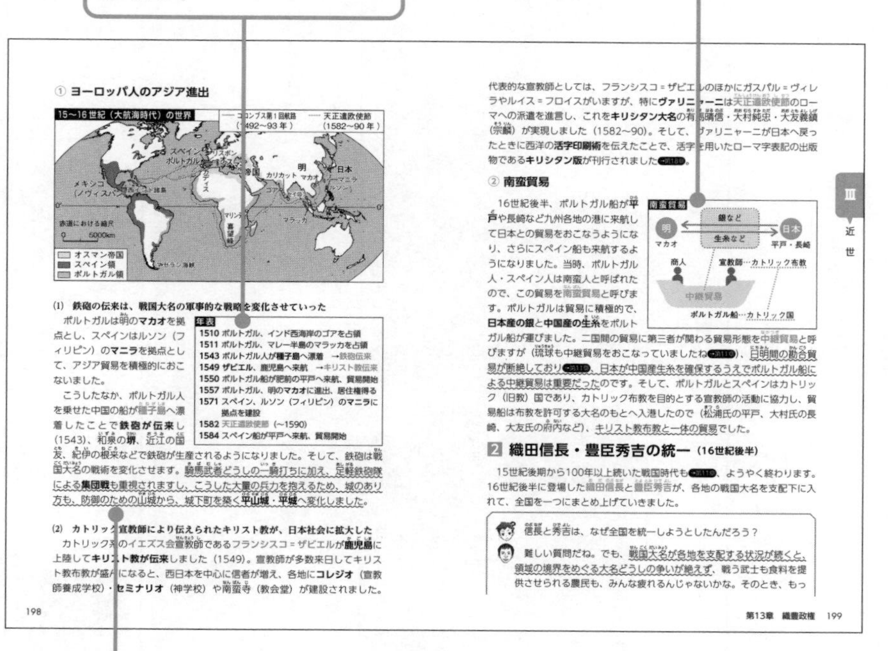
① ヨーロッパ人のアジア進出

(1) 鉄砲の伝来は、戦国大名の軍事的な戦略を変化させていった

ポルトガルは明のマカオを拠点とし、スペインはルソン（フィリピン）のマニラを拠点として、アジア貿易を積極的におこないました。

こうしたなか、ポルトガル人を乗せた中国の船が種子島へ漂着したことで鉄砲が伝来し（1543）、和泉の堺、近江の国友、紀伊の根来などで鉄砲が生産されるようになりました。そして、鉄砲は戦国大名の戦術を変化させます。騎馬武者どうしの一騎打ちに加え、足軽鉄砲隊による集団戦も重視されますし、こうした大量の兵力を抱えるため、城のあり方も、防御のための山城から、城下町を築く平山城・平城へ変化しました。

年表

1510	ポルトガル、インド西海岸のゴアを占領
1511	ポルトガル、マレー半島のマラッカを占領
1543	ポルトガル人が種子島へ漂着 →鉄砲伝来
1549	ザビエル、鹿児島へ来航 →キリスト教伝来
1550	ポルトガル船が肥前の平戸へ来航、貿易開始
1557	ポルトガル、明のマカオに進出、居住権得る
1571	スペイン、ルソン（フィリピン）のマニラに拠点を建設
1582	天正遣欧使節（～1590）
1584	スペイン船が平戸へ来航、貿易開始

(2) カトリック宣教師により伝えられたキリスト教が、日本社会に拡大した

カトリック系のイエズス会宣教師であるフランシスコ＝ザビエルが鹿児島に上陸してキリスト教が伝来しました（1549）。宣教師が多数来日してキリスト教布教が盛んになると、西日本を中心に信者が増え、各地にコレジオ（宣教師養成学校）・セミナリオ（神学校）や南蛮寺（教会堂）が建設されました。

198

代表的な宣教師としては、フランシスコ＝ザビエルのほかにガスパル＝ヴィレラやルイス＝フロイスがいますが、特にヴァリニャーニは天正遣欧使節のローマへの派遣を進言し、これをキリシタン大名の有馬晴信・大村純忠・大友義鎮（宗麟）が実現しました（1582～90）。そして、ヴァリニャーニが日本へ戻ったときに西洋の活字印刷術を伝えたことで、活字を用いたローマ字表記の出版物であるキリシタン版が刊行されました→第18章。

② 南蛮貿易

16世紀後半、ポルトガル船が平戸や長崎など九州各地の港に来航して日本との貿易をおこなうようになり、さらにスペイン船も来航するようになりました。当時、ポルトガル人・スペイン人は南蛮人と呼ばれたので、この貿易を南蛮貿易と呼びます。ポルトガルは貿易に積極的で、日本産の銀と中国産の生糸をポルトガル船が運びました。二国間の貿易に第三者が関わる貿易形態を中継貿易と呼びますが（琉球も中継貿易をおこなっていましたね→第11章）、日明間の勘合貿易が断絶しており→第11章、日本が中国産生糸を確保するうえでポルトガル船による中継貿易は重要だったのです。そして、ポルトガルとスペインはカトリック（旧教）国であり、カトリック布教を目的とする宣教師の活動に協力し、貿易船は布教を許可する大名のもとへ入港したので（松浦氏の平戸、大村氏の長崎、大友氏の府内など）、キリスト教布教と一体の貿易でした。

2 織田信長・豊臣秀吉の統一（16世紀後半）

15世紀後期から100年以上続いた戦国時代も→第11章、ようやく終わります。16世紀後半に登場した織田信長と豊臣秀吉が、各地の戦国大名を支配下に入れて、全国を一つにまとめ上げていきました。

信長と秀吉は、なぜ全国を統一しようとしたんだろう？

難しい質問だね。でも、戦国大名が各地を支配する状況が続くと、領域の境界をめぐる大名どうしの争いが絶えず、戦う武士も食料を提供させられる農民も、みんな疲れるんじゃないかな。そのとき、もっ

III 近世

第13章 織豊政権 199

重要な部分は波線に、おさえておきたい語句は赤字や太文字にしています。流れをつかむだけでなく、知識も覚えながら読み進めましょう。

原始・古代 総合年表

世紀	天皇	権力者	政治・外交	社会・経済	文化
			(～1万6000年前 旧石器時代)	第1章 1旧石器文化	
			(1万6000年前～ 縄文時代)	第1章 2縄文文化	
前5～4				第1章 3弥生文化	
前3					
前2					
前1			第1章 4小国の分立と連合		
1世紀					
2世紀					
3世紀			第2章 1ヤマト政権と東アジア	第2章 2古墳文化	
4世紀					
5世紀					
6世紀			第3章 1ヤマト政権の発展と推古天皇の時代 / 第2章 3ヤマト政権と国内社会		
	欽明				
	崇峻				
7世紀	推古★				第7章 1飛鳥文化
	舒明		第3章 2大化改新と白村江の戦い / (4－2) 律令国家の構造		
	皇極★				
	孝徳				
	斉明★	(藤原姓は省略)			
	(中大兄)				第7章 2白鳳文化
	天智				
	天武		第3章 3壬申の乱と律令体制の整備		
	持統★				

★は女性天皇

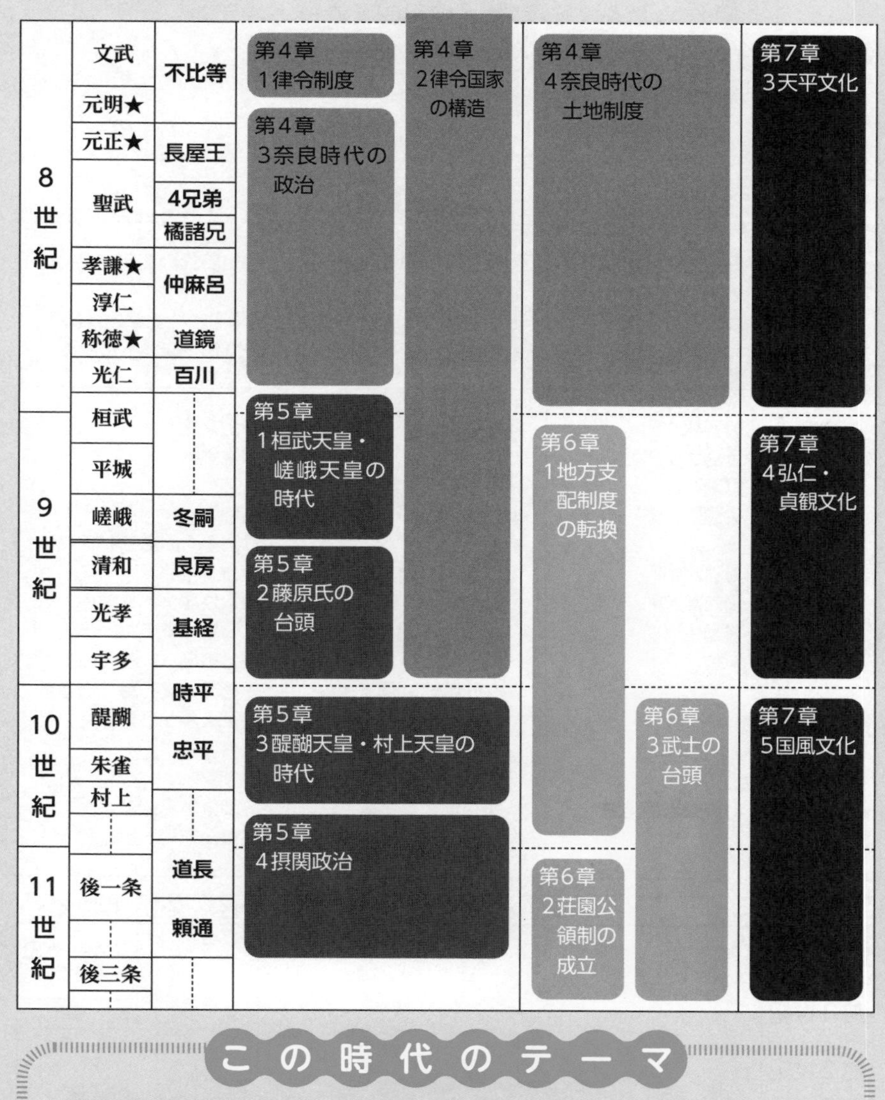

この時代のテーマ

第**1**章 **日本列島と人間社会**：旧石器・縄文・弥生文化の違いを理解します。
第**2**章 **ヤマト政権の成立と展開**：東アジアとの関係や、国内支配の拡大に注目します。
第**3**章 **律令国家の成立**：中国の制度をまねて、天皇中心の中央集権体制が確立しました。
第**4**章 **奈良時代の律令政治**：律令制度の内容と、天皇家・貴族らの政争を学びます。
第**5**章 **平安時代の貴族政治**：藤原氏を中心とする政治の展開を追います。
第**6**章 **平安時代の地方社会**：地方支配の変化と、荘園公領制の成立過程を理解します。
第**7**章 **古代文化**：仏教中心の文化が大陸から伝来し、日本列島に定着していきました。

日本列島と人間社会
(旧石器・縄文・弥生時代)

	1旧石器文化 (1)	2縄文文化	(2) 3弥生文化
地質学 諸条件	**①旧石器時代の自然** 更新世(氷河期) 大陸と陸続き 大型動物 針葉樹林	**①縄文時代の自然** 完新世(温暖化) 日本列島形成 中小動物 広葉樹林	**①弥生時代の変化** 水稲耕作と金属器が伝来 →九州〜東北へ伝わる
土器	**②旧石器文化** 土器は使用せず	**②縄文文化** 縄文土器	**②弥生文化** 弥生土器
道具	打製石器 尖頭器(槍)	磨製石器も加わる 石鏃(弓矢) 骨角器	石包丁
金属器			鉄器・青銅器(銅鐸など)
生活	狩猟が中心 洞穴など 移動生活	狩猟・漁労・採集 竪穴住居 貝塚 定住化 交易(黒曜石)	農耕が中心 竪穴住居 高床倉庫 水稲耕作での共同作業
身分		身分差なし	身分差あり 首長の出現
墓制		共同墓地に屈葬 副葬品は見られず	甕棺墓・支石墓 墳丘墓 特定の墓から副葬品
習俗		アニミズム 土偶 抜歯 屈葬	農耕儀礼
遺跡	群馬県岩宿遺跡	東京都大森貝塚 青森県三内丸山遺跡	静岡県登呂遺跡 佐賀県吉野ヶ里遺跡

世紀	政治・外交	社会・文化	中国大陸
前5〜前4世紀		弥生文化	(春秋・戦国時代)
前3世紀	(3)		秦
前2世紀	**4小国の分立と連合**		漢
前1世紀	**①『漢書』地理志** 倭人が楽浪郡へ遣使		
1世紀	**②『後漢書』東夷伝** 奴国の遣使→印綬を授かる ☆金印「漢委奴国王」		後漢
2世紀	倭国王の帥升らが生口を献上 倭国の大乱		
3世紀	**③「魏志」倭人伝** 邪馬台国連合 卑弥呼の遣使→「親魏倭王」称号得る		(三国時代) 魏・蜀・呉 晋

第１章のテーマ

日本列島を舞台に歴史の歩みが始まった、原始（**約１万6000年前以前～３世紀前半**）と呼ばれる時代を見ていきます。

(1) **旧石器文化**と**縄文文化**は、どちらも自然の恵みを獲得して人々が生活した時代です。二つの文化は、どのように異なるのでしょうか。

(2) **弥生文化**は、自然を改変して食料を生産するようになった時代です。農耕の開始は、社会をどのように変えたのでしょうか。

(3) 弥生時代は、「文字で書かれた**史料**の解読で判明する歴史」が始まった時代でもあります。中国で作られた史書の文章を解釈しながら、日本列島のなかに権力が生まれていった過程を追います。

1 旧石器文化（～約１万6000年前）

地球の誕生は約46億年前、人類の誕生は約700万年前のことでした。アフリカで誕生した人類は、猿人・原人・旧人・**新人**の順に出現しました。新人が、今の人類の祖先となります。日本列島にも新人段階の人々が住み着いたことが、**化石人骨**の発見からわかっています（沖縄県の港川人など）。そして、アジア大陸南部の系統の縄文人に、アジア北部に住み弥生時代以降に渡来した人々が混血して、現在につながる日本人が形作られたと考えられます。

では、ユーラシア大陸の東の端に位置する日本列島のなかで、今から約１万6000年前まで展開していた、**旧石器文化**を見ていきましょう。

① 旧石器時代の自然

旧石器時代の状況をつかむため、当時の自然環境に注目しましょう。地質学では、氷期と間氷期が交互に出現する寒冷な**更新世**（**氷河時代**）でした。地球上の水は大陸氷河の形で陸上にたまるので、海水が減って海水面が下がります。日本は大陸と陸続きになり、大陸からは寒冷な気候に適応した**大型動物**が往来しました（南方系の**ナウマンゾウ・オオツノジカ**、北方系の**マンモス**）。

② 旧石器文化

(1) 旧石器時代の人々は、狩猟を中心とする生活を送っていた

このような自然環境のなかで、人々はどのように食料を得たのでしょうか。大型動物を捕獲する**狩猟**が中心となり（植物採集もおこなう）、大型動物を追うために、移動性の高い生活を営みました（洞穴などに居住）。狩猟の際には、

先端に**尖頭器**を付けた**槍**を使用しましたが、この尖頭器は、石を打ち欠いて作製した**打製石器**であり、打製石器が主に使用されていた時期を、考古学では**旧石器時代**と呼ぶのです。打製石器には、打製石斧・ナイフ形石器・尖頭器があり、旧石器時代の末期には、木などに小さい石器を埋め込んで用いる**細石器**も登場しました。

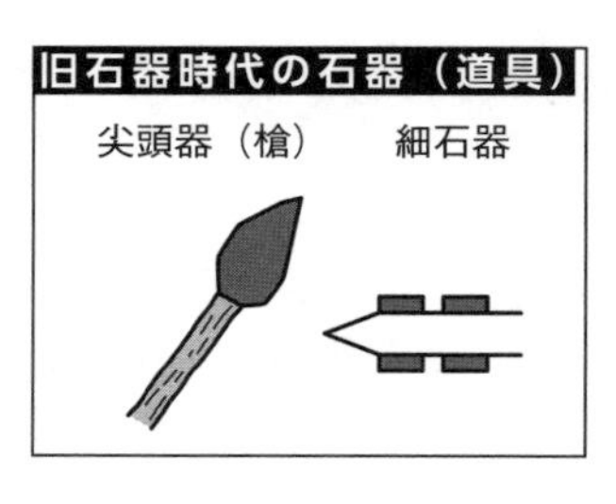

⑵　旧石器時代の遺跡は、打製石器が発見された群馬県の岩宿遺跡に注目

遺跡については、**都道府県名、地図上の位置、時代と内容（発掘された遺物）**の３点セットを把握しましょう。旧石器時代の遺跡として重要なのは、**群馬県**の**岩宿遺跡**です。戦後、**相沢忠洋**が関東ローム層から打製石器を発見し、日本にも旧石器時代が存在したことを証明しました。そのほか、ナウマンゾウなどの骨と打製石器が発見された長野県の野尻湖遺跡などがあります。上の地図には、旧石器文化の遺跡と縄文文化の遺跡（15ページに説明があります）の位置が示されています。どの都道府県なのかも意識しながら見ていきましょう。

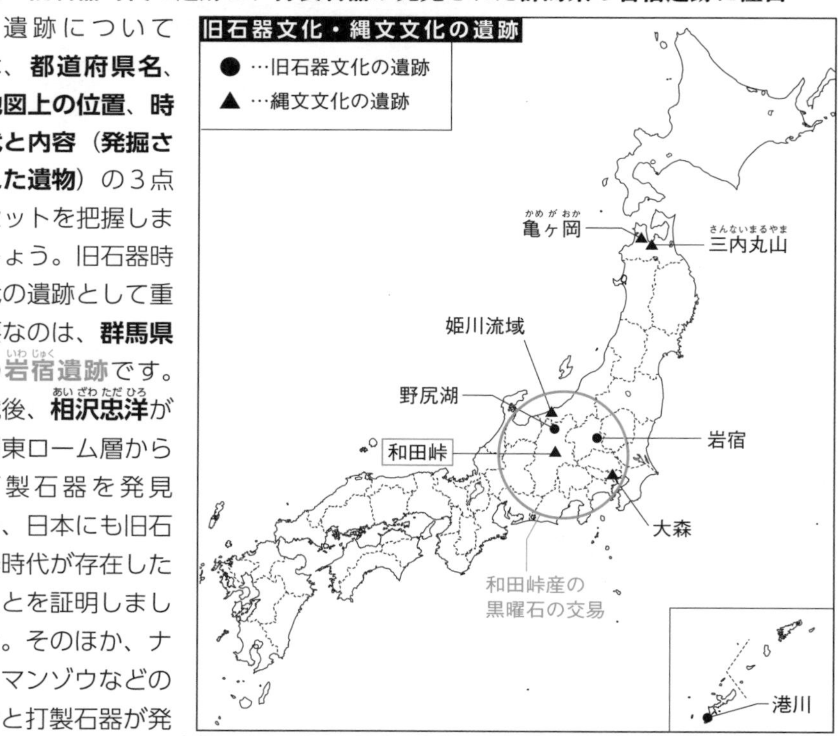

2　縄文文化（約１万6000年前から紀元前５～前４世紀ごろまで）

縄文文化は、約１万6000年前から始まって１万数千年あまり続き、北海道から沖縄にかけて広がった文化です。旧石器文化との違いを理解しましょう。

① 縄文時代の自然

旧石器時代は生活が自然環境に左右された時代だったんだね。

次の**縄文時代**も同じだよ。地質学では更新世から**完新世**に入り、氷期が終わって温暖な気候になった。どんな変化が起こるかな？

寒い時期と逆だから、大陸氷河が溶けて海水が増え、海水面が上がって大陸から切り離される。日本が島国になった！　**日本列島**だ！

ところで、海水面が上がると、海岸線はどうなるかな。

海進のイメージ（陸と海の断面図）

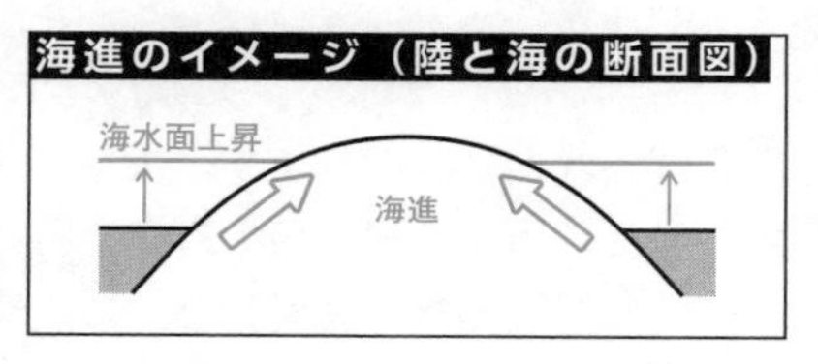

海が陸地にどんどん入り込んで、迫ってくる感じだね。

これが**海進**で、当時起きたものを「縄文海進」というんだ。すると、沿岸に入り江が形成されて、魚や貝が生息した。

氷河期だと、海水が冷たくて魚や貝を採るのが難しいけど、暖かくなったら採って食べられるね。温暖化で、生活が変わっていきそうだ。

温暖化によって、大型動物にかわって、ニホンジカやイノシシなどの**中小動物**が増えた。植物もスギやマツなどの針葉樹林にかわって、ブナやナラなどの**広葉樹林**が広がり、その実であるドングリが豊富になったんだ。クルミやクリも、たくさん実ったよ。

ドングリは微妙だけれど、クルミやクリならおいしそう！　殻が硬いから保存もきくし、バラエティに富んだ食生活になりそうだね。

② 縄文文化

自然環境の変化は、人々の食料獲得の方法を大きく変えるとともに、縄文時代の社会を形作っていきました。

(1)　狩猟に加えて、漁労・採集も盛んにおこなわれた

食料獲得で注目されるのは、**採集**が盛んになったことです。人々は食用・貯蔵が可能な木の実を集め、石皿やすり石といった**石器**を用いて加工したり、新

たに登場した**土器**で煮炊きや貯蔵をおこないました。

縄文時代は、打製石器に加えて、表面を磨いて仕上げた**磨製石器**も用いられ、考古学では**新石器時代**とも呼ばれます。また、縄目の文様が表面に付いていることから命名された、厚手で黒褐色の**縄文土器**は、時期によって形が変化しました。特に、中期に登場した、装飾的な火炎土器に注目しましょう。

縄文文化で用いられた道具

●**石器**：打製石器に**磨製石器**も加わる
石鏃（矢じり）　磨製石斧（斧）　石皿・すり石（木の実をすりつぶす）
石錘（網のおもり）　石匙（動物の皮をはぐ）

●**縄文土器**：貯蔵・調理（煮炊き）の道具
土器の変化で時期を区分（草創期・早期・前期・中期・後期・晩期）

草創期

早期

前期

中期

後期

晩期

●**骨角器**：漁労に用いる（釣針や銛など）

食料獲得では、**漁労**も重要なものとなりました。動物の骨や角で作られた**骨角器**（釣針や銛など）の使用が盛んとなり、網も用いられました。沿岸部では大量の貝を採って加工し、貝殻が捨てられた場所に**貝塚**が形成されました（墓地に利用されることもありました）。現在、海に面していない場所でも貝塚が発見されることがあり、当時は内陸部まで海進があったことを物語ります。

旧石器時代に引き続き、**狩猟**もおこなわれました。動きが速くて捕らえにくい中小動物が増えたことで、狙いを定められる**弓矢**の使用が盛んとなり、矢じりには新たな石器として**石鏃**が用いられました。狩猟にはイヌも使いました。

(2) 食料獲得が多彩になった縄文時代には、定住化が進んだ

当時の世界では、**農耕・牧畜**といった**食料生産**が始まり（約9000年前の西アジアで麦の栽培とヤギ・羊・牛の飼育が開始）、アジア・ヨーロッパ・アフリカへ広がっていきました。そして、栽培や飼育の土地を確保するため、人々は住居を造って定住するようになりました。また、磨製石器も使い始めました。

一方、日本の縄文文化では、一部に植物栽培が見られるものの、農耕・牧畜は発達せず、本格的な食料生産はおこなわれませんでした。ところが、各地の自然環境に適応した狩猟・漁労・採集がおこなわれ、食料獲得が豊かで多彩なものとなったことで、**定住化が進んだ**のです。木の実が豊富な森林や、魚や貝が採れる沿岸が近くにあれば、そこから離れたくないですよね。

そして、定住化により、縄文時代には**竪穴住居**が盛んに造られました。

(3) 黒曜石やヒスイなどをめぐる、広い範囲での交易がおこなわれた

縄文時代は、人々の移動距離が意外と大きいという側面もありました。**長野県**の**和田峠**(わだとうげ)は、石器の材料となる**黒曜石**(こくようせき)の産地ですが、その黒曜石を加工した石器が、各地で発見されています。原料の産地は特定の場所なのに、加工品が広範囲で出土するということは、誰かが運ぶことに関わっていたはずです。つまり、遠隔地どうしで交易がおこなわれていたことを示しています。

新潟県の姫川(ひめかわ)流域で産出する**ヒスイ**（宝石の材料）も、広範囲で出土します。

(4) 呪術的な風習が見られ、身分差や貧富差のない社会だった

縄文時代の社会のあり方について、考古学の遺物をもとに推定していきましょう。この時代には、自然の事物に精霊(せいれい)が宿るという信仰（**アニミズム**）があったと考えられ、呪術(じゅじゅつ)（まじない）でその災いを避ける風習が生まれました。そのため、女性をかたどった土製の人形の**土偶**(どぐう)や、男性の生殖器を表現したらしい石棒(せきぼう)が作られました。また、成年の通過儀礼として特定の歯を抜く**抜歯**(ばっし)や、手足を折り曲げて葬る**屈葬**(くっそう)といった風習も存在しました（死者の霊が生者に災いを及ぼさないようにするため、といわれているが諸説あり）。

社会のあり方は、墓制(ぼせい)からも推定できます。当時の人々は共同墓地に葬られ、墓の規模に大きな差はなく、大量の**副葬品**(ふくそうひん)が集中する墓もありませんでした。ここから、集団の統率者はいても、人々の間に**身分差・貧富差はなかった**と考えられます。

(5) 縄文時代の遺跡は、アメリカ人モースが発見した東京都の大森貝塚に注目

縄文時代の遺跡も、都道府県名、地図上の位置、時代と内容を把握します。**東京都**の**大森貝塚**(おおもりかいづか)は、明治時代の初めにアメリカ人の**モース**が発見しました（彼が土器に名付けた“cord marked pottery”が「縄文」という言葉の起源）。**青森県**の**三内丸山遺跡**(さんないまるやま)は、縄文前・中期の長期間にわたる遺跡で、掘立柱(ほったてばしら)建物の跡（巨大な柱の穴）やクリの栽培の跡が発見されました。また、縄文晩期の亀ヶ岡式(かめがおかしき)土器が出土する、青森県の亀ヶ岡遺跡もあります。

3 弥生文化（紀元前5〜前4世紀ごろから紀元後3世紀中ごろまで）

弥生文化(やよい)は、紀元前5〜前4世紀ごろから紀元後3世紀の中ごろまで、約650〜750年間続いた文化です。九州北部から各地に広がっていく一方、北海道と沖縄には伝わらなかったのが、縄文文化とは異なる点です。

① 弥生時代の変化

さまざまな技術を持った人々が日本列島へ渡来したことで、**弥生時代**が始まりました。当時の中国は、戦国時代ののちに秦・漢が強力な統一国家を建てた（紀元前３世紀）、「戦乱から統一へ」の時代でした。このような状況は、すでに中国南部の**長江**下流域から始まり、中国大陸から朝鮮半島へと広がっていた**水稲耕作**の技術を、日本列島へ伝える原動力となったのです。こうして、稲作は紀元前８世紀ごろの弥生早期（縄文晩期）に**九州北部**へ伝来し（福岡県の**板付遺跡**）、弥生前期には東日本へも広がりました（青森県の砂沢遺跡）。

しかし、北海道と沖縄には稲作が伝わらず、狩猟・漁労・採集が中心の生活が続きました（北海道では**続縄文文化**、沖縄では**貝塚文化**が展開）。

② 弥生文化

水稲耕作に加え、**金属器**（**青銅器・鉄器**）も伝来すると、日本列島の社会が大きく変化しました。

(1) 大陸から伝来した水稲耕作が発展し、金属器の使用が広がった

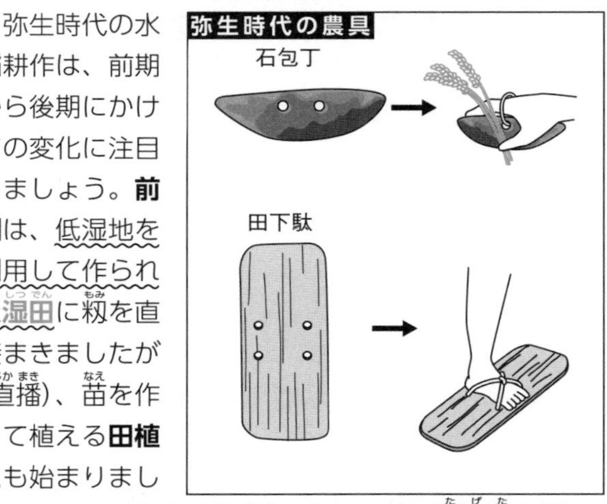

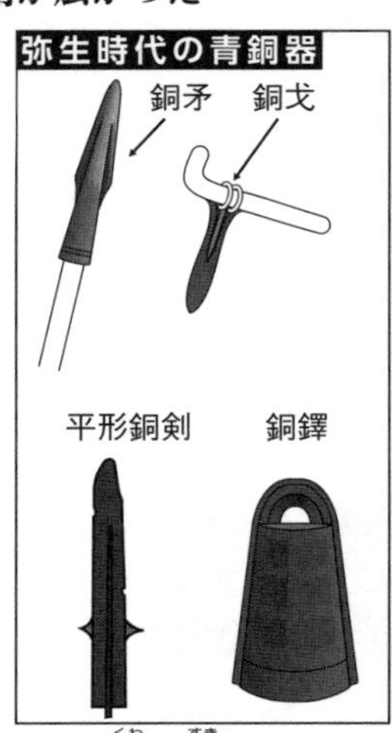

弥生時代の水稲耕作は、前期から後期にかけての変化に注目しましょう。**前期**は、低湿地を利用して作られた**湿田**に籾を直接まきましたが（直播）、苗を作って植える**田植え**も始まりました。そして、湿田に足が沈まないように**田下駄**を履き、木製の鍬・鋤で耕作し、収穫した稲穂を木臼・竪杵を使って脱穀するなど、**木製農具**が使用されました。また、収穫の際には、朝鮮半島系の磨製石器である**石包丁**で稲穂の先端を刈り取り（穂首刈り）、収穫物は**高床倉庫**に貯蔵しました。**後期**になると、用水路などの灌漑施設をととのえた**乾田**も出現し、木製農具に加えて**鉄製農具**（鉄鎌や鉄製刃先の鍬・鋤）も登場しました。乾田は排水と用水をくり返すの

で、栄養分が補充されて生産性が向上し、鉄製農具は生産効率を高めました。

青銅器と鉄器は、用途の違いに注目しましょう。**青銅器**は、はじめは武器として流入しましたが、重くて鈍い点が鉄器に劣るので、**祭器**に作りかえられて大型化していきました。分布地域に偏りがあり、**平形銅剣**は瀬戸内海沿岸に分布し、**銅矛**・**銅戈**は九州北部に分布し、**銅鐸**は**近畿**に分布しました。これらの青銅器祭器は、共同体の祭りで用いられる集団の共有物で、祭りのとき以外は土のなかにまとめて埋められ（**島根県**の**荒神谷遺跡**など）、個人の墓の副葬品にはなりません（これに対し中国製の銅鏡は副葬品となる）。

弥生時代の土器

壺　甕　高杯

鉄器は、武器・工具・農具などの実用的な道具として用いられ、軍事力や生産力を生むものとして使用が拡大しました。

また、発見された場所の地名から命名された、赤褐色の**弥生土器**は、用途により器の形が異なりました（壺は貯蔵、甕は煮炊き、高杯［高坏］は盛付け）。

(2) 弥生時代は、身分差や貧富差が生じ、強力な首長が各地に出現した

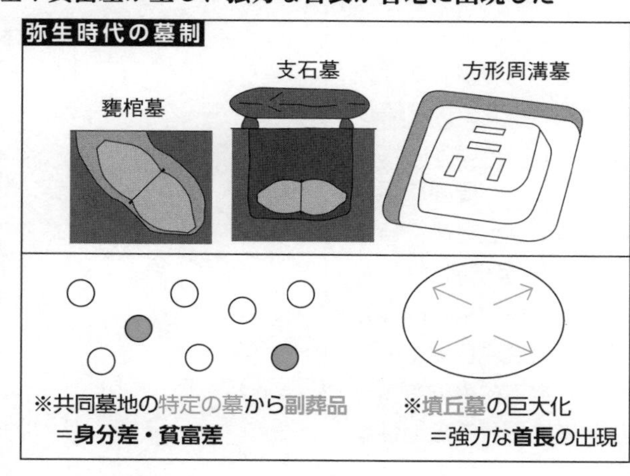

弥生時代の社会を、墓制から推定しましょう。共同墓地が中心である点は縄文時代と同じですが、遺体を伸ばして葬る**伸展葬**となりました。また、墓の形に地域差が生じました。九州北部では、巨大な土器を棺として用いる**甕棺墓**や、大型の石を支石で支える**支石墓**が広がりました（支石墓は朝鮮半島との共通性を持つ）。近畿から東日本にかけて、家族墓である**方形周溝墓**が広がりました。また、弥生時代後期になると、西日本では数十メートルの大きさの巨大な**墳丘墓**が出現しました。

縄文時代の墓制との違いは、共同墓地の特定の墓に大量の**副葬品**が集中したり（中国製の銅鏡など）、墳丘墓が巨大化していったことです。個人の権威を示すために豪華な品物を墓に納めたり、権力の大きさを誇示するために墓が巨大化したと考えられます。このことは、弥生時代になると**身分差・貧富差のあ**

る階級社会が形成され、各地に強力な**首長**（共同体指導者）が登場したことを物語っています。

なぜ、こういった社会が形成されたのでしょうか。水田や用水路を造成する土木工事や、共同での農作業には、集団の指導者が必要です。また、豊かな実りを得るには、豊作を祈り収穫を感謝する儀式をリードする、宗教的指導者も必要です。水稲耕作の開始によって、特定の人々に権力や権威が集中していき、それが身分差・貧富差の出現や首長の登場につながったと考えられます。

(3) 集落どうしでの争いが激しくなり、地域統合が進んでいった

縄文時代の遺跡からは、対人用武器や、傷つけ合った人骨は発見されておらず、争いの少ない時代だったことが推定されます。ところが、弥生時代の遺跡からは、矢じりが刺さった人骨や、頭部のない人骨などが発見されています。弥生時代は、激しい争いの時代だったのです。周囲に溝などの防御施設をめぐらせた**環濠集落**が広がり、弥生時代中期の瀬戸内地方では、山頂や丘陵上に造られて軍事的機能を持ったと考えられる**高地性集落**も登場しました。

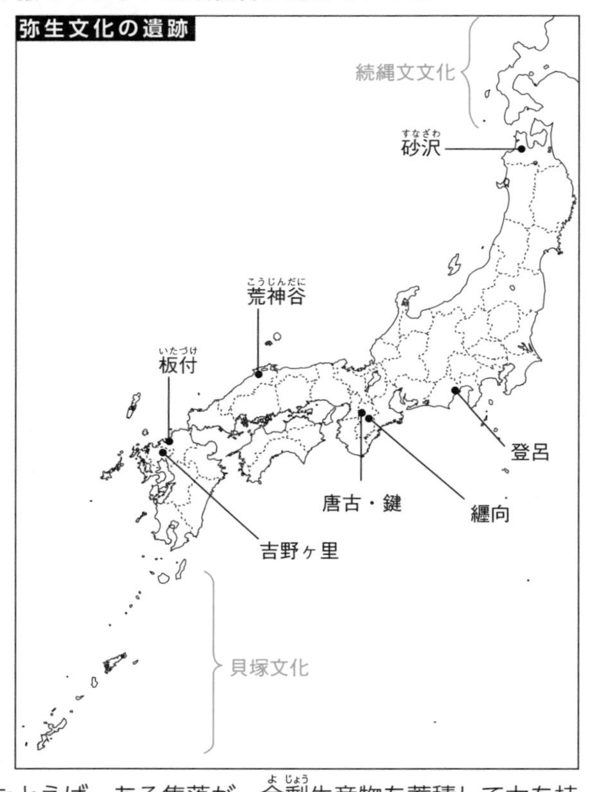

なぜ、このような争いが起きたのでしょうか。たとえば、ある集落が、余剰生産物を蓄積して力を持ち、周囲の集落を吸収していく。逆に、ある集落の余剰生産物が、周囲の集落から狙われる。食料生産が本格化すると、耕地や収穫物（余剰生産物）をめぐり、集落どうしの争いが激しくなったと考えられます。こうして、各地域で「**クニ**」と呼ばれるまとまりができていき、弥生時代中期ごろには**小国分立**という状況が生まれました。

(4) 弥生時代の遺跡は、水田跡の登呂遺跡や、環濠集落の吉野ヶ里遺跡に注目

弥生時代の遺跡は、遺跡の内容（発掘された遺物）をしっかり区別することが大切です。**静岡県**の**登呂遺跡**や、**奈良県**の**唐古・鍵遺跡**では、水田や水路の跡などが発見されています。**佐賀県**の**吉野ヶ里遺跡**では、大規模な環濠集落や望楼（物見やぐら）の跡、墳丘墓などが発見されています。

近年注目されるのが、奈良県の纒向遺跡です。大型建造物の跡や、各地から搬入された土器が発見され、出現期の古墳→第2章が周囲に集中することから、ヤマト政権の最初の王都（3～4世紀）である可能性が指摘されています。

4 小国の分立と連合（紀元前1世紀～紀元後3世紀前半）

ここまでは、過去に人間が作った遺物を発掘して分析する、**考古学**の手法を使ってきましたが、ここからは、過去に人間が書いた文字史料を読んで解釈する、**歴史学**の手法を使います。

弥生時代中期・後期の日本列島の様子は、中国の歴史書に記録されています。当時の中国では、日本列島に住む人々のことを「倭人」と呼び、倭人がつくった国を「倭国」と呼んでいました（倭国のなかに小国がたくさんあるイメージ）。そこで、これらの史料を読んで、当時の**倭**の状況を把握しましょう。

中国は、倭にすごく関心を持っていたから、記録したのかな？

中国にとって日本列島は遠くはるか彼方、海の向こうだから、日本列島の側からアクションがないと記録しなかった、と考えられるよ。

ということは、倭は中国と外交をしていたのかな。

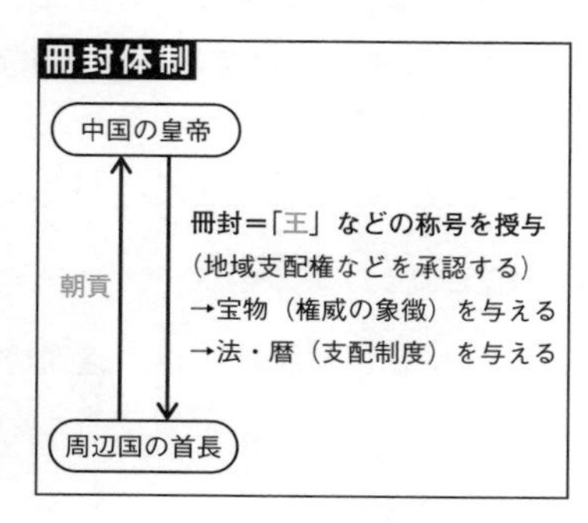

実は、当時の東アジアでは、中国中心の国際秩序が作られていた。周辺国の首長は、皇帝に使者を派遣して貢ぎ物を献上する**朝貢**をおこない、皇帝から**冊封**されて**「王」の称号**を与えられたんだ。「王」は、皇帝の臣下となり、地域支配権が承認されたことを示す称号だ。こうした周辺国との君臣関係を、**冊封体制**と呼ぶよ。

そうすると、そういった国際秩序に関わろうとして、日本列島から中国へ使者を派遣したのかな。

そうだね。当時の日本列島には、「王」として認めてもらう必要があった人たちがいたんじゃないかな。

小国分立の状況だから、小国の**首長**は中国の皇帝に支配権を認めてもらうと、他の小国に向けて「エッヘン！」と威張れるね。

そうやって、支配の正統性を中国の皇帝に承認されることで、国内の統治を有利にしようとしたと考えられるんだ。それに、さまざまな宝物も中国の皇帝から与えられて、権威のシンボルになったよ。

中国と関係を結びながら、政治的なまとまりができていったんだ。

①『漢書』地理志

紀元前１世紀ごろの状況は、**漢**（前漢）の歴史をまとめた**『漢書』地理志**に記されています。まず、「**夫れ楽浪海中に倭人有り、分れて百余国と為る。**」とあります。**楽浪郡**の海の向こうには倭人がいて、倭は百余りの国々に分かれている、という意味です（楽浪郡は紀元前108年に朝鮮半島に置かれた漢の拠点）。

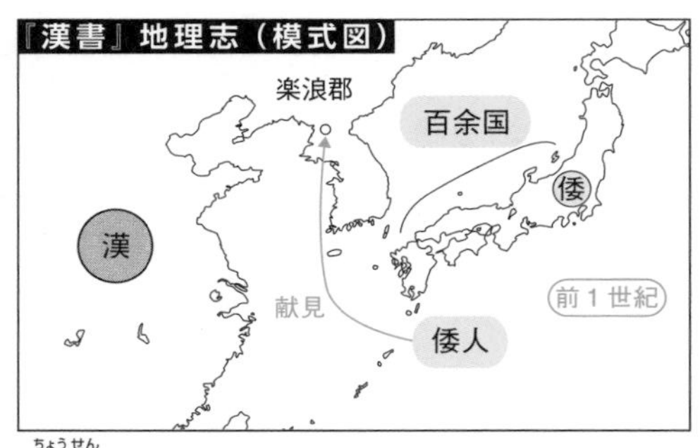

さらに、「**歳時を以て来り献見すと云ふ。**」とあります。楽浪郡は、倭人が定期的に使者を送ってきている、と報告しているのです。紀元前１世紀ごろの倭は、このような中国への外交的アプローチを開始していました。

②『後漢書』東夷伝

１～２世紀ごろの状況は、**後漢**の歴史をまとめた**『後漢書』東夷伝**に記されています。内容が三つに分かれています。

(1)　１世紀中ごろの、奴国の遣使

「**建武中元二年、倭の奴国、貢を奉じて朝賀す。……光武、賜ふに印綬を以てす。**」は、西暦57年、倭の**奴国**が後漢の都洛陽へ遣使し、**光武帝**から**印綬**を授かった、という意味です（印綬は公式の印とそれを身に着ける組ひも）。

福岡県の**志賀島**からは「**漢委奴国王**」と刻印された**金印**が発見されているこ

とから、この場所は奴国の一部であり、金印は後漢の光武帝から授かったものだと考えられます。中国皇帝から「王」の地位を承認され、倭国内での立場を優位にしようとした小国の王がいたのでしょう。

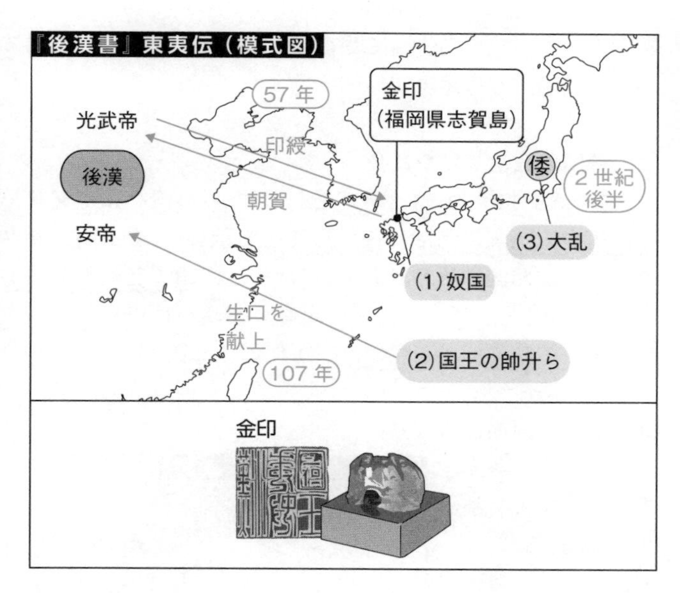

(2)　2世紀初めの、生口の献上

「**安帝の永初元年**、**倭の国王帥升等**、**生口百六十人を献じ、請見を願ふ。**」は、西暦107年、倭の国王である**帥升**らが、**生口**（奴隷）160人を後漢の安帝に献上した、という意味です。倭の小国のなかに、身分が成立していたのです。

(3)　2世紀後半の、「倭国大乱」

「**桓霊の間、倭国大いに乱れ、更相攻伐して歴年主なし。**」は、2世紀後半、**倭は内乱が激しく**、争いが長期化し、まとめる者がいなかった、という意味です。小国が互いに争うなかで、政治統合が進んでいったと考えられます。

③「魏志」倭人伝

3世紀ごろの状況は、**三国時代**（**魏**・呉・蜀）の歴史をまとめた『三国志』の**「魏志」倭人伝**に記されています。

(1)　倭国の概要と邪馬台国の位置

「**倭人は帯方の東南大海の中に在り……。旧百余国、漢の時朝見する者あり。今使訳通ずる所三十国。**」とあります。倭国は**帯方郡**（魏の朝鮮半島での拠点）の海の向こうにあり、もともと百余りの国々に分かれていて漢に遣使してきたこともあるが、現在国交を結んでいるのは三十の小国である、という意味です。ちなみに、この記述のあと、邪馬台国に至る経路が書かれていますが、その解釈の違いから、その位置に関する**近畿説**と**九州説**が存在します。皆さんは、どちらが妥当だと考えますか？

(2) 倭国の政治制度や社会

「**其の法を犯すや…**」「**租賦を収むに…**」「**国々に市有り…**」は、刑罰・租税の制度や、諸国に市が存在したことを示し、「**女王国より以北には、特に一大率を置き、諸国を検察せしむ。**」からは、諸国を監察する地方官の存在がわかります。また、「**下戸、大人と道路に相逢へば…**」から、**大人**・**下戸**という身分の上下差を含んだ制度の存在が判明します。

(3) 邪馬台国連合の成立

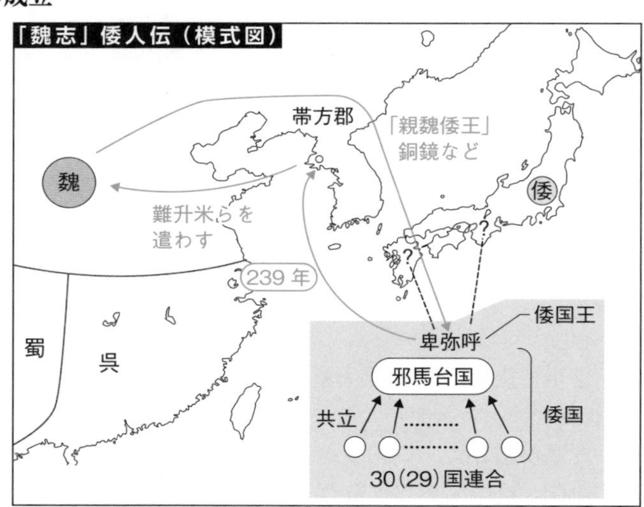

「**其の国、本亦男子を以て王と為す。住まること七、八十年。倭国乱れ、相攻伐して年を歴たり。乃ち共に一女子を立てて王と為す。名を卑弥呼と曰ふ。**」は、「魏志」倭人伝のハイライトです。倭国は従来男性を王に立てて70年から80年を過ごしていたが、国内が乱れて争乱が激しくなったのち、多くの小国が共同で、邪馬台国の女王**卑弥呼**を倭国全体の王として立てた、というのです。倭国は30国（もしくは29国）の小国の連合であり、**邪馬台国**がその盟主となりました。つまり、「倭国、イコール**邪馬台国連合**」であり、卑弥呼は邪馬台国の女王から**倭国王**となったのです。

(4) 卑弥呼による支配のあり方

「**鬼道を事とし、能く衆を惑はす。年已に長大なるも、夫壻無し。男弟有り、佐けて国を治む。**」も、注目すべき内容です。卑弥呼は、**鬼道**（呪術）の力で人々を従えており、夫がおらず、弟が政治を補佐していました。卑弥呼は、宗教的権威を持つシャーマン（巫女）的な王であったと推定されます。

(5) 卑弥呼による魏への遣使

「景初二年六月、倭の女王、大夫難升米等を遣し郡に詣り、天子に詣りて朝献せんことを求む。……その年十二月、詔書して倭の女王に報じて曰く、……今汝を以て親魏倭王と為し、金印紫綬を仮し、…」とあり、魏への遣使も記録されています。西暦239年、卑弥呼が魏へ遣わした大臣の難升米らは、帯方郡において皇帝に謁見することを求め、都まで至りました。のち、魏の皇帝から詔書が下され、卑弥呼は「**親魏倭王**」の称号を与えられました。このとき、金印や銅鏡100枚なども授かりますが、この金印は発見されていません。

(6) 卑弥呼の死と、その後の倭国

「卑弥呼以て死す。…更に男王を立てしも、国中服せず、更々相誅殺し、当時千余人を殺す。復た卑弥呼の宗女壹与（壱与）の年十三なるを立てて王と為す。国中遂に定まる。」から、その後の倭国の状況がわかります。ライバルである**狗奴国**との争いのなか、卑弥呼は死去しました。ところが、卑弥呼の死後に男性の王が立てられると、諸国は従わずに抗争が発生したので、今度は卑弥呼の**宗女**（一族の女性）である**壱与**（もしくは台与）が倭国王として立てられて、争いは終結しました。これまでの倭国王のあり方は、【男王の時代が70～80年→争乱→諸国が卑弥呼を倭国王に「共立」→卑弥呼の死後に男王を立てる→争乱→卑弥呼一族の女性を立てる】というプロセスになっています。王家が王位を代々受け継いでいくといった世襲王権は、弥生時代には確立していなかったことがわかります。

「倭」に関する記事(1)

- **『漢書』地理志**
  前1世紀　倭人、漢の**楽浪郡**へ遣使
- **『後漢書』東夷伝**
  西暦57年　**奴国**が後漢へ遣使
  　→**光武帝**から印綬を授かる
  西暦107年　国王帥升らが生口献上
  2世紀後半　倭国大乱
- **「魏志」倭人伝**
  西暦239年　**卑弥呼**が魏の**帯方郡**を通じ遣使
  　→「**親魏倭王**」の称号を授かる
- **『晋書』**
  西暦266年　倭王（壱与？）が晋へ遣使

そして、西暦266年、魏ののちに成立した**晋**に倭の女王（壱与のことか？）が遣使したという『晋書』の記事を最後に、それから約150年の間、倭は中国の史書から姿を消します。この間、日本列島では**ヤマト政権**が成立し→第2章、**古墳時代**を迎えていました→第2章。

チェック問題にトライ！

旧石器時代から古墳時代にかけての集落に関連して各時代について述べた次の文Ⅰ～Ⅳと、遺跡名ａ～ｆの組合せとして**誤っているもの**を、下の①～⑥のうちから一つ選べ。

Ⅰ　この時代には、簡単な住居や洞穴に住みながら、尖頭器などの打製石器をおもな道具として、狩猟・採集を中心とする社会が営まれていた。

Ⅱ　この時代には、土器・磨製石器・弓矢など道具の進歩により定住化も進み、台地上の竪穴住居で構成された集落の周辺には、ごみ捨て場もみられた。

Ⅲ　この時代には､防御的性格をもつ環濠集落や高地性集落が存在することから､農耕による富の蓄積に応じて戦いの時代が展開したことが知られる。

Ⅳ　この時代には、権力を集中した首長は集落の人々とは隔絶した規模の居館や高塚式の墳墓を営むようになった。

ａ　加曽利貝塚　　ｂ　荒神谷遺跡　　ｃ　登呂遺跡
ｄ　岩宿遺跡　　ｅ　吉野ヶ里遺跡　　ｆ　大山（仁徳陵）古墳

①　Ⅰ－ｄ　　②　Ⅱ－ａ　　③　Ⅱ－ｃ
④　Ⅲ－ｂ　　⑤　Ⅲ－ｅ　　⑥　Ⅳ－ｆ

（センター試験　1998年度　本試験　日本史Ａ）

解説　共通テストでは、**時代状況を説明した短文の時期を判断する問題**が出題されます。その導入編として、比較的かんたんな問題にチャレンジしてみましょう。

Ⅰ　「洞穴(どうけつ)」「尖頭器(せんとうき)などの打製(だせい)石器」「狩猟(しゅりょう)・採集(さいしゅう)」は旧石器(きゅうせっき)時代を示します。この時代の遺跡はｄ（岩宿(いわじゅく)遺跡）で、①は正しいです。

Ⅱ　「磨製(ませい)石器・弓矢」「定住化」「竪穴住居(たてあなじゅうきょ)」は縄文(じょうもん)時代です。ａ（加曽利貝塚(かそりかいづか)）の「貝塚」は縄文時代なので②は正しいです。しかしｃ（登呂(とろ)遺跡）は弥生(やよい)時代の水田跡が発見された遺跡なので、③は誤りです。

Ⅲ　「環濠(かんごう)集落」「農耕による富の蓄積」は弥生時代です。ｂ（荒神谷(こうじんだに)遺跡）もｅ（吉野ヶ里(よしのがり)遺跡）も弥生時代の遺跡なので、④と⑤は正しいです。

Ⅳ　「権力を集中した首長(しゅちょう)」「集落の人々とは隔絶～高塚式の墳墓」は古墳(こふん)時代です。この時代の遺跡はｆ（大山(だいせん)（仁徳陵(にんとくりょう)）古墳）で、⑥は正しいです。

⇒したがって、③（Ⅱ－ｃ）が正解です。

弥生時代に普及した次の農具X・Yと、それについて説明した下のa～dとの組合せとして正しいものを、下の①～④のうちから一つ選べ。（ただし、イラストの縮尺は一定ではない。）

X

Y
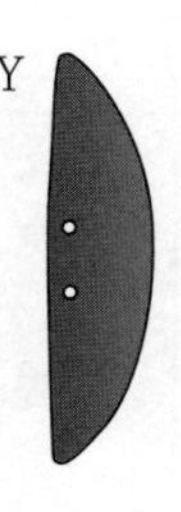

（注） Xは長さ148.9センチ。
Yは長さ20.3センチ。

a　開墾に用いる農具　　b　脱穀に用いる農具
c　田植えに用いる農具　　d　収穫に用いる農具

①　X－a　Y－c　　②　X－a　Y－d
③　X－b　Y－c　　④　X－b　Y－d

（センター試験　2015年度　本試験・改題）

解説　農具の写真を覚えていれば解けますが、**写真・絵図から読み取れる情報と短文とを組み合わせて判断する**解き方をやってみましょう。

X　（注）の「長さ148.9センチ」は、かなり長い棒状の道具であることを示します。これが、aの「開墾（かいこん）（土地を切り開いて水田を造成する）」か、bの「脱穀（だっこく）（稲穂から籾（もみ）を外して籾殻（もみがら）も除く）」か、どちらに使われそうかを考えれば、bのほうが妥当（だとう）でしょう。これは竪杵（たてぎね）です。

Y　石包丁（いしぼうちょう）は基本的知識であり、写真も覚えて欲しいのですが、イラストから右端が刃であることを読み取り、（注）の数値の小ささにも注目して、c「田植え」の道具かd「収穫」の道具かを考えて解いてみましょう。

⇒したがって、④（X－b　Y－d）が正解です。

第2章 ヤマト政権の成立と展開
（古墳時代）

世紀	政治・外交	社会・経済	中国	朝鮮半島
3世紀	(1) **1ヤマト政権と東アジア** **①ヤマト政権の成立** 近畿中央部の首長連合	(2) **2古墳文化** **①前期**(3世紀中ごろ～4世紀) 前方後円墳の出現	(三国) 晋(西晋)	高句麗・百済・加耶・新羅
4世紀	**②ヤマト政権の朝鮮半島進出** 加耶諸国を拠点 百済と協力 **③高句麗好太王碑文** 高句麗と交戦	竪穴式石室 銅鏡・玉類などを副葬	(五胡十六国)／東晋	高句麗・百済・加耶・新羅
5世紀	**④『宋書』倭国伝** 倭の五王、中国南朝に遣使 倭王武の上表文 **⑤ヤマト政権の国内支配** ワカタケル大王の支配拡大 稲荷山古墳出土の鉄剣銘	**②中期**（5世紀） 前方後円墳の巨大化 竪穴式石室 馬具などを副葬	(五胡十六国)／東晋 (北朝)／(南朝)	高句麗・百済・加耶・新羅
6世紀	**3ヤマト政権と国内社会** **①氏姓制度** 姓を豪族へ与える 私有地・私有民 **②大陸文化の伝来** 渡来人が技術を伝える 漢字・仏教 **③古墳時代の生活と社会** 土師器・須恵器　盟神探湯	**③後期**（6世紀） 群集墳の増加、古墳の縮小 横穴式石室 日常生活用品などを副葬	(北朝)／(南朝)	高句麗・百済・加耶・新羅
7世紀	(3)	**④終末期**（7世紀） 大王に特有の八角墳	隋	高句麗・百済・新羅

第2章のテーマ

原始から古代へと移り変わる時期（3世紀後半～7世紀）の、日本列島に権力のまとまりができていった状況を見ていきます。

(1) 近畿中央部の政治連合である**ヤマト政権**が成立し、朝鮮半島への進出や中国王朝への遣使もおこないました。

(2) ヤマト政権の時代は、同時に**古墳文化**が展開した時代でもあります。古墳の変化と社会状況の変化はどのように関連しているのでしょうか。

(3) ヤマト政権の**氏姓制度**のしくみを理解しましょう。また、渡来人が伝えた大陸文化や、日本列島で形成された風習にもふれます。

1 ヤマト政権と東アジア（3世紀後半～5世紀）

弥生時代の次の、3世紀後半から6世紀までの時代は、考古学では**古墳時代**にあたります（古墳自体は7世紀まで造られた）。同じころ、日本列島のなかに政治的なまとまりができて**ヤマト政権**が成立し、しだいに東アジア諸国との関係を深めていきました。

① ヤマト政権の成立

ヤマト政権ができて、天皇を中心にまとまった日本が誕生したね。

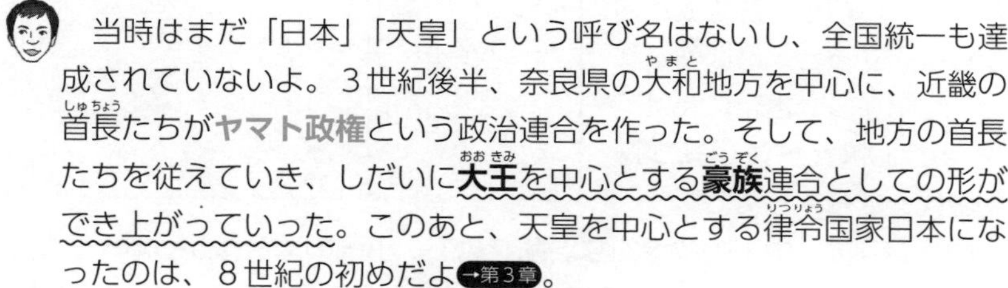

当時はまだ「日本」「天皇」という呼び名はないし、全国統一も達成されていないよ。3世紀後半、奈良県の大和地方を中心に、近畿の首長たちが**ヤマト政権**という政治連合を作った。そして、地方の首長たちを従えていき、しだいに**大王**を中心とする**豪族**連合としての形ができ上がっていった。このあと、天皇を中心とする律令国家日本になったのは、8世紀の初めだよ→第3章。

400年以上もあとのことなんだ。大王が、のちに**天皇**となるんだね。それにしても、ヤマト政権の始まりは、どうやってわかるのかな。

実は、中国の史書には、ヤマト政権成立から4世紀にかけての日本列島について、はっきりとは書かれていないんだ→第1章。

考古学を頼りにする必要がありそうだ。お墓を見れば、当時の社会がわかるんだったよね。巨大な**前方後円墳**が現れると、強い権力者が登場してヤマト政権ができたっていうイメージがある。

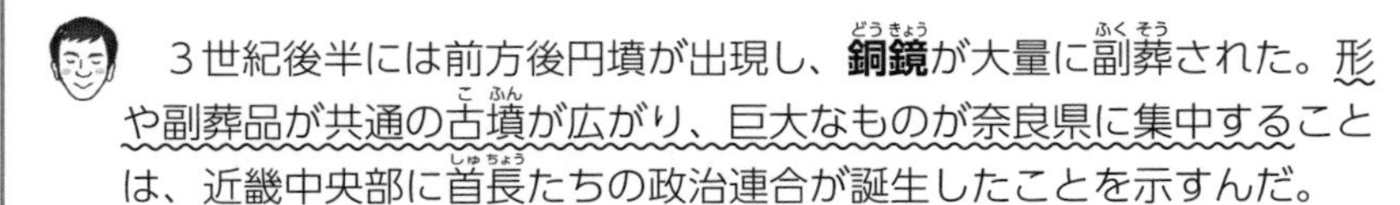

３世紀後半には前方後円墳が出現し、**銅鏡**が大量に副葬された。形や副葬品が共通の古墳が広がり、巨大なものが奈良県に集中することは、近畿中央部に首長たちの政治連合が誕生したことを示すんだ。

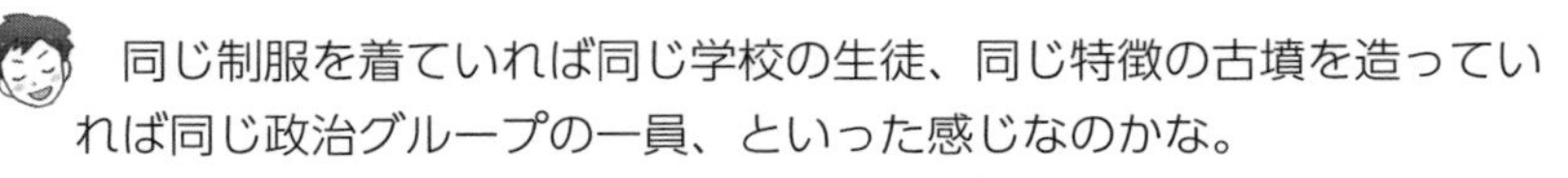

同じ制服を着ていれば同じ学校の生徒、同じ特徴の古墳を造っていれば同じ政治グループの一員、といった感じなのかな。

② ヤマト政権の朝鮮半島進出

弥生時代の小国の王や倭国王は、中国との外交関係を築いて先進的な文物を得ようとしましたが、ヤマト政権は４世紀ごろから朝鮮半島に進出し、先進的な文物をみずから入手しようとしました。

⑴ 中国は南北朝時代で、朝鮮半島では高句麗・百済・新羅・加耶が出現した

当時の東アジア情勢を見ましょう。中国は「統一から分裂の時代へ」という状況でした。３世紀後期には三国時代が終わって晋が統一を達成しましたが、４世紀初めに遊牧民が内陸から侵入すると、晋は南に移り、５世紀から６世紀にかけては南朝と北朝とが並び立つ**南北朝時代**となりました。

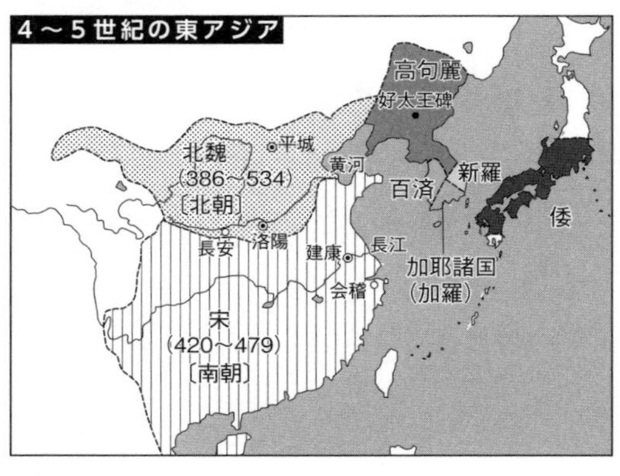

朝鮮半島では、中国の政治的な混乱を見て、小国の連合体から統一王朝が成立していきました。北部では、すでに成立していた**高句麗**の勢力が強大となり、４世紀初めには楽浪郡を滅ぼしました。南部では、西で馬韓諸国から**百済**が成立し、東で辰韓諸国から**新羅**が成立しました。一方、最南部は小国分立のまま、弁韓諸国が**加耶**（**加羅**）**諸国**となりました。

⑵ ヤマト政権は朝鮮半島へ進出し、鉄資源と先進技術を入手しようとした

ヤマト政権は、４世紀ごろには**加耶諸国**を拠点とし、**百済**と協力して、朝鮮半島南部への進出を強めていきました。奈良県石上神宮の七支刀に刻まれた文

字から、この時期の百済が倭国へこの七支刀を贈ったことが推定されます。

ヤマト政権（倭国）が朝鮮半島への進出をはかった理由は、何か。当時、朝鮮半島では先進的な鉄の生産がおこなわれていたため、ヤマト政権（倭国）は**鉄資源**の確保と生産技術の導入をはかったのです。鉄は、農具・工具や武器として用いられ、これらによる生産力の向上や軍事力の増強は、ヤマト政権の国内支配強化につながります。

③ 高句麗好太王碑文

ところが、４世紀末から５世紀初め、倭国の前に**高句麗**が立ちはだかりました。倭国の兵が海を渡り、高句麗の**好太王**（広開土王）が率いる軍と戦ったことが、高句麗の**好太王碑**の碑文に記されています（石や金属製品の表面に刻んだ金石文）。それによれば、４世紀末の「**辛卯の年**（391）」から倭国が渡海して、百済と新羅を「**臣民**」としたが（実際に倭国が百済・新羅を支配したかどうかは不明）、５世紀初めに倭国は高句麗に敗北した、とあります。軍事行動による朝鮮半島進出は、とても難しかったと考えられます。ちなみに、高句麗の騎馬軍団と戦うことで、大陸の乗馬の風習や騎馬技術が日本列島に伝わりました。

④『宋書』倭国伝

倭国は、再び中国と関係を結ぶことになりました。５世紀における中国との外交については、**宋**の歴史をまとめた**『宋書』倭国伝**に、**倭の五王**（讃・珍・済・興・**武**）が相次いで**中国南朝**へ朝貢したことが記されています。倭王の武が宋へ提出した、**倭王武の上表文**（478）を見ましょう。

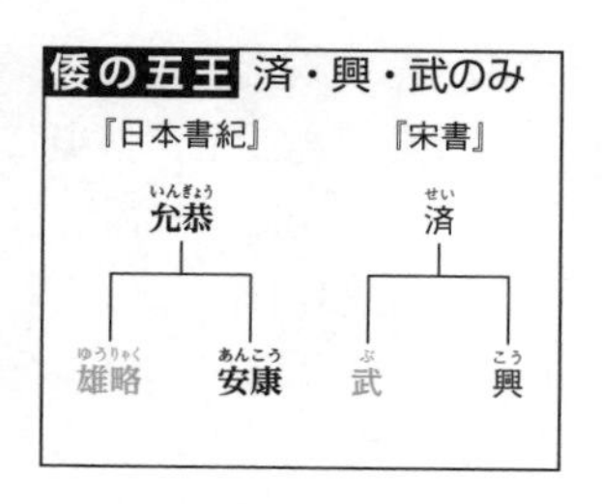

(1) 倭の五王は中国南朝に朝貢し、武は「安東大将軍・倭国王」の称号を求めた

『宋書』倭国伝には、「興死して弟武立つ。自ら使持節都督倭・百済・新羅・任那・加羅・秦韓・慕韓七国諸軍事安東大将軍倭国王と称す。」とあり、倭王興の後継者である弟の**武**は、朝鮮半島南部に対する軍事指揮権と「**安東大将軍**・倭国王」の称号を宋の皇帝に求めました。

(2) 倭王武の上表文には、国内を服属させ支配を拡大した経緯が書かれている

「順帝の昇明二年、使を遣して上表して曰く、『封国は偏遠にして、藩を外に作す。昔より祖禰躬ら甲冑を擐き、山川を跋渉して寧処に遑あらず。東は毛人

を征すること五十五国、西は衆夷を服すること六十六国、渡りて海北を平ぐること九十五国…』と。」とあり、武は西暦478年に提出した上表文のなかで、毛人（蝦夷を含む東国の人々？）・衆夷(西国の人々？)・海北（朝鮮半島？）を征服していった経緯を説明しました。

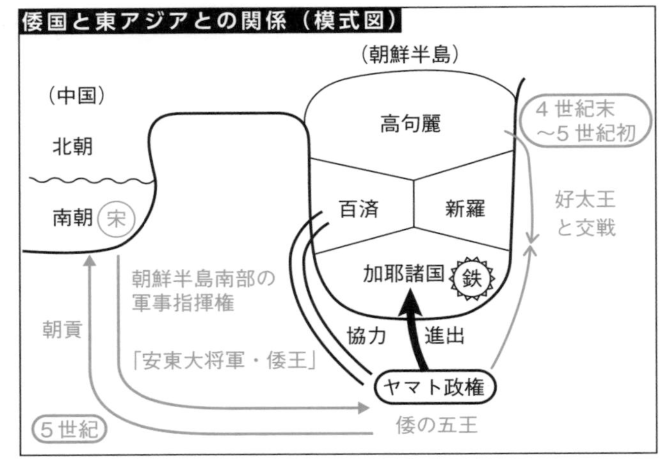

結局、宋の皇帝は、朝鮮半島南部の軍事指揮権と「安東大将軍・倭王」の称号（官職）を武に与えました。倭王は、中国の皇帝から保証されることで、朝鮮半島への進出を有利に進めようとしたのです。

⑤ ヤマト政権の国内支配

一方、ヤマト政権の国内支配は、どのような状況だったか。**埼玉県**の**稲荷山古墳**から出土した**鉄剣**には、銘文が記されています（金石文）。それによれば、先祖以来大王に奉仕してきた「ヲワケの臣」が、**ワカタケル大王**の時代、「**天下**」を治めるのを助けた、と記されています（「**辛亥の年**（471年)」に鉄剣を作製）。そして、**熊本県**の**江田船山古墳**から出土した鉄刀（大刀）の銘文にも、「**治天下**」ワカタケル大王の名が見えます。5世紀後半、ワカタケル大王は関東から九州中部にかけての豪族を服属させ、支配領域を拡大したのでしょう。

「倭」に関する記事(2)

●高句麗の好太王碑
西暦391年　倭が百済・新羅を従える
5世紀初め　倭は**高句麗に敗北**
●『宋書』倭国伝
5世紀　**倭の五王**が中国南朝へ遣使
西暦478年　倭王**武**の上表文
→武は安東大将軍・倭王に
(西暦471年 **稲荷山古墳**出土鉄剣銘)
(「**ワカタケル大王**」)

こうした大王の権力の強大化は、**5世紀**が**古墳時代中期**にあたり、近畿地方の前方後円墳が巨大化した（大王の墓と推定される）ことからもうかがえます。

ところで、ワカタケル大王とは誰なのでしょうか。史書の『日本書紀』に登場する「大泊瀬幼武」、つまり〔**雄略天皇**〕であり、さらに『宋書』倭国伝に登場する倭王武でもあることは、ほぼ確実です。

2 古墳文化（3世紀中ごろ～7世紀）

古墳は3世紀中ごろに出現し、7世紀の終わりに消滅しました。ヤマト政権の成立・発展と深く関連する**古墳文化**について、見ていきましょう。

古墳には、円墳・方墳・**前方後円墳**・前方後方墳などさまざまな形状があり、大規模なものは前方後円墳でした（前が方墳、後ろが円墳）。古墳の墳丘の上には**埴輪**が並べられました（筒状の**円筒埴輪**や人間・建物などをかたどった**形象埴輪**［武人埴輪・家形埴輪］）。

古墳の大きさは、被葬者が生前に持っていた権力や富の大きさを示すと考えられます。巨大な古墳を人々に造らせることのできる、強大な権力を持った首長が、日本列島の各地に出現していたのです。

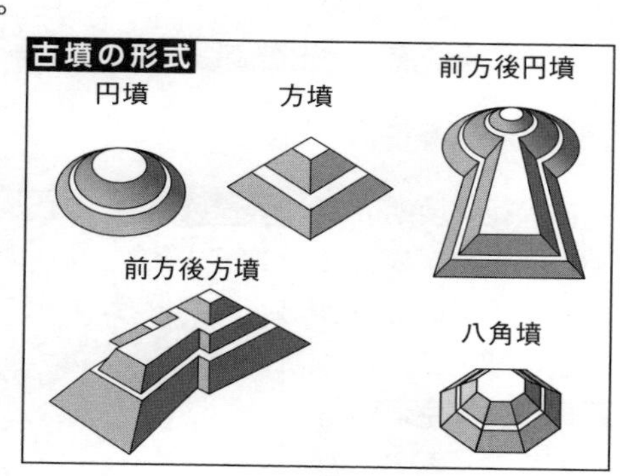

では、古墳文化を年代順に追っていき、時期ごとの特徴をつかんでいきましょう。

① 前期（3世紀中ごろ～4世紀）

古墳時代前期、画一的な**前方後円墳**が西日本を中心に出現し、大規模なものが奈良県の大和地方に集中したことは、近畿中央部の首長たちの政治連合である**ヤマト政権**が成立したことを示しています。前期古墳は山麓や丘陵に造られ、**竪穴式石室**に棺を納めました。竪穴式石室は再び開けることが想定されておらず、古墳が個人の墓であることを示しています。

副葬品から、埋葬者の性格が推定できます。前期古墳の副葬品は、大量の**銅鏡**（**三角縁神獣鏡**など）や玉類などの**呪術的な内容**であることから、被葬者は**司祭者的**な性格を持った各地の首長であることがわかります。弥生時代以来の、宗教的権威を持ち神々への祭りを主導するタイプの支配者だったのでしょう。前期古墳の実例としては、出現期で最大の、**奈良県**の**箸墓古墳**が有名です。

② 中期（5世紀）

古墳時代中期になると、**前方後円墳**は近畿中央部で巨大化し、前方後円墳の分布は全国（東北～南九州）に拡大しました。ヤマト政権の**大王**の権力が強大化し、ヤマト政権の支配が地方へ拡大していったことがうかがえます。また、群馬県・岡山県・宮崎県などにも巨大な前方後円墳が見られることから、これらの地域の豪族もヤマト政権内で重要な位置を占めたと推定できます。中期古墳は見晴らしのよい平野に造られ、前期古墳と同じく**竪穴式石室**に棺が納められました。

高句麗から騎馬術が流入した影響で、副葬品には新たに**馬具**が加わり、また甲冑や鉄製武器が増えるなど**軍事的な内容**であることから、被葬者は**武人的**な性格を強めた各地の豪族であることがわかります。強力な軍事力を用いて地域を支配したのでしょう。中期古墳の実例としては、最大の規模を持つ**大阪府**の**大仙陵**（**大山**）**古墳**（伝仁徳陵）や（全長500メートル近く！）、２番目の規模を持つ**大阪府**の**誉田御廟山古墳**（伝応神陵）があります。

③ 後期（6世紀）

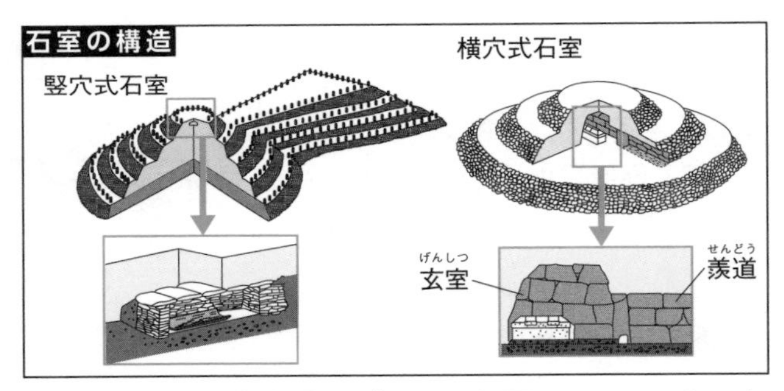

古墳時代後期になると、小規模な古墳が密集した**群集墳**が一気に増加し、副葬品には**日常生活用品**や朝鮮系土器の**須恵器**などが登場しました。当時、鉄製農具の使用などで農業生産力を向上させた**有力農民**が各地で台頭しており、ヤマト政権は、古墳の築造を許可することを通じて、こうした有力農民を支配下に編成していったことが推定できます。一方、近畿地方以外の古墳が縮小していったことから、地方豪族が大王に服属する度合いを強めたこともうかがえます。

後期古墳は平野や丘陵・山間部に造られ、石室は**横穴式石室**に変化しました。棺を置く玄室や、外部との通路である羨道を備え、**追葬**（のちに墓を開けて追加して葬る）が可能となり、古墳は家族の墓としての性質を持ちました。後期古墳の実例として、奈良県の新沢千塚古墳群と和歌山県の岩橋千塚古墳群（どちらも群集墳）があげられます。

④ 終末期（7世紀）

大王を中心とする集権体制が成立していくなかで、ヤマト政権による規制が強まり、７世紀初めには前方後円墳の築造が停止されました。その一方、７世紀には近畿地方に、大王（天皇）に特有の**八角墳**が造られました。これは、大王（天皇）が豪族を超越した存在であることを誇示するものでした。

古墳文化 ※前期から中期・後期にかけての変化を、表をヨコに見て把握しましょう

時期	前期（3世紀中ごろ～4世紀）	中期（5世紀）	後期（6世紀）
立地	山麓や丘陵	平野	平野や丘陵・山間部
墳形	前方後円墳	古墳の**巨大化**・全国化	群集墳、古墳の縮小
内部	竪穴式石室…個人墓	**竪穴式石室**	横穴式石室…追葬が可能
副葬品	銅鏡（三角縁神獣鏡）・玉類 ＝**呪術的内容**	馬具・鉄製武器・甲冑 ＝**軍事的内容**	日常生活用品・須恵器
埋葬者	**司祭者的**な性格の首長	**武人的**な性格の豪族	**有力農民**、豪族
実例	奈良県**箸墓古墳**	大阪府**大仙陵（大山）古墳** 大阪府**誉田御廟山古墳**	奈良県新沢千塚古墳群 和歌山県岩橋千塚古墳群

3 ヤマト政権と国内社会（6世紀中心）

大王を中心とする近畿地方の豪族連合に、各地の豪族が服属していくなかで、ヤマト政権は**氏姓制度**（しせいせいど）と呼ばれる政治制度をととのえていきました。また、ヤマト政権は、渡来人（とらいじん）が伝えた先進的な大陸文化を取り入れましたが、一方で日本列島に古くから根付いた風習も存在しました。歴史用語の難しい読み方に気をつけて、学んでいきましょう。

① 氏姓制度

ところで、ヤマト政権の時代の豪族（ごうぞく）って、どんな人たちなのかな。

ある一定の地域と、そこに住む人々を支配している有力者の一族、と考えればいいと思うよ。弥生（やよい）時代以来、首長（しゅちょう）は各地で成長し、ヤマト政権の大王（おおきみ）のもとで結びつき、あるいは大王に服従していった。そして、豪族として**私有地**（しゆうち）・**私有民**（しゆうみん）を持つようになった。こうしたなかで、ヤマト政権の政治制度もととのっていったと考えられるんだ。

大王と豪族は、どういったやり方で政治をおこなっていたのかな。

豪族は、一族の結びつきである**氏**（うじ）ごとに、一定の役割を担当した。中央の豪族がモノ作りをおこなったり、地方の豪族が地域支配を任されたり。また、大王の政治を、氏ごとの代表者たちが補佐したんだ。

個人ではなく、氏のまとまりで動いていたんだね。それと、氏が担う役割は、その時その時で変わるのかな。

先祖以来の役割を、一族のなかで**世襲**して受け継いでいくんだよ。

「ウチの一族は昔から、この地を支配しながらヤマト政権に仕え、先祖以来ずっと同じ役割を果たしてきた」、といった感じかな。

イメージは合っているよ。そして、これを理解しておくと、ヤマト政権と律令国家との違いがわかる→第3章、第4章。とても重要だね。

(1) 氏は血縁中心の集団で、姓は氏全体に与えられる称号だった

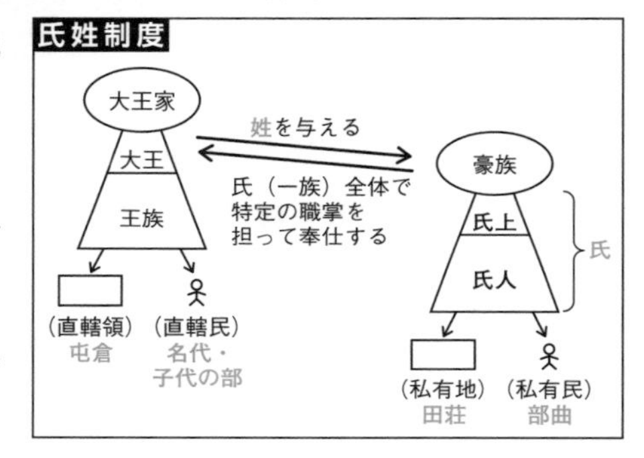

氏は、共通の祖先を持つ血縁中心の集団で、**氏上**と**氏人**で構成されていました。そして、氏の名称は、「平群」「葛城」「蘇我」が支配地の地名で、「大伴」「物部」「中臣」が職掌（役割）の名称です。

姓は、氏の政権内での地位に対して与えられる称号です（個人に与えるものではありません）。**臣**は近畿の有力豪族（平群・葛城・蘇我など地名を氏の名とした）に与えられる姓で、**連**は特定の職掌で朝廷に仕える豪族（大伴・物部・中臣など職掌を氏の名とした）に与えられる姓です。**君**は地方の有力豪族（筑紫・毛野など）に与えられる姓で、**直**は一般の地方豪族に与えられる姓です。姓を見れば、その豪族がヤマト政権のなかでどのような地位にいるのかがわかるのです。

(2) 豪族は、みずからの経済基盤である私有地・私有民を持った

豪族は、みずからの根拠地を支配する一族のまとまりですから、私有地と私有民を経済基盤として持ちました。そして、大王家も私有地と私有民を経済基盤として持ちました（これはヤマト政権の直轄領と直轄民になります）。

ヤマト政権の直轄領は**屯倉**で、直轄民で物資の生産・納入を担当するのが**名代・子代の部**です。また、豪族の私有地は**田荘**で、豪族の私有民は**部曲**です。

(3) 大臣・大連が国政を担当し、伴造が実務を支え、国造が地方支配を担った

支配のしくみでは、臣を姓とする豪族たちのうち最有力者が任命される**大臣**と、連を姓とする豪族たちのうち最有力者が任命される**大連**が、大王のもとで国政を担当しました。

その下では、ヤマト政権に所属する豪族が**伴造**として実務を担当し、職務に奉仕する**伴**や、それを支える技術者集団の**品部**を率いて、軍事・財政・祭祀・外交・文書作成などを分担しました。品部には、韓鍛冶部（鉄器を作る）・陶作部（須恵器を作る）・錦織部（織物を作る）・鞍作部（馬具を作る）・史部（文書行政を担当）などがあります。

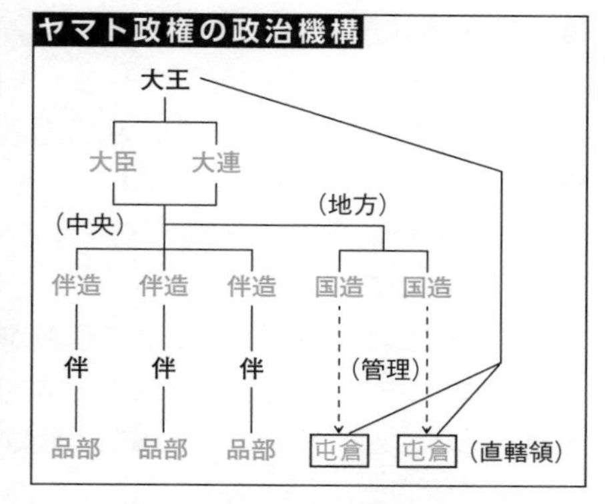

6世紀以降、各地の地方豪族は**国造**に任じられて地域支配権を認められる代わりに、近辺に設定された屯倉を管理したり、一族の子女を舎人・采女として大王のもとに提供するなどして、ヤマト政権に奉仕しました。

② 大陸文化の伝来

弥生時代には、水稲耕作と金属器製作の技術を持つ朝鮮半島の人々が日本列島へ渡来しましたが→第1章、ヤマト政権の時代（古墳時代）にも、朝鮮半島や中国大陸の人々が日本列島に渡来して技術や文化を伝え、あるいは百済や加耶から技術を学んで、倭国のなかにさまざまな変化が生まれました。

(1) ヤマト政権は、渡来人を政権内に組織化し、技術や文化を取り込んだ

中国は政治的に不安定な南北朝時代で、朝鮮半島では高句麗が強大化して百済と争っていました。こうした状況もあって、多くの**渡来人**が海を渡ってきました。ヤマト政権は、渡来人を伴造・伴に編成したり品部に組織したりして、先進的な技術や文化の摂取をはかりました。

渡来系氏族の伝承としては、文筆にすぐれた阿知使主（**東漢**氏の祖先）、同じく文筆にすぐれ、『論語』『千字文』を伝えたとされる王仁（**西文**氏の祖先）、機織りの技術を持った弓月君（**秦**氏の祖先）などがあります。

(2) 渡来人の活躍で、漢字の使用が広がっていった

弥生時代には、中国へ朝貢する過程で、**漢字**の受容が始まりました。**奴国王**が後漢から印綬を受けたり→第1章、**卑弥呼**が魏の皇帝から「親魏倭王」と認められる詔書が送られたりしました→第1章。

そして、ヤマト政権の時代には、史部に組織された渡来人の貢献もあって、漢字の使用が始まりました。ヤマト政権内の記録や外交文書の作成などの際に

は、漢文が用いられたと考えられます。**倭王武の上表文**は、中国皇帝にあてた手紙で、漢文で書かれています。また、漢字の音を使って日本語を表記する試み（あて字）も始まりました。**稲荷山古墳**出土の鉄剣の銘文では、ワカタケル大王を「獲加多支鹵大王」と表記しました。このほか、和歌山県の隅田八幡神社にある人物画像鏡の銘文にも文字が刻まれています。

⑶　6世紀には、百済から仏教や儒教が伝えられた

世界宗教の一つである**仏教**は、日本の宗教思想の重要な要素となりました。6世紀前半には、渡来人が仏像を大陸から持ち込んで拝んでいましたが、のちに**百済**の**聖明王**から〔**欽明天皇**〕に仏像や経典などが贈られ、仏教は倭国へ公式に伝えられました（538年もしくは552年　**仏教公伝**）。

中国の道徳律である**儒教**は、日本の政治思想の根幹を形成し、律令国家や江戸幕府などで重視されました。6世紀の初め、**百済**の**五経博士**（儒教を教える役人）が渡来し、儒教は倭国へ伝えられました。このほか、百済から医博士や暦博士も渡来しました。

この時期には「**帝紀**」（大王の系譜）・「**旧辞**」（神話・伝承）が作られたとされ、のちの『古事記』・『日本書紀』といった史書の原型となりました→第7章。

③ 古墳時代の生活と社会

日本列島のなかで伝統的に形成された、古墳時代の生活や風習を見ましょう。

弥生時代には、集落全体を濠などの防御施設で囲う**環濠集落**が各地で造られました。古墳時代になると、各地を支配する首長は力を強め、民衆の集落と離れた場所に造られる**豪族居館**だけが防御施設で囲われるようになりました。

生活用具では、弥生土器の系統で赤茶色の**土師器**が作られる一方、5世紀になると朝鮮半島の技術を用いた灰色の**須恵器**も作られるようになりました。また、朝鮮半島から伝わった甑（米を蒸すための土器）が用いられ始めました。

農耕儀礼として、春の豊作祈願である**祈年の祭**や、秋の収穫感謝である**新嘗の祭**がおこなわれました。

神祇信仰（神々への祈り）の始まりは、自然物に宿る神や一族の祖先神をまつるというものでした。奈良県の**大神神社**は**三輪山**を神体としてまつり、福岡県の**宗像大社**は**沖ノ島**を神体としてまつりました。このほか、三重県の**伊勢神宮**では天皇家の祖先神とされる天照大神をまつり、島根県の**出雲大社**では大国主神をまつりました。

呪術的風習としては、禊や祓という儀式に加え、鹿の骨を焼いて吉凶を判断する**太占**や、熱湯に手を入れて真偽を判断する**盟神探湯**がおこなわれました。

チェック問題にトライ！

史料　興死して弟武立つ。自ら使持節都督倭・百済・新羅・任那・加羅・秦韓・慕韓七国諸軍事（注1）安東大将軍倭国王と称す。順帝の昇明二年（注2）、使を遣して上表（注3）して曰く、「封国（注4）は偏遠にして、藩を外に作す。昔より祖禰（注5）躬ら甲冑をつらぬき、山川を跋渉して、寧処に遑あらず（注6）。東は毛人（注7）を征すること五十五国、西は衆夷（注8）を服すること六十六国、渡りて海北（注9）を平ぐること九十五国……」と。

（注１）　使持節都督倭・百済・新羅・任那・加羅・秦韓・慕韓七国諸軍事：倭以下の七国に対する中国式の軍事行政官の職名。百済～慕韓は朝鮮半島南部の国名。
（注２）　昇明二年：中国の年号。478年。
（注３）　上表：君主に文書を提出すること。
（注４）　封国：領域、自分の国。
（注５）　祖禰：父祖とする説が有力。
（注６）　寧処に遑あらず：一所に落ち着いている暇もない。
（注７）　毛人：東国の人々か。
（注８）　衆夷：西国の人々か。
（注９）　海北：朝鮮半島のことか。

問　史料について述べた文として正しいものを、次の①～④のうちから一つ選べ。
① 武は父祖以来、朝鮮半島南部を武力制圧し、中国の支配をめざした。
② 武は朝鮮半島南部と同盟関係を結んで、中国を威嚇した。
③ 武は中国式の官職名を称して、中国からの独立を主張した。
④ 武は中国式の官職名を称して、朝鮮半島南部の支配権の承認を要請した。

（センター試験　2013年度　本試験）

解説　教科書に載る基本史料ですが、**（注）を参照して、史料文を解釈しながら解く問題**です。共通テストの史料問題への導入となります。

① 史料4行目「祖禰躬ら甲冑をつらぬき」や5～6行目「渡りて海北を平ぐること九十五国」から、選択肢「武は父祖以来、朝鮮半島南部を武力制圧し」は正しいとわかりますが、「中国の支配をめざした」ことは史料に書かれていません。
② 史料1～2行目「使持節都督～七国諸軍事～と称す」は、（注1）を用いて「朝鮮半島南部」に対する「中国式の軍事行政官の職名」を称したと解釈します。これは、選択肢「朝鮮半島南部と同盟関係」「中国を威嚇」と一致しません。
③ 史料1～2行目「使持節都督～七国諸軍事」と（注1）から、選択肢「武は中国式の官職名を称して」は正しいとわかりますが、このことで「中国からの独立を主張した」とは解釈できません。
④ 史料2～3行目「使を遣して上表」と（注3）「君主に文書を提出」から、選択肢「朝鮮半島南部の支配権の承認を要請」は正しいとわかります。

⇒したがって、④が正解です。

第3章 律令国家の成立
（飛鳥時代）

世紀	天皇	政治・外交	中国	朝鮮半島
6世紀	欽明 崇峻 推古★	**1 ヤマト政権の発展と推古天皇の時代** …(1) **①6世紀の国内外の動向** 朝鮮半島の緊迫化（高句麗の南下、加耶の滅亡） 地方豪族の反乱（筑紫国造磐井の乱） 中央豪族の内紛（蘇我氏 vs. 物部氏） **②飛鳥の朝廷の改革** 〔推古天皇〕・厩戸王・蘇我馬子	（北朝）（南朝） 隋	高句麗　百済　加耶　新羅
7世紀	推古★	冠位十二階・憲法十七条 遣隋使を派遣（小野妹子）	隋	高句麗　百済　新羅
	舒明 皇極★ 孝徳 斉明★ (中大兄) 天智	**2 大化改新と白村江の戦い** …(2) **①7世紀前半の国内外の動向** 唐の対外拡張 蘇我氏の勢力拡大（蘇我蝦夷・入鹿） **②大化改新（7世紀中期）** 乙巳の変（蘇我氏滅亡）→中大兄皇子へ権力集中 改新の詔（中央集権体制への方針）　●難波宮 **③白村江の戦い（663）** 百済復興めざす→白村江の戦いで唐・新羅に敗北 国防の強化（水城・朝鮮式山城） 〔天智天皇〕即位　●近江大津宮 戸籍の作成（庚午年籍）	唐	高句麗　百済　新羅
	天武 持統★	**3 壬申の乱と律令体制の整備** …(3) **①壬申の乱（672）** 皇位継承争い→壬申の乱で大海人皇子が勝利 〔天武天皇〕即位　●飛鳥浄御原宮 律令・国史の編纂を開始 **②律令体制の整備** 〔持統天皇〕の政治　飛鳥浄御原令の施行 戸籍の作成（庚寅年籍）　都城制を導入　●藤原京	唐	新羅
8世紀	文武	大宝律令の制定（701）	唐	新羅

★は女性天皇

第３章のテーマ

古代国家が成立していく過程（6世紀～8世紀初頭）を見ていきます。

(1)　6世紀、倭国と朝鮮半島の情勢が変化していくなかで、**推古天皇**の時代には、大王家と蘇我氏が協力して政治改革がおこなわれました。

(2)　7世紀、東アジア情勢が緊迫するなかで、中大兄皇子を中心とする**大化改新**で集権化がめざされました。そして、**白村江の戦い**で敗北したことが、古代国家の形成に大きな影響を与えました。

(3)　**壬申の乱**に勝利して即位した**天武天皇**は、天皇中心の中央集権体制を整備しました。8世紀初め、律令体制が完成します。

1 ヤマト政権の発展と推古天皇の時代（6世紀～7世紀初め）

6世紀は**古墳時代後期**であり、**氏姓制度**が確立しました→第2章。この時期、東アジア情勢の変化に応じて、ヤマト政権の制度整備が進められました。

① 6世紀の国内外の動向

［**推古天皇**］の時代というと、**廐戸王**だ。最近は「聖徳太子」といわないね。**冠位十二階**、**憲法十七条**、**遣隋使**！　いろいろ知ってるよ。

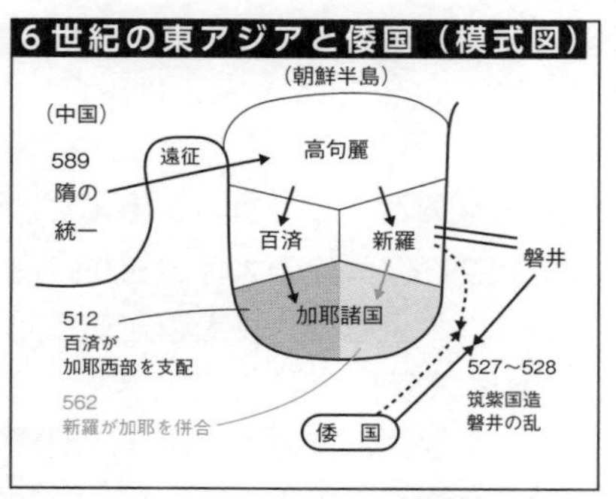

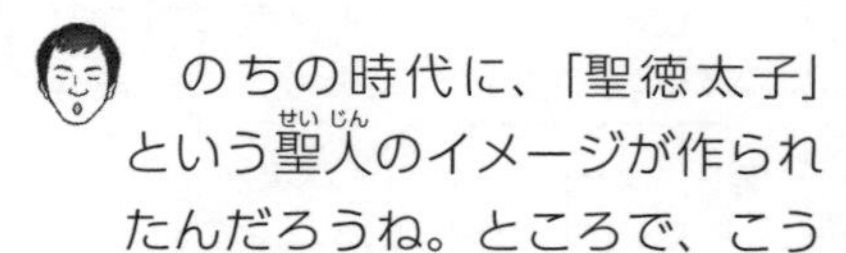

のちの時代に、「聖徳太子」という聖人のイメージが作られたんだろうね。ところで、こうした政策をおこなった国際的な背景を考えよう。6世紀の朝鮮半島では、高句麗が強くなって、新羅・百済がそれに押されて南下した。すると、どうなるかな？

倭と関係が深かった、加耶諸国が大変なことになりそうだね。

6世紀初め、ヤマト政権は、百済の加耶西部に対する支配を認めた。そして、6世紀中ごろにかけて、新羅が加耶への支配を強め、最終的に**加耶は滅亡**したんだ（562）。

倭にとっては、朝鮮半島に対する影響力が弱まることになるね。

中国では南北朝時代が終わり、6世紀末に隋が統一を果たした(589)。再び、大帝国が中国に誕生したんだ。そして、高句麗への遠征を始めた。

なんだか緊張するなぁ。〔推古天皇〕の時代は、ヤマト政権が組織をととのえて、中国や朝鮮半島と向き合う必要があった時代なんだね。

(1) ヤマト政権による地方支配が強化されたが、地方豪族の反乱も発生した

年表

- **512** 倭国、加耶西部を百済へ譲る
- **527** 筑紫国造**磐井の乱**（～528）
- **538** **仏教公伝**（もしくは552）
  ※蘇我氏 vs. 物部氏
- **562** **加耶の滅亡**
- **587** **蘇我馬子**、物部守屋を滅ぼす
- **589** **隋が中国を統一**
- **592** 蘇我馬子、**〔崇峻天皇〕**を暗殺
  →**〔推古天皇〕**即位

ヤマト政権は、地方豪族を国造に任命して地方支配をおこないました→第2章。しかし、6世紀前期、国際的な背景もあって、**筑紫国造磐井の乱**が発生しました。ヤマト政権は、新羅に圧迫されていた加耶を救うために遠征軍を派遣しようとしましたが、このとき新羅と関係を結んだ磐井は、ヤマト政権軍を阻んだのです。ヤマト政権は磐井の乱をしずめ、これと前後して、直轄領（屯倉）や直轄民（名代・子代の部）を各地に設定し、地方への直接的な支配を強化しました。

(2) 中央豪族どうしの争いが絶えず、ヤマト政権の内部が混乱した

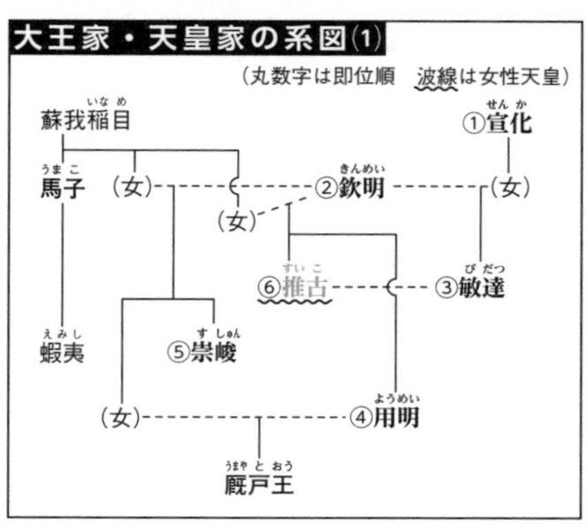

6世紀初め、大連の**大伴金村**が政治を主導し、大王家の人物を越前から迎え、**〔継体天皇〕**として立てました。しかし、加耶西部を百済に譲った問題が失政だとされ、失脚しました。

6世紀前期から中期にかけての**〔欽明天皇〕**の時代、百済から**仏教**が公式に伝えられると→第2章、仏教についての意見が対立しました。当時、中央豪族のなかでは**物部氏**（大連は物部尾輿）が台頭し、軍事豪族として勢力を拡大し、仏教の排除を主張しました。それに対し、**蘇我氏**（大臣は蘇我稲目）も台頭し、渡来人を取り込みつつ財政を担当し、大王家と姻戚関係を結びました。蘇我氏は、渡来人が信仰していた仏

教を、積極的に受容しました。

そして、蘇我氏と物部氏の争いは、6世紀後期に大臣の**蘇我馬子**が大連の**物部守屋**を滅ぼしたことで決着がつき、蘇我氏は大王家をしのぐ勢力を持ちました。そして、蘇我馬子は、おいにあたる〔**崇峻天皇**〕を立てましたが、のち〔**崇峻天皇**〕を暗殺し、めいにあたる〔**推古天皇**〕を立てました(592)(推古は、大王家出身の女性で、かつて大王の后だった人物です)。

② 飛鳥の朝廷の改革

当時のヤマト政権の中心である**飛鳥**の朝廷では、〔**推古天皇**〕のもとで、大臣の**蘇我馬子**(推古のおじ)や**厩戸王**(推古のおい)が協力し、中国の制度を参考に新しい制度を整備し、大王(天皇)への集権化が進められました。

(1) 冠位十二階と憲法十七条で、豪族の官人化が始まった

国内政治では、**冠位十二階**(603)の制度が設けられました。これは、個人の才能や功績に応じて12ランクに分かれた冠位を与えるというもので、氏を単位として世襲的に職掌を担当させる氏姓制度を改めようとしました。さらに、**憲法十七条**(604)が制定されました。「一に曰く、和を以て貴しとなし」という政権内での協調を説き、「二に曰く、篤く三宝を敬へ」と仏教の重視を説き、「三に曰く、詔を承りては必ず謹め」と大王(天皇)の命令への服従を説きました。仏教や儒教など中国の思想を用いた政治方針のもと、大王(天皇)に仕える官人としての心得を豪族たちに示しました。

このようにして、豪族を官人として組織することが始まり、この動きは、のちの律令制度の官僚制(官位相当制など)につながっていきました→第4章。

また、蘇我馬子や厩戸王により、史書『**天皇記**』『**国記**』が編纂されました。

(2) 遣隋使を派遣し、隋に臣従しない姿勢で倭の国際的地位を高めようとした

外交政策では、**遣隋使**の派遣が重要です。5世紀後半における倭王武の遣使から100年以上がたち→第2章、久しぶりの倭から中国への遣使でした。

第1回目の遣使は(600)、中国の史書『隋書』倭国伝には記されていますが、日本の史書『日本書紀』には記されていません。このとき、隋の皇帝が「倭国の政務のあり方は道理に合わない」といっ

年表

592〔推古天皇〕即位
593 厩戸王の国政参加
600 遣隋使①
603 冠位十二階
604 憲法十七条
607 遣隋使②…**小野妹子**を派遣
「日出処天子」で始まる国書を提出
→隋は裴世清を派遣
608 遣隋使③…高向玄理らが同行

たので、『日本書紀』はそのことを隠そうとしたのかもしれません。

そして、冠位十二階（603）と憲法十七条（604）で政治制度をととのえたうえで第2回目の遣使がおこなわれ（607）、**小野妹子**が派遣されました（『隋書』倭国伝・『日本書紀』に記載）。**『隋書』倭国伝**によれば、そのとき隋に提出された国書には「**日出づる処（＝倭国）の天子、書を日没する処（＝隋）の天子に致す**」と書かれていました。倭の大王も隋の皇帝も「天子」とすることで、対等な姿勢を示そうとしたのです。

しかし、隋の皇帝の**煬帝**は、この国書を無礼としました。「『天子』を名乗れるのは中国皇帝である自分だけだ！」ということでしょう（隋は倭の外交姿勢を認めない）。しかし、当時の隋は高句麗との対立が続いており、倭との敵対は避けたかったのです。翌年、隋は答礼使の**裴世清**を倭に派遣しました。

第3回目の遣使では、裴世清が帰国するときに小野妹子が同行しました（608）。『日本書紀』によれば、このとき隋に提出された国書には「**東の天皇**」が「**西の皇帝**」に申し上げる、と書かれていました。対等な姿勢は取り下げたものの、皇帝でも王でもない、独自の「天皇」という号が用いられています。

当時、朝鮮半島諸国（百済・新羅）が隋と冊封関係を結んで皇帝の臣下である「王」となるなか、遣隋使は中国皇帝に臣従しない形式をとりました。遣隋使の派遣で、倭の国際的地位を高めようとしたのです。さらに、6世紀中期に加耶が滅亡したことも考えれば、朝鮮半島に対する影響力回復を狙ったことが推定できます。

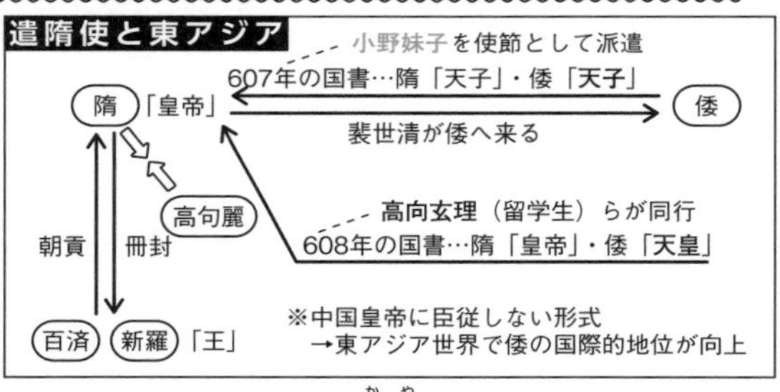

(3) 遣隋使に同行した留学生・学問僧は、のち大化の改新で活躍した

そして、この第3回目の遣使のとき、留学生の**高向玄理**や、学問僧の**旻**・**南淵請安**らが同行して隋へ渡りました。彼らは、のちに唐から帰国して中国大陸の情勢や知識を伝え、大化改新への動きを促進しました。

2 大化改新と白村江の戦い（7世紀前期・中期）

7世紀は、古代国家成立の過程のなかで大変重要な意味を持っている時期です。まず、7世紀前期から中期にかけての動向に注目しましょう。東アジア世界が激動するなか、倭では中国から法や制度を導入し、中央政府と王権への権力集中が進められていきました。

① 7世紀前半の国内外の動向

まず東アジア情勢から。隋は短期間で滅亡し、**唐**が成立しました（618）。唐が律令制度をととのえて中央集権体制を確立していくと、高句麗・百済・新羅でも権力の集中が進むなど、その影響は朝鮮半島へも拡大しました。

次に、倭の状況です。推古の死後、〔**舒明天皇**〕が即位すると、**犬上御田鍬**を使節とする第1回**遣唐使**が派遣されました（630）。先進的な制度を導入するため、唐との関係を築いたのです。そして、かつて遣隋使に同行した留学生・学問僧が唐から次々と帰国し、大陸情勢や新しい知識を伝えました。

国内政治では、蘇我馬子の死後、**蘇我蝦夷・入鹿**の父子が勢力をふるい、蘇我氏はみずからへの権力集中をはかろうとしました。蘇我入鹿は、厩戸王の子で大王の地位を継ぐ資格を持つ**山背大兄王**の一族を滅ぼしました。

② 大化改新（7世紀中期）

唐が高句麗遠征を開始するなど国際情勢が緊迫化するなかで、7世紀中期に始まった**大化改新**では中央集権体制を築く方針が示されました。

(1) 中大兄皇子・中臣鎌足らによる乙巳の変が発生し、蘇我氏が滅亡した

蘇我氏の勢力拡大に対抗する、大王家（天皇家）の側からのクーデターが発生しました。それが、**乙巳の変**（645）です。当時、舒明の皇后が即位して〔**皇極天皇**〕となっていました。その子である**中大兄皇子**が、豪族の**中臣鎌足**らと協力して**蘇我入鹿**を殺害し、追い詰められた**蘇我蝦夷**は自害しました。こうして、蘇我氏の本家が滅亡したのです。

(2) 乙巳の変の直後、改新政府が成立し、大王の位のあり方も変化した

そして、改新政府が成立しました。**中大兄皇子**は権力を集中させたものの、大王（天皇）として即位せず、**皇太子**の立場で政権を主導しました。乙巳の変に関与した**中臣鎌足**は**内臣**、遣隋使の留学生・学問僧だった**高向玄理・旻**は**国博士**となりました（南淵請安がいないことに注意）。注目されるのは、新たに左大臣（阿倍内麻呂）・右大臣（蘇我倉山田石川麻呂）という官職が登場したことです。すでに、物部守屋の敗死や、蘇我蝦夷・入鹿の滅亡によって、大臣・大連という蘇我氏・物部氏で世襲された政治的地位はなくなっていました。そして、世襲ではない左大臣・右大臣という官職が登場したことは、官僚制の整備が進んだことを示しています。

大王（天皇）の位にも、大きな変化がありました。乙巳の変の直後、**皇極**は

生きている間に位をゆずる生前譲位を初めておこない、弟の〔**孝徳天皇**〕が即位しました。それまでの大王の位は、死ぬまで続ける終身制で、大王の死後に豪族らが話し合って次の大王を推挙していました。しかし、皇極が孝徳に譲位したことで、大王（天皇）の位は終身制ではなくなり（退位や譲位も可能に）、大王家（天皇家）が後継者を決定することになりました。乙巳の変をきっかけに、大王（天皇）の位のあり方が、大王家（天皇家）の主導で変更されたと考えられます。

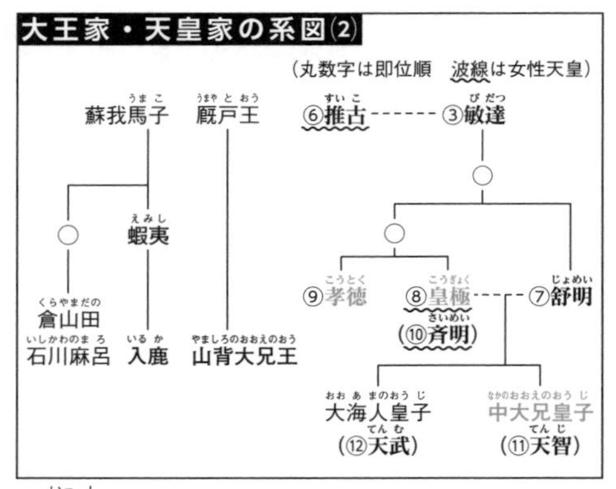

⑶　改新の詔で、公地公民制をはじめとする中央集権体制の方針が示された

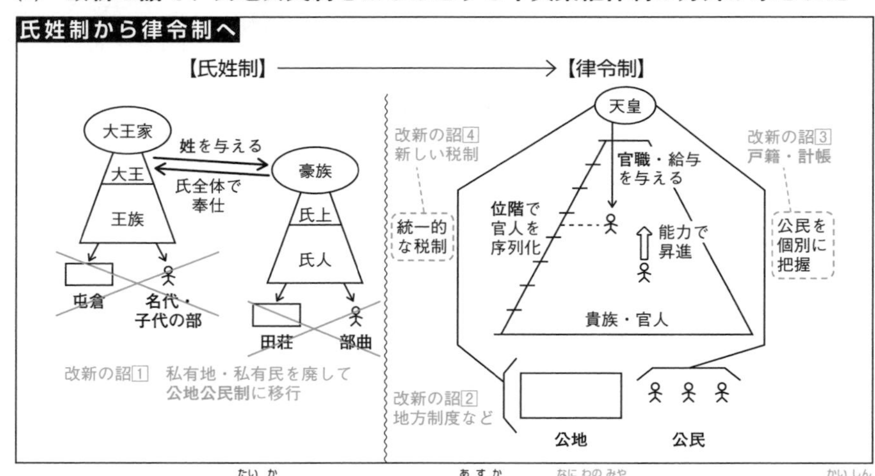

初の元号である「**大化**」が定められ、飛鳥から**難波宮**へ遷都したのち、**改新の詔**（646）が発されました。史書の『日本書紀』によれば、①**公地公民制**の実施（豪族の私有地・私有民である田荘・部曲などをやめて、国家の直接支配とする）、②中央集権的な地方制度の整備（「郡司」の制度など）、③**戸籍・計帳**の作成、**班田収授法**の施行（人々を個別に支配して班田制を実施する）、④新しい税制の導入（豪族による徴税を改め、国家が統一的に課税する）、以上４項目がその内容です。中央集権体制を作っていく政策方針が示されたのです。これらは、すぐには実現せず、少しずつ実施されていきます。

(4) 改新の詔では地方行政区分は「郡」とあるが、実際は「評」が置かれた

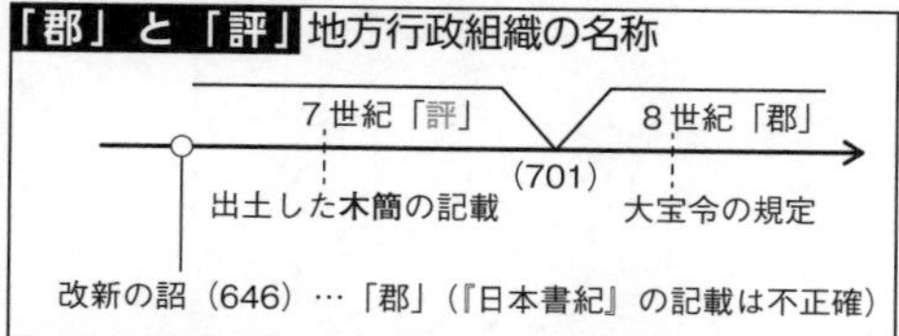

ちなみに、②の項目については、「郡」という地方行政組織は、改新の詔が発せられたときには置かれなかったことがわかっています。藤原宮の跡から発掘された**木簡**のうち、7世紀に作られたものには「評」と書かれており、8世紀初めに大宝令が完成する前に置かれた地方行政組織は、「郡」でなく「**評**」だと判明したからです。木簡は、墨で文字が書かれた木片で、官庁どうしの事務連絡や、税を納めるときの荷札として使われました(官人の漢字練習にも使用)。『日本書紀』は、のちの時代に編纂された史書なので、そこに書かれている改新の詔については、過去の出来事を不正確に記したものと推定されます。

(5) 大化改新と並行して、東北への支配拡大が進められた

古代国家は、東北地方の人々を異民族とみなして「**蝦夷**」と呼び、政権に従属させようとしました。〔**孝徳天皇**〕の時代には、東北への進出拠点として日本海側に**渟足柵**、その北に**磐舟柵**が設置されました。

孝徳の死後、飛鳥において皇極が重祚して(再び即位すること)、〔**斉明天皇**〕になると、**阿倍比羅夫**を派遣して秋田・津軽地方の蝦夷を服属させました。7世紀における東北への支配拡大は、日本海側で進められたのです。

③ 白村江の戦い(663)

唐・新羅と対決した**白村江の戦い**(663)に敗北すると、古代国家の形成は大きく進展することになりました。

倭は、なぜ唐・新羅と戦うことになったんだろう?

高句麗を攻めていた唐が、新羅と関係を結んで**百済**を滅ぼした(660)。倭は百済を再興しようとしたんだ。

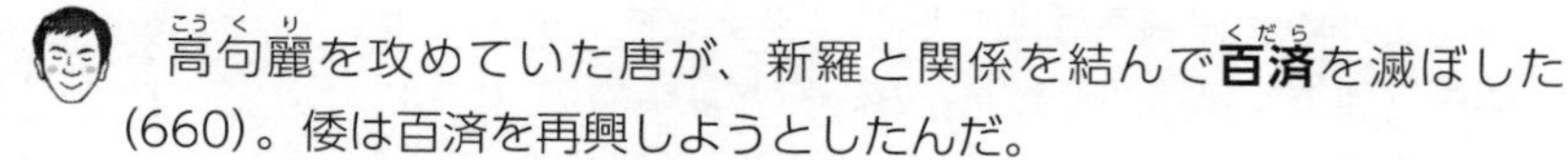

百済は倭の友好国だから、復活させた百済を通じて朝鮮半島への影響力を回復できるね。

でも、**白村江の戦い**で倭は大敗した(663)。その後、唐・新羅は**高句麗**も滅ぼしたよ(668)。

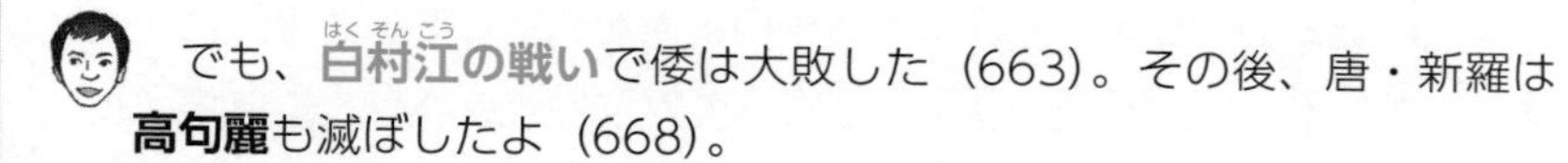

東アジアでは戦争が続いたんだね。唐・新羅が倭へ攻めてくるかも

しれないし、鎖国みたいにしないとヤバいね。

意外なことに、白村江の戦いのあとも、遣唐使を派遣しているよ。当時の倭は**中大兄皇子**（のち〔**天智天皇**〕）が主導していて、唐との関係改善のために外交交渉を重ねたんだ。

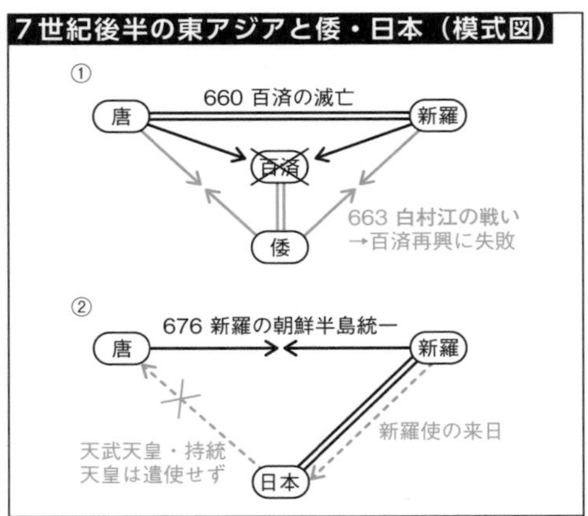

新羅との関係は、どうなったのかな？

新羅は朝鮮半島を統一し（676）、唐と対立すると、日本へ接近した。当時の日本は〔**天武天皇**〕・〔**持統天皇**〕の時代で、新羅使が来日して日本と新羅の関係が安定し、知識・技術・情報が日本へ伝わった。これが、律令体制を築くときに役立ったんだよ。

なんだか、遣唐使はなくても大丈夫だね。

〔**天武天皇**〕・〔**持統天皇**〕は遣唐使を派遣しなかった。日本は、唐の現実よりも知識を参考にして、律令制度を整備していったんだ。

次々と変化する東アジアに対応して、古代国家が作られたんだね。

(1) 百済の再興をはかった白村江の戦いで、倭は唐・新羅に敗北した

660年に百済が滅亡すると、倭はその再興をはかりました。〔**斉明天皇**〕が亡くなると、**中大兄皇子**は即位しないまま政権を主導しました（称制）。そして、倭軍は朝鮮半島へ遠征しますが、**白村江の戦い**（663）で、唐・新羅の連合軍に迎え撃たれて大敗し、百済再興は失敗に終わりました。

(2) 国防強化と遷都ののち、天智天皇が即位して、初の全国的戸籍が作られた

白村江の戦いの敗北後、倭は唐・新羅の侵入を想定して国防の強化をはかりますが、その際、倭に亡命してきた百済人を政権に組み入れて、彼らが持つ技術を導入しました。九州北部の要地（のちの大宰府）を防衛するため、**水城**（巨大な濠と堤）と大野城を築き、西日本各地に**朝鮮式山城**（石垣造りの山城）を

建設しました。また、九州に烽（のろし）と防人（九州を防衛する兵士）を置きました。

次に、倭は対外的危機感のもとで国内政治の充実をはかり、中大兄皇子は飛鳥から**近江大津宮**に遷都し（667）、〔天智天皇〕として即位しました（668）。すでに、乙巳の変から20年以上たっていました。

天智は、中国的な法律として**近江令**を制定したとされます。そして、初の全国的戸籍として**庚午年籍**が作成されました（670）。これは、氏姓をただす根本台帳として永久保存とされました。こうして、人々の個別把握が進み、公民制の基礎が作られたのです。

年表

643 蘇我入鹿、山背大兄王を滅ぼす
645 **乙巳の変**…蘇我蝦夷・入鹿の滅亡
〔**皇極天皇**〕から〔**孝徳天皇**〕へ譲位
飛鳥から**難波宮**へ遷都
646 **改新の詔**
647 渟足柵を設置（翌年に磐舟柵）
655 〔**斉明天皇**〕即位
660 百済が滅亡→復興へ（中大兄が主導）
663 **白村江の戦い**…唐・新羅に敗北
※水城・朝鮮式山城を建設
667 飛鳥から**近江大津宮**へ遷都
668 〔**天智天皇**〕即位
高句麗が滅亡
近江令の制定
670 **庚午年籍**の作成
672 **壬申の乱**→〔**天武天皇**〕即位（673）
676 新羅が朝鮮半島を統一

3 壬申の乱と律令体制の整備

７世紀後期から８世紀初めにかけて、天皇を中心とする中央集権体制が確立していき、律令体制を整備した古代国家が完成しました。

① 壬申の乱（672）

古代史における最大の内乱といわれる**壬申の乱**（672）に勝利して即位した〔天武天皇〕の時代は、「**日本**」という国号や「**天皇**」という称号が成立した時代だとされます（外交の面では〔**推古天皇**〕の時代に「天皇」が考え出された可能性もある）。倭から日本へ、大王から天皇へ、という日本史における大きな変化が起きたのです。

(1) 王位（皇位）継承争いから壬申の乱が起こり、大海人皇子が勝利した

壬申の乱（672）が起きた原因は、〔**天智天皇**〕の死後の、大王（天皇）の位をめぐる争いでした。天智の弟で、当時吉野にいた**大海人皇子**と、天智の子で、天智の地位を受け継ぎ近江大津宮にいた**大友皇子**が争い、内乱になったのです。大海人皇子は東国（美濃・尾張）の豪族を味方につけ、大友皇子の近江朝廷軍を破りました。

その結果、大友皇子（近江朝廷）の側についた中央豪族が没落し、勝利した

大海人皇子に権力が集中するだけでなく、その存在が神格化されて、権威を高めたのです。「大君は神にしませば」で始まる歌が、柿本人麻呂をはじめとする歌人によって詠まれています。こうして、豪族とは隔絶された、超越した地位を持った「**天皇**」が誕生したのです。

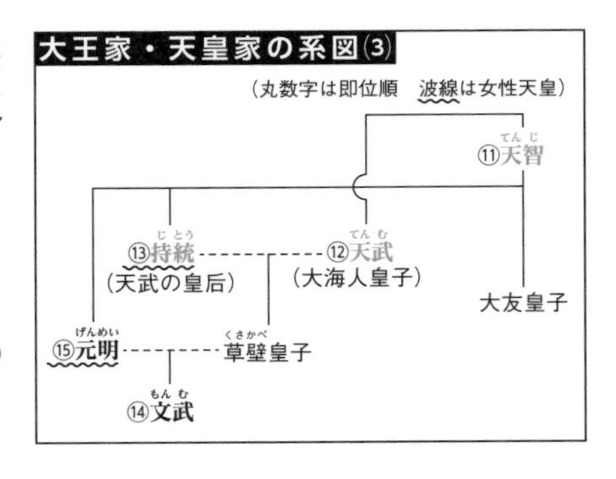

(2) 天武天皇は豪族を抑え、八色の姓で天皇家中心の身分秩序を作った

大海人皇子は、近江大津宮から**飛鳥浄御原宮**に遷都し、〔天武天皇〕として即位しました（673）。天武は、大臣を置かずに皇后や皇子とともに政治をおこない、天皇家の主導で律令体制作りが進められました。

天武は、まず**部曲の廃止**を断行しました。豪族の私有民が廃止されたことで、ようやく公民制が実現したのです。

そして、律令や国史（国家がまとめる歴史書）の編纂事業を開始しました。これは、のちの『古事記』『日本書紀』につながります→第7章。

さらに、新しい姓として**八色の姓**を定め、天皇系の氏族には真人、それ以外の豪族（臣・連・直など）には朝臣・宿禰・忌寸などの姓を与えました。姓に１番目から８番目までの序列を作り、１番目に天皇系氏族を置いて、豪族を天皇中心の新しい身分秩序に再編成したのです。

この時期には、**富本銭**が鋳造されました。これは、８世紀に律令国家が鋳造した和同開珎→第4章よりも古い銭貨として注目されます。

② 律令体制の整備

〔天武天皇〕の死後、その皇后が〔持統天皇〕として即位し、天武が進めていた律令国家建設の事業を受け継ぎました。さらに、その孫の〔文武天皇〕が即位すると、律令国家が完成しました。

(1) 持統天皇は、中国の都城制を採用した藤原京へ遷都した

天武が編纂を命じていた**飛鳥浄御原令**は、〔持統天皇〕のもとで施行されました（689）。そして、これにもとづく全国的戸籍の**庚寅年籍**が作成され（690）、6年ごとの戸籍作成の体制が整備されました。

さらに中国の都城制を取り入れて飛鳥の北方に築かれた**藤原京**へ遷都（694）しました。これまでの「**宮**」は一代ごとに移る大王の居所であり、そ

れぞれの根拠地を持つ豪族が寄り集まって大王に奉仕する場でした。これに対し、藤原京の「**宮**」には天皇の居所に加え、諸官庁や、**大極殿**・**朝堂院**（儀礼の場・政務の場）が設置されました。大極殿・朝堂院は、中国式の**瓦**ぶき・**礎石**建ちです。そして、「宮」の周囲に、**条坊制**→第4章で区画された「**京**」を建設しました。官僚制の整備が進み、中央豪族は位階や官職・給与を与えられて天皇に仕える官人となったため（中央の上級官人が貴族）、彼らを「京」に居住させて「宮」に出仕させました。藤原京は、天皇中心の中央集権体制を支える構造を持ち、律令国家の完成に大きく貢献したのです。

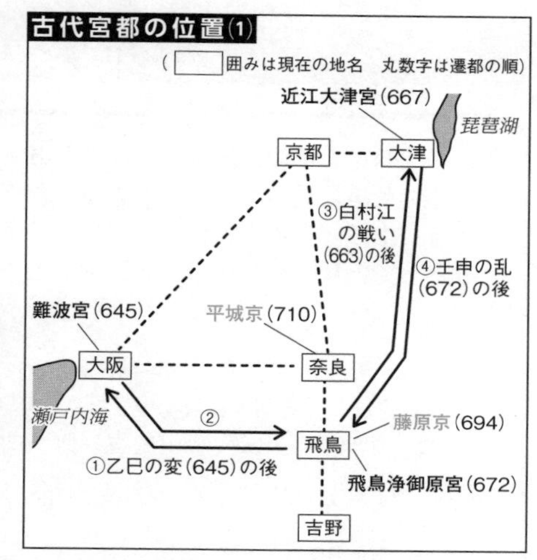

地図で、現在の地名の位置関係をもとに（京都・奈良・大阪のトライアングル）、宮都の位置や遷都の順番をつかむとよいでしょう。

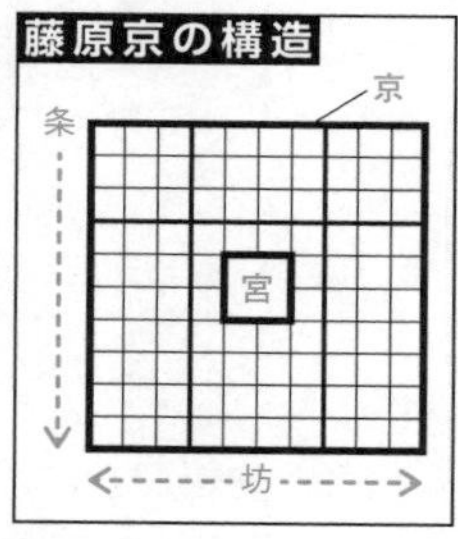

(2) 文武天皇のときに大宝律令が制定され、律令国家が完成した

持統の孫にあたる〔文武天皇〕が即位すると（持統は譲位して太上天皇となる）、**大宝律令**が制定されました（701）。中国の律令制を導入しながら、日本独自の律令体制を完成させたのです。

大宝律令を制定した直後の702年、天武・持統の時代には派遣されていなかった遣唐使が、約30年ぶりに派遣されました。そこで、「倭」に代わる新しい「日本」国号を用いて、その国際的認知をはかりました。

年表

672	壬申の乱…大海人皇子の勝利
	近江大津宮から**飛鳥浄御原宮**へ遷都
673	〔天武天皇〕即位
675	部曲の廃止
	※律令・国史の編纂開始　富本銭
684	**八色の姓**
686	〔持統天皇〕が事業継承（690即位）
689	飛鳥浄御原令を施行
690	**庚寅年籍**の作成
694	**藤原京**へ遷都
697	〔文武天皇〕即位
701	**大宝律令**の制定

チェック問題にトライ！

次の史料は、那須国造碑（栃木県大田原市に現存し、那須直韋提という現地の豪族の死後、彼の一族によって造られたものと考えられる）に刻まれた碑文の一部である。この史料に関して述べた下の文X・Yについて、その正誤の組合せとして正しいものを、下の①～④のうちから一つ選べ。

史料

永昌元年己丑[注1]四月、飛鳥浄御原の大宮[注2]の那須国造、追大壱[注3]那須直韋提、評督[注4]を賜る。歳は庚子に次る年、正月二壬子の日[注5]、辰節に殄る[注6]。故に、意斯麻呂[注7]等、碑銘を立て偲びて爾云う[注8]。(後略)

（注1） 永昌元年己丑:「永昌」は唐の年号(元号)。年を干支による表記と組み合わせて示している。
（注2） 飛鳥浄御原の大宮: 飛鳥浄御原宮の朝廷。
（注3） 追大壱: 天武天皇の時代に定められた冠位。
（注4） 評督: 評の長官のこと。
（注5） 歳は庚子に次る年、正月二壬子の日: 年月日を干支による表記と組み合わせて示している。
（注6） 殄る: 死去すること。
（注7） 意斯麻呂: 韋提の一族で、その後継者。
（注8） 爾云う:「このように述べる」という意味。この後に続く内容を示す表現で、ここでは(後略) の部分を指す。

X　史料からは、那須地方の豪族層に、中国王朝にかかわる知識・情報が知られていたことを読み取ることができる。

Y　史料からは、大宝律令にもとづく官僚制や地方行政組織を読み取ることができる。

①　X　正　　Y　正　　　②　X　正　　Y　誤
③　X　誤　　Y　正　　　④　X　誤　　Y　誤

（センター試験　2019年度　本試験）

解説　**教科書に載らない未見史料の読解問題が出題される**というセンター試験の形式上の特徴は、共通テストに継承されました。問題の文章と設問文を読み、(注) も参照しながら史料の内容を解釈し、選択肢の正誤を判断する、というプロセスで解きましょう。

X　史料の「永昌元年己丑」に注目します。(注) によれば、「永昌」は「唐の年号 (元号)」であり、選択肢の「中国王朝にかかわる知識・情報」と一致します。そして、石碑は「那須国造」の一族が造ったものなので、この知識・情報は「那須地方の豪族層」に「知られていた」のです。

Y　史料の「追大壱」は、(注) に「天武天皇の時代に定められた冠位」とあり（7

世紀後半)、選択肢の「大宝律令」は8世紀初めの成立ですから、「大宝律令にもとづく官僚制」とはいえません。また、「評督(=評の長官)」に見られる評が、大宝令が施行される前の「地方行政組織」であることを、確認しておきましょう(大宝令が施行された後は、郡)。

⇒したがって、②(X 正 Y 誤)が正解です。

中国の歴史書に記された倭人や倭国に関して述べた文として正しいものを、次の①~④のうちから一つ選べ。

① 1世紀に、倭王武は中国の皇帝に上表文を提出した。
② 3世紀に、倭の奴の国王は中国の皇帝から印綬を授けられた。
③ 5世紀に、倭人社会は百余国に分かれ、楽浪郡に定期的に使者を送った。
④ 7世紀に、倭は「日出づる処の天子」で始まる国書を中国の皇帝に出した。

(センター試験 2016年度 追試験)

解説 共通テストでは、抽象的な文章から具体的な出来事を連想し、時代を推定する出題があります。その準備として、**出来事が起きた世紀を判断したうえで年代整序や正誤判定をおこなう**練習をしてみましょう。

① これは弥生時代の「1世紀」ではなく、ヤマト政権の時代(古墳時代中期)の5世紀です(→『宋書』倭国伝)。
② これは「3世紀」ではなく(3世紀は卑弥呼が魏に遣使した時代)、1世紀です(→『後漢書』東夷伝)。
③ これは「5世紀」ではなく、紀元前1世紀ごろです(→『漢書』地理志)。
④ これは遣隋使ですから、「7世紀」で合っています。

⇒したがって、④が正解です。

奈良時代の律令政治
（奈良時代）

世紀	天皇	権力者
7世紀	推古★	（太字は藤原氏）
	舒明	
	皇極★	
	孝徳	
	斉明★	
	（中大兄）	
	天智	
	天武	
	持統★	
8世紀	文武	**不比等**
	元明★	**不比等**
	元正★	長屋王
	聖武	**4兄弟**
	聖武	橘諸兄
	孝謙★	**仲麻呂**
	淳仁	**仲麻呂**
	称徳★	道鏡
	光仁	**百川**
	桓武	
9世紀	平城	
	嵯峨	**冬嗣**
	清和	**良房**
	光孝	**基経**
	宇多	**基経**
	醍醐	**時平**

政治・外交

（1）

1 律令制度

①**官僚制**
②**公地公民制**

3 奈良時代の政治

①**藤原不比等**
平城京へ遷都（710）
②**長屋王**
長屋王の変
③**藤原４兄弟**
光明子を〔聖武〕の皇后に
④**橘諸兄**
藤原広嗣の乱→遷都
国分寺を建立
大仏造立の詔（743）
⑤**藤原仲麻呂**
橘奈良麻呂の変
恵美押勝の乱
⑥**道鏡**
〔称徳〕の信任
⑦**藤原百川**
〔光仁〕を立てる

（2）

2 律令国家の構造

①**東アジア外交**
遣唐使の開始（630）
→唐と外交交渉
※〔天武〕・〔持統〕は唐に遣使せず

遣唐使の再開
→先進文物摂取

※新羅との交流
※渤海との交流

②**都城・地方支配**
●平城京建設
●地方支配（蝦夷・隼人）
●銭貨鋳造（和同開珎）

菅原道真の建議
→遣唐使の停止（894〔宇多〕）

社会・経済

（3）

4 奈良時代の土地制度

①**民衆支配の動揺**
浮浪・逃亡

②**開墾奨励策**

三世一身法（723）

墾田永年私財法（743）

③**初期荘園**
貴族の墾田私有

★は女性天皇

第 4 章のテーマ

奈良時代を中心に、主に **8世紀** の政治・外交・社会を見ていきます。

(1) 官僚制・公地公民制や都城制・全国支配・対東アジア外交など、古代国家の統治システムは、**律令制度**により成り立っていました。

(2) 奈良時代の政治史は、**藤原氏**を中心に展開しました。相次ぐ政争の背景には、藤原氏と天皇家との複雑な関係がありました。

(3) 土地制度史は重要テーマです。古代国家が定めた土地制度は、社会の動きを背景に、現実に沿う形で変化していきました。

1 律令制度

8世紀、律令制度がととのいました。〔**文武天皇**〕の701年、**刑部親王**・藤原不比等（中臣鎌足の子）が中心となって**大宝律令**が完成したのに続き、**藤原不比等**が中心となって**養老律令**が完成しました（718）。養老律令は、のちの757年に藤原仲麻呂（藤原不比等の孫）が施行しました。

律令法は、全国を統治する総合的な法体系で、基本法として定められた**律**（刑法）・**令**（行政法）と、そのたびに追加される**格**（律令の補足や修正）・**式**（律令を施行するときの細則）とで成り立っています。日本の律は唐の律を受け継ぎ、日本の令は唐にならいつつ日本の実情で改めた部分もありました。

律令国家の司法制度（律に規定）
- **五刑**…笞・杖・徒・流・死の五つの刑罰
- **八虐**（天皇に対する謀反など八つの罪）は重罪扱い

律については、表を見ましょう。**謀反**は、貴族でも刑罰が免除されない重罪とされ、奈良・平安時代における貴族の政争では、「国家・天皇への反逆」の疑いをかけて政敵を倒す、というパターンが出てきます。

律令制度って、しくみが難しそう……。

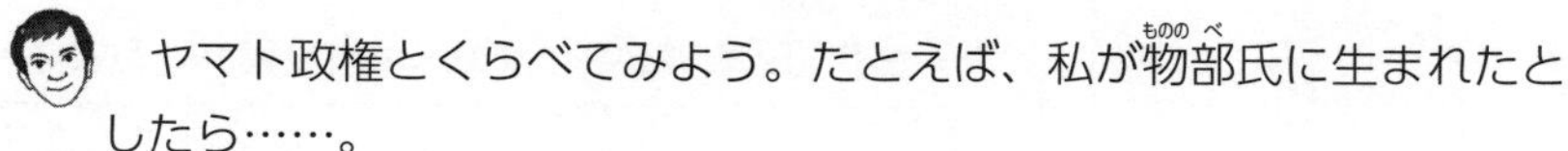
ヤマト政権とくらべてみよう。たとえば、私が物部氏に生まれたとしたら……。

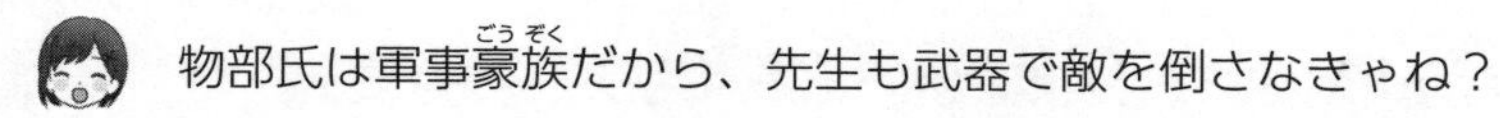
物部氏は軍事豪族だから、先生も武器で敵を倒さなきゃね？

私は血を見るのが苦手なので（苦笑）、やりたくないな。でも、ヤマト政権は豪族が一族全体で特定の役割で奉仕するのが原則だから→第2章、やるしかない。一方、律令国家は能力に応じて官人に**位階**を与えてランク分けし、その高さに対応した**官職**を与えるので……。

先生は、物部氏の役割から離れて、日本史の能力を生かした役職に就けるね。

それが**官僚制**のメリットだ。それぞれの官人が持つ能力を適材適所で生かした、強い国家になるんだよ。

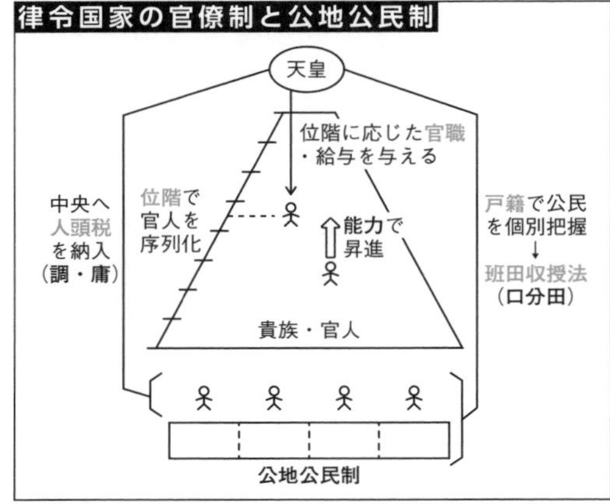

高いランクでがんばったら、**給与**をたくさんもらいたいよなぁ。

ならば、政府が官人に与える給与は、どのように調達すればいい？

国全体から税を集める。強い権力で人々を支配すれば、可能かな。

そのために必要なのが、大化改新ののちに実現していった**公地公民制**だよ→第３章。豪族の私有地・私有民をやめて公地・公民とすることで、政府は、人々を支配するための**戸籍**が作れるし、土地を与える**班田収授**もできるし、**調**・**庸**などの税を納めさせることもできる。

これが**中央集権体制**のイメージか。律令制度、実は面白そう！

① 官僚制

まず、天皇を中心とする中央集権体制を支える**官僚制**を見ていきます。身分制度は、表を参照しましょう。貴族・官人も、あとで登場する公民も、**良民**に属します。また、**賤民**は５種類あり（**五色の賤**）、官有と私有とがありました。

律令国家の身分制度

・**良民**…貴族・官人、公民（一般の農民）
・**賤民**…**五色の賤**
　官有（陵戸・官戸・公奴婢）　私有（家人・私奴婢）

(1) 中央官制として、二官・八省・一台・五衛府が置かれた

まず、官僚制の基盤となる役所（官庁）の話からいきます。中央には、朝廷の祭祀を担当する**神祇官**と、一般政務を担当する**太政官**の**二官**が置かれ、太政

官の**公卿**会議が最高機関となり（**左大臣**・**右大臣**と**大納言**などで構成され、**太政大臣**は適任者がいなければ置かれない）、公卿の合議によって政治が運営されました。

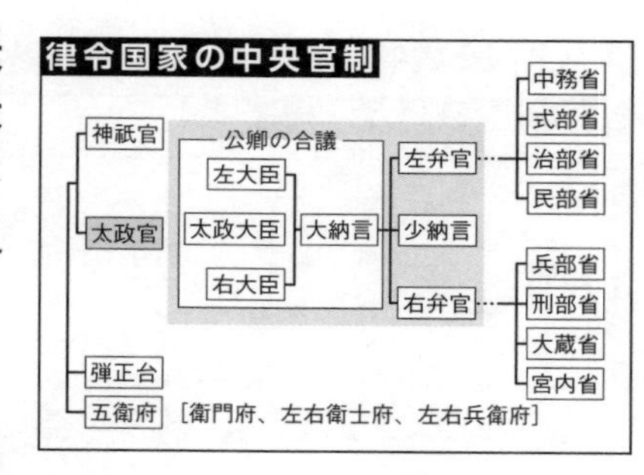

そして、太政官の下に**八省**が置かれ、さまざまな政務を分担しました。特に、勅書・詔書作成などの天皇公務を担う**中務省**、文官の人事や大学の管理（教育制度）を担う**式部省**、国家的な仏事や外国使の接待を担う**治部省**、租税・戸籍などの民政を担う**民部省**が重要です。そのほか、軍事や武官の人事を担う兵部省、裁判や刑罰執行を担う刑部省、国庫の管理や貨幣を担う大蔵省、天皇や皇室の庶務を担う宮内省があります。

一台は、官人の監察（役人の不正監視）や風俗取り締まりを担う**弾正台**です。**五衛府**は、都の宮城を警備する、衛門府・左右衛士府・左右兵衛府です。

(2) 家柄より能力を重視する位階に応じて、官人には官職・給与が与えられた

役所（官庁）の話から、役職（官職）の話に移りましょう。どの官庁でも、官職は長官・次官・判官・主典の４ランクに分かれています（**四等官制**）。官庁ごとに当てる漢字は異なりますが、読み方は「かみ・すけ・じょう・さかん」で共通です（太政官と大宰府と郡は除く）。

四等官制

	太政官	省	大宰府	国(国司)	郡(郡司)
長官 かみ	左・右大臣	**卿** かみ	**帥** そち	**守** かみ	大領
次官 すけ	大納言	輔 すけ	弐 に	**介** すけ	少領
判官 じょう	弁 少納言	丞 じょう	監 げん	**掾** じょう	主政
主典 さかん	史 外記	録 さかん	典 てん	**目** さかん	主帳

貴族・官人には、家柄よりも能力が重視される形で**位階**が与えられました（30ランクの位階のうち、五位以上が貴族）。そして、**官位相当制**にもとづき、位階に対応した**官職**に任命されました。

さらに、貴族・官人には、位階に対応した給与が付与されました。指定された戸から納められる税を得る**封戸**、位階・官職に応じた**位田**・**職田**、布などの**禄**、従者である**資人**などで、五位以上の貴族には、下級官人よりもはるかに多い給与が与えられました。

また、**蔭位の制**も中国から導入されました。貴族の子や孫には、21歳になると一定の位階が与えられ、高い位階は貴族のなかで固定化されました。

⑶　全国を畿内・七道に分け、中央・地方間に官道を作り、駅制も設けた

律令国家の地方制度と畿内

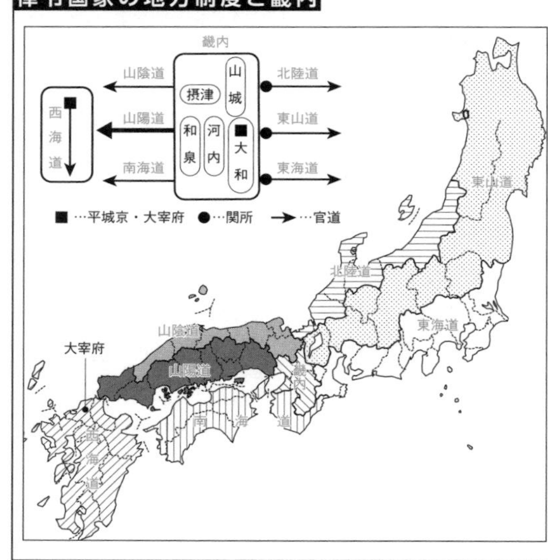

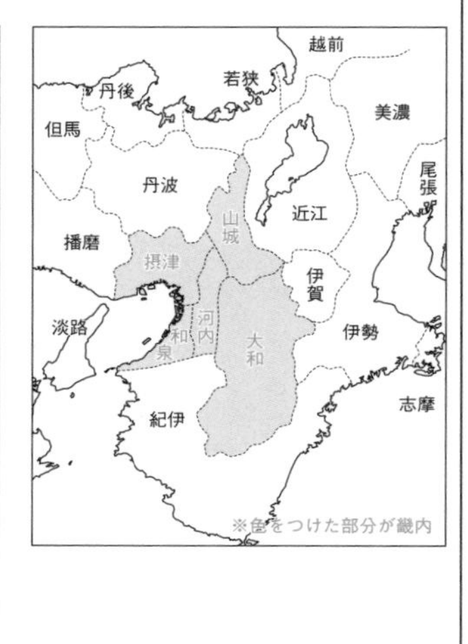

今度は、地方支配について。行政区画は、**摂津国**・**山城国**（当初は山背）・**河内国**・**和泉国**（当初はなかったが河内国から分離）・**大和国**で構成される**畿内**と、**北陸道**・**東山道**・**東海道**・**山陰道**・**山陽道**・**南海道**・**西海道**の**七道**とに分けられます。律令国家は、中央と地方を結ぶ直線的な**官道**を築き、全国各地は官道を通じて畿内に直結しました。七道は、官道を示すとともに、その沿道諸国を含む行政区画も示しています。さらに、京には左・右**京職**が置かれ（都の行政を担当）、外交上重要な難波には**摂津職**が置かれ（摂津国の行政を担当、難波津を管理）、外交・軍事の中心となる九州北部の筑紫には**大宰府**が置かれました（西海道を統括、防人を支配）。

交通制度も整備されました。官道には約16km ごとに**駅家**が設置されて馬が備えられ（**駅制**）、役人が公用で移動するときに馬の利用ができました。東国に伸びる北陸道・東山道・東海道には**関所**が設置され（**三関**）、反乱などの際には関所を閉めて反乱軍の移動を防ぐなど、軍事的な役割を果たしました。

官道は、中央と地方との間で命令や情報の伝達に用いられ、国司などの官人や運脚夫が往来するなど、中央集権的な地方支配に不可欠でした。

⑷　国司は中央政府から派遣され、郡司は地方豪族が任命された

地方には、**国**が置かれ(教科書に載っている「古代の行政区画」地図で都道府県との対応関係も含め覚えましょう)、国の下に**郡**が置かれ、その下に**里**（の

ち郷）が置かれました。1里は50戸で構成され、1戸は約25人ずつで編成され（戸はいくつかの家族を含む）、里には地域有力者が**里長**として置かれました。

律令国家の地方行政官である**国司**と**郡司**の違いを理解することは、大変重要です。**国府**（国衙）で国の政務を統括した**国司**は、中央政府から貴族が派遣され、任期がありました（はじめは6年、のち4年）。これに対し、**郡家**（郡衙）で郡の支配の中心となった**郡司**は、元国造の地方豪族が任命され→第2章、その地位は終身制で、一族内で世襲されました。郡司は、ヤマト政権のあり方を引き継いでおり、律令国家の中央集権的な支配は、地方豪族の伝統的な地域支配力に依存したのです。一方、地方の郡家跡などから文字が書かれた**木簡**が出土するので→第3章、伝統的な地方豪族出身の郡司も律令制の文書行政にもとづき民衆支配の実務をおこなったことがわかります。

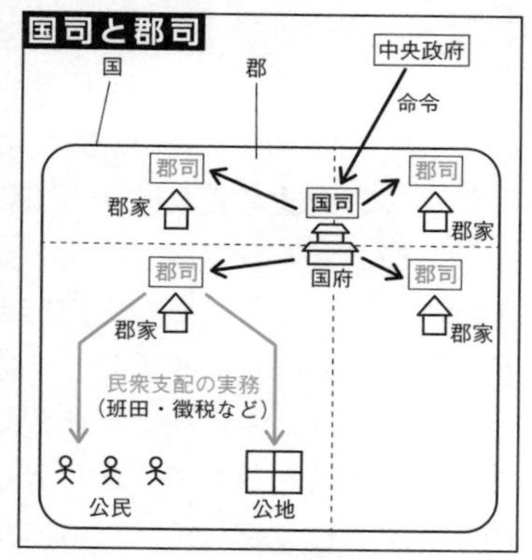

② 公地公民制

次に、全国の土地や人々を支配する**公地公民制**のあり方を見ていきましょう。律令制にもとづく民衆支配は、公民を個別に把握しておこなわれ、これにもとづき土地制度や税制度が運用されました。そのために用いられたのが**戸籍**で、班田制や徴兵に用いる基本台帳として、**6年ごと**に作成されました。一方、**計帳**は、調・庸を徴収するための台帳で、**毎年**作成されました。

(1) 班田収授法にもとづき、公民には口分田が班給された

土地制度の中心となる**班田収授法**にもとづき、戸籍を作成する**6年ごと**に、**6歳以上の男性・女性**に一定面積の**口分田**を班給し、死者の口分田は6年ごとの班年で政府が没収（収公）しました（死んでもすぐには収公しない）。口分田の面積は、1段＝360歩として、男性は**2段**、女性は男性の**3分の2**の面積（1段120歩）です。口分田は賤民にも班給されますが、私有賤民は3分の1の面積（男性は240歩、女性は160歩）です。また、**条里制**によって碁盤の目のように四角く土地を区画し、田地の位置を表示して土地を把握しました。

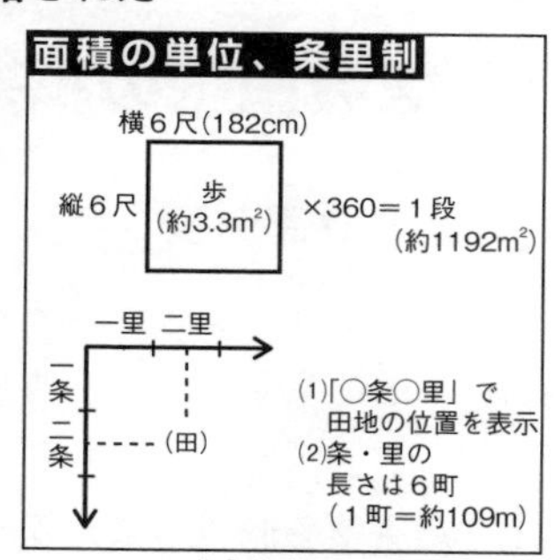

(2) 公民の税負担は、成人男性を中心に課される人頭税が中心だった

律令にもとづく税制は、人が課税単位となる**人頭税**が中心で、**正丁**と呼ばれる21〜60歳の成人男性が負担の中心でした（人頭税は女性には課されない）。

土地税は**租**のみで、口分田などに課され、面積１段あたり２束２把の**稲**を納めました（収穫の約３％）。調・庸・雑徭は人頭税です。**調**は、絹・糸・鍬・塩・海産物など**郷土の産物**を一定量納め、**庸**は、歳役（都での労役）10日間の代わりに**布**２丈６尺を納めました。**雑徭**は、国司のもとで年間60日以下の**労役**をおこないました。**出挙**は戸に課され、春に稲を貸して秋の収穫時に**５割の利息**を付けて返させるもので、利息が税の役割を持ちました。

ポイントは、中央税と地方税の区別です。中央税の調・庸は、**運脚**を負担した公民が各地から都まで運びました。地方税の租・出挙は、国府に納められて地方財源となりました。庸は本来は都での労役、雑徭は地方での労役です。

このほか、成年男性から徴発されて中央政府の雑用に従事する仕丁や、飢饉などに備えて粟を納めさせる義倉の負担がありました。

(3) 兵役によって律令国家の軍事力が編制されたが、人々の負担は重かった

律令国家は、戸籍にもとづいて公民に**兵役**を課し、軍事力を編制しました。正丁３〜４人に１人の割合で**兵士**を徴発し、各国の**軍団**に配属させましたが、なかには**衛士**となって都の警備に従事する者や、東国の兵士が**防人**となって九州の沿岸警備に従事する者もいました。武器や食料は自己負担だったので、兵士を出した家族は生活が苦しくなりました。

戸籍における１戸は約25人編成で３〜４家族が含まれ、各家族には正丁が最低１人はいます。つまり、１戸に正丁が３〜４人含まれるので、１戸あたり兵士１人を徴発することになります。戸籍は徴兵台帳としても使われたのです。

2 律令国家の構造

① 東アジア外交

律令国家は東アジア諸国と国交を結び、使節の派遣や迎え入れをおこないました。**唐**・**新羅**・**渤海**と日本との関係は、複雑にからみ合っていました。

(1) 遣唐使を派遣して大陸情勢を把握し、さらに唐の制度や文化を摂取した

唐（618〜907）への**遣唐使**は、〔**舒明天皇**〕の630年に**犬上御田鍬**を派遣したことで開始し、〔**宇多天皇**〕の894年に**菅原道真**の建言で停止されました。

遣使の目的は、時代により変化しました。７世紀は、唐が朝鮮半島への圧力

を強めて緊張が高まるなか、大陸情勢を把握して外交交渉をおこなうことが中心でした。〔天武天皇・持統天皇〕による中断ののち、8世紀初めに再開されてからは、唐を中心とする東アジア情勢が安定するなか、唐との関係を維持して制度や文化を摂取することが中心となりました。ただし、唐へ朝貢はするけれども冊封は受けず、唐からの自立性も示しました。倭の五王の外交や→第2章、遣隋使と→第3章、くらべてみましょう。

航路も変化しました。7世紀は朝鮮半島を経由する**北路**でしたが、8・9世紀は東シナ海を横断する**南路**に変わりました。航海は危険なものとなり、阿倍仲麻呂のように帰国に失敗して唐で死去した者もいました。

代表的な渡航者は、8世紀では山上憶良（貧窮問答歌の作者）、留学生の**阿倍仲麻呂**（唐で死去）、留学生の**吉備真備**や学問僧の**玄昉**（帰国後に**橘諸兄**政権に参加）などがいます。9世紀では**最澄**・**空海**（それぞれ唐から**天台宗**・**真言宗**をもたらす→第7章）、橘逸勢（三筆の一人→第7章、のち承和の変で失脚→第5章）などがいます。また、8世紀中ごろ、唐僧の**鑑真**が遣唐使の帰国船に便乗して渡来しました→第7章。

年表 ※7世紀・8世紀・9世紀の各時期における動向を整理しよう

【国内政治】	【使節派遣】	【東アジア】
	630 **第1回遣唐使**　**犬上御田鍬**を派遣	**618** 唐の建国
645 大化改新	**653/654/659** 遣唐使	
663 白村江の戦い		**660** 百済の滅亡
	665/667/669 遣唐使	**668** 高句麗の滅亡
672 壬申の乱	※〔**天武天皇・持統天皇**〕は遣唐使を派遣せず	**676** 新羅の朝鮮統一
694 藤原京へ遷都		**698** 渤海の建国
701 大宝律令制定	**702** 遣唐使の再開　山上憶良が唐へ	
710 平城京へ遷都	**717** **阿倍仲麻呂・吉備真備・玄昉**が唐へ	※新羅使の来日
※橘諸兄政権	→吉備真備・玄昉帰国（阿倍仲麻呂は客死）	※渤海使の来日
	753 **鑑真**の来日	
794 平安京へ遷都	※8世紀は10回の遣唐使（うち3回は中止）	
	804 **最澄・空海**・橘逸勢が唐へ	
	838 遣唐使が渡航した最後　円仁が唐へ	
	894 **菅原道真**の建議で**遣唐使の停止**	
		907 唐の滅亡
		※渤海・新羅滅亡

(2) 新羅とは外交上の地位をめぐって緊張関係となったが、交流は深かった

新羅（4世紀半ば〜935）は、**白村江の戦い**(663)で倭と交戦し→第3章、朝鮮半島の統一後(676)は、唐と対立したため日本に接近しました。**新羅使**が来日し、遣新羅使も派遣されて、7世紀後期の日羅関係は良好でした。

8世紀、唐との関係が安定した新羅は、日本との対等関係を望んだのに対し、律令制度をととのえ、唐から冊封を受けなかった日本は、新羅への優位性を主張して従属を要求したため、日羅関係はしばしば緊張しました。しかし、使節の往来による文物の交流は盛んで、のち商人が日羅間を往来しました。

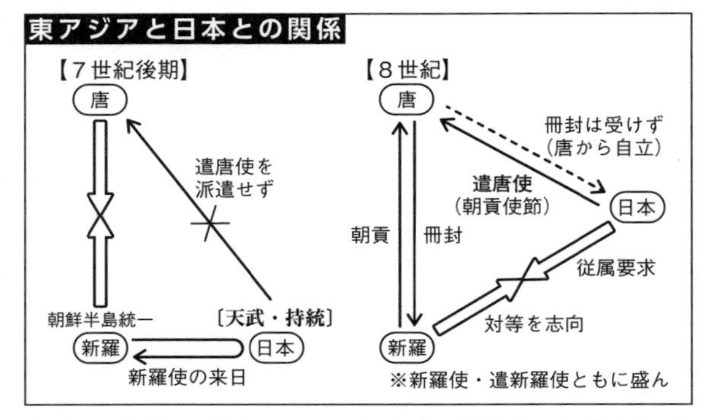

(3) 渤海は唐・新羅との対抗から日本へ接近し、のち貿易中心の関係となった

渤海（698〜926）は、高句麗滅亡（668）のあと、中国東北部に建国されました。唐や新羅と対抗するため日本に接近し、8世紀前期に**渤海使**が来日し、遣渤海使も派遣されました。接待施設の能登客院（能登）・松原客院（越前）は日本海側にありました。のち、渤海とは貿易中心の関係になりました。

② 都城・地方支配

律令国家による国内支配がどのように広がっていったのか、その中心となる平城京と、東北・南九州への支配拡大を、見ていきましょう。

(1) 律令国家の中心となる都城として、藤原京から平城京へ遷都した

〔**文武天皇**〕による大宝律令制定（701）のあと、〔**元明天皇**〕（文武の母）は持統・文武・元明と3代続いた藤原京から**平城京**に遷都（710）しました。唐の都の**長安**にならい、北の端に位置する平城宮（宮城）には内裏（天皇の居所）、**大極殿**・**朝堂院**（儀式や政務の場）、諸官庁が置かれました。また、京は**条坊制**により東西南北に走る道路で区画され、右側の**左京**、左側の**右京**、張り出した外京に分けられ、中央には南北に貫かれる**朱雀大路**がありました。平城宮にいる天皇は、南を向いて「左・右」を決めるので、地図で見る左・右と逆になっています。また、政府が集めた税や、官人の給与（禄は布などの現物支給）を取引するため、**市司**が管理する官営の市として、左京に**東市**、右京に**西市**が設けられました。「東・西」は、地図上の東・西と同じです。

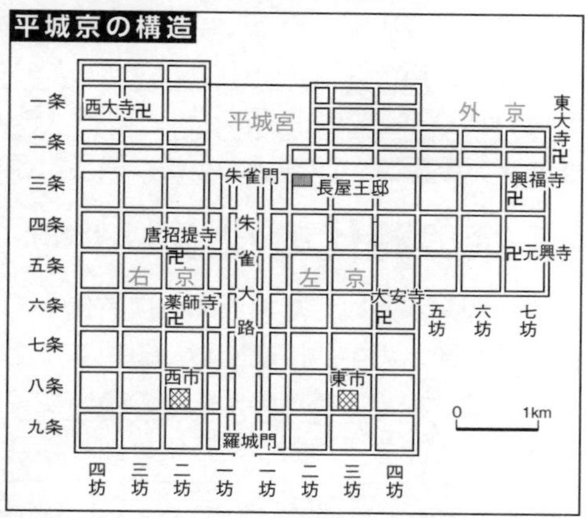

(2) 東北や南九州に支配を広げ、蝦夷や隼人を従えていった

律令国家は、支配領域を拡大させていきました。東北の**蝦夷**を服属させるため、各地に**城柵**を築いて支配の拠点としました。7世紀中期に渟足柵・磐舟柵を築いたのに続き→第3章、律令国家が成立した8世紀初めには**出羽国**を設置し、日本海側への支配を拡大しました。そして、**多賀城**を築き（724）、陸奥国府と**鎮守府**（軍事を担当する役所）を置いて、太平洋側にも支配の拠点を設けました。さらに秋田城を築き、出羽国府を置きました。

また、東北では移住政策も進められました。服従した蝦夷を俘囚としてほかの地域へ移住させ、ほかの地域から東北に公民を移住させて柵戸としました。

一方、南九州の**隼人**も服属させ、8世紀初めに**大隅国**を設置しました。

(3) 中国の制度をまねた貨幣制度を設け、貨幣鋳造事業が続けられた

律令国家は、中国の制度をまねて、国家による貨幣鋳造事業を始めました。〔**天武天皇**〕による**富本銭**に続き→第3章、武蔵国で銅が発見されたのを機に、

〔**元明天皇**〕は**和同開珎**（708）を発行しました。和同開珎は**平城京**を造営する費用の支払いに用いられ、さらに貨幣流通を促進するため**蓄銭叙位令**を発しました（711）。蓄えた銭を政府へ納めれば位階が上がるしくみで、官人は現物支給の給与を東西の市で換金し、貨幣取引が盛んになります。

しかし、貨幣は京や畿内では流通したものの、畿内の外では普及しませんでした（稲や布を取引に用いた）。のち〔**村上天皇**〕が**乾元大宝**（958）を発行するまで→第5章、12種類の貨幣が造られ続けました（**本朝〔皇朝〕十二銭**）。

3 奈良時代の政治（8世紀）

律令国家が完成したあとの奈良時代（710〜794）は、**藤原不比等**に始まる**藤原氏**が政治の中心に進出した時期でした。しかし、藤原氏が順調に権力を握ったのではなく、ほかの氏族との争いが続きました。政権担当者を順番に並べてみると、藤原氏は勝ったり負けたりの「1勝1敗ペース」だとわかります。

藤原不比等→**長屋王**→**藤原4兄弟**→**橘諸兄**→**藤原仲麻呂**→**道鏡**→**藤原百川**

なんで、奈良時代は、貴族が争ってばかりなんだろう？

もともと、貴族は**畿内豪族**だし、天皇は豪族連合の盟主である**大王**だ。天皇とそれぞれの貴族との人間関係で政治が動く側面もあった。

でも、天皇中心の国家だから、天皇が主導すればいいんじゃない？

実は、天皇の制度はまだ安定しなかった。系図では、天皇の即位の順番を丸数字で示している。①から⑩まで順に追っていってごらん。

〔**①天智**〕、弟の〔**②天武**〕、皇后の〔**③持統**〕、孫の〔**④文武**〕、母の〔**⑤元明**〕、娘の〔**⑥元正**〕、おいの〔**⑦聖武**〕、娘の〔**⑧孝謙**〕、血筋が離れて〔**⑨淳仁**〕、孝謙がまた即位して〔**⑩称徳**〕。「親から子へ、子から孫へ」の直系で天皇の地位が受け継がれていないんだね。

それに、〔**推古**〕〔**皇極・斉明**〕〔**持統**〕は7世紀の女性天皇だったけど、8世紀にも女性天皇が存在した。〔**元明**〕〔**元正**〕〔**孝謙・称徳**〕だ。

今は、女性は天皇になれないよね。なぜ、当時は多かったのかな。

後継者がいないときの中継ぎとして即位させたんだ。でも、すべてがそうとはいえず、主体的に権力を行使した女性天皇もいたよ。

系図を見ながら、天皇にも注目して政治史を見るといいんだね。

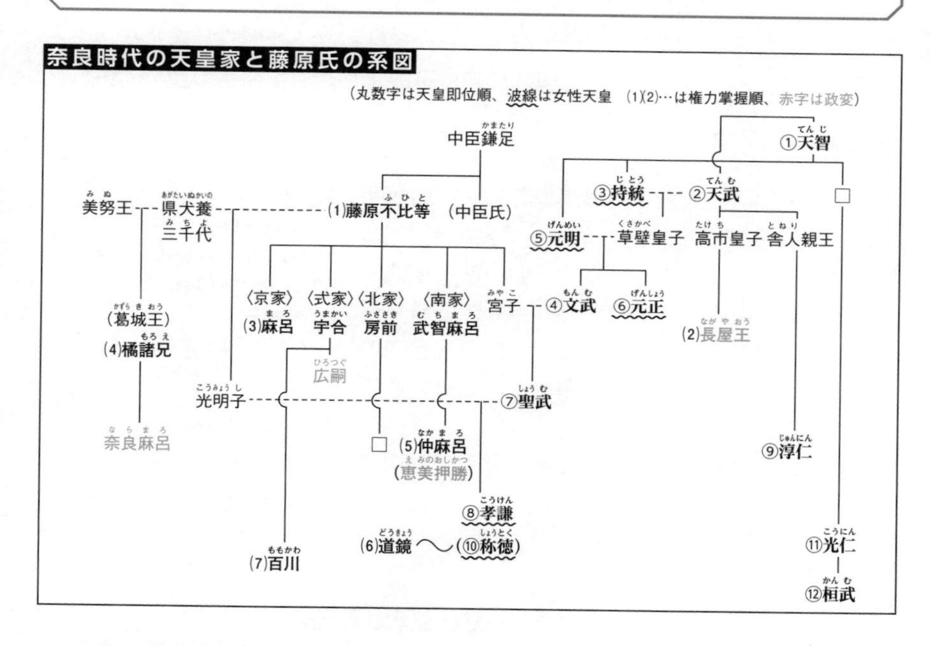

① 藤原不比等

年表
①藤原不比等
701 大宝律令制定
707〔元明天皇〕即位
708 和同開珎発行
710 平城京遷都
715〔元正天皇〕即位
718 養老律令制定
②長屋王
722 百万町歩開墾計画
723 三世一身法
724〔聖武天皇〕即位
729 長屋王の変

大化改新→第3章の中心だった**中臣鎌足**の子である**藤原不比等**は、律令制度整備の中心人物となり、**大宝律令**(701)と**養老律令**(718)の制定をリードしました。

また、天皇家に接近しました。系図から、不比等は娘の**宮子**を〔**文武天皇**〕に嫁がせ、娘の**光明子**をのちの〔**聖武天皇**〕に嫁がせたことがわかります。

文武は若くして亡くなったため、母の〔**元明天皇**〕が即位しました。**和同開珎**（708）を発行し、さらに**平城京**（710）へ遷都しました。ここから奈良時代が始まります。そして、元明は娘の〔**元正天皇**〕に譲位しました。

② 長屋王

藤原不比等が亡くなると、〔**天武天皇**〕の孫にあたる**長屋王**が台頭し、右大臣から**左大臣**まで出世しました。このとき、百万町歩開墾計画（722）や**三世**

一身法（723）といった土地制度の改革がおこなわれました。

元正が譲位し、藤原氏を母に持つ〔聖武天皇〕が誕生すると、藤原不比等の子である**武智麻呂・房前・宇合・麻呂**の４兄弟は長屋王と対立しました。彼らは長屋王に謀反の罪をきせて、自害に追い込みました（**長屋王の変**　729）。

③ 藤原４兄弟

藤原４兄弟は、武智麻呂が**南家**の祖、房前が**北家**の祖、宇合が**式家**の祖、麻呂が**京家**の祖です。彼らは長屋王の変の直後、妹の光明子を〔**聖武天皇**〕の皇后に立てて**光明皇后**としました。藤原氏の女性が、それまで皇族に限られていた皇后の地位を得たことで、藤原氏は天皇家との結びつきを強めました。

しかし、天然痘の流行で、藤原４兄弟は相次いで病死しました（737）。

年表
③藤原４兄弟
729 光明子が**皇后**となる
737 藤原４兄弟が病死
④橘諸兄
740 **藤原広嗣の乱**
恭仁京へ遷都
（→難波→紫香楽→平城）
741 国分寺建立の詔
743 大仏造立の詔
墾田永年私財法

④ 橘諸兄

藤原氏に代わり、皇族出身の**橘諸兄**が政権を握りました。系図から、光明皇后との血縁関係が読み取れます。唐から帰国した**吉備真備・玄昉**が〔**聖武天皇**〕の信頼を得て用いられました。

しかし、当時大宰府にいた**藤原広嗣**（宇合の子、式家）はこれに不満を持ち、吉備真備・玄昉の追放を求めて九州で挙兵しました（**藤原広嗣の乱**　740）。

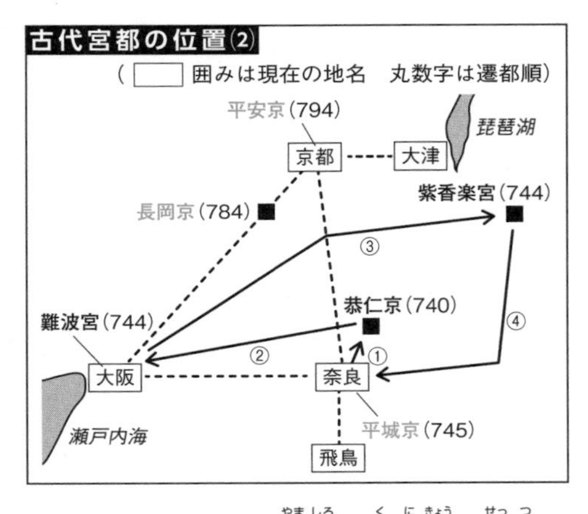

その直後から、〔**聖武天皇**〕は遷都をくり返します（山背の**恭仁京**→摂津の難波宮→近江の**紫香楽宮**→大和の平城京）。そして、仏教の力に頼って国家や社会を安定させる**鎮護国家思想**のもと→第７章、恭仁京で**国分寺建立の詔**（741）を発し、国ごとに国分寺・国分尼寺を造らせました。

さらに、紫香楽宮で（当時はまだ都ではなく離宮）**大仏造立の詔**（743）を発しました。史料には「**天平十五年**（743年）**…を以て、菩薩の大願を発して盧舎那仏の金銅像一軀を造り奉る。…夫れ天下の富を有つ者は朕**（聖武天皇）

なり。天下の勢を有つ者も朕なり」とあります。〔**聖武天皇**〕が仏教で世の中を救う願いをおこし、大仏を造立することを宣言したのです。同じ743年、土地制度の重要な改革である**墾田永年私財法**も制定されました。

⑤ 藤原仲麻呂

年表
⑤藤原仲麻呂
749〔孝謙天皇〕即位
752 大仏開眼供養
757 養老律令を施行
橘奈良麻呂の変
758〔淳仁天皇〕即位
→仲麻呂は恵美押勝に
764 恵美押勝の乱
⑥道鏡
764〔称徳天皇〕即位（重祚）
769 宇佐八幡神託事件
770 称徳の死→道鏡追放
⑦藤原百川
770〔光仁天皇〕即位

聖武が譲位し、聖武と光明皇后の娘である〔**孝謙天皇**〕が即位すると、おばの**光明皇太后**の信任を得た**藤原仲麻呂**（武智麻呂の子、南家）が台頭しました。大仏は平城京近辺の**東大寺**で完成し、**開眼供養**がおこなわれました（752）。

藤原仲麻呂は、祖父の不比等が制定した**養老律令**を施行し（757）、仲麻呂打倒計画を立てた**橘奈良麻呂**（諸兄の子）らを滅ぼしました（**橘奈良麻呂の変**　757）。さらに、孝謙が退位したのち、仲麻呂は〔**淳仁天皇**〕を即位させました。系図を見ると、孝謙から淳仁への皇位継承は直系のラインから離れており、淳仁は仲麻呂の推薦で即位できたのです。仲麻呂は淳仁から**恵美押勝**の名を与えられ、権力をふるいました。

しかし、光明皇太后が亡くなると、**孝謙上皇**や、彼女の寵愛を受けた僧**道鏡**が進出し、淳仁・恵美押勝と対立しました。恵美押勝は軍事力で孝謙上皇を抑えようとしましたが、逆に敗死しました（**恵美押勝の乱**　764）。

⑥ 道　鏡

孝謙上皇は、再び即位して（重祚）、〔**称徳天皇**〕となりました（淳仁は廃位された）。そして、称徳の信頼のもとで、**道鏡**が**太政大臣禅師**や**法王**の地位を得て権力をふるいました。そして、**百万塔**の製作を進めるなど→第7章、仏教で政権を安定させようとしました。

称徳は独身で子がいなかったので、次の天皇が問題になりました。称徳は、神託（神のお告げ）を利用し、天皇家の人物ではない道鏡を天皇にしようとしましたが（**宇佐八幡神託事件**　769）、和気清麻呂らの行動で挫折しました。〔**称徳天皇**〕が亡くなると、道鏡は下野薬師寺へ追放されました（770）。

⑦ 藤原百川

藤原百川（宇合の子、式家）らは、高齢の〔**光仁天皇**〕を立て、仏教政治で混乱した律令政治の立て直しをはかりました。系図を見ると、光仁は〔**天智天**

皇】の孫にあたります。天皇の系統は、これまで続いた天武の系統から天智の系統に移りました。これが、次の〔**桓武天皇**〕の遷都につながります→第5章。

4 奈良時代の土地制度（8世紀）

① 民衆支配の動揺

奈良時代の民衆の生活

- 鉄製農具がいっそう普及
- かまどのある竪穴住居から**平地式の掘立柱住居**へ
- 男性が女性の家に通う**妻問婚**の風習、父系も母系も重視
- **麻**などを着用（木綿は江戸時代以降に庶民が用いる）

戸籍・計帳にもとづき公民を個別に支配する方式は、早くも動揺し始めました。その理由は、公民の過重な負担にありました。兵士として徴発される**兵役**や、地方で労役にあたる**雑徭**や、調・庸を中央政府まで納める**運脚**は、人間の身体を一定期間拘束する負担なので、余裕がなくなるのです。民衆の苦しい状況は、『**万葉集**』→第7章に収められた**山上憶良**の**貧窮問答歌**の、「**かまどには火の気もなく、米を蒸すこしきにはクモの巣が張って…むちを持った里長が（税を徴収するために）呼ぶ声が、寝室にまで聞こえてくる…**」（現代語訳）という一節に示されています。

こうしたなか、戸籍に登録された本籍地から離れ（**浮浪・逃亡**）、あるいは私的に出家し（**私度僧**）、あるいは貴族の従者となる（**資人**）など、公民が負担を逃れようとする動きが増え、政府の税収不足が生じました。

また、人口増加に加え、浮浪・逃亡で放棄されて荒れた田地が増えたこともあって、口分田が不足し、班田収授の実施が困難となっていきました。

② 開墾奨励策

そこで、律令国家は土地政策を転換しました。開墾を奨励し、新しく作られた**墾田**を把握して課税対象として（課税対象の田地を**輸租田**と呼ぶ）、土地からの税収を増やそうとしました。その際、人々の意欲を出させるため、墾田の私有を認めました。作った田地が自分のものになれば、ヤル気が出ますね。

まず、**長屋王**政権で、**百万町歩開墾計画**（722）が立てられ、続けて**三世一身法**（723）が定められました。史書の『続日本紀』→第7章には、「（**養老七年**[723年] **四月**）…**其の新たに溝池を造り、開墾を営む者有らば、多少を限らず、給ひて三世に伝へしめん。若し旧き溝池を逐はば、其の一身に給せん**」とあります。新しい灌漑施設を作って開墾したら3代にわたって墾田の私有を認め、従来の灌漑施設を利用したら本人のみ墾田の私有を認める（のち政府が墾田を収公して公田とする）、というものでした。

さらに、**橘諸兄**政権で、**墾田永年私財法**（743）が定められました『続日本紀』には、「（**天平十五年**［743年］**五月）…墾田は養老七年の格**（三世一身法）**に依りて、限満つる後、例に依りて収授す。…今より以後、任に私財と為し、三世一身を論ずること無く、咸悉くに永年取る莫れ**」とあります。三世一身法では私有期限が来たら政府が収公したが、今後は墾田を開墾者の意に任せて私有地と認め、三世・一身という期限をなくして永久に収公しないとしたのです。また、位階による開墾面積の制限がありました。

実は、日本の律令国家は、すでに作られていた田地だけを公地（公田）として把握し、そこに口分田を設定して公民に班給しており、それ以外の土地（新しい墾田や山・森林・草原・荒れ地）は把握できませんでした。しかし、**墾田永年私財法**では、新しい墾田の私有を認めつつ登録させたので、政府が把握する田地は増加しました。つまり、政府の土地支配を強化する積極策だったのです。

のち、**道鏡**政権は、墾田の開発を禁止しました（寺院の開墾だけは許された）。そして、道鏡が失脚すると、墾田永年私財法が復活しました。

③ 初期荘園

墾田永年私財法にもとづき貴族や寺院が大規模な開発を進め、開墾私有地である**初期荘園**が作られていきました。

開発と経営は**貴族・寺院**が直接おこない、現地の国司・郡司が経営に協力しました。初期荘園は租を納める**輸租田**の扱いなので、その拡大は税収の増加につながるからです。

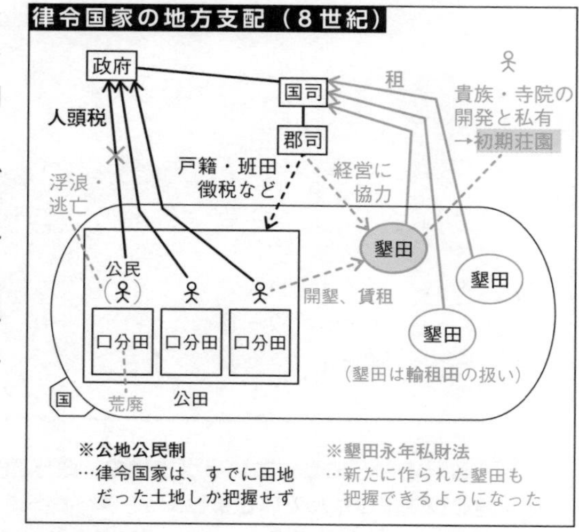

労働力として、周辺の班田農民や浮浪人が用いられ、１年単位で田地を貸す**賃租**の方式で耕作されました。しかし、９世紀、伝統的な地域支配力を持つ郡司が弱体化するなど律令制が動揺すると、初期荘園は維持が困難となって衰退しました。

チェック問題にトライ！

古代国家は、地域住民による抵抗に出会いながら支配の領域を広げていった。ア～ウの史料が示す事件はどこの地域で起こった出来事か。それぞれの出来事と地図上の記号との組合せとして正しいものを、下の①～⑤のうちから一つ選べ。

ア　「磐舟柵を治めて、以て蝦夷に備う。遂に越と信濃の民を選びて、始めて柵戸を置く。」

〔『日本書紀』大化４年（648年）条〕

イ　「大宰府奏言す。隼人反して大隅国守陽候史麻呂を殺すと。」

〔『続日本紀』養老４年（720年）２月29日条〕

ウ　「従三位坂上大宿禰田村麿を遣わして、陸奥国胆沢城を造らしむ。」

〔『日本紀略』延暦21年（802年）正月９日条〕

①　ア－a　イ－f　ウ－c　　②　ア－d　イ－i　ウ－b
③　ア－e　イ－h　ウ－d　　④　ア－d　イ－g　ウ－c
⑤　ア－e　イ－i　ウ－b

（センター試験　1993年度　追試験）

解説　**教科書などに載っている「古代の行政区画」の地図を見て、国名とその位置を克明につかんでいきましょう**。現在の都道府県との対応関係も確認します。

ア　７世紀の「蝦夷」政策として、渟足柵・「磐舟柵」が日本海側に築かれました。史料にある「越」は、のちの越前・越中・越後などを含むので、ｄかｅかで迷いますね（ａは秋田城）。史料の「信濃の民を選びて、始めて柵戸を置く」に注目しましょう。現在の長野県からも柵戸を移住させる、蝦夷支配の最前線としては、ｅよりもｄのほうがふさわしいでしょう。

イ　史料には、南九州の「隼人」の反乱が記されています。「大隅国」の場所はｉです。

ウ　これは、第５章を学べば解けます。「坂上大宿禰田村麿（＝坂上田村麻呂）」により「胆沢城」が「陸奥国」に築かれたのは、９世紀初めです（桓武天皇の時代）。ｃかｂかで迷いますが、ｃの多賀城からｂの胆沢城へ鎮守府が移動したことを含め、地図で位置を確認しておきましょう。

⇒したがって、②（アーｄ　イーｉ　ウーｂ）が正解です。

勅すらく、今聞く、墾田は天平十五年の格によるに、今より以後、私財となすに任せて、三世一身を論ずることなく、みな悉く永年取ることなかれと。これによりて、天下の諸人競って墾田をなし、勢力の家は百姓を駆役し、貧窮の百姓は自存するに暇なし。今より以後、一切禁断して加墾せしむることなかれ。但し寺については、先来定めたる地の開墾の次は(注)、禁ずる限りにあらず。

（『続日本紀』天平神護元年〔765年〕３月５日条）

（注）「開墾の次は」とは、開墾途中の場合は、の意味。

問　この法令の趣旨として正しいものを、次の①～④のうちから一つ選べ。

① この法令は、墾田永年私財法に従って、開墾を積極的に行うことをもとめたものである。
② この法令は、墾田永年私財法を停止して、三世一身の法に従って開墾を行うことを命じたものである。
③ この法令は、墾田永年私財法を停止して、有力者が農民を酷使してあらたに開墾することを禁止したものである。
④ この法令は、墾田永年私財法に従い、寺院が開墾を続けることを禁止したものである。

（センター試験　1996年度　本試験）

解説　史料の最初に、三世一身法を改めて墾田の永年私有を認めた、という内容が書かれているので、知識を頼ってこの法令を墾田永年私財法だと勘違いした人もいるでしょう（たとえば選択肢①）。

ところが、史料の続きを読んでいくと、その後の経緯が書かれ、最終的に「一切禁断」されたことがわかります。つまり、未見史料の解法が必要です。共通テストでは、**教科書に載る史料でも、その場で史料を読解していく姿勢を持つ**ことが大切です。

史料によれば、「天下の諸人競って墾田をなし、勢力の家は百姓を駆役し」たことに対し、政府が「今より以後、一切禁断して加墾せしむることなかれ」と命じたのですから、選択肢③の「有力者が農民を酷使してあらたに開墾することを禁止した」が、一番意味が近いと判断できるでしょう。ちなみに、「寺については、先来定めたる地の開墾の次は、禁ずる限りにあらず」のような規定（したがって選択肢④の「寺院が開墾を続けることを禁止した」は誤り）の背景には、当時道鏡が政治の中枢にいたことが考えられます。

⇒したがって、③が正解です。

第5章 平安時代の貴族政治
（平安時代前期・中期）

世紀	天皇	藤原	東アジア	
8世紀	桓武		唐	新羅
9世紀	平城		唐	新羅
	嵯峨	冬嗣		
	淳和			
	仁明	良房		
	文徳			
	清和			
	陽成	基経		
	光孝			
	宇多			
10世紀	醍醐	時平		
	朱雀	忠平	五代十国	
	村上			高麗
			宋	
11世紀	後一条	道長		
		頼通		

政治・外交

(1)

1 桓武天皇・嵯峨天皇の時代

①桓武天皇の改革
遷都（長岡京・平安京）
蝦夷征討（征夷大将軍）
地方政治の改革（勘解由使）

②嵯峨天皇の改革
平城太上天皇の変（810）
令外官の設置（蔵人頭・検非違使）
法制の整備（弘仁格式）

2 藤原氏の台頭

①藤原良房
承和の変（842）（伴健岑・橘逸勢）
太政大臣に
〔清和天皇〕の摂政に
応天門の変（866）（伴善男）

②藤原基経
〔光孝天皇〕の関白に
〔宇多天皇〕の関白に→阿衡の紛議（888）
遣唐使の停止（894）（菅原道真の建議）

(2)

3 醍醐天皇・村上天皇の時代

①醍醐天皇の親政（延喜の治）
右大臣菅原道真を左遷（901）
律令制復興（日本三代実録・延喜格式）

②朱雀天皇の時代
藤原忠平が摂政に（のち関白に）

③村上天皇の親政（天暦の治）
律令制復興（乾元大宝）

(3)

4 摂関政治

①摂関の常置と藤原氏の内紛
安和の変（969）（左大臣源高明）
兼通と兼家の争い　道長と伊周の争い

②摂関政治の全盛
藤原道長、摂政に
藤原頼通、摂政に（のち関白に）

第５章のテーマ

平安時代前期・中期（8世紀末〜11世紀中期）の政治と対外関係を見ていきます。

(1)　平安時代初期は、**桓武天皇・嵯峨天皇**が律令制の再編を主導しました。そして、平安時代前期、藤原氏は**摂政・関白**の地位を得ました。

(2)　平安時代中期の前半は、醍醐・村上の**天皇親政**が展開しました。律令制復興がはかられつつ、新規の事業もあり、時代の転換点となりました。

(3)　平安時代中期の後半は、藤原氏**摂関政治**の全盛期です。政治の構造に注目しましょう。東アジア（宋・高麗）も見渡します。

1 桓武天皇・嵯峨天皇の時代（8世紀末〜9世紀前期）

平安時代は、**8世紀末**（794）から**12世紀末**（1185ごろ）まで約400年間続くので、世紀の数字で時代を区切って把握しましょう。この章では天皇家と藤原氏の人物がたくさん登場するので、系図で人間関係を確認するのがコツです。

平安時代初期（8世紀末〜9世紀前期）は、〔桓武天皇〕・〔嵯峨天皇〕により、天皇主導による**律令制の再編**が進みました。律令制定から100年近くたち、日本の実情に合わないところを変えていくことが求められたのです。

① 桓武天皇の改革

〔光仁天皇〕→第4章が進めた改革を受け継いだのが、光仁と渡来系氏族の女性との間に生まれた〔桓武天皇〕です。彼は、中国皇帝がおこなう儀式をまねるなどして権威を高め、**遷都**と**蝦夷征討**の二大事業を推進して天皇権力を強化しました。

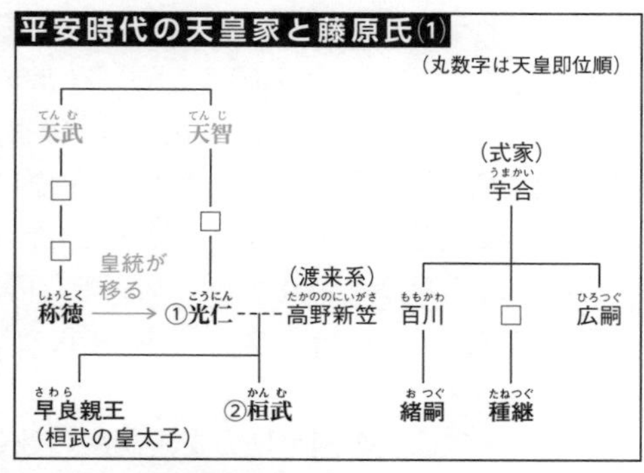

(1) 平城京から長岡京へ遷都し、さらに平安京へ遷都した

まず、遷都から。〔桓武天皇〕は、皇統が天武系から天智系に移ったことを根拠に、父の光仁から始まる新しい皇統にふさわしい都作りをめざし、また道鏡政権→第4章で見られた仏教勢力の政治介入から距離を置くこともめざしました。そこで、平城京から、渡来系氏族と関係が深く交通の便もよい山背国の長

長岡京（784）へ遷都しました（宮都の位置を確認しましょう→第4章）。

しかし、遷都事業の中心だった**藤原種継**（式家）が暗殺されると、首謀者とされた皇太子の**早良親王**は流罪となり、自死しました。そののち、桓武の身の回りに起きた不幸が、早良親王の**怨霊**の祟りのせいだとされたこともあって、長岡京の北東で、現在の京都にあたる**平安京**（794）へ遷都しました（山城国に名称変更）。ここから平安時代が始まり、鎌倉幕府成立まで続きます。

⑵ 東北では蝦夷による反乱が相次ぎ、これを武力で制圧していった

律令国家は東北各地に**城柵**を設け、そこに政庁や役所・倉庫を置いて、**蝦夷**への支配を浸透させていきました→第4章。

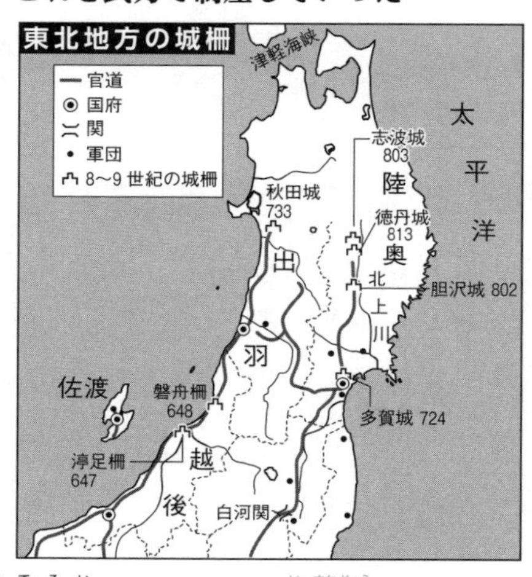

しかし、８世紀末、〔**光仁天皇**〕のときに蝦夷の豪族の**伊治呰麻呂**が乱を起こすと（780）、蝦夷の大規模な反乱が30年以上にわたり相次ぎました。

こういった状況に対し、〔**桓武天皇**〕は武力を用いた支配拡大をはかり、**坂上田村麻呂**を**征夷大将軍**（令外官の一つ）に任命して、征討事業をくり返しました。坂上田村麻呂は、蝦夷の族長**阿弖流為**を降伏させ、**胆沢城**を建設して多賀城にあった鎮守府を胆沢城へ移し（802）、さらに北上川の上流に**志波城**を建設して（803）、律令国家の領域を北へ広げました。

しかし、こうした「**軍事**（蝦夷との戦争）と**造作**（平安京造営）」の二大事業は、国家財政と人々にとって大きな負担となりました。桓武は**菅野真道**（推進派）と**藤原緒嗣**（中止派）に論争させ（805 **徳政相論**）、藤原緒嗣の意見を入れて二大事業を停止しました。のちの、〔**嵯峨天皇**〕による**文室綿麻呂**の蝦夷征討事業（徳丹城を建設）が、最後となりました。

⑶ 桓武天皇は、軍制や地方支配制度の改革をおこなった

さらに、〔**桓武天皇**〕は軍制の改革をおこないました。８世紀後半以降に唐が内乱で衰えて、対外的な緊張が薄れたことに加え、過重な負担から公民の浮浪・逃亡が相次ぎ、兵士の弱体化が見られたことから→第4章、東北や九州を除いて**軍団と兵士を廃止**しました（792）。同時に、郡司の子弟の志願による**健児**に、国ごとの治安維持を担当させました（792）。

地方政治の強化もはかり、令外官（令に定められていない新しい官職）として**勘解由使**を設置し、国司の交代に際しての事務手続きを監督させました。

また、公民の負担を軽くするため、**雑徭**を**半減**し（正丁は60日から30日へ）、**出挙**の利息を５割から**３割**へ引き下げました。さらに、**班田収授**を６年１回から**12年１回**とし、間隔を空けることで班田制を維持しようとしました。

② 嵯峨天皇の改革

桓武の改革は、〔嵯峨天皇〕に受け継がれました。嵯峨は、中国の制度・文化を積極的に取り入れる**唐風化政策**を採用し、勅撰漢詩文集**『凌雲集』**などの編集を命じました→第７章。嵯峨は、唐風の書をよくする**三筆**の一人でもあります。また、天皇支配を支える機構や法制の整備を進めました。

(1) 嵯峨天皇は平城太上天皇の変で権力を確立し、藤原冬嗣が蔵人頭となった

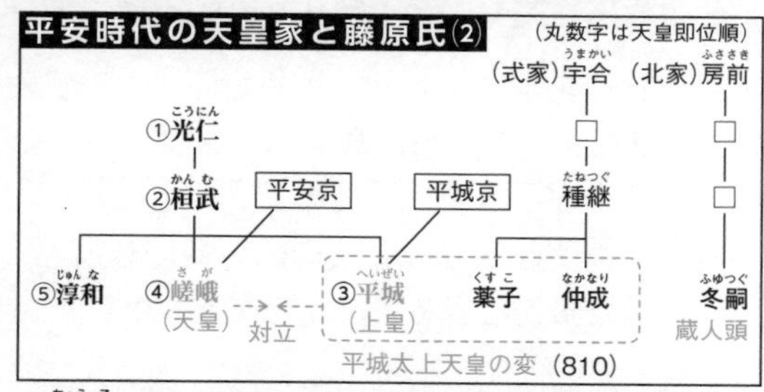

まず、嵯峨が権力を確立するきっかけとなった**平城太上天皇の変**（**薬子の変**　810）から見ていきましょう。

桓武の次の〔**平城天皇**〕は、弟の嵯峨に譲位して**平城上皇**となり、側近の**藤原仲成・薬子**とともに平城京に移ったのち、重祚（再び即位）と平城京への遷都を画策して〔嵯峨天皇〕と対立しました。藤原仲麻呂（恵美押勝）政権のとき、天皇権力が**孝謙上皇**と〔**淳仁天皇**〕とに分かれて争ったのと同じ状況が生まれたのです→第４章。結局、軍事力を用いた嵯峨が勝利し、藤原仲成・薬子は滅んで、藤原氏の**式家**が没落しました。

このとき〔嵯峨天皇〕が設置した**蔵人頭**は、天皇の命令を太政官に伝達する役割を果たす官職で、これに**藤原冬嗣**が任命されて以降、藤原氏の**北家**が台頭しました。こうした**令外官**は、実情に合わせて官僚機構の効率化をはかるものとして重要視され、さらに平安京内の警察や裁判を担当する**検非違使**も設置されました。

令外官

- 〔**桓武天皇**〕
  - **征夷大将軍**…蝦夷の反乱を鎮圧
  - **勘解由使**…国司交代の手続きを監視
- 〔**嵯峨天皇**〕
  - **蔵人頭**…天皇秘書、太政官との連絡
  - **検非違使**…平安京内の警備・裁判

(2) 嵯峨天皇（上皇）の時代には、弘仁格式の編集など法制の整備も進んだ

律令法のうち、**格**は律令の補足・修正、**式**は律令の施行細則で、単発で出さ

れる追加法でした→第4章。〔**嵯峨天皇**〕の時代、これまで出されてきた格や式を分類・整理し、法令集として**弘仁格式**が編纂されました（〔**清和天皇**〕の時代に**貞観格式**や〔**醍醐天皇**〕の時代の**延喜格式**と合わせて**三代格式**と呼ぶ）。

次の〔**淳和天皇**〕の時代には、養老令の官撰（政府が編集）の注釈書『**令義解**』が作られ、法の解釈が公式に統一されました。9世紀、新たな律令は制定されなかったものの、格式の編纂や令の注釈書の作成で、法制の整備が進んだのです。

年表

- ●〔**桓武天皇**〕
- **784 長岡京**へ遷都→藤原種継暗殺
- **792** 軍団廃止・健児の制
- **794 平安京**へ遷都
- **797** 坂上田村麻呂が征夷大将軍に
  - ※勘解由使を設置
- **802** 坂上田村麻呂、胆沢城を築く
- **805** 徳政相論→「軍事・造作」停止
- ●〔**嵯峨天皇**〕
- **810 平城太上天皇の変（薬子の変）**
  - →藤原冬嗣を蔵人頭に
  - ※検非違使を設置
- **820** 弘仁格式の編纂

2 藤原氏の台頭（9世紀中期・後期）

平安時代前期（9世紀中期・後期）は、**藤原良房**・**基経**を中心に藤原氏の**北家**が台頭し、のちの**摂関政治**につながっていく基盤が作られた時期です。

摂関政治では、天皇の**外戚**になると、なぜ権力を握ることができるのかな。

当時の貴族社会では、母方の縁が重視された。自分の娘を天皇に嫁がせて、生まれた男子を即位させれば、外祖父の立場で天皇の判断に影響を与えられるよ。

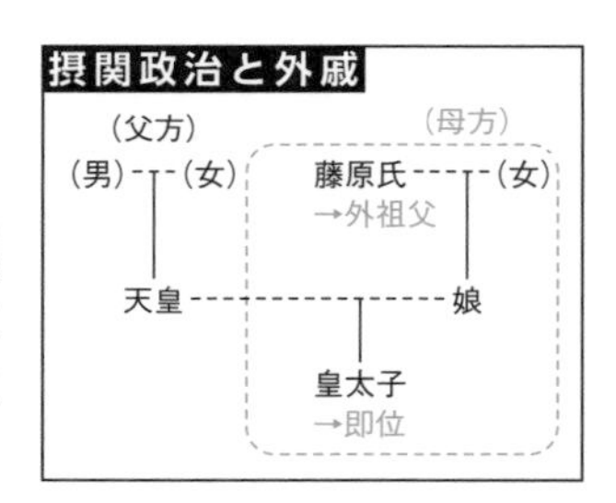

奈良時代は藤原氏が政争に勝ったり負けたりしたけれど→第4章、平安時代の政争は、どうなるのかな。

平安時代では、藤原氏が政治的事件を利用して政敵を排除し続け、摂政・関白の地位を確立するんだ。ただ、摂政・関白が置かれない**天皇親政**の時期もあった。何世紀のいつごろなのか意識すると、流れが見えてくるよ。

9世紀中期・後期	**藤原良房**が初の**摂政**に、**藤原基経**が初の**関白**に
10世紀前期・中期	〔**醍醐**〕親政／**藤原忠平**の摂関／〔**村上**〕親政
10世紀末〜11世紀中期	**藤原道長**・**頼通**による摂関政治の全盛期

長い期間だから、時期を区切って把握することが大事なんだね。

① 藤原良房

藤原**北家**は天皇に接近して勢力を伸ばしました。**藤原冬嗣**は〔**嵯峨天皇**〕と関係を深め、その地位を、子の**藤原良房**が継承しました。

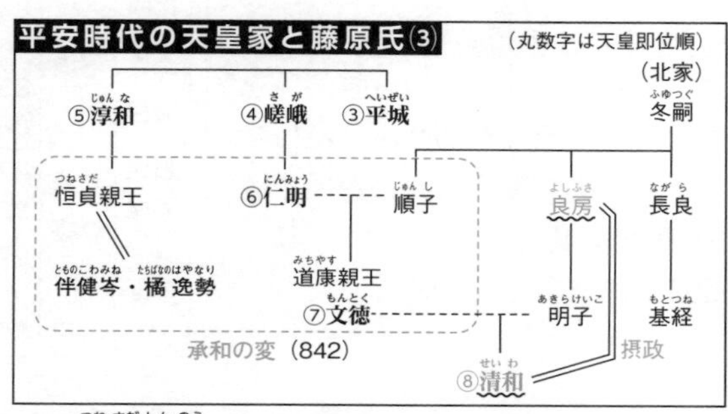

朝廷で存在感のあった嵯峨上皇が亡くなった直後、**承和の変**(842)が発生しました。謀反を計画したとして、恒貞親王が皇太子の地位を奪われ、恒貞親王と関係の深い**伴健岑**・**橘逸勢**が流罪となったのです(橘逸勢は**三筆**の一人→第7章)。このとき、藤原良房は〔**仁明天皇**〕と関係を深め、藤原氏を母に持つ道康親王を皇太子とし(道康はのち〔**文徳天皇**〕として即位)、さらに良房は**太政大臣**に就任しました。

そして、文徳の子の〔**清和天皇**〕が幼いまま即位すると、外祖父の藤原良房は臣下で初めての**摂政**となり、孫の〔**清和天皇**〕の権限を代行しました。

のちの**応天門の変**(866)では、平安京の応天門放火事件の犯人として大納言の**伴善男**らが流罪となり、伴氏・紀氏が没落するとともに、藤原良房は正式に摂政に任命されました。応天門の変の経緯は、院政期文化に属する『**伴大納言絵巻**』に描かれています→第12章。

② 藤原基経

良房のおいの**藤原基経**が、養子となって良房の地位を受け継ぎました。

基経は、幼少の〔**陽成天皇**〕のおじとして**摂政**をつとめていましたが、基経と陽成の関係が悪化しました。基経は、問題のある素行をくり返した陽成を譲位させ、年長で人格者の〔**光孝天皇**〕を立て、初めての**関白**となって光孝を補佐しました。

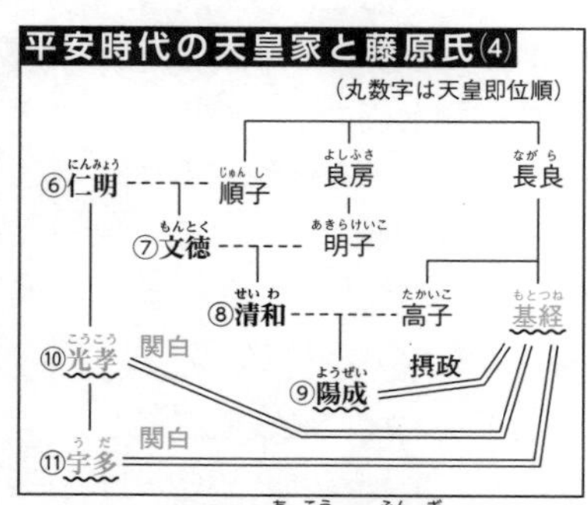

さらに、光孝の子の〔**宇多天皇**〕が即位すると、基経は**阿衡の紛議**(888)を通じて関白の政治的地位を確立しました。基経は、宇多から与えられた「阿

衡」が、実権をともなわない地位だとして抗議し、改めて関白に任じられたのです。

基経の死去後、藤原氏を外戚としない宇多は摂政・関白を置かず、学者で文人貴族の**菅原道真**を登用して藤原氏を抑えようとしました。この時期、道真の建議で**遣唐使が停止**されました（894）→第4章。

年表

嵯峨	冬嗣	810 平城太上天皇の変 →冬嗣が蔵人頭に
淳和	良房	
仁明	良房	842 **承和の変**
文徳	良房	
清和	良房	858〔清和〕即位→良房が**摂政**に 866 **応天門の変**
陽成	基経	876〔陽成〕即位→基経が摂政に
光孝	基経	884〔光孝〕即位→基経が**関白**に
宇多	基経	887〔宇多〕即位 →**阿衡の紛議**（888）
宇多	時平	894 **遣唐使の停止**

3 醍醐天皇・村上天皇の時代（10世紀前期・中期）

平安時代中期の前半（10世紀前期・中期）は、**〔醍醐天皇〕**による**延喜の治**（**藤原時平**が支える）、**〔朱雀天皇〕**の時代に**藤原忠平**が摂政・関白に就任、**〔村上天皇〕**による**天暦の治**、と目まぐるしく変化しました。**延喜・天暦の治**と呼ばれる天皇親政においては、律令制の復興がめざされました。

① 醍醐天皇の親政（延喜の治）

宇多が譲位して上皇となり、即位した**〔醍醐天皇〕**は摂政・関白を置きませんでした（**延喜の治**）。そして、左大臣の**藤原時平**は「右大臣の**菅原道真**に謀反の疑いあり」と醍醐へ訴え、道真は大宰府へ左遷されました（901）。

ちなみに、菅原道真が亡くなると、のちに**怨霊**として恐れられ、それを鎮めるため、京都に**北野天満宮**（北野神社）が造られ、天神としてまつられました。

延喜の治〔醍醐天皇〕と藤原時平・藤原忠平
- ●律令制の復興
  - **延喜格式**…三代格式の最後（『**延喜式**』は藤原忠平）
  - **班田を命令**（902）…班田収授の最後
  - **『日本三代実録』**…六国史の最後
- ●開始された新事業
  - **延喜の荘園整理令**（902）…荘園整理令の最初
  - **『古今和歌集』**…勅撰和歌集の最初

10世紀前期には、藤原時平が醍醐と協力し、時平が亡くなると、弟の**藤原忠平**が醍醐との協力を続けて、律令制の復興事業が進められました。これらは、「最初の○○」「最後の○○」のパターンで問われやすいです。法制では、**三代格式**の最後となる**延喜格式**が編纂されました。土地制度では、**班田を命令**し（これが最後の班田収授となる）、最初の荘園整理令である**延喜の荘園整理令**が発されました（902）→第6章。文化事業では、『日本書紀』以来の**六国史**の最後となる『**日本三代実録**』や、最初の勅撰和歌集である『**古今和歌集**』が編纂されました→第7章。

② 朱雀天皇の時代

醍醐の子の〔**朱雀天皇**〕が即位すると、朱雀のおじである**藤原忠平**が**摂政**（のち**関白**）となりました。

この時期、天皇の幼少時の摂政、天皇の成人後の関白、というあり方が確立し、摂政・関白は太政官の上に立って実権を握るようになりました。

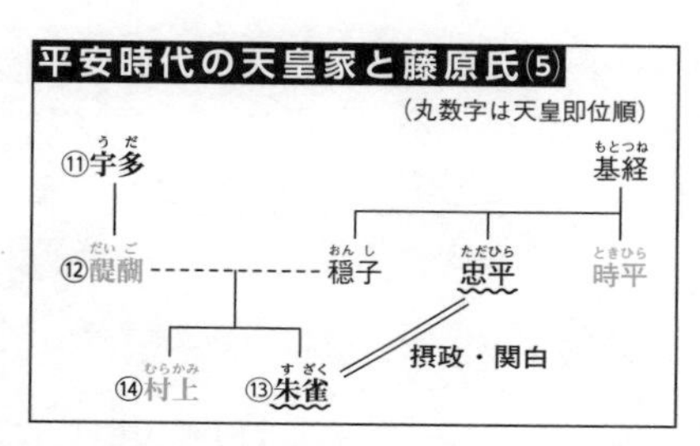

地方政治では、東国で**平将門**の乱が発生し、西国で**藤原純友**の乱が発生しました（あわせて**天慶の乱**　939～941）→第6章。

③ 村上天皇の親政（天暦の治）

朱雀の弟の〔**村上天皇**〕が即位し、藤原忠平が亡くなると、村上は摂政・関白を置きませんでした（**天暦の治**）。

律令制の復興としては、**和同開珎**以来の**本朝**（**皇朝**）**十二銭**の最後にあたる→第4章、**乾元大宝**（958）が鋳造されました。

年表

醍醐	時平	**901 菅原道真を大宰府へ左遷**
		『日本三代実録』
		902 班田命令・延喜の荘園整理令
		905『古今和歌集』
		907『延喜格』
		927『延喜式』
朱雀	忠平	※藤原忠平が**摂政・関白**に
		939 天慶の乱（～941）
村上		**958 乾元大宝**

4 摂関政治（10世紀後期～11世紀中期）

平安時代中期の後半（10世紀後期～11世紀中期）は、藤原**北家**の中心となる摂関家が、**摂政**（幼少の天皇の権限を代行）・**関白**（成人の天皇を補佐）の地位を得て朝廷の政治を主導する、**摂関政治**の全盛期となります。

いよいよ摂関政治。藤原氏が摂政・関白になって、権力を独占だ！

藤原氏も、天皇や貴族たちと協力していたから、独占とはいえないよ。政務は、太政官の**公卿**会議で審議され→第4章、その内容を天皇もしくは摂政が決裁し、天皇の意思を伝える**宣旨**、あるいは太政官が発

する**太政官符**で命令が伝えられた。財政などの重要問題では陣定という会議が開かれ、公卿それぞれの意見が尊重されたよ。ただ、摂政・関白は天皇とともに最終決定に関わり、官僚の人事に影響力を持ったから、権力は強かったね。

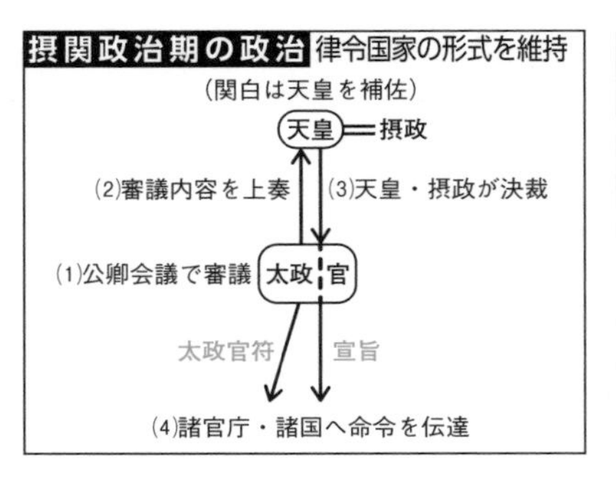

しくみ自体は、律令国家の初めのころと、あまり変わらないんだね。

といっても、〔**桓武天皇**〕〔**嵯峨天皇**〕の時代以降、天皇の支配を支える法制や令外官などの機構がととのったから、太政官を中心とする政治運営がスムーズにおこなえるようになったんだ。

そうそう、摂関政治のころは、新しい改革などやらず、毎年同じ**年中行事**ばかりで政治が形式化していた、と聞いたことがあるよ。

先例どおりに行事を実行することが重視されたから、貴族たちは**日記**をつけて、朝廷での出来事を記録した。**藤原道長**も『**御堂関白記**』を書いているし、有名なのは**藤原実資**の『**小右記**』という日記だ。

自分は忘れっぽいから、進め方をメモしないと失敗しそう。貴族は、行事の手順を間違えたりしないように、日記を書いたんだね。

① 摂関の常置と藤原氏の内紛

関白藤原実頼のとき、**安和の変**（969）が起きました。〔**醍醐天皇**〕の皇子で左大臣の**源高明**が、謀反の疑いで大宰府へ左遷されたのです。清和源氏の源満仲による密告が背景にあり、源氏は藤原氏と関係を深めます→第6章。

安和の変で藤原氏による政治的事件（政敵の排除）は終了し、以後は摂政・関白が常に置かれるようになりました。

すると、今度は摂政・関白となることができる「**氏長者**」（藤原氏一族の長）の地位をめぐり、藤原氏の内部で権力争いが激しくなりました。**藤原兼通**（兄）と**藤原兼家**（弟）の対立や、**藤原道長**（おじ）と**藤原伊周**（おい）の対立が典型です。国風文化との関連では、〔**一条天皇**〕を中心に、伊周の妹の皇后**定子**に仕えた**清少納言**は『**枕草子**』を著し、道長の娘の中宮**彰子**に仕えた**紫式部**は『**源氏物語**』を著しました→第7章。

② 摂関政治の全盛

(1) 藤原道長・頼通が、摂関政治の全盛期を築いた

10世紀末以降、**藤原道長**（兼家の子）は関白に準ずる地位（内覧）を得て台頭しました。そして、11世紀にかけて４人の娘を次々と入内させ（〔**一条天皇**〕と**彰子**、〔**後一条天皇**〕と**威子**など）、藤原道長の外孫にあたる３人の天皇（〔**後一条天皇**〕〔**後朱雀天皇**〕〔**後冷泉天皇**〕）が次々と即位していきました。

こうして、11世紀前期・中期に摂関政治の全盛期となりました。**藤原道長**は〔**後一条天皇**〕の**摂政**となり（1016）、さらに太政大臣となりました（道長は関白になったことはありません）。**藤原実資**の日記『**小右記**』には、「（寛仁二年［1018］十月）…今日、女御藤原威子を以て皇后に立つるの日なり。…太閤（道長）、下官（筆者の藤原実資）を招き呼びて云く、『和歌を読まむと欲す。必ず和すべし』者。…『此の世をば我が世とぞ思ふ望月のかけたることも無しと思へば』」とあり、威子を後一条の中宮に立てたとき、道長はみずからの繁栄を「望月」（満月）にたとえて歌にしました。

続けて**藤原頼通**（道長の子）が後一条の摂政となると、頼通は約50年間にわたって後一条・後朱雀・後冷泉の**摂政**・**関白**をつとめました。こうして、外戚であるかどうかに関わらず摂政・関白を出す家柄の**摂**

平安時代の天皇家と藤原氏⑹

（丸数字は天皇即位順）

（⑮冷泉・⑯円融・⑰花山は省略）（藤原氏は一部省略）

忠平
時平
師輔
実頼
兼家 ←対立→ 兼通
道長 ←対立→ 道隆
紫式部『源氏物語』
彰子 ⑱一条 定子 伊周
清少納言『枕草子』
⑲三条 妍子
威子 ⑳後一条
嬉子 ㉑後朱雀
㉒後冷泉 頼通

年表

天皇	摂関	出来事
冷泉	実頼	969 安和の変
円融		※兼通と兼家の争い
花山		
一条	兼家	986 兼家、〔一条〕の摂政に
一条	道長	995 道長、実権を握る（内覧） ※道長と伊周の争い
三条	道長	1016 道長、〔後一条〕の**摂政**に
後一条	頼通	1017 頼通、〔後一条〕の**摂政**に 道長、太政大臣に ※頼通、1067年まで**関白** 1019 刀伊の入寇 1028 平忠常の乱（～1031）
後朱雀	頼通	
後冷泉	頼通	1051 前九年合戦（～1062） 1053 **平等院鳳凰堂**が完成
後三条		1068〔後三条〕即位

関家が成立しました。

この時期、地方では、沿海州の女真人が九州北部を襲った**刀伊の入寇**(1019)がありました→第6章。また、房総半島で**平忠常の乱**が発生し(1028〜31)、陸奥で**前九年合戦**が発生しましたが(1051〜62)、いずれも清和源氏が鎮圧しました→第6章。仏教関連では、藤原道長が**法成寺**を建立し、藤原頼通が末法元年(1052)の翌年に宇治**平等院鳳凰堂**を完成させました→第7章。

しかし、藤原頼通が天皇との外戚関係を作るのに失敗し、摂関家と直接の外戚関係がない〔**後三条天皇**〕が即位すると(1068)、後三条は摂関家を抑えて親政を展開しました→第6章。

(2) 唐に代わり宋が成立、新羅に代わり高麗が成立すると、私貿易が展開した

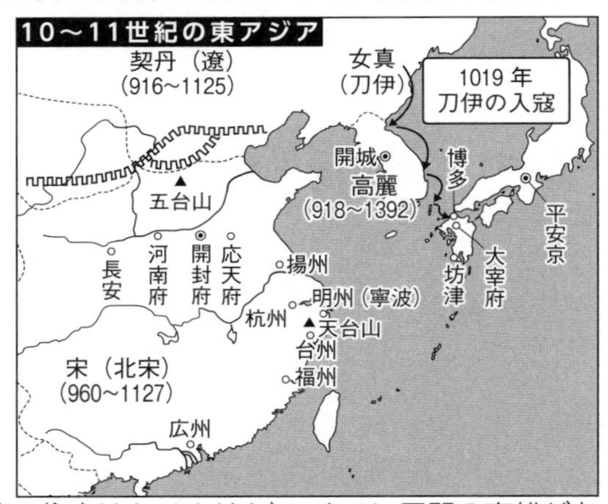

摂関政治が展開していた平安時代中期ごろ、東アジアはどのような情勢になっていたのでしょうか。実は、10世紀には、東アジア世界に大きな変化がありました→第4章。中国では、遣唐使停止(894)の直後に**唐**が滅び(907)、五代十国を経て**宋**が統一しました(960)。日本は、宋と正式国交を開きませんでしたが(国書のやりとりや外交使節の往来はありません)、すでに民間の商船が九州の博多に渡来するようになっており、大宰府による管理のもとで、「**唐物**」(陶磁器や書籍など)が日本へ輸入され、金などが日本から輸出されました。また、日本人の海外渡航は基本的に禁止されていましたが、許可を得て商船で宋へ渡った奝然のような僧もいました(10世紀末)。

朝鮮半島では、**新羅**が滅び(935)、**高麗**が統一しました。高麗からも、民間の商船が盛んに渡来して貿易がおこなわれました。

中国東北部では、**渤海**が滅び(926)、**契丹**(**遼**)がとって代わりました。

チェック問題にトライ！

次の甲・乙・丙の図は、平安宮内にあった応天門の焼失に始まる政変を題材に、12世紀後半に作られた『伴大納言絵巻』の一部である。この政変と、図甲・乙・丙に関して述べた下の文a～dについて、正しいものの組合せを、その下の①～④のうちから一つ選べ。

甲

都の人々が、応天門の炎上を、画面右側に描かれた平安宮正門である朱雀門（すざくもん）の内側から見上げている場面

乙

丙

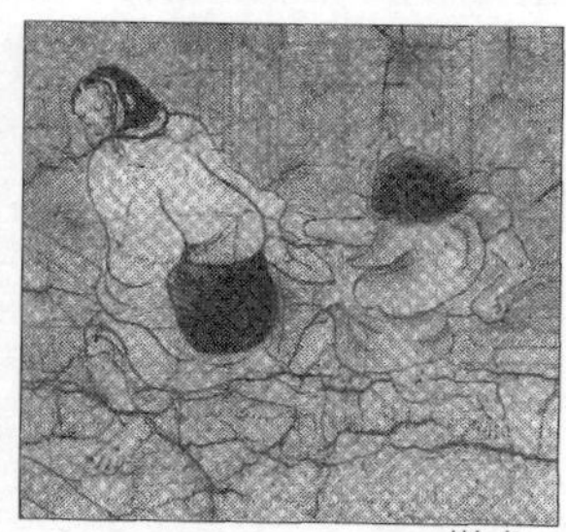

応天門消失の「真相」が発覚するきっかけとなった、都に住む子どもの喧嘩（けんか）に親が介入してきた二つの場面（一部分を拡大している）

a　この政変の結果、左大臣の源高明が左遷された。

b　この政変によって、伴・紀両氏の没落が進んだ。

c　甲に見られるように、文化の国風化が進んだ平安初期には、朱雀門は瓦葺（かわらぶき）ではなく檜皮葺となった。

d　甲・乙・丙からは、平安時代の都の成年男子は、帽子などのかぶり物をかぶるのが一般的であったことがうかがえる。

①　a・c　　②　a・d　　③　b・c　　④　b・d

（センター試験　2010年度　本試験）

解説　**史料（資料）から読み取れる情報と選択肢の内容とをつき合わせて正誤を判断する**、というセンター試験の問題をクリアしたうえで、そこからさらに思考を深める共通テストにつなげていきましょう。

a　aとbは、知識で判断します。「左大臣の源高明が左遷された」のは安和の変（969）のときで、応天門の変ではありません。

b　応天門炎上の原因が大納言伴善男にあるとして流罪となったことは基本ですが、「伴・紀両氏の没落」かどうかは少し迷うかもしれません。

c　今度は、絵図を見ましょう。朱雀門の屋根にたくさんある平行な直線は、瓦を直線上に並べたことを表現しています。さらに、屋根の左隅にある盛り上がりや、軒先の丸い形も、瓦を示しています。したがって、檜の樹皮を利用した「檜皮葺」ではなく「瓦葺」なので、誤りです。律令政府の建造物は、大陸風の瓦葺であり続けます。また、文化の国風化が進んだのは平安中期以降であり、「文化の国風化が進んだ平安初期」も誤りです。

d　乙の図と丙の図とをくらべてみましょう。成人男性は「かぶり物」をかぶっており、成人女性と子どもはかぶっていません。そして、甲の成人男性たちの姿を見れば、「成年男子は…かぶり物をかぶるのが一般的であった」は正しいことがわかります。

⇒したがって、④（b・d）が正解です。

次の二つの史料は、ともに平安時代後期に編纂された『今昔物語集』の文章の一部であり、平安時代における藤原氏の様子を記している。

i　此の四家の流々（注1）此の朝に満ち弘ごりて隙無し。其の中にも二郎（注2）の大臣の御流は、氏の長者を継て、今に摂政・関白として栄え給ふ。世を恣にして天皇の御後見として政（注3）給ふ、只此の御流也。太郎の大臣の南家も、人は多かれども末に及ては大臣・公卿などに成人難し。三郎の式家も、人は有ども公卿などに至る人無し。四郎の京家は、然る可き人は絶にけり。只侍などの程にてか有らむ。

ii　二郎は太政大臣まで成上り給て、良房の大臣と申す。白川の太政大臣と申す、此れ也。藤原の氏の、摂政にも成り、太政大臣にも成給ふは、此の大臣の御時より始れば也けり。（中略）御娘をば、文徳天皇の御后にて、水尾の天皇（注4）の御母也。染殿の后と申す、此れ也。

（注1）　流々：それぞれの子孫
（注2）　二郎：二男のこと。iとiiの「二郎」は別人である
（注3）　政：政治をみること　　（注4）　水尾の天皇：清和天皇

問　史料に関連して述べた次の文ａ～ｄについて、正しいものの組合せを、下の①～④のうちから一つ選べ。

ａ　「四家」の祖である４人の兄弟は、光明子を皇后に立てることに成功した。
ｂ　「四家」はそれぞれ、平安時代の中期・後期において摂政・関白を出した。
ｃ　「白川の太政大臣」の娘は、天皇の后や母となった。
ｄ　「氏の長者」となった人物が、摂政や関白となることはなかった。

①　ａ・ｃ　　②　ａ・ｄ　　③　ｂ・ｃ　　④　ｂ・ｄ

（センター試験　2009年度　追試験）

解説　センター試験と同じく、共通テストでも、**確実に覚えた知識を使いこなして解答を導くタイプの問題**が出題されます。本問では、これまでの藤原氏の人物に関する知識を総合的に用いて、史料を読んでいきましょう。

ａ　「四家」の「祖である４人の兄弟」は、南家の武智麻呂、北家の房前、式家の宇合、京家の麻呂で、長屋王の変（729）ののち「光明子を皇后に立てることに成功」しました。

ｂ　史料ⅰでは、「南家」・「式家」・「京家」が没落する一方、「二郎の大臣の御流」、つまり北家が繁栄して政治を主導することが示されているので、「四家」が「それぞれ」摂政・関白を出したのではありません。

ｃ　「白川の太政大臣」は藤原良房で、史料ⅱには「御娘をば、文徳天皇の御后にて、水尾の天皇（＝清和天皇）の御母也」とあるので、「娘は、天皇の后や母となっ」ています。藤原良房が清和天皇の外祖父の立場であることが示されています。

ｄ　史料ⅰには「氏の長者を継て、今に摂政・関白として栄え給ふ」とあるので、「氏の長者」が「摂政や関白となることはなかった」は誤りです。

⇒したがって、①（ａ・ｃ）が正解です。

平安時代の地方社会
（平安時代前期・中期）

世紀	天皇	藤原	政治・外交	社会・経済	兵乱
	桓武		平安京遷都(794)		
9世紀	桓武		蝦夷征討	1 地方支配制度の転換	
	平城				
	嵯峨	冬嗣	薬子の変(810) 蔵人頭 弘仁格式	①地方支配の動揺(9世紀) 班田の励行（桓武） 浮浪・逃亡、偽籍 →戸籍での支配が困難に 直営田での財源確保 （公営田・官田）	(1)
	淳和				
	仁明	良房	承和の変(842)		
	文徳				
	清和		良房が摂政に 応天門の変(866)		
	陽成	基経			(3)
	光孝		基経が関白に		
	宇多		阿衡の紛議(888) 遣唐使停止(894)		
10世紀	醍醐	時平	延喜の治 道真の左遷(901) 日本三代実録 延喜格式	②醍醐天皇の律令復興策 延喜の荘園整理令(902) 班田を命令（最後）	3 武士の台頭 ①武士の成長 貴族の地方土着と武装
	朱雀	忠平	忠平が摂・関に	③地方支配の変質(10世紀) 人頭税から土地税へ →田堵が名を請け負う	天慶の乱(939～941) （平将門・藤原純友）
	村上		天暦の治 乾元大宝	受領に一国統治を委任 →強力に徴税、収入得る	滝口の武者 押領使・追捕使
			安和の変(969) 藤原氏の内紛	成功・重任　遙任 「尾張国郡司百姓等解」	
11世紀	後一条	道長	摂関政治の全盛 道長が摂政に	2 荘園公領制の成立	②清和源氏の勢力拡大
		頼通	頼通が摂・関に	①寄進地系荘園 開発領主の成長と寄進 不輸・不入権を獲得	平忠常の乱(1028～31) →源頼信が鎮圧 前九年合戦(1051～62) →源頼義・義家が鎮圧
			(2)		
	後三条			②後三条天皇の土地政策 延久の荘園整理令(1069) 荘園・公領の領域が確定	
	白河				後三年合戦(1083～87) →源義家が鎮圧

第６章のテーマ

平安時代の社会・経済（９世紀〜11世紀）について、第５章で扱った政治との関連や、時代を大きくとらえる視点から見ていきましょう。

(1)　９世紀には戸籍・計帳にもとづく支配が動揺し、10世紀には**税制や国司制度の変更**がおこなわれ、律令国家の地方支配が変質しました。

(2)　開発領主による耕地開発が進行し、**寄進地系荘園**や**公領**が形成されて、中世の土地制度である**荘園公領制**が成立しました。

(3)　武芸にすぐれた中下級貴族が各地で勢力を拡大し、地方の開発領主が武装し、武家（軍事貴族）中心に**武士団**が形成されました。

1　地方支配制度の転換（９世紀〜10世紀）

第５章では平安時代の政治・外交を学んだので、この第６章では、同じ時期の社会・経済を中心に学ぶことにします。まず、律令国家の地方支配制度が、**９世紀**から**10世紀**にかけてどのように変化したか、見ていきましょう。

社会経済史、ドラマがないし、ワクワク感がなくて……。

政治史は楽しいけれど、天皇や藤原氏や政治的事件がたくさん出てきて、覚えるのが大変だったんじゃないかな。

人名がゴチャゴチャになった！　**系図**を使って人間関係を確認しながら覚えることが大切だったね→第４章、第５章。

実は、社会経済史に登場する歴史用語の数は多くないから、すぐ覚えられる。「ある人物が何をした」という話があまり出てこないし。

でも、イメージがつかみにくいから、覚えにくい感じがするよ。

まず、世紀で区切って100年単位の動きを把握し、出来事を見たら何世紀のことか判断できるようになること。**年表**を使い、同じ時期の政治・外交も見渡して覚えるといいよ。

そうすれば、これまで覚えた政治・外交の知識も生きるね。「**ヨコのひろがり**」をつかむのが大事なのか。

もう一つ、歴史用語の意味を確認し、しくみや構造を理解すること。

図解を使って全体像や個々の動きをイメージすると、共通テストで**時代状況**が問われたとき、確実に判断することができるよ。

社会経済史、得意になれるかも！　がんばってみるよ！

① 地方支配の動揺（9世紀）

〔**桓武天皇**〕・〔**嵯峨天皇**〕の政治や**藤原良房**（摂政）・**基経**（関白）の政治などが展開した**9世紀**は、律令制にもとづく土地や人々への支配が動揺し、国家財政を維持することが困難になった時代でした。

(1) 浮浪・逃亡に加えて偽籍も増え、戸籍・計帳による公民支配が動揺した

すでに、8世紀には公民による**浮浪**・**逃亡**が増え、重い負担を逃れる動きが広がりました→第4章。9世紀、成人男性（正丁）を女性として戸籍に登録する**偽籍**も増えました（戸籍上は男性よりも女性が不自然に多くなる）。成人男性は調・庸・雑徭などを課されるのに対し、女性にはその負担がなかったからです。

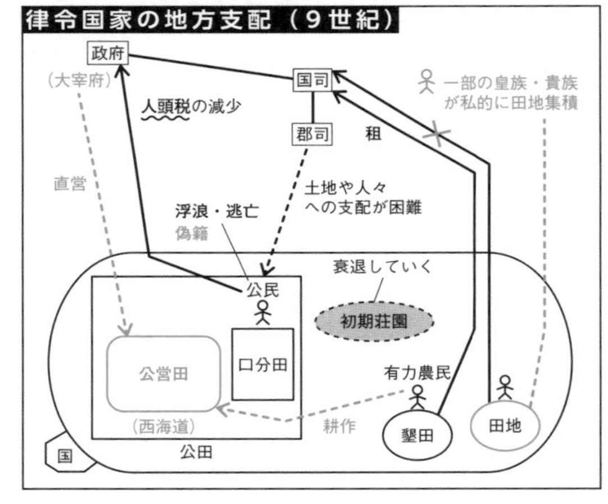

こうして、戸籍・計帳が公民のあり方や居住実態と合わなくなり、班田収授や徴税が困難になりました。

(2) 9世紀には、中央・地方の財源確保のため、直営方式の田地が設定された

〔**桓武天皇**〕は、6年ごとの戸籍作成にもとづく6年に1度の班田収授を**12年に1度**とし、班田収授を励行しましたが→第5章、9世紀には班田収授そのものが実施されない地域が増えていきました。

こうしたなか、公地（公田）の一部を口分田として配らずに政府（中央・地方）が直接経営し、土地から得られる収入で財源不足を補う**直営方式**の田地が登場しました。9世紀前半、**大宰府管内**（西海道諸国）に**公営田**が設けられ、9世紀後半、**畿内**に**官田**（元慶官田）が設けられ、田地の耕作については、当時成長していた**有力農民**を利用する方式がとられました。

(3) 一部の皇族・貴族による、私的な土地集積が拡大し、国家財政を圧迫した

9世紀には**初期荘園**が衰退していくのに対し→第4章、一部の皇族・上級貴族が私的に田地を集める動きが拡大しました。それを支えたのは**有力農民**で、放棄された口分田を占拠したり開墾を進めたりして成長し、私的に稲を貸して利息とともに回収する**私出挙**で周辺農民を支配しました（政府による出挙は公出挙）。そして、私的に結びついた皇族・上級貴族に田地を売り、その保護のもとに税の負担を逃れようとしたのです。私的な田地集積により課税されない田地が増えると、律令国家による土地制度は成り立たなくなり、税収不足にもつながるので、非常に問題でした。

② 醍醐天皇の律令復興策

こうした私的な田地集積のなかで、違法とされたものを禁止したのが、〔醍醐天皇〕の時代に政府が発した**延喜の荘園整理令**（902）です。のちに**延喜の治**と呼ばれる醍醐の親政では、左大臣**藤原時平**（その死後は**藤原忠平**）のもとで律令制の復興がはかられ→第5章、その一環として延喜の荘園整理令を発して、土地制度や税制の原則を維持しようとしたのです。

同時に、政府は班田を命令しました。しかし、これが結果的に**最後の班田**（902）となったことからもわかるように、戸籍・計帳により人々を個別に支配し、班田収授や徴税をおこなうことは、もはや不可能となっていたのです。**三善清行**が醍醐に提出した「**意見封事十二箇条**」でも、課税対象となる男性の減少など、地方支配制度が破綻した現状が指摘されました。9世紀末から10世紀初めは、大きなターニングポイントとなったのです。

③ 地方支配の変質（10世紀）

〔醍醐天皇〕・**〔村上天皇〕**が親政をおこない、藤原氏の内紛を経て**藤原道長**が権力を握った**10世紀**は、律令制にもとづく土地や人々への支配が変質し、税制や国司制度の大きな変化が起きた時代でした。

(1) 徴税の方式が、人頭税中心から、土地税中心となった

8世紀初めに成立した律令制では、成人男性を課税対象とする**人頭税**中心の税制でした→第4章。10世紀になると、田地を課税対象とする**土地税**中心の税制となりました。

これまで口分田などが設定されてきた公地（公田）に、あらたに**名**という課税単位が設定され、10世紀以降の有力農民である**田堵**に、名の耕作と納税を請け負わせました（請け負った田堵は**負名**となる）。そして、負名は、これま

での租・調・庸や雑徭に代わる、**官物**（米・布などを名の面積を基準に課す）や**臨時雑役**（労役など）を納入しました。

(2) 受領は任国の統治を任され、徴税の面などで地方支配の権限を強化した

8世紀初めに成立した律令制では、国司は中央政府の方針のもとで地方行政官としての役割を果たしました。10世紀になると、国司の最上席者（守）は**受領**と呼ばれ、一国の統治を任されて地方支配の権限が集中しました。

律令国家の地方支配（10世紀）

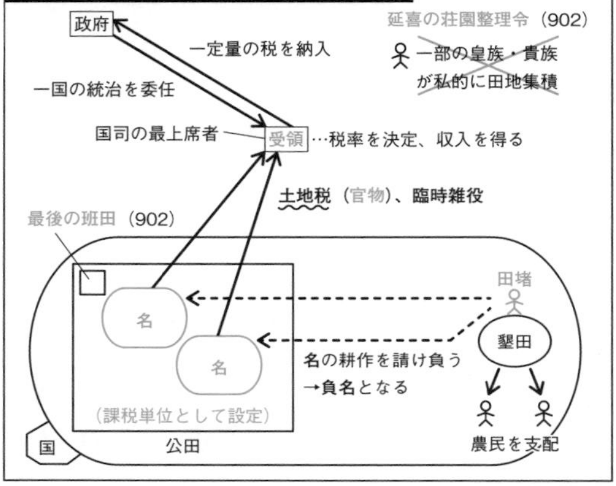

政府
一定量の税を納入
一国の統治を委任
延喜の荘園整理令（902）
一部の皇族・貴族が私的に田地集積
国司の最上席者 ― 受領 …税率を決定、収入を得る
土地税（官物）、臨時雑役
最後の班田（902）
名
名
（課税単位として設定）
田堵
墾田
名の耕作を請け負う→負名となる
農民を支配
国
公田

特に、国家財政を支える徴税の権限は重要でした。受領は、政府に一定量の税を納入する責任を負う一方、任国内での税率の決定権を握りました。税を徴収し、政府に一定量を納入した残りは自分の収入となるので、税率を上げれば収入が増えます。受領は郡司らを指揮・駆使し、負名に対して強力に徴税をおこなうようになりました。

一方、受領以外の国司（介・掾・目）は実務から排除され、任国に行かず都にとどまって収入だけを得るケースが出てきました（**遙任**）。国司の四等官（守・介・掾・目）は、律令制を確認しましょう→第4章。

こうして、受領の役割が大きくなり、その役所である**国衙**が地方支配の中心になると、これまで徴税や文書作成などの実務を担ってきた郡司の役割は小さくなり、その役所である**郡家**→第4章は消滅していきました。

年表

●9世紀
※浮浪・逃亡、**偽籍**の増加
823 公営田を設置（直営方式）
879 官田を設置（直営方式）
※戸籍・計帳による支配困難
●10世紀
902 延喜の荘園整理令
最後の班田
914 意見封事十二箇条
※**土地税**（官物）へ一本化
※**受領**へ一国統治の権限が集中
988 尾張国郡司百姓等解

(3) 受領は任国で利益を得たが、のち赴任しなくなって目代を派遣した

受領による統治の実態を見ていきましょう。受領は任国に行き、大きな利益を得ようとしました。10世紀に登場した強欲な受領として、現地の住人に「**尾張国郡司百姓等解**（**解文**）」で政府へ訴えられた、尾張守の**藤原元命**や、「受領は倒るる所に土を掴め」（『今昔物語集』）という言葉で有名な、信濃守の藤

原陳忠の事例があります。転んでもただでは起きない、というわけです。

のち、官物の税率が定められた11世紀後半ごろから、受領は任国に行かなくなり、受領のいない国衙（**留守所**）へ、みずからの代理人である**目代**を派遣しました。国衙では、開発領主など現地の有力者から任じられる**在庁官人**が、実務を担当しました。

(4) 受領の地位は利権とみなされ、成功・重任もおこなわれた

収入が見込めるようになった受領の地位は、利権とみなされました。このころから、政府へ私財を出して儀式や寺社造営を助け、代わりに官職を得る**成功**や、再び私財を出して、任期終了後も同じ官職に再任される**重任**がおこなわれるようになり、成功・重任によって受領の地位を得ることも増えました。

2 荘園公領制の成立（11世紀）

平安時代後期に登場した、**寄進地系荘園**と**公領**（**国衙領**）のしくみを理解しましょう。荘園の成立や経営の実態は荘園ごとに異なるのですが、ここでは大学入試対策と割り切り、思い切って単純化したモデルを用います。

① 寄進地系荘園

有力農民の田堵のなかには、経営を拡大して大名田堵に成長する者もいて、**11世紀**にはさらに土地の開発を進めて**開発領主**に成長する者も現れました。田堵よりもレベルアップした有力農民、というイメージです。また、伝統的な地方豪族に代わって新しく台頭した地方豪族や、地方に土着した国司の子孫が、開発領主となることもありました。

(1) 開発領主が所領を中央の権力者に寄進して、寄進地系荘園が成立した

11世紀、**受領**は開発領主に対し、臨時雑役を徴収しない代わりに一定領域の開発を許可し、開発地から官物を徴収しました。田地の開発を促進して、税収を確保しようとしたのです。ところが、受領が開発領主に対して徴税の圧力を強めると、官物の納入を避けたい開発領主との間に対立が生じました。

そこで**開発領主**は、中央の権力者の権威を借りるため、開発した所領を上級貴族（摂関家）・皇族や有力寺社に**寄進**しました。寄進を受けた中央の権力者は**荘園領主**となり、寄進した開発領主は**荘官**となって現地を経営し、荘園領主に**年貢**を納めました。

荘園領主には、最初に寄進を受けた**領家**と、重ねて寄進を受けた**本家**とがあり、基本的には本家が領家よりも上位です（実質的な支配権を持つほうが**本**

所)。荘官には、**預所**・**公文**・**下司**などがあります。こうして、**寄進地系荘園**が形成されていきました。

図のシミュレーションでは、開発領主(A)は寄進せず、受領に対して官物を納めるが、開発領主(B)は受領と対立し、徴税圧力を防いで官物納入を避けるために寄進する、といったように、寄進する・しないはケースバイケースです。

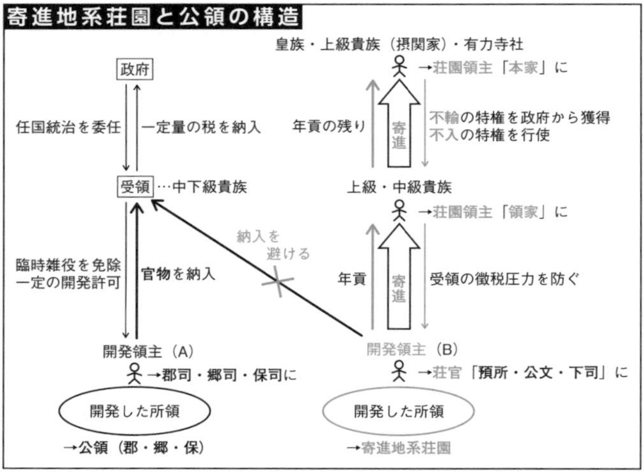

寄進地系荘園と公領の構造

皇族・上級貴族(摂関家)・有力寺社
→荘園領主「本家」に
政府
任国統治を委任
一定量の税を納入
年貢の残り
寄進
不輸の特権を政府から獲得
不入の特権を行使
受領…中下級貴族
上級・中級貴族
→荘園領主「領家」に
納入を避ける
臨時雑役を免除
一定の開発許可
官物を納入
年貢
寄進
受領の徴税圧力を防ぐ
開発領主(A)
→郡司・郷司・保司に
開発した所領
→公領(郡・郷・保)
開発領主(B)
→荘官「預所・公文・下司」に
開発した所領
→寄進地系荘園

寄進地系荘園の組織 ※用語のジャンルを区別する

(身分)	(職務)	(肩書)
皇族・摂関家・寺社	荘園領主	「本家」
上級・中級貴族	荘園領主	「領家」
開発領主	荘官	「預所・公文・下司」

(2) 寄進地系荘園は、荘園領主の権威を背景に、不輸・不入権を獲得した

なぜ、寄進という行為が生まれたのか。それは、政府への官物納入を免除される**不輸**の特権を得たかったからです。荘園領主は、中央の権力者としての権威で政府に働きかけ、太政官・民部省から正式文書(符)を出させ、官物免除を認めさせました(**官省符荘**)。また、受領がみずからの任期中のみの官物免除を認めることもありました(**国免荘**)。

さらに、受領の徴税圧力を防ぐため、**検田使**(国衙が派遣する田地調査員)の立ち入りを拒否する**不入**の特権も得ました。

(3) 受領は公領を郡・郷・保に再編、開発領主を郡司・郷司・保司に任命した

では、開発領主の所領のうち、寄進されなかった部分はどうなったのでしょうか(図では開発領主(A)のケース)。受領は、律令制において国・郡・里(郷)がタテに序列化されていた地方組織を改め、開発領主の所領の領域に**郡・郷・保**というヨコに並んだ地方組織を設定しました。開発領主は、受領から**郡司・郷司・保司**に任命され、受領への**年貢**納入を請け負いました。

こうして、受領の支配下にあって政府へ税を納めるが、実質的には開発領主

の私的な領地として認められた、**公領**（**国衙領**）が成立しました。郡司・郷司・保司のなかには、国衙（もしくは留守所）の受領（もしくは目代）のもとで、**在庁官人**として国衙の実務を担う者もいました。

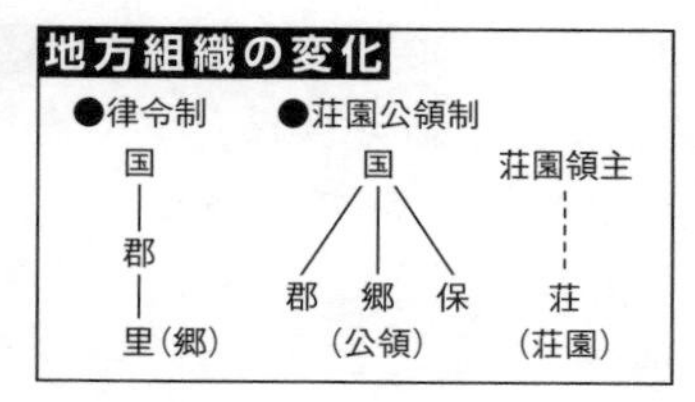

(4)　荘園も公領も、内部は名に分割され、名主が名の耕作と納税を請け負った

荘園や公領の内部は、どのように整備されたのでしょうか。荘園や公領は、課税単位の**名**に分割され、それぞれを有力農民の**名主**に割り当てました。かつての田堵が、土地への権利を強めて名主となったのです。名主は名を管理し、名の一部を一般農民の**作人**に貸して耕作を請け負わせたり、隷属農民の**下人**を使役して耕作させたりしました。名主や作人は開発領主に対し、官物に代わる土地税の**年貢**・**公事**（米・特産物）を納め、また臨時雑役に代わる**夫役**（労役）を負担しました。このように、10世紀に登場した**名**の制度が、11世紀に形成された荘園や公領にも用いられました。

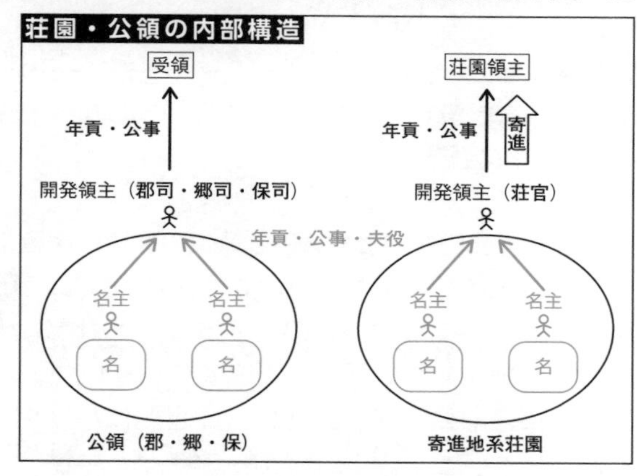

こうして見ると、開発領主が現地を経営し、名主に名を管理させて年貢・公事・夫役を徴収するという点では、荘園も公領も同質です。

② 後三条天皇の土地政策

11世紀前期・中期には、藤原頼通が摂政・関白を約50年間続けました→第5章。しかし、**11世紀後期**、藤原氏を外戚としない〔**後三条天皇**〕が即位すると、摂関家を抑えて天皇親政を進めました。

(1)　後三条天皇は延久の荘園整理令を発し、基準に合わない荘園を停止した

当時、不輸・不入の特権を得る荘園が増えて公領が圧迫され、受領の徴税が困難となって政府の税収が減少していました。こうした事態を問題視した〔**後三条天皇**〕は、**延久の荘園整理令**（1069）を発し、基準に合わない荘園（年代の新しいものや公認の手続きが明確でないもの）を停止し、公領に戻させました。その際、政府に**記録荘園券契所**（記録所）を設置し、荘園から提出させた書類を審査して、荘園整理を徹底しました。

また、後三条は**大江匡房**などの学者を登用し、**宣旨枡**で枡の大きさを統一しました（太閤検地で定められた京枡まで標準となる→第13章）。

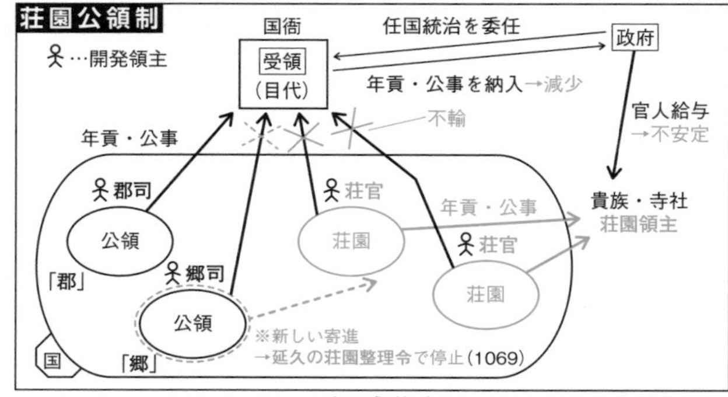

(2) 延久の荘園整理令で荘園と公領の区別が明確化し、荘園公領制が成立した

延久の荘園整理令は、何をもたらしたのでしょうか。基準に合った荘園は政府に公認されたので、荘園と公領の区別が明確になり、11世紀後期に**荘園公領制**が成立し、12世紀にかけて確立しました。そして、荘園公領制は、**中世の土地制度**として社会や経済のあり方を規定するだけでなく、武家政権の政治制度などにも影響を与えました。

年表
●11世紀
　※**開発領主**による所領の寄進
　　→**寄進地系荘園**の登場
　　→不輸・不入の特権を獲得
1069 **延久の荘園整理令**
　※**荘園公領制の成立**

3 武士の台頭（10世紀～11世紀）

平安時代は、天皇と藤原氏を中心とする貴族政治が展開すると同時に、日本社会に**武士**が現れて、各地で力をつけていく時代でもありました。

武士って、どんな人たちかな？

平安時代だから、鎧や兜を着て、馬に乗って、弓矢を使って……。

これらの武器を武士自身が持つことがポイントだよ。それと、一族でまとまって戦うんだ。ところで、武士の始まりは、実は貴族だよ。

エッ、貴族が戦うイメージはないなぁ。ちょっと意外かも。

平安時代は、地方の治安が悪化していた。そこで、武芸にすぐれた中下級貴族が国司となり、あるいは反乱鎮圧のため地方に派遣されたあと、都に戻らず現地に**土着**したんだ。こうして、**10世紀**以降、**桓**

武平氏や清和源氏などが、専門とする武芸を代々受け継いでいく**武家**（**軍事貴族**）として成立したよ。

待って。「桓武」や「清和」は平安時代の天皇でしょう？　そうか、源氏や平氏は天皇が祖先だから、貴族が武士となったと考えていいんだ。貴族は律令官人だから都に住んでいたけれど、地方に根拠地を作って武装する人たちも出てきたんだね。

そういうこと。そして、**11世紀**になると、治安が悪化するなかで、みずからの所領を維持・拡大するため、地方の**開発領主**が武装するようになるんだ。

開発領主は、荘園公領制のところで見たよ。この人たちも、武士になっていくんだね。あちこちに、小さい**武士団**ができていくのか。

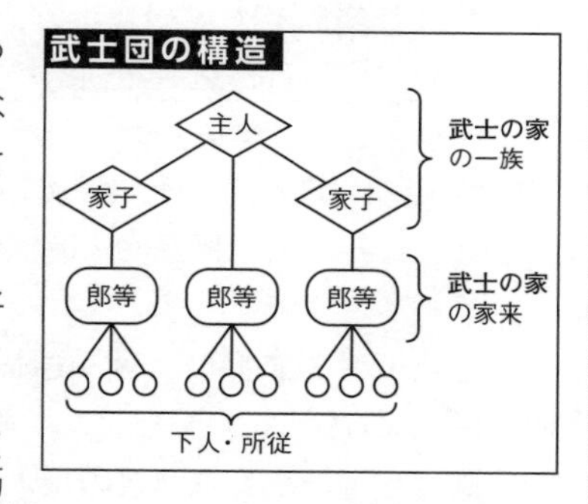

武士団は主人（一族の長）と家子（一族の者）が、郎等（家来）を率い、下人・所従を従えて、まとまった。そして、11世紀以降、天皇の血筋を持つ軍事貴族の源氏や平氏が、**棟梁**として武士団の頂点に立つことで、大きな**武士団**ができたんだ。

平安時代の次は鎌倉時代だよね。鎌倉幕府の原型が見えてきたよ。

① 武士の成長

まず、政府（朝廷・上級貴族）による武士の利用と、**10世紀**に起きた**平将門**の乱・**藤原純友**の乱（あわせて**天慶の乱**〔**承平・天慶の乱**〕）を見ていきます。地名は教科書などにある「古代の行政区画」で確認しましょう。

(1)　10世紀、東国では平将門の乱、西国では藤原純友の乱が発生した

平安時代中期の**10世紀**、東国と西国で**天慶の乱**（939～941）が発生しました。当時は〔**朱雀天皇**〕の時代で、**藤原忠平**が摂政をつとめていました（延喜の治〔**醍醐天皇**〕と天暦の治〔**村上天皇**〕の間→第5章）。

関東に土着した**桓武平氏**の一族で、**下総**を根拠地とした**平将門**は、一族内で

の争いに勝利しました。そして、常陸・下野・上野の国府を襲撃して反乱を起こし、東国の大半を支配して「**新皇**」と自称しました。しかし、いとこの**平貞盛**と下野押領使の**藤原秀郷**に鎮圧されました。

伊予で国司をつとめたあと、そのまま現地に土着した**藤原純友**は、当時交通が盛んな瀬戸内海で横行していた海賊を率いて、伊予の国府や**大宰府**を攻めました。しかし、**源経基**と追捕使の小野好古に鎮圧されました。源経基は〔**清和天皇**〕の孫にあたり、**清和源氏**の祖となりました。

(2) 武士が持つ軍事力が、押領使・追捕使や侍などの形で用いられた

8世紀末の〔**桓武天皇**〕の時代、律令制にもとづく**軍団と兵士が廃止**されていましたが→第5章、10世紀前半の天慶の乱の平定と前後して、武士が持つ私的な軍事力が、政府の命令で動員され、あるいは朝廷や上級貴族に用いられるようになりました。中央では、天皇の御所を警備する**滝口の武者**や（9世紀末に〔**宇多天皇**〕が設置）、上級貴族の身辺を警護する**侍**として用いられました。地方では、政府により**押領使・追捕使**に任命された武士が、反乱を鎮圧しました。

こうした武士の動員は、藤原道長・頼通の時代（11世紀前期）に起きた**刀伊の入寇**（1019）でも見られ、大宰府の役人だった**藤原隆家**（伊周の弟）は、九州の武士を指揮して女真人の侵入を撃退しました→第5章。

② 清和源氏の勢力拡大

さらに、平安時代中期から後期にかけての**11世紀**に注目し、武家（軍事貴族）となった**清和源氏**の勢力拡大を見ていきましょう。

(1) 清和源氏は藤原氏に接近、源頼信は平忠常の乱を鎮圧して東国へ進出した

清和源氏は、畿内に土着し、藤原氏に接近して勢力を拡大しました。源経基の子の**源満仲**は、**安和の変**（969）→第5章で左大臣源高明の陰謀の疑惑を密告し、藤原実頼と結びました。

源満仲の子の**源頼信**は、摂関家に奉仕して保護を受け、**11世紀**には、**上総**から房総半島に広がった**平忠常の乱**（1028～31）を鎮圧しました。これは、源氏が東国へ進出する足がかりとなりました。

(2) 源頼義は前九年合戦を鎮圧し、源義家は後三年合戦を鎮圧した

さらに、源頼信の子の**源頼義**は、**陸奥**の豪族**安倍氏**の反乱である**前九年合戦**（1051～62）を、子の義家とともに鎮圧しました。その際、頼義は**出羽**の豪

族**清原氏**の助けを借り、こののち東北では清原氏の勢力が強大となりました。

源頼義の子の**源義家**は、**清原氏**の内紛である**後三年合戦**（1083～87）を、**藤原清衡**を助けて鎮圧しました。こののち、東北では藤原清衡に始まる**奥州藤原氏**が、陸奥の**平泉**を中心に支配を拡大しました。

一方、清和源氏にとって、これらの戦いはどのような意味を持ったのでしょうか。合戦に際して、源氏は**東国武士団**と主従関係を結びました。このとき、源氏が武家の**棟梁**となったことは、のちに源頼朝が挙兵し鎌倉幕府が成立していく過程に、大きな影響を与えることになります→第8章。

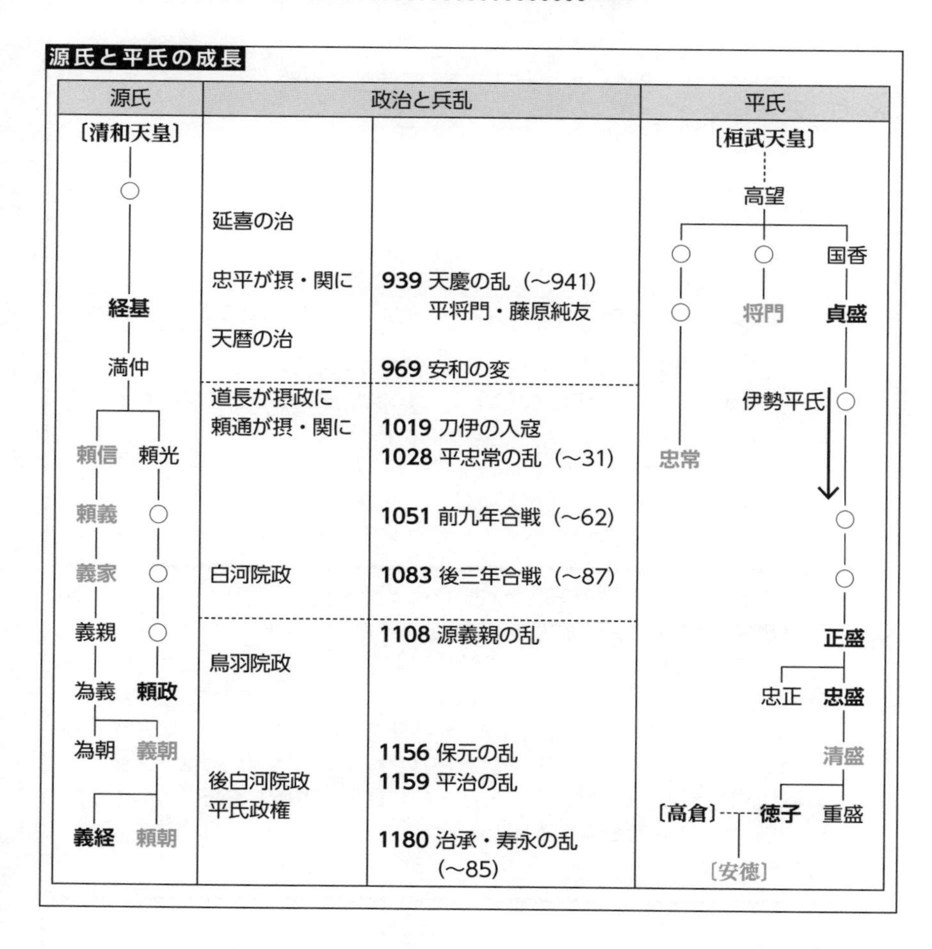

チェック問題にトライ！

遺跡からみた郡家（郡衙）の存続期間を示した次の表から推定されることを述べた下の文X・Yについて、その正誤の組合せとして正しいものを、下の①～④のうちから一つ選べ。

遺跡からみた郡家（郡衙）の存続期間

国名	郡名	600	700	800	900	1000(年)
常陸	鹿島					
下野	足利					
下総	相馬					
武蔵	都筑					
相模	鎌倉					
信濃	伊那					
駿河	志太					
遠江	敷智					
三河	渥美					
近江	栗太					
山城	久世					
河内	安宿					
摂津	島上					
因幡	気多					
伯耆	八橋					
美作	勝田					
備後	三次					
筑後	御原					
肥後	玉名					

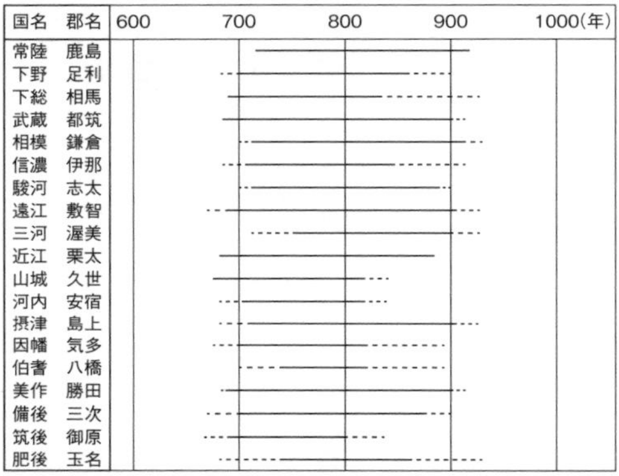

（注）破線は、遺跡の存在が不確かな期間。（山中敏史『古代地方官衙遺跡の研究』より作成）

X　ほとんどの郡家（郡衙）は乙巳の変の前に成立していた。
Y　８～９世紀にあった郡家（郡衙）は、10世紀後半ころにはほとんどが衰退・消滅していた。

①　X　正　Y　正　　②　X　正　Y　誤
③　X　誤　Y　正　　④　X　誤　Y　誤

（センター試験　2012年度　本試験）

解説　本問は、選択肢の情報を表で確認すれば解けます。共通テストでは、**ある時代状況が生まれる歴史的背景を推定する**出題があります。

X　「乙巳(いっし)の変」の時期（645・７世紀半ば）を思い出し、表の「600」と「700」の間を見ると、乙巳の変の後に成立していることが読み取れます。

Y　「８～９世紀」は表の「700」と「900」の間、「10世紀後半ころ」は表の「900」と「1000」の間を見ると、正しいことがわかります。10世紀には、受領(ずりょう)に権限が集中し、国衙(こくが)が地方支配の中心となる一方、郡司(ぐんじ)の地方支配に占める役割が変化して、郡司の役所である郡家(ぐうけ)は衰えたのです。

⇒したがって、③（X　誤　Y　正）が正解です。

鹿子木(かのこぎ)（注１）の事
一、当寺（注２）の相承（注３）は、開発領主沙弥寿妙嫡々相伝(しゃみじゅみょうちゃくちゃくそうでん)（注４）の次第なり。
一、寿妙の末流高方(たかかた)の時、権威を借らんがために、実政卿(さねまさ)（注５）をもって

ア と号し、年貢四百石をもって割き分かち、高方は庄家領掌進退(注6)の預所職となる。

一、実政の末流願西微力の間、国衙の乱妨を防がず。このゆえに願西、ア の得分二百石をもって、高陽院内親王(注7)に寄進す。その後、美福門院の御計として、御室(注8)に進付せらる。これすなわち イ の始めなり。

(「東寺百合文書」)

(注1) 肥後国(熊本県)にあった荘園。
(注2) 東寺のこと。
(注3) 受けつぐこと。
(注4) 正当に継承してきたこと。
(注5) 藤原実政(1019〜93)。大宰大弐をつとめた。
(注6) 任免権をもっていること。
(注7) 鳥羽天皇(1103〜56)の皇女。
(注8) 仁和寺。

問1 空欄 ア イ に入る語句の組合せとして正しいものを、次の①〜④のうちから一つ選べ。

① ア 領　家　イ 本　家
② ア 目　代　イ 郷　司
③ ア 郷　司　イ 領　家
④ ア 本　家　イ 目　代

問2 この史料に関して述べた文として**誤っているもの**を、次の①〜④のうちから一つ選べ。

① 鹿子木荘では、開発領主の末流(子孫)が預所になっている。
② 高方が実政の権威にすがったときには、まだ荘園整理令が出されたことがなかった。
③ 願西が高陽院内親王の権威にすがったときには、院政が展開していた。
④ 鹿子木荘は、寄進地系荘園の一つである。

(センター試験　2002年度　追試験)

解説 共通テストでは、**教科書に載る基本史料の知識を直接問う可能性は低いですが、基本史料に目を通しておくことは大切です。**

問1 「実政」は、「開発領主沙弥寿妙」の子孫の「高方」から寄進を受け、領家と呼ばれる荘園領主になりました(目代は任国に赴かない受領の代理人、郷司は公領の現地管理者)。のち、「実政」の子孫の「願西」が「高陽院内親王」に寄進しました(最終的に仁和寺に寄進)。これが、本家と呼ばれる荘園領主です。

⇒したがって、①(ア 領 家　イ 本 家)が正解です。

問2

① 史料では、「開発領主沙弥寿妙」の「末流」である「高方」が、「預所」と呼ばれる荘官になっているので、正しいです。

② 「高方が実政の権威にすがった」のは、(注5)から11世紀だとわかります。醍醐天皇による延喜の荘園整理令(902)は10世紀初めに出ていますから、「まだ荘園整理令が出されたことがなかった」は誤りです。

③ 「願西が高陽院内親王の権威にすがった」のは、(注7)から12世紀、つまり「院政が展開していた」時期にあたります→第8章。

④ これは、完全に正しいです。

⇒したがって、②が正解です。

第7章 古代文化

世紀	文化	時期と特徴
7世紀	**1 飛鳥文化** **①仏教** 氏族仏教（氏寺）　呪術の一種として受容 **②仏教美術・その他** 法隆寺　金銅像・木像	7世紀前半 〔**推古**〕（飛鳥の朝廷） 豪族・渡来人が担い手
7世紀	**2 白鳳文化** **①仏教** 国家仏教（官寺）　護国経典を重視 **②仏教美術・その他** 薬師寺　金銅像	7世紀後半 〔**天武・持統**〕（藤原京） 国家（天皇）が中心
8世紀	**3 天平文化** **①仏教** 鎮護国家　南都六宗（仏教理論を研究） **②美術（仏教・その他）** 東大寺　塑像・乾漆像 **③学問・歴史・文学** 大学・国学　国史　地誌　和歌	8世紀（奈良時代） 〔**聖武**〕（平城京） 唐の文化の影響
9世紀	**4 弘仁・貞観文化** **①仏教** 密教（加持祈禱　現世利益を願う） **②美術（仏教・その他）** 室生寺　一木造・翻波式　曼荼羅　三筆（唐様） **③学問・文学** 大学別曹　勅撰漢詩集	9世紀（平安前期） 〔**嵯峨・清和**〕（平安京） 唐の文化の消化→唐風化
10世紀 11世紀	**5 国風文化** **①仏教** 浄土教（阿弥陀仏　来世での極楽往生を願う） **②美術（仏教・その他）** 平等院（阿弥陀堂）　寄木造　来迎図　三跡（和様） **③文学・生活** 仮名文字　勅撰和歌集　物語・随筆・日記　寝殿造	10〜11世紀（平安中期） 摂関政治の時期 中国文化の改変→国風化

(1)　(2)

第７章のテーマ

7世紀〜11世紀に展開した、古代文化を見ていきます。

(1) 日本列島に出現した「倭」では国家形成が進み、大陸から知識や制度を導入し、古代国家「日本」が成立しました。その過程で、中国文化を朝鮮半島経由も含めて摂取しながら**飛鳥文化**・**白鳳文化**が形成されました。そして、律令国家の東アジア諸国との交流が**天平文化**を生み、**弘仁・貞観文化**では唐風化が進行し、のちには大陸文化の消化・吸収をふまえた国風化により**国風文化**が成立しました。

(2) 文化史を学ぶときのコツは、各時期における政治や社会の状況と関連させながら理解していくことです。古代文化では、100年ごとのまとまり、つまり**世紀**ごとの動きをつかむと良いです。また、美術史については、**教科書**などに載る**写真**を確認しながら学びましょう。

1 飛鳥文化（７世紀前半）

古代文化の始まりは、**飛鳥文化**だ。〔**推古天皇**〕の王宮があった飛鳥は、今の奈良の南あたりだね。厩戸王や蘇我馬子が政治をリードした時代だけど、復習しなきゃ！→第３章

世紀も意識しよう。**７世紀前半**ごろの文化だ。大王（天皇）のもとに、豪族を官人として組織し始めた時期で、**初めての仏教文化**が展開した。憲法十七条にも、仏教信仰を政治的に用いた内容があるよ。

遣隋使が派遣されて、隋の文化がリアルタイムで入ってきたんだ。

実は、少し前の中国文化である**南北朝文化**が、朝鮮半島を経由して伝わったんだ。**蘇我馬子**が初の寺院として**飛鳥寺**（**法興寺**）を建てたとき、百済の技術者が参加して、最新の大陸技術が用いられたよ。

王族や豪族に加え、**渡来人**も文化の担い手となったんだね。

① 仏　教

仏教は**百済**から公式に伝わり→第２章、蘇我氏や渡来人により信仰され、〔**推古天皇**〕の時代には厩戸王や朝廷により保護されました。飛鳥文化は、古墳文

化をベースに、仏教を導入した文化となりました。

豪族は、仏教をどのように受容したのでしょうか。当時の仏教は、祖先の冥福や一族の繁栄を祈る**氏族仏教**の特徴を持ち、仏教は呪術の一種として受け入れられました。豪族が建立した**氏寺**は、古墳に代わる新たな権威の象徴となりました。実は、**蘇我馬子**が建てた**飛鳥寺**（**法興寺**）（現在の奈良県）では、塔の跡から古墳の副葬品（武具や玉など）が出土しており、古墳でおこなわれた信仰と習合する形で仏教が受容されたのです。また、**厩戸王**は**法隆寺**（斑鳩寺）（現在の奈良県）や**四天王寺**（現在の大阪府）を建てました。

経典の注釈書として、厩戸王が『**三経義疏**』を著したとされます。

② 仏教美術・その他

次に、仏教美術や工芸などを見ていきます。飛鳥文化に関する美術品は、**法隆寺**と**中宮寺**に多く所蔵されています。

(1) 仏教美術では、大陸の技術による寺院建築や金銅像の仏像彫刻が登場した

寺院建築には、大陸の技術を用いた技法が導入されました。**礎石**の上に柱を立て（柱は朱色に塗る）、屋根に**瓦**をふく、というものです。瓦の屋根は重いので、それを支える礎石が必要でした（従来の**掘立柱**との違いに注目）。この技法は、のちに藤原京など宮都の建築に用いられました→第3章。

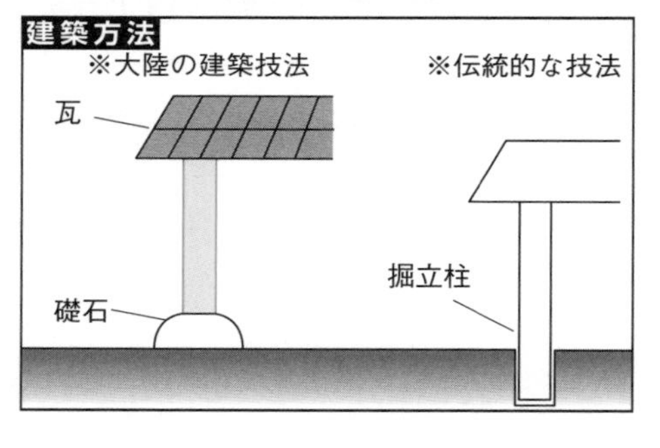

建築は、なんといっても**法隆寺**の**金堂**・**五重塔**が代表例で、現存する世界最古の木造建築とされます。すぐ近くで、もとの法隆寺にあたる**若草伽藍**（伽藍は建物の並びのこと）の跡が発掘されたことから、現存の金堂・五重塔は創建されたときのものではなく、焼失したあとに再建されたものだと判明しています。

彫刻では、渡来系の**鞍作鳥**が製作した**法隆寺金堂**の**釈迦三尊像**（釈迦如来を中心とする仏像３体セット）が代表例で、**金銅像**（銅で作り金で鍍金する）であり、中国北朝系の厳しい雰囲気を持っています。中国南朝系の柔らかい雰囲気を持つ仏像は、**中**

飛鳥文化（★は人名）
- ●建築
  - 法隆寺金堂・五重塔
- ●彫刻
  - 法隆寺金堂釈迦三尊像
  - …★鞍作鳥
  - **中宮寺半跏思惟像**
  - **広隆寺半跏思惟像**
  - 法隆寺百済観音像
- ●工芸
  - **法隆寺玉虫厨子**
  - **中宮寺天寿国繡帳**

宮寺の**半跏思惟像**（思索にふける姿を表現）や**広隆寺**の**半跏思惟像**、法隆寺の百済観音像があり、いずれも木像です。広隆寺半跏思惟像は、朝鮮半島で出土し現在は韓国の博物館が所蔵する半跏思惟像（7世紀の製作と推定）と非常によく似ており、飛鳥文化の時期の仏教文化が朝鮮半島と深い関係があったことを物語ります。

(2) 工芸が発達し、高句麗・百済の僧が技術や知識を伝えた

工芸にいきましょう。**法隆寺**の**玉虫厨子**にはタマムシの羽がはめ込まれ、側面には仏教説話の絵画が描かれています。また、**中宮寺**の**天寿国繡帳**には、厩戸王が死後に行ったとされる世界が刺繡で描かれています。

渡来僧の活躍も見られました。高句麗の**曇徴**は、紙・墨・絵の具の製法を伝え、百済の**観勒**は、暦法を伝えました（年月の経過などの記録が可能となる）。

2 白鳳文化（7世紀後半）

飛鳥文化の次は、**白鳳文化**だね。**7世紀後半**が中心だから、**〔天武天皇〕**や**〔持統天皇〕**が律令国家の建設を進めた時期だ→第3章。倭から日本へ変わり、文化もやる気に満ちている感じなのかな。

その印象を「清新な」「生気ある」と表現するね。それと、集権化が進むなか、仏教を天皇による支配に利用するという面もあったよ。

中国文化の影響は、どうだったのかな。天武・持統のころは、遣唐使を派遣していなかったんでしょう？→第4章

百済の滅亡をきっかけに百済人が倭へ亡命してきたし、白村江の戦いのあとに新羅使が日本へ来航したから、**唐の初期の文化**が伝わった。8世紀初めには遣唐使が復活して、唐からも直接入ってきたよ。

本格的に、中国文化を取り入れていったんだね。

① 仏　教

この時期の仏教は、天皇主導による保護・統制が進み、**国家仏教**の要素を強めました。**護国経典**が重んじられ、**〔天武天皇〕**は、**官寺**（官立の大寺院）として飛鳥に**大官大寺**や**薬師寺**の建立を開始し、**〔持統天皇〕**が**藤原京**造営と並

行して寺院建立事業を進めました（これらはのちに平城京に移転）。さらに、地方豪族が寺院を建立することで、地方にも仏教文化が広がりました。

② 仏教美術・その他

次に、仏教美術や絵画・文学などを見ていきます。白鳳文化に関する美術品は、**薬師寺**に多く所蔵されています。

(1) 仏教美術では、金銅像の仏像彫刻が発展した

建築では、**薬師寺の東塔**が白鳳文化の様式を伝える三重塔です（西塔や金堂は近年の再建で、創建当初のあり方を示す朱色の柱などが見られる）。

彫刻では、**金銅像**の技法による人間味あふれる造形が見られ、**薬師寺金堂**の**薬師三尊像**（薬師如来を中心とする仏像３体セット）や、**興福寺の仏頭**（もと山田寺の仏像の頭部）が代表例です。興福寺に関連する美術作品は多く、のちの天平文化や鎌倉文化でも登場するので注意しましょう。

白鳳文化
- ●建築
  - 薬師寺東塔
- ●彫刻
  - 薬師寺金堂薬師三尊像
  - 興福寺仏頭
- ●絵画
  - **法隆寺金堂壁画**
  - 高松塚古墳壁画

(2) 絵画では、広く大陸の様式の影響が見られる

絵画では、**法隆寺金堂の壁画**に、インドや中国西域（敦煌）の壁画様式が見られます。戦後の1949年に焼損したことを受け、1950年に**文化財保護法**が制定されました➡第30章。また、1972年に発見された、飛鳥の**高松塚古墳の壁画**には、唐や高句麗の古墳壁画との関連が見られます。法隆寺は飛鳥文化に属しますが、この白鳳文化でも法隆寺の美術作品が登場します。

(3) 文学では、漢詩文が豪族の間で広がり、和歌の形式も定まった

中国的教養を身につけた百済人貴族が亡命してくると、その影響により**漢詩文**が王族や豪族の間で盛んとなりました。また、日本語による**和歌**の形式（長歌・短歌）が整備され、**柿本人麻呂**や**額田王**らの歌人が活躍し、作品はのちの天平文化の時期に『**万葉集**』に収められました。

3 天平文化（8世紀）

白鳳文化の次は**天平文化**で、**8世紀**だから**奈良時代**が中心だね。この時代の天皇は何人もいるけれど、東大寺で大仏造りを進めた〔**聖武**

天皇〕が天平文化の中心かな。

そもそも、「天平」は聖武のころの元号だよ。律令国家が完成し、平城京へ遷都して、天皇や貴族を担い手とする文化が生まれたんだ。

８世紀は遣唐使が盛んに派遣されたから→第４章、唐の文化の影響を受けまくりだね！

唐が栄えた時期の文化を直接摂取したんだ。それに、シルクロード経由で唐に入ったユーラシア諸地域の文化も、遣唐使によって日本へもたらされた。天平文化は「豊かな国際色」も含んでいたよ。

それって、**正倉院**宝物のことだね。天平文化は、中国文化だけじゃない要素も持っていたんだ。

① 仏　教

白鳳文化に続き、この天平文化でも**国家仏教**が進展しました。**鎮護国家**の思想により、国家の安泰を祈る役割が仏教に期待されたのです。

(1)　平城京の大寺院に南都六宗が形成され、律令国家の仏教事業が推進された

平城京や周辺には→第４章、**大安寺**・**薬師寺**・**元興寺**・**興福寺**（藤原氏の氏寺）、のちに**東大寺**・**西大寺**などの大寺院が建てられて国家仏教の中心となり、来日した鑑真も**唐招提寺**を建てました。これらの寺院では**南都六宗**（三論宗・成実宗・倶舎宗・**法相宗**・**華厳宗**・**律宗**）の諸学派が形成され、仏教理論の研究が進められました。また、〔**聖武天皇**〕は**国分寺建立の詔**（741）や**大仏造立の詔**（743）を発し→第４章、**国分寺**・**国分尼寺**建立や**盧舎那仏**造立を進めました（東大寺大仏殿は平安末期と戦国時代に焼損）。

(2)　社会事業などを進めた行基や、渡来して戒律を伝えた鑑真が活躍した

一方、僧侶の活動は、僧尼令による統制を受けました。民間布教は禁止されたため、橋や道の建設などの社会事業や民間布教を進めた**行基**は弾圧されました（のち大仏造立に協力）。また、遣唐使船に便乗して日本に渡った唐僧の**鑑真**は、僧尼が守るべき生活規律である**戒律**を伝えるとともに、戒律を授ける場として**東大寺**に**戒壇**を設立し、さらに**唐招提寺**を建立しました。

(3) 神仏習合が始まり、神宮寺が建立された

8世紀には、日本古来の神は大陸伝来の仏と同じであるとする**神仏習合**の思想が生まれ、神社の境内に**神宮寺**が建てられたり、神前読経（神の前で経典をよむ）がおこなわれたりしました。神仏習合というあり方は、明治時代の初めに明治新政府が**神仏分離令**を発するまで続きます→第25章。

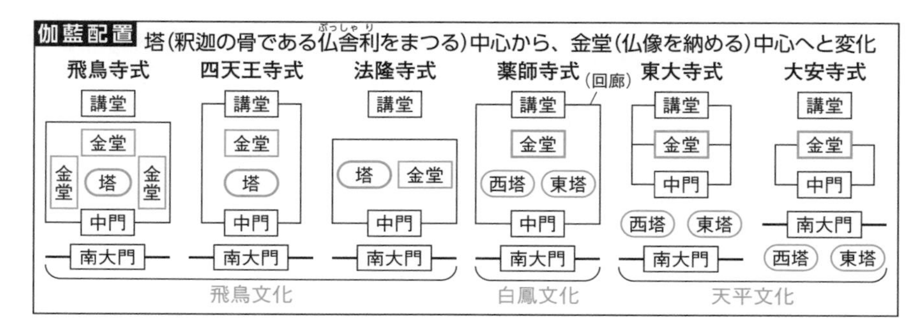

② 美術（仏教・その他）

次に、仏教美術や絵画・工芸を見ていきます。天平文化に関する美術品は、**東大寺**や**興福寺**に多く所蔵されています。

(1) 東大寺や興福寺を中心に、塑像や乾漆像の技法による仏像が作られた

建築では、**東大寺**の**法華堂**や唐招提寺の金堂が天平文化のときの姿を伝えています。**東大寺**の**正倉院宝庫**は断面が三角形の木材を積み上げた**校倉造**の構造です。

仏像彫刻では、成形しやすい**塑像**（粘土で塗り固める）と**乾漆像**（布を巻いて漆で塗り固める）の新しい技法が唐から伝来し、写実的で表情豊かな仏像彫刻が多く生まれました。**東大寺法華堂**には**不空羂索観音像**【乾漆像】を中心に日光菩薩像・月光菩薩像【塑像】などが伝わり、**興福寺**には**阿修羅像**【乾漆像】を含む八部衆像があります。また、肖像彫刻としては**唐招提寺**の**鑑真像**【乾漆像】が傑作です。

天平文化

●建築
- **東大寺法華堂**
- 唐招提寺金堂
- **東大寺正倉院宝庫**…**校倉造**

●彫刻
- **東大寺法華堂不空羂索観音像**【**乾漆像**】
- 東大寺法華堂日光・月光菩薩像【**塑像**】
- **興福寺阿修羅像**【**乾漆像**】…八部衆像
- **唐招提寺鑑真像**【**乾漆像**】

●絵画・工芸
- **薬師寺吉祥天像**…仏教絵画
- **正倉院鳥毛立女屏風**（樹下美人図）
- **螺鈿紫檀五絃琵琶**…**正倉院宝物**
- **百万塔**（百万塔陀羅尼）…〔**称徳天皇**〕

(2) 正倉院宝物に、天平文化の国際性が表れている

絵画では、仏教絵画である**薬師寺**の**吉祥天像**や、**正倉院**に伝わる**鳥毛立女屏風**の樹下美人図などに、唐の影響が見られます。

工芸では、**正倉院宝物**が重要です。**光明皇太后**が**聖武上皇**の死後に遺品を**東大寺**に納めたもので、唐だけでなくユーラシア西部の影響を受けた品々もあり、**螺鈿紫檀五絃琵琶**にはラクダや西域の人が描かれています。また、〔**称徳天皇**〕が恵美押勝の乱→第4章のあとに作らせた木製の小塔100万個の**百万塔**と、そのなかに納められた百万塔陀羅尼があります（百万塔陀羅尼は経文を印刷したもので、現存する最古の印刷物とされる）。

③ 学問・歴史・文学

律令国家を支える学問・教育、国家的事業である歴史書（国史）や地誌の編纂、貴族社会に広まった文学、の3点について見ていきましょう。

(1) 中央に大学、地方に国学が置かれ、貴族や地方豪族が漢字文化を習得した

律令国家の教育制度は、官僚を養成することを目的に整備されました。中央の貴族・官人に加え、地方支配の実務を担う郡司（地方豪族）にも漢字文化の習得が求められ、儒教を学ぶ**明経道**が重視されました。**大学**は**式部省**の管轄で、中央に置かれ、貴族・官人の子弟を教育しました。**国学**は地方の国ごとに置かれ、郡司の子弟を教育しました。また、石上宅嗣は、私設図書館の**芸亭**を開きました。

(2) 史書の『古事記』『日本書紀』や、地誌の『風土記』が編纂された

律令国家の確立を背景に、中国にならった**国史**（国家の正式な歴史書）の編纂事業が推進されました。これは、天皇による支配の正統性や、国家が形成・発展してきた由来を示すことを目的としていました。古い部分には**神話**を含みますが、これは律令国家の立場から説明した天皇・朝廷の起源であり、そのまま史実とはいえません。

六国史

- **日本書紀**…内容は神話から持統朝（～7世紀）
- **続日本紀**…内容は文武朝から桓武朝（8世紀）
- 日本後紀
- 続日本後紀
- 日本文徳天皇実録
- **日本三代実録**…〔醍醐天皇〕の時代に完成

『**古事記**』（712）は、神話から**推古朝**までが内容範囲で、日本語の固有名詞などを漢字を用いて表しています。古くにまとめられた「帝紀」「旧辞」→第2章の内容を〔**天武天皇**〕が検討し、**稗田阿礼**によみならわせたものを、のちに**太安万侶**が書いて記録したものです。

一方、『日本書紀』（720）は神話から**持統朝**までが内容範囲で（7世紀までの歴史が書かれている）、**舎人親王**が編纂の中心となり、中国にならった**漢文**の**編年体**（時代順に出来事を記していく）で書かれています。そして、〔**醍醐天皇**〕の時代における『**日本三代実録**』まで→第5章、漢文で書かれた正史が合計六つ編纂されました（**六国史**）。

国史とならび、国ごとに地理や産物や伝承などを報告させた**地誌**の『風土記』も編纂されました。

(3)　最古の漢詩集『懐風藻』や、最古の和歌集『万葉集』が編纂された

漢詩文は、律令国家の貴族や官人に中国的な教養が求められたことから、盛んに作成されました（淡海三船らが文人として知られる）。『懐風藻』は、皇族・貴族の漢詩を集めた、現存最古の漢詩集です。

和歌は、天皇から民衆に至るまで広く詠まれました（大伴家持らが歌人として知られる）。『万葉集』は、現存最古の和歌集で、漢字の音・訓を用いて日本語を表す**万葉仮名**が用いられ、東国の農民がうたった東歌や防人歌も収録されています。

4 弘仁・貞観文化（9世紀）

天平文化の次は弘仁・貞観文化だ。ようやく**平安時代の前期**に入った。9世紀も天皇がたくさんいて、どの天皇が代表的なんだろう。

三代格式の名前に→第5章、ヒントがあるよ。

弘仁格式のときの〔**嵯峨天皇**〕は簡単だけれど、貞観格式のときの〔**清和天皇**〕はちょっと難しいね。でも、清和の摂政になったのが外祖父の**藤原良房**だ→第5章。9世紀の政治は思い出せたよ。

〔**嵯峨天皇**〕による**唐風化政策**も思い出そう→第5章。これにより、天皇の権威・権力が強化されただけでなく、貴族も唐の制度や文化への理解を深めた。そうすると、**漢詩文**をはじめとする唐風の文芸がいっそう栄えて、唐の文化の消化と吸収が進んだよ。

貴族たちが、唐の文化を使いこなせるようになった感じなんだね。

① 仏　教

仏教では、**密教**が登場しました。密教は、秘密の呪法によって仏の世界に直接ふれることができると説き、**加持祈禱**（仏の呪力を得る祈り）によって**現世利益**（この世での幸福）をめざします。これが、国家安泰を願う朝廷や、一族繁栄などの現世利益を願う皇族・貴族に受け入れられました。その背景となる、平安時代初期の動きから見ていきましょう。

(1)　桓武天皇・嵯峨天皇は、最澄・空海がもたらした新しい仏教に期待した

長岡京・平安京への遷都は、仏教勢力の政治介入を避けるという目的もあったため→第5章、平城京や近辺にあった大寺院は、新しい都に移転しませんでした。そして、〔**桓武天皇**〕や〔**嵯峨天皇**〕は、最澄と空海が唐からもたらした仏教に対し→第4章、新しい鎮護国家の役割を期待しました。日本の仏教文化の中心となる**天台宗**と**真言宗**は、こうして始まったのです。

(2)　最澄は天台宗を開き、天台宗はのち密教化を進め、空海は真言宗を開いた

最澄が開いた**天台宗**は、**比叡山**の**延暦寺**が中心です。最澄は、東大寺とは別の大乗戒壇の設立を求め、『顕戒論』を著しました。のち、最澄の弟子の**円仁**と**円珍**が、天台宗のなかで密教の要素を強めました（**台密**）が、円仁の山門派（**延暦寺**）と円珍の寺門派（**園城寺**）に分かれて両者は対立しました。円仁は、遣唐使に同行した経験を『入唐求法巡礼行記』に記しています。

密教
●天台宗：**台密**
{ **円仁の山門派…延暦寺**
{ **円珍の寺門派…園城寺**
●真言宗：**東密**

天台宗は、法華経を中心に、密教や禅や念仏などさまざまな仏教の要素を含んでいたため、延暦寺は仏教を学び修行する中心となりました。のち、鎌倉新仏教の開祖の多くがここで学び、新しい宗派を開きます→第12章。

空海が開いた**真言宗**は、**高野山**の**金剛峰寺**や、〔**嵯峨天皇**〕が空海に与えた平安京内の**教王護国寺**（**東寺**）が中心です。空海は、『三教指帰』を著して仏教の世界に入り、唐で密教を学びました。真言宗は、仏教のうち密教の優位を主張し、密教の本流となりました（**東密**）。

(3)　天台・真言の影響で、日本古来の山岳信仰から修験道が成立した

神仏習合の一つとして、このころ生まれたのが**修験道**です。天台宗・真言宗は山中での修行を重視したので、仏教が日本古来の山岳信仰と結びついて成立しました（山伏がほら貝を吹くイメージ）。

② 美術（仏教・その他）

仏教美術は、天台宗・真言宗（密教）の影響を強く受けました。寺院では、**室生寺**に注目しましょう。書道では、唐風の影響が見られました。

(1) 山岳寺院が登場し、一木造の木像が広まり、密教による曼荼羅も描かれた

山中での修行を重視した天台宗・真言宗の影響で、山岳寺院が造られました。伽藍は山の地形に応じて自由に配置され、屋根は瓦ではなく檜皮（ヒノキの樹皮）などでふかれました。**室生寺**の**金堂**・**五重塔**が代表例です。

彫刻では、一本の木から仏像を彫り出す**一木造**の技法が発達し、室生寺弥勒堂の釈迦如来坐像には、波打つように衣文を表現する**翻波式**の様式が見られます。密教の影響による仏像には、神秘的な雰囲気の**観心寺**の**如意輪観音像**があります。

弘仁・貞観文化（★は人名）

●建築
室生寺金堂・**五重塔**…山岳寺院
●彫刻
室生寺弥勒堂釈迦如来坐像【**一木造**・**翻波式**】
観心寺如意輪観音像
薬師寺僧形八幡神像…神像彫刻
●絵画
教王護国寺両界曼荼羅…**曼荼羅**
園城寺不動明王像（黄不動）
●書道
風信帖…★空海、唐風の書
●文学
凌雲集・**文華秀麗集**・**経国集**…勅撰漢詩集
性霊集…★空海、漢詩文集

神仏習合の影響で、仏像をまねて日本の神々を偶像化した神像彫刻が生まれました。**薬師寺**の**僧形八幡神像**は、僧侶の姿をした八幡神を表現しています。

絵画では、密教の世界を図式化した**曼荼羅**が描かれました。密教が影響した絵画には、教王護国寺の両界曼荼羅や、園城寺の不動明王像があります。

(2) 唐風の書体がもてはやされ、三筆が登場した

貴族が漢字文化に習熟すると、書道にも唐風の影響が及び、**唐様**の力強い書体がもてはやされました。**三筆**と称されたのは、**嵯峨天皇**・**空海**・**橘逸勢**です→第5章。空海が最澄にあてた手紙が「**風信帖**」として残っています。

③ 学問・文学

律令国家を支える学問・教育や、貴族社会に広まった文学を見ましょう。

(1) 中国の文学・史学を学ぶ紀伝道が重視され、貴族は大学別曹を設けた

貴族は、大学で教育を受けることが必須とされ、儒教を学ぶ明経道に加えて、漢詩文や中国の史書を学ぶ**紀伝道**も重視されました。貴族は、一族子弟の勉学

のために寄宿舎である**大学別曹**を設けました。**藤原氏**の**勧学院**、在原氏や皇族の**奨学院**、橘氏の**学館院**、和気氏の**弘文院**が作られました。

また、**空海**は庶民教育の施設である**綜芸種智院**を、平安京内に設けました。

（「藤原氏・勧学院、在原氏・奨学院、橘氏・学館院、弘文院・和気氏」の頭文字は「ふか、あし　たが　こわ　い（不可、明日が怖い）」となります。）

(2)　勅撰漢詩集の編纂事業が進められ、漢文学が盛んとなった

〔嵯峨天皇〕の**唐風化政策**のもと、天皇主導による文化事業が展開し、**勅撰**（天皇の命令で選定する）による**漢詩集**の編纂が進められました。〔嵯峨天皇〕の命令による『**凌雲集**』に続き、『**文華秀麗集**』『**経国集**』も編まれました。漢詩文を作ることが貴族の教養として重視され、漢文学が貴族の間でいっそう盛んになりました。個人の漢詩文集としては、**空海**の『**性霊集**』などがあります。

漢詩集と和歌集

●漢詩集
- 懐風藻…現存最古の漢詩集（**天平文化**）
- 凌雲集…最初の勅撰漢詩集（**弘仁・貞観文化**）

●和歌集
- 万葉集…現存最古の和歌集（**天平文化**）
- 古今和歌集…最初の勅撰和歌集（**国風文化**）

5 国風文化（10世紀～11世紀）

弘仁・貞観文化の次は**国風文化**だ。これで古代文化は終わり！　**平安時代中期**の**10世紀・11世紀**、**摂関政治の時期**の文化でいいかな。

それでOK。ただ、10世紀は〔**醍醐天皇**〕〔**村上天皇**〕の時代も含むよ。ところで、文化の特徴は、もう気付いているよね。

弘仁・貞観文化は唐風化で、国風文化は**国風化**だよね。9世紀末に**遣唐使が停止**されたから、中国の文化を捨てて日本的な文化が作られたんだね。

唐は10世紀初めに滅び、唐からの文化流入はなくなったけれど、中国から民間の貿易船が来航し、**唐物**が輸入され続けたよ→第5章。

そうしたら、中国文化の影響は国風文化の時期にも続いたのか。国風化というけれど、中国文化がベースなんだね。

7世紀から10世紀にかけて入ってきた中国文化が十分に定着し、それを日本人の好みや日本の風土に合わせて作りかえたんだよ。

仮名文字は漢字をもとに作られたから、それも国風化なんだね。

① 仏　教

この時期の仏教は、密教が現世利益を求める皇族・貴族に広まるとともに、**浄土教**（**浄土信仰**）も流行してきました。浄土教は、**阿弥陀仏**を信じて**念仏**をおこない、**来世**において**極楽浄土へ往生**する（死後において極楽の世界へ生まれ変わる）ことを願います。当時、仏法が衰えた末法の世がやってくるとする**末法思想**が流行し（1052年から末法の世に入るとされた）、災厄による社会不安とともに、来世での救済を願う気持ちが人々に広まっていたのです。

(1)　空也による布教や源信の『往生要集』などによって、浄土教が広められた

浄土教は、すでに10世紀半ばに**空也**（市聖）が京都市中で念仏を説いていましたが、**源信**が10世紀後期に『**往生要集**』を著して念仏の理論と方法を示すと、浄土教は貴族社会に広く浸透しました。**慶滋保胤**の『**日本往生極楽記**』など、往生したとされる人の伝記を集めた**往生伝**も書かれました。

(2)　神仏習合では本地垂迹説が現れ、御霊信仰も広まった

神仏習合では、「日本の神は、仏が仮に姿を変えてこの世に現れたもの（仏が上で神が下）」とする**本地垂迹説**が現れ、習合の理論化が進みました。

また、怨霊の祟りを鎮め疫病などの災厄を防ぐ**御霊信仰**が広まり、北野天満宮（菅原道真をまつる）や祇園社などで**御霊会**がもよおされました。

② 美術（仏教・その他）

仏教美術では、浄土教にもとづく作品が生まれました。寺院では、**平等院**に注目しましょう。絵画や書道では、国風化の影響が見られました。

(1)　浄土教の影響で、阿弥陀堂や阿弥陀如来像が作られ、来迎図も描かれた

建築では、**阿弥陀堂**が盛んに建てられました。**藤原道長**は阿弥陀堂を中心に**法成寺**を創建し（現存せず）、**藤原頼通**は宇治の**平等院鳳凰堂**を建てるなど→第5章、浄土教を背景に、上級貴族による造寺造仏が盛んにおこなわれました。

彫刻では、**阿弥陀如来像**が盛んに作られました。**平等院鳳凰堂**の**阿弥陀如来像**を作成した仏師の**定朝**は、複数の仏師が仏像の部分ごとに製作する**寄木造**の技法を完成し、分業による大量生産で仏像の需要にこたえました。

絵画では、臨終の人のもとへ阿弥陀仏が極楽浄土から迎えに来る**来迎図**が描

かれました（高野山の聖衆来迎図など）。

(2) 国風美術では、大和絵が描かれ、和様の三跡が登場した

国風文化(1)（★は人名）
●建築
平等院鳳凰堂…★藤原頼通が建立、阿弥陀堂
●彫刻
平等院鳳凰堂阿弥陀如来像…★定朝【寄木造】
●絵画
高野山聖衆来迎図…来迎図
●書道
離洛帖…★藤原佐理、和風の書

絵画・書道・工芸では国風化が進みました。絵画では、日本の風景などを画題とする**大和絵**が、貴族の邸宅の襖や屏風を飾りました。書道では、仮名文字が普及した影響で、**和様**の優美な書体が発達しました。**三跡**（三蹟）と称されたのは、**小野道風**・**藤原佐理**（「離洛帖」）・**藤原行成**です。工芸では、蒔絵（漆で文様を描き金粉を付ける）や、螺鈿（貝殻を薄くみがいて漆器にはめ込む）の技術が発達しました。

③ 文学・生活

国風化を示すのは、なんといっても**仮名文字**の登場でしょう。万葉仮名の草書体をくずした**平がな**や、漢字の一部を取った**片かな**によって、日本語の表現が豊かになり、特に女性の手による物語・日記・随筆などの仮名文学が発達しました。また、貴族の生活様式もととのえられました。生活史についても、**教科書**などに載る**写真**を確認しておきましょう。

(1) 仮名文字を用いた物語・日記などが発達した

上級貴族が娘を天皇の后とし、文学的教養や才能ある女性をつき添わせたことから、女性を中心とする**仮名文学**が発達しました。

和歌では、最初の勅撰和歌集である**『古今和歌集』**が、〔**醍醐天皇**〕の命令で**紀貫之**らにより編集されました。

物語では、最初の物語でかぐや姫伝説を素材とした**『竹取物語』**や、最初の歌物語である**『伊勢物語』**に続き、**紫式部**が光源氏の一生を中心とした壮大な王権の物語である**『源氏物語』**を作りました。

随筆では、**清少納言**が鋭い観察眼で宮廷社会の体験を**『枕草子』**に記しました。紫式部が仕えた〔**一条天皇**〕の中宮**彰子**や、清少納言が仕えた皇后**定子**については、系図を確認しましょう→第5章。

日記では、**紀貫之**が国司として赴いた土佐から都までの紀行を記した**『土佐日記』**が、仮名日記の最初です。

(2) 貴族は寝殿造に居住し、正装は束帯・女房装束で、陰陽道に従い行動した

最後に、貴族の生活を見てみましょう。貴族の住宅は、日本風の寝殿造で、寝殿を中心に北・東・西に対屋、池の所に釣殿、これらを結ぶ渡殿、という構造になっています。

衣服は、貴族の男性の正装は**束帯**（簡略なのが衣冠）で、武士は直垂、庶民は水干を着ました。貴族の女性の正装は**女房装束**（**十二単**）です。

食事は1日2回で、仏教の影響で獣肉は用いませんでした。

成人儀式として、男性は元服、女性は裳着をおこないました。

行動は、中国から伝来した吉凶を占う**陰陽道**の影響が大きく、**物忌**（自宅に引きこもる）や**方違**（凶の方角を避けて行動する）がおこなわれました。

国風文化(2)（★は人名）

●文学
○和歌
古今和歌集（905）
…★〔醍醐〕の勅撰・★**紀貫之**らの編
○物語
竹取物語…最初の物語
伊勢物語…最初の歌物語
源氏物語…★**紫式部**
○日記
土佐日記…★**紀貫之**、仮名の日記
蜻蛉日記…★藤原道綱の母
更級日記…★菅原孝標の女
○随筆
枕草子…★**清少納言**
○歌謡
和漢朗詠集…★藤原公任

古代文化の概観 ※ヨコに見て、くらべながら変化をつかみましょう

	飛鳥文化	白鳳文化	天平文化	弘仁・貞観文化	国風文化
年代	7世紀前半	7世紀後半	8世紀 (奈良時代)	9世紀 (平安時代前期)	10〜11世紀 (平安時代中期)
政治	〔推古〕	〔天武・持統〕	〔聖武〕	〔嵯峨・清和〕	摂関政治期
特徴	豪族・渡来人中心	国家（天皇）中心	唐文化の影響	唐文化の消化	中国文化の改変
仏教	氏族仏教（氏寺） 呪術の一種として受容	国家仏教（官寺） 護国経典を重視	鎮護国家の思想 南都六宗…理論研究	密教…加持祈禱 現世利益を願う	浄土教…阿弥陀仏 来世で極楽往生を願う
美術	法隆寺金堂・五重塔	薬師寺東塔	東大寺法華堂	室生寺金堂・五重塔(山岳寺院)	平等院鳳凰堂（阿弥陀堂）
	法隆寺金堂釈迦三尊像 中宮寺半跏思惟像 【金銅像・木像】	薬師寺金堂薬師三尊像 興福寺仏頭 【金銅像】	東大寺法華堂不空羂索観音像 興福寺阿修羅像 【塑像・乾漆像】	室生寺弥勒堂釈迦如来坐像 観心寺如意輪観音像 【一木造・翻波式】	平等院鳳凰堂阿弥陀如来像 【寄木造】
				曼荼羅	来迎図
その他		漢詩文・和歌	漢詩文・和歌 国史・地誌 ※万葉仮名	勅撰漢詩集	勅撰和歌集 物語・日記 ※仮名文字
			明経道	紀伝道	
				三筆（唐様）	三跡（和様）

チェック問題にトライ！

ある博物館での、先生と生徒の会話を読み、下の問いに答えよ。

生徒： これが教科書に出てくる土偶ですね。立派だけど首も足も折れていますね。わざと折ったんですかね。

先生： いいところに気付いたね。米作りが広まるより前だから、生活は厳しく自然の力に左右された。当時の信仰の様子がわかるだろう。

生徒： このあと朝鮮半島や中国大陸から進んだ文化を取り入れて、国家をつくっていくんですね。あっ、これは僕でも知っている有名な<u>正倉院の宝物</u>だ。

先生： 残念ながらこれは複製品だよ。本物は厳重に保存されていて、年に1回正倉院のすぐ近くの博物館で一部分が展示されるんだ。

生徒： 複製でもすばらしいですね。正倉院の宝物は中国で作られたものですか。

先生： その区別は専門家でも難しいらしい。天皇家の宝物だから、唐の皇帝からもらったり，外国商人から買ったりしたものも含まれているのだろう。当時の長安を中心とする東アジア文化圏の中に日本もいたことがよくわかる。

(後略)

問 下線部に関して、正倉院とその宝物について述べた文として正しいものを、次の①～④のうちから一つ選べ。

① 光明皇太后により献納された聖武天皇の遺品が中心である。
② 奈良時代に百済の商人によって南アジア産の品物がもたらされた。
③ 毎年、京都国立博物館で「正倉院展」が開催される。
④ 正倉院宝庫は、唐招提寺に建てられた倉庫群の一つである。

(センター試験 2006年度 本試験)

解説 共通テストでは、**問題文**（本問では会話文）**のすみずみまで読んでヒントを得る**、という姿勢が大切です。本問は、知識で正解を導くこともできますが、知識が不足していても、読んで考えて解いていくことを意識しましょう。

① 正しいです。

② 会話文に「外国商人から買ったりした」とありますが、百済(くだら)は7世紀に滅んでいるので、「奈良(なら)時代」には「百済の商人」は活動しません。

③ 会話文に「正倉院(しょうそういん)のすぐ近くの博物館」とありますが、正倉院は奈良にあるので、「京都」の国立博物館では開催されないだろう、と推定しましょう（実際は、毎年秋に奈良国立博物館で正倉院展が開催される）。

④ 「唐招提寺(とうしょうだいじ)」ではなく、東大寺(とうだいじ)に正倉院宝庫があります。

⇒したがって、①が正解です。

中世 総合年表

世紀	天皇	権力者	政治・外交・社会	兵乱	文化
11世紀	後三条		第8章 1院政		第12章 1院政期文化
	白河				
	堀河	白河上皇			
12世紀				第8章 2保元・平治の乱と平氏政権	
		鳥羽上皇			
		後白河上皇			
	安徳	平清盛			

世紀	将軍	執権	政治（兵乱）	外交・社会・経済			文化
12世紀	①源頼朝		第8章 3鎌倉幕府の成立	第9章 2武士の社会と生活	第11章 1中世の外交	第11章 2経済の発展	第12章 2鎌倉文化
13世紀	②源頼家		第9章 1執権政治				
	③源実朝	(1)時政					
		(2)義時					
	④藤原頼経	(3)泰時					
	⑤藤原頼嗣	(5)時頼					
	⑥宗尊親王						
		(8)時宗	第9章 3蒙古襲来と得宗専制政治				
		(9)貞時					

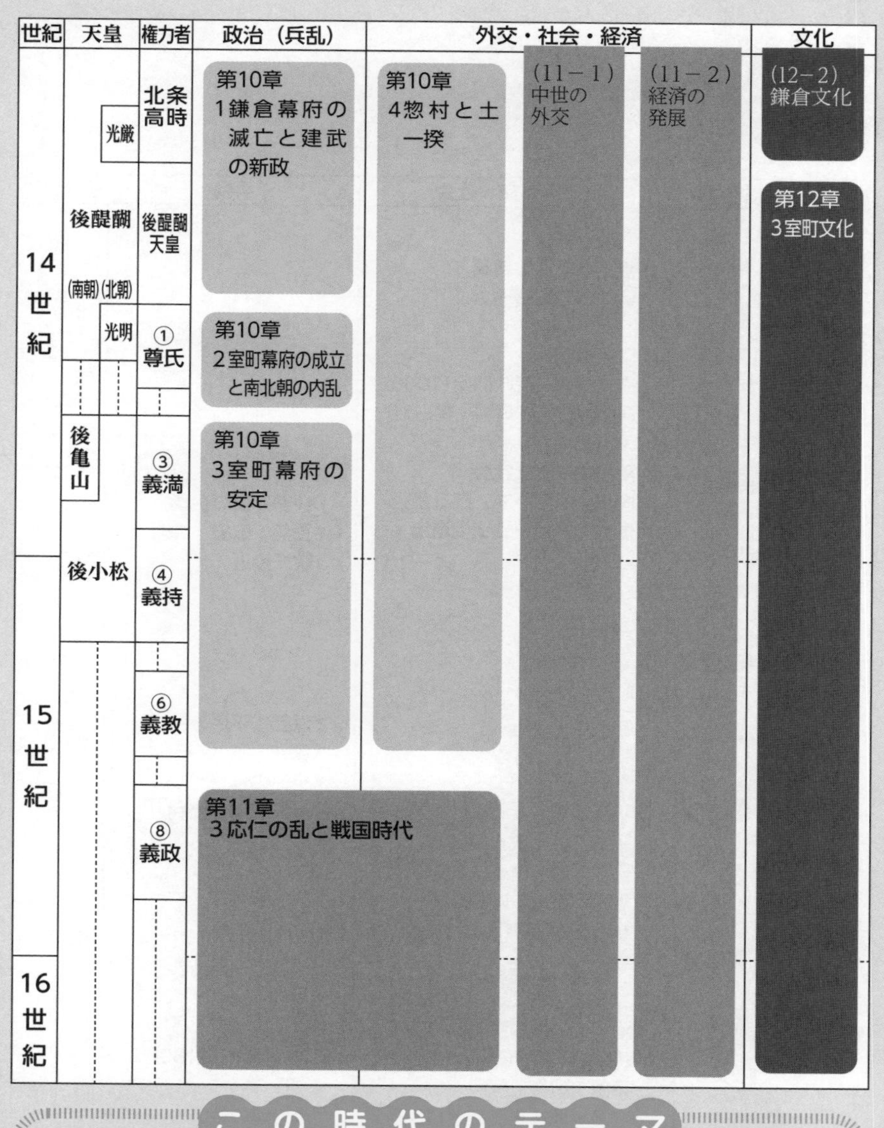

この時代のテーマ

第8章 武家政権の成立：院政～平氏政権～鎌倉幕府成立の過程と、封建制度の特徴を見ます。
第9章 鎌倉幕府の展開：執権政治～得宗専制政治の過程と、武士社会のしくみを理解します。
第10章 室町幕府の支配：鎌倉末期から室町中期への展開と、農村社会の形成を追います。
第11章 中世社会の展開：中世の外交・経済、応仁の乱と国一揆、戦国時代を扱います。
第12章 中世文化：仏教文化が社会に広がり、公家・武家・庶民の文化が花開きました。

武家政権の成立
（平安時代後期～鎌倉時代初期）

世紀	天皇	権力者	政治・外交・社会	兵乱	東アジア	
11世紀	後三条		**1 院政** **①後三条天皇の親政** 延久の荘園整理令	(1)	宋	高麗
	白河		**②院政の展開** 白河上皇の院政開始（1086） 院政（白河・鳥羽・後白河）	(2)		
	堀河	白河上皇				
12世紀	鳥羽		**③院政の構造と社会** 院宣・院庁下文　院近臣 僧兵の強訴→武士の進出	**2 保元・平治の乱と平氏政権** **①伊勢平氏の台頭** 正盛・忠盛・清盛 院に接近		
	崇徳					
	近衛	鳥羽上皇				
	後白河			**②保元・平治の乱** 保元の乱（1156） 平治の乱（1159） →平清盛が勝利		
		後白河上皇	**③平氏政権** 平清盛、太政大臣に 日宋貿易を推進（大輪田泊） 後白河法皇を幽閉 〔安徳天皇〕即位（1180）		南宋	
	安徳	平清盛	**3 鎌倉幕府の成立** **①治承・寿永の乱と機構整備** 侍所・公文所（政所）・問注所 東国支配権を獲得 守護・地頭を任命（1185） →軍事・警察権 頼朝、征夷大将軍に（1192）	頼朝挙兵（1180） 平氏都落ち 壇の浦の戦い →平氏滅亡（1185） 奥州藤原氏滅亡		
	後鳥羽	源頼朝	**②封建制度** 将軍・御家人間の主従関係 公武二元的な支配 (3)			

第8章のテーマ

古代から中世に移り変わっていく、平安時代後期から鎌倉時代初期（11世紀末～12世紀）の政治を見ていきます。

(1) 11世紀末、**院政**が始まりました。社会状況との関連にも注目します。

(2) 保元の乱・平治の乱を経て平清盛が台頭すると、12世紀後期には、初の武家政権である**平氏政権**が誕生しました。

(3) 12世紀末、源頼朝を中心に、安定した武家政権である**鎌倉幕府**が誕生しました。鎌倉幕府の制度や構造を理解しましょう。

1 院政（11世紀末～12世紀中期）

ここから、中世が始まります。平安時代後期の11世紀末、**白河上皇**によって院政が開始されました。

院政は、天皇を退位した**上皇**が、政治をおこなうんだよね。

もし、上皇が何人もいる状態だったら、どの上皇が院政をやると思う？

院政をおこなえるのは天皇家のなかで一人、ってことなのか。上皇になれば院政ができる、というわけじゃないんだね。

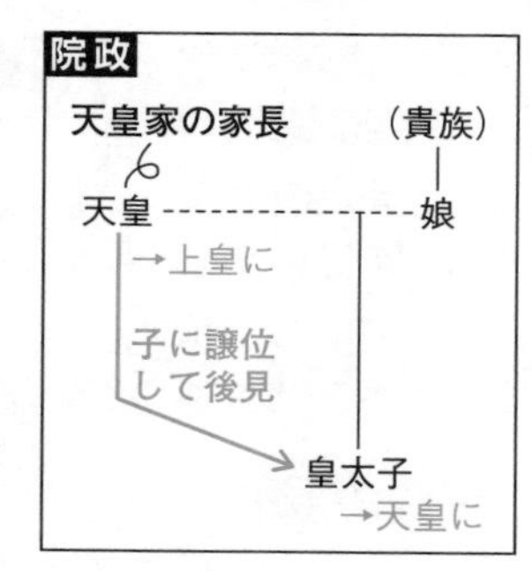

天皇家の家長であることが、院政をおこなえる条件だ。

それと、摂関政治みたいに、幼い天皇の権限を代行すればいいのかな。自分の子を天皇にして、「息子の面倒を見るんだ」とかいって。

そういうことだね。幼少の子や孫に譲位して、**天皇の父や祖父**という立場で後見することも、院政の条件だ。

むしろ、自分の子孫に天皇の位を継がせていくために、院政をおこなったんじゃないかな。

オッ、鋭いね。さて、白河上皇のときに院政が始まるけれど、その前提となるのは？　すでに、古代の最後のところでやったよ。

〔後三条天皇〕だね。復習してから、いよいよ中世の始まりだ！

① 後三条天皇の親政

〔後三条天皇〕の親政を確認しましょう→第6章。**延久の荘園整理令**（1069）で、政府（朝廷）が基準に合わない荘園を停止して公領に戻させたため、徴税しやすくなった受領は、後三条を支持しました。のちの院政の支持基盤の一つが、受領をつとめる中下級貴族であることに注目しましょう。

また、**荘園公領制**が成立すると、権力者は荘園を経済基盤とするようになりました。院政期の上皇も、荘園の寄進を受けて大量の荘園を保持しました。

また、荘園公領制をもとに**一国平均役**が課されるようになりました。国家的な造営や行事のときに政府が臨時に課す負担で、ある国の公領に加えて荘園からも一律に徴収しました。これは、のちに室町幕府が守護を通じて全国に課した**段銭**→第10章につながります。

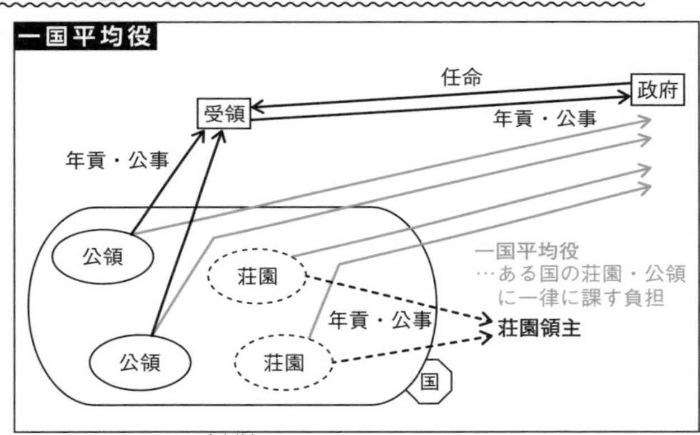

② 院政の展開

後三条の次の〔白河天皇〕も親政をおこない、摂関家を抑えて天皇の権力を強化しました。そして、白河は、子の〔堀河天皇〕に譲位して上皇（院）となり、院政が開始されたのです（1086）。院政は、11世紀末から12世紀まで、**白河院政・鳥羽院政・後白河院政**と続きました。後白河院政は、台頭した平清盛に支えられたため、平氏政権の時期とだいたい重なります。

年表

1068〔後三条天皇〕即位
1069 延久の荘園整理令
1072〔白河天皇〕即位
1086〔堀河天皇〕即位→白河院政（～1129）
1129 鳥羽院政（～1156）
1156 鳥羽上皇の死→保元の乱
1158 後白河院政（～1192　1179～80停止）
1167 平清盛が太政大臣に
1180〔安徳天皇〕即位（清盛の外孫）

③ 院政の構造と社会

(1) 上皇の院宣や、院庁からの院庁下文が発され、北面の武士が置かれた

院政では、律令制のしくみは維持されたものの、上皇（院）が独自の権力を持って政治を動かし、**院**（上皇の邸宅、のち上皇自身を指す）に設けられた**院庁**からの**院庁下文**や上皇の命令を伝える**院宣**が政治効力を持ちました。

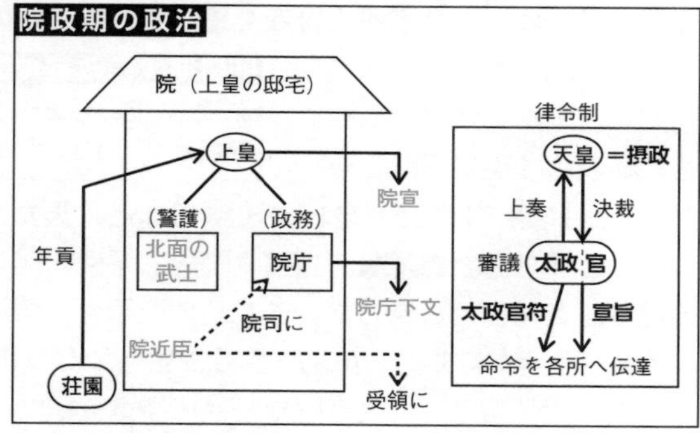

后妃・乳母の一族など、上皇と親密な関係にある中下級貴族は、上皇の側近である**院近臣**となり、院庁の職員である**院司**となったり、諸国の受領に任じられたりしました。また、上皇（院）は、軍事力も持ちました。**白河上皇**は、院の御所に**北面の武士**を置いて、警護させました。

(2) 上皇は寄進地系荘園を経済基盤とし、知行国を分配してみずからも保持した

最高権力者である上皇（院）には荘園の寄進が集まったため、**寄進地系荘園**から納められる年貢が院政の経済基盤でした。天皇家が持つ荘園群には、後白河上皇が寺院に寄進した長講堂領（のち持明院統に継承）や、鳥羽上皇が皇女に伝えた八条院領（のち大覚寺統に継承）があります→第10章。

院政期に登場したのが、**知行国**の制度です。上皇（院）は、上級貴族や大寺院をある国の**知行国主**に任命し、その国の公領からの収益を取らせました。「知行」とは、土地を支配して収益を得る、という意味で、上級貴族らは、収益が得られる国を知行国として与えられたのです。知行国の受領には、知行国主が推薦した近親者や側近がそのまま任命されて、知行国を支配しました。

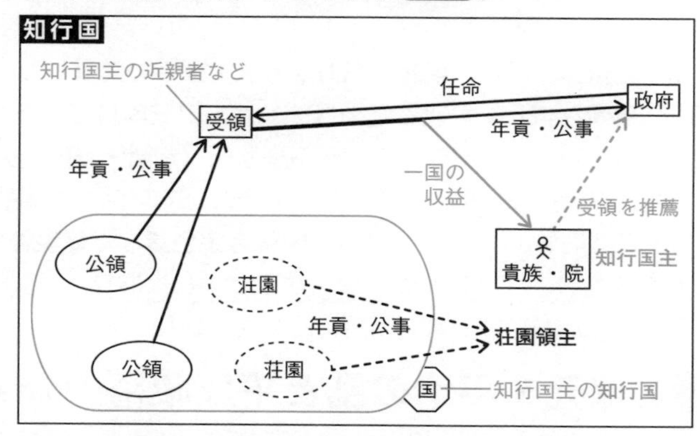

そして、上皇（院）はみずから知行国主となって知行国を持ったため（院分国）、知行国も院政の経済基盤の一つとなりました。

(3) 仏教では、天皇家が六勝寺を建立し、大寺院の僧兵による強訴が発生した

摂関期・院政期の大寺院
法成寺（ほうじょうじ）…**藤原道長**、阿弥陀堂が中心
法勝寺（ほっしょうじ）…〔**白河天皇**〕、六勝寺の一つ

上皇（院）は仏教をあつく信仰し、出家し**法皇**となって仏教勢力の頂点に君臨しました。この時期、〔**白河天皇**〕の**法勝寺**など、天皇家の六つの大寺院（**六勝寺**）が次々と建立され→第12章、上皇（院）は紀伊の熊野三山への**熊野詣**や高野山への**高野詣**をくり返しました。これらの費用は、中下級貴族が官職を求めて提供する私財でまかなわれ、**成功**・**重任**が盛んになりました→第6章。

仏教保護のもとで、大寺院が荘園の寄進を集めて勢力を拡大すると、大寺院が組織した**僧兵**が朝廷に**強訴**して、荘園の権利などをめぐる主張を通そうとしました。**興福寺**（**南都**）の僧兵は、春日神社の神木をかついで強訴し（興福寺と春日神社は藤原氏が持つ寺社）、**延暦寺**（**北嶺**）の僧兵は、日吉神社の神輿をかついで強訴しました（延暦寺と日吉神社は比叡山に関連する寺社）。白河上皇は、賀茂川（鴨川）の水、双六の賽（サイコロ）の目、山法師（延暦寺の僧兵）の三つが、自分の心に従わないものだと指摘しています。

朝廷は、神仏の権威をあがめ、神仏の罰をおそれたため、僧兵の強訴に手が出せませんでした。そこで、強訴を鎮圧するために武士を用いたことで、**源氏**・**平氏**などの武士が中央の政界に進出しました。このことが、のちの**保元の乱**・**平治の乱**の背景となりました。

(4) 奥州藤原氏が、東北の奥羽地方を支配して繁栄した

院政期を中心に東北で繁栄したのは、**後三年合戦**のあと→第6章、陸奥の**平泉**を拠点に奥羽地方を支配した**奥州藤原氏**（**清衡**・**基衡**・**秀衡**・**泰衡**の４代）でした。奥州藤原氏は、産出する金や馬などで経済力と軍事力を持ち、京都の文化を移入しました（藤原清衡の**中尊寺金色堂**など→第12章）。また、北方の地域と交易をおこなって産物や文化を取り入れており、「日本」という枠組みを超えた交流がおこなわれていたことも注目されます。

2 保元・平治の乱と平氏政権（12世紀後期）

平安時代末期の12世紀後期、初の武家政権である**平氏政権**が誕生しました。

平清盛が**太政大臣**になったり、天皇の**外戚**となったり、摂関政治

の藤原氏みたいだね。そして、あっけなく滅んでしまった。『平家物語』にもあるけれど→第12章、驕れる人も久しからず、だ。

後白河上皇の院政を支えていたから、貴族政権としての面も持っていた。でも、なぜ、太政大臣や外戚の地位を獲得できたのかな。

う〜ん、やっぱり、強い軍事力を持っていたから？

つまり、平氏が戦いに勝ったことが重要なんじゃないかな。当時、朝廷の内紛が原因となって、都やその近くで合戦が起こった。

保元の乱と**平治の乱**だね。最終的に平清盛が勝ち、貴族たちに平氏の強さを見せつけたことが、平氏政権が成立する背景の一つなのか。

そして、源氏が衰える一方、平清盛は**武家の棟梁**の地位を固めた。

そしたら、各地の武士団は平氏の家来になっていきそうだね。平氏政権は、貴族政権と武家政権の両方の性質を見ることが大事なんだ。

① 伊勢平氏の台頭

平将門の乱ののち→第6章、**桓武平氏**のなかで関東から伊勢国に移った一族がいました（伊勢平氏）。そのなかから、白河上皇に接近して北面の武士となった**平正盛**、正盛の子で鳥羽上皇の院近臣となった**平忠盛**が台頭しました。忠盛は、瀬戸内海の海賊を鎮圧し、日宋貿易にも関与しました。そして、忠盛の子の**平清盛**は、保元の乱・平治の乱に勝利して勢力を拡大しました。

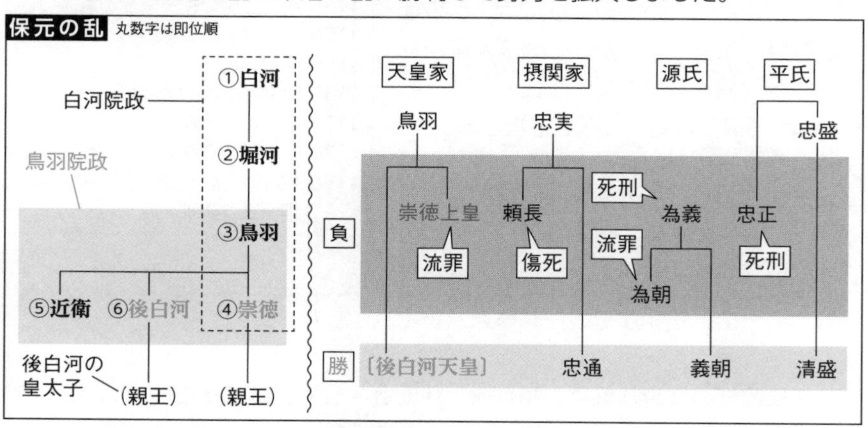

② 保元・平治の乱

(1) 天皇家・摂関家の内紛から保元の乱が起こり、後白河天皇方が勝利した

保元の乱（1156）は、天皇家・摂関家の内紛を武士が解決した戦いでした。鳥羽上皇（法皇）が亡くなると（1156）、崇徳上皇（兄）と〔後白河天皇〕（弟）との対立が浮上し、摂関家の左大臣**藤原頼長**（弟）と関白**藤原忠通**（兄）との対立も連動し、源氏・平氏の兵が集められ保元の乱が起きました。

そして、後白河・忠通と、これについた**源義朝**・**平清盛**が勝利し、崇徳・頼長と、これについた**源為義**（義朝の父）・源為朝・平忠正が敗北しました。

(2) 院近臣どうしの争いから平治の乱が発生し、平清盛が勝利した

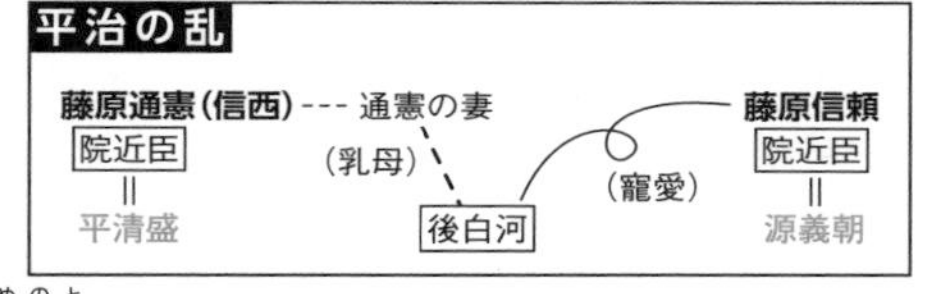

平治の乱（1159）は、院近臣どうしの争いを背景とする戦いでした。

藤原通憲（信西）は鳥羽院政のころから台頭し、保元の乱ののちは**後白河上皇**の院近臣として（後白河の乳母の夫）、平清盛と結んで政治を主導しました。これに対し、新しく台頭した院近臣の**藤原信頼**が反発し、源義朝を誘って挙兵しました。信西は自殺に追い込まれましたが、平清盛は藤原信頼と源義朝を滅ぼしました（義朝の子の**源頼朝**は**伊豆**へ流罪となる）。

③ 平氏政権

(1) 平清盛は後白河院政を支えつつ、西国武士団を家人として地頭に任命した

年表

1156	鳥羽上皇の死→保元の乱
1158	後白河院政の開始
1159	**平治の乱**
1167	平清盛が太政大臣に
1177	鹿ヶ谷の陰謀
1179	後白河法皇を幽閉→院政を停止
1180	〔安徳天皇〕即位（清盛の外孫） **福原京**へ遷都

平清盛は後白河上皇と結び、**蓮華王院**（**三十三間堂**）を造営するなどして奉仕し→第12章、武士として初めて太政大臣となりました（1167）。また、平氏一門も、朝廷における高い位階・官職を得ました。

一方、平氏政権は武家政権としての性格も持っていました。平清盛は、畿内から九州にかけての**西国武士団**を家人として組織し、荘園・公領の現地支配者である**地頭**に任命して主従関係を結びました。地頭は、のちに源頼朝がその任命権を公認されました。

(2) 平氏政権の経済基盤は、知行国・荘園と、日宋貿易だった

平氏政権の経済基盤が、全国の約半分の**知行国**と500あまりの**荘園**である点

は、貴族政権的だといえます。一方、平氏政権は**日宋貿易**も経済基盤としており、平清盛は南宋との貿易を盛んにおこなうため、摂津の**大輪田泊**（現在の神戸市）を修築し、瀬戸内海航路を整備しました。日宋貿易では**宋銭**などが輸入され、中世における貨幣経済の発達につながりました→第11章。

(3) 平清盛は、後白河法皇の院政を停止して、安徳天皇を即位させた

しかし、のちに平清盛と後白河法皇との対立が深まり、院近臣の藤原成親や僧の俊寛が平氏打倒を企てたのち（**鹿ヶ谷の陰謀**）、平清盛は後白河法皇を幽閉して**院政を停止**しました（1179）。そして、平清盛は、娘の徳子と〔**高倉天皇**〕との子である〔**安徳天皇**〕を即位させ（1180）、外祖父として勢力をふるいましたが、平氏政権への不満も広がっていきました。

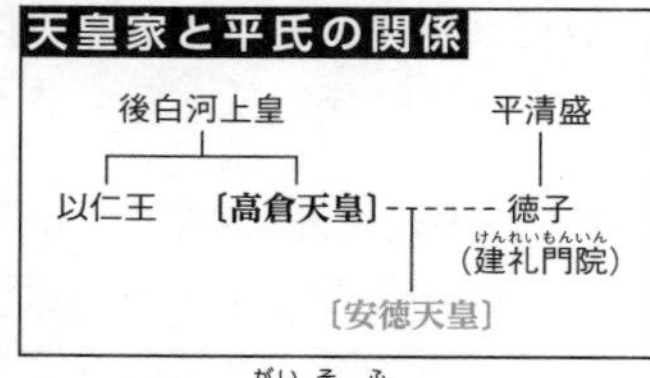

3 鎌倉幕府の成立（12世紀末）

平治の乱（1159）で伊豆に流されていた**源頼朝**は、1180年に挙兵しました。そして、**鎌倉**を拠点に機構をととのえ、**東国武士団**との主従関係を築いていくと、12世紀末、唯一の武家政権である**鎌倉幕府**が成立しました。

平氏が滅びていくんだから、鎌倉幕府が「唯一の武家政権」になるのは当たり前のような気がするけれど。

平氏政権のほかにも、もう一つ武家政権があったよ。

もしかして、**奥州藤原氏**も武家政権と考えちゃっていいのかな。

12世紀末、**西国**基盤の**平氏**政権と、**奥羽地方**基盤の**奥州藤原氏**政権があり、そこに**源頼朝**が**東国**を基盤とする政権を作っていった。

源頼朝は、平氏を滅ぼしたら、次に奥州藤原氏を滅ぼさなきゃ。武家政権どうしの対決に勝って幕府を開いた、という考え方なんだね。

もう一つ、鎌倉幕府は、朝廷の全国支配のなかで軍事的な部分を担当した、という考え方もできるよ。

エッ、幕府は朝廷から独立して「武士の、武士による、武士のための」政治をおこなう、というイメージがあるんだけれど。

そもそも、源頼朝が守護・地頭を任命して全国の治安維持を担当させる権限は、1185年に後白河法皇から認められたものだ。

最近は、「いいくに（1192）作ろう」ではなく「いいハコ（1185）作ろう」が鎌倉時代の始まり、といわれることが多いみたいだけれど、朝廷から与えられた権限を用いて、支配を確立したんだね。

幕府と朝廷との関係に注目すると、幕府の歴史とはまた別の側面から、時代状況が見えてくる。これは、室町幕府や江戸幕府も同じだ。

武士の時代だから、兵乱の勝ち負けばかりに目がいっちゃうけれど、その時期全体の様子を大きくとらえたほうがいいんだね。

① 治承・寿永の乱と機構整備

鎌倉幕府の成立過程は、**平氏滅亡**までの期間と（1180～85）、源頼朝の**征夷大将軍**就任までの期間とに（1185～92）、分けて考えましょう。

(1) 源頼朝は鎌倉を拠点として機構を整備し、義経は壇の浦で平氏を滅ぼした

〔**安徳天皇**〕即位の直後、**源平争乱**（**治承・寿永の乱**）が始まりました。

平氏政権は、**以仁王**（後白河の子）と**源頼政**の挙兵を鎮圧し、大輪田泊の近くの**福原京**（摂津）へ遷都しました（半年後に平安京へ戻る）。このとき、以仁王が平氏追討を掲げた**令旨**（皇子の命令）を全国に発し、それに応じた**源頼朝**が**伊豆**で挙兵しました（1180）。そして、以前から源氏と関係の深かった相模の**鎌倉**を拠点に、御家人を統制する**侍所**を設置しました（1180）。

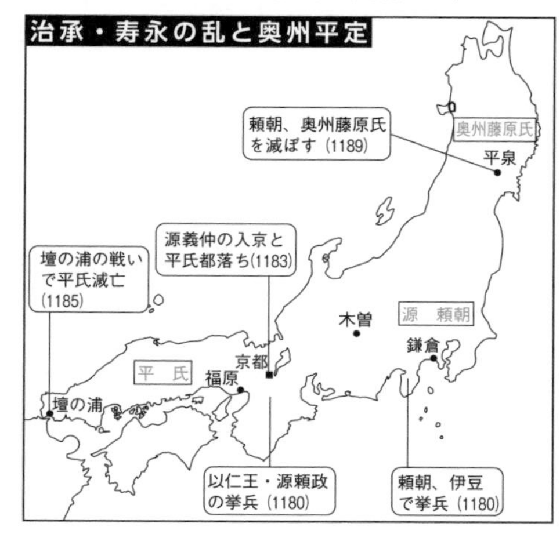

一方、平氏政権に反抗した南都（奈良）の大寺院が焼打ちされ、**興福寺**・**東大寺**が被害を受けると、のちにそれらが復興するなかで、新しい寺院建築や仏像彫刻が生まれました→第12章。

平清盛が急死し、さらに信濃の**木曽**で挙兵していた**源義仲**（頼朝のいとこ）が平氏に勝って北陸道から京都に入ると、平氏は〔安

徳天皇〕を連れて都を離れました。このとき頼朝は京都の後白河法皇と交渉し、源義仲を倒す見返りに（頼朝は弟の範頼・義経を派遣）、朝廷から**東国支配権**（東海道・東山道）を認められました（1183）。

さらに、頼朝は一般政務を担う**公文所**（のち**政所**）と裁判事務を担う**問注所**を設置し（1184）、源義経は長門の**壇の浦の戦い**（1185）で平氏を滅ぼしました。

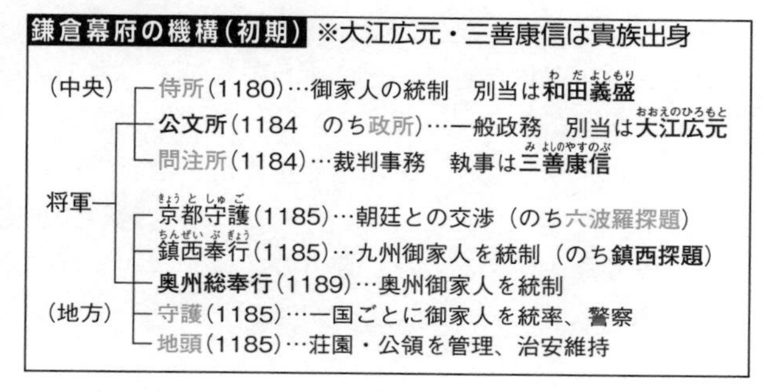

(2) 頼朝は守護・地頭の設置を認められ、奥州藤原氏を倒し、将軍に就任した

そののち、頼朝と義経の兄弟対立が生じると、頼朝は義経追討を名目に、**守護**・**地頭**の任命権を朝廷から承認されました（1185）。こうして、頼朝は全国的な軍事・警察権を握ることになり、ここに**鎌倉幕府**が成立しました。

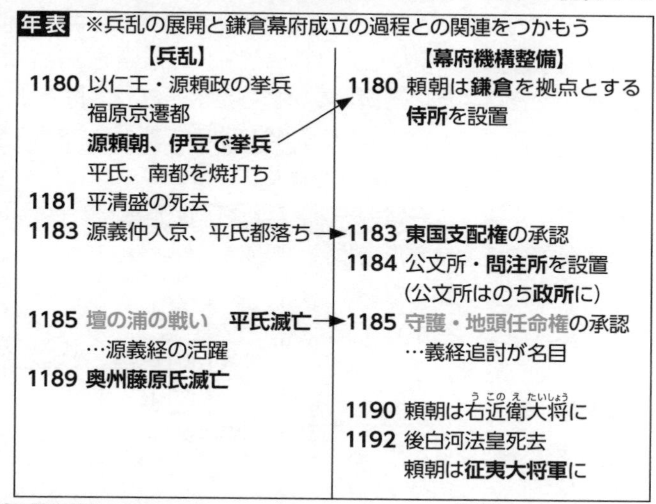
年表　※兵乱の展開と鎌倉幕府成立の過程との関連をつかもう

【兵乱】	【幕府機構整備】
1180 以仁王・源頼政の挙兵 福原京遷都 **源頼朝、伊豆で挙兵** →	1180 頼朝は**鎌倉**を拠点とする **侍所**を設置
平氏、南都を焼打ち	
1181 平清盛の死去	
1183 源義仲入京、平氏都落ち →	1183 **東国支配権**の承認
	1184 公文所・**問注所**を設置 （公文所はのち**政所**に）
1185 **壇の浦の戦い**　**平氏滅亡** → …源義経の活躍	1185 **守護・地頭任命権**の承認 …義経追討が名目
1189 **奥州藤原氏滅亡**	
	1190 頼朝は右近衛大将に
	1192 後白河法皇死去 頼朝は**征夷大将軍**に

追われた義経は**奥州藤原氏**のもとに逃げ込みますが、３代秀衡の死後、４代泰衡に滅ぼされました。その直後、義経をかくまったことを口実に、頼朝はみずから御家人を率いて奥州藤原氏（**藤原泰衡**）を滅ぼし（1189）、奥州御家人を統率する**奥州総奉行**を設置しました。そして、後白河法皇が亡くなると、頼朝は**征夷大将軍**となり（1192）、名実ともに鎌倉幕府が確立しました。

平氏・奥州藤原氏の打倒と鎌倉幕府の成立が、同時並行だったのですね。

② 封建制度

次に、武家政権のしくみである、**封建制度**を見ていきましょう。これは、「武士という支配階層のなかで、**土地の給与**を通じて、主人と従者との間に**御恩**と**奉公**の関係（**主従関係**）が結ばれる」というものですが、なんだか抽象的ですね。ポイントは、

●主人と従者は、誰と誰か。

●主人は、御恩として、どのような土地を、どのように与えるのか。

●従者は、奉公を、どのような形でおこなうのか。

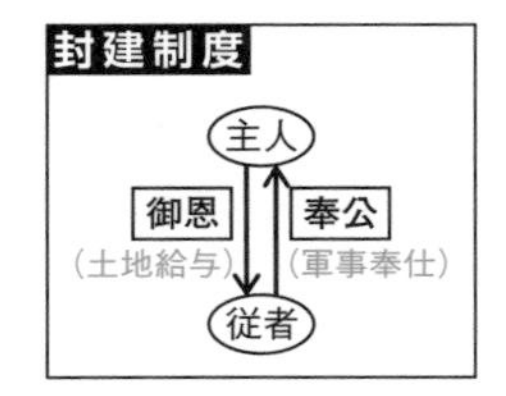

以上３点を考えることです。今回は、鎌倉幕府の主従関係に関する説明をおこないますが、室町幕府や江戸幕府でも、同じように考えてみましょう。

⑴　将軍は御家人に対し、地頭に任命する形で御恩を与えた

鎌倉幕府の**将軍**と主従関係を結んだ武士を、**御家人**と呼びます（将軍と主従関係を結ばない非御家人もいました）。当時の武士は、**開発領主**の出身である者が多く→第６章、先祖から受け継いだ一族の所領を維持したい、あるいは、新しい所領を獲得したいと願っていました。そこで、将軍は、先祖以来の所領の支配権を保障する**本領安堵**や、功績によって新しい所領の支配を与える**新恩給与**によって、御家人に御恩を与えたのです。

その際、将軍は、**荘官**の一種である**地頭**に任命する形で本領安堵・新恩給与をおこないました。御家人（開発領主）が支配する所領は、**荘園**だったからです→第６章。そして、地頭の任命権は将軍・幕府のみが持ち、荘園領主は地頭の任命権を持たないので、将軍は地頭に対する荘園領主の干渉を防ぐことができます。こうして、御家人（開発領主）に対し、荘官としての権利を保障する形で御恩を与えたのです。

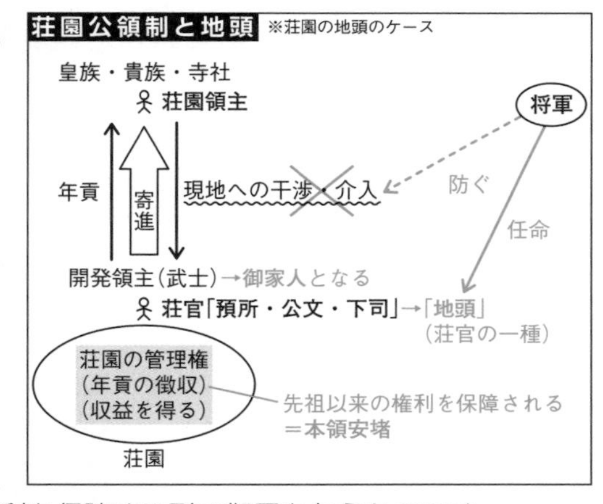

地頭は**公領**にも置かれました（その場合の地頭は**郡司**・**郷司**の一種）。将軍は地頭に対する国司の干渉を防ぎ、郡司・郷司としての権利を保障しました。

⑵　御家人は将軍に対し、京都大番役・鎌倉番役や軍役をつとめて奉公した

みずからの武力を持つ御家人は、将軍に対する奉公として、平時には天皇・

上皇の御所を警備する**京都大番役**や、将軍の御所を警備する**鎌倉番役**をつとめ、戦時には将軍の命令で戦闘に参加する**軍役**をつとめました。

(3) 守護は大犯三カ条を任務とし、御家人を指揮して軍事・警察権を行使した

次に、守護の任務と御家人の奉公との関係を考えましょう。**守護**は、国ごとに1人、有力御家人が任命され、**大犯三カ条**（**大番催促**・**謀叛人逮捕**・**殺害人逮捕**）を任務としました。大番催促は御家人を京都大番役に向かわせるもので、謀叛人・殺害人の逮捕は御家人を指揮して実行しました。守護は、将軍への奉公を果たす御家人を指揮・統率して、一国内の軍事・警察権を行使したのです。

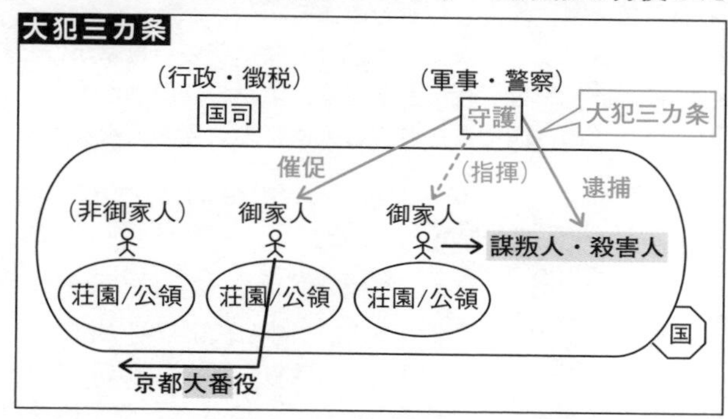

守護・地頭

守護…国ごとに1人置く　　大犯三カ条（**大番催促**・謀叛人の逮捕・殺害人の逮捕）
→御家人を指揮して、一国内の軍事・警察権を行使する…「人への支配」
地頭…荘園や公領ごとに置く　　年貢の徴収・納入、土地の管理、治安維持を担当
→**荘官**や**郡司**・**郷司**としての支配権を行使、収益を得る…「土地への支配」

(4) 幕府の支配と朝廷の支配とが並び立つ、公武二元的な支配だった

鎌倉時代は、朝廷の力も保たれていたので、京都の朝廷による支配と、鎌倉の幕府による支配とが並んで存在する、**公武二元的な支配**の状況でした。

地方支配では、幕府は国ごとに**守護**を任命して軍事・警察権を担当させ、朝廷は国ごとに**国司**を任命して行政・徴税権を担当させました。また、**東国**は鎌倉にある幕府の影響力が強く及び、**畿内**・**西国**は京都にある朝廷や荘園領主の力が強く及びました。

鎌倉幕府の経済基盤は、将軍の知行国である**関東御分国**や、将軍が荘園領主となった**関東御領**（平氏から没収された所領を含む）でした。また、幕府は守護に、一国ごとの荘園・公領の調査記録である**大田文**の作成を命じました（従来は朝廷の命令で国司が作成していた）。幕府は、朝廷が作りあげた土地制度である荘園公領制を用いていたのです。

チェック問題にトライ！

次のア～ウは、時代の特色をよくあらわしている歌および言葉を、古いものから年代順に配列したものである。

ア　青丹よし　寧楽の京都は　咲く花の　薫ふがごとく　今さかりなり
イ　此世をば　我世とぞ思ふ　望月の　かけたることも　なしと思へば
ウ　この一門にあらざらむ人は、みな人非人なるべし。

問　次のa・bの事件が起こった時期について述べた文として正しいものを、下の①～④のうちから一つ選べ。

a　承和の変　　b　後三年の役

①　aは、アの「寧楽の京都」の時代より前に起こった事件である。
②　aは、ウの「一門」の全盛時代以後に起こった事件である。
③　bは、アの「寧楽の京都」の時代と、イの作者が「我世」と歌った時代の間に起こった事件である。
④　bは、イの作者が「我世」と歌った時代と、ウの「一門」の全盛時代の間に起こった事件である。　（センター試験　1994年度　追試験）

解説　**出来事どうしの、複数の時代にまたがる大きな前後関係を判断します。**アは平城京に都があった奈良時代（8世紀）、イは藤原道長による摂関政治の全盛期（11世紀前期）、ウは平氏政権の時代（12世紀後期）です。

①　a「承和の変」は、藤原良房が伴健岑・橘逸勢を排斥した、平安時代前期（9世紀中期）の事件なので→第5章、アより前に起こった事件ではありません。
②　同様に、aはウ以後に起こった事件でもありません。
③　b「後三年の役（後三年合戦）」は、奥羽地方の清原氏の内紛を源義家が鎮圧した戦いで、平安時代後期（11世紀後期）のことです。11世紀の後半には東北で前九年合戦・後三年合戦が発生した、と大きくとらえましょう→第6章。アの時代とイの時代の間に起こった事件ではないですね。
④　bは、イの時代とウの時代の間に起こった事件です。

⇒したがって、④が正解です。

次の史料は、吉田兼好の『徒然草』の一節で、当時さかんであった遊芸である白拍子と平曲の起源について述べている。

多久資（注1）が申しけるは、通憲入道（＝信西）、舞の手の中に、興ある手どもを選びて、磯の禅師といいける女に教えて、舞わせけり。白き水干に鞘巻（注2）をささせ、烏帽子を引き入れたり（注3）ければ、男舞とぞいいける。（中略）これ、白拍子の根元なり。（中略）

後鳥羽院の御時、信濃前司行長、(中略) 学問を捨てて遁世したりけるを、慈鎮和尚(=慈円)、(中略) この信濃入道を扶持し給いけり。この行長入道、平家の物語を作りて、生仏といいける盲目に教えて、語らせけり。さて、山門のことを、ことにゆゆしく書けり(注4)。九郎判官(注5)のことは詳しく知りて書き載せたり。蒲の冠者(注6)の方はよく知らざりけるにや、多くのことども記し洩らせり。武士のこと、弓馬の業は、生仏、東国の者にて、武士に問い聞きて、書かせけり。

(注1) 13世紀に活躍した雅楽の楽人。
(注2) 鍔のない短刀の一種のこと。
(注3) 引いて深くかぶったの意。
(注4) 特に意を用いて書いたの意。
(注5) 源義経のこと。
(注6) 源範頼のこと。

問 史料から読み取れることがらと、その説明の文章として正しいものを、次の①~④のうちから一つ選べ。

① 史料によれば、磯の禅師が白い水干を着て舞ったのが白拍子の根元であるという。水干は当時の男性の衣服として広く用いられていた。

② 史料によれば、『平家物語』を作った行長が遁世したのは、鎌倉時代後期のことであるという。このころの幕府では、得宗による専制政治が行われていた。

③ 史料によれば、『平家物語』には園城寺のことが記されているという。園城寺はいわゆる南都北嶺の北嶺にあたる。

④ 史料によれば、『平家物語』には源範頼のことが詳しく書かれているという。範頼は源義経とともに、兄頼朝の命により平家や藤原秀衡の軍と戦った。

(センター試験 2000年度 本試験)

解説 **史料から読み取った内容と、知識とを結びつけていくタイプの問題です。**正確で確実な知識の習得が、史料読み取り問題を解く前提となります。

① 史料の「(信西が舞の手を集めて) 磯の禅師といいける女に教えて、~白き水干に鞘巻をささせ、~これ、白拍子の根元なり」と選択肢の前半は一致します。「水干は当時の男性の衣服」も正しいです。国風文化を確認しましょう→第7章。

② 史料には「後鳥羽院の御時、信濃前司行長、~遁世」とありますが、承久の乱(1221) で登場する後鳥羽上皇は鎌倉時代前期の人物であり、選択肢の「鎌倉時代後期~得宗による専制政治」とは一致しません。

③ 史料には「山門のことを、ことにゆゆしく書けり」とありますが、山門は「園城寺」ではなく延暦寺です (天台宗の密教である台密のうち、山門派は延暦寺が拠点で、寺門派は園城寺が拠点)。また、選択肢の「北嶺」は、「園城寺」ではなく延暦寺です (僧兵を持つ大寺社のうち、南都は興福寺で、北嶺は延暦寺)。

④ 史料には「九郎判官 (= 源 義経) のことは詳しく知りて書き載せたり」とあり、「源範頼のことが詳しく書かれている」のではありません。また、選択肢の「(源範頼・義経が) 藤原秀衡の軍と戦った」は、誤りです。

⇒したがって、①が正解です。

鎌倉幕府の展開
（鎌倉時代前期・中期・後期）

世紀	将軍	執権	政治（兵乱）	社会・経済	東アジア	
12世紀	①源頼朝					
13世紀	②源頼家		1 執権政治	2 武士の社会と生活	南宋	高麗
	③源実朝	(1)時政	①北条氏の台頭（時政・義時） 比企能員が滅ぶ→将軍実朝 時政、政所別当に 和田義盛が滅ぶ 義時、侍所別当を兼ねる 実朝暗殺→源氏将軍が断絶	①開発領主の生活 所領経営（地頭） 武芸（騎射三物） ②惣領制 血縁的結合 分割相続		
		(2)義時	②承久の乱（1221） 後鳥羽上皇の倒幕 →幕府勝利、3上皇を配流 六波羅探題 没収地に地頭（新補地頭）	③地頭の荘園侵略 地頭請 下地中分		
	④藤原頼経	(3)泰時	③合議制の確立（泰時） 連署・評定衆 摂家将軍（藤原頼経） 御成敗式目（1232）			
	⑤藤原頼嗣	(5)時頼	④執権政治の強化（時頼） 宝治合戦（三浦泰村が滅ぶ） 引付衆 皇族将軍（宗尊親王）			
	⑥宗尊親王		（1）	（2）		
		(8)時宗	3 蒙古襲来と得宗専制政治 ①蒙古襲来（時宗） 文永の役（1274） 弘安の役（1281）			
		(9)貞時	②得宗専制体制（貞時） 霜月騒動（安達泰盛が滅ぶ） 御家人の窮乏化 →永仁の徳政令	※単独相続へ移行 ※地縁的結合 ※悪党の出現	元	
				（3）		

第9章のテーマ

鎌倉時代の前期・中期・後期（13世紀）の政治と社会を見ていきます。

(1) 北条氏を中心とする**執権政治**が確立しました。その過程のなかで発生した**承久の乱**は、幕府と朝廷との関係を大きく変化させました。

(2) 鎌倉時代の武士は、所領（荘園・公領）に居住して土地や農民を支配しました。血縁的結合を軸とする**惣領制**のあり方にも注目しましょう。

(3) **蒙古襲来**は、幕府の支配拡大と北条氏への権力集中をもたらし、北条氏の家督が幕政を主導する、**得宗専制政治**が展開しました。

1 執権政治（13世紀前期・中期）

13世紀は、有力御家人のなかで**北条氏**が台頭し、鎌倉幕府の政治を主導した時期です。まず下の図で、鎌倉幕府の**執権**のうち代表的な人物の順番をつかみましょう。

では、13世紀前期・中期における、**執権政治**の展開から始めます。**承久の乱**（1221）が朝廷と幕府との関係に与えた影響にも注目しましょう。

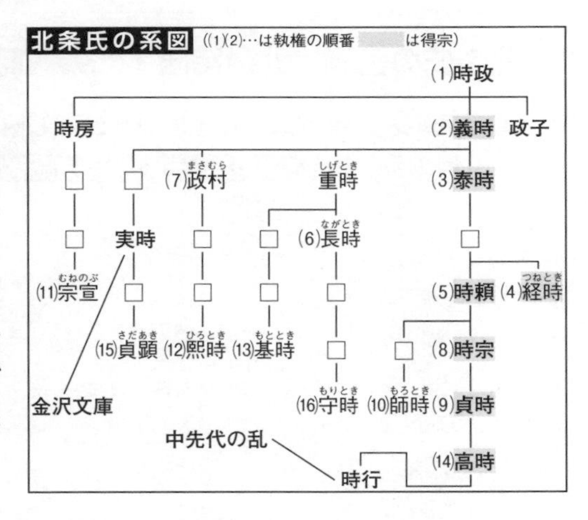

執権の代表的人物

1221 承久の乱　　1274・1281 蒙古襲来

北条時政 → 北条義時 → 北条泰時 → 北条時頼 → 北条時宗 → 北条貞時

- 北条時政・北条義時：執権の地位が確立
- 北条泰時・北条時頼：執権政治が確立・強化
- 北条時宗・北条貞時：得宗専制体制へ

北条氏は、なぜ実権を握ることができたのかな。

北条政子が将軍 源頼朝の妻で、２代**頼家**や３代**実朝**の母だったから優位に立てたんだ。有力御家人どうしの争いに勝ったことも大きい。

北条氏が台頭すると、将軍の権力はどうなるのかな。

頼朝は指導力があったけれど、頼家や実朝は、まだ若かった。それに、鎌倉幕府は**東国武士団**の連合体として成立したから、有力御家人は、自分たちにとって都合の悪い将軍をトップに迎えたりしないよ。

意外！　鎌倉幕府の将軍は有力御家人によって地位を左右されるんだ。形ばかりだね。主従関係を作るうえでは、将軍は一応必要だけど。

頼家も実朝も暗殺されるし、源氏将軍のあとは**摂家将軍**や**皇族将軍**となる。摂関家や天皇家の出身だから血筋は良いが、実権はない。そして、有力御家人による**合議制**で、幕府の政治が運営されたんだ。

鎌倉幕府は有力御家人のまとまりが基盤だから、北条氏の**執権**が政治をリードしていても、ほかの有力御家人の合意も必要なんだね。

① 北条氏の台頭（北条時政・北条義時）

(1)　頼朝死後、北条時政は比企能員を滅ぼし政所別当となり、執権と呼ばれた

源頼朝の死後（1199）、子の**源頼家**が地位を継いだものの御家人は従わず、有力御家人の合議で政治がおこなわれました。

源氏・摂関家・天皇家と執権北条氏（①②…は将軍の順番、(1)(2)…は執権の順番）

- (1)北条時政 → 時房、(2)義時、政子
- 政子 ‐ ①**源頼朝** → ③**実朝**、②**頼家**
- (2)義時 → (3)泰時
- (頼朝の妹) ‐ 一条能保 → 女
- 比企能員 → 女
- ②**頼家** ‐ 女（比企能員の娘） → 公暁、一幡、女
- 九条兼実、慈円『愚管抄』
- 九条兼実 → 九条良経
- 女（一条能保の娘） ‐ 九条良経 → 九条道家、女
- 女（九条良経の娘） ‐ 〔順徳〕 → 〔仲恭〕
- 九条道家 → ④**頼経**
- 女（頼家の娘） ‐ ④**頼経**

こうしたなか、**北条時政**（北条政子の父）は有力御家人の**比企能員**（頼家の妻の父）を滅ぼしました（1203）。このとき、時政は将軍頼家を幽閉し（のち頼家を暗殺した）、頼家の弟である**源実朝**を3代将軍としました。さらに、時政は**政所別当**（政所の長官）になって政治を主導し、彼の地位は**執権**と呼ばれるようになりました。

年表

●北条時政
1199 源頼朝の死去→有力御家人の合議
1203 **北条時政**、**比企能員**を滅ぼす
→**頼家**を廃し（のち暗殺）、**実朝**を将軍に
→時政は政所別当となる（執権）
●北条義時
1205 北条義時、政所別当となる
1213 **北条義時**、**和田義盛**を滅ぼす
→義時は侍所別当を兼任（地位確立）
1219 将軍実朝の暗殺→**藤原頼経**を迎える
1221 **承久の乱**

(2) 北条義時は和田義盛を滅ぼして侍所別当を兼ね、執権の地位を確立した

時政の子の**北条義時**も政所別当となり、姉の政子とともに将軍実朝を支えました。

そして、有力御家人の**和田義盛**を滅ぼすと（1213）、義時は政所別当に加えて**侍所別当**（侍所の長官）も兼ね、**執権の地位を確立**しました。

ところが、鎌倉の鶴岡八幡宮において、将軍実朝はおいの**公暁**に暗殺され（1219）、源氏将軍が断絶しました。そこで、摂関家から幼少の**藤原**（**九条**）**頼経**を迎え、次の将軍としました。藤原頼経は、承久の乱ののち、執権北条泰時によって将軍に立てられました（1226　**摂家将軍**）。

② 承久の乱（1221）

(1) 後鳥羽上皇は、西面の武士を設置するなど幕府への対抗姿勢を強めた

上皇（院）が設置した軍事力
北面の武士…**白河上皇**、院の御所を警備～平安後期
西面の武士…**後鳥羽上皇**、幕府に対抗～鎌倉前期

鎌倉時代初期、**後鳥羽上皇**は院政を展開し、朝廷の勢力回復をはかっていました。伝統文化の復興につとめて勅撰の**『新古今和歌集』**編纂を命じ→第12章、**西面の武士**を設置して朝廷の軍事力を強化しました。しかし、将軍実朝への影響力を通じて幕府を動かす企ては、将軍実朝の暗殺によって消滅し（1219）、幕府との対立を深めたのです。

(2) 北条義時追討が命じられたが、幕府軍は京都に向かい、朝廷軍に圧勝した

そして、畿内・西国の武士を中心に朝廷軍が組織され、後鳥羽上皇は**北条義時**追討の命令を発しました。**承久の乱**（1221）の始まりです。これに対し、幕府では、北条政子の呼びかけで東国の御家人が結束し、北条泰時（義時の子）・北条時房（義時の弟）が率いる幕府軍が京都へ進撃し、朝廷軍に圧勝しました。

(3) 幕府は六波羅探題を設置し、没収所領に地頭を置いて、支配を拡大した

承久の乱の結果、幕府は**後鳥羽**・**土御門**・**順徳**の３上皇を流罪とし（後鳥羽は**隠岐**へ）、〔**仲恭天皇**〕を廃位して〔**後堀河天皇**〕を即位させました。このように、幕府は皇位継承に介入するようになりました。

そして、京都に**六波羅探題**を設置し（初代は北条泰時・北条時房）、朝廷の監視と、西国における御家人統制や行政・司法を担当させました。

さらに、上皇に味方した武士などの所領（約3000カ所）を没収し、幕府に味方して功績をあげた御家人をその地の**地頭**に任命しました。その際、承久の

乱後に定められた**新補率法**という基準で収益が保障された場合、特に**新補地頭**と呼びます（田地１段の面積あたり５升の**加徴米**などを得た）。

最後に、承久の乱の歴史的意義を考えましょう。図にあるように、没収地に新しく地頭を任命したことで【図の(1)】、幕府の支配は畿内・西国の荘園・公領にも及び、さらに幕府が朝廷への干渉を強めたことで、**公武二元的な支配**→第８章は、幕府が朝廷に対して優位になりました。

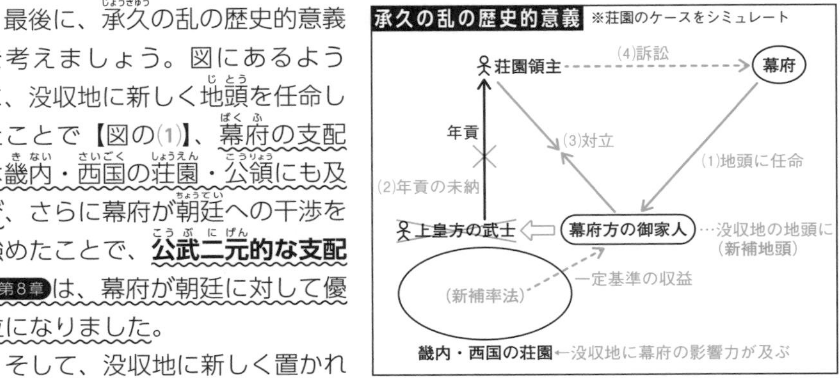

そして、没収地に新しく置かれた地頭は、幕府から任命されたことを根拠に支配を強め、荘園領主への年貢納入をおこなわなくなる傾向が生じました【図の(2)】。すると、荘園領主と地頭とが争い【図の(3)】、所領をめぐり幕府に持ち込まれる訴訟が増えます【図の(4)】。こうした状況を背景に、のちに鎌倉幕府は**御成敗式目**を制定し、所領などの争いを公平にさばく基準を示すことになったのです。

③ 合議制の確立（北条泰時）

(1) 合議制を支える連署・評定衆が設置され、御成敗式目が制定された

義時に続く執権**北条泰時**は、まず、執権を補佐する**連署**を設置し、おじの**北条時房**を任命しました。さらに、有力御家人から**評定衆**を選び、合議制にもとづく政治・裁判の運営を制度化しました。

年表

●北条泰時
1225 連署を設置
　評定衆を選定…有力御家人の合議制
1226 **藤原頼経**が将軍に（摂家将軍）
1232 **御成敗式目**制定…初の体系的な武家法
●北条時頼
1247 **宝治合戦**…**三浦泰村**が滅ぶ
1249 引付を置き**引付衆**を任命…裁判迅速化
1252 **宗尊親王**が将軍に（皇族将軍）

そして、最初の体系的な武家法として、**御成敗式目**（1232）を制定しました（その後に鎌倉幕府が発した法令は式目追加）。**道理**（武家社会の慣習・道徳）や**頼朝以来の先例**を基準とし、守護の職務（**大犯三カ条**）や地頭の職務（年貢の徴収・納入など）、女性の財産・養子などを定めました。所領の規定では「**当知行の後、廿ヶ年を過ぎば、大将家**（源頼朝）**の例に任せて理非を論ぜず改替に能はず。**」が重要で、これは、20年間土地を支配してきた者の権利を変更しない、という内容です。こうして、合議制の運営を支える法典も整備されました。

(2) 御成敗式目は幕府の勢力範囲で適用され、公家法・本所法と並存していた

御成敗式目のポイントは、幕府の勢力範囲でのみ適用され、**公家法**（律令など朝廷が定めた法）や**本所法**（荘園領主が荘園で用いる法）と並んで存在していたことです。北条泰時が弟の六波羅探題重時にあてた書状で「**武家の人へのはからひのためばかりに候。これによりて、京都の御沙汰、律令のおきて、聊もあらたまるべきにあらず候也。**」と記し、御成敗式目は御家人のための法で、朝廷の命令や律令の規定を変えるものではない、と主張しています。のち、幕府支配の拡大にともない、御成敗式目の効力が及ぶ範囲も拡大しました。

御成敗式目は、その後の武家法に影響を与えました。室町幕府は御成敗式目をそのまま用い、戦国大名の分国法の一部に御成敗式目の影響が見られます。

④ 執権政治の強化（北条時頼）

(1) 摂家将軍が廃されて、宗尊親王から皇族将軍が始まった

執権**北条時頼**は、将軍の地位を形式的なものにしました。反北条氏勢力と結んだ前将軍の藤原（九条）頼経を京都へ送り返し、のちに頼経のあとを継いでいた藤原（九条）頼嗣の将軍職を廃して京都へ送り返し、後嵯峨上皇の子の**宗尊親王**を将軍に迎えました（**皇族将軍**の始まり）。

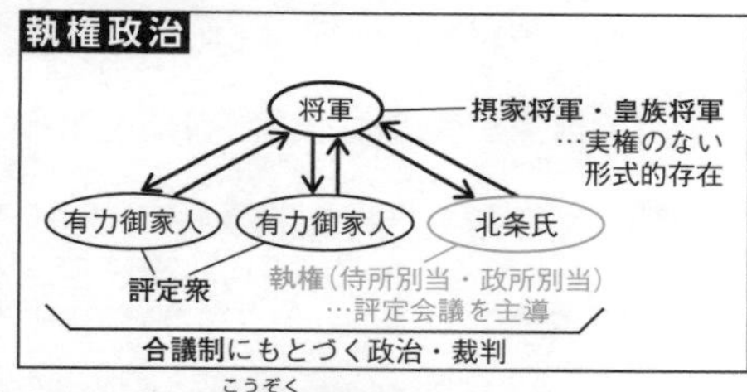

また、時頼は後嵯峨上皇の院政に介入して院評定衆の設置を求めました。

(2) 時頼は宝治合戦で三浦泰村を倒し、引付衆を任命し所領裁判を担当させた

時頼は**宝治合戦**で有力御家人の**三浦泰村**一族を滅ぼし、幕府内での北条氏の地位は揺るぎないものになりました。

鎌倉幕府の行政・司法機構
評定衆…**北条泰時**、幕府の政治・裁判を合議制にもとづきおこなう
引付衆…**北条時頼**、評定会議のもとで御家人の所領裁判を担当

さらに、時頼は公正で迅速な裁判をめざし、**引付**を設置して**引付衆**を任命しました。引付は、原告の訴状と被告の答弁書を３回往復させる「三問三答」や、口頭弁論にもとづく判決原案の作成など、所領訴訟の実務を担当しました。

2 武士の社会と生活

「**武士**」といっても、鎌倉時代の武士は、室町時代や江戸時代の武

士と同じなのかな？　それとも違うのかな？

いい着眼点だよ。同じ歴史用語でも、時代によって意味や内容が異なるとき、時代ごとの特徴を互いにくらべながら理解するのは、すごく大切なんだ。では、江戸時代の**侍**の姿を想像してみよう。

姿というと、マゲを結って刀を差して、かな。あと、剣術を使ったり、役人として文書を書いたり、とか。

どういった場所に住んでいたかな？

そうか、**城下町**か。江戸時代の武士は、都市に住んでいたんだ。

それとくらべて、鎌倉時代の御家人の姿を想像してみると？

馬に乗り、弓矢を使い、**一騎打ち**で戦う、騎馬武者のイメージ。あと、鎌倉時代には城下町がなさそう。どこに住んでいたんだろう？

鎌倉時代の武士の出身階層から、考えてみるといいよ。

開発領主だね→第6章。田地を開発したり、農民を指導していたから、自分が支配する**荘園や公領**に住居を作ったんじゃないかな。

① 開発領主の生活

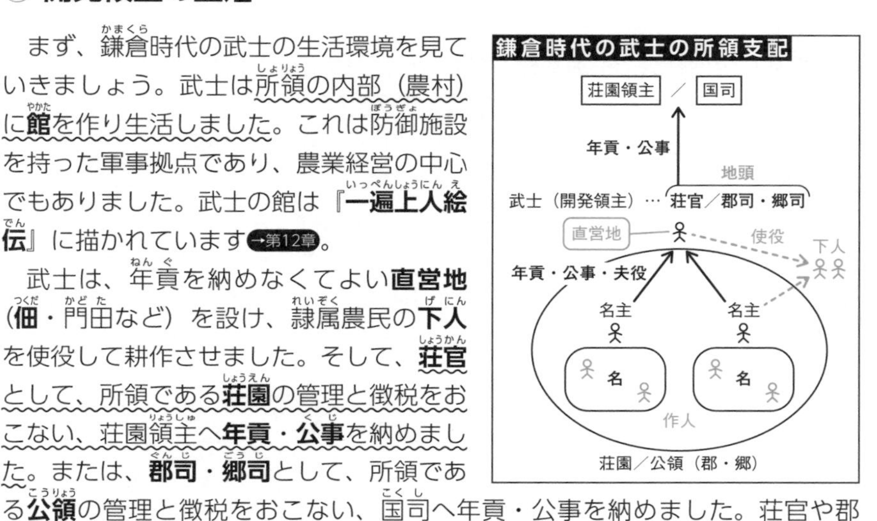

まず、鎌倉時代の武士の生活環境を見ていきましょう。武士は所領の内部（農村）に**館**を作り生活しました。これは防御施設を持った軍事拠点であり、農業経営の中心でもありました。武士の館は『**一遍上人絵伝**』に描かれています→第12章。

武士は、年貢を納めなくてよい**直営地**（**佃**・門田など）を設け、隷属農民の**下人**を使役して耕作させました。そして、**荘官**として、所領である**荘園**の管理と徴税をおこない、荘園領主へ**年貢・公事**を納めました。または、**郡司・郷司**として、所領である**公領**の管理と徴税をおこない、国司へ年貢・公事を納めました。荘官や郡司・郷司が鎌倉幕府と結ぶと、**地頭**として現地を管理しました。

荘園や公領の内部では→第6章、有力農民の**名主**が下人を使役しながら**名**（名田）を経営し、**年貢**・**公事**・**夫役**（米・特産物・労役）を開発領主に納めました。一般農民の**作人**は、名主から名の一部を借りて耕作を請け負いました（加地子と呼ばれる土地のレンタル料を名主へ納める）。

こうした生活のなかで、武士は馬に乗り弓矢を用いる騎射三物（**流鏑馬**・**犬追物**・**笠懸**）の訓練をおこないました。流鏑馬は現在も神社での神事としておこなわれ、笠懸は『男衾三郎絵巻』に描かれています→第12章。

② 惣領制

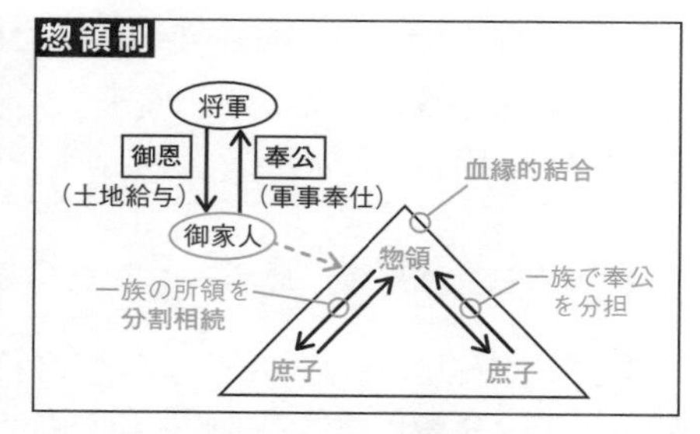

次に、鎌倉時代の武士の結びつきを見ていきましょう。武士団は、**血縁的結合**をもとに**惣領**（一族の長）と**庶子**（一族の者）が結びついていました（**惣領制**）。惣領は、庶子を率いて幕府と主従関係を結びました。惣領は一族全体の番役・軍役を将軍に対して負い、これを庶子たちに分担させました。そして、惣領は一族全体の所領の支配権を将軍から保障され、その権利は庶子たちも含めて**分割相続**されました。

実は、将軍が御家人の惣領と主従関係を結べば、庶子たちも含めた御家人が幕府の軍事力となります。幕府にとって、惣領制は不可欠ですね。

鎌倉時代の女性の地位は比較的高く、女性も相続権を持ち、女性が御家人や地頭になることもありました。

③ 地頭の荘園侵略

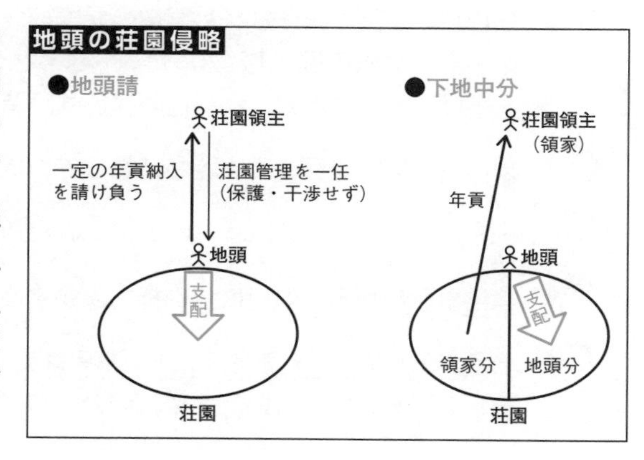

最後に、所領支配をめぐる、武士と荘園領主との関係を見ていきます。承久の乱後の幕府支配の拡大を背景に、幕府に任命された地頭は年貢を納めなかったり、あるいは農民を不当に支配したりして、地頭と荘園領主との間のトラブルが多発しました。

そして、トラブルの解決にあたり、当事者どうしで和解する傾向が強まり、幕府もこれを公認していきました。やり方は二つあり、一つは**地頭請**で、地頭が一定の年貢の納入を請け負うかわり、荘園領主に荘園の管理を一任される、というものです。もう一つは**下地中分**で、荘園の土地や荘民などを折半し、荘園領主と地頭がそれぞれを支配して互いに干渉しない、というものです。

こうして、地頭は荘園領主の力の及ばない所領を確保し、土地や農民への支配を強めていきました。しかし、**紀伊国阿氐河荘**の荘民が地頭の不当支配を荘園領主に訴えたように、農民の抵抗も見られるようになりました。

3 蒙古襲来と得宗専制政治（13世紀後期）

13世紀後期は、北条氏家長の**得宗**に権力が集中する**得宗専制政治**が展開しました。**蒙古襲来**（モンゴル襲来、元寇　1274・1281）による時代状況の変化にも注目しましょう。

モンゴル軍が攻めてくるぞ〜！　大変だ〜！　うわ〜！

なんだか騒がしいね。攻撃された日本の側では**蒙古襲来**というけれど、攻撃した外国の側に目を向けてみよう。元軍と高麗軍がいたよ。

朝鮮半島は、**新羅**から**高麗**に変わっていたんだった→第６章。高麗は、元と、どんな関係だったのかな。

高麗は30年以上モンゴルに抵抗し、結局は服属したけれど、その後も元に抵抗を続けた。**三別抄**という軍が３年にわたり抗戦したよ。

それって蒙古襲来の前？　元にとっては面倒なことが続いたね。

三別抄の反乱が鎮圧された直後、元は高麗を利用して日本への攻撃を始めた。**文永の役**（1274）だ。つまり、高麗がさまざまな形で抵抗を続けてきたことで、元の日本遠征は足踏みさせられたわけだね。

蒙古襲来は、世界の動きとも連動していたんだね。

一方、国内は、どのような状態になると思う？

非常事態だから、幕府に強い権力が集まるんじゃないかな。

そう。蒙古襲来に対処するため、幕府は支配権を全国的に強化した。そして、その中心にいた北条氏の力も伸びたんだ。

有力御家人とのバランスが崩れるね。合議制はどうなるんだろう。

そういった視点から、**得宗専制政治**の特徴を考えていくといいよ。

① 蒙古襲来（北条時宗）

(1) モンゴル(元)のフビライは日本に服属を要求したが、北条時宗は拒絶した

13世紀初め、**チンギス＝ハン**がモンゴル民族を統一し、ユーラシア大陸の東西にまたがる巨大な帝国を築きました。東アジアでは、中国北部を支配し（中国南部は南宋）、朝鮮半島の**高麗**を服属させました。そして、チンギス＝ハンの孫の**フビライ＝ハン**は、帝国の東アジア部分の国号を**元**と定めました。

フビライは高麗を通じて日本に服属を要求しましたが、執権**北条時宗**はこれを拒絶しました。そこで、高麗で発生した**三別抄**の乱を鎮圧したのち、日本遠征軍を派遣したのです。これが、二度にわたる**蒙古襲来**（**元寇**）です。

(2) 文永の役では、元軍の集団戦法に対し、日本の一騎打ち戦法は苦戦した

元・高麗軍が朝鮮半島から対馬と壱岐を攻め、九州北部の博多湾に上陸して**文永の役**（1274）が始まりました。元軍の**集団戦法**と「てつはう」（火薬爆弾）に対し、日本軍の**一騎打ち戦法**は苦戦しました。御家人の活躍は『**蒙古襲来絵巻**』に描かれています→第12章。

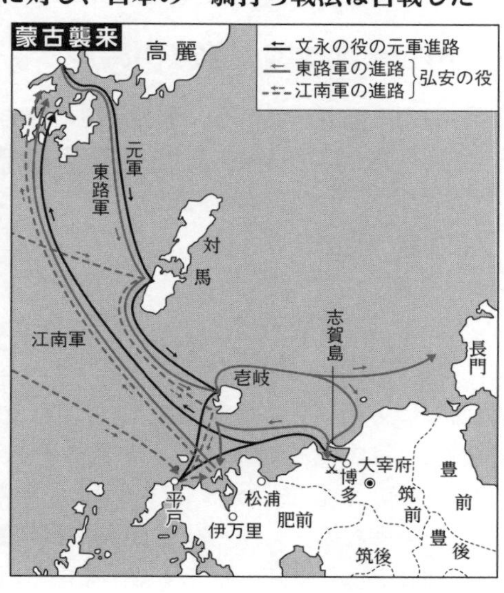

文永の役後、幕府は防衛を強化しました。博多湾岸に**石築地**（石を積んだ防塁）を築かせ、九州御家人に九州北部を警備させる**異国警固番役**を強化しました。

(3) 元が南宋を滅ぼしたのち弘安の役が起き、暴風雨もあって元軍が撤退した

そののち、元が**南宋**を滅ぼして中国全土を支配下に入れると（1279）、東路軍（元・高麗軍）と江南軍（滅ぼされた南宋の軍）の二手で攻めてきて、**弘安の役**（1281）が始まりました。元軍は石築地の効果で博多湾岸に上陸でき

ないまま、暴風雨によって損害を受け、御家人の攻撃で撤退しました。

この暴風雨を神風と見なして生まれた神国思想は、のちの豊臣秀吉の**バテレン追放令**でも登場します→第13章。

(4) 鎌倉幕府は警戒態勢を続け、博多に鎮西探題を置いて九州支配を強化した

蒙古襲来を機に、鎌倉幕府は御家人に加えて非御家人も動員するなど支配領域を広げ、また北条氏も一門が幕府の要職や守護職を占めて権力を広げました。元は三度目の日本遠征を計画しており（中国やベトナムでの抵抗もあって実行できず）、鎌倉幕府は異国警固番役を継続して警戒を続けました。さらに、執権**北条貞時**のとき、**鎮西探題**を博多に置いて北条氏一門を送り（1293）、九州への支配を強化しました。

年表

●北条時宗
1268 フビライ、日本に服属を要求
1270 高麗で三別抄の乱（～1273）
1274 **文永の役**
　→石築地を築く、異国警固番役を強化
1279 元が南宋を滅ぼす
1281 **弘安の役**
●北条貞時
1285 **霜月騒動**（平頼綱が安達泰盛を倒す）
1293 鎮西探題を設置
1297 永仁の徳政令

② 得宗専制体制（北条貞時）

(1) 得宗に権力が集中し、その家臣の御内人や北条氏一門が幕政を主導した

鎌倉幕府が蒙古襲来に対処するなかで、北条氏の中心にいる**得宗**（北条氏の家長・家督・惣領）に権力が集中し、得宗の家臣の**御内人**が勢力を伸ばして御家人との対立を深めました。そして、執権**北条貞時**のときの**霜月騒動**（1285）で、有力御家人の**安達泰盛**が**内管領**（御内人の代表）の**平頼綱**に滅ぼされ（のち平頼綱は北条貞時に滅ぼされる）、幕府の実権を得宗と御内人が独占する**得宗専制政治**が確立しました。

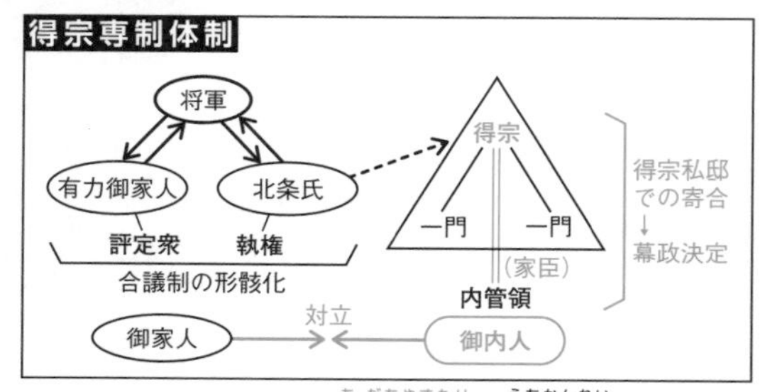

幕府政治は、得宗の私邸における寄合（得宗・北条氏一門の一部・内管領が参加）で決定され、執権と評定衆による合議は形ばかりのものになりました。

(2) 御家人が窮乏化して所領の質入れ・売却が進み、永仁の徳政令が発された

鎌倉時代後期、武家社会は動揺していました。所領の**分割相続**により、先祖伝来の本領を惣領が経営し、遠隔地にある新恩所領を庶子が経営したことで、

庶子が一族から独立して本家と分家が離れ、**所領が一族内で細分化**されたのです。加えて、発達した**貨幣経済**に巻き込まれ→第11章、蒙古襲来の負担に対する幕府からの**恩賞も不十分**でした（防衛戦争なので敵からの没収地がなかった）。こうして、御家人は窮乏化し、**所領の質入れや売却**が増えました。

これは、鎌倉幕府の軍事力を弱体化させる、深刻な問題です。そこで、幕府は**永仁の徳政令**（1297）を発し、御家人の所領の質入れや売却を禁止しました。そして、これまで質入れ・売却された所領を、本主（もとの持ち主の御家人）が無償で取り戻せるようにしました。しかし、効果は一時的で、中小御家人の没落が進み、幕府への不満も高まっていきました。

永仁の徳政令

	御家人が買っていた場合	非御家人や一般庶民が買っていた場合
本主が売ってから20年未満	本主が無償で取り戻す	本主が無償で取り戻す
本主が売ってから20年以上	本主の土地取り戻しは不可（買った御家人の権利優先）	本主が無償で取り戻す

※式目の「土地を20年間支配した御家人の権利を変更しない」を適用

(3) 血縁的結合が崩れ、地縁的結合が強まって、惣領制の解体が進んだ

武家社会では、それぞれの家のなかで惣領のみにすべての所領が受け継がれる**単独相続**が増え、所領を得られない庶子は惣領に従属しました。しかし、それは惣領の地位をめぐる**一族内部の分裂と対立**を激化させました。こうして、**血縁的結合**による一族の結びつきが崩れていくと、武士団は**地縁的結合**により構成されるものに変化していきました。「遠くの親戚よりも、近くの他人」という感覚でしょうか。

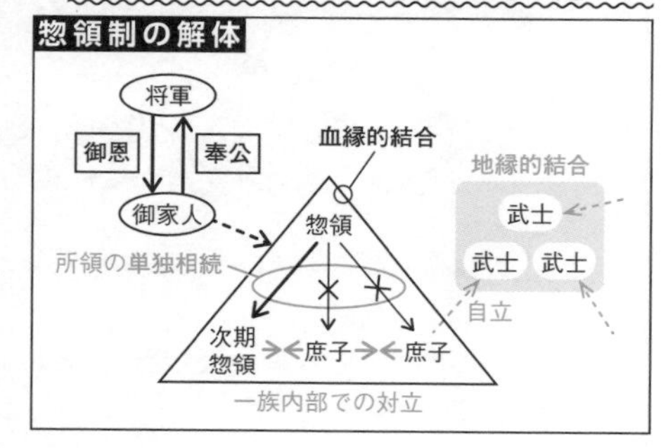

こうして、鎌倉時代後期から室町時代初期にかけて、**惣領制が動揺・解体**していきました。武家社会は、大きく変化していったのです。

(4) 悪党が登場し、荘園領主や鎌倉幕府に反抗した

鎌倉時代の後期以降、新興武士の**悪党**が登場しました。畿内を中心に商業活動などで富を蓄積し、武力を用いて荘園領主に反抗しました。そして、鎌倉幕府による取り締まりにも関わらず、悪党の活動は各地に広がっていきました。

チェック問題にトライ！

次図は、紀伊国桛田荘の絵図を模写したものである。原図は、この荘園の領主であった京都の神護寺に所蔵されており、院政期に作られたものと考えられるが、この荘園の領域を示すものとして室町時代まで利用された。

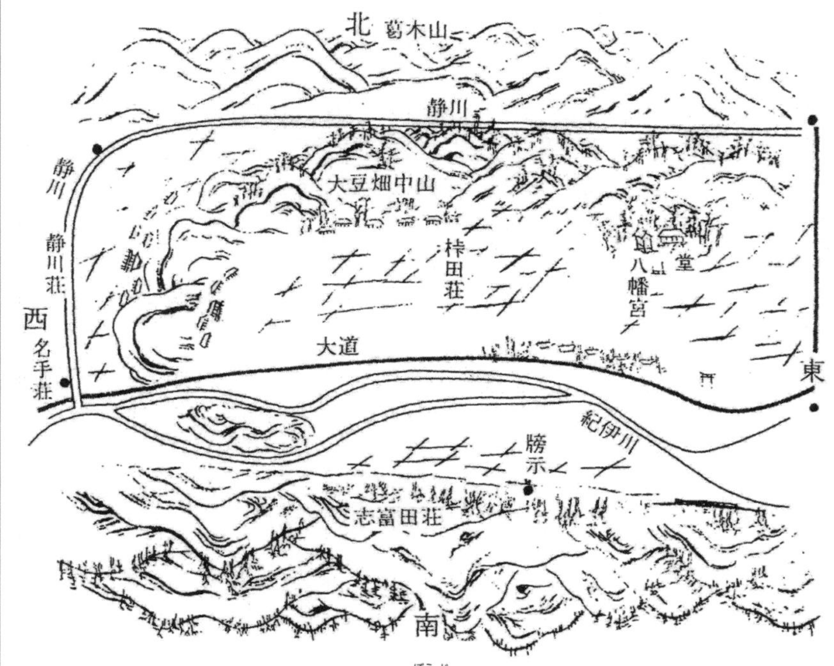

注：五つの●印は荘園の境目を示す標識（牓示）である。

問　荘園についての一般的な知識をもとに、桛田荘の絵図を観察して述べた文として適当なものを、次の①～⑦のうちから三つ選べ。ただし、解答の順序は問わない。

① 桛田荘の領域は「静川」から「紀伊川」南岸の山裾まで広がっており、荘園の内部には山林原野なども含まれていた。
② 荘園に組み込まれたのは年貢などの取れる耕地だけであり、桛田荘とは絵図上に畦で十字に区画されて描かれた水田地区のことである。
③ 絵図に記入されている地名から、周囲の土地は、桛田荘のような荘園ではなく、いずれも国衙領であったことがわかる。
④ 荘園内には、通常いくつかの集落があり、この桛田荘の絵図にも、民家

と見られる家屋の集まりが3か所に描かれている。

⑤ 集落内の建物のうちに、ほかより立派に描かれたものがあり、荘の住民中に、さまざまな人々が存在した当時の様子がわかる。

⑥ 「大道」沿いに描かれた集落の様子は、この絵図が作成された院政期に最盛期を迎えた、定期市の店棚のありさまを典型的に示すものである。

⑦ 「堂」(寺)と「八幡宮」(神社)は同じ敷地内にあり、仏教と神祇(じんぎ)信仰が一体化していた神仏習合のありさまがわかる。

(センター試験 1992年度 追試験)

解説 **多くの選択肢から「三つ選べ」という、複数解答を求めるユニークな形式の出題**です。共通テストでは、文章どうしの複雑な組み合わせを多くの選択肢のなかから選ばせる形式の出題があるので、選択肢の多さに惑わされず、落ち着いて判断していきましょう。

① (注)の「●印は荘園の境目」に注目し、●印に囲まれた範囲が桛田(かせた)荘の領域だと判断します。そうすれば、「静川」と「紀伊川」南岸に囲まれていることや、「山林原野なども含まれていた」ことが、図から読み取れます。

② ①から、「年貢(ねんぐ)などの取れる耕地だけ」「水田地区」は誤りです。

③ 周囲に「静川荘」「志富田荘」などの荘園(しょうえん)があるので、「いずれも国衙領(こくがりょう)(=公領(こうりょう))であった」は誤りです。

④ 「集落」は、左上に2カ所、中央上に1カ所、中央右に1カ所、合計4カ所あるので、「3か所」は誤りです。

⑤ 左上の2カ所の集落には、それぞれ「ほかより立派に描かれたもの」が一つずつ存在していることが読み取れます。荘園には、荘園の現地全体の管理・経営をおこなう荘官(しょうかん)と、耕作する荘民(しょうみん)(農民)が関与しますが、現地の集落には荘民が居住しました。そして、荘民には荘園内の課税単位である名(みょう)の耕作をおこなう有力農民の名主(みょうしゅ)と、名の一部を請作(うけさく)する(借りて耕作する)作人(さくにん)とがいるので、「荘の住民中に、さまざまな人々が存在した」は正しいと判断できます。

⑥ 「『大道』沿いに描かれた集落」を見ても、「定期市(ていきいち)」や「店棚(みせだな)(見世棚(みせだな))」の存在は読み取れません。そもそも、これらが「院政(いんせい)期に最盛期を迎えた」が誤りです(鎌倉(かまくら)時代から室町(むろまち)時代にかけて発展した→第11章)。

⑦ 奈良(なら)時代以来の「仏教と神祇(じんぎ)信仰が一体化していた」状況は、明治(めいじ)時代初頭に神仏分離令(しんぶつぶんりれい)→第25章が発されるまで続きます。したがって、図の右上から読み取れる、「『堂』(寺)と『八幡宮』(神社)」が「同じ敷地内に」あるという情報は、こうした「神仏習合(しんぶつしゅうごう)」のあり方が中世の地方社会に広まっていたことを意味します。

⇒したがって、①・⑤・⑦(順不同)が正解です。

室町幕府の支配
（鎌倉時代末期～室町時代中期）

世紀	時代	天皇	将軍	政治・社会	東アジア
14世紀	鎌倉時代	後醍醐 光厳		**1 鎌倉幕府の滅亡と建武の新政** **①鎌倉幕府の滅亡** 天皇家の内紛 （持明院統・大覚寺統） 〔後醍醐天皇〕の討幕 御家人の離反→北条高時滅ぶ **②建武の新政（1333～36）** 〔後醍醐天皇〕の親政 記録所・雑訴決断所　綸旨 中先代の乱→新政の崩壊	元 高麗
	建武の新政				
	南北朝期	（南朝）（北朝） 光明	①尊氏	**2 室町幕府の成立と南北朝の内乱** **①室町幕府の成立** 建武式目（1336） 二頭政治（尊氏・直義） **②南北朝動乱** 南朝・北朝の分裂 観応の擾乱→幕府の内紛 **③守護支配の拡大** 半済令（1352）　守護請 →荘園・公領を侵略	
		後亀山	③義満	**3 室町幕府の安定** **①足利義満の支配** 花の御所 守護の勢力削減 （明徳の乱・応永の乱） 南北朝合体（1392） 義満、太政大臣に **②室町幕府の機構** 管領・侍所　鎌倉府 土倉役　段銭 **③足利義教の支配** 永享の乱（足利持氏） 嘉吉の変（1441）	明
15世紀	室町時代	後小松	④義持 ⑥義教 ⑦義勝	**4 惣村と土一揆** **①惣村の形成** （鎌倉後期～） 宮座が中心 寄合で自治 惣掟　地下請 強訴・逃散 **②土一揆の展開** 徳政を要求 正長の土一揆 （1428） →柳生徳政碑文 嘉吉の土一揆 （1441）	朝鮮

(1)　(2)　(3)

第10章のテーマ

鎌倉末期から室町中期まで（14世紀〜15世紀中期）を見ていきます。

(1) 14世紀前期は鎌倉幕府の滅亡、14世紀中期は**建武の新政**、さらに**室町幕府**の成立・**南北朝動乱**、と目まぐるしく変化していきました。

(2) 14世紀後期、3代将軍**足利義満**のもとで室町幕府の支配が確立し、南北朝動乱が終わりました。15世紀中期、幕府支配は動揺しました。

(3) 農民の成長と自立を背景に、**惣村**が形成されていきました。15世紀前期・中期、惣村の結合を基盤に**土一揆**が発生しました。

1 鎌倉幕府の滅亡と建武の新政（14世紀前期）

14世紀は、日本史において大きな変動が起きた時期です。まず、14世紀前期の、**鎌倉幕府の滅亡**と**建武の新政**について、幕府打倒に関わったのがどのような人々なのか、なぜ建武の新政は短期間で崩壊したのか、などの点に注目しましょう。

中世の枠組み 室町時代と、南北朝時代・戦国時代との関係に注目しよう

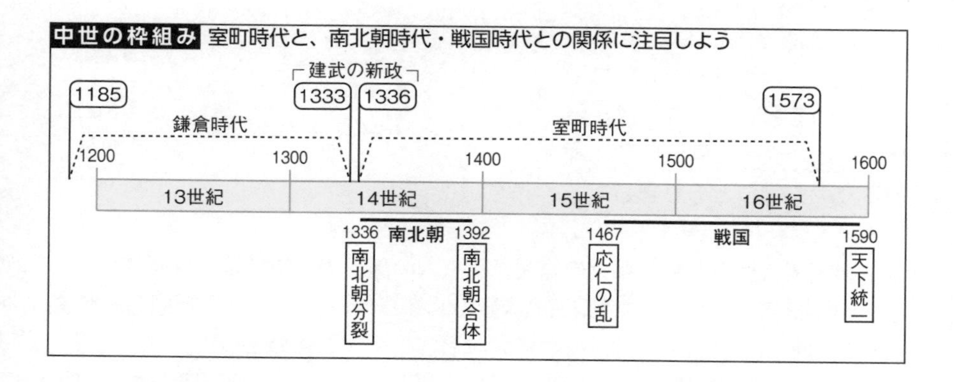

中世を学ぶときは、上の図を使い、自分がどの時期を学んでいるのかを常に確認しながら学習していくといいよ。**世紀**の数字に注目だ。

鎌倉時代は、**13世紀**が中心だね。**14世紀から16世紀**にかけて**室町時代**だけど、なんだかゴチャゴチャしているなぁ。

14世紀中期・後期は室町時代初期で、**南北朝時代**でもある。また、15世紀後期は室町時代中期で、ここから16世紀にかけて**戦国時代**だ。

時代が重なっているね。それが、ゴチャゴチャだと感じる理由か。

それに気づければ、室町時代も把握できるよ。「室町時代の◯期は、△世紀」「△世紀は、室町時代の◯期」といった時代の枠組みをつかみ、覚えた知識をその枠組みのなかに位置づけていけばＯＫだ。

西暦年代を細かく覚えるよりも、時代の枠組みの感覚を身につけて、出来事の時代や順番を推定するといいんだね。

① 鎌倉幕府の滅亡

(1) 鎌倉時代後期、天皇家は持明院統と大覚寺統に分かれて争った

13世紀後期の蒙古襲来のころから→第9章、朝廷では天皇家が**持明院統**と**大覚寺統**とに分かれ、皇位の継承や天皇家の荘園→第8章の相続をめぐって争いました。承久の乱以来、幕府は皇位の継承に介入していたので、持明院統も大覚寺統も有利な決定を求めて幕府に働きかけた結果、両統が交代で皇位につく**両統迭立**の方式がとられました。

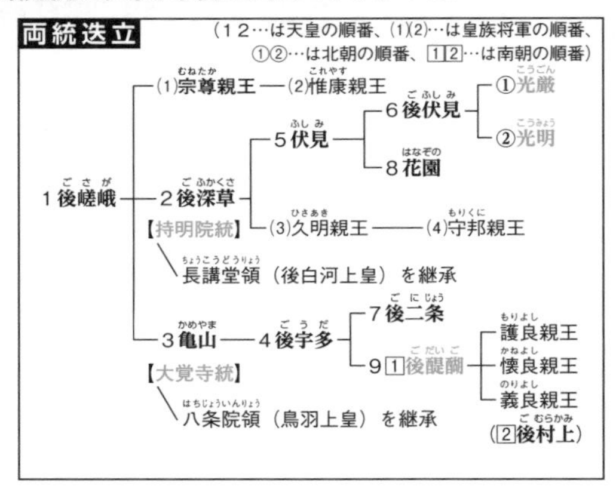

(2) 後醍醐天皇の討幕、悪党の蜂起、御家人の離反で、鎌倉幕府は滅びた

14世紀前期の幕府では、**得宗**→第9章の**北条高時**のもとで、**内管領**の**長崎高資**が権力をふるい、御家人は得宗専制政治への反発を強めました。

朝廷では、**大覚寺統**から〔**後醍醐天皇**〕が即位し、延久の荘園整理令で登場した**記録所**を復活させるなど→第6章、意欲的な政治を進めました。そして、大覚寺統だけに皇位を継がせるため、両統迭立を支持する幕府を倒そうとしました。しかし、最初の討幕の計画は失敗し（1324 **正中の変**）、再度の討幕も失敗しました（1331 **元弘の変**）。幕府は**持明院統**の〔**光厳天皇**〕を立てて、後醍醐を**隠岐**に流罪としました。

しかし、河内の出身で**悪党**に近い新興武士の**楠木正成**や、後醍醐の子である**護良親王**、さらには幕府に不満を持つ御家人たちも挙兵し、幕府へ抵抗しました。そして、有力御家人で源氏一門の**足利高氏**（**尊氏**）が、反乱鎮圧のため西

国に向かう途上で逆に反乱を起こし、六波羅探題を攻め落としました。さらに、有力御家人の**新田義貞**が鎌倉を攻撃し、北条高時を倒しました。

こうして、反幕府勢力の蜂起に加え、得宗と御内人による幕政の独占に不満を持った御家人たちが離反したことで、**鎌倉幕府は滅亡**（1333）したのです。

② 建武の新政（1333〜36）

(1) 後醍醐天皇が天皇親政を開始し、旧幕府系のものも用いた組織を設置した

〔後醍醐天皇〕は京都に戻り、律令政治の復活をはかって幕府も摂政・関白も否定し、10世紀の延喜・天暦の治を理想とした**天皇親政**を始めました→第5章。政治機構では旧幕府の系統のものも採用し、中央では**記録所**が重要政務を担当し、幕府の引付を受け継いだ**雑訴決断所**が所領関係の裁判を担当しました。地方では国ごとに**国司・守護を並べて置き**、関東・東北の**鎌倉将軍府・陸奥将軍府**には、幕府に関わった武士が多く登用されました。

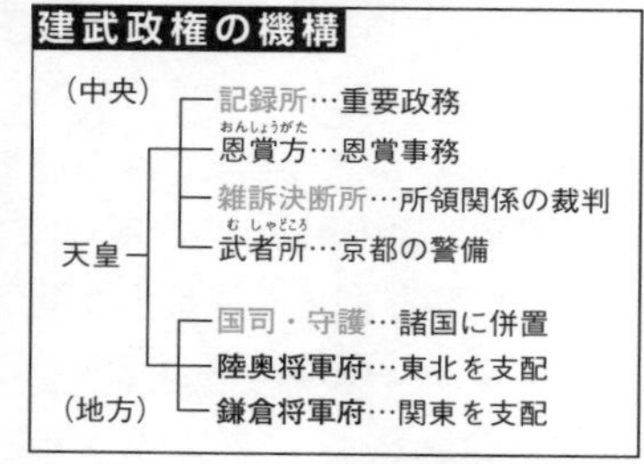

(2) 天皇主導の政治に不満が高まり、中先代の乱を機に建武政権は崩壊した

建武の新政では、天皇の判断による専制的な政治がおこなわれました。土地の権利の確認も天皇の**綸旨**が用いられたため、御成敗式目の規定にもあった→第9章、「土地を20年間支配した者の権利を変更しない」などの武家社会の慣習が無視され、所領をめぐる争いが多発しました。建武の新政を批判した**二条河原落書**には、「此比都ニハヤル物　夜討強盗謀綸旨」とあり、ニセモノの綸旨まで出回るという政治や社会の混乱が示されています。また、朝廷の伝統回復を望む公家も、先例を軽視する後醍醐の政治に不満を抱きました。

年表

1316 得宗の北条高時、執権となる
1318〔後醍醐天皇〕即位（大覚寺統）
1324 正中の変
1331 元弘の変
　→〔光厳天皇〕即位（持明院統）
　→後醍醐は隠岐へ配流（1332）
1333 足利高氏、六波羅探題を攻め落とす
　新田義貞、鎌倉を攻撃　※幕府滅亡
　〔後醍醐天皇〕、親政を開始
1335 中先代の乱…足利尊氏が鎮圧
1336 尊氏が京都制圧　※建武政権崩壊

こうしたなか、源氏一門として武士の期待を集め、幕府の復活へと向かったのが、**足利尊氏**でした。尊氏は、北条時行（高時の子）が鎌倉を占領した**中先代の乱**を鎮圧すると、後醍醐の政権に離反し、楠木正成を破って京都を制圧しました。こうして、建武の新政は、わずかの期間で崩壊したのです（1336）。

2 室町幕府の成立と南北朝の内乱（14世紀中期）

14世紀中期、**室町幕府**が成立し、天皇が吉野の**南朝**と京都の**北朝**とに分かれる**南北朝時代**が始まりました。**守護大名**の成長過程にも注目しましょう。

① 室町幕府の成立

足利尊氏は、**持明院統**（**北朝**）の〔**光明天皇**〕を立てたのち、**建武式目**（1336）で幕府の開設と施政方針を示しました（法典ではありません）。**南北朝の動乱**が始まるなか、吉野の南朝を抑えて京都の北朝を守るためにも、**京都**に幕府を開くことになりました。

年表

1336 尊氏、〔光明天皇〕擁立（持明院統）
尊氏、建武式目を発表…施政方針
1338 尊氏、征夷大将軍となる
※足利直義と二頭政治
1350 **観応の擾乱**…高師直と足利直義が対立
→北朝勢力の内紛（～52）
1352 半済令…守護に兵粮米徴収権を与える
（近江・美濃・尾張から全国へ拡大）
→守護の荘園・公領侵略

そして、尊氏が**征夷大将軍**に任命されると、弟の**足利直義**と権限を分担する二頭政治を進めました（尊氏が軍事・恩賞、直義が行政・裁判）。

② 南北朝動乱

一方、〔**後醍醐天皇**〕は三種の神器を持って大和の**吉野**に逃れ、**大覚寺統**（**南朝**）の正統性を主張しました。南朝勢力は、**北畠親房**を中心に抵抗を続け（彼は『神皇正統記』を著しました→第12章）、九州には後醍醐の子である**懐良親王**（**征西将軍**）の支配が及びましたが、劣勢でした。

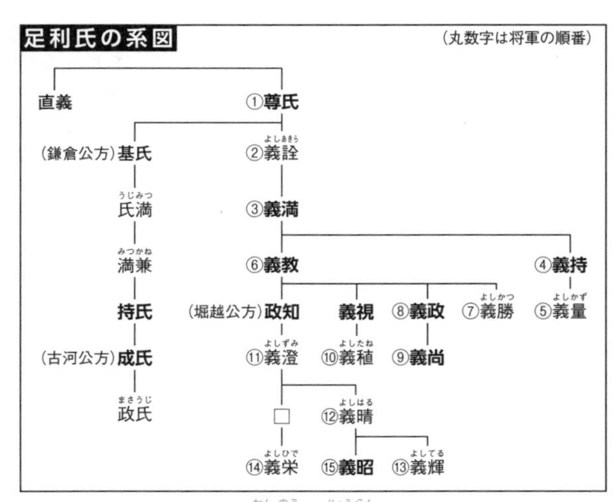

しかし、優勢だった北朝勢力（室町幕府）で**観応の擾乱**（1350～52）が発生しました。新興武士に支持された**高師直**（足利尊氏の執事）と、武家政権の伝統を重視する**足利直義**の対立が、尊氏派と直義派の抗争に発展しました。

尊氏派・直義派・南朝という三つの勢力が離合集散（付いたり離れたり）を

くり返す三つ巴の戦いが続き、武士たちも一族が分裂して尊氏派・直義派・南朝に分かれて争いました。**血縁的結合**が崩れていくという武家社会の変化も背景となって→第9章、南北朝の動乱は長期化したのです。

③ 守護支配の拡大

そこで室町幕府は、国ごとに置いた**守護**に**国人**（地頭・荘官出身の地方有力武士）を組織させるため、守護が持つ権限を強化しました。

(1) 大犯三カ条に加え、刈田狼藉の取り締まりや使節遵行の権限を与えた

室町時代の守護には、鎌倉時代以来の**大犯三カ条**に加え→第8章、**刈田狼藉を取り締まる権限**が幕府から与えられました。刈田狼藉とは、土地をめぐって争う当事者が「オレの土地だ！」と主張して一方的に稲を刈り取る行為のことで、この行為を取り締まることで、守護は所領紛争に介入していきました。さらに、幕府の判決を現地で強制執行する**使節遵行権**も与えられ、司法権を行使しました。

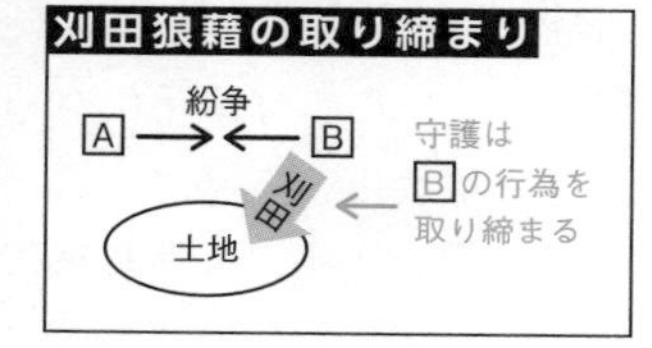

(2) 半済令を機に荘園・公領の侵略を進め、これを国人に与えて家臣とした

観応の擾乱が一段落すると、室町幕府は**半済令**（1352）を発しました。「**次に近江・美濃・尾張三ヶ国の本所領**（荘園）**半分の事、兵粮料所**（兵粮米徴収に指定された所領）**として、当年一作、軍勢に預け置くべきの由、守護人等に相触れ**（通知する）**訖んぬ。半分に於いては、宜しく本所**（荘園領主）**に分かち渡すべし。**」として、一国内の**荘園・公領**の**年貢の半分**を兵粮米として徴収する権限を守護に与えました。半済は、のちに年貢の半分の獲得だけでなく土地の分割にまで拡大し、守護は一国内の荘園・公領を侵略して、獲得した兵粮米や土地を**国人**に分け与えました。武士に土地を給与することは、御恩を与えることになり

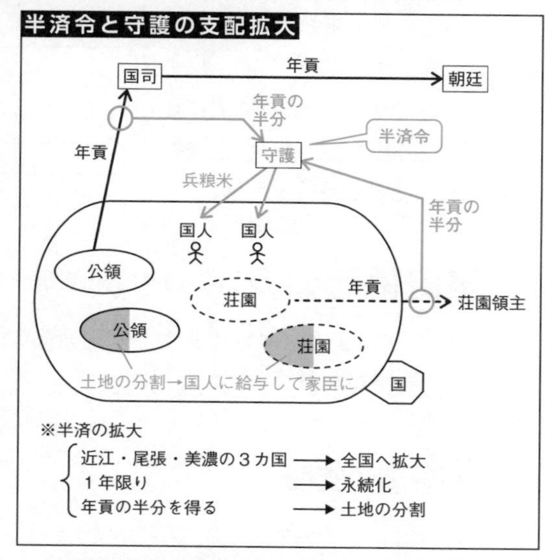

ますし、御恩を与えたら奉公させなければなりません。こうして、守護は半済の権限を用いて、国人と主従関係を結んで家臣としていきました。

(3) 守護は土地支配を強め、一国全体の支配権を確立して、守護大名となった

守護は荘園領主と契約し、年貢の徴収と納入を請け負いました（**守護請**）。守護が荘園の支配権を得て、荘官の役割を果たしたのです。また、守護は国司に代わり公領から年貢を徴収するなど、**国衙の機能を吸収**しました。

武士の荘園侵略

●鎌倉時代
地頭請・**下地中分**…地頭
●室町時代（南北朝期）
守護請・**半済**…守護

そして、守護が荘園・公領への支配を強めると、幕府に加えて守護も**段銭**を独自に課すようになりました。

このように、守護は一国全体に及ぶ支配を確立し、任国も世襲されるようになり、**守護大名**に成長したのです。

(4) 国人は国人一揆を結んで地域を支配し、守護大名に抵抗することもあった

しかし、地方有力武士である**国人**のなかには、一定の地域を支配するために**国人一揆**を結んで団結し、守護の支配に抵抗する者がいました。室町時代初期（南北朝時代）における国人一揆の結成は、この時期の武家社会のなかに**地縁的結合**がしだいに広がっていったことを示しています→第9章。

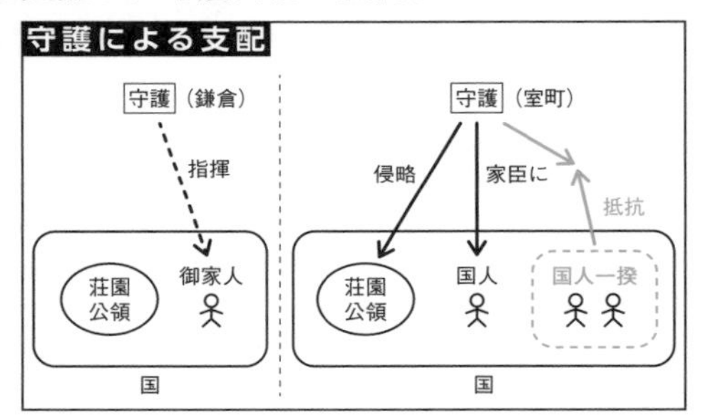

3 室町幕府の安定（14世紀後期〜15世紀中期）

14世紀後期、３代将軍**足利義満**が室町幕府の支配を確立させると、15世紀前期（４代将軍**足利義持**の時代）にかけて、室町幕府は安定しました。しかし、15世紀中期、６代将軍**足利義教**の時代に、室町幕府は動揺し始めました。

① 足利義満の支配

足利義満は、３代将軍として支配を拡大し、将軍を辞めたあとも亡くなるまで幕府政治の中心であり続けました。その過程を見ていくとともに、室町幕府の機構についても確認します。

(1) 義満は、花の御所を造営し、南北朝合体を実現して動乱を終わらせた

足利義満が3代将軍に就任すると（1368）、**今川貞世**（**了俊**）が**九州探題**として派遣され、征西将軍懐良親王を中心とする九州の南朝勢力は制圧されていきました。

年表	
1368	足利義満、3代将軍となる ※九州探題今川貞世が懐良親王を制圧
1378	義満、京都室町に**花の御所**を造営する
1390	土岐氏の乱…美濃の土岐康行を討つ
1391	**明徳の乱**…**山名氏清**を討つ
1392	**南北朝合体**（〔**後亀山**〕から〔**後小松**〕へ）
1394	義満、**太政大臣**となる（義持が将軍に）
1398	義満、京都北山に金閣を造営する
1399	**応永の乱**…堺で挙兵した**大内義弘**を討つ
1401	義満、明に遣使して国交を開く →「日本国王」（1402）、**勘合貿易**開始（1404）
1408	義満が死去

義満は、京都**室町**に**花の御所**を造営して政治の中心としました（これにより足利政権は**室町幕府**と呼ばれた）。そして、南朝の〔**後亀山天皇**〕を説得して京都へ戻すと、天皇は北朝の〔**後小松天皇**〕だけとなりました。こうして**南北朝合体**（1392）を実現し、南北朝の内乱を終わらせました。

(2) 義満は、南北朝動乱のなかで拡大した有力守護大名の勢力を抑圧した

義満は、南北朝動乱のなかで強大化した守護大名を武力で討伐し、勢力を削減しました。山陰・山陽地方で勢力を誇り、全国66カ国中11カ国の守護を一族で兼ねて「**六分の一衆**」と呼ばれた**山名氏**に対しては、**山名氏清**を**明徳の乱**（1391）で滅ぼしました。さらに、長門・周防などで勢力を持った**大内氏**については、堺で挙兵した**大内義弘**を**応永の乱**で滅ぼしました（1399）。

(3) 幕府の機構が整備され、幕府が朝廷の権限を吸収して全国政権となった

足利義満の時代には、室町幕府の機構もほぼ整備されました。それだけでなく、幕府は、それまで朝廷が持っていた権限を吸収して、全国を支配する公武統一政権として確立したのです。京都の警察・裁判は、朝廷の**検非違使**→第5章に代わって室町幕府の**侍所**が担うようになり、室町幕府が京都の金融業者や諸国に対する課税権を得ると、朝廷に代わって**土倉役**・**酒屋役**や**段銭**・**棟別銭**を課すようになりました。

(4) 義満は、太政大臣となり、金閣を造営し、明へ遣使して勘合貿易を始めた

義満は、将軍を辞めたあとも権力をふるいました。将軍職を子の**義持**にゆずって**太政大臣**となり（1394）、出家したのちも京都**北山**の山荘で政務をとるなど、公武にわたる最高権力者として君臨し続けました。義満が北山の山荘に**金閣**を造営したころから、**北山文化**が栄えました→第12章。

そして15世紀初め、義満は、明へ使節を派遣して国交を結び、明の皇帝から「**日本国王**」の称号を得て、明との**勘合貿易**を始めました→第11章。

② 室町幕府の機構

室町幕府の政治のしくみに移ります。京都に幕府が開かれたことが、幕府機構や財政のあり方に影響を与えました。また、鎌倉幕府や建武政権とくらべることが大切なので、特に地方支配については表を確認しましょう。

鎌倉幕府・建武政権・室町幕府の地方支配

●鎌倉幕府
奥州総奉行…奥州藤原氏滅亡の後、奥州を支配
六波羅探題（京都）…承久の乱後、朝廷の監視など
鎮西探題（博多）…蒙古襲来の後、九州を支配
●建武政権
鎌倉将軍府…関東　**陸奥将軍府**…東北
●室町幕府
鎌倉府…関東と伊豆・甲斐（鎌倉公方・関東管領）
九州探題…九州　**奥州探題**・羽州探題…陸奥・出羽

(1) 管領や侍所所司を担う、在京の有力守護大名が、幕府の運営に参加した

室町幕府は、基本法として**御成敗式目**を用い（足利尊氏の建武式目は施政方針）、**建武以来追加**と呼ばれる追加法を発しました。

中央では、**管領**が将軍を補佐し、足利氏一門の**細川**・**斯波**・**畠山**の３氏（**三管領**）から交代で任命されました。**侍所**は京都の警備・裁判を担当し（鎌倉時代の侍所は御家人の統制→第８章）、長官の**所司**は**京極**・**山名**・**赤松**・**一色**の４氏（**四職**）から任命されました。これらの有力守護大名は、幕府の運営や重要政務の決定に参加し、一般の守護大名も幕府に出仕しました。このように、室町幕府は将軍を頂点とする守護大名の連合政権だったので、守護大名は京都に在住して将軍を支え、任国は守護大名の代理人として家臣から任じられる**守護代**が統治しました。

地方では、**鎌倉府**が関東８カ国と伊豆・甲斐を支配し、長官の**鎌倉公方**は**足利基氏**（尊氏の子）の子孫が世襲しました。鎌倉公方を補佐する**関東管領**は**上杉氏**が世襲しました。

室町幕府の軍事力は、直轄軍の**奉公衆**が担い、直轄領の**御料所**を管理したり、在京して将軍を護衛したりしました。

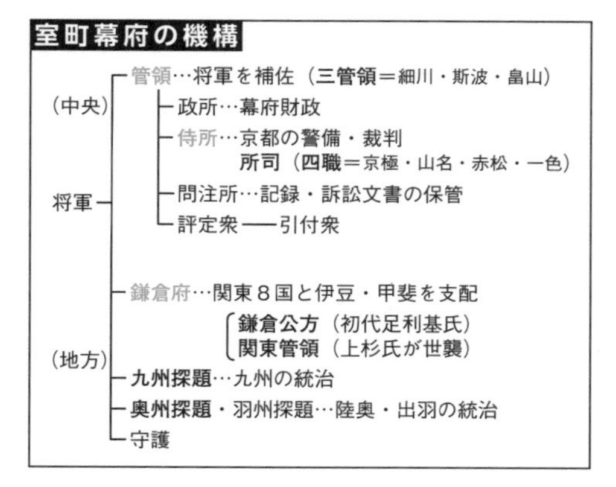

(2) 室町幕府の財政は、京都の商業・流通活動に依存する面が強かった

幕府の財政は、多くが貨幣収入でまかなわれ、特に商業・流通活動を頼っていたのが特徴です。**土倉役**・**酒屋役**は、京都で活動する**土倉**・**酒屋**（高利貸）から徴収する営業税で、**関銭**・**津料**は交通の要所に置かれた**関所**で徴収する通行税です。また、荘園・公領の田畑に課税する**段銭**や、家屋に課税する**棟別銭**は、一国単位で臨時に課され、守護を通して徴収されました。このほか、御料所からの収入や日明貿易→第11章の利益（抽分銭）も幕府を支えました。

③ 足利義教の支配

15世紀前期、４代将軍**足利義持**の時代は、将軍と守護大名の勢力バランスが保たれ、幕政は安定していました。外交では、朝鮮が倭寇の根拠地である対馬を襲撃した、**応永の外寇**（1419）が発生しています→第11章。

しかし、15世紀中期ごろ、６代将軍**足利義教**（義持の弟）は将軍権力の強化をめざし、守護大名を抑圧する姿勢を強めました。鎌倉府との対決が表面化した**永享の乱**（1438〜39）では、義教は関東管領**上杉憲実**と結び、幕府に反抗的な姿勢の鎌倉公方**足利持氏**を滅ぼしました（上杉憲実は**足利学校**を再興した人物→第12章）。つづく**結城合戦**では、足利持氏の遺児を立てて反乱を起こした下総の結城氏を討ちました。

しかし、歯向かう者には容赦しないという義教の強権的な姿勢は、守護大名の反発を生むことになります。播磨の守護**赤松満祐**が義教を暗殺する**嘉吉の変**（1441）が発生すると、将軍権威は失墜し、室町幕府は動揺しました。

年表

●４代将軍義持
1416 上杉禅秀の乱…前関東管領の反乱
1419 応永の外寇…朝鮮が対馬を襲撃
●６代将軍義教
1428 正長の土一揆…徳政を要求して蜂起
1438 **永享の乱**…鎌倉公方足利持氏を討つ（〜39）
1440 結城合戦…持氏遺児を擁した結城氏を討つ
1441 **嘉吉の変**…赤松満祐により暗殺される
(1441 嘉吉の土一揆…徳政を要求して蜂起)

4 惣村と土一揆

鎌倉時代後期から室町時代にかけて畿内近国から広がっていった、荘園・公領の内部に出現した村が、**惣村**（**惣**）です。その背景には農民の成長と団結があり、惣村の農民による**自治**がおこなわれました。

農民どうしが結びつき、集住して集落を作ったのは、なぜかな？

豊かになり、自分たちの村を作れるようになったから、かな。

中世には農業技術が発達し→第11章、生産が伸びたから、経済的に成長した農民が自立していくんだ。また、時代状況も考えよう。

14世紀は、鎌倉幕府滅亡や南北朝動乱、戦乱ばかりだ。武士は活躍するけど、農民は戦いに巻き込まれてしまうなぁ。そうか、農民も自衛をはかるんだね。団結し、時には武器を持ったんじゃないかな。

それと、地方の荘園が室町幕府の守護によって侵略されると、荘園領主は、自分の力が及ぶ畿内近国の荘園に対し、課税を強化したよ。

ツライ増税は反対！　団結して荘園領主に抵抗しなくちゃ！　畿内近国なら、京都にいる荘園領主のもとに押しかけることもできるね。

① 惣村の形成

(1) 惣村では、村民による自治がおこなわれた

惣村（惣）は、村民による**自治**の基盤でした。地域の神社の祭礼組織である**宮座**が人々の結合の中心となり、**名主**（有力農民）に加えて、新しく成長してきた**作人**（小農民）も構成員となりました。名主のなかには、守護大名などと主従関係を結んで**地侍**となる者もおり、惣村は武力を持っていたのです。

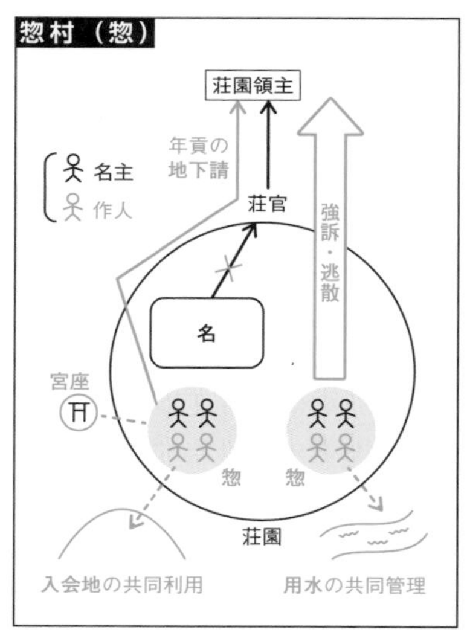

惣の運営は、村民の会議である**寄合**での決定に従い、村の指導者である**おとな・沙汰人**の指導のもとでおこなわれました。特に、自給燃料や肥料を獲得する共有地である**入会地**の共同利用や**用水**の共同管理は、村民にとって重要な議題でした。そして、村民が守るべきルールを村民みずからが**惣掟**として定め、違反者に対しては惣村が警察権・裁判権を行使する**地下検断**（**自検断**）をおこないました。

また、領主との間で、年貢の**地下請**（**百姓請**）の契約を結びました。荘園公領制のもとでは、名（名田）が課税単位であり、名主が名の管理と納税の責任者でした→第6章。地下請は、惣村が納税の主体となり、惣村が年貢の徴収と納入を領主に対して請け負ったのです。

惣村は、他の惣村と協力し、あるいは対立しながら、結合を拡大しました。支配単位である荘園・公領ごとに、内部にあるいくつかの惣村がまとまったり、時には荘園・公領の枠を超えて多くの惣村が連合する場合もありました。

(2) 惣村の農民は団結し、領主の支配に対して強訴・逃散で抵抗した

惣村の農民は**一揆**を結び、支配に対する抵抗を強めました。一揆とは「心を一つにする」という意味で、起請文（神に誓う文書）を作り、それを焼いて灰にして神水に混ぜ、皆で回し飲みする儀式をおこなったりしました（一味神水）。団結を強めた村民は、全員で荘園領主のもとへ押しかける**強訴**や、全員で耕作を放棄する**逃散**などの実力行使をおこない、「水害で苦しいので年貢を免除して！」「不法な荘官はクビにして！」などの要求を通そうとしました。

② 土一揆の展開

15世紀中期ごろ、6代将軍**足利義教**の時代から、「土民（農民など一般庶民）」による**土一揆**が発生しました。これは、惣村の結合をもとにした農民勢力を主体に、都市民なども含めて大勢で蜂起したものです。そして、**正長の土一揆**（1428）と**嘉吉の土一揆**（1441）では、一揆の勢力が債務破棄（借金を帳消しにする）などの**徳政**を要求したので、これらを**徳政一揆**とも呼びます。

徳政を要求したのは、借金を抱えている農民が多かったからかな。

京都の**土倉**・**酒屋**は、室町幕府の経済基盤で見たよね。こういった高利貸業者の影響が、畿内近国の農村に及んだ。また、**年貢の銭納**が普及すると→第11章、農民も農作物や加工品を売って貨幣を手に入れ、その貨幣を年貢として納めたりして、農村に貨幣経済が浸透したよ。

年貢が銭納だと、年貢を納められなかったら、荘園領主から借金をしていることになっちゃう。利子が付くと、あとで返すのが大変だ！

そう。農民が負債を抱えやすい条件ができていたんだね。

そして、畿内近国は惣村が広く結びついていたから、農民中心の大規模な土一揆が可能だったんだろう。

農民中心の徳政一揆が、なぜ畿内近国で発生したか推定できたね。

(1) 正長の土一揆では京都の土倉などが襲われ、実力により債務が破棄された

正長の土一揆（1428）は、**足利義教**が将軍になることが決定した直後の「代始め」の蜂起で、最初の土一揆でした。

近江国の坂本で起こった**馬借**（運送業者）の蜂起から始まり、史料（『大乗院日記目録』）に「**(正長元年［1428］) 九月　日、一天下の土民**（天下中の住民）**蜂起す。徳政と号し、酒屋・土倉・寺院等を破却せしめ**（高利貸業者や高利貸業を営む寺院を襲撃し）、**雑物**（質入れした物品）**等恣にこれを取り、借銭**（借用証文）**等悉これを破る。官領**（管領の畠山満家）**これを成敗す。**」とあるように、徳政を要求した一揆の勢力は京都の土倉・酒屋を襲撃して、預けていた質物や証文を奪い、実力で債務を破棄しました（このとき幕府は徳政令を発布していない）。そして、当時の上流階層にとっては、この蜂起が「**凡そ亡国の基、これに過ぐべからず。日本開白**（始まり）**以来、土民蜂起是れ初めなり。**」（『大乗院日記目録』）のように意識されていました。

そして、一揆は京都から畿内近国へ拡大し、各地で債務の破棄を求める運動が発生しました。**大和国柳生の徳政碑文**（奈良市）には「**正長元年ヨリサキ者カンヘ四カンカウニ　ヲヰメ　アルヘカラス**（正長元年より先は神戸四箇郷に負目あるべからず）」とあり、神戸の４村の連合に1428年以前の債務がない（だから返済は不要）という、地域での債務破棄を獲得した宣言です。

翌年、正長の土一揆の影響で、**播磨国**でも土一揆が発生しました（1429）。これは、「守護赤松氏の家臣の国外退去」という政治的要求を掲げたものです。

(2) 嘉吉の土一揆では、幕府が初めて徳政令を発布した

６代将軍足利義教が暗殺された**嘉吉の変**の直後、**嘉吉の土一揆**（1441）が発生しました。一揆の勢力が京都に乱入して占拠し、幕府に対して「代始め」の徳政を要求しました。支配者が交代すると、お金を貸す・借りるという関係なども清算される、という社会通念があったのです。こういった一揆の勢力による実力行使を背景に、幕府は**徳政令**を初めて正式に発布しました。

(3) 幕府は分一銭を得るため、分一徳政令を発するようになった

このあと幕府は、債務者から**分一銭**と呼ばれる手数料を取って債務の破棄を認める、**分一徳政令**を発するようになりました。お金を借りている債務者にとっては、分一銭を幕府に払えば徳政令が出て借金が帳消しになりますし、幕府にとっては分一銭の収入が得られます。逆に、幕府が債権者から分一銭を取って債権の保護を認めることもありました。

チェック問題にトライ！

足利義持が1428年に死去すると、人々は支配者交代の機をとらえて一揆を結び蜂起した。「正長元年ヨリサキ者、カンヘ四カンカウニヲヰメアルヘカラス」と記す奈良市柳生の碑文が著名で、一揆の時代を象徴する。

問　下線部に関して述べた次の文X・Yについて、その正誤の組合せとして正しいものを、下の①～④のうちから一つ選べ。
X　「カンヘ四カンカウ」は惣村の連合組織で、徳政一揆の基盤となっている。
Y　「ヲヰメ」とは荘園領主に対する年貢の未納分などの負債のことで、「負い目」がなくなるよう返済すると宣言している。

①　X　正　Y　正　　②　X　正　Y　誤
③　X　誤　Y　正　　④　X　誤　Y　誤

（センター試験　2014年度　本試験）

解説　教科書に載る、正長の土一揆に関する基本史料ですが、史料文の内容を、知識も用いて解釈することができたでしょうか。

X　「カンヘ四カンカウ」を漢字に起こした「神戸四箇郷」から、これが四つの「惣村の連合組織」だと判断しましょう。そして、「正長元年」に起きた正長の土一揆は徳政を要求したものであり、柳生の徳政碑文は地域での徳政を達成した成果を記したものですから、こうした惣村連合が「徳政一揆の基盤となっている」ことも、正しいです。

Y　「ヲヰメ」を漢字に起こした「負い目」から、これが「負債」であることは正しいと判断できますが、「荘園領主に対する年貢の未納分」も「負債」かどうかは判断が難しいと思います。当時は年貢の銭納が広がっており、荘園領主に対して年貢を滞納した場合は、その分が負債とみなされていた（あとで利子をつけて払う必要がある）のです。そして、「ヲヰメアルヘカラス」とは債務破棄（＝徳政）のことで、返済する必要はなくなったのですから、「返済すると宣言している」のではありません。

⇒したがって、②（X　正　Y　誤）が正解です。

中世社会の展開
（鎌倉・室町期のテーマ史、室町時代後期）

世紀	時代	将軍	政治・社会	外交		東アジア	
13世紀	鎌倉時代		（1）	1 中世の外交 ①日宋貿易 民間船の往来		宋	高麗
14世紀	建武 南北朝期	①尊氏 ③義満		②日元貿易と倭寇 建長寺船 天龍寺船 ※前期倭寇	④日朝貿易 応永の外寇 （15世紀） 宗氏が管理 倭館で取引 三浦の乱 （16世紀）	元	
15世紀	室町時代	④義持 ⑥義教 ⑧義政 ⑨義尚	（3） 3 応仁の乱と戦国時代 ①応仁の乱と下剋上 応仁の乱（1467～77） 山城の国一揆 加賀の一向一揆	③日明貿易 義満の遣使 →貿易開始 朝貢形式	⑤琉球 按司の支配 琉球王国 （15世紀） 中継貿易	明	朝鮮
16世紀	戦国期		②戦国時代 実力で分国を支配 指出検地・貫高制 城下町を建設	守護に実権 （細川・大内） 寧波の乱 大内氏滅亡 →貿易断絶 ※後期倭寇	⑥蝦夷ヶ島 和人の進出 アイヌと交易 コシャマイン （15世紀）		

（2）

2 経済の発展

	①鎌倉時代の経済	②室町時代の経済
農業・肥料	二毛作（畿内・西国）　牛馬耕 原料作物（楮・荏胡麻・藍） 刈敷・草木灰	二毛作（東国へ拡大）　三毛作 商品作物　※戦国期から綿花栽培 刈敷・草木灰・下肥
手工業	鍛冶・鋳物師・紺屋	特産品の登場
商業・組合・流通	三斎市（定期市）　見世棚 座の結成 問丸（年貢輸送）	六斎市　見世棚の増加 座の拡大　大山崎の油座 問屋（卸売）　馬借・車借（運送）
貨幣・金融	宋銭　年貢の銭納 為替の使用（遠隔地取引） 借上（高利貸）	明銭・私鋳銭　銭納の拡大 撰銭の横行→撰銭令 土倉・酒屋（高利貸）

第11章のテーマ

中世（鎌倉・室町期）における外交・経済のテーマ史に加え、室町時代後期（15世紀後期～16世紀中期）の応仁の乱と戦国時代を見ていきます。

(1) 宋・元との間での私貿易に続き、明との間に朝貢形式の**勘合貿易**が展開しました。朝鮮・琉球・蝦夷地も含めた、中世の対外関係を扱います。

(2) 農業・手工業や商業・貨幣経済が、鎌倉時代から室町時代にかけて発達していきました。中世の経済発展を概観します。

(3) **応仁の乱**は、日本史上の大きなターニングポイントです。その後、実力により領国支配をおこなう**戦国大名**が各地に出現しました。

1 中世の外交

鎌倉・室町時代の外交史を、まとめて学びましょう。第10章の最初にある「中世の枠組み」の図で、**世紀**の数字を確認しておくといいですよ。

こういう歴史のつかみ方は、**テーマ史**っていうんだよね。どういうふうに勉強すればいいのかな。

教科書では異なるページに載っている内容を、通しで読んでいけばOK。たとえば、「日本と宋との関係」なら、摂関政治や平氏政権や蒙古襲来のところに載っているよ。

教科書を飛び飛びに読んでいくんだね。検索ワードをもとに、教科書を検索する感じかな。インターネットの検索なら楽だけど……。

あと、テーマ全体の流れをつかんでおくといいね。たとえば、中国の王朝が「**宋→元→明**」と変化することを知っておく。そして、教科書で探した元や明の情報を結びつけると、テーマ史をまとめられるよ。

まず、この参考書で流れをつかんでから、教科書の検索にチャレンジしてみる。がんばるよ！

① 日宋貿易

日本と宋（南宋）との間に正式な国交は開かれませんでしたが、商船が往来しました。12世紀後期には平氏政権が日宋貿易を進め→第8章、13世紀の鎌倉時代も私貿易が活発でした。日本からは金・硫黄・刀剣を輸出し、宋からは宋銭や「唐物」（陶磁器や書籍など）が輸入されました。また、商船に便乗した禅僧が往来し、中国文化を日本へ伝えました→第12章。

② 日元貿易と倭寇

蒙古襲来（1274・1281）の間に南宋は滅亡し→第9章、その後の日本と元との間には私貿易が展開しました。14世紀前期、**鎌倉幕府**が建長寺を直す費用を得るための**建長寺船**を派遣しました。14世紀中期、**足利尊氏**が**夢窓疎石**の勧めで→第12章、〔**後醍醐天皇**〕の冥福を祈る天龍寺建立を計画し、その費用を得るための**天龍寺船**を派遣しました。元に派遣されたことがポイントです。

一方、14世紀、対馬や壱岐を拠点に武装商船団である倭寇（前期倭寇）の活動が活発化し、中国北部や朝鮮半島の沿岸で人や食料などを略奪しました。

③ 日明貿易

朱元璋が元を滅ぼして明を建国（1368）すると（足利義満の将軍就任と同じ年）、新しい対外政策によって東アジアの国際情勢は変化しました。明は、伝統的な**冊封体制**の回復によって中国を中心とする国際秩序を築くとともに→第1章、中国皇帝の臣下となって「**国王**」の称号を与えられたものだけに貿易を認める海禁政策をとりました（私貿易は禁じられた）。さらに、日本に対して倭寇の禁圧を要求しました。

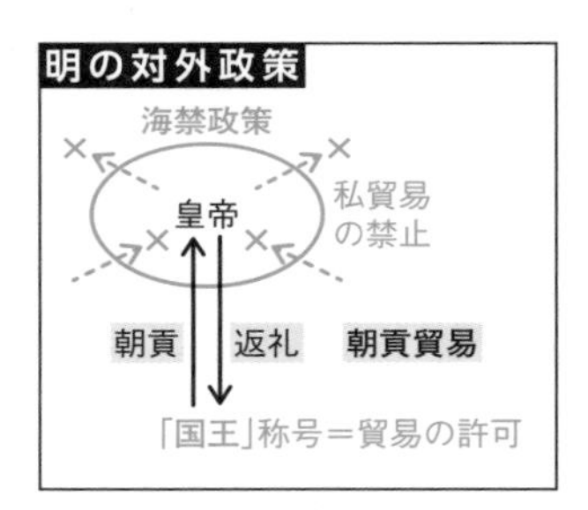

(1) 足利義満は、明に遣使して国交を開き、朝貢形式の勘合貿易を始めた

南北朝動乱が終わり→第10章、室町幕府の支配が確立した15世紀初め、足利義満は明からの倭寇禁圧の要求に応じ、使者（正使の僧祖阿と副使の博多商人肥富）を派遣して正式に国交を開きました（1401）。そして、皇帝から「**日本国王源道義**」あての返書が与えられました。海禁政策のもと、義満は「国王」の称号を得て、明との貿易が可能な立場になったのです。

この日明貿易は、皇帝へ貢ぎ物を献上し、皇帝から返礼品を受け取る**朝貢形式**で、遣明船は明から交付された勘合を持参したことから、勘合貿易とも呼びます（入港地は寧波）。貢ぎ物を上回る大量の返礼品が与えられ、滞在費用は明が負担したので、日本が得る利益は莫大でした。また、遣明船は貢ぎ物以外の商品の売買も許可され、利益の一部を幕府に納入しました（抽分銭）。

明への輸出品は**銅**・硫黄・刀剣などで、明からの輸入品は**銅銭**・**生糸**・絹織物・陶磁器などです。**永楽通宝**などの**明銭**は、日本の貨幣経済をさらに発達させました。**生糸**は、室町時代から江戸時代前期にかけての日本にとって、中国から入手したい貿易品として非常に重要なものとなりました。**南蛮貿易**や→第13章、**朱印船貿易**→第14章、「**鎖国**」のもとでの貿易でも→第14章、中国産生糸に注目していきましょう。

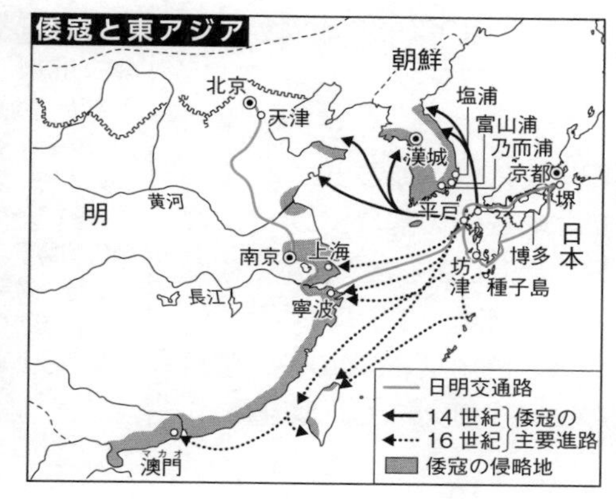

⑵ **貿易は幕府主導から有力守護主導となり、寧波の乱で大内氏が独占した**

その後の日明貿易の展開を追っていきます。足利義満が亡くなったあと、4代将軍**足利義持**は朝貢形式に反対して貿易を中断しました。のち、6代将軍**足利義教**は貿易の利益を求めて貿易を再開しました。

15世紀後半、応仁の乱（1467～77）の前後の時期には、幕府の衰退とともに、貿易の実権は幕府から有力守護に移りました。**堺商人**と結んだ**細川氏**と、**博多商人**と結んだ**大内氏**が、それぞれ遣明船を派遣しました。

16世紀前半、戦国時代には、明の貿易港で細川船と大内船が対決した**寧波の乱**（1523）が発生し、これに勝利した**大内氏**が貿易を独占しましたが、のち大内氏が滅ぼされると、勘合貿易は廃絶しました（1551）。

16世紀後半、再び**倭寇**（後期倭寇）が活動しました。これには中国人による密貿易も含まれ、中国南部や東南アジアで広く交易活動をおこないました。倭寇は、のちの豊臣秀吉の**海賊取締令**で姿を消しました→第13章。

④ 日朝貿易

今度は、朝鮮半島に注目します。10世紀以来の高麗は→第5章、14世紀末に滅亡し、**李成桂**が**朝鮮**を建国（1392）しました（南北朝合体と同年→第10章）。そして、倭寇禁圧の要求に足利義満が応じて国交が開かれ、15世紀には守護大名や商人も参加する形で**日朝貿易**が始まりました。

貿易は、倭寇の活発化を受けて朝鮮が対馬を襲撃した**応永の外寇**（1419）で一時中断し、再開したのちにしくみがととのえられました。朝鮮は、**対馬の宗氏**に貿易の管理をおこなわせるとともに、**三浦**（富山浦・乃而浦・塩浦）に交易の場として**倭館**（日本人居留地）を設けました。日本からの輸出品は、銅・硫黄や東南アジア産の香木・蘇木などで、朝鮮からの輸入品は、**木綿**・**大蔵経**

（仏教経典の集成を印刷したもの）などです。

16世紀前半、朝鮮の貿易制限に反発した倭館居住の日本人による**三浦の乱**(1510)で、貿易は衰退しました。日本と朝鮮との国交は、のちの豊臣秀吉による朝鮮出兵(**文禄の役**・**慶長の役**)で断絶しました→第13章。

日明貿易と日朝貿易

●日明貿易
方法：朝貢形式の**勘合貿易**、寧波に入港ののち交易
担い手：幕府→守護（細川氏・大内氏）→大内氏
輸入品：**銅銭**・**生糸**
※**寧波の乱**（1523）…16世紀前半

●日朝貿易
方法：対馬の**宗氏**を介した統制、三浦の**倭館**で交易
担い手：守護大名や商人も参加
輸入品：**木綿**・**大蔵経**
※**応永の外寇**（1419）…15世紀前半
　三浦の乱（1510）…16世紀前半

⑤ 琉　球

日本列島の南にある琉球の状況を、原始にさかのぼって見ていきます。弥生時代の**貝塚文化**をへて→第１章、12世紀になると農耕文化が始まり、有力者の**按司**が**グスク**（城）を築いて、各地で支配を広げました。

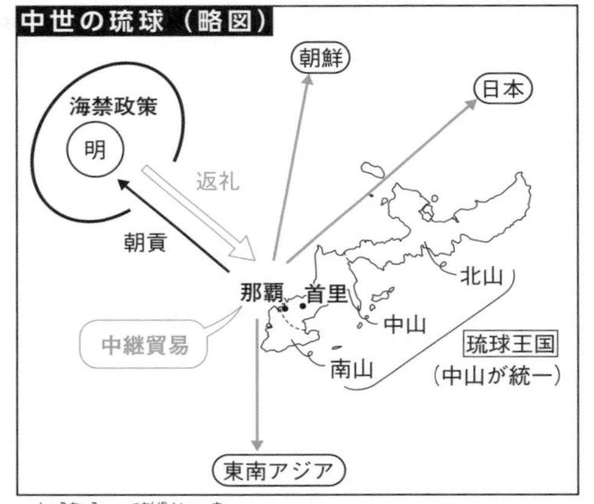

14世紀には北山（山北）・中山・南山（山南）の３勢力にまとまり（**三山**時代）、15世紀前半には中山王の**尚巴志**が三山を統一して**琉球王国**が成立(1429)しました(正長の土一揆の翌年→第10章)。琉球王国は、明の海禁政策のもとで積極的に朝貢し、返礼品を東アジア・東南アジアと取引する**中継貿易**をおこない、首都**首里**の外港の**那覇**は繁栄しました。

しかし、16世紀後半、**ポルトガル**の船が東アジア・東南アジアに進出して中継貿易をおこなうと→第13章、琉球はしだいに衰えていきました。

⑥ 蝦夷ヶ島

日本列島の北にある蝦夷ヶ島も、同じく原始にさかのぼって見ていきます。弥生時代の**続縄文文化**をへて→第１章、７世紀には**擦文文化**（擦文土器を持つ）とオホーツク文化が広がりました。

13世紀、鎌倉時代には**アイヌ**の文化（狩猟・漁労や北方交易をおこなう）が生まれ、津軽の**安藤氏**が**十三湊**を拠点にアイヌと交易をおこないました。14世紀、十三湊と畿内を結ぶ日本海交易が発展するなか、室町時代には**和人**

が**蝦夷ヶ島**南部に進出し、**館**という拠点を築きました（道南十二館）。

しかし、15世紀、和人の圧迫に反発したアイヌによる**コシャマイン**の蜂起（1457）が発生し（応仁の乱が起こる10年前）、これを抑えた**蠣崎氏**が蝦夷ヶ島南部を支配しました。のち、蠣崎氏は江戸時代初期に大名の**松前氏**となり、徳川家康からアイヌとの交易の独占権を得ました→第14章。

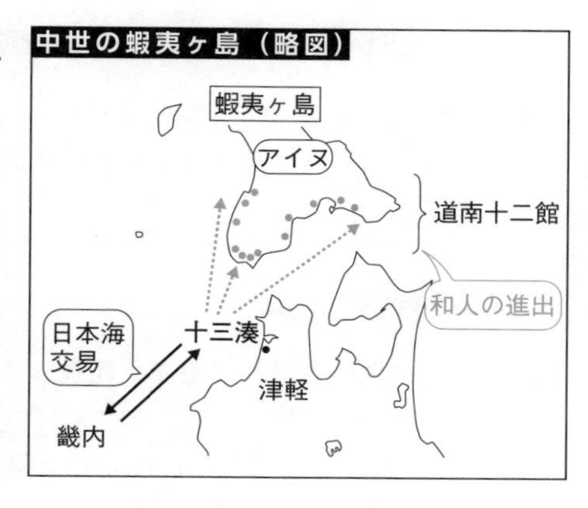

2 経済の発展

鎌倉・室町時代の経済史も、**テーマ史**のやり方で把握していきます。鎌倉時代と室町時代とをくらべながら、経済の発展を大きくつかみましょう。

中世における経済の中心は、どこだと思う？

東京！ ……あれ？ 当時は東京はないぞ。じゃあ、幕府があった鎌倉？

鎌倉でも都市の発展が見られるけれど、やっぱり経済の中心は、**京都**だ。そして、その周辺の**畿内**が、経済の先進地域だったよ。

京都が経済の中心になるのは、**朝廷**の存在が大きいのかなぁ。

それと、京都には朝廷の中心となる天皇家や、摂関家をはじめとする貴族が住み、京都内外には朝廷と関係の深い大寺社があったよ。

これらは**荘園領主**だよね。そうか！ 京都は、荘園や公領の**年貢**が集まる、豊かな場所だったんだ。

気がついたね。そして、大量に集まった年貢・公事が取引されると、商業活動が盛んになり、貨幣経済も発達する。そして、京都周辺の交通路では年貢・公事、さらには商品も大量に運ばれたよ。

地図の水路は、海や湖や川で、船を使うんだね。陸路では馬を使うのかな。経済が発展した京都に物資が集まっていくイメージができたよ。

① 鎌倉時代の経済

(1) 鎌倉期の農業では、二毛作、刈敷・草木灰の使用、牛馬耕が見られた

まず、農業技術が発達し、土地生産性が向上する集約化が進みました。

一つの水田で、夏から秋にかけて稲を育て、冬から春にかけて麦を育てれば、食糧の収穫が増えます。**麦**を裏作とする**二毛作**は、早くから開発が進んで用排水路も整備された、畿内・西日本で広がりました。

肥料を使って栽培すれば、たくさん実ります。**刈敷**（草を田に敷き込み腐らせる）や**草木灰**（草木を焼く）といった、**自給肥料**の使用が始まりました。

人間の体力以上のパワーを動力として利用すれば、農作業が効率よくなります。鉄製農具を**牛馬**に引かせる耕作が普及していきました。

また、多収穫品種である**大唐米**が輸入され、栽培が広がっていきました。

食糧以外にも、加工して用いる原料作物が栽培されました。**楮**（和紙）・**荏胡麻**（灯油）・**藍**（染料）などの栽培と加工がおこなわれました。

(2) 鎌倉期の手工業では、鍛冶などの手工業者が現れ、座が活動した

高度な加工技術を持つ、専門の手工業者が登場しました。刀を作る**鍛冶**（金属を熱して鍛える）、鍋・釜を作る**鋳物師**（金属を溶かし型入れ）、藍染めをおこなう**紺屋**は、「かじ」「いもじ」「こうや」の読みに注意しましょう。

手工業者（商人）の同業団体である**座**は、平安時代から登場し、構成員は天皇や寺社に属して製造や販売の特権を得ました（天皇家に属するのは供御人、寺社に属するのは神人）。座は、室町時代にかけて発展していきます。

(3) 鎌倉期の商業では、定期市や見世棚が現れ、行商人や問丸が活動した

荘園公領制のもとでの商業流通の発達に、注目しましょう→第6章。

年貢・公事を納めたあとの余剰や地方の産物は、荘園や公領の中心地や交通の要所などで開かれた**定期市**で売買されました。**備前国福岡の市**の様子は『**一遍上人絵伝**』に描かれています→第12章。鎌倉時代には、月３回開催される**三斎市**も登場しました。こうした定期市には、各地でさまざまな商品を売り歩く**行商人**もやってきました。

政権があって荘園領主がいる場所には、納められた年貢・公事が集積し、その売買によって商業が発達しました。京都・鎌倉・奈良などの都市では、常設の小売店である**見世棚**も出現しました。

年貢・公事の輸送が増えると、交通路や流通網が整備されました。運送業者の**問丸**は、水陸交通の要地である港で、年貢や商品を中継して輸送しました。

(4) 鎌倉期の貨幣経済では、宋銭、為替、年貢の銭納、借上の金融が見られた

中世では、朝廷も幕府も貨幣を鋳造しなかったので、輸入された中国銭が取引のときに用いられました。鎌倉時代以降、日宋貿易で大量に流入した**宋銭**が用いられました。

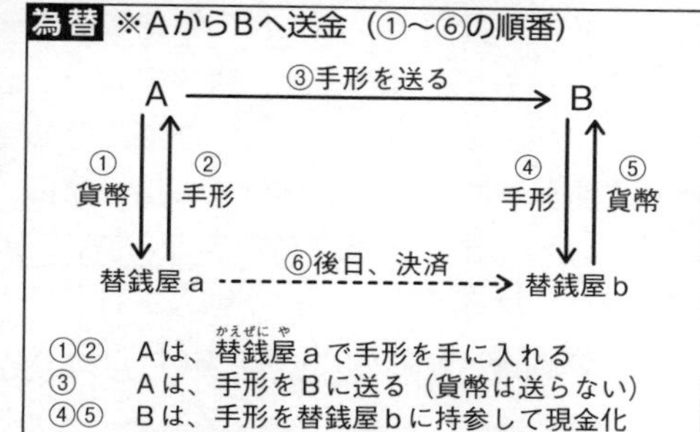

貨幣経済の発達は、多方面に影響を及ぼしました。送金するとき、貨幣の代わりに手形（割符）を用いる**為替**が登場し、遠隔地どうしの商業取引で用いられました。

貨幣経済の発達は、荘園のあり方も変えていきました。鎌倉時代には、現物に代わり貨幣で納める**年貢の銭納（代銭納）**が、一部の荘園で見られました。

金融業も成立し、鎌倉時代には、高利貸業者の**借上**が登場しました。読みは「かりあげ」ではなく「かしあげ」なので注意しましょう。

② 室町時代の経済

室町時代には、荘官に加え、農民も**年貢の銭納（代銭納）**をおこないました。すると、荘園領主に納める貨幣を手に入れるため、今までは年貢として納めていた米などの現物を、地方の市（**定期市**など）で売ってお金にかえました。こうして、現物の年貢が売買されることで、**大量の商品が発生**したのです。そして、経済中心地である**京都**に向けて、各地から大量の商品が輸送されました。こうした経済の変化に

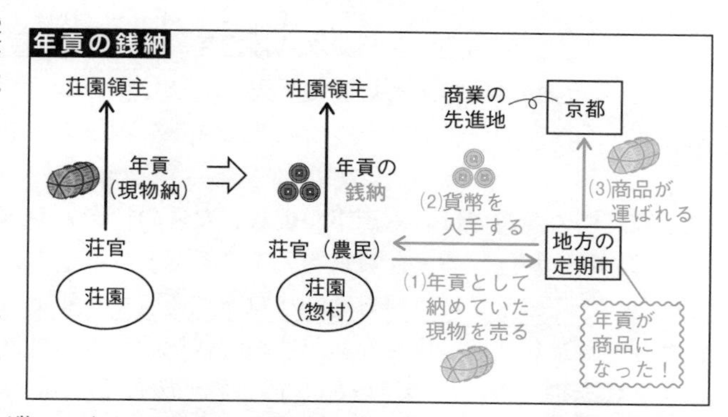

も注目しながら、鎌倉時代から室町時代にかけての経済発展をながめましょう。

(1) 室町期の農業では、二毛作が拡大し、商品作物栽培が盛んになった

農業技術は、さらに発達しました。二毛作は東国へ普及し、畿内では**三毛作**（米・そば・麦）も始まりました。自給肥料の使用が拡大し、刈敷・草木灰に加えて**下肥**（人糞尿）も普及しました。稲の品種改良が進み、収穫時期が異なる**早稲**・**中稲**・**晩稲**が現れました（「わせ」「なかて」「おくて」と読む）。用水・排水の技術が発達し、揚水具の**竜骨車**を中国から導入しました。

年貢の銭納が普及すると、貨幣の入手が必要になり、現物の年貢に加えて原料作物（楮・荏胡麻・藍など）が加工品も含めて定期市で売買され、**商品作物**として生産されるようになりました。特に、戦国時代に三河で栽培が始まった**綿花**に注目しましょう。これまでの衣料には**絹**と**麻**が用いられてきましたが、室町時代には朝鮮から木綿が輸入され、江戸時代には畿内を中心に綿花が栽培されて→第15章、**綿**は近世における庶民衣料の原料として広まりました。

(2) 室町期の手工業では、特産品の成立や座の発展が見られた

特産品が生まれました。絹織物は**京都西陣**、陶器は尾張（**瀬戸焼**）、刀は備前、紙は美濃（美濃紙）・播磨（杉原紙）・越前（鳥子紙）が産地です。

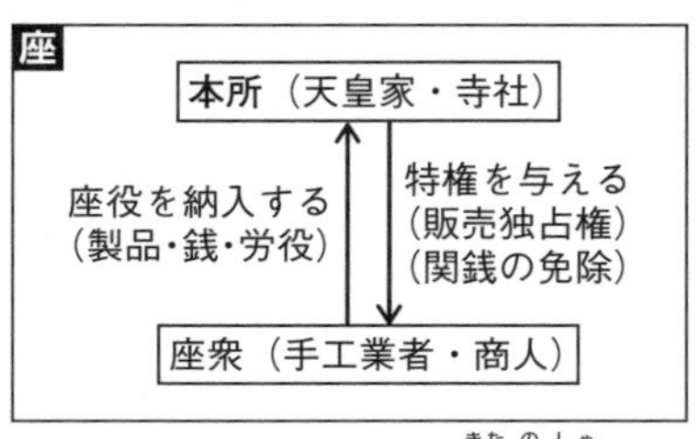

座も発展しました。座衆（手工業者・商人）は、**本所**（天皇家・寺社）に座役を納め、天皇や神仏の権威を背景に、一定地域での製造・販売の独占や、**関銭**の免除（関所を自由に通行）などの特権を得て活動しました。**大山崎の油座**は、**石清水八幡宮**を本所とし、荏胡麻の購入と灯油の販売を独占しました。そのほか、北野社を本所とする酒麴座や、祇園社を本所とする綿座などがありました。

(3) 室町期の商業では、六斎市が現れ、女性の行商人や運送業者らが活動した

年貢の銭納が広がると、貨幣を入手する場となる地方の市も開催される回数が増え、応仁の乱後には月６回開かれる**六斎市**が一般化しました。都市では**見世棚**が増えました。見世棚が並ぶ京都の状況は**『洛中洛外図屛風』**に描かれています→第18章。また、特定商品を扱う専門の市場も登場しました（京都の米市・淀の魚市など）。

行商人は、振売（天秤棒を担ぐ）・**連雀商人**（木箱を背負う）に加え、京都の**桂女**（鮎を売る）・**大原女**（炭・薪を売る）が活動しました。

陸上や水上の交通・流通が発達しました。問丸から発達した流通業者の問屋が京都や地方の港町で卸売などをおこないました。陸上では馬借（馬の背に載せる）・車借（牛馬が車を引く）が坂本・大津などから京都へ物資を運び、水上では廻船が瀬戸内海・琵琶湖・日本海を往来しました。

一方、**関銭・津料**の徴収を目的に、道路や港に**関所**が設けられましたが、これは室町幕府の財政を支えるだけでなく→第10章、公家・寺院も設置して収入源としたため、流通を妨げました。のち、戦国大名は領内にある**関所を撤廃**し、流通を活性化させました。

⑷ 室町期の貨幣では、明銭や私鋳銭の流通、撰銭、土倉の金融が見られた

宋銭に加え、勘合貿易で流入した**明銭**（**洪武通宝**・**永楽通宝**など）も流通しましたが、経済が発展するなかで貨幣が不足し、粗悪な**私鋳銭**（中国政府以外が鋳造した銭）も流通しました。すると、商人が良銭を選んで受け取り、悪銭を受け取らない**撰銭**がおこなわれ、流通が妨げられました。これに対し、15世紀末以降、幕府や大名は**撰銭令**を発し、撰銭を規制しました。良銭と悪銭を混ぜて使う比率を定めたり、特定の極悪銭の使用を禁じる（撰銭を許す）代わりにそれ以外の悪銭を使用させる（撰銭を禁じる）など、悪銭も流通させようとしました。

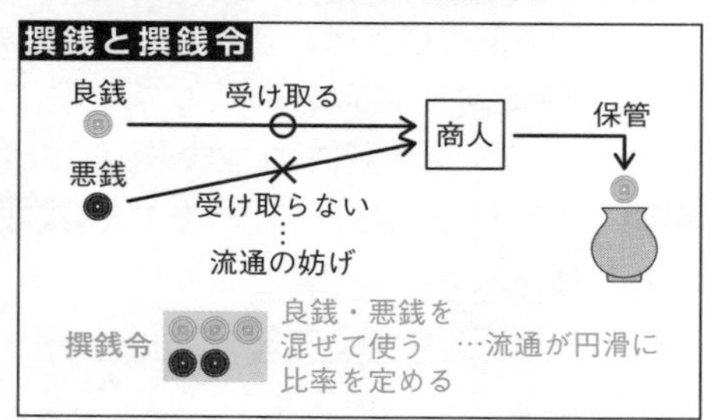

為替の使用はいっそう拡大しました。また、室町時代には、高利貸業者として**土倉**（質物を預かり金融）・**酒屋**（造り酒屋が売上金で金融）が登場し、幕府はこれらを保護して**土倉役**・**酒屋役**を徴収しました→第10章。また、土倉・酒屋は**徳政一揆**の襲撃対象ともなりました→第10章。

3 応仁の乱と戦国時代（15世紀後期〜16世紀中期）

室町時代の流れに戻るので、第10章最初の「中世の枠組み」の図を見ましょう。15世紀後期に発生した**応仁の乱**（1467〜77）は、室町幕府の衰退を

もたらし、中世から近世へ移り変わっていく日本史の大きな転換点を作りました。そして、16世紀中期ごろにかけて、**戦国時代**が展開しました。

戦国時代、ワクワク！　先生は、どの戦国大名が好き？

私は、誰か一人の大名を決めずに、いろいろな戦国大名の支配を見渡して、興味を持ちたいなぁ。どういう城下町を作ろうとしたか、とか。

やっぱり日本史の先生らしいね！　大学入試では、いろいろな戦国大名の戦いが出るのかな。

下剋上の動きとか、経済政策などが問われる。戦国時代はどのような時代だったのか、といった特徴を理解するといいよ。

一人の大名から、全体に広げて考えていくといいんだね。

① 応仁の乱と下剋上

(1) 応仁の乱の原因は、守護家や将軍家の家督争いと、有力守護の対立だった

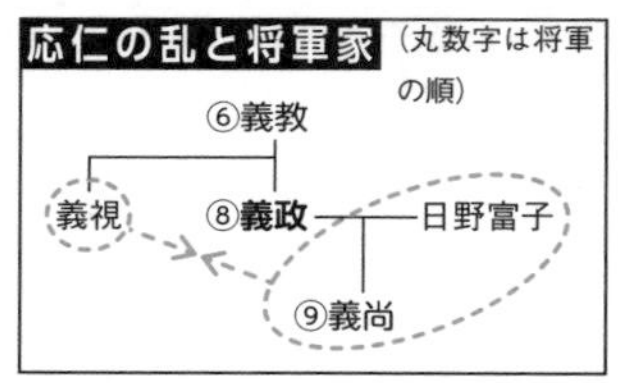

8代将軍**足利義政**の時代に起きた**応仁の乱**（1467～77）の原因には、武家社会における**単独相続**への移行が関わっていました→第9章。庶子よりも家督（惣領）の地位が強くなり、その地位をめぐり一族内での対立が生じやすかったのです。

当時、管領家の**畠山氏**（政長と義就）・**斯波氏**で家督争いが生じました。将軍家でも、将軍義政の後継をめぐり、義政の弟の**義視**と、義政の子の**義尚**を推す**日野富子**とが対立しました。そして、勢力を競っていた**細川勝元**と**山名持豊**（**宗全**）が、これらの家督争いに介入しました。

(2) 東軍（細川方）と西軍（山名方）に分かれて戦い、決着がつかず終わった

畠山氏の内紛が戦闘に発展して乱が勃発すると（1467）、守護大名が**細川方**（**東軍**）と**山名方**（**西軍**）とに分かれて参戦し、**京都**が戦場となりました。

のち、山名持豊・細川勝元が病死し、将軍も義政から義尚へ交代しましたが、戦闘は続きました。そして、決着がつかないまま和議が結ばれ、守護大名たちが任国へ帰って、戦闘は終わりました（1477）。なんのための11年余りの戦いだったのか、「いよいよむなしい（1467）」応仁の乱になってしまったのです。

⑶ 応仁の乱により、京都が荒廃し、幕府権力が衰え、戦国大名が登場した

応仁の乱の影響は、とても重要です。まず、乱で活動した**足軽**（軽装の歩兵）の放火や略奪によって、京都は荒廃しました。その影響で、公家や文化人は京都から離れましたが、大名のなかには彼らを城下町に迎え入れる者もあり、中央の文化が地方に伝わっていきました→第12章。

そして、在京していた守護大名が領国へ下り、彼らに支えられていた幕府権力が弱体化しました。幕府は存続したものの、その命令が及ぶのは山城国のみとなりました。一方、守護大名が京都で戦っているうち、領国の実権は**守護代**や有力**国人**に移り、**戦国大名**が登場していきました。

そして、下の者が上の者よりも強くなれば**下剋上**が起きる、**戦国時代**となりました。実力がものをいう時代になったのです。

⑷ 応仁の乱後、国人を中心に国一揆が結成され、自治的支配をおこなった

中世の一揆 社会のさまざまな階層で、多様な一揆が結ばれる

●南北朝時代
国人一揆：国人が守護の支配に抵抗、地域住民を支配
●室町時代中期
土一揆：惣村の形成や貨幣経済の浸透が背景、徳政を求めて蜂起
正長の土一揆（1428）嘉吉の土一揆（1441）
●応仁の乱後
国一揆：国人が地域住民と結び、広域に自治的支配〜下剋上
一向一揆：一向宗の信者が国人と結び、自治的支配〜下剋上
山城の国一揆（1485〜93）加賀の一向一揆（1488〜1580）
●戦国時代
法華一揆：日蓮宗の信者（京都町衆）が一向一揆と対決、町政自治
法華一揆（1532〜36）※天文法華の乱（1536）で延暦寺に敗北

15世紀末、応仁の乱ののち、国人が地域住民と結び、地域を**自治的に支配**した**国一揆**が現れました。守護大名の勢力を実力で排除した点で、**下剋上**の風潮を示すものです。

山城の国一揆（1485〜93）の経緯を見ましょう。応仁の乱の終結後も**畠山氏**（政長と義就）の内紛が続き、山城国の南部で争っていました。これに対し、山城国の国人と住民が一揆を結んで畠山氏の軍勢を排除し、一揆勢力が**8年間**の自治的支配をおこないました。史料には「**今日山城国人集会す。…同じく一国中の土民等群衆す。今度両陣**（畠山政長と義就の軍勢）**の時宜を申し定めんがための故と云々。しかるべきか。但し又下極上のいたりなり。**」（『大乗院寺社雑事記』）とあり、山城国の国人と土民が連合して畠山氏の軍勢と対決したことが「**下極上**（下剋上）」と表現されています。

実は、**加賀の一向一揆**（1488〜1580）も、国一揆と同じ側面を持っていました。当時、本願寺の**蓮如**の布教によって**浄土真宗**（一向宗）の勢力が拡大しており→第12章、加賀国の門徒（信者）が国人と結んで守護の**富樫政親**を滅ぼし、一揆勢力が**約1世紀の間**、加賀国を支配しました。史料には「**越前の合力**

勢（富樫を援助する朝倉氏の軍勢）、賀州（加賀国）に赴く。しかりといえども、一揆衆二十万人、富樫城（富樫政親の城）を取り回く。故を以て、同九日城を攻め落さる。皆生害して（自害して）、富樫一家の者一人これを取り立つ。」（『蔭涼軒日録』）とあり、一向一揆が富樫城を攻め落とし、加賀国を支配したことが読み取れます。

② 戦国時代

(1) 室町幕府の内部も含めて各地で下剋上が発生し、戦国大名が登場した

戦国大名の割拠

- ●伊達氏（陸奥）…**伊達政宗**
- ●北条氏（関東）…**北条早雲**（伊勢宗瑞）が伊豆進出、相模小田原
  子の北条氏綱・孫の**北条氏康**の代に関東を支配
- ●今川氏（駿河・遠江）…**今川義元**
- ●織田氏（尾張）…**織田信長**
- ●斎藤氏（美濃）…斎藤道三
- ●武田氏（甲斐・信濃）…**武田信玄**
- ●上杉氏（越後）…越後守護代の**長尾景虎**、関東管領を継ぎ**上杉謙信**に
- ●一向一揆（加賀）…守護大名富樫政親を倒し（1488）、約100年間自治
- ●朝倉氏（越前）…**朝倉孝景**は城下町の一乗谷を建設
- ●毛利氏（中国）…安芸の国人の**毛利元就**が周防・長門を奪う
- ●長宗我部氏（四国）…**長宗我部元親**
- ●大友氏（豊後）…**大友義鎮**は天正遣欧使節をローマへ派遣
- ●島津氏（薩摩）…島津義久

関東では、応仁の乱の前から戦国時代へ突入していました。15世紀半ば、鎌倉公方**足利成氏**（永享の乱で滅びた足利持氏の子→第10章）が関東管領上杉氏と対立して享徳の乱が起き、足利成氏は**下総**に逃れ（古河公方）、将軍義政の兄弟の足利政知は**伊豆**で堀越公方を立てました。また、関東管領上杉氏も、扇谷上杉家と山内上杉家に分裂して対立しました。

そこに北条早雲が進出、15世紀末に堀越公方を滅ぼし相模の小田原を拠点とし、孫の**北条氏康**は、16世紀半ばに古河公方を滅ぼし関東を支配しました。

室町幕府は、応仁の乱（1467～77）ののちに管領**細川氏**が実権を握り、その家臣の**三好長慶**へ、さらにその家臣の**松永久秀**へと実権が移りました。

戦国大名の出自

守護大名…(1)みずから戦国大名となる（下剋上を受けない）
守護大名～【武田・今川・大内・大友・島津】

守護代／国人／地侍
(2)下剋上で主君などを倒す→戦国大名に成長
守護代・有力家臣～【上杉・朝倉・織田】
国人・その他～【北条・徳川・毛利】

中国地方では、16世紀半ばに守護大名**大内氏**が家臣の陶晴賢に倒され（これで日明貿易が廃絶）、のち安芸の国人の毛利元就が陶晴賢を倒しました。

ただし、「戦国大名イコール下剋上」とは限りません。戦国大名には、室町幕府から国ごとの守護に任命されていた**守護大名**がそのまま戦国大名になるケースもあります（**武田氏・今川氏**など）。領国（分国）を**実力で支配**するのが戦国大名なのです。

(2) 戦国大名は指出検地による土地支配や、家臣団編成での強兵策を進めた

戦国大名は室町幕府から自立し、領国の一円支配を実現し(他の権力を介入させない)、荘園制を否定しました。

守護大名と戦国大名

守護大名	戦国大名
将軍から任命される 与えられた権限に依存(半済) 在京、領国は守護代が統治 荘園制が経済基盤(守護請)	幕府・将軍から自立 実力で領国を一円支配 領国に居城と城下町を建設 荘園制を否定

そして、家臣の支配地や農民の耕作地の面積や収入額・年貢額を**指出検地**で自己申告させ、領国内の土地や**貫高**(家臣が徴収する**収入額**や農民が納める**年貢額**を「貫」という銭の単位で表現)を把握しました。豊臣秀吉の**太閤検地**で登場する**石高**は、土地の米生産量のことです→第13章。

戦国大名は、強力な軍事力を持ちました。家臣に**知行地**(収入が得られる領地)を与え、知行地から得られる貫高に見合う量の**軍役**を負担させました。貫高が多ければ、より多くの軍役を負担する、というしくみです。こうして、大名は家臣との**主従関係**を強化しました。さらに、国人の有力家臣を寄親として、下級武士の寄子を管理させる**寄親・寄子制**で、家臣団を編成しました。

(3) 戦国大名は、産業を盛んにして領国を豊かにする富国策をとった

戦国大名は、経済政策を積極的におこないました。その中心となったのが**城下町**で、有力家臣を集住させ、商工業者を呼び寄せて、領国の政治・経済の中心地としました(朝倉氏の**一乗谷**、北条氏の**小田原**、大内氏の**山口**など)。

また、河川の治水をおこない(武田信玄の信玄堤)、鉱山開発を進めました(甲斐金山[武田氏]、**石見大森銀山**[毛利氏]、**但馬生野銀山**)。商業政策では、**関所を廃止**して交通を自由にしたり、当時増えていた楽市(販売座席である市座を設けない自由な市)を保護する**楽市・楽座**を命じたりしました。

(4) 戦国大名は領国支配のための分国法を定め、喧嘩両成敗法などを示した

戦国大名は、法による領内統治をおこなうため、**分国法**を定めました。特に、家臣どうしの争いの際に双方を処罰する**喧嘩両成敗法**は、それまでの中世社会にあった「自力救済」(受けた損害を自分の力で回復する)の風潮を否定し、裁定権を大名が独占した点で、画期的でした。このほか、城下町集住や、私的な婚姻の禁止などを定めました。

分国法

塵芥集(伊達氏　陸奥)…連座制、農民統制も含む
甲州法度之次第(武田氏　甲斐)…喧嘩両成敗法
今川仮名目録(今川氏　駿河)…私的な婚姻の禁止
朝倉孝景条々(朝倉氏　越前)…有力家臣の城下町集住
(ほか、結城氏新法度、長宗我部氏掟書など)

(5) 商工業の発達で地方都市が形成され、町民の自治も進展した

戦国時代は、地方都市の時代でもありました。戦国大名の**城下町**に加え、寺社の門前に形成されて参詣者向けの商業活動をおこなった**門前町**、浄土真宗（一向宗）の信者が浄土真宗の寺院の周辺に集住した**寺内町**、水上交通の要地で商品流通や海外貿易の拠点となった**港町**が発達しました。

また、この時期、自治都市の発展が見られました。経済力を背景に、富裕な商人が町政の自治をおこなったのです。貿易港である**堺**（和泉）では36人の**会合衆**が協議し、**博多**（筑前）では12人の**年行司**が協議しました。**京都**では、富裕な商工業者である**町衆**たちが、自治的組織である**町**を作り（道路の両側が一つの町になる）、町ごとに**月行事**を決めて、町政を自治的に運営しました。応仁の乱後に**祇園祭を復興**したのは、町衆による町の組織だったのです。

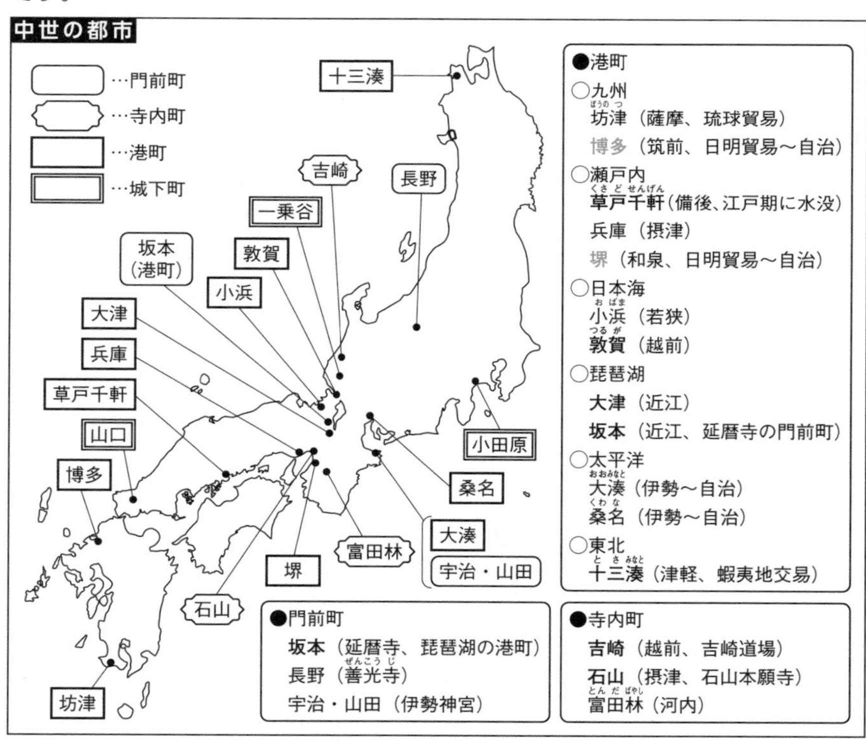

チェック問題にトライ！

次の『一遍上人絵伝』の一場面は備前国福岡の市の様子を描いた絵として知られている。この絵を参考にして、鎌倉時代の市の説明として**誤っているもの**を、下の①～④のうちから一つ選べ。

※本書に掲載している『一遍上人絵伝』（備前国福岡の市の場面）は修復前の画像であり、現在の修復後のものとは差異が生じている。

① 女性も、さかんに市での売買に加わっていた。
② 地方では、常設の見世棚よりも、定期的に開かれる市が主であった。
③ 荷物の輸送にあたって、水上交通が利用されることもあった。
④ 地方の市には楽市令が出され、自由な営業が保証されていた。

（センター試験　2009年度　追試験）

解説　**絵巻物をはじめとする絵画は、文化史の分野で登場するだけでなく、当時の社会や経済の状況を見ていくための資料としても用いられます。**絵画資料のどこに注目しながら読み取っていくのかを、つかんでいきましょう。

① 笠をかぶった女性が布を売ろうとしているシーンをはじめ、多くの女性が市のなかで商売をしている様子が読み取れます。
② 鎌倉時代では、「常設の見世棚」は京都・鎌倉・奈良といった都市に存在しており、地方では定期市が栄えました。

③ 絵の左下には船と船頭が描かれ、「荷物の輸送」で「水上交通が利用され」たことが推定できます。市は、交通の便が良い場所に発達したのです。
④ 「楽市令(らくいちれい)」は、戦国大名(せんごくだいみょう)が市座(いちざ)（販売座席）や市場税を廃止して「自由な営業」を保証したもので、鎌倉(かまくら)時代ではなく戦国時代に登場します。
⇒したがって、④が正解です。

ある法が過去の法からどのような影響を受けて成立したかを知るには、それぞれの法の条文を比較・検討してみる方法がある。たとえば次にあげる『御成敗式目』と『塵芥集』の各条文を読みくらべてみると、後者が前者の強い影響を受けていることが理解できるであろう。

『御成敗式目』第13条
一、殴人(おうじん)の咎(とが)の事
右、打擲(ちょうちゃく)（注1）せらるるの輩(ともがら)はその恥を雪(ささ)がんがため定めて害心を露(あらわ)すか（注2）。殴人の科(とが)、はなはだもって軽からず。よって侍においては所帯（注3）を没収せらるべし。所領なくば流罪に処すべし。郎従以下に至ってはその身を召し禁ぜしむ（注4）べし。

『塵芥集』第40条
一、人を打擲する事、侍においては所帯を取り放すべし。無足（注5）の族(やから)は他国へ追い払うべし。しかるに成敗を待たず、自分として打ち返し（注6）する事有るべからず。しかのごときの族、所帯を召し上ぐべし。無足の輩は他国へ追い払うべきなり。

（注1）殴(なぐ)ったり、たたいたりすること。
（注2）きっと殺意を抱くにちがいないの意。
（注3）「所領」に同じ。
（注4）拘禁刑に処すること。
（注5）所領のないこと。
（注6）仕返しのこと。

問1 『塵芥集』第40条は、『御成敗式目』第13条を基礎としながら、そこにいくつかの修正や省略も行っている。それについて述べた文として正しいものを、次の①～④のうちから一つ選べ。
① 立法の理由を述べた部分がより詳細になった。
② 侍は所領没収に処するとした規定が消えた。
③ 所領のない者に対する処罰が流罪から死罪に修正された。
④ 郎従以下は拘禁刑に処するとした規定が消えた。

問２　下線部について述べた文として**誤っているもの**を、次の①～④のうちから一つ選べ。

① この部分は『御成敗式目』第13条にはまったくみられない規定である。
② 裁判に頼らず、自力で復讐を果たそうとする風潮は、鎌倉時代にはまだみられなかった。
③ ここには勝手な仕返しを禁止し、大名の裁判によって紛争を解決しようとする戦国大名の意図が読み取れる。
④ 勝手に仕返しした者に対しては、殴打した側と同等の刑罰を課している。

（センター試験　1998年度　本試験）

Ⅱ
中世

解説　共通テストで出題される、**複数の史料を比較・検討していくタイプの問題**です。鎌倉幕府が初の武家法として定めた御成敗式目が、戦国大名の分国法にどのような影響を与えているのかを、史料文から読み取りましょう。

問１
① 御成敗式目では、「打擲せらるるの輩は～はなはだもって軽からず。」という立法理由を述べていますが、塵芥集ではこれがありません。
② 式目では「侍においては所帯を没収せらるべし」、塵芥集では「侍においては所帯を取り放すべし」とあるので、「規定が消えた」は誤りです。
③ 式目では「所領なくば流罪に処すべし」、塵芥集では「無足の族は他国へ追い払うべし」とあるので、「流罪から死罪に変更された」は誤りです。
④ 式目にある「郎従以下に至ってはその身を召し禁ぜしむべし」という規定が、塵芥集には見あたりませんので、「規定が消えた」は正しいです。
⇒したがって、④が正解です。

問２
① 人を殴った者に関する処罰規定は、御成敗式目にも塵芥集にも見られますが、下線部の「成敗を待たず、自分として打ち返しする」者に関する処罰規定は、式目には見あたらないので、正しいです。
② 式目は、「打擲せらるるの輩はその恥を雪がんがため定めて害心を露すか（殴られた者は汚名を晴らすため殺意を抱くに違いない）」と述べています。これは「裁判に頼らず、自力で復讐を果たそうとする風潮」があったことを示すので、「鎌倉時代にはまだみられなかった」は誤りです。
③ 仕返しを禁じたうえで、仕返しした者の処罰規定を定めたことは、「大名の裁判によって紛争を解決しようとする戦国大名の意図」を示しています。これは、のちの喧嘩両成敗法につながっていく側面を持っていました。
④ 人を殴打した者は「侍においては所帯を取り放すべし。無足の族は他国へ追い払うべし」、勝手に仕返しした者は「所帯を召し上ぐべし。無足の輩は他国へ追い払うべきなり」と定めているので、「同等の刑罰」です。
⇒したがって、②が正解です。

第12章 中世文化

世紀	文化	時期と特徴
12世紀	**1 院政期文化** **①仏教** 浄土教が地方へ　中尊寺(地方の阿弥陀堂) **②美術** 絵巻物 **③文学・芸能** 軍記物・歴史物語　今様	12世紀が中心(平安後期・末期) 院政期・平氏政権 貴族文化＋地方や庶民の要素
13世紀	**2 鎌倉文化** **①仏教** 新仏教(念仏・禅・法華経)　旧仏教(律宗) **②文学・学問** 和歌・随筆・軍記物・紀行文　歴史(愚管抄) **③美術（仏教・その他）** 建築(大仏様・禅宗様)　仏像彫刻(運慶)	13世紀が中心（鎌倉時代） 公武二元的状況（朝廷・幕府） 武家文化の成立 公家文化の伝統を保持 貿易を通じた大陸文化の伝来
14世紀	**3 室町文化** **①仏教** 臨済宗（五山・十刹の制） 浄土真宗（蓮如）→一向一揆 日蓮宗（日親）→法華一揆 **②芸能・文芸** 能（観阿弥・世阿弥）　狂言 小歌　風流 侘茶（村田珠光） 連歌（二条良基・宗祇） 御伽草子 **③学問・教育** 歴史（神皇正統記・太平記）　足利学校 **④美術** 建築（金閣・銀閣　書院造）　庭園（枯山水） 水墨画（雪舟）　狩野派	**南北朝文化** 14世紀後半が中心（室町初期） 室町幕府の成立・南北朝動乱 動乱期の社会変動を反映
15世紀		**北山文化**（足利義満・金閣） 15世紀前半が中心（室町前期） 室町幕府の支配確立 武家文化と公家文化の融合 **東山文化**（足利義政・銀閣） 15世紀後半が中心（室町中期） 室町幕府の衰退 今日につながる日本的な文化
16世紀		**戦国期文化** 16世紀前半が中心（室町後期） 文化の地方波及、庶民化の進行

(1)　(2)

第12章のテーマ

12世紀〜16世紀に展開した中世文化を見ていきます。

(1) 中世では、天皇（院）・貴族に加えて武士も権力を持ちました。**院政期文化**に続き、伝統的公家文化と新しい武家文化が並立し、仏教が社会に浸透するなかで、**鎌倉文化**が形成されました。さらに、公家文化と武家文化が融合し、貿易で大陸文化が流入し、民衆の台頭で庶民文化の影響も拡大し、今日につながる日本的要素を含んだ**室町文化**が成立しました。

(2) それぞれの文化が「○世紀」のいつごろにあてはまるのかをつかみますが、室町文化は四つの時期（南北朝文化・北山文化・東山文化・戦国期文化）に分かれることを意識しましょう。

1 院政期文化（12世紀）

まず、**院政期文化**だ。**院政**のときの文化だね→第8章。

平氏政権の時期も含むよ→第8章。平安時代の後期から末期にかけての、**12世紀**を中心とする文化だ。

平安時代には、地方で武士が成長していったけれど→第6章、そのことは文化に影響を与えたのかな。

貴族は武士や庶民に関心を持ち、地方文化を取り入れ始めた。**軍記物**が武士の活躍を記し、**今様**という庶民の歌謡を後白河上皇が学んだよ。逆に、京都の文化が地方へ広まった。平泉というと……。

そうか、奥州藤原氏が中央文化を取り入れたことを示すのが、あの**中尊寺金色堂**なんだね→第8章。

実は、中尊寺金色堂は、**阿弥陀堂**だよ。阿弥陀堂については、国風文化で学んだよね→第7章。

浄土教が、奥州藤原氏のような地方有力者にも広まった、ということか。鎌倉新仏教が生まれるのは、もうちょっと先かな。

① 仏　教

まず、**浄土教**の動向に注目しましょう。寺院に属さない**聖**や**上人**の布教活動によって浄土教が全国へ広がっていき、地方有力者により**阿弥陀堂**が建立されました。奥州藤原氏の**藤原清衡**が建てた平泉の**中尊寺金色堂**（現在の岩手県）、陸奥の**白水阿弥陀堂**（現在の福島県）、豊後の**富貴寺大堂**（現在の大分県）については、どの地方に建てられたのかを区別しましょう。

朝廷と仏教との関係は、どうだったのでしょうか。権力者は、仏教を用いてみずからの権威を高めました。〔**白河天皇**〕の**法勝寺**など、天皇家の発願による六つの大寺院（**六勝寺**）が建立され→第8章、平清盛が後白河上皇と協力して**蓮華王院**（**三十三間堂**）を造営しました→第8章。

② 美　術

院政期文化⑴（★は人名）

●建築
中尊寺金色堂（岩手・平泉）…★**藤原清衡**
白水阿弥陀堂（福島）
富貴寺大堂（大分）
●絵画
○**絵巻物**
源氏物語絵巻…貴族の生活
伴大納言絵巻…応天門の変、貴族や民衆
信貴山縁起絵巻…僧侶の奇跡、庶民生活
鳥獣戯画…動物を擬人化、社会を風刺
○その他
扇面古写経
厳島神社平家納経…★平清盛

絵巻物の傑作が生まれたのが、院政期の美術の特徴です。これは、絵と**詞書**を交互に配置して時間進行を展開させるもので、貴族文化である大和絵のなかに庶民の様子も描かれたことが注目されます。『**源氏物語絵巻**』は『源氏物語』を題材に貴族の生活を描きました。『**伴大納言絵巻**』は応天門の変の経緯を描き→第5章、貴族や都の民衆の表情が見られます。『**信貴山縁起絵巻**』は僧侶の奇跡を描き、地方庶民の生き生きとした姿が見られます。『**鳥獣戯画**』は動物を人間のように描き、人間社会を風刺しました。

このほか、**扇面古写経**には、経文の下絵に庶民の生活が描かれ、平清盛が安芸の**厳島神社**へ納めた**平家納経**には、豪華な絵や装飾が見られます。

③ 文学・芸能

文学に新しいジャンルが生まれました。**歴史物語**は、時代の変化を感じ取った貴族が過去を振り返ったもので、藤原氏の繁栄を描く『**栄華物語**』や『**大鏡**』が仮名を用いて記されました。**軍記物**は、台頭した武士への関心の高まりを示すもので、平将門の乱を記した『**将門記**』に続き→第6章、前九年合戦を記した『**陸奥話記**』が登場しました→第6章。**説話**は、貴族が庶民への関心を高め

たことを示し、『今昔物語集』は仏教説話などとともに、武士や庶民の活動や生活を描きました。

庶民的な芸能が貴族にも流行しました。庶民歌謡の今様を学んだ**後白河上皇**は、『梁塵秘抄』を編集しました。豊作祈願の踊りと音楽に始まる**田楽**や、中国から伝来した寸劇に始まる**猿楽**は、神事芸能として演じられました。室町時代には、田楽・猿楽が融合して能に発展します。

院政期文化②（★は人名）

●文学

○**歴史物語**

栄華物語…藤原道長を賛美（編年体）

大鏡…藤原道長に批判的（紀伝体）

○**軍記物**

将門記…平将門の乱

陸奥話記…前九年合戦（陸奥の安倍氏）

○**説話**

今昔物語集…インド・中国・日本説話

○歌謡

梁塵秘抄…★**後白河上皇**、**今様**を編集

Ⅱ 中世

2 鎌倉文化（13世紀）

院政期文化の次は、**鎌倉文化**だ。ざっくり**13世紀**、武士が権力を握った**鎌倉時代**の文化だから、**武家の新しい文化**だね。カンペキ！

承久の乱（1221）→第9章のあとも公武二元的な状況は続いたし、**公家の伝統文化**も存在感を保ったよ。でも、彫刻や軍記物など、武士が影響を与えた美術や文学には「素朴さ・力強さ・写実性」が表れたね。

シンプルで、パワフルで、リアル！　なんかワクワクする感じだ。

あと、当時の日本は、東アジアと盛んに交流していたはずだよ。

日宋貿易だね→第11章。蒙古襲来は大変だったけれど。そうか、貿易が活発になれば、宋や元の文化が入ってきやすいよね。

実は、仏教の禅宗の影響が大きかったんだ。日本の禅僧が中国で禅宗を学び、中国の禅僧が日本で禅宗を広めた。禅僧は、商船に乗って日中間を往来したんだ。そして、禅僧は文化人でもあったから、彼らが中国の学問・建築・絵画などを日本に伝えた。

大陸文化の影響もあるんだね。それと、禅宗も含めた**鎌倉新仏教**は日本史のなかで重要な意味を持っていたね。しっかり学ばなきゃ。

旧仏教の動きも見逃せないよ。仏教は、国家や貴族だけでなく、多くの人々を救済する方向に向かっていったんだ。

この時代に、仏教の大きな動きが生まれたのは、なぜなんだろう。

① 仏　教

鎌倉新仏教が成立した背景にある、当時の社会状況を考えてみましょう。**末法思想**の影響に加え、戦乱や飢饉などの社会不安が相次いだことで、多くの人々が救いを求めるようになったと考えられます。平安時代末期から鎌倉時代にかけて、大きくとらえれば源平争乱・承久の乱・蒙古襲来、細かく見れば鎌倉幕府の内紛（北条氏と有力御家人との争い）がありました。

一方、**旧仏教**（天台宗・真言宗など）の勢力は朝廷と結び、祈禱などによって国家の安泰を祈りました。従来の大寺院は、荘園領主として経済力を持ち、僧兵という軍事力を抱えて、私的な権力を形成していました。

こうしたなか、鎌倉新仏教の開祖たちの多くは**天台宗**を学んだのち→第7章、そのなかから特定のエッセンスとなる部分を深め、武士や庶民が求める救いの要求にこたえるべく、新しい教えを考え出していきました。こうして、鎌倉新仏教は、平易な方法を（**易行**）、一つだけ選び取り（**選択**）、ひたすらうちこむ（**専修**）、という共通の特徴を持つことになったのです。

鎌倉新仏教　宗派、開祖・著作・中心寺院、教義の内容をくらべて理解しよう

平安末期〜鎌倉初期　→　承久の乱のころ　→　蒙古襲来の前後

念仏（浄土教の系統）

浄土宗	浄土真宗	時宗
法然 『**選択本願念仏集**』→九条兼実 **知恩院**（京都）	親鸞 『**教行信証**』（唯円『**歎異抄**』） **本願寺**（京都）	一遍 （一遍の著書は現存せず） 清浄光寺（神奈川）
・**専修念仏**…「南無阿弥陀仏」 ・念仏を唱える行を重視 ・旧仏教勢力により排斥される	・**悪人正機**…煩悩深い人が救われる ・信心を重視（一念発起） ・法然に連坐して越後に流される	・善人・悪人や信心の有無と無関係の、万人往生を説く ・各地を**遊行**し、**踊念仏**で布教

坐禅（禅宗の系統）　**題目**（天台宗の法華経）

臨済宗	曹洞宗	日蓮宗
栄西 『**興禅護国論**』 **建仁寺**（京都）	道元 『**正法眼蔵**』 **永平寺**（福井）	日蓮 『**立正安国論**』→北条時頼 久遠寺（山梨）
・**公案**（師からの問題）を解決 ・幕府の保護（北条氏の帰依） ・『喫茶養生記』も著す	・**只管打坐**…ひたすら坐禅する ・権力と結ばず、越前に永平寺を建てて修行の道場とする	・**法華経**重視…「南無妙法蓮華経」 ・他宗を攻撃し、国難の到来を予言したため、幕府に迫害される

(1) 浄土教の系統から、浄土宗・浄土真宗・時宗が生まれた

【国風文化】・【院政期文化】での**浄土教**は、阿弥陀堂を建てて阿弥陀如来像を安置するなどの造寺・造仏が必要とされ、財力のある貴族や地方有力者に受け入れられました→第7章。鎌倉文化では、浄土教のなかから「**他力**（阿弥陀仏）」を頼って救われようとする**浄土宗**・**浄土真宗**・**時宗**の3宗派が生まれ、武士や庶民に広まりました。

平安時代末期に浄土宗を開いた**法然**は、ひたすら**念仏**「南無阿弥陀仏」を唱える行を積めば、誰でも極楽浄土に往生できる、という**専修念仏**を説きました。浄土宗は公家にも支持を広げ、法然は摂関家の九条兼実の求めで『**選択本願念仏集**』を著しました。しかし、法然は旧仏教勢力から非難され、朝廷によって流罪とされるなどの弾圧も受けました（親鸞もこのとき流罪となる）。

法然の弟子で、浄土真宗を開いた**親鸞**は、阿弥陀仏を信じる信心を重視し、煩悩の深い「悪人」こそが阿弥陀仏の救いの対象である、という**悪人正機**を説きました。仏教の善を実践できない無力さを自覚した悪人は（悪人といっても「悪いヤツ」という意味ではありません）、自分の力でなんとかしようとせずに阿弥陀仏を頼り切るので、そういった人間をこそ阿弥陀仏は救いたいのだ、という絶対他力の教えです。親鸞の著作に『**教行信証**』がありますが、悪人正機は弟子の唯円が著した『**歎異抄**』のなかに、「**善人なをもちて往生をとぐ、いはんや悪人をや**」と記されています。「善人でも往生できるのだから、悪人はもちろんのことだ」として、悪人こそが救われる、と主張したのです。

鎌倉時代後期に時宗を開いた**一遍**は、善人・悪人や信心の有無に関係なく、すべての人は念仏によって往生できる、と説きました。そして、全国を**遊行**しながら、往生の喜びを共有する**踊念仏**をおこない（念仏を唱えながら鉦・太鼓に合わせて踊る）、地方へ布教していきました。

(2) 中国からもたらされた禅宗から、臨済宗・曹洞宗が生まれた

禅宗は、**坐禅**などの修行をおこなって「**自力**」で悟りを開こうとする教えで、南宋から伝えられ、**臨済宗**・**曹洞宗**の2宗派が生まれました。

鎌倉時代初期、**栄西**が開いた臨済宗は、坐禅を組み、師から与えられた**公案**（禅問答）を解決して、悟りに達しようとするものでした。栄西は、『**興禅護国論**』を著し（茶の効能を説いた『喫茶養生記』も著す）、京都に**建仁寺**を建てました。北条氏をはじめとする鎌倉幕府の有力者は臨済宗を保護し、栄西の死後、幕府は南宋から来日した臨済宗の僧侶を招いて、禅宗を通じた中国文化の摂取を進めました。**蘭溪道隆**は、執権**北条時頼**の求めで鎌倉に**建長寺**を開き、**無学祖元**は、執権**北条時宗**の求めで鎌倉に**円覚寺**を開きました。建長寺は室町

時代の【北山文化】で登場する鎌倉五山第1位、円覚寺は鎌倉五山第2位となります。

道元が開いた曹洞宗は、ひたすら坐禅を組むことで悟りに達しようとするものでした（**只管打坐**）。道元は『**正法眼蔵**』を著し、権力と結ばず越前の**永平寺**を道場としたので、曹洞宗は地方武士に広まりました。

(3) 法華経という経典そのものを重視する日蓮宗が生まれた

13世紀後半に現れた**日蓮**は、天台宗の経典である**法華経**への信仰を深め、**題目**「南無妙法蓮華経」を唱えることで救われるとする、**日蓮宗**（**法華宗**）を開きました。日蓮は『**立正安国論**』を著して北条時頼へ提出し、他の宗派を攻撃したり、国難の到来を予言したりしたため、幕府から弾圧されました。

※仏教思想のイメージをつかみ、それぞれの宗派の特徴を理解しましょう。

鎌倉新仏教のイメージ ※あくまでも、イメージや「たとえ話」です。

●浄土教の系統には、いろいろな方向性があります。法然「念仏は、数多く唱えることが大事だ」。親鸞「念仏は、信じる心が大事だ」。一遍「とにかくみんなが念仏で救われるんだから、踊っちゃえ！」。

●臨済宗の公案は、論理的に無理のある問いかけです。「両手を叩いたら音が鳴るけれど、片手で叩いたらどんな音が鳴る？」「エッ……（困った）」。とんちと似ているところがありますね（とんちは一休さんのように切り返せばいいのですが、公案は坐禅を組んで答えを考え続けなきゃいけないのがツライ）。曹洞宗は、坐禅そのものが目的であり、ひたすら坐って「無」の境地になります。雑念があると、「喝！」。

●日蓮宗の題目とはタイトルのことで、「妙法蓮華経（法華経）」というタイトルを何度も唱えれば、法華経の力によって救われます。受験参考書のタイトルを何度も唱えると、その内容が全部頭のなかに入って合格できるといいのですが、そんなうまい話はありません。というわけで、がんばりましょう！

(4) 旧仏教勢力は、浄土宗を批判しつつ、戒律を尊重し、社会事業を推進した

旧仏教のなかからも新しい動きが出てきました。鎌倉時代初期、奈良の興福寺・東大寺などを拠点とする**南都仏教**の勢力から、**法相宗**の**貞慶**や、**華厳宗**の**明恵**（**高弁**）が出て、法然（浄土宗）への批判を強めつつ、**戒律**を尊重するという原点に立ち返って信頼回復につとめました。さらに、13世紀後半、**律宗**の**叡尊**が奈良の**西大寺**を復興するとともに→第7章、橋・道路の建設や貧民の救済などの社会事業を推進し、その弟子の**忍性**は奈良に病人救済施設の北山十八間戸を建てました。叡尊・忍性は北条氏に招かれ、律宗は幕府に受け入れられました。

(5) 神仏習合は神道思想の形成を促し、伊勢神道が現れた

神仏習合は→第7章、神道思想の形成を促しました。鎌倉末期、伊勢神宮の**度会家行**は、**伊勢神道**で神本仏迹説（本地垂迹説の一種で、神が上で仏が下とする）を理論化しました。

② 文学・学問

(1) 文学では、和歌・随筆に加え、軍記物の発展や紀行文の登場が見られた

和歌では、**後鳥羽上皇**の勅撰で技巧的な表現を示した**『新古今和歌集』**（**藤原定家**・藤原家隆らの編纂）に加え、出家して諸国をめぐった**西行**の**『山家集』**や、万葉調の力強い歌を詠んだ将軍**源実朝**の**『金槐和歌集』**なども作られました。

随筆では、鎌倉初期（13世紀初め）の**鴨長明『方丈記』**が、社会の変転のむなしさを説き、鎌倉末期（14世紀前期）の**兼好法師『徒然草』**が、時代状況を鋭い視点で批評しました。

武士の活動に関心が高まり、軍記物が盛んとなりました。平家の盛衰を描いた**『平家物語』**は、盲目の**琵琶法師**たちによる**平曲**（語りと伴奏）で、文字の読めない庶民にも広まりました。

公武二元政治を背景に、京都・鎌倉間を往来した**紀行文**が生まれました。**阿仏尼**の**『十六夜日記』**は所領訴訟のため京都から鎌倉に赴いた記録です。

説話では、仏教を基調とする**無住**の**『沙石集』**などが書かれました。

鎌倉文化⑴（★は人名）

●文学
○和歌
新古今和歌集
…★**後鳥羽上皇**勅撰、★**藤原定家**らの編
山家集…★西行
金槐和歌集…★源実朝、万葉調
○随筆
方丈記…★**鴨長明**（鎌倉初期）
徒然草…★**兼好法師**（鎌倉末期）
○軍記物
平家物語…平家の盛衰を描く
保元物語・平治物語
○**紀行文**
十六夜日記…★阿仏尼、京と鎌倉を往来
東関紀行・海道記
○説話
沙石集…★無住
十訓抄

(2) 歴史書が盛んに作られ、武家・公家・僧侶による学問が展開した

歴史に対する興味・関心の深まりから、歴史書が盛んに作られました。天台座主（延暦寺の最高僧）で摂関家出身の**慈円**（九条兼実の弟）が著した**『愚管抄』**は、末法思想の影響も含め、**道理**（歴史のあるべき流れ）により歴史を解釈するこころみが見られます。保元の乱以降

鎌倉文化⑵（★は人名）

●学問
○歴史
愚管抄…★**慈円**、道理による歴史解釈
吾妻鏡…鎌倉幕府の歴史
元亨釈書…★虎関師錬、日本仏教史
○有職故実
禁秘抄…★〔順徳天皇〕

は「**武者ノ世**」であるのが道理だとして、後鳥羽上皇の討幕計画をいさめる目的で書かれました。また、鎌倉幕府は幕府の歴史である『**吾妻鏡**』を編纂し、虎関師錬は日本の仏教史を『**元亨釈書**』にまとめました。

鎌倉幕府の機構や法が整備されるなか、武士も学問への関心を高めました。**金沢文庫**（武蔵国）は、**北条実時**が和漢の書物を集めて開いた図書館です。

一方、公家は朝廷の伝統を保とうとしたため、儀式や年中行事の先例を研究する**有職故実**が盛んとなり、〔**順徳天皇**〕が『**禁秘抄**』を著しました。

禅僧は、儒学の一つである**宋学**（朱子学）を大陸から伝えました。君臣の別をただす**大義名分論**は〔**後醍醐天皇**〕の討幕運動に影響を与えました→第10章。室町時代になると、宋学は五山のなかで禅僧によって学ばれ、さらに江戸時代の朱子学につながっていきます→第18章。

③ 美術（仏教・その他）

(1) 大陸から伝来した、大仏様・禅宗様の建築様式が用いられた

源平争乱で平氏の焼打ちを受けた興福寺・東大寺が復興すると→第8章、建築や彫刻に新しい動きが見られました。寺院建築では、大陸から新しい様式が伝わりました。東大寺の再建にあたり、勧進（人々からの寄付）を進めた**重源**は、宋の技術者である**陳和卿**を登用し、**大仏様**を導入しました。大きな建築に向いている豪放な様式で、**東大寺南大門**が代表例です。

禅宗様も大陸から伝えられ、禅宗寺院に用いられました。花頭窓などを取り入れた精巧な様式で、**円覚寺舎利殿**が代表例です。

また、大陸の様式と日本の様式を合わせた**折衷様**も登場しました。

鎌倉文化③（★は人名）

●美術

○建築

東大寺南大門…**大仏様**

円覚寺舎利殿…**禅宗様**

○彫刻

東大寺南大門金剛力士像…**★運慶・快慶**

興福寺無著・世親像…★運慶

六波羅蜜寺空也上人像

○絵画

一遍上人絵伝…踊念仏・福岡市・武士の館

北野天神縁起絵巻…菅原道真の生涯

蒙古襲来絵巻…肥後の御家人竹崎季長の活躍

男衾三郎絵巻…笠懸など地方武士の生活

伝 源頼朝像…**★藤原隆信**　似絵

(2) 興福寺・東大寺に、運慶らによる写実的な仏像彫刻が登場した

仏像彫刻では、興福寺・東大寺の復興にあたり、**運慶**らの奈良仏師が活躍しました。そして、天平文化のときに見られた

仏師 仏像を製作

鞍作鳥…法隆寺金堂釈迦三尊像～**飛鳥文化**

定朝…平等院鳳凰堂阿弥陀如来像～**国風文化**

運慶・快慶…東大寺南大門金剛力士像～**鎌倉文化**

写実性が復活し、武士の台頭という時代のあり方を示すような、素朴で力強い表現の木像が製作されました。**東大寺南大門**の**金剛力士像**は、**運慶**と**快慶**（運慶の父の弟子）の合作です。また、運慶の子によって**六波羅蜜寺**の**空也上人像**も製作されました（口から6体の仏像が出る）。空也は、【国風文化】の時期に浄土教を布教した人物です→第7章。

(3) 絵巻物に加えて似絵が登場し、陶器や刀剣などの工芸も盛んになった

絵画では、院政期に発展した絵巻物が鎌倉文化で最盛期を迎え、仏教や御霊信仰を背景とする『**一遍上人絵伝**』『**北野天神縁起絵巻**』や、武士の活動を描いた『**蒙古襲来絵巻**』『男衾三郎絵巻』などが製作されました。また、写実的な肖像画である**似絵**が登場し、**藤原隆信**が活躍しました。禅僧の肖像画である**頂相**が伝来し、弟子が師の頂相を崇拝する風習も始まりました。

書道では、尊円入道親王が、従来の和様に宋の書風を加えた**青蓮院流**を創始しました。

工芸では、武具の生産が盛んとなり、甲冑では**明珍**、刀剣では鎌倉の〔岡崎〕**正宗**、京都の藤四郎吉光（粟田口吉光）、備前の〔長船〕長光らの工人が活躍しました。また、生活道具として陶器が生産され、尾張の**瀬戸焼**（**加藤景正**が創始したといわれる）や備前の備前焼が、各地に流通しました。

3 室町文化（14世紀後半～16世紀前半）

中世文化の最後は、**室町文化**だ。**室町時代**は、結構長いね。

いくつかに区切るといいよ。まず、室町初期の**14世紀後半**を中心に【**南北朝文化**】が展開した。

南北朝動乱があって、社会が大きく変わっていった時期だよね。武士の地縁的結合が強まったり、惣村が広がったり→第10章。

こういった時代の転換期には、歴史書や軍記物が書かれるんだ。次に、室町前期の14世紀末から**15世紀前半**にかけてが【**北山文化**】だ。

3代将軍**足利義満**の時代だね。**金閣**は、きらびやかだ！　義満は太政大臣になって、朝廷のトップにも立ったね→第10章。

金閣には、国風文化の寝殿造と、鎌倉文化の禅宗様の、両方が含まれる。室町幕府が京都にあったことも背景に、公家文化と武家文化が

融合したんだ。次に、室町中期の**15世紀後半**が【**東山文化**】だ。

8代将軍**足利義政**の時代だ。**銀閣**は、シブい！って古い言葉か。**書院造**なら知っているよ。今の和室につながるんだよね。

禅の精神にもとづく簡素さを備えた、今日につながる日本的な文化が生まれた。「伝統的な・和風の」文化は、これ以降のものが多いよ。

たしかに、平安時代の国風文化を「和風」っていわないものね。

そして、室町後期の**16世紀前半**が【**戦国期文化**】だ。

時代は**戦国時代**か。応仁の乱（1467～77）が起きて→第11章、公家が地方へ避難したから、京都の文化が地方へ伝わったんだね。

戦国大名も、文化を摂取するため、公家や文化人を迎え入れたんだよ。

大名は城下町を作ったから、そこが地方文化の拠点になるのかな！

大内氏の城下町**山口**では、古典の講義や出版事業がおこなわれた。また、経済力をつけて台頭した民衆が文化の担い手になったよ。

① 仏　教

(1) 臨済宗は室町幕府の保護を受け、五山・十刹の制の下で五山文学も栄えた

五山 京都の**南禅寺**を五山の上に置く

京都五山…**天龍寺**・**相国寺**・建仁寺・東福寺・万寿寺
鎌倉五山…**建長寺**・**円覚寺**・寿福寺・浄智寺・浄妙寺

臨済宗は、室町幕府の保護を受けました。足利尊氏は、禅僧の**夢窓疎石**を頼り、天龍寺船を元へ派遣して**天龍寺**を造営しました→第11章。足利義満は、南宋の官寺の制にならって**五山・十刹の制**を整備し、臨済宗寺院を組織しました（**京都五山**は**天龍寺**・**相国寺**など、**鎌倉五山**は**建長寺**・**円覚寺**など）。

五山の禅僧は、文化面では、禅宗文化（水墨画・建築・庭園）を中国から輸入するのに貢献しました。【北山文化】の時期には、漢詩文の創作や（**五山版**として出版）、朱子学の研究がおこなわれ、**絶海中津**・**義堂周信**を中心に**五山文学**が発展しました。また、外交面では、外交文書を作成し、室町幕府の外交使節となりました。彼らは中国僧との交流や中国渡航の経験があり、中国語での会話に加えて漢文も使いこなせたからです。

一方、五山・十刹の系統に属さない禅宗諸派（**林下**）は民間布教を進め、臨済宗では、京都の**大徳寺**（**一休宗純**が出る）・妙心寺が中心でした。

室町時代における新仏教の展開

	南北朝（室町初期）・室町前期	室町中期	戦国（室町後期）
臨済宗	室町幕府の保護 **夢窓疎石**…足利尊氏（天龍寺） 五山・十刹の制…足利義満 京都（天龍寺・相国寺など） 鎌倉（建長寺・円覚寺など） **五山文学**…絶海中津・義堂周信	**林下**（五山・十刹に属さず） **大徳寺**（**一休宗純**）	
浄土真宗（一向宗）		蓮如（15世紀後期） **越前吉崎** →北陸・東海・畿内へ布教 **御文**を用いる　**講**を組織	**加賀の一向一揆**（1488～1580） 法華一揆に敗北（1532） →本願寺は山科から石山へ **石山合戦**（1570～80） 織田信長と対決
日蓮宗		日親（15世紀中期　6代義教） 京都の町衆へ布教 室町幕府による弾圧	法華一揆（1532～36） 山科本願寺を焼打ち **天文法華の乱**（1536） 延暦寺に敗北

(2) 浄土真宗では、蓮如の布教で本願寺の勢力が拡大し、一向一揆も起こった

浄土真宗（**一向宗**）では、応仁の乱（1467～77）の前後の時期に本願寺の**蓮如**が登場し、越前の**吉崎**を拠点に、北陸から東海・畿内へと布教を拡大しました。蓮如は、惣村の結合を利用して**講**を組織し、平易な文章の**御文**で教えを説きました。やがて一向宗門徒の団結を基盤とする本願寺の勢力は、**加賀の一向一揆**で守護富樫氏を攻め滅ぼすまでに至ったのです→第11章。

(3) 日蓮宗は、日親の布教によって京都町衆に広がり、法華一揆が結成された

日蓮宗（**法華宗**）では、6代将軍足利義教のころ（15世紀中期）に**日親**が登場し、京都の町衆（商工業者）に信者を獲得しました。のち、京都の日蓮宗徒は戦国時代（16世紀前期）に**法華一揆**を結成し、一向一揆に対抗して山科本願寺を焼打ちしました（本願寺は石山へ）。しかし、法華一揆は延暦寺に敗れ（**天文法華の乱**）、日蓮宗徒は京都を追われました。

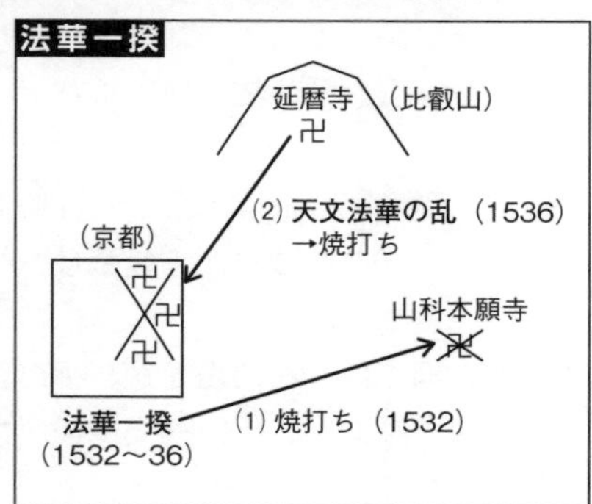

(4) 神道思想では、神本仏迹説にもとづく唯一神道が生まれた

神道思想では、神本仏迹説（神が上で仏が下）にもとづき、**吉田兼倶**が神道に仏教・儒教を融合した**唯一神道**を唱えました。

神道思想

伊勢神道…度会家行～**鎌倉文化**
唯一神道…吉田兼倶～**室町文化**
垂加神道…山崎闇斎～**元禄文化**
復古神道…平田篤胤～**化政文化**

② 芸能・文芸

(1) 能は、北山文化の時期、観阿弥・世阿弥によって大成された

能は、**猿楽**（寺社に奉納する雑芸）に**田楽**（豊作祈願の歌と踊り）が融合して、歌舞と演劇による舞台芸能に発展したものです。猿楽の専門集団が各地で生まれ、大和国では興福寺・春日神社に奉仕する大和四座が活動しました。その一つである**観世座**の**観阿弥**・**世阿弥**父子は、脚本である**謡曲**を著すとともに、**足利義満**の保護を受け、【北山文化】の時期に芸術性を高めた能（猿楽能）を完成させました。世阿弥は、能の理論書である『**風姿花伝**』をまとめました。

室町文化①（★は人名）

●芸能・文芸
○能
風姿花伝…★**世阿弥**　能の理論書
○小歌
閑吟集
○連歌
菟玖波集…★**二条良基**（準勅撰）
応安新式…★**二条良基**　連歌の規則書
新撰菟玖波集…★**宗祇**　**正風連歌**
犬筑波集…★**山崎宗鑑**　俳諧連歌
○御伽草子
一寸法師・浦島太郎など

能とセットで演じられるようになったのが、**狂言**です。風刺がこめられた喜劇で、民衆の日常語が用いられています。

(2) 庶民的な芸能として、小歌や風流が人々の間で流行した

庶民的な芸能も発達しました。**小歌**は室町時代に流行した庶民歌謡で、歌集の『**閑吟集**』が編集されました。

庶民歌謡

今様…『梁塵秘抄』（後白河上皇）～**院政期文化**
小歌…『閑吟集』～**室町文化**

風流（風流踊り）は、華やかな服を着て集団で踊るもので、これが念仏踊りと結合し、現在につながる**盆踊り**へ発展しました。

(3) 茶の湯では、村田珠光が、禅の精神を取り入れた侘茶を始めた

茶の湯（茶道）では、鎌倉時代、栄西が禅宗寺院での喫茶を宋から伝え、それが寺院外の人々にも広まっていきました。【南北朝文化】の時期、**茶寄合**という茶会が盛んにおこなわれ、茶を飲みくらべて産地を当てて賭け物を競う**闘茶**が流行しました。

【東山文化】の時期、**村田珠光**は一休宗純に学び、当時娯楽となっていた茶の湯に禅の精神を取り入れて、質素な**侘茶**をつくり出しました。これを、【戦国期文化】で武野紹鷗が受け継ぎ、のちの【桃山文化】で堺商人の**千利休**が大成しました→第18章。

生け花（花道）では、床の間を飾る立花様式が生まれ、【東山文化】の時期には**池坊専慶**が活躍しました。

(4) 連歌は、二条良基が基礎を築き、宗祇が正風連歌を確立した

連歌は、和歌の上の句（五・七・五）と下の句（七・七）を人々が連作していくものです。室町時代には、経済の発達によって民衆の力が向上したことを背景に、連歌のような共同でおこない集団で楽しむ文芸が流行したのです。

【南北朝文化】の時期、摂関家の**二条良基**は**『菟玖波集』**を編集し、これが準勅撰となって、連歌は和歌と対等の地位を築きました。二条良基は、連歌の規則書である『応安新式』も著しました。

【東山文化】の時期、**宗祇**は芸術的な**正風連歌**を確立し、『新撰菟玖波集』を編集しました。宗祇は連歌師として各地をめぐり、大名や武士が開く会合に招かれて、連歌の普及につとめました。【戦国期文化】の時期、**山崎宗鑑**は庶民的な俳諧連歌を創始し、『犬筑波集』を編集しました。

のち、連歌から上の句（五・七・五）が独立して俳諧となり、近世における俳諧の発展につながっていきます→第18章。

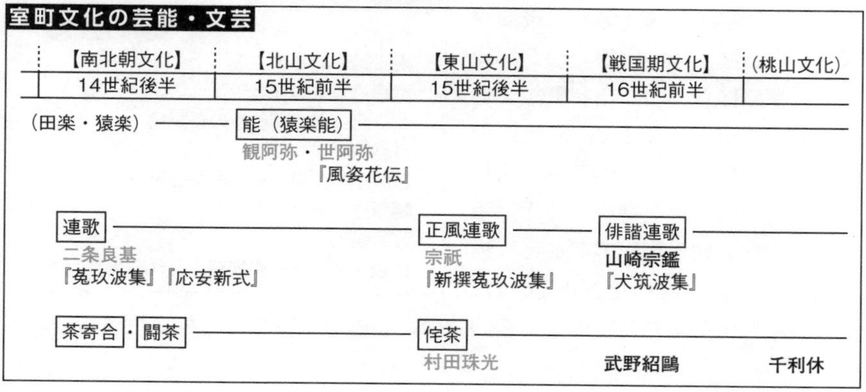

室町文化の芸能・文芸

【南北朝文化】14世紀後半	【北山文化】15世紀前半	【東山文化】15世紀後半	【戦国期文化】16世紀前半	（桃山文化）
（田楽・猿楽）	能（猿楽能） 観阿弥・世阿弥 『風姿花伝』			
連歌 二条良基 『菟玖波集』『応安新式』		正風連歌 宗祇 『新撰菟玖波集』	俳諧連歌 山崎宗鑑 『犬筑波集』	
茶寄合・闘茶		侘茶 村田珠光	武野紹鷗	千利休

(5) 絵と日常語による短編物語の、御伽草子が生まれた

御伽草子は、絵が入った短編物語で、当時の日常語で書かれ、民衆に好まれました。『物くさ太郎』『一寸法師』『浦島太郎』などは、いわゆる「日本むかしばなし」としてなじみがあるものですね。

のち、御伽草子から、近世における仮名草子へ、さらに浮世草子へと変化していきます→第18章。

③ 学問・教育

(1) 南北朝動乱のなかで、歴史意識が高まり、歴史書が書かれた

南北朝動乱が続くなか、社会が変化していくと、歴史意識が高まりました。【南北朝文化】の時期には、さまざまな立場からの歴史書や軍記物が記されました。

北畠親房の『神皇正統記』は、南朝の正統性を主張して皇位継承の歴史を記し、『**梅松論**』は武家(室町幕府)の立場で足利氏の政権掌握過程を描き、『増鏡』は公家の立場で鎌倉時代を記しました。また、『太平記』は、南北朝動乱を南朝に好意的に描いた軍記物です。

歴史書と軍記物

●歴史書
愚管抄(慈円)～**鎌倉文化**
神皇正統記(北畠親房)～**南北朝文化**
●軍記物
将門記…平将門の乱
陸奥話記…前九年合戦 ～**院政期文化**
平家物語…平家の盛衰～**鎌倉文化**
→琵琶法師の**平曲**
太平記…南北朝動乱～**南北朝文化**

(2) 公家は伝統文化を維持し、有職故実や古典の研究を続けた

鎌倉時代に引き続き、室町時代でも、公家は伝統文化を維持しました。【南北朝文化】の時期、〔**後醍醐天皇**〕の『建武年中行事』や北畠親房の『**職原抄**』といった有職故実の書が記されました。【東山文化】の時期には、摂関家の**一条兼良**が有職故実や古典の研究を進め、9代将軍足利義尚への政治意見書である『**樵談治要**』を記しました。また、『古今和歌集』の解釈を特定の人に口頭で伝える**古今伝授**もおこなわれました。

室町文化(2) (★は人名)

●学問
○歴史
神皇正統記…★北畠親房　南朝の正統性
梅松論…武家の立場
増鏡…公家の立場
太平記…南北朝動乱の軍記物
○有職故実
建武年中行事…★〔後醍醐天皇〕
職原抄…★北畠親房
○政治論
樵談治要…★**一条兼良**　9代将軍義尚へ

(3) 戦国期に、大名が学者を招き、朱子学は地方へ広がった

五山で学ばれていた朱子学は、【戦国期文化】の時期には地方に広がりました。五山の禅僧の桂庵玄樹は、肥後の菊池氏や薩摩の島津氏に招かれて朱子学を講義し、**薩南学派**の祖となりました。また、南村梅軒が土佐に招かれ、**海南学派**(**南学**)の祖となったとされます→第18章。

(4) 関東管領の上杉憲実によって、足利学校が再興された

武士の学問・教育
金沢文庫（武蔵国）…北条実時〜**鎌倉文化**
足利学校（下野国）…上杉憲実〜**室町文化**

教育では、15世紀中ごろ、足利学校（下野国）が関東管領の**上杉憲実**によって再興されました（上杉憲実は永享の乱で鎌倉公方の足利持氏と対立→第10章）。足利学校には全国から禅僧や武士が集まって学び、のちにフランシスコ＝ザビエルが「坂東の大学」とヨーロッパに紹介しました。

室町時代には、武士の子弟は寺院で教育を受け、手紙文の文例を集めた『庭訓往来』などの往来物が教科書として用いられました。また、日用語を集めた辞典である**『節用集』**が出版されました。

④ 美　術

(1) 金閣は北山文化、銀閣は東山文化を象徴し、東山文化で書院造が登場した

室町文化③（★は人名）

●美術
○建築
鹿苑寺金閣…★足利義満　寝殿造＋禅宗様
慈照寺銀閣…★足利義政　書院造＋禅宗様
慈照寺東求堂同仁斎…書院造
○庭園
龍安寺庭園・大徳寺大仙院庭園…枯山水
○絵画
瓢鮎図…★**如拙**　水墨画
四季山水図巻・天橋立図・秋冬山水図
…★雪舟　水墨画
大徳寺大仙院花鳥図…★狩野元信

建築では、鎌倉文化の禅宗様が広まるとともに、住宅建築が寝殿造の伝統をひくものから書院造へと変わっていきました。足利義満が造った京都北山の山荘（死後に**鹿苑寺**となる）の金閣は、1・2層が寝殿造風、3層が禅宗様で、【北山文化】の名称の由来となりました。足利義政が造った京都東山の山荘（死後に**慈照寺**となる）の銀閣は、1層が書院造、2層が禅宗様で、【東山文化】の名称の由来となりました。

書院造
床の間・違い棚・付書院・明障子
隣の部屋とは襖と障子で仕切る
床は全体に畳を敷き詰める

【東山文化】で登場した書院造は、寝殿造をベースに禅宗寺院の書斎の様式を取り入れたもので、**慈照寺東求堂同仁斎**が典型例です。

(2) 禅宗寺院には、枯山水の様式による庭園が造られた

禅宗寺院には、禅の精神にもとづき、水を使わずに砂や石だけで自然を抽象的に表現する枯山水の庭園が造られました。**龍安寺**の**庭園**や**大徳寺大仙院**の**庭園**が典型例です。また、東山山荘（慈照寺）の庭園は、被差別民の山水河原者である善阿弥が造りました。

(3) 水墨画が中国から伝えられ、禅画から日本的な水墨画が成立していった

水墨画は墨の濃淡で表現する絵画で、禅僧が宋・元・明から画題や技法を伝えました。日本的な大和絵に対し、中国的な絵画が水墨画なのです。

【北山文化】の時期、五山の禅僧である明兆・**如拙**・**周文**が水墨画の基礎を作りました。**如拙**の**『瓢鮎図』**は、「ツルツルのひょうたんで、ヌルヌルのナマズをおさえて捕ることができるか？」という臨済宗の公案問答が表現されており、画題も禅宗と深い関係を持つものでした。

【東山文化】の時期になると、五山の禅僧の雪舟が、明に渡って技法を学び、帰国後に地方をめぐって日本の自然を描き、禅画の制約を超えた日本的な水墨画を大成しました。雪舟の作品に、『四季山水図巻（山水長巻）』などがあります。

(4) 狩野派は、権力者と関わりながら、絵画の流派を作っていった

水墨画の墨のデッサンに、大和絵の絵の具の彩色を取り入れた、新しい画風を打ち出したのが狩野派です。権力者と関わりながら、近世につながる画派の系統を作りました。【東山・戦国期文化】の時期に、**狩野正信**が室町幕府の御用絵師をつとめ、正信の子の**狩野元信**が狩野派を確立して『大徳寺大仙院花鳥図』などを描きました。のちの【桃山文化】では、織田信長・豊臣秀吉と関係を持った狩野永徳が活躍します→第18章。

伝統的な大和絵では、【東山文化】の時期に**土佐光信**が出て朝廷の御用絵師をつとめ、**土佐派**が起こされました。

室町文化の美術

【南北朝文化】	【北山文化】	【東山文化】	【戦国期文化】	（桃山文化）
14世紀後半	15世紀前半	15世紀後半	16世紀前半	

水墨画
- 明兆　如拙『瓢鮎図』　周文
- 雪舟『四季山水図巻』

狩野派
- 狩野正信
- 狩野元信『大徳寺大仙院花鳥図』
- 狩野永徳

土佐派
- 土佐光信

チェック問題にトライ！

戦国時代、所領の荘園を直接支配するために和泉国に下ったある貴族は、荘内の神社の祭礼で近隣の村人が能などの芸能を演ずるのをみて、強い印象を受けた。彼は日記にその感想を、次のように書いている。

誠に以て賤士の柴人等(注1)の所行の躰、都の能者に恥じず。船淵(注2)の百姓四郎太郎左近とて、入木等細々荷い来る賤夫(注3)、大夫を勤む。下民たりといえども侮るなかれとは、是れなり。

（『政基公旅引付』文亀元年〔1501年〕8月15日条）

（注1） 賤士の柴人等は、身分の低い柴刈りらの意。
（注2） 船淵は荘内の村落名。　（注3） 賤夫は身分の低い男の意。

問　戦国時代、この貴族に強い印象を与えたような芸の持ち主が、畿内の農村に出現した背景を述べた文として**誤っているもの**を、次の①～④のうちから一つ選べ。

① 能の源流の一つである田楽は、古くから農村の庶民の間で親しまれ、各地の祭礼で演じられていた。
② 農業の進歩にともなって、民衆の生活が向上し、民衆が参加し楽しむ各種の芸能も盛んになった。
③ 相次ぐ戦乱により、都市と農村の交流がとだえ、閉ざされた農村のなかで新たな独自の芸能が発達した。
④ 畿内を中心に、惣村（惣）と呼ばれる自立的・自治的な村が数多く出現し、各々の村がその芸能を競いあった。　（センター試験　1994年度　追試験）

解説　**文化の特徴には、その時代の政治・外交・社会・経済に影響を受ける**側面があります。史料によれば、この貴族は、村人が演ずる能などの芸能が「都の能者に恥じず」「下民たりといえども侮るなかれ」、つまり身分が低い者が演じた芸能でも都の能役者に劣らないものだ、という「強い印象」を受けたのです。こういった熟達した芸能が、戦国時代の「畿内の農村に出現した背景」を考えましょう。

① 田楽は豊作祈願の踊りと音楽に始まる神事芸能であり、田楽と猿楽が能に発展していったので、正しいです。
② 畿内は中世の経済先進地域で→第11章、経済力をつけた民衆も文化の担い手として成長し、集団で共同して楽しむ庶民芸能が盛んになったのです。
③ 畿内では都市と農村の経済交流が盛んで（高利貸資本の農村への浸透が徳政一揆の背景でした→第10章）、都の文化と農村の文化が融合し、農村にも洗練された文化が生まれました。「閉ざされた農村のなかで新たな独自の芸能が発達した」とすれば、都の貴族が「都の能者に恥じず」という評価を下さないでしょう。
④ 畿内中心の惣村出現は、正しいです。また、「各々の村がその芸能を競いあった」ことで、熟達した芸能が農村に生まれた、という因果関係は成立します。

⇒したがって、③が正解です。

近世 総合年表

世紀	将軍	権力者	政治	外交・社会・経済	文化
				第13章 1ヨーロッパ世界との接触	
16世紀後半	⑮義昭	織田信長 豊臣秀吉	第13章 2織田信長・豊臣秀吉の統一 第13章 3豊臣政権の支配構造	第13章 1ヨーロッパ世界との接触 第13章 3豊臣政権の支配構造	第18章 1桃山文化
17世紀前半	①家康 ②秀忠 ③家光	大御所家康 大御所秀忠	第14章 1徳川将軍による支配	第14章 2村と百姓、町と町人 第14章 3江戸幕府が築いた対外関係	第18章 2江戸初期の文化
17世紀後半	④家綱 ⑤綱吉		第15章 1文治政治への転換と元禄時代	第15章 3経済発展の全国的展開 第14章 3江戸幕府が築いた対外関係	第18章 3元禄文化

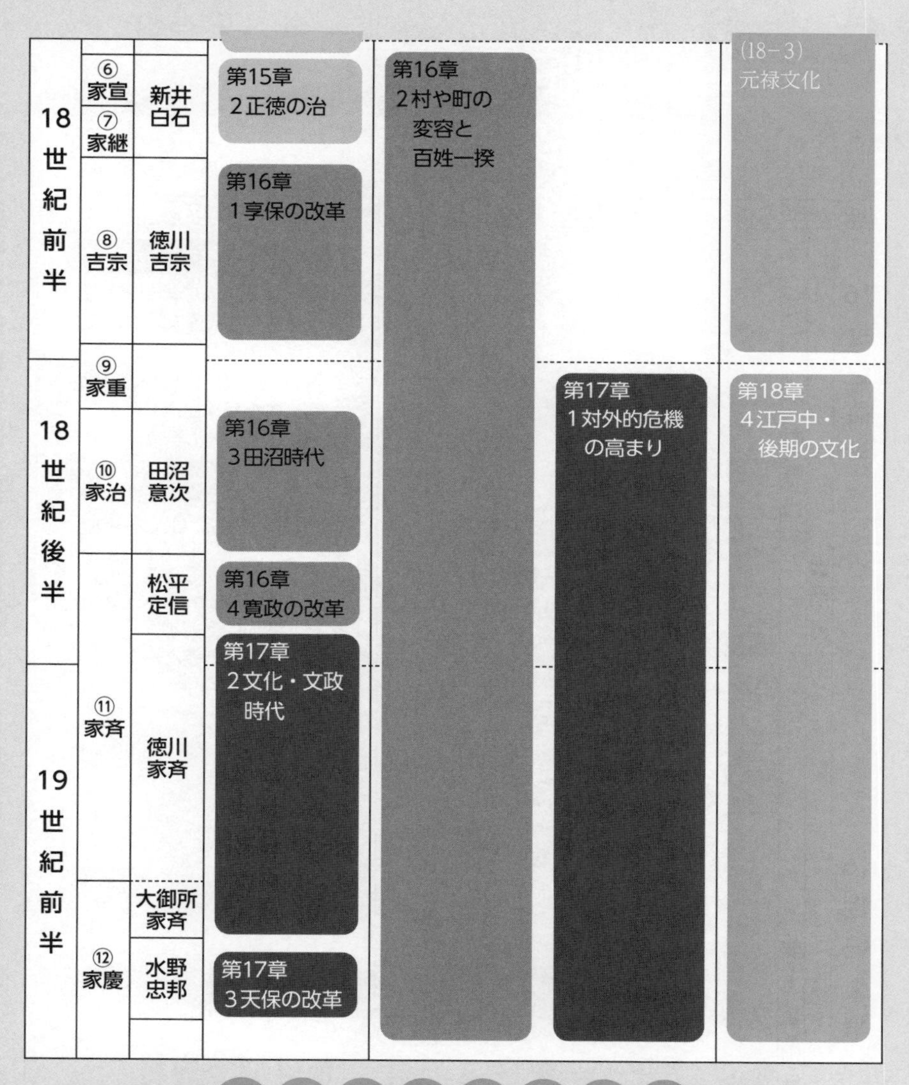

この時代のテーマ

第13章 織豊政権：信長・秀吉の全国統一の過程と、近世社会の成立を扱います。
第14章 江戸幕府の支配体制：幕藩体制のしくみと、「鎖国」への道を追います。
第15章 近世社会の展開：文治政治と、全国的な経済発展の状況をながめます。
第16章 江戸幕府の政治改革：享保の改革から始まる幕政改革の内容を見ていきましょう。
第17章 幕藩体制の動揺：列強の接近に、幕府はどう対応したのでしょうか。
第18章 近世文化：経済発展を背景に、学問・思想・文芸などの分野で花開きました。

織豊政権
（安土・桃山時代）

世紀	時代		政権	政治・社会	外交
16世紀前半	戦国期	室町時代		（1）	1 ヨーロッパ世界との接触
16世紀後半			織田信長	2 織田信長・豊臣秀吉の統一	（2）
		（安土桃山時代）	豊臣秀吉	3 豊臣政権の支配構造	（3）

1 ヨーロッパ世界との接触

①ヨーロッパ人のアジア進出

ポルトガル人漂着（1543）
→鉄砲の伝来
鉄砲の国産化、戦術の変化
ザビエルが来航（1549）
→キリスト教の伝来
イエズス会の布教
キリシタン大名
天正遣欧使節（1582～90）

②南蛮貿易

ポルトガル船・スペイン船
日明間の中継貿易
キリスト教布教と一体

2 織田信長・豊臣秀吉の統一

①織田信長の統一過程

桶狭間の戦い（1560）
石山合戦
延暦寺焼打ち
室町幕府滅亡
長篠の合戦（1575）
楽市令（安土城の城下町）
本能寺の変（1582）

②豊臣秀吉の統一過程

山崎の合戦（1582）
大坂城を築く
関白、太政大臣となる
小田原攻め
→天下統一を達成（1590）

3 豊臣政権の支配構造

①豊臣政権の土地制度

太閤検地（1582～98）
貫高制から石高制へ
一地一作人の原則
→村請制・大名知行制の確立

②豊臣政権の身分制度

刀狩令（1588）
→兵農分離の進行
人掃令
→身分制度の完成

③豊臣政権の外交政策

バテレン追放令（1587）
→禁教は不徹底
文禄・慶長の役（1592～98）
→朝鮮出兵は失敗

第13章のテーマ

中世から近世に移り変わっていく、室町時代末期と安土・桃山時代（16世紀）の政治・外交・社会を見ていきます。

(1)　16世紀中ごろ、日本が初めてヨーロッパ人と接触し、**鉄砲**と**キリスト教**がもたらされ、ポルトガル・スペインとの**南蛮貿易**がおこなわれました。

(2)　戦国時代の群雄割拠が終わり、16世紀後半に**織田信長**・**豊臣秀吉**による天下統一が進み、強大な権力による全国統一が成し遂げられました。

(3)　豊臣政権は、特に**太閤検地**と身分政策に注目し、のちの江戸幕府の支配体制にどのようにつながっていくのかを見ていきます。

1 ヨーロッパ世界との接触（16世紀）

いよいよ近世が始まります。日本が初めてヨーロッパ世界と接触しました。**鉄砲**や**キリスト教**が伝わって日本社会に大きな影響を与え、**ポルトガル**船や**スペイン（イスパニア）**船が来航して貿易がおこなわれました。

なぜ、ヨーロッパ人はアジアに進出してきたの？

大航海時代という言葉を聞いたことがあるかな？　コロンブスがアメリカ大陸を発見したことは有名だね。これは、日本で戦国時代が始まった15世紀末ごろの出来事なんだ。当時のヨーロッパでは、海外に進出して貿易をおこなう気運が高まっていた。ヨーロッパ人が欲しがる東南アジア産の**香辛料**を直接手に入れると、もうかるからね。そして、ポルトガルとスペインがアジア各地に商業基地を築いた。

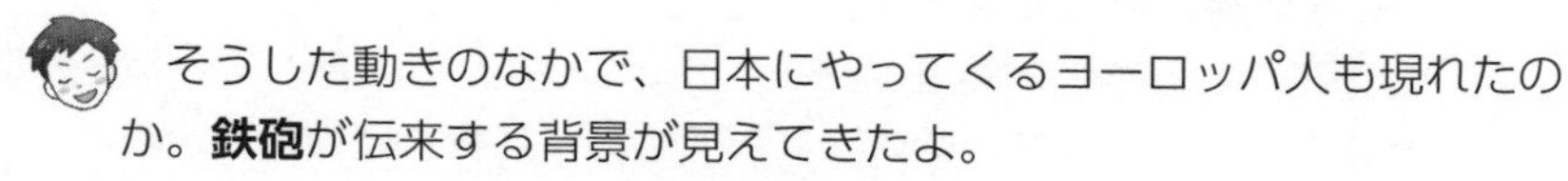

そうした動きのなかで、日本にやってくるヨーロッパ人も現れたのか。**鉄砲**が伝来する背景が見えてきたよ。

また、ヨーロッパで**宗教改革**が進んでいたことも大きい。従来のキリスト教の教派である**カトリック**（旧教）に対し、新しく登場した**プロテスタント**（新教）の教派が広まっていくと、危機感を持ったカトリックの教会勢力が海外布教に乗り出した。そして、**宣教師**の団体が世界各地で布教を積極的におこなったよ。

だから、ザビエルが日本を訪れて**キリスト教**が伝わったんだね。

① ヨーロッパ人のアジア進出

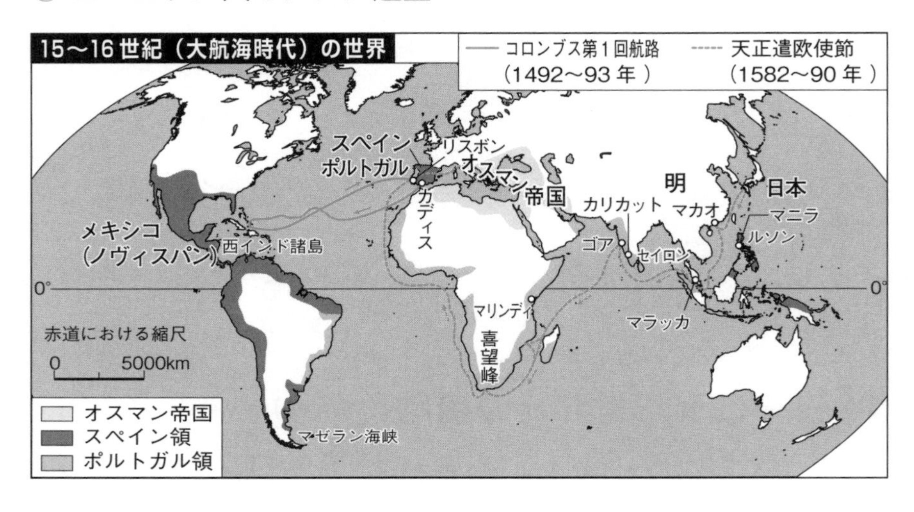

(1) 鉄砲の伝来は、戦国大名の軍事的な戦略を変化させていった

ポルトガルは明（みん）の**マカオ**を拠点とし、スペインはルソン（フィリピン）の**マニラ**を拠点として、アジア貿易を積極的におこないました。

年表

1510	ポルトガル、インド西海岸のゴアを占領
1511	ポルトガル、マレー半島のマラッカを占領
1543	ポルトガル人が**種子島**へ漂着　→**鉄砲伝来**
1549	**ザビエル**、鹿児島へ来航　→**キリスト教伝来**
1550	ポルトガル船が肥前の平戸へ来航、貿易開始
1557	ポルトガル、明の**マカオ**に進出、居住権得る
1571	スペイン、ルソン（フィリピン）の**マニラ**に拠点を建設
1582	**天正遣欧使節**（〜1590）
1584	スペイン船が平戸へ来航、貿易開始

こうしたなか、ポルトガル人を乗せた中国の船が**種子島**（たねがしま）へ漂着したことで**鉄砲が伝来**し（1543）、和泉（いずみ）の**堺**（さかい）、近江（おうみ）の国友（くにとも）、紀伊（きい）の根来（ねごろ）などで鉄砲が生産されるようになりました。そして、鉄砲は戦国大名（せんごくだいみょう）の戦術を変化させます。騎馬武者（きばむしゃ）どうしの一騎（いっき）打ちに加え、足軽（あしがる）鉄砲隊による**集団戦**も重視されますし、こうした大量の兵力を抱えるため、城のあり方も、防御のための山城（やまじろ）から、城下町を築く**平山城**（ひらやまじろ）**・平城**（ひらじろ）へ変化しました。

(2) カトリック宣教師により伝えられたキリスト教が、日本社会に拡大した

カトリック系の**イエズス会**宣教師（せんきょうし）である**フランシスコ＝ザビエル**が**鹿児島**（かごしま）に上陸して**キリスト教が伝来**しました（1549）。宣教師が多数来日してキリスト教布教が盛んになると、西日本を中心に信者が増え、各地に**コレジオ**（宣教師養成学校）・**セミナリオ**（神学校）や南蛮寺（なんばんじ）（教会堂）が建設されました。

代表的な宣教師としては、フランシスコ＝ザビエルのほかにガスパル＝ヴィレラやルイス＝フロイスがいますが、特に**ヴァリニャーニ**は**天正遣欧使節**のローマへの派遣を進言し、これを**キリシタン大名**の有馬晴信・大村純忠・大友義鎮（宗麟）が実現しました（1582〜90）。そして、ヴァリニャーニが日本へ戻ったときに西洋の**活字印刷術**を伝えたことで、活字を用いたローマ字表記の出版物である**キリシタン版**が刊行されました→第18章。

② 南蛮貿易

16世紀後半、ポルトガル船が**平戸**や長崎など九州各地の港に来航して日本との貿易をおこなうようになり、さらにスペイン船も来航するようになりました。当時、ポルトガル人・スペイン人は南蛮人と呼ばれたので、この貿易を**南蛮貿易**と呼びます。ポルトガルは貿易に積極的で、**日本産の銀**と**中国産の生糸**をポルトガル船が運びました。

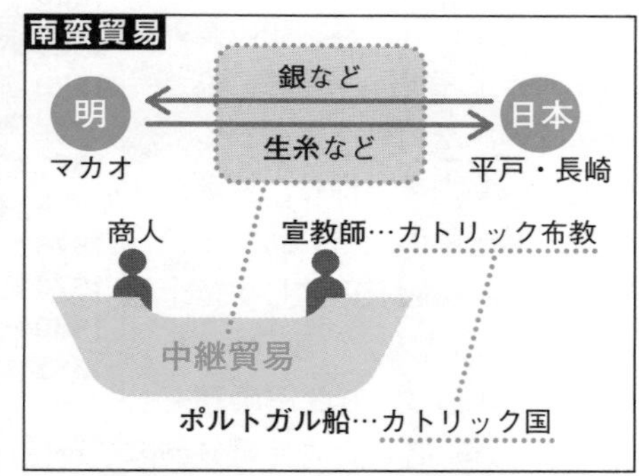

二国間の貿易に第三者が関わる貿易形態を**中継貿易**と呼びますが（琉球も中継貿易をおこなっていましたね→第11章）、日明間の勘合貿易が断絶しており→第11章、日本が中国産生糸を確保するうえでポルトガル船による中継貿易は重要だったのです。そして、ポルトガルとスペインはカトリック（旧教）国であり、カトリック布教を目的とする宣教師の活動に協力し、貿易船は布教を許可する大名のもとへ入港したので（松浦氏の平戸、大村氏の長崎、大友氏の府内など）、キリスト教布教と一体の貿易でした。

2 織田信長・豊臣秀吉の統一（16世紀後半）

15世紀後期から100年以上続いた戦国時代も→第11章、ようやく終わります。16世紀後半に登場した**織田信長**と**豊臣秀吉**が、各地の戦国大名を支配下に入れて、全国を一つにまとめ上げていきました。

信長と秀吉は、なぜ全国を統一しようとしたんだろう？

難しい質問だね。でも、戦国大名が各地を支配する状況が続くと、領域の境界をめぐる大名どうしの争いが絶えず、戦う武士も食料を提供させられる農民も、みんな疲れるんじゃないかな。そのとき、もっ

と強い権力が現れて、大名どうしの争いをおさえ込んだとすれば……。

人々が平和を望んで、信長や秀吉の行動を支持したのかな。

① 織田信長の統一過程

尾張守護代の重臣の家に生まれ、尾張国を統一して大名となった織田信長は、**桶狭間の戦い**（1560）で**今川義元**を倒すと、家臣団の城下町集住を徹底して強力な軍事力を整備し、京都に進出しました。そして、第15代将軍**足利義昭**を追放して室町幕府を滅ぼすと（1573）、**長篠合戦**（1575）で**武田勝頼**を倒しますが、このとき**足軽鉄砲隊**を駆使して武田氏の騎馬隊を破りました。その後、**安土城**を築いて天守閣を整備し、畿内から西国方面に支配を広げていきました。しかし、**本能寺の変**（1582）で家臣**明智光秀**の裏切りにあい、敗死しました。

年表

1560	**桶狭間の戦い**　今川義元を倒す
1568	入京、足利義昭を15代将軍に立てる
1569	堺を直轄化する
1570	**石山合戦**　一向一揆（本願寺の顕如）と対決 姉川の戦い　浅井氏・朝倉氏を倒す
1571	**延暦寺を焼打ち**
1573	将軍足利義昭を京都から追放（**室町幕府滅亡**）
1575	**長篠合戦**　足軽鉄砲隊の活躍、武田勝頼倒す
1576	近江に**安土城**を築く→城下に**楽市令**（1577）
1580	石山合戦の終結　本願寺は石山から撤退
1582	**本能寺の変**　家臣の**明智光秀**に敗死

信長は、伝統的権威に挑戦する革新性を持ち、特に当時の強大な権威の一つである仏教勢力を徹底的に抑え込もうとしました。**石山合戦**（1570〜80）では、**本願寺**の**顕如**を中心とする一向一揆と対決し（1580年に加賀の一向一揆も解体）、また仏教界の頂点にあった比叡山**延暦寺を焼打ち**しました。一方、フロイスへ布教を許可し、キリスト教を保護しました。

また、信長は、都市の経済を重視しました。関所を撤廃して流通を活性化させるとともに、畿内の富裕な港町である**堺を直轄化**して会合衆による自治→第11章も解体しました。さらに、安土城の城下町を楽市→第11章とする**楽市令**を発し、「**当所中**（安土城の城下町）、**楽市として仰せ付けらるるの上は、諸座・諸役・諸公事等、ことごとく免許**（免除）**の事**」として、税負担をなくして自由な取引を認めることで、商人を呼び寄せて商業振興をはかりました。

② 豊臣秀吉の統一過程

尾張出身の豊臣秀吉は、その身分は定かではないものの、織田信長の家臣となって力を伸ばしていきました。そして、本能寺の変（1582）の直後に**山崎**

の合戦で**明智光秀**を倒し、**大坂城**を拠点に信長の後継者としての地位を確立していきました。かつて織田信長と同盟を結んでいた**徳川家康**と**小牧・長久手の戦い**で対決したときは苦戦したものの、長宗我部氏・島津氏を屈服させて四国・九州を平定しました。そして、**小田原攻め**で**北条氏**を滅ぼし（関東平定）、**伊達政宗**を降伏させ（奥州平定）、**天下統一を達成**しました（1590）。

年表

1582	山崎の合戦→**明智光秀**を倒す
1583	賤ヶ岳の戦い→柴田勝家を倒す
	石山本願寺の跡に**大坂城**の築城を開始
1584	小牧・長久手の戦い→**徳川家康**と講和
1585	長宗我部元親が降伏（四国平定）
	関白となる→大名へ停戦命令（惣無事令）
1586	**太政大臣**となる／「豊臣」姓をもらう
1587	島津義久が降伏（九州平定）
1588	**聚楽第**に〔後陽成天皇〕を招く
1590	小田原攻め→**北条氏**を滅ぼす（関東平定）
	伊達政宗が降伏（奥州平定）※**天下統一**

豊臣秀吉による統一事業は、朝廷が伝統的に持つ権威に頼った点が特徴的です。**関白**に就任すると（1585）（翌年**太政大臣**も兼任、「豊臣」姓を与えられる）、「関白秀吉が、天皇に代わって全国を平和にする」という名目で大名へ停戦を命じていきました（これを**惣無事令**と呼ぶこともある）。さらに、秀吉の別宅である京都の**聚楽第**に〔**後陽成天皇**〕を迎え、諸大名に天皇と秀吉への忠誠を誓わせました。一方、秀吉政権は独裁の傾向が強くて政治機構はととのわず、石田三成や浅野長政らの部下を**五奉行**として実務をおこなわせ、徳川家康や毛利輝元らの有力大名を**五大老**として政策を審議させました。

秀吉は、**蔵入地**と呼ばれる約220万石の直轄地を持つだけでなく、大坂や京都などの重要都市を直轄化し、また佐渡金山や**石見大森銀山・但馬生野銀山**→第11章を直轄化し、金貨として**天正大判**を発行しました。

3 豊臣政権の支配構造

近世の土地制度と身分制度の形成につながる**太閤検地**と**刀狩令**や、**バテレン追放令**などのキリスト教抑圧策、**朝鮮出兵**などの対外政策を見ましょう。天下統一を達成した**1590年**を基準として、その前か後かを把握するとよいです。

近世の土地制度というと、難しそうに聞こえるけれど……。

今の私たちは、土地にどれだけの価値があるのかを、不動産価格が高いか安いかで決めるよね。でも、江戸時代は、その土地で米がどれくらいとれるかで、土地の価値を決めたんだ。**土地の米生産量**を**石高**といい、これにもとづく支配のしくみを作ったのが、太閤検地なんだ。

秀吉は、江戸幕府の制度の原型を作ったんだね。そうそう、近世の

身分制度なら知っているよ。江戸時代の「士農工商」だね！

武士が支配身分で、百姓・職人・家持町人が支配される身分であったことは、江戸時代の身分制度の特徴だよね。実は、秀吉の刀狩令が、身分制度の始まりを作ったんだ。

① 豊臣政権の土地制度

太閤検地（1582〜98）は、豊臣秀吉の統一事業開始と同時に始まり、秀吉が亡くなるまで続けられた、全国的な土地調査です。大名が秀吉に服従していくたびに、秀吉はその領地に対する検地を命じていきました。そして、検地に反対する武士や農民は「**一人も残し置かず、なでぎり**（皆殺し）」、という強い姿勢で検地を進めました（恐ろしい〜！）。

年表

1582	太閤検地の開始（同年、山崎の合戦）
1587	**バテレン追放令**（同年、九州平定）
1588	刀狩令／海賊取締令（同年、後陽成天皇を聚楽第に招く）
1590	天下統一
1591	人掃令（身分統制令）
1592	**文禄の役**（〜93）
1597	**慶長の役**（〜98）
1598	豊臣秀吉の死去

(1) 太閤検地を全国で実施し、土地の米生産量を基準とする石高制が確立した

戦国大名は指出検地によって→第11章、土地から納められる年貢の額を把握しましたが（**貫高制**）、秀吉は太閤検地によって、土地からとれる米の量を把握しました（**石高制**）。秀吉のほうが、土地に近い部分を把握しているので、支配するレベルが上がっていますね。

貫高と石高

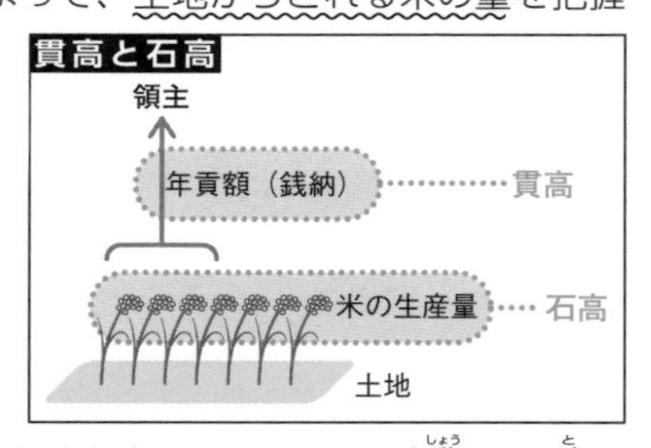

また、面積や容積の単位を統一しました。縦6尺3寸・横6尺3寸の正方形の面積を1歩とし（6尺3寸は約191センチ）、律令制度では **360歩＝1段**でしたが→第4章、太閤検地では **300歩＝1段**としました。そして、100升＝10斗＝1石とし（1石は約180リットル）、統一的な**京枡**を定めました。

(2) 一地一作人の原則により耕作者を確定し、村ごとに検地帳を作成した

検地の実施にあたり、村に派遣された役人が土地の面積を直接測量し、田畑の質を【上・中・下・下々】の4等級で判断しました（屋敷地は1等級）。そして、それぞれの等級ごとに定められた**石盛**（1段あたりの米生産高、たとえば上田なら石盛は1石5斗、中田なら石盛は1石3斗）に面積を掛け、【石盛

×面積＝石高】で**石高**（土地全体の米生産高）を決定しました。さらに、一つの土地の耕作権は一人の百姓が持つという**一地一作人**の原則にもとづいて土地ごとの耕作者を確定し、村ごとに作成する**検地帳**に登録しました。

(3) 太閤検地は、荘園公領制や農民支配・大名統制のあり方に影響を与えた

太閤検地の歴史的意義を考えましょう。まず、一地一作人の原則により、領主は百姓を年貢負担者として直接掌握して支配できました。そして、**村高**（村全体の石高）を確定して検地帳を作成することで、村を単位に年貢などの納入を請け負わせる**村請制**が実現しました。村高に年貢率を掛ければ、村が納める年貢高が決まるわけです（秀吉政権の年貢率は**二公一民**［3分の2］）。

また、平安時代後期以来の荘園では→第6章、一つの土地に対してさまざまな人々が収益を得る権利を持っていましたが（所有者である荘園領主、現地を管理する荘官、課税単位である名の耕作・納税をおこなう名主など）、一地一作人の原則はそういった権利を認めないことになるので（土地の権利は耕作者である作人に対してのみ認める）、**荘園公領制が解体**されました。

さらに、全国の土地の価値を石高で表示すると、秀吉が大名に与えた知行地の石高も判明します（これは御恩にあてはまります）。そして、その石高の数字に見合う量の軍役を大名に負担させれば（これは奉公にあてはまります）、秀吉と大名との間に知行地の石高（**知行高**）を基準とする主従関係が成立します。太閤検地は、こうした**大名知行制**の基礎を確立し、そのしくみは江戸幕府に受け継がれました。

② 豊臣政権の身分制度

(1) 刀狩は、太閤検地とあわせて兵農分離を進行させた

中世では、国人が結んだ国人一揆、土民が蜂起した土一揆、国人を中心に地域を支配した国一揆、一向宗の信者が団結した一向一揆、といったさまざまな一揆が存在しました→第11章。秀吉が全国を統一するうえで一揆の存在は障害となるので、**刀狩令**（1558）で「**自然（もしも）一揆を企て、給人**（大名から土地を与えられた家臣）**にたいし非儀の動をなすやから、勿論御成敗あるべし**」と一揆を防止する目的を示し、秀吉が造る**方広寺**大仏の釘・かすがいの原料とすることを口実に、農民から武器を没収しました。

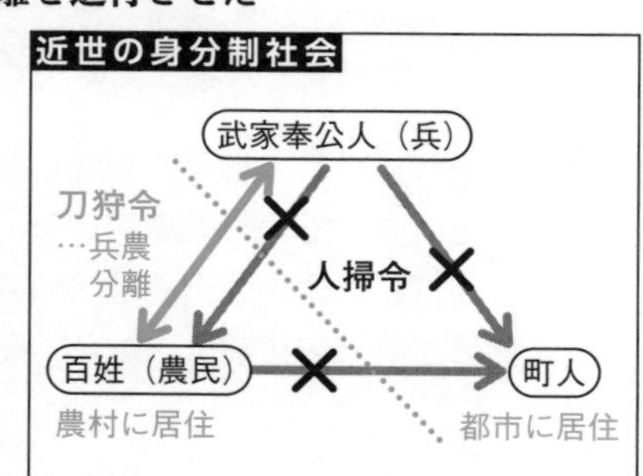

当時、有力武士の国人は大名の家臣となって城下町に集められる者も多くいましたが、農民から成長した地侍は農村に住んで農民を支配しつつ、武器を持って合戦に参加したり、一揆を主導したりしていました。刀狩令がターゲットとしたのは地侍で、秀吉・大名らの家臣となり城下町に住むか、農民として農村にとどまり武器を手放すか、の二者択一を迫られました。

そして、「**百姓は農具さへもち、耕作専らに仕り候へば、子々孫々まで長久に候**」と、耕作に専念する農民身分のあり方を示しました。こうして、武士身分と農民（百姓）身分が明確に区別され、**兵農分離**が徹底されたのです。

(2) 人掃令は、近世の身分制度の形成に寄与した

さらに、天下統一の達成後、**人掃令**（**身分統制令**）(1591) が発され、武家奉公人が百姓や町人になることを禁じ、百姓が町人になることも禁じました。そして、朝鮮出兵に向けて人掃令が再び発され（1592)、職業ごとに戸数・人数が調査されると、職業にもとづく身分が固定化されていきました。

こうして、太閤検地・刀狩令・人掃令によって、それぞれの家ごとに家業が受け継がれていく、のちの江戸時代につながる身分制度が完成しました→第14章。

③ 豊臣政権の外交政策

信長はキリスト教の布教を許したけれど、秀吉はバテレン追放令を出したんだよね。なぜ、キリスト教を規制しようとしたんだろう？

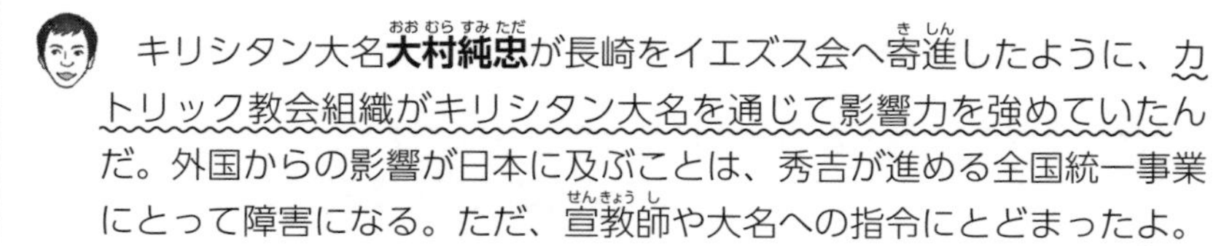
キリシタン大名**大村純忠**が長崎をイエズス会へ寄進したように、カトリック教会組織がキリシタン大名を通じて影響力を強めていたんだ。外国からの影響が日本に及ぶことは、秀吉が進める全国統一事業にとって障害になる。ただ、宣教師や大名への指令にとどまったよ。

そうしたら、規制は徹底しなかったんだね。そして、江戸時代になると、信仰そのものを禁じる、厳しい**禁教令**が出されたのか→第14章。

それと、秀吉は天下統一の直後に朝鮮出兵を実行するけれど、国内情勢が落ち着く前に、なんで朝鮮を攻めようとしたんだろう？

実は、秀吉は天下統一を進める途中で大陸侵攻を表明している。そして、朝鮮をはじめゴアのポルトガル政庁やマニラのスペイン政庁や台湾（高山国）にも、日本への服属と朝貢を要求している。最終的には、明を征服して天皇を北京に移す構想も持っていたらしいんだ。

中国に代わり日本が東アジアの中心になることをめざしたのかな？

そうかもしれないね。でも、明征服の足がかりとして実行された朝鮮出兵は失敗に終わり、朝鮮の人々に多くの被害を与えたんだよ。

これで、秀吉政権も衰えちゃったんだよね。

III 近世

(1) 秀吉は、キリスト教を抑圧しようとしたが、不徹底だった

まず、ヨーロッパとの関係から。秀吉は、はじめはキリスト教を許可しましたが、のち制限しました。島津氏を攻める九州平定のとき、**バテレン追放令**(1587) を博多で発令し、「**日本は神国たる処**」と神国思想→第9章を示したうえで「**伴天連の儀、日本の地にはおかせられ間敷候**」と宣教師の国外追放を命じたものの、貿易船の来航は認めるなど貿易を奨励したので、追放令は徹底しませんでした。しかし、スペイン船のサン＝フェリペ号が土佐に漂着し、乗組員が「スペインは領土拡張に宣教師を用いている」と失言したことを機に（**サン＝フェリペ号事件**　1596)、スペイン系の宣教師や信者を処刑して（**26聖人殉教**)、スペイン船の来航を禁止するなど、厳しい姿勢も見せました。

(2) 秀吉は、朝鮮出兵を断行するなど、強い姿勢で東アジアと向き合った

次に、アジアとの関係です。**海賊取締令**（1588）では、倭寇→第11章をはじめとする海賊行為を禁止し、海外渡航を保護して貿易を奨励しました。そして、天下統一を達成したのち、明の征服のための先導を朝鮮に要求し、それが聞き入れられないと、全国の大名を動員し、肥前**名護屋**に拠点を築いて朝鮮出兵(朝鮮では**壬辰・丁酉倭乱**と呼ぶ）を開始しました。**文禄の役**（1592～93）では、はじめは日本軍が優勢でしたが、明の援軍や**李舜臣**が指揮する朝鮮水軍の活躍などにより、日本側は劣勢となって和平交渉が開かれました。しかし、秀吉の主張と明の姿勢がかみ合わずに交渉が決裂すると、秀吉は再び出兵を命じます。しかし、**慶長の役**（1597～98）では、日本側は戦う気分が薄かったためにはじめから苦戦し、秀吉の死去を機に朝鮮から撤退しました。

朝鮮に多大な被害を与え、明の衰退を生んだ朝鮮出兵は、さまざまな影響を日本に及ぼしました。政治では、諸大名の対立で豊臣政権が弱体化し、**関ヶ原の戦い**が勃発しました→第14章。経済では、朝鮮人陶工を連行して技術が伝わり、**有田焼**などの陶磁器生産が盛んとなりました→第15章。文化では、活字印刷が伝わり、〔**後陽成天皇**〕の命による出版事業が起こりました（慶長勅版）→第18章。

チェック問題にトライ！

問　織田信長にかかわる次の印と絵の説明として正しいものを、下の①～④のうちから一つ選べ。

甲

乙

① 甲の印は「天下布武」と刻まれており、天下を武力で統一しようとするこの大名の意思を表している。

② 甲の印は「楽市楽座」と刻まれており、城下町大坂で自由な売買を認める際にこの大名が用いた。

③ 乙の絵は長篠の戦いを描いたものであり、この大名はこの戦いで駿河の大名今川義元を破った。

④ 乙の絵は一向一揆との戦いを描いたものであり、この大名はこの戦いののちキリスト教の布教を認めた。

（センター試験　2010年度　追試験）

解説　**教科書に載る図版は、必要な知識を覚えておく必要があります。**共通テスト対策でも、教科書を用いた学習は必須です。

① 「天下布武（てんかふぶ）」が「天下を武力で統一しようとする」意思を表すものだという論理は、正しいと考えられます。しかし、甲の印や「天下布武」の言葉が織田信長（おだのぶなが）のものである、という知識は少し細かいかもしれません。ちなみに、このときの「天下」は畿内（きない）（室町（むろまち）将軍の支配が及ぶ範囲やその政治秩序）を指す、という説もあります。信長は「天下」の語を用いて京都進出の意思を示した（のち秀吉（ひでよし）の時代に「天下」が全国を指すようになった）、という考えです。

② 甲の印は、「楽市楽座（らくいちらくざ）」とは読めないと思います（なんとか「天下布武」と読める？）。そして、「大坂」は豊臣秀吉（とよとみひでよし）の城下町（じょうかまち）なので、誤りです。

③ 乙は「長篠（ながしの）の戦い」の絵で、鉄砲隊も描かれています。しかし、織田信長がこの戦いで破ったのは、「今川義元（いまがわよしもと）」ではなく武田勝頼（たけだかつより）です。

④ 乙の絵は、農民も含めた「一向一揆（いっこういっき）との戦い」を描いたものには見えませんので、誤りと判断します。

⇒したがって、①が正解です（消去法を用いる）。

次の史料は、1590年８月12日に豊臣秀吉が浅野長政に検地などの実施を命じた文書の一部である。

史料

仰せ出され候趣、国人(注1)ならびに百姓共に合点(注2)ゆき候様に、能々申し聞すべく候。自然(注3)、相届かざる(注4)覚悟の輩これ在るに於ては、城主にて候はば、そのもの城へ追入れ、各相談じ(注5)、一人も残し置かず、なでぎり(注6)に申しつくべく候。百姓以下に至るまで、相届かざるについては、一郷も二郷も悉くなでぎりつかまつるべく候。（中略）山の奥、海は櫓櫂(注7)のつづき候まで、念を入るべき事専一に候。

（注１）　国人：土着性の強い領主。
（注２）　合点：納得
（注３）　自然：もしも
（注４）　相届かざる：納得しないこと。ここでは、秀吉の命令に従わないこと。
（注５）　各相談じ：秀吉配下の武将たちが連携して。
（注６）　なでぎり：すべて切り捨てること。
（注７）　櫓櫂：櫓と櫂はともに船を漕ぎ進める道具。

問　史料から読み取れる秀吉の検地実施の方針に関して述べた次の文ａ～ｄについて、正しいものの組合せを、下の①～④のうちから一つ選べ。

ａ　検地の実施にあたり、百姓を説得する。
ｂ　城主であれば、検地に反対しても許す。
ｃ　検地に反対する百姓は、すべて処刑する。
ｄ　山奥や海辺の田畑は、対象外とする。

①　ａ・ｃ　　②　ａ・ｄ　　③　ｂ・ｃ　　④　ｂ・ｄ

（センター試験　2014年度　追試験）

解説　**史料は、（注）を積極的に用いて大意をつかみましょう**。そして、史料文と照らし合わせながら、選択肢が正しいか誤りかを検討します。

ａ「検地の実施にあたり、百姓を説得する」は、史料１～２行目「百姓共に合点（納得）ゆき候様に、能々申し聞すべく候」と一致します。

ｂ「城主であれば、検地に反対しても許す」とありますが、史料２～３行目「相届かざる（秀吉の命令に従わない）覚悟の輩」「城主～一人も残し置かず、なでぎり（すべて切り捨てる）」と一致しません。

ｃ「検地に反対する百姓は、すべて処刑する」は、史料４～５行目「百姓～相届かざるについては、一郷も二郷も悉くなでぎり」と一致します。

ｄ「山奥や海辺の田畑は、対象外とする」は、史料５～６行目「山の奥、海は櫓櫂（船を漕ぎ進める道具）のつづき候まで、念を入る」と一致しません。

⇒したがって、①（ａ・ｃ）が正解です。

Ⅲ 近世

江戸幕府の支配体制（江戸時代初期）

世紀	将軍	大御所	政治・社会	外交
16世紀後半				
17世紀前半	①家康			
	②秀忠	家康		
	③家光	秀忠		

政治・社会

1 徳川将軍による支配

①徳川家康の統一事業

東海から関東へ移る
→城下町江戸を建設
関ヶ原の戦い（1600）
家康、将軍に（1603）
→江戸幕府を開く
秀忠、将軍に
→家康は大御所に
方広寺鐘銘事件
大坂の陣（1614～15）
→豊臣秀頼の滅亡

②幕藩体制の確立

一国一城令
武家諸法度
元和令（1615）
武家諸法度
寛永令（1635）
→参勤交代の
制度化

③朝廷・寺社統制

禁中並公家諸法度
（1615）
紫衣事件
寺請制度
諸宗寺院法度
（17世紀後半）

2 村と百姓、町と町人

①身分制社会

「士」「農」「工」「商」
家の重視

②農民統制・町人統制

村方三役（名主・組頭・百姓代）
本百姓の村政参加　村請制
田畑永代売買の禁止令（1643）
分地制限令（17世紀後半）

城下町　身分ごとに居住
町人の自治

外交

3 江戸幕府が築いた対外関係

①江戸初期の国際関係

リーフデ号漂着（1600）
→オランダと貿易
→イギリスと貿易
朱印船貿易
糸割符制度（1604）
慶長遣欧使節

②禁教と「鎖国」体制

禁教令（1612・1613）
高山右近を国外追放
ヨーロッパ船寄港地限定
元和の大殉教
イギリスの退去（1623）
スペイン船禁止（1624）
奉書船以外の禁止(1633)
日本人の渡航禁止(1635)
島原の乱
ポルトガル船禁止(1639)
オランダ商館出島へ

③「四つの口」

長崎口～オランダ・中国
対馬口～朝鮮
己酉約条（1609）
通信使が来日
薩摩口～琉球
薩摩が琉球征服(1609)
慶賀使・謝恩使が来日
松前口～蝦夷地(アイヌ)

（1）（2）（3）

第 14 章 の テ ー マ

江戸時代初期（17世紀前半）の政治・外交を見ていきます。

(1)　**関ヶ原の戦い**で勝ち江戸幕府を開いた徳川家康は、**大坂の陣**で豊臣家を滅ぼし、将軍と大名との主従関係を軸とする**幕藩体制**が確立しました。

(2)　軍事力を独占した江戸幕府は、大名統制、朝廷統制、寺社統制、村・町の統制など、諸階層に対する統制システムを作り上げました。

(3)　江戸初期から約半世紀かけて築いた「**鎖国**」の対外関係のなかで、「**四つの口**」を通し特定の国・地域との交流が続きました。

III　近世

1 徳川将軍による支配（17世紀初頭）

豊臣秀吉が死去したのち、**徳川家康**が**江戸幕府**を開きました。江戸時代の始まりです。そして、諸大名や朝廷・寺社に対し、**法度**と呼ばれる法にもとづく支配体制を確立していきました。

徳川家康は、どうして全国を統一支配することができたのかな？

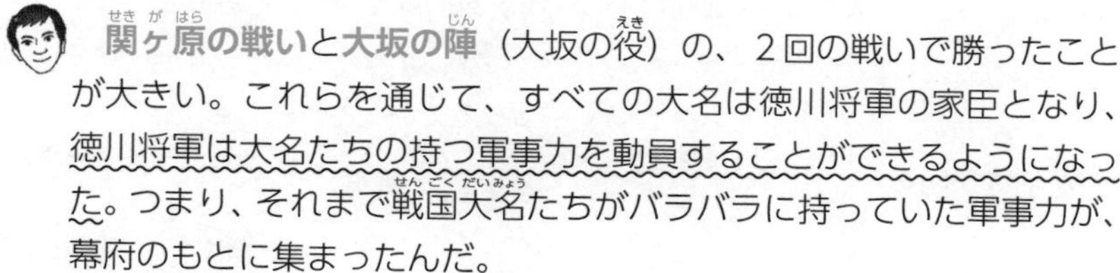
関ヶ原の戦いと**大坂の陣**（大坂の役）の、２回の戦いで勝ったことが大きい。これらを通じて、すべての大名は徳川将軍の家臣となり、徳川将軍は大名たちの持つ軍事力を動員することができるようになった。つまり、それまで戦国大名たちがバラバラに持っていた軍事力が、幕府のもとに集まったんだ。

強力な軍事力を持つことで、大名だけでなく、朝廷や寺社にも法を守らせることができるんだね。

① 徳川家康の統一事業

三河の国人から出発して東海地方の大名に成長した徳川家康が全国を支配するまでに、ターニングポイントが３回ありました。

一つ目は、北条氏滅亡（1590）のあとに関東に移され→第13章、**江戸城**を中心に城下町を建設したことです。これが、のちに江戸が全国政治の中心となるきっかけとなりました。

二つ目は、秀吉の死後に起きた**関ヶ原の戦い**（1600）で、**石田三成**らに勝利したことです。その結果、**征夷大将軍**となって**江戸幕府**を開き（1603）、２年後には将軍職を子の**秀忠**にゆずり**大御所**（前将軍のこと）となることで、徳川氏が将軍の地位を世襲して支配していくことを世に示しました。また、全国支配の象徴として、諸大名に**国絵図**（一国を単位とする地図）を作成・提出させました。

年表

1590 北条氏滅亡後、関東に移され江戸へ入城
1600 **関ヶ原の戦い**　石田三成らの西軍に勝利
1603 征夷大将軍となる　→**江戸幕府**を開く
1605 将軍職を子の**秀忠**にゆずる
　　→駿河の駿府で**大御所**として実権を行使
1614 方広寺鐘銘事件　「国家安康・君臣豊楽」
1614 **大坂の陣**（**冬の陣**）　大坂城を攻撃
1615 **大坂の陣**（**夏の陣**）　→豊臣秀頼の滅亡
1616 徳川家康の死去

三つ目は、1614～15年の**大坂の陣**（**大坂冬の陣**［1614］・**夏の陣**［1615］）で勝利したことです。父秀吉の権威を受け継いだ**豊臣秀頼**が大坂城にいるかぎり、家康に従わず秀頼に味方する大名が出てくるかもしれません。そこで、再建された方広寺の鐘の銘文に「家康への呪いだ！」などとクレームをつけて豊臣家を追い詰め、秀頼を滅ぼして、戦国時代以来の大名どうしの戦闘を終わらせ、江戸幕府の支配を安定させました。

② 幕藩体制の確立

江戸幕府の支配体制を**幕藩体制**と呼びます。これは、強力な領主権を持つ将軍と大名が、全国の土地と人々を支配するというしくみで、3代将軍**家光**のころに確立しました。

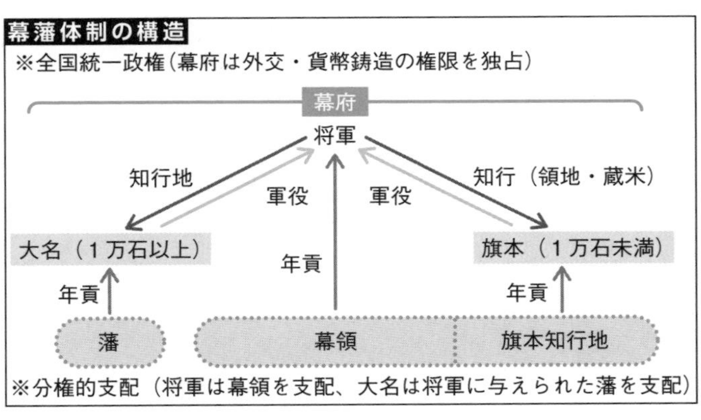

(1) 幕藩体制の確立過程のなかで、1615年は大きな画期となった

大坂の陣が終結すると、その直後から大名統制が急速に進みました。幕府は**一国一城令**（1615）を発し、大名が居住する城だけを残し、それ以外の戦闘用の城を破壊させて、大名の幕府に対する反抗を防ぎましたが、こ

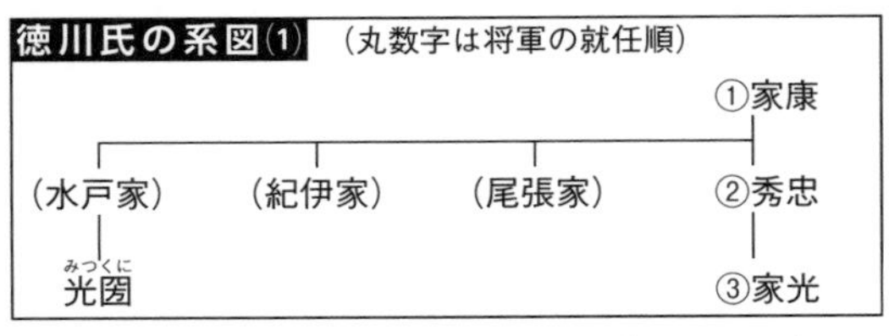

れは家臣の大名に対する反抗も防ぐので、大名権力の確立にもつながりました。そして、**武家諸法度**の**元和令**（1615）が２代将軍**秀忠**の名で発されました（実質的には大御所の家康が制定）。家康のブレーンである**金地院崇伝**が起草し、「文武弓馬の道、専ら相嗜むべき事」として大名に武芸を奨励するとともに、大名の婚姻や居城の修理を幕府の許可制としました。のち、３代将軍**家光**が武家諸法度の**寛永令**（1635）を発し、「大名小名（石高の少ない大名)、在（大名の領地）江戸交替、相定る所なり。毎歳夏四月中、参勤致すべし」という参勤交代の制度化や、500石以上の大船建造の禁止の項目を追加しました。以後、武家諸法度は将軍の代替わりごとに発されました。

これらと並行して、幕府は大名に対し、法度違反などを理由に**改易**（領地を没収）・**減封**（領地の石高を削減）などの処分をおこない、また石高が同じであるほかの領地に移し替える**転封**も実施しました。江戸時代の大名が「鉢植え大名」などといわれるのは、このように領地との結びつきが薄いからです。

(2) 幕府は全国を統一して豊かな経済基盤を持ち、諸大名を圧倒した

全国統一政権である幕府は、将軍が直接支配する**幕領**（**天領**）約400万石、将軍直属の家臣である旗本に与えた知行地約300万石、合計約700万石を経済基盤としました（全国約2600万石の４分の１を占める）。そして、金山（佐渡・伊豆）や銀山（但馬生野・石見大森）を接収して直轄とし、金貨・銀貨などの**貨幣鋳造権**を独占しました。さらに、江戸・京都・大坂・長崎・堺などの主要都市を直轄とし、のちに鎖国体制が形成されていくと**長崎貿易**の利益も独占しました。

(3) 幕府は大名や旗本・御家人に対し、将軍への奉公として軍役を負担させた

将軍から直接**１万石以上**の知行地（**藩**）を与えられて主従関係を結んだ武士が、大名です。大名には３種類ありました。**親藩**は徳川氏一門で、特に**御三家**（**尾張・紀伊・水戸**）は将軍候補を出します。**譜代**は古くから戦国大名徳川氏の家臣であり、関ヶ原の戦い後に幕府によって取り立てられた大名で、要地へ配置されるが石高は少なく、幕府の要職に就きました。**外様**は豊臣政権では徳川氏と肩を並べる戦国大名だったが、関ヶ原の戦い前後に徳川氏に従った大名で、遠隔地へ配置されるが石高は多く、幕政から排除されました。

将軍から**１万石未満**の知行（領地もしくは**俸禄米**）を与えられた武士が、江戸に常駐する将軍直属の**旗本**・**御家人**で（将軍と対面する「お目見え」を許されるのが旗本、許されないのが御家人)、幕府の軍事力の中心となりました。

大名は、将軍から与えられた知行地（藩）の石高に見合う量の**軍役**を課され、

これをつとめることが将軍への奉公となります。たとえば、家康が神としてまつられる日光東照宮へ将軍が赴くとき（日光社参）、大名は家臣を率いて将軍の御供をします。しかし、これは臨時の軍事動員であり、平時の軍役が必要です。その一つが、江戸での１年間の滞在と、国元（藩）での１年間の滞在とをくり返す**参勤交代**です。大名の妻子は常に江戸の藩邸に居住しました。大名にとっては、人質を幕府に差し出すようなものですね。また、河川工事や江戸城修築などを負担する**手伝普請**も、石高を基準とする平時の軍役でした。

「参勤交代は、大名の経済力を失わせるのが目的だった」と聞いたことがあるよ。江戸と国元とを往復する費用がいっぱいかかったんだね。

大名と家臣が居城と城下町で暮らし、江戸でも暮らすのだから、出費が多かったんだ。でも、参勤交代の目的は、それとは違うんだよ。

エッ、どういうこと？　大名の経済力は失われるんでしょう？

結果として経済力を失うのであって、経済力を失わせることが目的ではないんだ。参勤交代は、戦いのない平時における軍役の一つなのだから、「大名との主従関係を維持するのが目的だった」んだよ。

参勤交代は、江戸幕府のしくみの一番重要な部分に関わるんだね。

⑷　大名は、幕府政策の範囲のなかで、藩に対する独自の支配を認められた

大名（藩主）は、家臣（藩士）と主従関係を結びました。はじめは、大名は家臣へ知行地を給与して、そこからの年貢を取らせていましたが（**地方知行制**）、17世紀後半以降は、大名が藩を直轄し、そこから徴収した年貢の一部を俸禄米として家臣に支給するように変化しました（**俸禄制**）。俸禄制への移行は、大名が権力を強化して藩全体を一元的に支配できるようになったことを意味します。家臣は、大名城下町への集住が徹底され、家老をはじめとする藩の役職に就いて、藩政を分担しました。

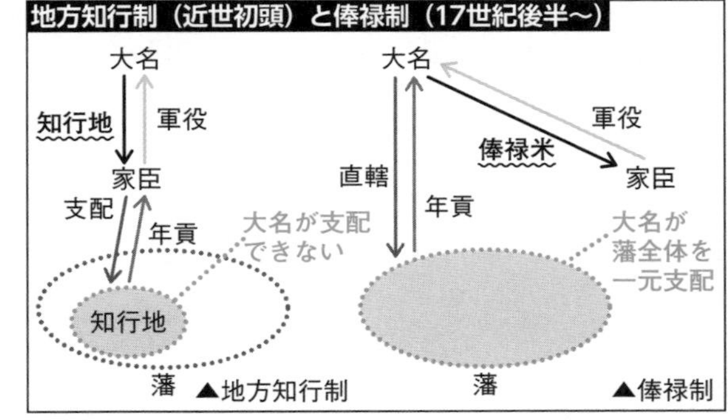

(5) 幕府役職は、徳川将軍の直属家臣である譜代大名・旗本が中心に担当した

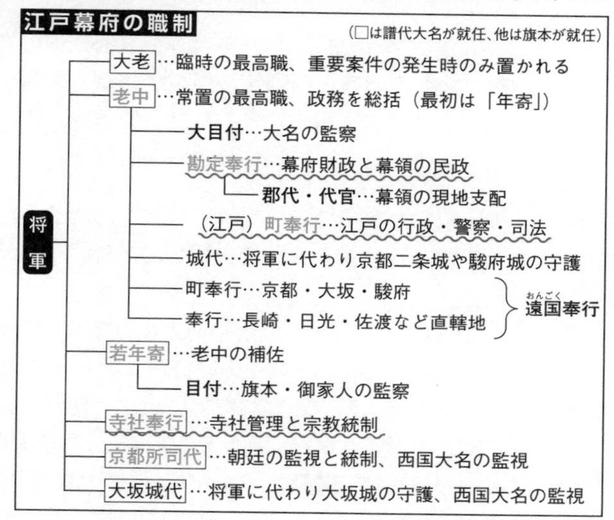

政務統括の**老中**と補佐役の**若年寄**や、**三奉行**（**寺社奉行**は全国の寺社統制、**町奉行**は江戸の行政・警察・司法、**勘定奉行**は財政と幕領の民政）が中心で、老中・三奉行による**評定所**が最高議決機関です。また、【老中～**大目付**（大名の監察）】【若年寄～**目付**（旗本・御家人の監察）】【勘定奉行～郡代・代官（幕領を支配）】などの上下関係がありました。古くからの徳川家臣団による幕政の独占が意図され、譜代大名と旗本が要職を担い、外様大名は幕政から排除されました。各役職には複数名が就き、1カ月交代で勤めました（**月番**）。

③ 朝廷・寺社統制

(1) 朝廷は権力行使から遠ざけられ、伝統的な権威で幕府を飾り立てた

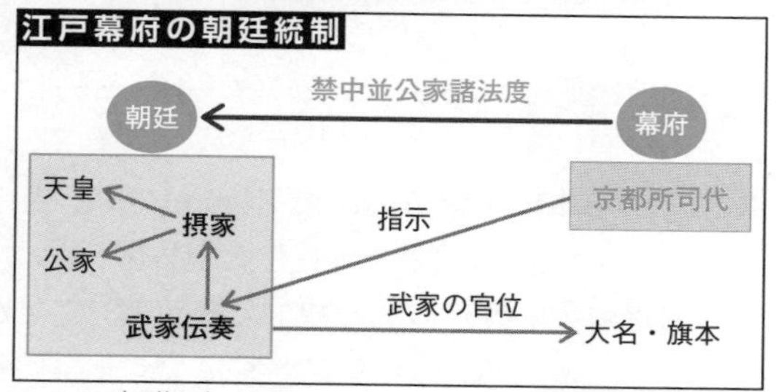

江戸幕府は、朝廷も厳しく統制しました。幕府の要職の**京都所司代**が朝廷を監視するとともに、公家から**武家伝奏**を選んで朝廷・幕府の間の連絡を担わせ、**摂家**を通じた朝廷統制システムを作りました。さらに、大坂の陣が終わり、武家諸法度を発したのと同じタイミングで**禁中並公家諸法度**（1615）を定めました。「**天子諸芸能の事、第一御学問なり**」として天皇を学問に専念させるなど、朝廷の権力行使を防いで政治から遠ざけました。また、幕府は天皇家の経済基盤である領地（禁裏御料）を与えましたが、それは小規模大名レベルの、必要最小限度なものにとどめられました。

江戸幕府は全国を支配できたのだから、今まで日本の中心にあった

朝廷を滅ぼす力もあったと思うけど、なぜ朝廷を残したんだろう？

禁中並公家諸法度には、朝廷が与える武家の官位や、天皇が与える**紫衣**（紫色の僧衣）に関する規定がある。大名・旗本や位の高い僧侶を権威づけして序列化できるんだ。朝廷は、こういった権威を与える機能を伝統的に持っていたから、幕府はそれを利用したんだよ。

強い軍事力を持つことだけではなく、偉そうな雰囲気を見せることも、支配を確立するうえで必要なんだね。

この紫衣勅許に関して、朝廷と幕府との間で起きたのが**紫衣事件**（1627〜29）です。〔**後水尾天皇**〕が紫衣の勅許を乱発したことが禁中並公家諸法度に違反しているとして、幕府が勅許を無効とし、朝廷・幕府の対立が深まりました。結局、後水尾天皇は幕府に無断で譲位し、〔**明正天皇**〕が即位しました（奈良時代の称徳天皇以来→第4章、約850年ぶりの女性天皇です）。この事件は、幕府の法度が天皇の勅許に優先する原則を確立させたことを示しました。

(2) 寺院は幕府の統制下に置かれ、宗教政策を通じた民衆支配に利用された

江戸幕府は、寺社も厳しい統制下に置きました。一向宗寺院を中心とする一向一揆は、信長・秀吉の統一事業のなかで解体されましたが、古代以来京都・奈良を中心に存在してきた大寺院は、朝廷と関係して政治力を持ち、荘園を保有して経済力を持ち、なかには僧兵を抱えて軍事力を持つものもありました。これらの力は、江戸幕府の全国支配の障害となります。すでに太閤検地によって荘園公領制は消滅し、寺院の武装解除も終わっていましたが、江戸幕府は**寺社奉行**を通じて全国の寺院を管理し、宗派ごとに一般寺院を末寺として本山に所属させる**本山・末寺の制度**を整備しました。そして、**諸宗寺院法度**で全寺院・全宗派共通で寺院や僧侶を統制しました（1665　4代将軍家綱）。また、**諸社禰宜神主法度**で神社や神主の統制もおこないました。

さらに、江戸幕府はキリスト教に対する禁教政策のため、日本居住者のすべてをいずれかの仏教宗派に属させて檀那寺の檀家とする**寺請制度**を設けました。そして、**宗門改め**をおこなって個人（家族）の宗派と檀那寺を宗門改帳に登録させました。宗門改帳は村・町ごとに毎年作成されるため、村・町の住民の生死や転入・転出などがわかるので、実質的に戸籍の役割を果たしました。また、檀那寺に**寺請証文**を発行させて、個人の身元を保証させました。このように、江戸幕府は寺院を民衆支配に利用したのです。

2 村と百姓、町と町人

江戸時代は、支配する身分と支配される身分とが明確に分かれる時代でした。豊臣政権が完成させた身分制度→第13章を受け継いだ江戸幕府は、身分制社会を作り上げる政策を実施することで、支配を安定させようとしたのです。

江戸時代の身分制度といえば、もちろん「**士農工商**」だよね？

最近は、この言葉を強調しなくなっている。たとえば、天皇・公家や知識人・宗教者・芸能民は、「士農工商」のどれに入ると思う？

うーん、公家とかは「士農工商」にはあてはまらない？

それに、「商」は、建前上は一番下に位置づけられているけれど、「農」「工」「商」に実際の上下関係があるわけではないんだ。むしろ、それぞれの身分のなかに、はっきりとした格差があったんだ。「農」のなかにいる**本百姓**と**水呑**は、村のなかでの立場がぜんぜん違うよ。

「士農工商」という言葉では、身分の実態を示せていないんだね。

① 身分制社会

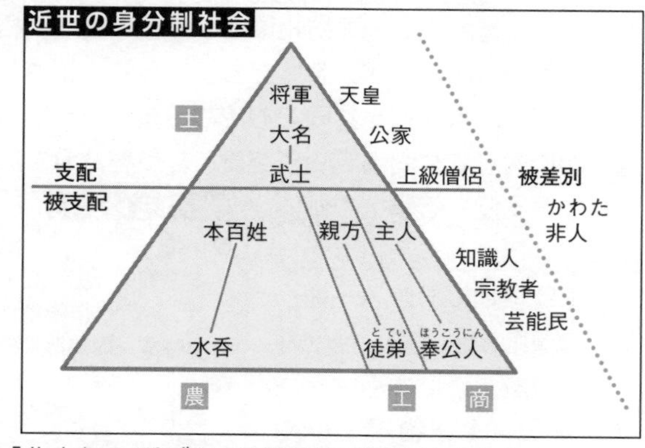

江戸時代の支配身分には、「士」（武士、**苗字・帯刀**や**切捨御免**などの特権がある）に加え、天皇家・公家や上級僧侶も含まれました。そして、被支配身分には、「農」（百姓）・「工」（職人）・「商」（家持の町人）があり、これらとは別に扱われた「かわた（長吏）」（「えた」は蔑称）・「非人」と呼ばれる被差別民がありました。

そして、身分はそれぞれの家ごとに代々受け継がれていき、家に付属する職業も財産も代々受け継がれていきました。したがって、家長にあたる**戸主**の権限が強力で、長男への単独相続が一般的でした。とはいえ、家督を相続する男性が家にいない場合は、女性が婿を招く相続や女性の相続も見られました。

当時は男尊女卑の風潮があり、**三行半**という離縁状は男性から女性へ出されました。しかし、女性が駆け込めば離縁が成立する**縁切寺**もありました。

② 農民統制・町人統制

(1) 近世の村は、百姓の生活共同体であり、領主による支配の単位でもあった

中世の惣村では、指導者のおとな・沙汰人を中心に、惣掟と呼ばれる独自の法を定め、有力農民である名主層に一般農民の作人も参加した寄合で自治が運営されました→第10章。その惣村は、太閤検地を経て近世に受け継がれ、江戸時代には新田開発が進んで、新田村落も新たに形成されました。これらのプロセスで誕生した近世の村では、**村方三役**（**名主**・**組頭**・**百姓代**）と呼ばれた村役人が村の組織の中心となり、村ごとに**村法**（村掟）を定め、田畑・屋敷地を持つ**本百姓**が参加して村政の自治がおこなわれました（田畑・屋敷地を持たない**水呑**は村政に参加できない）。このように、中世における惣村の自治は、近世における村の自治に受け継がれたのです。

近世の村の構造

●村方三役
名主（西日本では「**庄屋**」）…村政を統括
組頭…名主を補佐
百姓代…名主・組頭の不正を監視（18世紀～）
●農民の階層
本百姓…検地帳に記載、田畑・屋敷地を持つ、年貢を負担、村の自治を担う
水呑…検地帳に記載されず、小作や日雇仕事、村政に参加できず
名子・被官…隷属農民→しだいに耕地を得て独立

村は、百姓たちの生産を支える生活共同体でした。領主から強制された組織として、年貢納入や犯罪防止における連帯責任・相互扶助・相互監視のための**五人組**がありましたが、百姓たちが自発的に組織した、田植え・稲刈り・屋根葺き・冠婚葬祭などを共同でおこなう**結**・**もやい**もありました。また、村法の違反者に対して村内部で制裁をおこなう**村八分**もおこなわれました。

村は、支配する領主の側にとっては行政の末端組織でした。太閤検地における一地一作人の原則によって、検地帳に登録された者は本百姓とされて**年貢**（**本途物成**・**小物成**）・諸役の負担を義務づけられましたが、年貢などは村高（村全体の石高）を基準に課され、村を単位に納入されました。これを**村請制**と呼びます。一方、村役人は、村を単位に課された年貢を村内の百姓に割り当てていき、領主へは村全体

近世の村の負担

●年貢
本途物成…田・畑・屋敷地（検地帳に石高が記載）に課される米の年貢
小物成…農業以外の副業や山野河海にかかる雑税
●諸役
高掛物…村の石高にかかる付加税
国役…特定の国を指定する臨時の労役
助郷役…街道筋の村を助郷に指定、宿駅の業務で人馬が不足した際に人馬を差し出させる

の年貢を一括して納めました（村役人には文字の読み書きや計算の能力が必須でした）。領主からすれば、村役人だけに命令すれば、本百姓の一人ひとりに命令しなくても、村に課した年貢がきちんと納入されてくることになります。村では、村役人を中心とする自治がおこなわれており、領主もこの自治に依存しながら村を支配していたのです。

村からの年貢収入は、領主にとって重要な財政基盤となりました。徳川家康家臣の本多正信が「**百姓は財の余らぬ様に不足なき様に**」といったとされますが、支配する側にとっては、本百姓の経営を維持させて年貢を確保するとともに、百姓が貨幣経済に巻き込まれて没落しないようにすることも重要でした。したがって、幕府・諸藩は百姓の生活を法令で規制しました。典型的な幕府の法令として、田畑の売買を禁止する**田畑永代売買の禁止令**（1643　3代将軍家光）や、分割相続を制限して田畑の細分化を抑える**分地制限令**（1673　4代将軍家綱）があります。また、たばこ・木綿・菜種などの商品作物の自由な栽培を禁止する**田畑勝手作りの禁**がたびたび出されたとされます。ちなみに、農民の日常生活を規制した**慶安の触書**については実在が疑問視されています。

(2)　城下町には武士のほかに町人も居住し、町人による自治がおこなわれた

幕藩体制下では、城下町・宿場町が行政区分上の町とされ、村と区別されました。**城下町**は、武家地・寺社地・町人地といった身分ごとの居住地の区別があり、身分制社会のあり方を典型的に示すものでした。

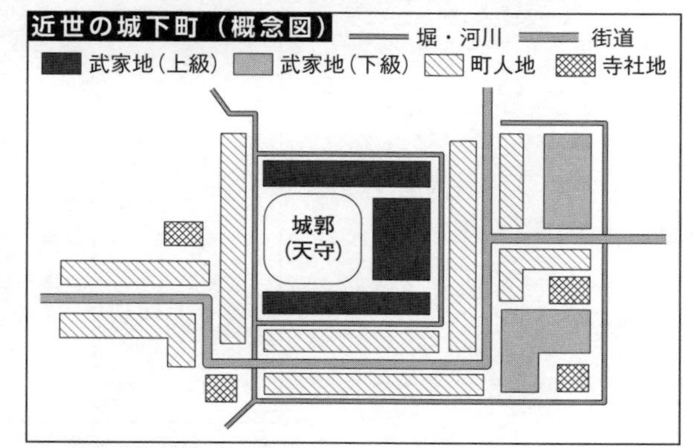

武士は、豊臣政権以来の兵農分離政策によって農村への居住を禁止され、地域における領主としての力を失って、城下町の武家地への集住を強制されました。

町人は、営業の自由や、屋敷地に課税される地子の免除などの特権を得て、職種ごとに居住しました。町人地では町人の共同体「町」が成立し、**町名主**・月行事が主導して町人が参加する町政が、**町法**（町掟）にもとづき自治的におこなわれました。町人地のなかに屋敷地や家屋を持つ**地主**・**家持**が町人としての資格を持ち、町人足役と呼ばれる労役を負担しました。一方、宅地や家屋を持たずに借りる**地借**・**店借**や商家の奉公人は、町政に参加できませんでした。

3 江戸幕府が築いた対外関係

16世紀後半、日本はポルトガル・スペインと関わりましたが→第13章、17世紀前半、江戸幕府はどのような対外関係を築いたのでしょうか。

江戸幕府の外交政策といえば、もちろん「**鎖国**」だよね？

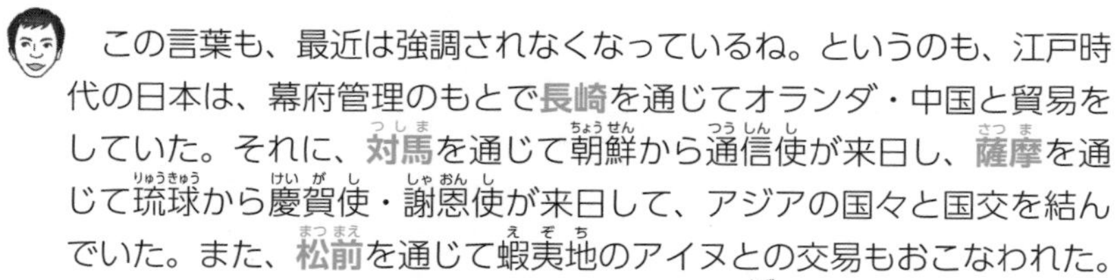
この言葉も、最近は強調されなくなっているね。というのも、江戸時代の日本は、幕府管理のもとで**長崎**を通じてオランダ・中国と貿易をしていた。それに、**対馬**を通じて朝鮮から通信使が来日し、**薩摩**を通じて琉球から慶賀使・謝恩使が来日して、アジアの国々と国交を結んでいた。また、**松前**を通じて蝦夷地のアイヌとの交易もおこなわれた。これら「**四つの口**」が開かれていたから、「国を鎖す」とはいえないよね。

そしたら、なんで「鎖国」と呼ばれるようになったのかな？

「鎖国」という言葉は、江戸時代後期の19世紀に誕生した言葉なんだ。後になって、江戸時代前期の政策が「鎖国」と意識されるようになった。

江戸幕府は、最初から鎖国をやろうとしたんじゃないんだね！

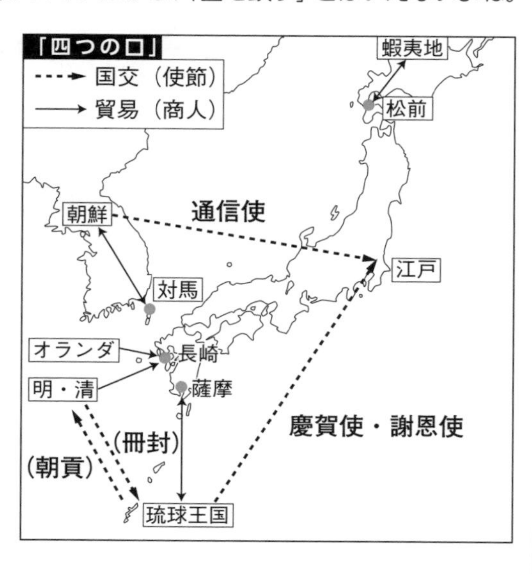

① 江戸初期の国際関係

「中国産生糸の輸入確保」という経済の視点から、江戸時代初期の日本をめぐる国際関係を見ましょう。明との**勘合貿易**が16世紀半ばに断絶して以降→第11章、ポルトガル船を中心とする**南蛮貿易**が、明から日本へ生糸をもたらす生糸貿易を独占していました。しかし、この貿易はキリスト教布教と一体だったので→第13章、生糸を入手したければイエズス会などの布教活動を受け入れなければならず、生糸の価格もポルトガル商人の意のままになっていました。

(1) 新たにオランダ・イギリスと貿易を始め、スペインとの貿易が再開した

こうしたなか、オランダ船**リーフデ号**が豊後に漂着しました（1600）。同乗していたオランダ人の**ヤン＝ヨーステン**とイギリス人の**ウィリアム＝アダムズ**（三浦按針）は徳川家康の外交顧問に用いられました。のち、オランダ・イギリスともに肥前の**平戸**に商館を置き、新たに**オランダ・イギリス**との貿易が始まりました。オランダ・イギリスはキリスト教の面では**プロテスタント**（新教）の国で、海外進出では布教をめざしておらず、貿易が中心で、**東インド会社**を設立してアジアへの進出をはかっていました。キリスト教を黙認しつつも布教拡大を望まなかった江戸幕府にとっては、都合のよい貿易相手でした。

一方、スペインとの通交は秀吉政権のときのサン＝フェリペ号事件以来途絶えていましたが→第13章、徳川家康が京都の商人**田中勝介**をスペイン領メキシコ（ノヴィスパン）へ派遣したことを機に（日本史上初めての太平洋横断です）、スペイン船来航が再開しました。また、仙台藩の伊達政宗が家臣の**支倉常長**をスペイン・ローマへ派遣しました（**慶長遣欧使節**　1613）。徳川家康も伊達政宗も、メキシコとの直接貿易を画策したのですが、失敗しました。

(2) 朱印船貿易を拡張し、東南アジア経由で中国産生糸が輸入された

「中国産生糸の輸入確保」のためには、当然ながらアジアとの関係も重要です。江戸幕府は明との国交回復を試みますがうまくいかず、明の海禁政策が緩んでくるなかで来航するようになった中国船との私貿易を展開しました。これに加え、江戸幕府は**朱印船貿易**を拡張しました。幕府から将軍が発給した**朱印状**を得た朱印船は、東南アジア方面で中国船と生糸・銀を取引しました（こうい

日本人の海外進出

った形の貿易を出会貿易と呼びます）。朱印船貿易家としては、長崎の末次平蔵や京都の角倉了以が知られます。そして、東南アジアの各地に日本人が居住する**日本町**が出現しました。特に、シャム（現在のタイ）のアユタヤにあった日本町では**山田長政**が活躍し、のちアユタヤ朝の役人となりました。

(3) 江戸幕府は、ポルトガル船が独占する生糸貿易を統制した

中国産生糸の輸入の多様なルートができていくのと並行して、江戸幕府は生糸貿易を独占していたポルトガル船の規制に乗り出し、幕府が開かれた直後に**糸割符制度**（1604）を設けました。特定の商人に**糸割符仲間**を結成させて生糸を一括購入させ（はじめは絹織物産地や貿易港である**京都**・**堺**・**長崎**の商人から選ばれ、のち大都市である**江戸**・**大坂**の商人からも選ばれて**五カ所商人**となります）、生糸の買い取り価格を日本側が決定するというものです。こうして、生糸貿易の利益をポルトガル側から取り戻そうとしました。

② 禁教と「鎖国」体制

カトリック国スペイン・ポルトガルが植民地拡大にキリスト教を用いていたことや、教会組織を中心とするキリシタンの強い団結は、全国支配を安定させたい江戸幕府にとって脅威となったことから、江戸幕府は禁教に乗り出しました。これは、信仰そのものを禁じて改宗を迫るもので、これを拒否するキリシタンを徹底的に弾圧しました。そして、キリスト教の海外からの流入を防ぐため、中国産生糸の輸入ルートの数も減らされていきました。

(1) 1610年代、江戸幕府は立て続けに禁教政策を打ち出した

幕府は幕領・直轄都市に**禁教令**（1612）を発令し、翌年に禁教令を全国に及ぼし、さらにキリシタン大名**高山右近**をマニラへ（信者約300人もマニラとマカオへ）追放しました。そして、ヨーロッパ船の寄港地を肥前の**平戸**と**長崎**に制限し（1616）、西国大名が南蛮貿易に関与しにくいようにしました。

(2) 1620年代、禁教強化とともに、イギリス・スペインとの通交がなくなった

幕府は長崎で宣教師・信徒を公開処刑するなど（**元和の大殉教**）、禁教を強化しました。このころ、イギリスが東南アジアから撤退し、日本の**イギリス商館も閉鎖して退去**しました（1623）。そして、幕府は**スペイン船の来航を禁止**して（1624）、カトリック国スペインとの関係を断ち切りました。

(3) 1630年代、日本人の渡航・帰国が禁じられ、ポルトガルとの通交が絶えた

3代将軍**家光**のもとで、日本人の海外渡航や外国船の来航に対する規制が強化されました。まず、朱印状のほかに**老中奉書**により海外渡航が許可される**奉書船**制度が設けられ、のち**奉書船以外の海外渡航が禁止**されて(1633)、朱印状のみでは海外渡航が不可となりました。さらに、**日本人の海外渡航と在外日本人の帰国を全面禁止**して(1635)、東南アジア方面からの生糸輸入に加えてキリスト教流入の可能性もあった朱印船貿易が断絶しました。史料に「**異国え日本の船之を遣すの儀、堅く停止の事〜異国え渡り住宅仕り之有る日本人来り候はば、死罪申付くべき事**」とあり、幕府の断固たる姿勢がうかがえます。

年表

1600 リーフデ号の漂着
1604 **糸割符制度**
1609 オランダが商館を開く(イギリスは1613年)
1612 **直轄領に禁教令**
1613 全国に禁教令/慶長遣欧使節
1614 高山右近らをマニラへ追放
1616 ヨーロッパ船の寄港地を平戸・長崎に限定
1622 元和の大殉教
1623 **イギリスが平戸の商館を閉鎖して退去**
1624 **スペイン船の来航を禁止**
1633 **奉書船以外の海外渡航を禁止**
1635 **日本人の渡航・帰国を全面禁止**
1637 島原の乱(〜38)
1639 **ポルトガル船の来航を禁止**
1641 **オランダ商館を長崎の出島へ移転**

そして、**島原の乱**(**島原・天草一揆** 1637〜38)が発生しました。島原と天草はキリシタン大名の有馬氏や小西氏の領地だったことから領民にキリシタンが多かったのですが、新たな領主である島原の松倉氏と天草の寺沢氏が過酷な支配をおこなったため、**天草四郎時貞**を首領として農民・牢人・キリスト教徒が反抗しました(このころから**絵踏**などの禁教政策が強化されましたが、ひそかに信仰を維持する**隠れ**(**潜伏**)**キリシタン**もいました)。

キリシタン団結の脅威を目のあたりにした幕府は、**ポルトガル船の来航を禁止**し(1639)、カトリック国ポルトガルとの関係を断ち切りました。史料に「**宗門の族、徒党を結び、邪儀企つれば、則御誅罰の事〜自今以後、かれうた**(ポルトガル船)**渡海の儀、之を停止せられ畢**」とあり、幕府は直前に発生した島原の乱を念頭に置いていたことがわかります。そして、平戸のオランダ商館を**長崎**の**出島**に移し(1641)、長崎奉行の監視下に置きました。こうして、禁教を中心に海外との往来を制限する「鎖国」が形成され、中国産生糸を輸入するルートはオランダ船・中国船の長崎来航が中心となりました。

③「四つの口」

(1) 長崎口では、幕府によるオランダ・中国との貿易を管理する体制がととのった

オランダとは国交は開かずに貿易のみの関係で、オランダ船が長崎へ来航し

て中国産生糸などをもたらしました。出島にはオランダ商館が設けられ、商館長は定期的に江戸へ参府し、海外情勢を記した**オランダ風説書**を幕府へ提出しました。こうして、幕府は海外情報を独占したのです。

また、幕府は中国船の寄港地を長崎に限定し、のち明が滅亡して**清**が中国を統一してからも、国交は開かずに貿易のみの関係を保ちました。しかし、清との貿易はしだいに増え、**生糸**の大量輸入にともなう**金・銀**の大量輸出が問題となりました。そこで、17世紀後半、年間の貿易額や清船の来航数を制限するとともに、長崎市中に雑居していた清国人を郊外の**唐人屋敷**に住まわせました。

こうした貿易制限により、中国産生糸の輸入は17世紀末からしだいに減少したので、日本では**生糸の国産化**が進み、養蚕・製糸業が発達しました。

(2) 対馬口では、対馬藩が朝鮮との外交の実務を担い、貿易を独占した

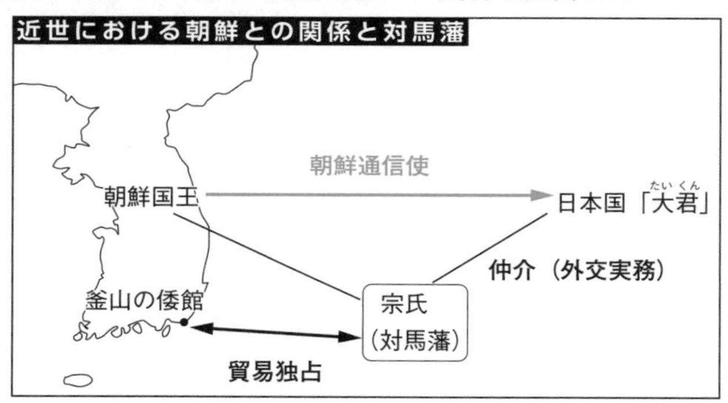

秀吉政権による文禄・慶長の役で朝鮮との国交は断絶しましたが→第13章、**対馬藩**の**宗氏**の働きかけで使節が来日し、国交が復活しました。対馬は耕地が少なく、中世以来朝鮮との交易を経済活動の中心としていたので→第11章、国交回復を望んだのです。

そして、宗氏と朝鮮との間で**己酉約条**（1609）が結ばれ、対馬藩が朝鮮貿易を独占する地位を認められました（長崎貿易と異なり、幕府は朝鮮貿易の利益を得ていないことに注意しましょう）。そこで、対馬藩の商人や宗氏の家臣は、日本人居留地・在外公館である釜山の**倭館**に渡って（「鎖国」なのに日本人が海外へ渡航しています）、朝鮮との貿易や外交交渉をおこないました。朝鮮からは朝鮮人参などの薬種とともに、中国産生糸も輸入されました。また、新しい将軍が就任したときなどには、幕府が朝鮮に使節の派遣を依頼し、朝鮮からは**朝鮮通信使**が来日して江戸へ参府しました。

(3) 薩摩口では、薩摩藩が琉球を支配するが、琉球は中国との関係を維持した

琉球王国は、中世では明に朝貢して臣下の礼をとり冊封を受ける（皇帝から返礼品を下され、朝貢貿易を許される）とともに、アジア諸地域間を結ぶ中継貿易で繁栄しましたが→第11章、ポルトガルがアジア海域での貿易に進出したこ

とで、琉球の優位性は失われていきました。

江戸時代に入り、**薩摩藩**の**島津氏**（島津家久）が家康の許可で琉球を征服し（1609）、琉球を支配下に入れました。薩摩藩は琉球に対し、対外的には独立王国としての体裁を取らせ、明（のち清）との朝貢貿易を継続させました。そうすると、琉球が中国から得た産物に加え、琉球の産物（黒砂糖など）も薩摩藩へ上納させることができますね。こういった琉球貿易は、薩摩藩の財政基盤の一つとなりました。

また、将軍代替わりのときには**慶賀使**が、国王代替わりのときには**謝恩使**が、それぞれ琉球から幕府のもとへ派遣されましたが、これらの使節には異国風の格好をさせ、あたかも将軍に対して「朝貢」するように演出して、将軍の権威を高めるために利用しました。こうして、琉球は幕府と中国との二重の外交体制を保ち続ける**日中両属**の状態となりました。

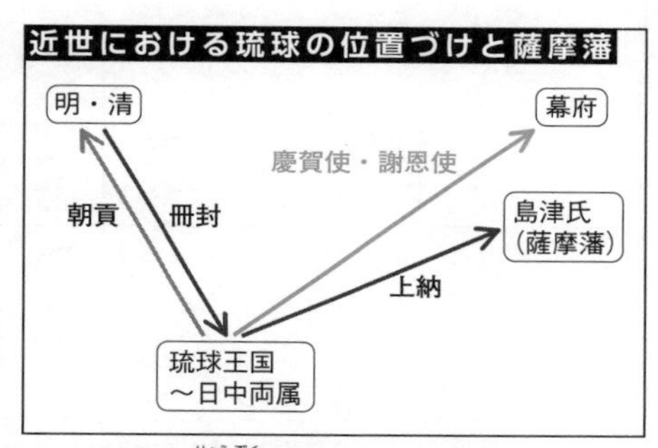

⑷　松前口では、松前藩が蝦夷地におけるアイヌとの交易を独占した

江戸幕府は、**松前藩**の**松前氏**に蝦夷地の支配を任せました。松前氏は、室町時代には蠣崎氏と名乗っており、コシャマインの蜂起を抑えたのち道南の和人居住地の支配者となっていましたが→第11章、江戸時代になると松前氏と改称し、幕府からアイヌとの交易独占権を得る大名となりました。藩の財政基盤は、「商場・場所」と呼ばれた、アイヌを相手に交易をおこなう地域です。

17世紀には、松前氏が上級家臣に対し、商場での交易権を知行として与える**商場知行制**がおこなわれました。こうしたなか、和人の不正取引などに反発したアイヌが**シャクシャイン**を中心に蜂起しましたが（1669　4代将軍家綱のころ）、松前藩はこれを抑えました。

18世紀以降、それまでの商場知行制は、漁場などでの交易を商人に請け負わせて運上金を課す**場所請負制度**に移行しました。アイヌとの取引を、松前氏家臣がおこなっていた状態から、請負商人がおこなう状態に変化したのです。それとともに、場所請負商人が蝦夷地へ進出し、漁業・水産加工業・林業などを大規模に展開するようになると、アイヌは和人と対等な交易相手の立場から、商人に従属して搾取される労働者の立場になってしまいました。

チェック問題にトライ！

次の表は松江藩（18.6万石）のおおよその年間財政を項目別にまとめた記録から、1806（文化３）年・1813（同10）年・1820（文政３）年の財政状況を示したものである。この文化から文政にかけての時期には、諸藩の多くは財政難を打開するために、さまざまな施策を試みていた。

表　松江藩の財政

⑴　収入　（単位：両）

項目＼年	1806年		1813年		1820年	
収入米	133,287	(97.2%)	142,626	(86.6%)	96,492	(92.4%)
収入金	3,875	(2.8%)	22,094	(13.4%)	7,946	(7.6%)
計	137,162	(100.0%)	164,720	(100.0%)	104,438	(100.0%)

⑵　支出　（単位：両）

項目＼年	1806年		1813年		1820年	
参勤交代費	4,032	(2.9%)	3,474	(2.3%)	3,381	(3.0%)
江戸経費	44,159	(32.3%)	40,064	(26.7%)	38,365	(33.8%)
京･大坂経費	3,082	(2.3%)	3,278	(2.2%)	3,048	(2.7%)
俸禄	59,438	(43.4%)	72,044	(48.0%)	46,432	(40.9%)
国元経費	26,199	(19.1%)	31,246	(20.8%)	22,285	(19.6%)
計	136,910	(100.0%)	150,106	(100.0%)	113,511	(100.0%)

（『松江藩出入捷覧』より作成）

（注１）　もとの記録には、米の俵数で表記する項目もあるが、当該年の米価で換算し貨幣（金）による表記に直した。

（注２）　俸禄には、国元だけでなく、江戸のものも合算している。

問　表から読み取れることがらを述べた文として正しいものを、次の①～④のうちから一つ選べ。

①　収入は一定していたが、支出は年により増減が激しかった。

②　俸禄は支出の４割を超えており、５割近くになる年もあった。

③　参勤交代のためにかかる経費は、支出の中で最大であった。

④　国元経費は、江戸経費よりも大きかった。

（センター試験　2008年度　追試験）

解説　データは近世後期のものですが、この章で学んだ参勤交代（さんきんこうたい）に関する理解をもとに、**選択肢の内容と表の数値とが一致しているか**判断しましょう。

①　年ごとの「収入」と「支出」の金額を順に追っていきましょう。表⑴を見ると、藩（はん）の「収入」の金額は1806年が約14万両、1813年が約16万両、1820年が約10

万両。表(2)を見ると、藩の支出の金額は1806年が約14万両、1813年が約15万両、1820年が約11万両。収入も支出も「年により増減が激しかった」と読み取れますから、「収入は一定していた」は誤りです。

② 「俸禄」のパーセントを確認しましょう。表(2)を見ると、1806年は43.4%、1813年は48.0%、1820年は40.9%とすべて「4割を超えて」いますし、「5割近くになる年もあった」も正しいと判断できます。

③ 年ごとに、それぞれの経費のパーセントを比べましょう。1806年では「参勤交代費」が2.9%なのに対し、「江戸経費」が32.3%、「京・大坂経費」2.3%、「俸禄」が43.4%、「国元経費」が19.1%となっており、「参勤交代のためにかかる経費」が「支出の中で最大」とはいえません。ほかの年も同じ傾向なので、誤りです。この表からは、参勤交代は、大名の経済力を失わせるものではなかった、ということが読み取れますね。それよりも、参勤交代にともなう「江戸経費」の負担が非常に多いことが、藩の財政を圧迫していたのです。

④ ある年の「国元経費」と「江戸経費」の金額をくらべてみましょう。1806年では江戸経費が44,159両、国元経費が26,199両で、「国元経費」が「江戸経費よりも大きかった」とはいえません。ほかの年も同様です。

⇒したがって、②が正解です。

徳川家康の時代に関連して述べた次の文Ⅰ～Ⅲについて、古いものから年代順に正しく配列したものを、下の①～⑥のうちから一つ選べ。

Ⅰ 大坂冬の陣・夏の陣（大坂の役）で、豊臣氏が滅ぼされた。
Ⅱ 関ヶ原の戦いで、東軍が石田三成らの西軍に勝利した。
Ⅲ 家康が将軍職を辞し、子の秀忠が将軍となった。

① Ⅰ－Ⅱ－Ⅲ　② Ⅰ－Ⅲ－Ⅱ　③ Ⅱ－Ⅰ－Ⅲ
④ Ⅱ－Ⅲ－Ⅰ　⑤ Ⅲ－Ⅰ－Ⅱ　⑥ Ⅲ－Ⅱ－Ⅰ

（センター試験　2016年度　追試験）

解説　狭い年数の範囲における年代配列が求められた場合は、西暦年代の知識ではなく、**出来事どうしの因果関係が理解できているか**が問われています。

Ⅰの1614～15年とⅡの1600年は覚えている人も多いでしょうが、Ⅲの1605年までは覚えている人は少ないでしょう。徳川家康が関ヶ原の戦いで勝利したことで、征夷大将軍となって江戸幕府を開いたこと（Ⅱ）、その直後に子の秀忠を2代将軍とし、家康自身は大御所として幕政を主導したこと（Ⅲ）、大坂城にいる豊臣秀頼への警戒を緩めず、最終的に大坂冬の陣・夏の陣で滅ぼしたこと（Ⅰ）、その直後に一国一城令や武家諸法度で幕藩体制の基礎を作ったこと、以上の流れが理解できていればOKです。

⇒したがって、④（Ⅱ→Ⅲ→Ⅰ）が正解です。

近世社会の展開（江戸時代前期）

世紀	将軍	政治	外交
17世紀後半	④家綱	**1 文治政治への転換と元禄時代** **①文治政治への転換** 慶安の変（由井正雪の乱　1651） 末期養子の禁を緩和（1651） 明暦の大火（1657） 殉死の禁止	
	⑤綱吉	**②元禄時代** 武家諸法度　天和令　「弓馬の道」→「忠孝」 生類憐みの令 柳沢吉保、側用人となる 湯島聖堂／林鳳岡（信篤）、大学頭に 幕府財政の悪化 元禄金銀を鋳造（荻原重秀）…悪鋳	
18世紀前半	⑥家宣 ⑦家継	**2 正徳の治** **①新井白石の政治** 閑院宮家を創設 正徳金銀を鋳造…良鋳	**②正徳の治での外交** 朝鮮通信使の待遇を簡素化 将軍呼称を「日本国王」に 海舶互市新例（1715）

（1）（2）

3 経済発展の全国的展開

①生産・加工の発達	新田開発の進行　町人請負新田 農具の改良　備中鍬・千歯扱など 肥料の使用　自給肥料に加えて金肥も使用 商品作物の栽培　四木・三草、綿花・菜種 農書の普及　宮崎安貞『農業全書』など 特産品の拡大　絹織物・麻織物・綿織物、酒・醬油
②移動・運輸の発展	陸上交通　五街道・脇街道、宿駅（問屋場・本陣）、関所 水上交通　東廻り・西廻り航路、南海路（菱垣廻船・樽廻船）
③流通・販売の発展	商品の種類　蔵物・納屋物　　御用商人　蔵元・掛屋、札差 問屋商人が仲間を結成→幕府が株仲間として公認 卸売市場　堂島米市場など 幕府が貨幣鋳造　金貨（計数貨幣）・銀貨（秤量貨幣）・銭貨　両替商

第15章のテーマ

江戸時代前期（17世紀後半〜18世紀初め）の政治と、江戸時代の経済を見ていきます。

(1) 戦乱が終わり社会が安定すると、軍事力を背景とする**武断政治**に代わり、儒教道徳をもとに礼儀による秩序を築く**文治政治**が展開しました。

(2) 江戸時代は、経済が全国的に発展しました。幕藩体制の枠組みのなかで、どのような経済活動が展開したのでしょうか。

Ⅲ 近世

1 文治政治への転換と元禄時代（17世紀後半〜18世紀初め）

17世紀前半の幕府政治のあり方は、軍事力を根拠に強力に支配する**武断政治**が基本で、大名の領地を没収する**改易**などの厳しい処分をおこなっていましたが、17世紀後半になると、儒教道徳を用いて世の中の秩序を維持する**文治政治**へ転換しました。戦乱の時代が終わって社会が安定するなか、幕府政治の安定がはかられた、**4代将軍家綱**と**5代将軍綱吉**の時代を見ていきましょう。

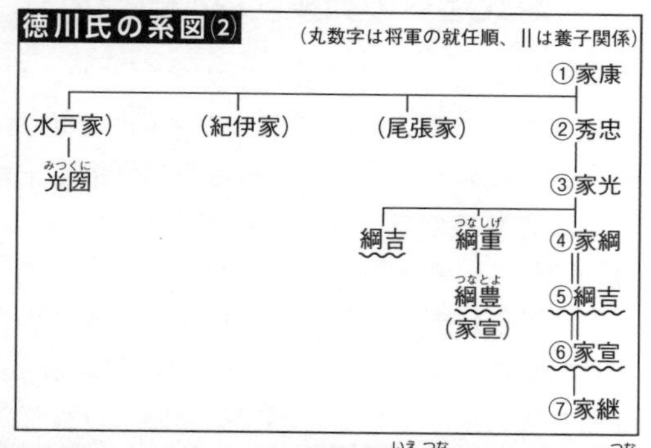

江戸時代の初めごろは、なんで改易が多かったのかな？

大名が守るべき法である**武家諸法度**に違反すると、改易になるのはあたりまえだよね。でも、大名に跡継ぎがいないことによる改易も多かったんだ。

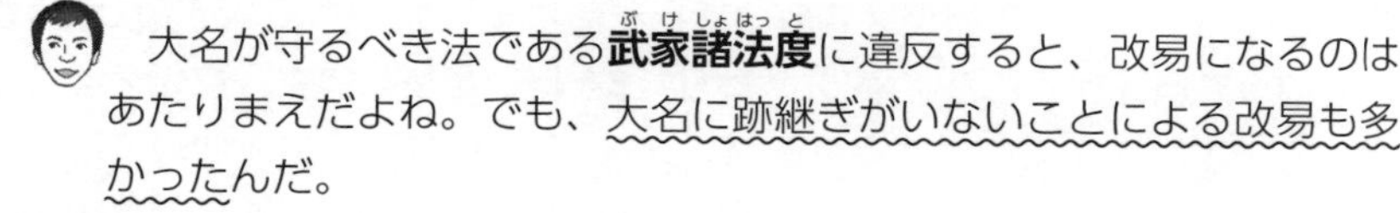
それだと、大名に息子がいなかったら、すぐ改易になっちゃうね。

そうならないように、大名に息子がいない場合、養子をとって跡継ぎにしてもいい。大名の弟や、大名の姉妹の婿などが養子になるよ。

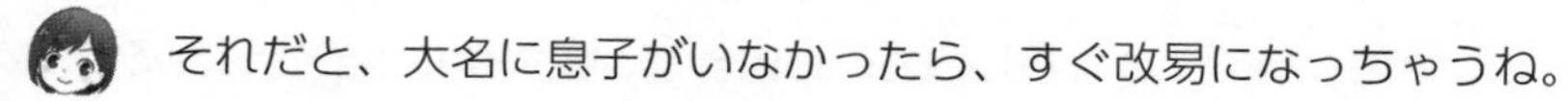
それでも、跡継ぎがいなくて改易になるのは、なぜだろう？

実は、**末期養子の禁**といって、大名が死ぬ直前に養子をとるのは禁止されていた。大名がとる養子は、幕府の許可が必要だからね。だから、子のいない大名が突然亡くなった場合、末期養子の禁によって養子をとることができないから、跡継ぎがいなくて改易になってしまうんだよ。

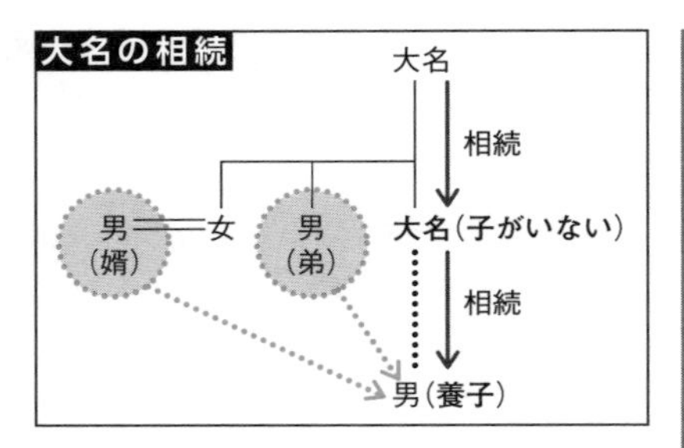

大名が改易になると、その家臣たちはどうなってしまうのかな……。

① 文治政治への転換（17世紀後半）

年表

1651 3代将軍家光が死去
慶安の変（由井正雪の乱）
家綱が4代将軍となる
末期養子の禁を緩和
1657 明暦の大火
1663 殉死の禁止

武断政治のもとでは多くの大名が改易され、主君を失って**牢人**となる武士も大勢いました。戦乱がなくなると、彼らは戦場での活躍で出世することができず、不満を持ちました。また、戦国時代の風潮を引きずり、異様な格好で徒党を組む**かぶき者**も横行しました。

社会不安が広がるなか、3代将軍家光が死去した直後、兵学者の**由井正雪**が牢人を集めて幕府打倒を計画した**慶安の変**（1651）が発生し、幕府は危機感を持ちました。そして、若い**徳川家綱**が4代将軍となり、おじの**保科正之**（会津藩主）が将軍を支える体制のもと、幕府は**末期養子の禁を緩和**しました。50歳以下の大名に末期養子を許可して改易を減らし、牢人の増加を防ごうとしたのです。あわせて、江戸のかぶき者の取り締まりを強化しました。

そして、江戸市街と江戸城に大きな被害を与えた**明暦の大火**（1657）から復興したのち、4代将軍家綱は**殉死の禁止**を命じました。主人の死後に家臣があとを追って自死することを禁じ、家臣は跡を継いだ新しい主人に仕えることによって、家臣の主人に対する「忠（奉公）」のあり方は、主人個人に対するものから、主人の家に対するものに変化しました。こうして、戦国時代以来の風潮が、平和な時代にふさわしいものに改まり、主従関係が安定したのです。

政治の転換は、大名支配にも見られました。17世紀には、儒学者を招いてその知恵を借り→第18章、藩内の安定をはかろうとする大名が登場しました。特に岡山藩の**池田光政**は、庶民にも門戸を開いた**郷学**の**閑谷学校**を設立しました。

17世紀の藩政改革

- **保科正之**（会津藩）…山崎闇斎を招く
- **池田光政**（岡山藩）…熊沢蕃山を招く
  └郷学の閑谷学校を開く
- **徳川光圀**（水戸藩）…朱舜水を招く
  └『大日本史』の編纂事業を始める
- **前田綱紀**（加賀藩）…木下順庵を招く

② 元禄時代（17世紀末〜18世紀初め）

５代将軍**徳川綱吉**は、文治政治を推進しました。当時の元号を用いて、彼が活躍した時代を**元禄時代**と呼びます（1680〜1709）。

文治政治のもとになった儒教道徳というと、「親孝行」とかがあると思うんだけれども、幕府はなんで儒教を使おうとしたんだろう？

儒教は、古代の中国の思想家である孔子の教えで、かつて律令国家の貴族や官人が**明経道**を学んだよね→第７章。そして、儒教を解釈した学問の一つである**朱子学**には、世襲の身分にもとづき各人がわきまえる「**大義名分**」が存在する、とする考え方がある。江戸幕府は、身分制社会を支配するため、儒教を支配のしくみのなかに組み込んでいったんだ。

文治政治

(1)儀礼を整備し、君臣の別を可視化する
(2)武士に儒教を教育し、統治者の自覚を促す

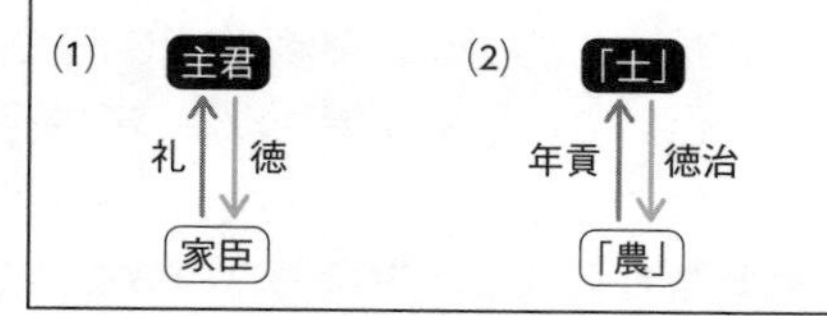

古くからある儒教は、江戸幕府の支配を支える思想になったんだね。

(1) 将軍綱吉自身が学問を盛んにし、儒教道徳を軸とする文治政治を主導した

年表

1680 **綱吉**が５代将軍となる
1683 武家諸法度　天和令
1685 **生類憐みの令**（以後、たびたび発令）
1688 柳沢吉保、**側用人**となる
1690 湯島聖堂
1691 林鳳岡（信篤）、**大学頭**に
1695 **元禄金銀**を鋳造　**荻原重秀**の建議
1707 富士山の大噴火（宝永期）

武家諸法度は、将軍の代替わりごとに出されますが、綱吉が出した**天和令**では、「**文武弓馬の道**」という条文の言葉が「**文武忠孝を励し**」に改められました。「**忠孝**」とは主君への忠と父祖への孝のことですから、儒教道徳によって社会の秩序を安定させようとする文治主義を、綱吉が武家諸法度を通じて表明したのです。そして、徳川家に仕えた朱子学者の林羅山が建てた孔子廟と私塾を、**湯島聖堂**と**聖堂学問所**として整備しました。さらに、林羅山の孫である**林鳳岡**（**信篤**）を**大学頭**に任命し、幕府の文教政策を担当させました。以後、林家が大学頭を世襲していきます→第18章。また、貞享暦と呼ばれる新しい暦を作成した渋川春海（安井算哲）を**天文方**に任命し、また**歌学方**に北村季吟を任命するなど、江戸幕府が学問を主導しました→第18章。

(2) 側用人を将軍の側近として重く用いた

5代将軍綱吉は、新しい幕府役職として、江戸城内で将軍と老中との連絡役をする**側用人**を設け、**柳沢吉保**を任じました。側用人のなかには、将軍の側近として政治的発言力を強める場合があり、柳沢吉保や、のちに10代将軍家治の側用人となった田沼意次が→第16章、そういった側用人の典型例です。

(3) 朝廷との関係を深め、将軍の権威を高めようとした

綱吉は、朝廷との関係を深めました。朝廷の権威が高まれば、天皇から任命される将軍の権威も高まる、という論理のもと、朝廷に資金を提供して天皇即位の儀式である**大嘗祭**を復活させたり、朝廷から幕府への勅使を迎える儀式を重要視したりしました。

こうしたなか、高家（儀礼をつかさどる旗本）の役割が重要となり、高家の吉良義央が江戸城中で赤穂藩主の浅野長矩に斬りつけられる事件も発生しました。浅野長矩は切腹を命じられますが、その家臣たちが吉良義央への仇討ちを果たしました。これが**赤穂事件**（1701～02）で、のちに**竹田出雲**の**『仮名手本忠臣蔵』**として人形浄瑠璃や歌舞伎の演目になりました→第18章。

(4) 宗教政策も重視し、生類憐みの令を発した

将軍綱吉は仏教信仰にあつく、**護国寺**の造営などの事業をおこない、また**生類憐みの令**をたびたび発しました。**犬**だけでなく、さまざまな動物を保護の対象にしたので、庶民生活が混乱したという面が強調されます。しかし、生類すべての殺生を禁じる内容は、人間の病人・捨て子の保護にまで及んだことから、この政策は社会の価値観を大きく変えました。

また、神道の影響から**服忌令**が発され、人が亡くなったときの服喪や忌引の日数を規定したことで、死や血を穢れとして忌み嫌う風潮が生じました。こうして、武力に頼って成り上がるという戦国時代以来の価値観が消えていきました。その一方、死牛馬の処理や皮革加工をおこなう、かわた（長吏）を穢れた存在とする差別も強まりました。

(5) 幕府財政の悪化に対して、貨幣改鋳で対応した

この時期の幕府は、**支出の増加**（明暦の大火からの復興、寺社の造営、儀礼の整備）と**収入の減少**（金銀鉱山の産出量減少）により、**財政難**が深刻となりました。これに対し、勘定吟味役の**荻原重秀**が提案した政策が実現し、**元禄金銀**が造られました。これは、金貨のなかに含まれる金の量を減らす（銀貨のなかに含まれる銀の量を減らす）ことで、貨幣の数を増やし、その差益（これを

出目と呼びます）を幕府の収入にするというものでした。しかし、貨幣の価値が下がることで物価が上がり、人々の生活を圧迫しました。綱吉の晩年には**富士山の大噴火**が発生し、降灰の被害をもたらしました。

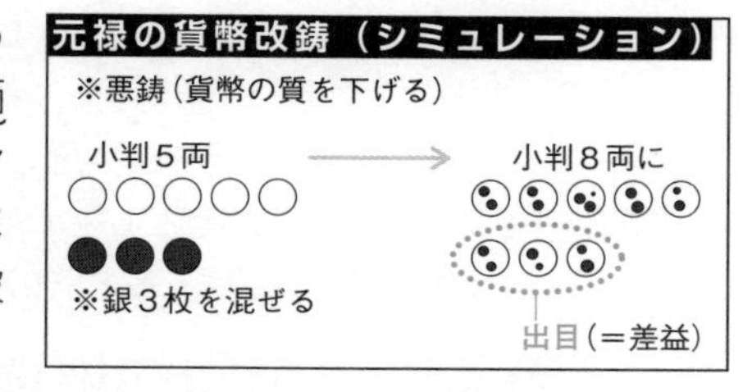

2 正徳の治（18世紀初め）

18世紀初め、６代将軍**家宣**・７代将軍**家継**のもとで、家宣の儒学の師であった朱子学者の**新井白石**が側用人の**間部詮房**とともにおこなった政治を、当時の元号を用いて**正徳の治**（正徳の政治）と呼びます（1709〜16)。朱子学の原理や考え方を用いて、文治政治をさらに推し進めていきました。

① 新井白石の政治

年表

1710	閑院宮家を創設
1711	朝鮮通信使の待遇を簡素化 将軍の呼称を「日本国王」とする
1714	正徳金銀を鋳造
1715	海舶互市新例

６代将軍家宣は在職３年あまりで死去し、７代将軍家継はとても幼少だったので、これまでのような将軍個人のカリスマに頼るよりも、将軍職という地位の権威を高めることで、支配を安定させようとしました。そこで新井白石は、将軍職を任命する天皇の権威をさらに高めるため、天皇候補を出す宮家として、新たに**閑院宮家**を創設して天皇家を充実させたり、７代将軍家継と２歳の天皇皇女との婚約をまとめたりしました。

さらに、新井白石は元禄時代の貨幣政策を修正しました。当時勘定奉行にまで出世していた荻原重秀を辞職させるとともに、**正徳金銀**を鋳造し、江戸幕府が最初に発行していた慶長金銀と同じ貨幣の質に戻しました。貨幣の価値を下げたことで物価を上げた元禄金銀のあり方を改め、貨幣の価値を上げて物価を下げようとしたのです。しかし、すでに経済が発達しているなかで流通貨幣量が少なくなったことから、流通が混乱するという結果になりました。

② 正徳の治での外交

新井白石は、新しい外交政策をおこないました。６代将軍家宣の将軍就任を祝うために派遣されてきた朝鮮通信使に対し、今までの待遇が丁重だったとして**待遇を簡素化**するとともに（幕府の財政難も理由でした)、朝鮮からの国書における将軍の呼称を今までの「**日本国大君**」から「**日本国王**」に改めさせ、日本の代表者である将軍の地位を東アジア世界のなかで明確にしました。

さらに、長崎貿易への統制も強めました。すでに17世紀末には、幕府は長崎における清・オランダとの年間貿易額や清船の来航数を制限していましたが、新井白石は長崎貿易の規制を強化しました。**海舶互市新例**を発して貿易船の来航数を制限し（清船は年間30隻・オランダ船は年間２隻）、年間の貿易額も再確認しました。こうして、金・銀の流出を防ごうとしました。

3 経済発展の全国的展開

近世の経済史を総合的に見ていきましょう。経済史を学ぶときに大切なのは、全体を大まかにつかむマクロの視点と、それぞれの要素を細かく見るミクロの視点です。内容が多いので、以下の三つの場面に分けて考えます。

①：人が物を生産する場面
②：人が移動したり物を運搬したりする場面
③：人が物を売買する場面

① 生産・加工の発達

江戸時代に大きな経済成長が見られたのは、なぜなんだろう？

戦乱がなくなったことが大きいかもね。戦国時代には石垣をともなう巨大な城が造られたけど、城の築造に必要な、石を切り出し、運搬し、積み上げる技術は土木工事に利用されて、用水路の開削や堤防の建設が進み、江戸時代になると全国的に**新田開発**が盛んになるんだ。

平和な時代には、戦いの技術も平和に利用されるんだね。全国の耕地が増えたら、農民の一家全員が、それぞれ田畑を持てるかもね。

農民の次男以下が自立し、自分の家族を作れるようになると……。

子どもがたくさん生まれて人口も増える。社会が変化していくね。

(1) 農業：耕地面積の拡大や技術の発達により、生産力が飛躍的に伸びた

農業の状況を見ていきましょう。江戸時代前期は、主に幕府・諸藩が主導した**新田開発**が非常に盛んで、今まで洪水が多かった河川の下流域が耕地化されたり、湖沼・沿岸の干拓が進んで、17世紀の100年間で全国の耕地面積は約２倍になりました。17世紀末には、都市の富裕な商人が開発資金を出した**町人請負新田**も登場しました（越後の紫雲寺潟新田・河内の鴻池新田）。また、

各地で用水路の開削も盛んになりました（芦ノ湖の箱根用水・利根川の見沼代用水）。こうして、農業生産量が増える基盤がととのっていったのです。

さらに、一組の夫婦を中心とする小規模な家族が本百姓の中心になると、家族が持つ狭い耕地に家族全員の労働力を投じる農業経営が広がり、収穫量を増やすさまざまな工夫がなされるようになりました。

まず、中世以来使われていた刈敷、草木灰や下肥といった自給肥料に加えて→第11章、購入肥料である**金肥**（鰯を干した**干鰯**・菜種をしぼった**油粕**）が新たに登場しました。金肥は、主に商品作物の栽培に用いられました。

また、耕作具として深く耕せる**備中鍬**、揚水具として用水路から水田に水を入れる**踏車**、脱穀具として稲穂から籾を取る**千歯扱**、選別具として籾の殻を取り除いたり米の粒をそろえたりする**唐箕**・**千石簁**など、家族労働の農業経営に合わせた、人間の力を最大限に発揮させる農具の改良が進みました。農具の絵図をしっかり見ておきましょう。

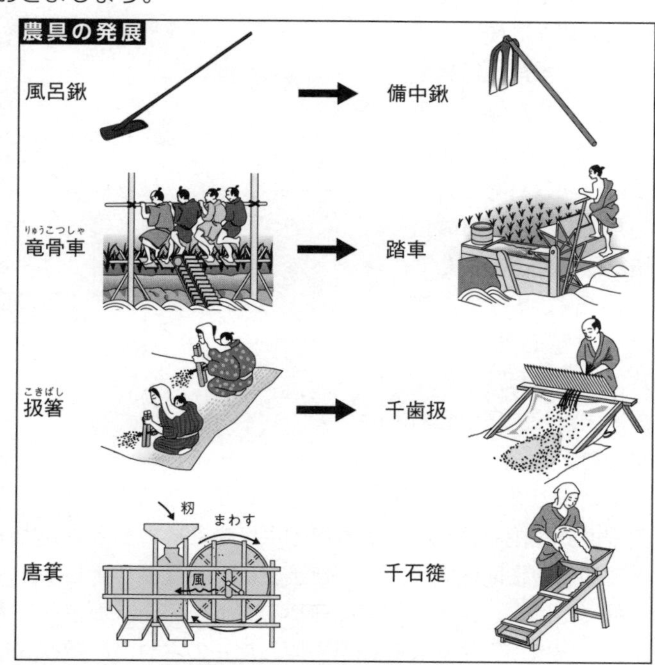

こうした農業技術は、各地の百姓が記録したり、それらを体系化したりして**農書**にまとめられ、それが印刷・刊行されて普及することで、栽培技術や農業経営に関する知識が全国に広まっていきました。17世紀末（江戸時代前期）には**宮崎安貞**の『**農業全書**』、19世紀中期（江戸時代後期）には**大蔵永常**の『**広益国産考**』が登場しました→第18章。

江戸時代には、三都（江戸・大坂・京都）や各地の城下町に人口が集中したので、そこに生まれた膨大な消費需要を背景に、商品の原料となる商品作物の栽培が全国に広がっていきました。**四木**（桑・楮・漆・茶）と**三草**（**藍**・**紅花**・麻）が中心で、特に藍は**阿波**が産地、紅花は**出羽**が産地でした。これら以外にも、木綿の実の**綿花**や、灯油の原料である油菜の実の**菜種**が、畿内を中心に生産されました。

⑵ 諸産業：農業以外にも、多種多様な生産がおこなわれた

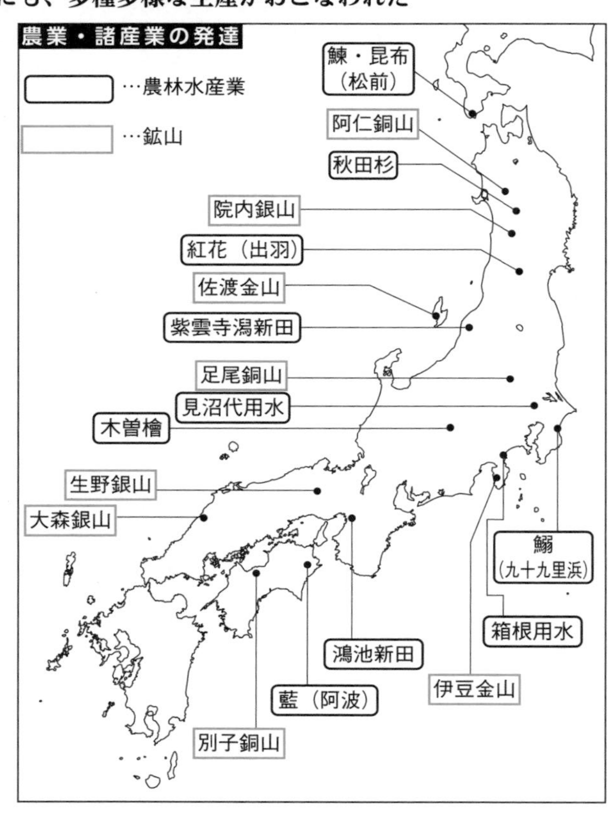

農業以外の諸産業にも注目しましょう。水産業では、上方漁法と呼ばれる網による漁が各地に広まり、松前の**鰊**漁や上総**九十九里浜**の**地曳網**による**鰯**漁が盛んになり、これらは肥料に加工されて商品作物の栽培に使用されました。また、蝦夷地で生産された**俵物**（干しあわび・干しなまこ・ふかひれを俵に詰めたもの）・**昆布**は長崎貿易の輸出品として用いられました。また、捕鯨もおこなわれ、鯨油は灯油や水田の害虫駆除に用いられました。

製塩業では、海水を砂浜で天日干しする方法で塩を採るのですが、中世以来の揚浜式塩田（桶などで海水を砂浜にまく）から**入浜式塩田**（潮の干満を利用して海水を堤防内の砂浜へ引き込む）へと発展しました。

林業では、江戸時代初期に三都・城下町の建設が進んで大量の木材需要が生まれ、火事が発生すると都市再建のための木材が必要となりました。領主の直轄林として、**木曽檜**（尾張藩）と**秋田杉**（秋田藩）が有名です。

鉱業では、戦国大名が開発し、豊臣秀吉が直轄化した鉱山を、江戸幕府が直轄としました。のちに、金山・銀山は産出量が減り、銅は産出量が増えて、長崎貿易の輸出品や貨幣の素材として用いられました。金山は佐渡相川金山・伊豆金山が代表的で、銀山は石見大森銀山・但馬生野銀山が代表的ですが、秋田

藩が管理する出羽院内銀山も登場しました。銅山は下野足尾銅山に加え、秋田藩が管理する出羽阿仁銅山や、大坂の**住友家**（屋号は「泉屋」）が管理を請け負った**伊予別子銅山**も登場しました。

(3) 手工業：商品作物などの加工が発達し、各地に特産物が生まれた

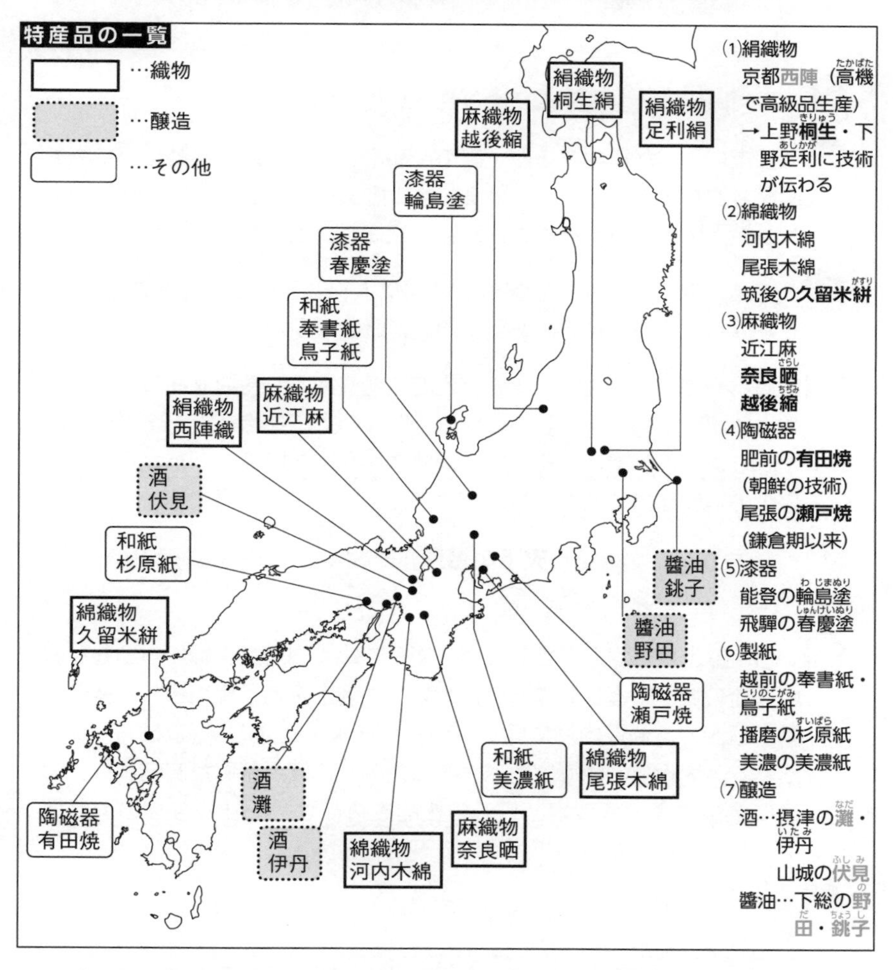

まず、製品を作る方法として、近世の初め以来、農民の自前の道具・資金による副業を中心とした**農村家内工業**がおこなわれていましたが、18世紀（江戸時代中期）になると、都市の問屋商人が農民に資金・道具などを貸して、農民が自宅で加工をおこなう**問屋制家内工業**が見られるようになり、19世紀（江戸時代後期）になると、作業場に集められた賃労働者が分業と協業で加工する

工場制手工業（マニュファクチュア）も見られるようになりました（醸造業では17世紀から見られます）。

前ページに特産品の事例を示しました。織物の産地を、**絹**・**綿**・**麻**で区別しましょう。また、醸造（**酒**・**醤油**）の産地もおさえましょう。

② 移動・運輸の発展

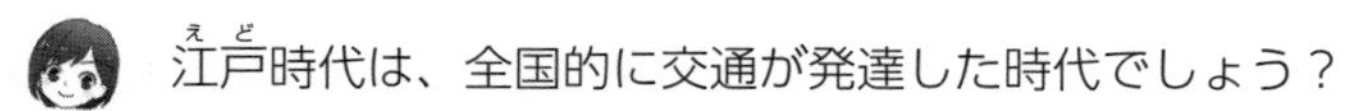

江戸時代は、全国的に交通が発達した時代でしょう？

都市に人口が集中すると、都市と都市との間で人が移動したり物を運ぶ必要が出てくるから、陸上・水上の交通が発達するね。特に、大名が城下町を建設すると、地方にも交通路が張りめぐらされる。

でも、やっぱり大きな都市は**三都**だよね。**江戸**は「**将軍のお膝元**」と呼ばれたように幕府があったから、武士が多かったんだよね。

旗本や御家人が住み、参勤交代で大名や家臣も長期滞在し、商人・職人も集住したから、江戸は約100万人の人口を抱えた。全国政治の中心であると同時に、それだけ消費者が多いということだから、全国最大の消費都市でもあったんだよ。

もちろん、**大坂**は「**天下の台所**」だよね！　でも、「天下の台所」ってどんな意味なんだろう？

台所は、食べ物を作って食卓に運んでいく場所だよね。もともと豊臣秀吉の城下町として作られた大坂は、商工業者が集められて経済活動が盛んで、瀬戸内海に面しているから水上交通の拠点でもあった。そして、大坂夏の陣で豊臣家が滅んだのちに江戸幕府が直轄化し、大坂に全国物資の集散地としての機能を持たせた。江戸などの消費地に、物資を提供するんだ。

江戸と大坂は、全国的な交通の拠点となったんだね。

(1) 陸上交通制度は、江戸を中心に、公用の目的で整備された

陸上交通は、五街道と脇街道を中心に、幕府・諸藩がととのえていきました。江戸日本橋を起点とする**五街道**（**東海道**・**中山道**・**甲州道中**・**日光道中**・**奥州道中**）は、幕府と朝廷・幕領・日光東照宮との連絡や、大名の参勤交代などに

用いられることから、幕府が直轄して道中奉行が支配しました。

街道の重要な施設に、2～3里（約8～12km）ごとに設けられた**宿駅**があり、宿場町が発達しました。**問屋場**は宿駅の重要な役所で、人馬が常備され、幕府役人などが移動するときに馬を乗り継いでいけるようにしました。さらに、幕府の公文書・荷物を継送する**継飛脚**の業務も担当しました（このほか、大名が江戸藩邸と国元の間に設置した大名飛脚や、民間の飛脚問屋が運営する町飛脚がありました）。人馬は、宿場町の町人らによる**伝馬役**の負担でまかなわれましたが、人馬が不足するときには、近隣の村々の百姓が**助郷役**を負担することもありました。また、宿駅には宿泊施設として、大名・家臣（参勤交代）や幕府役人が利用する**本陣**・**脇本陣**や、一般の人々が利用する**旅籠**・木賃宿（旅籠は食事つき）が設けられました。

宿駅とは別に、街道の要所に治安対策を目的として設けられたのが**関所**です。特に、関東の関所では「**入鉄砲に出女**」を監視し、江戸へ鉄砲が持ち込まれたり、江戸から大名の妻が逃亡したりするのを防ごうとしました。

また、1里（約4km）ごとに起点・終点からの距離を確認するために**一里塚**と呼ばれる標識も置かれました。

宿駅（宿場町）の構造

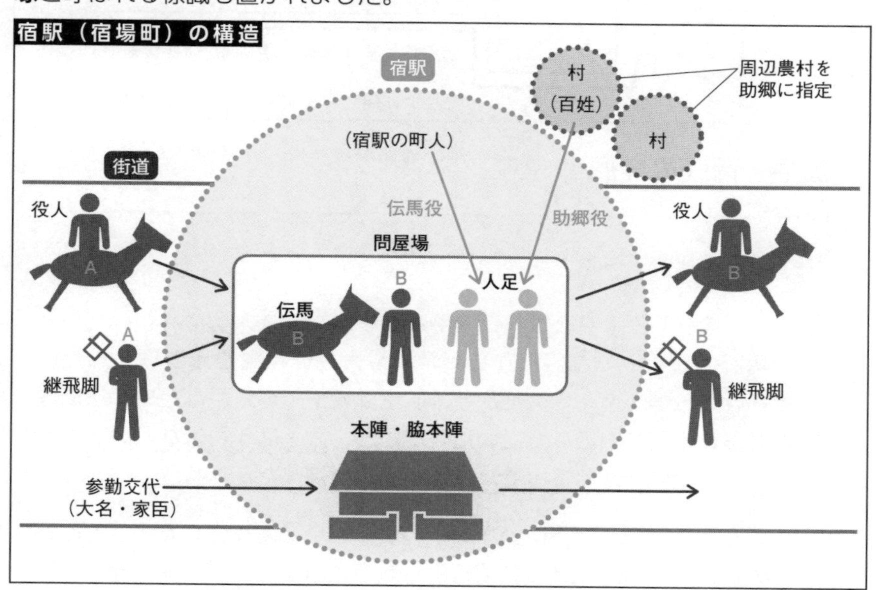

(2) 水上交通路は、大坂を中心に、物資輸送のために整備された

水上交通路は大量の物資輸送を担い、全国の河川や海上を廻船が航行しました。河川交通は、京都商人の**角倉了以**が富士川（甲斐～駿河）や高瀬川（京都

〜伏見）を整備しました。海上（沿岸）交通は、江戸商人の**河村瑞賢**が出羽酒田を起点として江戸・大坂に至る**東廻り航路**（**海運**）・**西廻り航路**（**海運**）を整備しました。西廻り航路には、18世紀以降になると、日本海を拠点として遠隔地を結び、蝦夷地の産物なども取引する**北前船**が運航しました。江戸・大坂間の水路は**南海路**と呼ばれ、大型の**菱垣廻船**に加えて18世紀以降は酒樽を運ぶ小型の**樽廻船**も運航しました。江戸時代の前期は、関東農村は商品生産が未発達で、江戸の膨大な需要を満たすことができなかったため、大坂から南海路を通って江戸へ大量の「**下り物**」が流入しました。

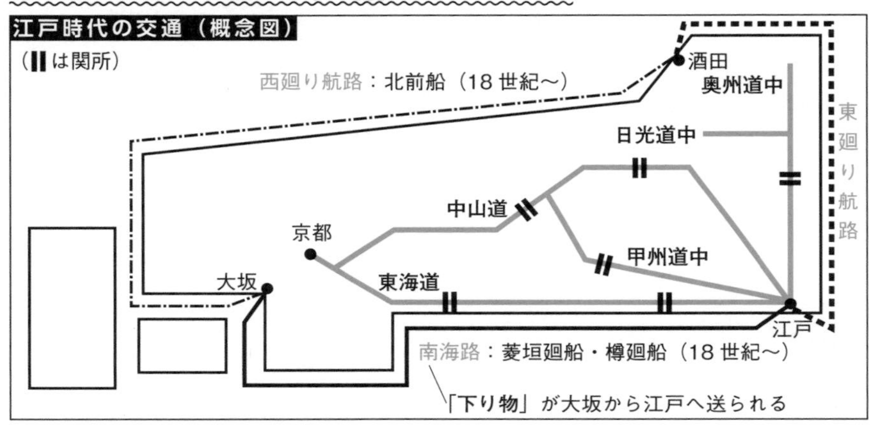

③ 流通・販売の発展

江戸時代で、一番大切な商品は何だったのかな？

手工業品も生まれたけれど、やっぱり米が一番大切だ。石高制が江戸幕府のしくみの基盤だから、幕府や大名は年貢を米で取るんだけど、兵農分離が進んでいたから、武士は城下町や江戸などの都市に住んで消費生活をおこなっていた。だから、武士は年貢米などの収入を売ってお金にかえることで、**米の商品化**が進んだんだね。

米をどこで売ったらいいかな？　やっぱり、高く売れるところで売るのがいいよね。地元の城下町よりも、人口が多い江戸や、商人が多い大坂のほうが、高く売れそう。でも、江戸や大坂は遠いよね……。

水上交通路が発達していれば、大丈夫じゃないかな。

そうか！　西廻り航路や東廻り航路などを使って、**大坂**や**江戸**に米を運んで売ることができるようになったんだ！

(1)　**大名の年貢米・特産物や、問屋商人が扱う商品が、大量に流通した**

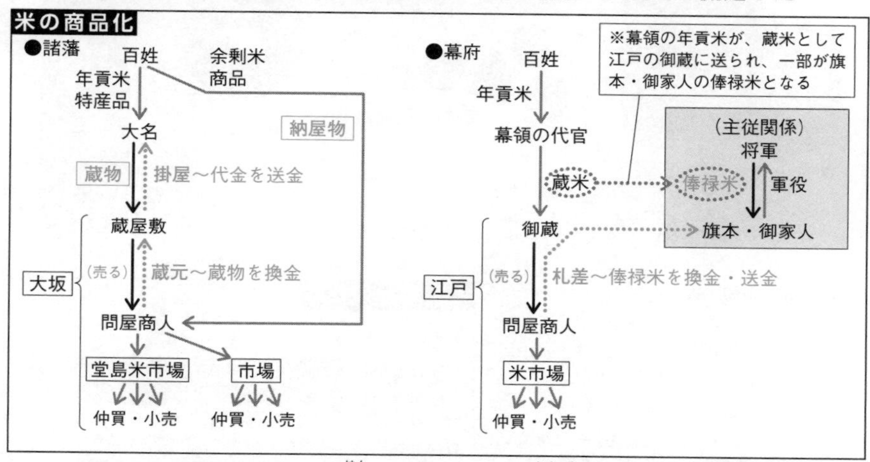

商品には、２種類あります。藩（大名）が扱う年貢や特産物は**蔵物**と呼ばれ、藩が大坂などに設けた**蔵屋敷**に廻送されます。都市の問屋商人が買い入れた商品は**納屋物**と呼ばれ、問屋から仲買・小売へと流通していきます。

幕府・諸藩の御用をつとめる商人は、武士の持つ米を売却して貨幣を獲得し、それを武士に渡す役割を担いました。**蔵元**は蔵屋敷の蔵物を売却し、**掛屋**はその代金の保管や藩への送金にあたりました。また、**札差**は旗本・御家人が将軍から与えられる**俸禄米**を売却し、その代金を旗本・御家人に渡しました。

江戸時代において中心となる商人は**問屋商人**です。納屋物を扱う流通業者で、生産者と仲買・小売とを結ぶ役割を果たします。特定の商品を扱うので、その多くは同業組合である**仲間**を結成します。そして、幕府に営業独占権を許されると**株仲間**となり、**運上**（営業税）・**冥加**（上納金）を幕府に納めます。こういった問屋仲間の連合組織として、大坂の**二十四組問屋**（江戸への荷物を積む）や江戸の**十組問屋**（大坂からの荷物を受ける）がありました。また、大坂や江戸などには、問屋と仲買・小売との取引の場である**卸売市場**も設けられました（大坂の**堂島**米市場・雑喉場魚市場・天満青物市場、江戸の**日本橋**魚市場・**神田**青物市場）。

三井高利から始まる三井家は、この時期の典型的な豪商です。伊勢松坂から江戸へ進出し、**越後屋呉服店**は「現金掛け値なし」（つけ払いを認めない代わり、利息もかからない）という商法で繁昌し、のちに両替商も兼ねました。

(2) 江戸幕府が金貨・銀貨・銭貨を造り、全国統一的な貨幣制度ができた

近世の貨幣

慶長小判　丁銀　豆板銀　寛永通宝　藩札

●三貨の単位

金…1両＝4分＝16朱

銀…1貫＝1000匁（1匁は3.75g）

銭…1貫＝1000文

●三貨の交換

金1両＝銀50匁(～60匁)＝銭4貫文

…金銀の交換の相場は変動

●幕府の貨幣改鋳

慶長金銀…良質　徳川家康の時代

元禄金銀…悪質　**荻原重秀**の建議

出目を稼いで財政再建→物価が高騰

正徳金銀…良質　**新井白石**が主導

慶長金銀並みに戻す→流通が混乱

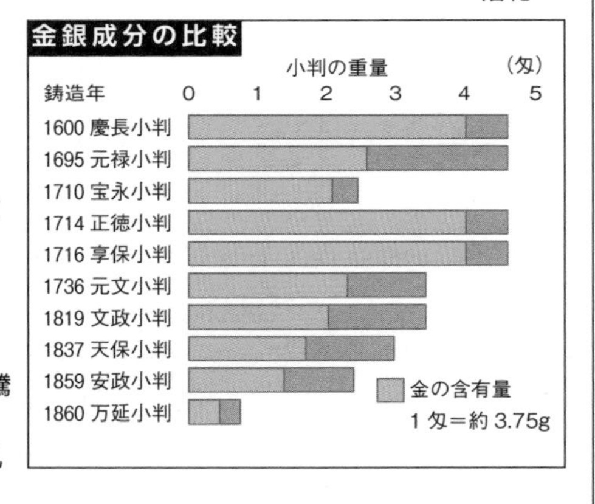

中世では、中国からの輸入銭が用いられ、それが不足すると質の悪い私鋳銭も造られました→第11章。近世になると、統一的な権力を持つ江戸幕府が全国を統治したので、幕府が貨幣鋳造権を独占し、**三貨**（**金貨・銀貨・銭貨**）を中心とする全国統一的な貨幣制度を作りました。金貨は**小判**・**一分金**などが金座で造られ、枚数を数えて金額を数える**計数貨幣**でした。銀貨は**丁銀**・**豆板銀**などが銀座で造られ、重さを量って取引される**秤量貨幣**でした。銭貨は、3代将軍家光のころに**寛永通宝**が銭座で造られ、輸入銭・私鋳銭の混在は解消されました。また、諸藩は幕府の許可を受け、藩内で通用する**藩札**を発行しました。

江戸時代は、東日本で金貨を用い、西日本で銀貨を用いるという「**江戸の金遣い・大坂の銀遣い**」の状況があり、金融業者として三貨どうしの交換をおこなう**両替商**が発達しました（預金・貸付・為替をおこなう**本両替**［江戸の三井や大坂の十人両替など］と、金・銀と銭の交換をおこなう**銭両替**がある）。

貨幣改鋳のグラフでは、金貨に金が含まれる割合の変化に注目しましょう。

チェック問題にトライ！

生類憐みの令の一部である次の史料に関して述べた下の文a～dについて、正しいものの組合せを、下の①～④のうちから一つ選べ。

一、捨子これあり候(そうら)わば、早速届くに及ばず、その所の者いたわり置き、直に養い候(そうろう)か、又は望みの者これあり候わば、遣わすべく候、急度(きっと)(注1)付け届くに及ばず候事(こと)
一、犬ばかりに限らず、すべて生類人々慈悲の心を本(もと)といたし、あわれみ候儀、肝要(かんよう)の事
卯(注2)四月

(『御当家令条』)

(注1)　急度：必ず。
(注2)　卯：卯年。ここでは、1687(貞享4)年のこと。

a　捨て子は、発見次第、必ず届け出ることとされた。
b　捨て子は、希望する者に養育させるなどとされた。
c　生類憐みの令は、犬だけを手厚く保護すればよい法令であった。
d　生類憐みの令が保護の対象としたのは、犬だけではなかった。

①　a・c　　②　a・d　　③　b・c　　④　b・d

(センター試験　2013年度　本試験)

解説　共通テストでは、**史料の直訳ではなく解釈が選択肢に示され、その解釈が妥当かどうかを判断します**。その前提として、センター試験で出題された史料問題において史料の正確な読解を実践することが、対策として有効です。

a 「発見次第、必ず届け出ることとされた」は、史料1～3行目の「早速届くに及ばず」「急度(きっと)(＝必ず)付け届くに及ばず」(捨て子については届け出る必要はない)と一致しないので、誤りです。

b 「希望する者に養育させるなどとされた」は、史料1～2行目「その所の者いたわり置き、直に養い候(そうろう)か、又は望みの者これあり候わば、遣わすべく候」(捨て子は発見された所で養うか、養育希望者のもとへ送る)と一致するので、正しいです。

c 「犬だけを手厚く保護すればよい法令であった」は、史料4行目「犬ばかりに限らず、すべて生類人々慈悲の心を本(もと)といたし」(犬だけではなく、生き物すべてに対して慈悲の心で保護する)と一致しないので、誤りです。

d 「保護の対象としたのは、犬だけではなかった」は、同じく史料4行目の内容と一致するので、正しいです。

⇒したがって、④(b・d)が正解です。

Ⅲ 近世

第16章 江戸幕府の政治改革 (江戸時代中期)

<table>
<tr><th>世紀</th><th>将軍</th><th>政権</th><th>政治</th><th>社会</th></tr>
<tr><td rowspan="2">18世紀前半</td><td>⑧
吉宗</td><td>徳川
吉宗</td><td>1 享保の改革(1716~45)
①財政再建
上げ米　定免法　町人請負新田
②殖産興業
漢訳洋書輸入の禁を緩和
③商業政策
株仲間公認　堂島米市場公認
④幕府政治の刷新
相対済し令　足高の制　目安箱
●享保の飢饉</td><td rowspan="4">2 村や町の変容と百姓一揆
①農民の階層分化
豪農(地主・在郷商人)
貧農(小作人・賃労働者)
商品作物の加工・販売
→農村に貨幣経済が浸透
②村内対立と都市騒動
村方騒動(豪農と貧農)
打ちこわし(都市下層民)
③流通の自由化要求(19世紀)
国訴(村連合による訴訟)
④百姓一揆の展開
代表越訴型一揆(17世紀)
↓
惣百姓一揆(18世紀)
↓
世直し一揆(19世紀)
(2)
(1)</td></tr>
<tr><td>⑨
家重</td><td></td><td></td></tr>
<tr><td rowspan="2">18世紀後半</td><td>⑩
家治</td><td>田沼
意次</td><td>3 田沼時代(1767~86)
①商業資本の利用・貨幣政策
株仲間奨励(運上・冥加)
南鐐二朱銀
②貿易政策
長崎貿易の拡大
③開発の拡大
印旛沼干拓　蝦夷地開発計画
●天明の飢饉・浅間山噴火</td></tr>
<tr><td>⑪
家斉</td><td>松平
定信</td><td>4 寛政の改革(1787~93)
①農村復興
囲米の制　旧里帰農令
②江戸の都市政策
石川島人足寄場　七分積金
③体制再建
棄捐令　寛政異学の禁
④対外危機への対応
林子平処罰　ラクスマン来航</td></tr>
</table>

第16章のテーマ

江戸時代中期（18世紀）の政治と社会状況を見ていきます。

(1) この時期の政治は幕政改革を中心に展開し（18世紀前半の**享保の改革**、18世紀後半の**田沼時代**、18世紀末の**寛政の改革**）、各時期の社会状況と関連する諸政策が実施されました。

(2) 村（農民社会）や町（町人社会）は、経済発展により大きく変容しました。**百姓一揆**などのさまざまな民衆運動にも注目します。

1 享保の改革（18世紀前半）

江戸時代中期、新井白石の正徳の治に続き、幕政改革が始まります。**8代将軍徳川吉宗**が主導した**享保の改革**（1716～45）を見ていきましょう。7代将軍徳川家継が幼いまま亡くなってしまったので、御三家のうち、**紀伊藩主**だった徳川吉宗が将軍として選ばれました。

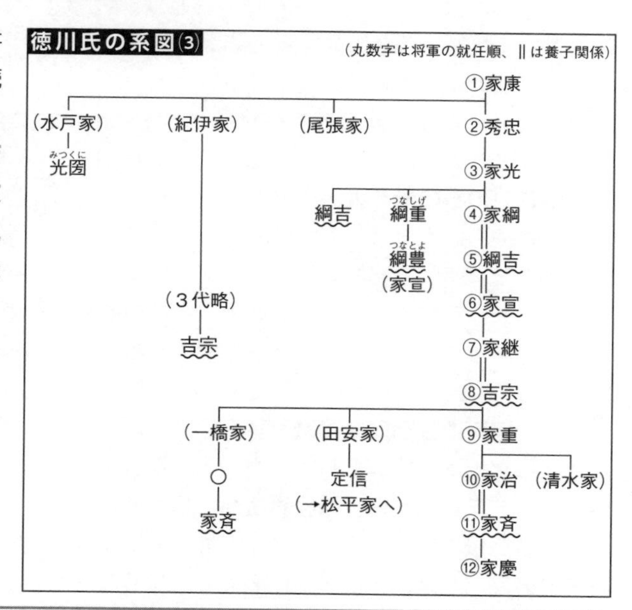

なぜ、幕府による政治改革が必要になったの？

江戸幕府が開かれてから100年以上たっていたから、社会の現実が変化するし、それに合わせて支配のしくみも変える必要があった。その際、吉宗は「家康さまの政治を取り戻そう！」といった、復古主義による体制立て直しを意識して、将軍主導の改革に臨んだんだ。当時の幕府財政は苦しかったので、これを改善する必要もあったよ。

「改革」は、政治を変えるというよりも、元に戻す感じなんだね。でも、年貢米の収入を増やす政策で、財政難はなんとかなるのでは？

当時、米の生産量が増えて米価が下がり、多くの人々が商品を欲しがって物価が上がる、「**米価安・諸色高**」の状況だった。米を売って換金し、城下町などで消費生活をする武士にとって、よくないんだよ。

お金の収入が減って、支出が増えたら、武士は苦しいね……。

① 財政再建

年表	
1716	8代将軍**吉宗**の改革が始まる
1719	相対済し令
1720	漢訳洋書輸入の禁を緩和
1722	**定免法**
	上げ米の制（～1730）
1723	足高の制
1730	大坂の堂島米市場を公認
	享保の飢饉（1732～33）
1742	**公事方御定書**

5代将軍徳川綱吉のとき以来の財政難→第15章に対処するため、緊急の対策として**上げ米の制**をおこないました。史料には「**万石以上の面々**（大名）**より～高壱万石に付八木**（米）**百石積り差し上げらるべく候**」とあり、**1万石につき100石の米**を大名に納めさせる政策です。本来、武士どうしの主従関係では、主君に対する家臣の奉公は軍役（軍事的な奉仕）の形をとるので、家臣である大名が主君である将軍に米を納めることは非常事態であり、史料でも「**御恥辱を顧みられず**」命じられた、とあります。その代わり、「**在江戸半年充御免成され候**」と、大名の負担を減らすために参勤交代での**江戸滞在期間を半減**（基本は1年から半年に短縮）させました。

さらに、根本的な策として年貢徴収法を改めました。従来は、毎年の実り具合によって年貢率を変える**検見法**がとられていましたが、年貢率を一定期間固定する**定免法**に変え、さらに基準となる年貢率を**四公六民**（4割の年貢率）から**五公五民**（5割の年貢率）に変えて、年貢収入を増やしました。

また、財政難のなかで、資金のある町人に新田開発を請け負わせる**町人請負新田**を奨励して、耕地面積を増やしました。

こうして、幕藩体制の基盤である「米の収入」に立ち戻り、それを増やすことで財政再建をおこなったのです。

② 殖産興業

吉宗は、**甘蔗**（砂糖の原料となるサトウキビ）・**朝鮮人参**（薬の原料）・**櫨**（ろうそくの原料）といった商品作物の栽培を奨励したり、飢饉に備えるため**甘藷**（サツマイモ）の栽培を**青木昆陽**に研究させるなど、米以外の作物の栽培も奨励することで、百姓の生活を安定させて年貢負担能力の向上をはかりました。特に、甘蔗は琉球からの輸入品、朝鮮人参は朝鮮からの輸入品ですから、これらの栽培奨励は、輸入品の国産化という意味も持っていました。また、西洋の知識も役に立つものは積極的に取り入れようとして、漢文に翻訳された西洋の書物の輸入を、キリスト教に関わらないものについては自由にしました（これを**漢訳洋書輸入の禁の緩和**といいます）。こうした実学の奨励は、のちに洋学（蘭学）が発展するきっかけを作りました。

③ 商業政策

吉宗は、当時発達していた全国経済への対応にも迫られます。というのも、幕府・諸藩の財政は、よくなったとはいえない状況が続いていたからです。

そこで、流通業者の問屋商人が業種ごとに組んでいた**仲間を公認**することで（公認されると**株仲間**となります→第15章）、流通を統制して物価上昇を抑えようとしました。さらに、年貢増徴によって幕府・諸藩が年貢米をたくさん売り、市場で米が余ってさらに「米価安」という事態になってしまったため、米の取引の中心であった大坂の**堂島米市場を公認**して→第15章、市場を統制することで米価を上昇させようとしました。吉宗が「米公方（米将軍）」と称されるのは、幕府財政を再建するにあたって米の収入にこだわったことに加え、米価の調節に苦労し続けたことによります。

④ 幕府政治の刷新

(1) 相対済し令と公事方御定書で、裁判の効率化や公正化がめざされた

司法政策として、**相対済し令**を発しました。お金の貸し借りのトラブルが幕府に持ち込まれ、裁判業務に支障が出たため、こういった金銀貸借訴訟を幕府が受理せずに**当事者どうしで処理させる**ことにしました。また、幕府裁判の判例などを集めて**公事方御定書**を作成し、裁判や刑罰の基準を明確にしました。

(2) 都市江戸で、町奉行大岡忠相が主導する諸政策が実行された

江戸の都市政策では、町奉行に登用された**大岡忠相**のもとで、町ごとに町人に消火活動をおこなわせる**町火消**を設置するなどの改革が進められました。また、吉宗は幕府の評定所の前に**目安箱**を設けて将軍への直訴を認め、そこへの投書内容が病人救済施設である**小石川養生所**の設置として実現しました。

(3) 財政再建をふまえた人材登用として、足高の制が実行された

人材登用策として、**足高の制**を設けました。当時、武士が幕府・諸藩の役職

に就くときには、主君から御恩として与えられる俸禄が基準となったので、その石高が高いか低いかによって就ける役職がほぼ決まっていました。俸禄の石高が低い武士は、たとえ有能でも重要な役職に就けなかったのです【図(1)】。

しかし、石高が低くても有能な武士を登用したいからといって、本人の俸禄そのものを加増してしまうと、役職を退いたあとも俸禄は高いままなので、幕府は余計な米を支給し続けることになります【図(2)】。そこで、吉宗は、旗本の人材登用のため、幕府の役職ごとに基準となる石高である**役高**を定め（たとえば勘定奉行なら3000石）、その役高よりも少ない俸禄の旗本をその役職に就けるときには、本人の俸禄が役高に達するまで石高を足してあげることにしました。ポイントは、**役職に就いている間だけ支給する**、つまり役職手当として与える点にあります【図(3)】。このように、人材登用のときの負担を抑えることができるため、財政再建策としても有効なものでした。

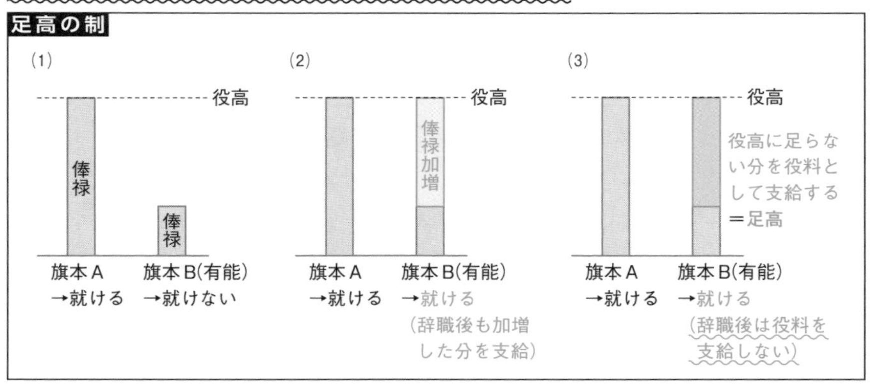

享保の改革の持つ意味

幕府開設から100年以上が経過した江戸時代中期において、将軍がみずから30年間にわたって改革を主導したこの幕政改革は、崩れてきた幕藩体制を立て直すことに一定の効果があったといえます。一方、年貢増徴などで農村が貧しくなる傾向があり、当時の人々の反発も大きかったようです。**西日本で虫害**が広がった**享保の飢饉**（1732〜33）のときには、米が不足して米価が高騰し、江戸における初の**打ちこわし**が発生しました。

2 村や町の変容と百姓一揆

幕府が政治改革をおこなった背景には、18世紀以降の社会変化がありました。そこで、社会変化の実態と、それによって生じた民衆運動を見ていきます。

まず、18世紀以降の村の状況と町の状況を観察していきましょう。

村ごとや町ごとに人々がまとまっていて、村では百姓の自治、町では町人の自治がおこなわれていたけれど、それが変わっちゃったの？

そんなことはないよ。でも、村のなかでさまざまな生活水準の百姓たちが出てきたり、村を離れる者や町に入ってくる者も増えてきたりして、村や町のまとまりを超えて、社会全体が大きく変わっていくんだ。

そのダイナミックな動きをイメージすることが大切なんだね。

① 農民の階層分化

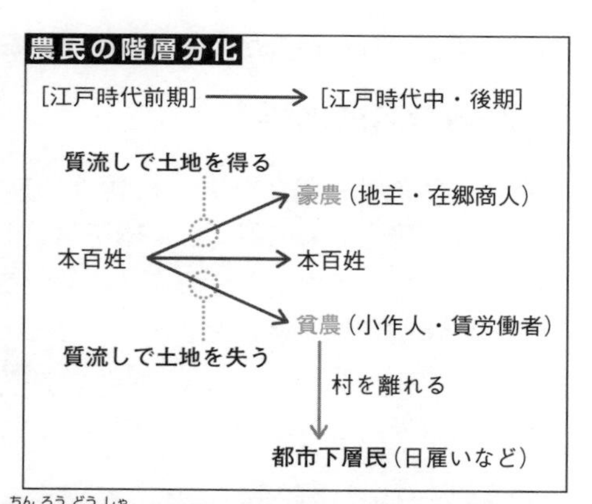

江戸時代中期以降、本百姓のなかには、集めた田畑を他の農民に貸して小作料を得る**地主**となり、あるいは農村内で商品の生産や流通にたずさわる**在郷商人**となる者も現れます。こういった、豊かになった**豪農**が各地で成長します。一方、本百姓のなかには、田畑を失ったので地主から田畑を借りて耕作する**小作人**となり（小作料を地主に納めます）、あるいは雇われて働き生計を立てる**賃労働者**となる者も現れます。こういった、貧しくなった**貧農**も各地に登場します。つまり、百姓（農民）の間で貧富の格差が広がっていくのです。

実は、田畑永代売買の禁止令によって田畑を売ったり買ったりすることは禁じられましたが→第14章、百姓が自分の田畑を質に入れてお金を借り、借金が返せないためにその田畑を取られてしまう、という「質流し」はおこなわれていました。こうして、地主も小作人も各地に生まれていったのです。

こういった**農民の階層分化**（**農民層の分解**）は、なぜ全国的に広がっていったのでしょうか。それは、全国的な商品経済の進展によって→第15章、百姓（農民）といえども貨幣経済と関わらなければ生活が成り立たなくなったからです。年貢を納めたあとで余った米穀を売り、入手した金銭で農具や肥料を買う。あるいは、商品作物を積極的に栽培し、加工した商品を問屋商人に売って収入を得る。このような現象が、全国各地で見られるようになりました。江戸時代の百姓（農民）の生活は自給自足が原則とされ、それを前提に幕府の農村支配がおこなわれていましたが、それが変化してきたのです。

② 村内対立と都市騒動

このような農村の変化は、その内部で深刻な対立を生んでいきます。豪農は**村役人**（**名主**・**組頭**）をはじめとする村の指導者層であることが多く、貧農は小作料や村の運営などをめぐって豪農と対立するようになります。こういった**村方騒動**は、18世紀以降に全国的に増えていきました。

一方、農民の階層分化が進むと、貧農が村を離れて江戸などの大都市や近くの都市に流入する傾向が強まり、日雇いなどで生計を立てる**都市下層民**が増えていきます。こういった人々は、凶作や飢饉による米不足から米価が上がると、とたんに生活が成り立たなくなります。こうして、米の安売りを要求して米屋などを襲う**打ちこわし**が、全国の都市で発生するようになりました。

③ 流通の自由化要求

こういった社会の変動は、19世紀になるとユニークな農民運動を生み出します。**大坂周辺の畿内農村**は、**綿花**などの商品作物の栽培が盛んな地域となっていましたが、大坂の問屋商人は株仲間を結成して綿製品の流通を独占しており、畿内農村では不満がたまっていました。そこで、1000を超える村々が連合して、綿製品販売の自由化を幕府に認めてもらうための集団訴訟を起こすことになります。これは**国訴**と呼ばれ、百姓一揆と異なる合法的な闘争です。

④ 百姓一揆の展開

最後に、百姓一揆について、江戸時代全体を見渡した動向を見ましょう。

江戸時代の三大飢饉

- **享保の飢饉**（18世紀前半）…享保の改革
  西日本、害虫の大量発生
- **天明の飢饉**（18世紀後半）…田沼時代
  東北、冷害に加えて**浅間山噴火**の降灰被害
- **天保の飢饉**（19世紀前半）…文化・文政時代
  全国的、天候不順で凶作が継続

17世紀には、年貢の減少などを要求する村民の意向を、村役人が代表して領主に直接訴える**代表越訴型一揆**が発生しました。

18世紀以降、全村民が団結し、ほかの村とも連携して集団で領主のもとへ強訴する**惣百姓一揆**が発生し、特に飢饉のときには発生件数が激増しました。

19世紀（**特に幕末期**）には、特権商人や地主・豪農層に対し、利益の再分配や土地取り戻しなどの社会変革を要求する**世直し一揆**が多発しました。

3 田沼時代（18世紀後半）

江戸時代の政治史に戻ります。享保の改革に続く18世紀後半の**田沼時代**（1767～86）では、**田沼意次**が**10代将軍徳川家治**の**側用人**となり、さらに老中にも就任することで強い権力を握りました。彼は、当時発達していた商品経済に積極的に対応し、商業資本を利用した経済政策に取り組みました。

側用人である田沼意次は、どうやって権力を握ることができたの？

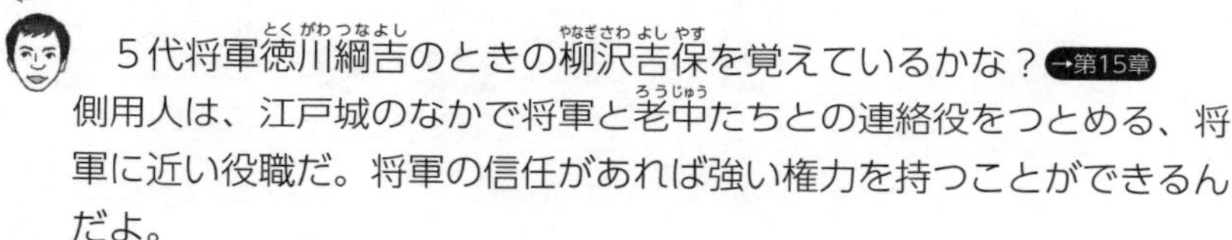
５代将軍徳川綱吉のときの柳沢吉保を覚えているかな？→第15章
側用人は、江戸城のなかで将軍と老中たちとの連絡役をつとめる、将軍に近い役職だ。将軍の信任があれば強い権力を持つことができるんだよ。

今までの幕府政治のあり方にとらわれない自由な発想で、経済重視の政治をやるには、そういった権力の握り方も必要だったかもね。

① 商業資本の利用・貨幣政策

年表

1767	田沼意次、10代将軍**家治**の**側用人**に
1772	田沼意次、老中に
	諸種の**株仲間を公認**
	南鐐二朱銀の鋳造
1782	**印旛沼の干拓**に着手（～86、失敗）
	天明の飢饉（1782～87）
1783	浅間山噴火
1786	将軍家治の死 →田沼意次失脚

田沼意次による幕府の財政再建は、米の収入以外にも及びました。問屋商人の同業組合である仲間に目をつけ、積極的な公認を与えて**株仲間を奨励**し、これらから**運上**（営業税）や**冥加**（上納金）の徴収を増やしました。経済収入を多く得ている商人から税を多く取るのは、合理的といえます。

そして、**南鐐二朱銀**という新しい貨幣を発行しました。それまで重さを量って取引する**秤量貨幣**であった銀貨を、枚数をカウントして取引する**計数貨幣**に造り替えるもので、その際「朱」という金貨の単位をつけたことがポイントです。金貨は、１両＝４分＝16朱という交換比率なので、２朱×８＝16朱＝１両、つまり南鐐二朱銀**８枚**で小判１両と交換できます。これにより、銀貨と金貨の交換をスムーズにして経済を活性化させることを意図しました。「**江戸の金遣い・大坂の銀遣い**」という状況で→第15章、今までの銀貨（丁銀・豆板銀など）を南鐐二朱銀に造り替えれば、西日本も事実上「金遣い」になり、全国が金中心の貨幣制度に変化した、と考えることもできますね。

② 貿易政策

それまでの江戸幕府の貿易政策は、生糸輸入にともなう金・銀の流出を防ぐために制限を加えるという、消極的なものでした。たとえば、正徳の治で新井白石が海舶互市新例を発して貿易額・船数を制限しました→第15章。これに対し、田沼は、**銅**・**俵物の輸出**によって**金・銀の輸入**をはかるという、**長崎貿易**の積極的な政策を展開しました。かつて中国に流出していた金・銀を、俵物（ふかのひれなどの海産物）の輸出によって取り戻します。そして、その金・銀を貨幣の鋳造に向ければ、幕府の利益となります。

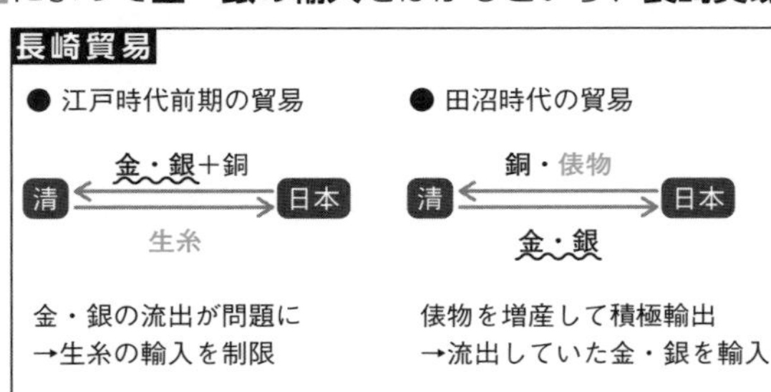

③ 開発の拡大

田沼は、下総の**印旛沼の干拓**による新田開発を進めました。耕地を増やして年貢収入を上げようとしたのですが、この事業を富裕な商人が請け負ったことが、商業資本を利用する田沼らしい政策といえます。しかし、利根川の洪水で失敗に終わりました。

また、松前藩がアイヌとの取引の場としていた**蝦夷地の開発**にも目を向けました。**工藤平助**が幕府に提出した『**赤蝦夷風説考**』に、そのアイデアが書かれていたからです。そして、蝦夷地周辺に進出してきたロシアとの交易も視野に入れ、**最上徳内**を蝦夷地調査のために派遣しました。しかし、田沼の失脚で、蝦夷地での新田・鉱山開発や対ロシア交易は実行に移されませんでした。

田沼政治の持つ意味

田沼意次は、合理的な経済政策を展開しました。しかし、商業資本を積極的に利用するということは、幕府役人と富裕商人の結びつきを生み、賄賂が横行することにもなりました。また、経済優先の考え方は、人の命が圧倒的に奪われる事態には無力で、**東北を中心に冷害**による被害が出た**天明の飢饉**（1782～87）では多くの餓死者が出てしまい、これに**浅間山の噴火**による灰の害が追い打ちをかけました。百姓一揆や打ちこわしが相次ぎ、田沼政治への批判が高まりました。そして、若年寄に出世していた子の**田沼意知**が暗殺されると、跡継ぎを失った田沼意次の勢力は衰え、10

代将軍家治が亡くなると田沼意次も失脚しました。

4 寛政の改革（18世紀末）

田沼時代に続くのは、老中の**松平定信**が主導した**寛政の改革**（1787〜93）です。彼は、徳川吉宗の一族である**三卿**（一橋・田安・清水）の**田安家**の出身で、吉宗の孫にあたりますが、譜代大名の**白河藩**松平家の養子となっていました。そして、老中となり、**11代将軍徳川家斉**を補佐して、享保の改革を理想とした復古的な改革を進めました。

寛政の改革は、天明の飢饉からの復興をめざした改革だよね？

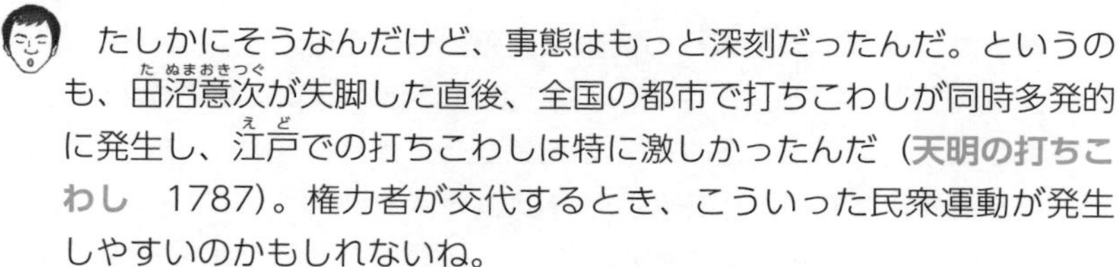
たしかにそうなんだけど、事態はもっと深刻だったんだ。というのも、田沼意次が失脚した直後、全国の都市で打ちこわしが同時多発的に発生し、江戸での打ちこわしは特に激しかったんだ（**天明の打ちこわし**　1787）。権力者が交代するとき、こういった民衆運動が発生しやすいのかもしれないね。

「将軍のお膝元」で激しい打ちこわし！　幕府はピンチだね。

松平定信には、幕府の権威が失われたことへの危機感があった。打ちこわしの多発という社会情勢が、幕府政治を大きく動かしたんだ。

① 農村復興

天明の飢饉では、冷害によって東北地方を中心に飢饉が拡大し、農民が流出して荒れ果てた農村が多く見られました。まずは、幕府や諸藩の年貢収入の基盤となる農村を立て直す必要があります。そこで、松平定信は飢饉に備えて大名に米を蓄えさせる**囲米の制**を発するとともに、各地に**社倉・義倉**という蔵を設置させました。さらに、**旧里帰農令**を発して、都市下層民となっていた農村出身者を**故郷に帰るように奨励**し、農村の人口増加と生産の回復をめざしました。

年表

1787	天明の打ちこわし
	老中松平定信の改革が始まる
1789	**棄捐令**
	囲米の制
1790	**人足寄場**
	旧里帰農令
	寛政異学の禁
1791	**七分積金**
1792	林子平（『海国兵談』）を処罰
	ラクスマンが根室に来航

② 江戸の都市政策

当時の都市では、農村から流れ込んだ人々が都市下層民となって、町はずれの小さい長屋などに住むようになっており、なかには**無宿人**と呼ばれた浮浪者になるケースもありました。天明の打ちこわしでは、こういった貧民層が多く打ちこわしに参加したこともあって、特に江戸では一刻も早い治安対策と貧民対策が求められていました。そこで、隅田川の**石川島**に**人足寄場**をもうけ、無宿人を強制収容して職業訓練をおこなわせ、自立させようとしました。そして、江戸の町々に対し、町の経費を節約させて、そのうちの**7割**を貧民救済の費用として積み立てさせる**七分積金**の制度を作りました。

③ 体制再建

(1) 棄捐令で、旗本・御家人への貸金を札差に放棄させた

秩序回復策として、旗本・御家人の借金返済を免除する**棄捐令**を発しました。将軍が旗本・御家人と主従関係を結ぶとき、土地の代わりに米（俸禄）を御恩として与えますが、その俸禄を旗本・御家人に代わって換金する商人が**札差**です→第15章。旗本・御家人が困窮したとき、普段から俸禄米の換金で関わりを持っている札差から借りることが多く、これが棄捐令の背景になったのですが、幕府の政治や軍事を担う旗本・御家人の勢力を回復させる意図もありました。他方で、旗本・御家人への貸金を放棄させられた札差は困ってしまいます。こうした、商人を多少犠牲にしてでも秩序を回復しようという改革の姿勢は、物価引き下げ令や、株仲間の一部廃止などの政策にも表れています。

(2) 寛政異学の禁など、朱子学を中心とする文教政策が推進された

文教政策として、**寛政異学の禁**を発しました。儒学のなかで、朱子学以外の学問（古学など）が流行していたので、これらを「**異学**」とする一方、朱子学を「**正学**」と定め、幕府の支配を支える朱子学の復興をはかったのです（国学・洋学は儒学ではないので、「異学」には含まれません）。そして、幕府と関係の深い林家の私

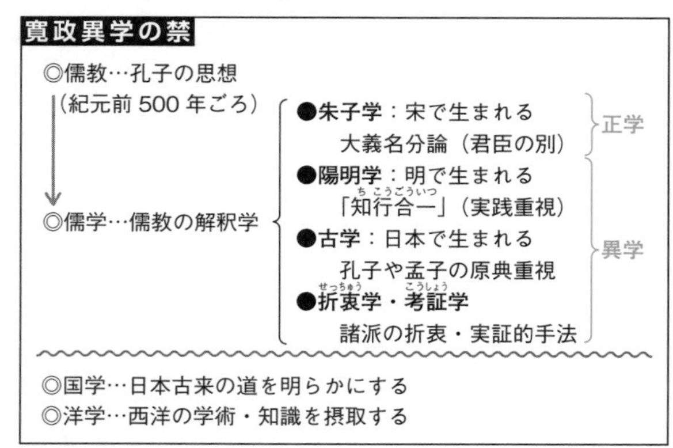

塾である**聖堂学問所**において、朱子学以外の儒学の講義と研究を禁じました（全国的に「異学」の講義・研究を禁じたのではありません）。聖堂学問所は、のちに幕府が運営する**昌平坂学問所**となります。

(3) 風俗統制策として、洒落本や黄表紙など文芸の取締まりが実施された

風俗統制策としては、当時庶民に流行していた**洒落本**（遊里を舞台とする短編小説）の作者である**山東京伝**と、**黄表紙**（挿し絵の入った風刺を含む小説）の作者である**恋川春町**を処罰しました→第18章。風俗を乱したり時事を風刺したりする出版物を取り締まるなど、文化の面での自由があまりない時代だったのです。

④ 対外危機への対応

松平定信は、対外政策にも力を注ぎました。ロシア人が千島列島を南下して蝦夷地周辺で経済活動を本格化させると、その情報は幕府にも伝わりました。そして、田沼時代とはうってかわり、ロシアに対してガードを固める政策に転じました。対外防備の強化を**『海国兵談』**で唱えた**林子平**を、幕政を批判するものとして処罰する一方、ロシアから派遣された使節の**ラクスマン**が**根室**に来航して通商を要求した際には、拒否の姿勢を示しました。そして、これ以降、幕府の蝦夷地対策や沿岸防備策（海防）が本格化します→第17章。

寛政の改革の持つ意味

松平定信は、天明の飢饉という国内危機に加え、ロシアの接近という対外危機にも対応しようとしました。危機感が生んだ改革だったのです。

しかし、田沼時代に緩んだ武士の気風を引き締めようとする策は、「**世の中に蚊ほどうるさきものはなし　ぶんぶといふて夜もねられず**」と、文武の奨励と蚊の飛ぶ音をかけて風刺され、質素倹約をすすめる策は、「**白河の清きに魚のすみかねて　もとの濁りの田沼こひしき**」と、賄賂の横行はあっても田沼時代のほうが自由でよかった、と皮肉られました。

そして、**尊号一件**（**【光格天皇】**が父である閑院宮典仁親王に「太上天皇」号を与えようとしたが、松平定信がこれを拒否し、関係する公家を処罰した事件）で11代将軍家斉の信任を失った松平定信は、在職６年あまりで老中を辞職しました。この事件は、それまでの朝廷と幕府の協調関係を崩すきっかけとなりました。

チェック問題にトライ！

次の史料は、享保の改革期に出された幕府法令の一部である。

米穀去年より段々下値に候ところ、その外諸色（諸品）の値段高値に付、諸人難儀に及び候。酒・酢・醤油・味噌類は、米穀を以て造り出し候物に候えば、米値段に准ずべき儀、勿論に候。

（『御触書寛保集成』）

問　史料の経済状況を打開するために、幕府がとった対策について述べた文として最も適当なものを、次の①～④のうちから一つ選べ。

① 株仲間の結成を認め、商業統制を試みた。
② 足高の制を設け、経費の削減をはかった。
③ 諸大名に上げ米を命じ、財政の不足を補った。
④ 徴税法に定免法を採用し、年貢の増徴をはかった。

（センター試験　1991年度　追試験）

解説　選択肢はすべて「享保の改革」に関する法令で、内容の誤りもありません。したがって、設問文にある「史料の経済状況を打開するため」という要求にあてはまる選択肢を選びます。**設問文の設定・条件にフィットする選択肢を答える形式**が、共通テストに見られる特徴の一つです。

【米穀の値段が去年より下がり、その他の商品の値段は上がったので、人々は苦しんでいる。酒や酢などは米穀が原料なので、米の値段に合わせるべきだ。】以上が史料の大意です。つまり、「史料の経済状況を打開する」政策とは、米価安・諸色高に対応する物価調節のための流通統制だとわかります。この点にあてはまるのは、①「株仲間の結成」ですね。②「足高の制」は人材登用策、③「上げ米」は幕府財政改善策、④「定免法」は年貢徴収策なので、いずれも物価調節とは関係のない政策です。

⇒したがって、①が正解です。

次の図版は、江戸で出版された蘭徳斎春童作『やれでたそれ出た亀子出世』の一部である。この作品は、松平定信が幕政の改革を開始する直前に起こった民衆運動を描いたものである。民衆運動をそのまま描くのではなく、亀を買い占めた悪徳商人をスッポンたちが襲い、俵から亀を逃がしてやるという話にして、痛快に社会風刺を行っている。

問　この図版で描かれた民衆運動について説明した文として正しいものを、次の①～④のうちから一つ選べ。

① 「ええじゃないか」と連呼しながら乱舞した宗教的形態の運動である。
② 国訴と呼ばれる、特権商人の流通独占に対する運動である。
③ 米価の高騰に対する、都市の下層民を中心にした運動である。
④ 代官に対して年貢の減額を訴願した運動である。

（センター試験　1995年度　本試験）

解説　「松平定信が幕政の改革を開始する直前に起こった民衆運動」から、18世紀末の寛政の改革を想起します。また、「亀を買い占めた悪徳商人をスッポンたちが襲い、俵から亀を逃がしてやるという話」にも注目します。

① 「『ええじゃないか』」は、幕末（19世紀後半）に発生しました。
② 「国訴」は、19世紀前半に畿内周辺で発生しました。
③ 「米価の高騰～運動」は打ちこわしです。図版の「亀を買い占めた悪徳商人」は米穀商、「スッポンたち」は民衆、「俵から亀を逃がしてやる」は俵から米をぶちまけることを指すので、打ちこわしの風刺として意味が通ります。
④ 「代官に対して年貢の減額を訴願した運動」は百姓一揆であり、「亀を買い占めた悪徳商人」とは無関係です。

⇒したがって、③が正解です。

第17章 幕藩体制の動揺
（江戸時代後期）

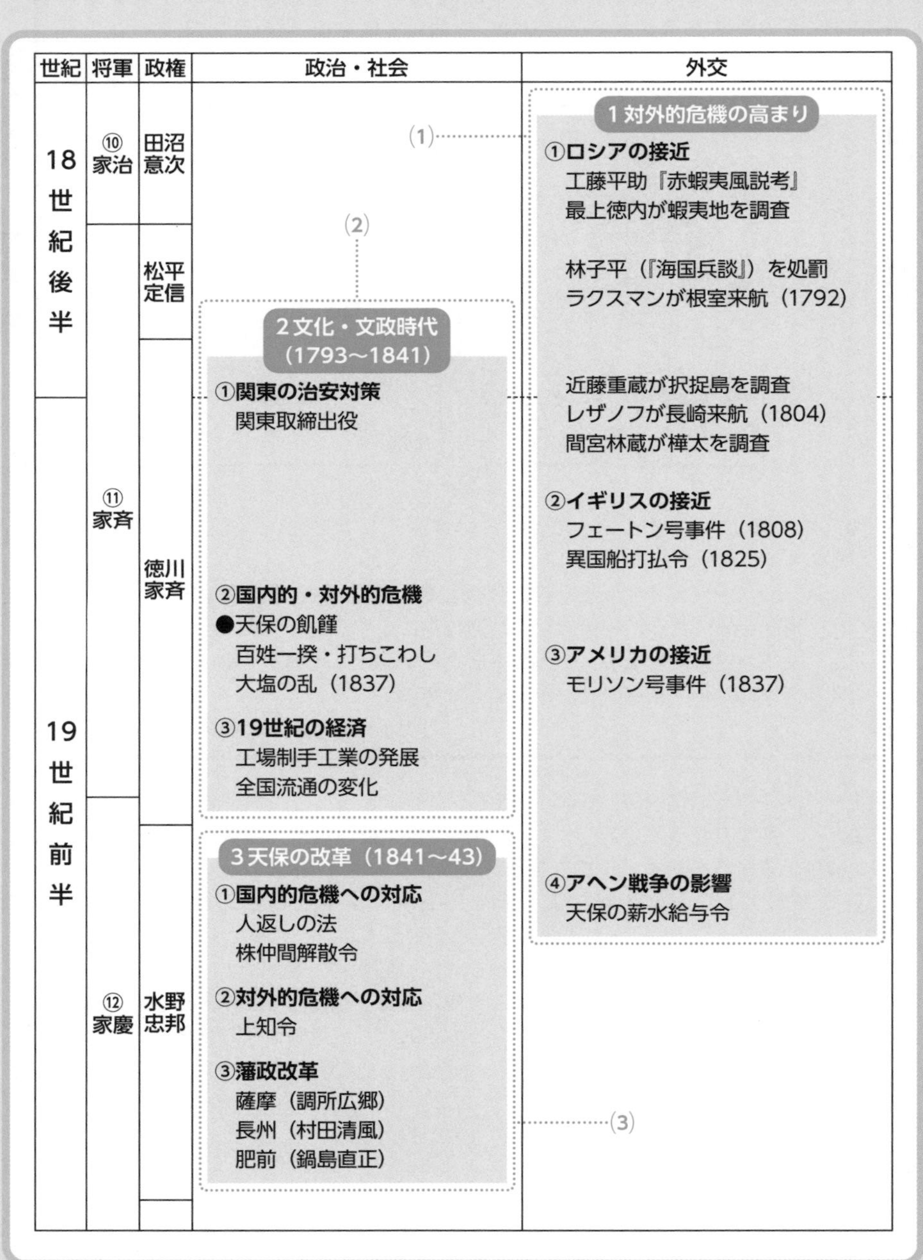

世紀	将軍	政権	政治・社会	外交
18世紀後半	⑩家治	田沼意次	(1)	1 対外的危機の高まり ①ロシアの接近 工藤平助『赤蝦夷風説考』 最上徳内が蝦夷地を調査
	⑪家斉	松平定信	(2)	林子平（『海国兵談』）を処罰 ラクスマンが根室来航（1792）
19世紀前半		徳川家斉	2 文化・文政時代（1793〜1841） ①関東の治安対策 関東取締出役 ②国内的・対外的危機 ●天保の飢饉 百姓一揆・打ちこわし 大塩の乱（1837） ③19世紀の経済 工場制手工業の発展 全国流通の変化	近藤重蔵が択捉島を調査 レザノフが長崎来航（1804） 間宮林蔵が樺太を調査 ②イギリスの接近 フェートン号事件（1808） 異国船打払令（1825） ③アメリカの接近 モリソン号事件（1837）
	⑫家慶	水野忠邦	3 天保の改革（1841〜43） ①国内的危機への対応 人返しの法 株仲間解散令 ②対外的危機への対応 上知令 ③藩政改革 薩摩（調所広郷） 長州（村田清風） 肥前（鍋島直正）	④アヘン戦争の影響 天保の薪水給与令 (3)

第17章のテーマ

江戸時代後期（18世紀末〜19世紀前半）の政治・外交・経済を、総合的に見ていきます。

(1) 18世紀後半以降の**列強の日本接近**に対して危機感を持った幕府は、18世紀末から19世紀前半にかけて「鎖国」体制の維持をはかりました。

(2) 19世紀前半、11代将軍家斉の**文化・文政時代**には、経済がいっそう発展する一方で、天保の飢饉が幕藩体制を動揺させました。

(3) 19世紀半ば、幕政改革の３番目にあたる**天保の改革**がおこなわれました。藩政改革にも注目しましょう。

1 対外的危機の高まり（18世紀末〜19世紀前半）

18世紀末以降、**ロシア**が日本へ接近してきました。そして、19世紀前半には、**イギリス**や**アメリカ**の接近も加わりました。江戸幕府は、こうした**欧米列強の接近**という情勢に対して危機感を強め、諸大名に命じて海防（沿岸警備）を強化するとともに、さまざまな命令を発して対処しました。

① ロシアの接近

ロシアが日本に接近したのは、なぜなのかな？

当時のロシアはシベリア開発に意欲を持っていて、ユーラシア大陸の東へと勢力を拡大していった。そして、オホーツク海や北太平洋に進出し、蝦夷地のアイヌとも交易をおこなうようになったんだよ。

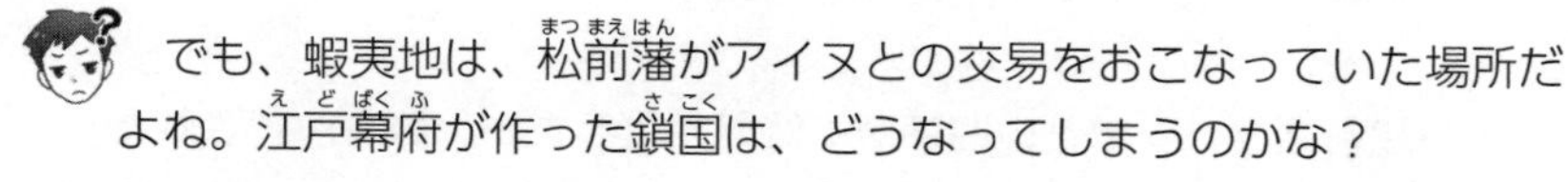
でも、蝦夷地は、松前藩がアイヌとの交易をおこなっていた場所だよね。江戸幕府が作った鎖国は、どうなってしまうのかな？

そもそも、幕府は最初から鎖国を意識していたのではないんだ。鎖国令と呼ばれる法令は、キリスト教禁教と貿易統制の命令だし、「**四つの口**」（**長崎**・**対馬**・**薩摩**・**松前**）を通した特定の国・地域との交流はあった→第14章。18世紀末以降、対外的危機感のなかで「鎖国は江戸幕府が開かれて以来の祖法である」と幕府に意識され始めた。

列強の接近で、「鎖国を守る！」と幕府が考え始めたんだね。

(1) 18世紀末のロシア接近以降、幕府は北方での警戒を強めていった

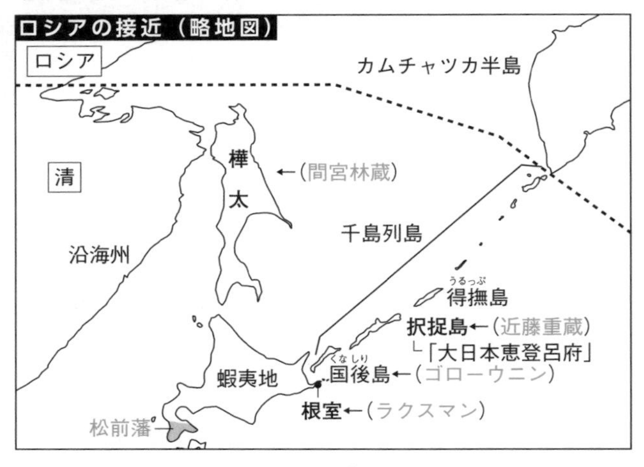

18世紀後半の田沼時代→第16章、**工藤平助**の『**赤蝦夷風説考**』が幕府に提出されると、田沼意次は蝦夷地開発やロシアとの貿易に関心を持ち、**最上徳内**を蝦夷地へ派遣しました。そして、18世紀末の寛政の改革では→第16章、**林子平**が『**海国兵談**』で「**江戸の日本橋より唐（中国）・阿蘭陀迄境なしの水路なり。然るを此に備ずして、長崎にのみ備るは何ぞや**」と海防の強化を説いたことが幕政批判にあたるとして、松平定信は彼を処罰しました。しかし、ロシア使節の**ラクスマン**が漂流民の**大黒屋光太夫**をともなって**根室**に来航すると（1792）、幕府は通商要求を拒否し、その後、江戸湾・蝦夷地の沿岸防備を諸大名に命じました。

寛政の改革後、幕府は蝦夷地やその周辺に調査隊を派遣して北方の状況をつかもうとします。**近藤重蔵**・最上徳内を択捉島へ派遣し、「大日本恵登呂府」の標柱を立てさせました。さらに、下総の商人で幕府の天文方に学んだ**伊能忠敬**に蝦夷地の沿岸測量を命じ、これはのちに全国の測量と「**大日本沿海輿地全図**」の作製につながりました→第18章。地図は、外国船の接近や上陸の可能性を探り、警備体制を計画するうえでも有用でした。

(2) 19世紀前期、ロシアとの関係が一時期悪化したが、のち改善された

19世紀に入り、幕府は松前藩から東蝦夷地を取り上げて直轄化するなか、ロシア使節の**レザノフ**が**長崎**に来航して通商を要求すると（1804）、幕府はラクスマン来航時と同じように要求を拒否し、レザノフを追い返しました。その直後、幕府はロシアとのトラブル回避をはかり、外国船に薪水を給与する**文化の撫恤令**を発しましたが、ロシア船が蝦夷地周辺を攻撃する事件が発生してしまいます。危機感を強めた幕府は、西蝦夷地と松前藩を含めた全蝦夷地を直轄化して**松前奉行**の管轄下に置くとともに、東北諸藩に蝦夷地の警備を命じ、**間宮林蔵**を**樺太**・沿海州の探査に派遣しました。

こうした警戒強化のなかで、**ゴローウニン事件**が発生しました。ロシア軍艦の艦長**ゴローウニン**が国後島に上陸し、日本の警備兵に捕まると、ロシア側は報復として蝦夷地へ進出していた商人の**高田屋嘉兵衛**を拘束しました。結局、嘉兵衛が送還され、その尽力でゴローウニンも釈放されて事件が解決すると、日本とロシアの緊張はしだいに緩んでいき、のちに蝦夷地の管轄が幕府から松前藩に戻されて松前奉行も廃止されました。

こうした状況は、幕府の洋学に対する姿勢にも影響を与えました→第18章。19世紀初め、幕府の天文方に**蛮書和解御用**が設置され、洋書の翻訳によって海外情勢の把握と軍事技術の導入をはかるなど、幕府も洋学の摂取に乗り出しました。しかし、オランダ商館医で、長崎に**鳴滝塾**を開いて医学を講義していたドイツ人**シーボルト**が、帰国の際に国外持ち出し禁止の日本地図を持っていたのが露見すると、幕府は彼を国外追放しました（**シーボルト事件**）。

② イギリスの接近

19世紀初めに日本が北方でロシアの脅威にさらされていた時期、幕府に衝撃を与えた事件が起きました。当時イギリスは、ナポレオン１世が率いるフランスと対立を深め、フランスの同盟国となったオランダ（イギリスにとっては敵国）の植民地を次々と狙いました。こうしたなか、**イギリス**軍艦**フェートン号**がオランダの船を追いかけて長崎に侵入し、オランダ商館員を人質にとって薪水・食料を強要するという**フェートン号事件**（1808）が発生しました。

さらに、イギリスの捕鯨船が日本近海に出没し、出合った漁船と交易をしたり、沿岸へ上陸して住民と衝突するなどの事態が相次ぐと、幕府は**異国船打払令**（1825）を発して、日本に接近する外国船を武力で撃退して上陸を阻止しました（清・朝鮮・琉球の船は打払いの対象外とし、オランダ船は長崎以外では打払う）。史料では、「**いぎりすの船**（フェートン号）、**先年長崎に於て狼藉に及び～南蛮・西洋の儀は、御制禁邪教の国に候間～異国船乗寄せ候を見受け候はば～二念無く打払ひを心掛け**」と、禁教に加えてフェートン号事件などの異国船の動向が、幕府の強硬策の背景にあったことがうかがえます。

③ アメリカの接近

18世紀後半に独立革命によって建国されたアメリカ合衆国は、19世紀になると西へ西へと開拓を進めて太平洋に進出していきました。こうしたなか、**アメリカ**商船**モリソン号**が通商を求めて日本に接近すると、幕府が異国船打払令を適用してこれを撃退させる**モリソン号事件**（1837）が発生しました。

こうした政策に対し、**渡辺崋山**は『**慎機論**』を著し、**高野長英**は『**戊戌夢物**

語』を著して批判しましたが、幕府によって処罰されました（**蛮社の獄**）。

④ アヘン戦争の影響

その直後、**アヘン戦争**（1840〜42）で清がイギリスに敗北しつつある（のち、南京条約で清は開国し、香港をイギリスに割譲）、という情報が日本にも伝わってきました。当時の幕府は**天保の改革**を進めていたので、その一環として漂着した外国船に薪水を給与し、上陸はさせないことで鎖国を維持しようという**天保の薪水給与令**（1842）が発されました。イギリスの接近に対応した異国船打払令を撤回し、それ以前にロシアの接近に対応した文化の撫恤令に戻したのです。

列強の接近は、前後関係を意識しながら、流れをつかみましょう。

年表

【ロシアの接近】	【イギリス・アメリカの接近】
1785 田沼意次、**最上徳内**を蝦夷地へ派遣	（※は幕府の洋学への対応）
1792 林子平（『海国兵談』）が処罰される	
ラクスマンが**根室**に来航、通商要求	
1798 近藤重蔵を択捉島へ派遣	
1800 伊能忠敬に蝦夷地の測量を命じる	
1802 東蝦夷地を直轄化	
1804 レザノフが**長崎**に来航、通商要求	
1806 文化の撫恤令…外国船へ薪水給与	
（このころ、ロシア船の樺太・択捉島攻撃）	
1807 全蝦夷地を直轄化、**松前奉行**設置	
1808 間宮林蔵を樺太・沿海州へ派遣	**1808 フェートン号事件**…イギリス軍艦侵入
1811 ゴローウニン事件（〜13）	※蛮書和解御用（1811）…洋書翻訳部局
1821 蝦夷地の管轄が松前藩に戻される	（このころ、イギリスの捕鯨船接近が相次ぐ）
	1825 異国船打払令…外国船を武力で撃退
	※シーボルト事件（1828）…国外追放処分
	1837 モリソン号事件…アメリカ商船撃退
	1839 蛮社の獄…**渡辺崋山**・**高野長英**を処罰
	1840〜42 アヘン戦争…清はイギリスに敗北
	1842 天保の薪水給与令…外国船へ薪水給与

2 文化・文政時代（18世紀末〜19世紀前半）

江戸時代後期の政治史を見ましょう。寛政の改革のときの11代将軍**徳川家斉**は、改革政治が終了したあとに親政を開始し、約50年間在職し続けました。そして、子の家慶に将軍職を譲り大御所になった（1837）あとも政治を主導しました。18世紀末から19世紀前半にかけての家斉の治世を、元号を用いて**文化・文政時代**、あるいは**大御所時代**（1793〜1841）と呼びます。外交の面では、列強の接近により鎖国が動揺しました。国内政治は停滞し、寛政の改革で実行された倹約・引き締め政策は忘れられ、放漫政治となりました。

なぜ、幕府は、またお金をいっぱい使うようになったのかな？

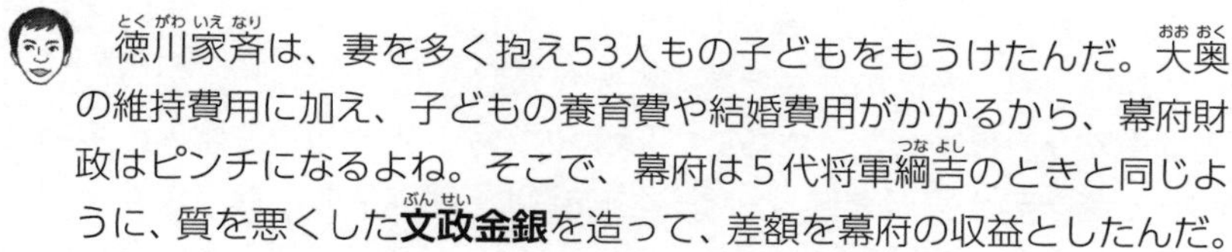

徳川家斉は、妻を多く抱え53人もの子どもをもうけたんだ。大奥の維持費用に加え、子どもの養育費や結婚費用がかかるから、幕府財政はピンチになるよね。そこで、幕府は５代将軍綱吉のときと同じように、質を悪くした**文政金銀**を造って、差額を幕府の収益としたんだ。

５代将軍綱吉というと、たしか元禄金銀だったよね→第15章。でも、お金の価値が下がるから、物価が上がってしまい、庶民はまた困るね。

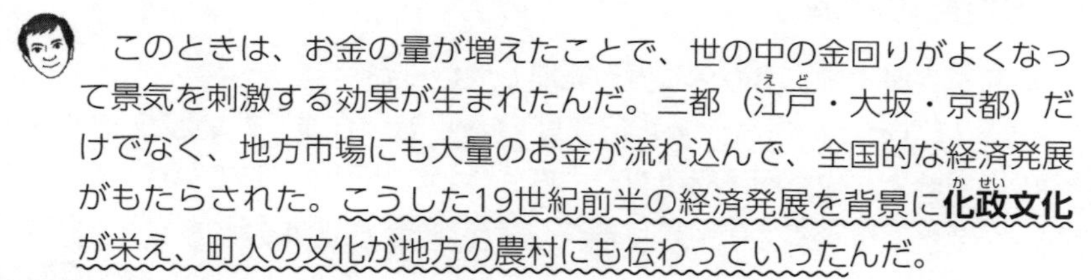

このときは、お金の量が増えたことで、世の中の金回りがよくなって景気を刺激する効果が生まれたんだ。三都（江戸・大坂・京都）だけでなく、地方市場にも大量のお金が流れ込んで、全国的な経済発展がもたらされた。こうした19世紀前半の経済発展を背景に**化政文化**が栄え、町人の文化が地方の農村にも伝わっていったんだ。

将軍の子だくさんが、意外な効果を生んだんだね。

① 関東の治安対策

年表

1793 寛政の改革が終わる→11代将軍**家斉**の親政
　※無宿人・博徒の増加で関東の治安悪化
1805 **関東取締出役**を設置
1827 寄場組合を編成
天保の飢饉（1833～39）
　※百姓一揆・打ちこわしの激増
1837 **大塩の乱**（**大塩平八郎**）
　家慶が12代将軍に→家斉は大御所に

このころの関東地方は、江戸に近いこともあって急速に経済発展しましたが、農民の階層分化も進行し、土地を失い没落した貧農が江戸へ流出して荒廃する農村が増えました。村どうしにも格差が生まれたのです。こうしたなか、無宿人や博徒（ばくち打ち）が横行して治安が悪化する地域が生じたため、領主の区別なく関東地方を広域に巡回する**関東取締出役**を設置しました。さらに、領主の区別なく村々を組織して治安維持をおこなわせる**寄場組合**を編成しました。

② 国内的・対外的危機

1830年代に入ると、全国的な凶作による**天保の飢饉**（1833～39）が発生し、米不足で困窮した人々が農村・都市にあふれました。そして、百姓一揆や打ちこわしが全国で多発し、特に三河・甲斐で発生した幕領での大規模な一揆は幕府の支配を大きく動揺させました。こうしたなか、大坂町奉行所のもと与力（役人の一つ）で陽明学者の**大塩平八郎**が、餓死者も出るといった大坂の悲惨な状況を見かねて、弟子や民衆とともに「貧民を救え！　民を救わない役人や商人は罰を加える！」と蜂起しました（**大塩の乱**　1837）。これはわずか半日で鎮圧されたものの、もと幕府役人が公然と武力反乱を起こしたことで、幕府は衝撃を受けました。さらに、「大塩の弟子」と称した国学者の**生田万**が蜂起して越後の代官所を襲うなど、世の中は不穏な情勢となります。同じ年（1837）に**モリソン号事件**が発生したところに、「内憂外患」という日本の置かれた危機的な状況が表れています。

③ 19世紀の経済

(1) 商品を生産する工業のあり方が発展していった

18世紀になると、農村へ貨幣経済が浸透していきました→第16章。すると、都市の問屋商人が扱う商品を農村で生産する動きが形作られていきました。問屋商人が道具や資金を農民に貸し与え、農民が原料（商品作物など）を自宅で加工し、問屋商人ができ上がった製品を買い取る**問屋制家内工業**は→第15章、19世紀になるといっそう発展していきました。

さらに、19世紀には、大坂周辺（摂津国・河内国）・尾張地方の**綿織物業**や、北関東（桐生・足利）の**絹織物業**で、作業場に賃労働者を集めて分業・協業で生産させる**マニュファクチュア**（**工場制手工業**）が成立しました。

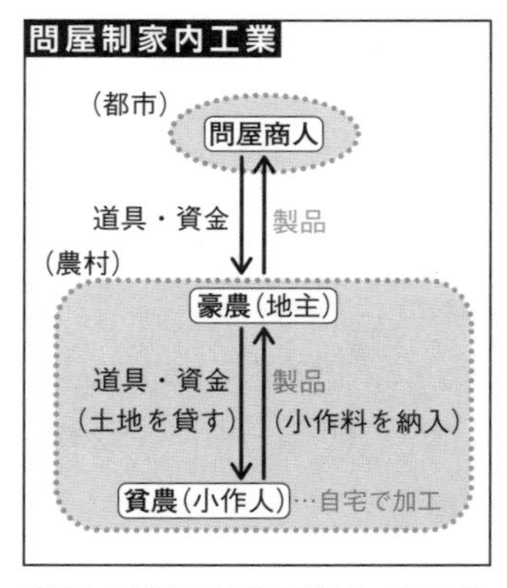

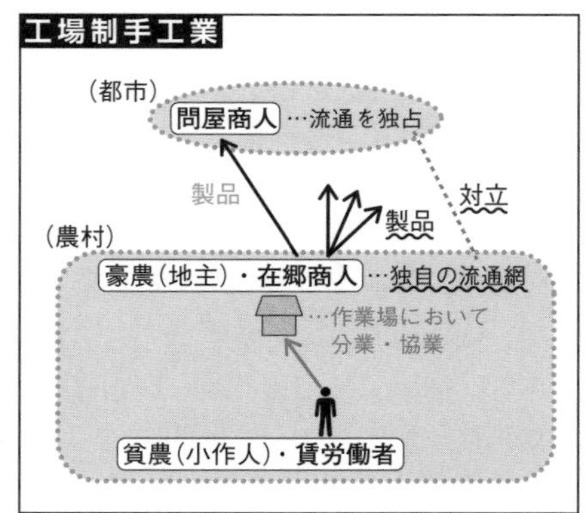

(2) 商品の流通が全国的に広がり、農村内で商人が成長した

農村への貨幣経済の浸透にともなって農民の階層分化が進むと、農村内で経済的に成長した**豪農**（地主）のなかには、身分は百姓でありながら商業活動を

盛んにおこない、農村の内外で独自の流通網を開拓して在郷商人(ざいごうしょうにん)に成長する者も現れます。すると、従来商品流通を独占してきた都市の問屋商人（株仲間）と対立することもありました。こうした変化を背景に、この時期に大坂周辺の畿内(きない)農村で発生したのが、**国訴**(こくそ)です→第16章。

(3) 諸藩も商品生産・加工・流通に関わるようになった

18世紀以降、諸藩(しょはん)も幕府と同じように財政が悪化していきました。年貢(ねんぐ)収入をこれ以上増やしにくく、消費支出が増えていくなかで、諸藩は発達した商品生産の富に目をつけ、国産品（藩の特産物）を育成して藩が独占的に買い取り、藩の外に販売して貨幣を手に入れる藩専売制(はんせんばいせい)が拡大しました。特に、19世紀になると専売品は大坂の問屋商人（株仲間）を通さず、大消費地の江戸(えど)へ直送・販売するようになっていきました。

(4) 関東地方を中心に、江戸へ生産物資を直送する経済圏ができた

江戸時代前期・中期（17・18世紀）は、経済の中心は西日本、特に大坂・京都周辺の上方(かみがた)でした。しかし、江戸時代後期（19世紀）になると、東日本の関東を中心とする地域でも商品生産が発展しました。米や野菜など江戸で日常的に消費される物資が生産されるとともに、**野田**(のだ)・**銚子**(ちょうし)の醤油(しょうゆ)、**桐生**・**足利**の絹織物などの特産品も生まれました→第15章。こうして、江戸市場向けの生産・集荷・販売網である**江戸地廻り経済圏**(じまわり)が形成されました。

(5) 大坂を中心とする商品流通ルートが崩れていった

このころには、日本海を拠点に西廻り(にしまわり)航路を運航する北前船(きたまえぶね)に加え→第15章、尾張を拠点に江戸〜大坂〜瀬戸内で活動する**内海船**(うつみぶね)などの地方廻船(かいせん)が発達しました。これらの船は、みずから商品を買い入れ、大坂以外の地方港湾での商品の売買や、地方廻船どうしでの取引をおこなったため、生産地から大坂市場への物資流通が減っていきました。こうして「**天下の台所**」であった大坂の経済的地位がしだいに低下し、物資を集散する力が衰えていきました。

文化・文政時代の持つ意味

寛政(かんせい)の改革ののち、19世紀前半を中心に徳川家斉(とくがわいえなり)（11代将軍・大御所(おおごしょ)）の政治が約50年続きました。関東地方の治安悪化に対応する政策はとられたものの、幕府政治の面では目立った新しい動きがなく、人々は全国的な経済・文化の発展を享受しました。

一方、ロシア・イギリス・アメリカといった列強の接近が相次いで危機

感が高まるなか、天保の飢饉が日本の社会を大きく動揺させました。水戸藩主の**徳川斉昭**が、国内・対外情勢の危機である「内憂外患」への対処を12代将軍家慶に建言したりもしました（『**戊戌封事**』を提出）。

3 天保の改革（19世紀半ば）

大御所の徳川家斉が死去すると、すでに**12代将軍**となっていた**徳川家慶**のもとで老中**水野忠邦**が政治改革を宣言します。国内・国外のさまざまな課題に対処するため、享保・寛政の改革でおこなわれた政治に戻ることを目標にして、三大改革の最後となる**天保の改革**（1841～43）が始まりました。

「改革」ということは、また復古的な政策がおこなわれたのかな？

そういうことだね。**天保の飢饉**にともない百姓一揆・打ちこわしや**大塩平八郎の乱**が発生し、また列強の接近が激しくなるなかで**モリソン号事件**も発生した。こうした農村・都市の秩序の動揺や「鎖国」体制の動揺に対し、統制を強化して体制を立て直そうとしたんだ。

でも、これだけ変化してしまった世の中を回復させるのは、簡単じゃないよね？　復古をめざす「改革」も３度目だし。

実は、水野忠邦は、目的のためには手段を選ばない強引なやり方で、変化した現状を無理やり元に戻すような政策を進めたんだ。その結果、反発と批判が大きくなってしまった。そういった反発を抑えきれなくなるほど、幕府の力は弱くなっていたともいえるんだ。

江戸幕府による支配も、終わりに近づいてきたね。そういったなかで、新しく台頭するのは、どのような勢力なんだろう？

① 国内的危機への対応

(1) 全階層に厳しい姿勢で臨み、農村・都市の秩序を回復しようとした

まず、水野は**倹約令**を発しました。これは、享保・寛政の改革のときよりも厳しいもので、高価な菓子・料理や華美な服などを禁止するなど、将軍から庶民に至るまで倹約が徹底されました。さらに、当時庶民に流行していた**人情本**（恋愛が主題の小説）の作者である**為永春水**と、**合巻**（挿し絵の入った長編小説）の作者である**柳亭種彦**を処罰するなど、寛政の改革での洒落本（山東京

伝）と黄表紙（恋川春町）の処罰と同じように→第16章、出版統制や風俗取り締まりが徹底しておこなわれました。しかし、こういった経済や文化への抑圧は、人々の不満を高めることになりました。

年表	
1841	大御所家斉が死去
	老中水野忠邦の改革が始まる
	三方領知替えを撤回（将軍家慶）
	倹約令
	株仲間解散令
1842	**天保の薪水給与令**
1843	人返しの法
	上知令（実施できず）
	水野忠邦の失脚

天保の飢饉で崩れた都市の秩序を回復し、農村の再建を進めるためにおこなわれたのが、**人返しの法**です。「**在方**（農村）**のもの身上相仕舞い**（所帯をたたんで）、**江戸人別に入候儀、自今以後決して相成らず**」と、農民の江戸への出稼ぎを禁じたうえで、「**近年御府内**（江戸）**え入り込み、裏店**（町屋敷の裏にある賃貸の長屋）**等借請居り候者の内には妻子等も之無く、一期住み**（一年契約の奉公人）**同様のものも之有るべし。左様の類は早々村方え呼戻し申すべき事**」と、江戸に流入していた農村出身者の退去と**帰村を強制**しました。寛政の改革の旧里帰農令では帰村の奨励だったので→第16章、人返しの法は強権発動のニュアンスが強いですね。しかし、無宿人を含む都市下層民が江戸から流出し、江戸周辺農村の治安が悪化してしまいました。

(2) 発達した経済を背景に、江戸の物価引き下げをはかった

近世の株仲間
●享保の改革（18世紀前半）：株仲間を**公認**
●田沼時代（18世紀後半）：株仲間を**積極奨励**
●天保の改革（19世紀半ば）：**株仲間の解散**

商業政策として、**株仲間の解散**がおこなわれました。水野は、物価が高い原因が株仲間の流通独占による価格つり上げにあると考え、「**問屋共不正の趣も相聞こえ候に付、以来上納**（株仲間が冥加を幕府へ納めること）**に及ばず候。尤、向後右仲間株札は勿論、此外にも都て問屋仲間幷組合などと唱え候儀は相成らず候**」として、これまで株仲間へ与えてきた特権を奪いました。そして、「**素人直売買**（仲間に入っていない商人の直接取引）**勝手次第たるべく候**」と、当時成長していた農村の在郷商人に期待し、彼らが自由に流通へ参加することによって江戸への流入物資を増やし、物価を下げようとしました。しかし、株仲間がなくなったことで流通が混乱し、大坂から江戸への商品流入量がさらに減って、江戸での物価が上がってしまいました。結局、天保の改革ののち、**株仲間の再興**が許可されました。

② 対外的危機への対応

(1) 外国船の接近・漂着に対応する政策をおこなった

天保の改革が始まったころ、中国大陸ではすでに**アヘン戦争**が始まっており、最終的に勝利したイギリスが清を開国させた、という情報が日本にも伝わってきました。危機感を持った幕府は、異国船打払令を撤回して**天保の薪水給与令**を発し、漂着した外国船との紛争を避けて退去させることにしました。その一方、西洋の砲術も取り入れた軍事力強化をはかりました。

さらに、田沼時代におこなわれた**印旛沼の干拓**を再開しましたが→第16章、今回は新田開発よりも運河を開削する掘割工事が主な目的でした。もし外国船が江戸湾を封鎖したら、大坂などからの廻船を遠回りさせて（太平洋→銚子→利根川→印旛沼→江戸湾）、江戸まで物資を運べるようにするのが狙いだったのです。しかし、水野の失脚によって失敗に終わりました。

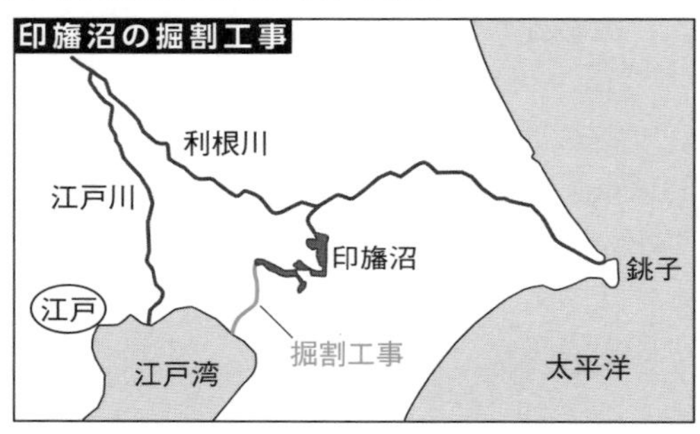

(2) 対外防備の強化をともなう幕府権力強化策は、水野失脚のきっかけになった

列強の接近が相次ぐなか、幕府は諸大名に江戸湾をはじめとする沿岸の警備をおこなわせてきました。天保の改革が始まる直前、江戸湾の海岸防備に関わり財政難の川越藩松平家を豊かな庄内藩へ、庄内藩酒井家を長岡藩へ、長岡藩牧野家を川越藩へ、という玉突き転封の計画である**三方領知替え**が幕府から発表されました。しかし、庄内藩領民の大規模な反対もあり、天保の改革が始まった直後に12代将軍家慶の判断で撤回されました。転封を大名に強制できなかったことは、幕府権力の衰退と藩権力の自立化を示すものとなりました。

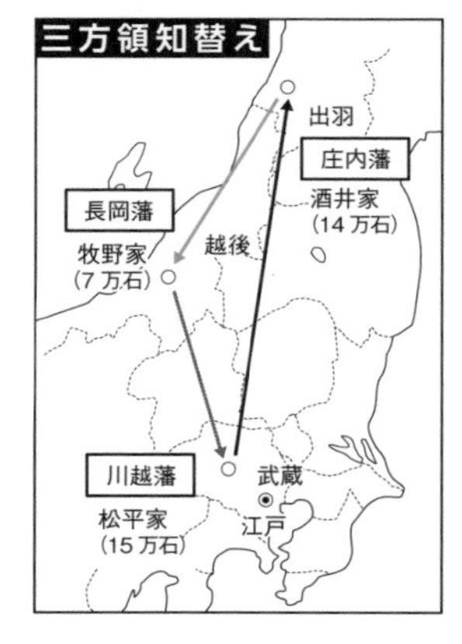

その後、幕府は、**上知令**を命じました。**江戸・大坂**周辺の大名・旗本領あわせて約50万石の土地をすべて幕領にする計画で、農業生産力が高いこの地域を直接支配できれば、江戸や大坂が外国船に包囲されても抵抗できるという、対外防備強化策も含まれていました。しかし、大名・旗本へは代わりの領地が用意され

たものの、領地の移転を強制される彼らの反対で上知令は実施できず、批判を受けた水野は老中を辞めさせられ、天保の改革も終わりました。

③ 藩政改革

この時期、諸藩でも政治改革がおこなわれました。18世紀後半の藩政改革では、「名君」とされた大名が、財政難を克服するための殖産興業や、人材を育成する藩士教育を主導しました。そのため、藩専売制を導入したり、**藩学**(**藩校**)を開設・再興したりしました。代表的な大名として、**細川重賢**(熊本藩)・**上杉治憲**(米沢藩)・**佐竹義和**(秋田藩)があげられます。

そして、19世紀の藩政改革では、武士身分内部の上下差に関わりなく中下級藩士を登用したり、西洋の技術を導入して軍事力を増強したり、藩営工場を設立するなどマニュファクチュアによる工業生産を積極的に摂取したりしました。薩摩藩では藩主島津氏のもとで**調所広郷**の改革が、長州藩では藩主毛利氏のもとで**村田清風**の改革が、それぞれ進められました。また、肥前藩では藩主**鍋島直正**が、水戸藩では藩主**徳川斉昭**が、それぞれ改革を主導しました。よく「薩長土肥」などと呼ばれますが、この時期に藩政改革を進めて藩権力の強化に成功した**雄藩**は、のち幕末の政治情勢のなかで台頭するとともに、その出身者が明治維新を主導しました。

藩政改革

●18世紀後半
・**細川重賢**(熊本藩)…藩学**時習館**、専売制や治水
・**上杉治憲**(米沢藩)…藩学**興譲館**、米沢織の奨励
・**佐竹義和**(秋田藩)…藩学**明徳館**、木材・銅山開発

●19世紀
・薩摩藩(鹿児島藩)…島津氏
　調所広郷の改革
　　藩の負債整理、**黒砂糖**の専売強化、琉球貿易
・長州藩(萩藩)…毛利氏
　村田清風の改革
　　紙・蠟の専売を改革、**越荷方**での倉庫・金融業
・肥前藩(佐賀藩)…鍋島氏
　藩主**鍋島直正**の改革
　　均田制で農村復興、**反射炉**を建設して洋式製鉄
・水戸藩…徳川氏
　藩主**徳川斉昭**の改革(反対が多く不成功)
　　藩学**弘道館**

天保の改革の持つ意味

幕府権力の強化と本百姓体制の回復という復古的な「改革」をめざしましたが、厳しすぎる施策は反発が多く、わずか3年で失敗に終わり、幕府の衰退へと向かっていきました。水野忠邦が失脚して天保の改革が終わった10年後、1853年にペリーが来航して、19世紀後半には近代という時代が始まります。

チェック問題にトライ！

18世紀末から19世紀前半は、国内秩序の動揺が進み、国際環境も大きく変化した時代である。この時期、将軍に就任したのは、11代徳川家斉で、その在職期間は約50年におよんだ。……しかしその反面、物価は高騰し、貧富の差が広がった。農村では土地を失う百姓が増え、都市へと流入する者も増加した。一方、無宿人が横行し、治安は悪化した。

問　下線部に関して述べた次の文Ⅰ～Ⅲについて、古いものから年代順に正しく配列したものを、下の①～⑥のうちから一つ選べ。

Ⅰ　幕府は、江戸の石川島に人足寄場を設け、無宿人を収容した。
Ⅱ　大坂町奉行所の元与力で、陽明学者の大塩平八郎が乱を起こした。
Ⅲ　幕府は、関東取締出役を設け、犯罪者の取締りにあたらせた。

①　Ⅰ－Ⅱ－Ⅲ　②　Ⅰ－Ⅲ－Ⅱ　③　Ⅱ－Ⅰ－Ⅲ
④　Ⅱ－Ⅲ－Ⅰ　⑤　Ⅲ－Ⅰ－Ⅱ　⑥　Ⅲ－Ⅱ－Ⅰ

（センター試験　2013年度　本試験）

解説　共通テストでは、**具体的な出来事からその時代の状況全体を想起し、時代がどう移りかわっていくかを追っていく**実力が要求されます。しかし、歴史の流れを表面的になぞっても、理解は深まらないし記憶にも残りません。**具体的な出来事をしっかり学んだうえで、それを抽象化し、時代の状況全体を理解する。そして、時代の移りかわりを、その背景・理由とともに頭に入れていく。**そういった学習をやっていきましょう。

本問の文章には、下線部にあてはまる時期の「18世紀末から19世紀前半」と、将軍の「11代徳川家斉」とが示されているので、その範囲でⅠ・Ⅱ・Ⅲの時期を推定します。Ⅰは、「人足寄場」「無宿人を収容」から18世紀末の寛政の改革だとわかります。松平定信が失脚したのち、11代将軍家斉が親政をおこなう文化・文政時代となりますが、その前半には関東の治安対策としての「関東取締出役」設置がおこなわれ（Ⅲ）、後半には天保の飢饉とその影響下で「大塩平八郎が乱を起こし」ました（Ⅱ）。そして、そののちに天保の改革が断行されました。

⇒したがって、②（Ⅰ－Ⅲ－Ⅱ）が正解です。

1843年（天保14年）6月

武蔵はいうべくもあらず、隣に付きたる国々、大城（注1）より四方へかけ十里四方御領（注2）になし給う御定め出でぬ。されば御旗本の人々の知る所（注3）、田畑の実りよろしき辺り皆召して、かわりの地は後に給わるべしと仰せ下りたるにぞ、かの人々おもほえず（注4）浅ましうあきれつつ打ちわぶる人数しらず。

（『井関隆子日記』）

（注1）「大城」とは、ここでは江戸城のこと。
（注2）「御領」とは、ここでは幕府の領地のこと。
（注3）「知る所」とは、知行地のこと。
（注4）「おもほえず」とは、思いがけずということ。

問　史料は、天保の改革の時期に出されたある法令について、著者が批判的に記したものである。その法令の説明として正しいものを、次の①～④のうちから一つ選べ。

① 江戸への流入者を強制的に帰村させることで、農村の復興をはかろうとしたものである。
② 札差らからの借金を整理させ、窮乏する旗本や御家人たちを救おうとしたものである。
③ 金銭貸借についての訴訟を受理せずに、当事者間で解決させようとしたものである。
④ 幕府の直轄地を江戸や大坂周辺に集中させることで、幕府の収入の増加や対外防備の強化などをはかろうとしたものである。

（センター試験　1999年度　追試験）

Ⅲ 近世

解説　史料をやみくもに読むのではなく、「著者が批判的に記した」という**設問に示された解釈を頭の片隅に置きながら、具体的な情報を読み取りましょう**。

「大城より四方へかけ十里四方御領になし給う」に注目し、江戸城の周囲を幕領にする、ということを読み取ります。そして、「御旗本の人々の知る所～皆召して、かわりの地は後に給わるべし」にも注目し、旗本の知行地を没収して代わりの知行地をあとで与える、ということを読み取ります。ここまで読めれば、これが「天保の改革の時期に出された」上知令を、「おもほえず浅ましうあきれつつ打ちわぶる人数しらず」【思いがけず驚きあきれつつ、思い悩む人は数知れなかった】と批判的にとらえた史料だとわかります。

次に、選択肢を検討します。①は人返しの法（天保の改革）、②は棄捐令（寛政の改革）、③は相対済し令（享保の改革）、④は上知令（天保の改革）です。

⇒したがって、④が正解です。

第18章 近世文化

世紀	文化	時期と特徴
16世紀後半	**1 桃山文化** **①建築・美術** 城郭建築　障壁画（濃絵）　風俗画 **②芸能・文芸** 侘茶(千利休)　阿国歌舞伎　キリシタン版	16世紀後半（安土・桃山時代） 織豊政権 豪華・壮大 南蛮文化の影響
17世紀前半	**2 江戸初期の文化** **①建築・美術** 権現造　装飾画（俵屋宗達）　陶芸 **②学問・文芸・芸能** 朱子学（林羅山）　俳諧	17世紀前半（寛永期） 幕藩体制確立期（3代将軍家光） 桃山文化を継承し洗練させる
17世紀後半 18世紀前半	**3 元禄文化** **①文学・芸能** 浮世草子（井原西鶴） 俳諧（松尾芭蕉） 人形浄瑠璃（近松門左衛門） 歌舞伎（市川団十郎・坂田藤十郎） **②学問** 儒学（朱子学・陽明学・古学） 歴史学・本草学・和算・国文学 **③美術** 装飾画（琳派）　浮世絵（菱川師宣）	17世紀後半〜18世紀初め 幕藩体制安定期（5代将軍綱吉） 上方（大坂・京都）の経済発展 →富裕な町人が担い手に 現実主義的 儒学など学問の発展
18世紀後半 19世紀前半	**4 江戸中・後期の文化** **①学問・思想・教育** 洋学（杉田玄白・前野良沢・大槻玄沢） 国学（本居宣長・平田篤胤） 尊王論・経世論・農政論 思想全般（心学・身分論・無神論） 藩学・郷学　私塾　寺子屋 **②文学** 洒落本　黄表紙　人情本　合巻 読本　滑稽本　川柳・狂歌 **③美術** 浮世絵（錦絵／喜多川歌麿・葛飾北斎） 文人画　写生画　西洋画 **④生活** 芝居小屋・寄席　御蔭参り　庚申講	18世紀後半（宝暦・天明期） 19世紀前半（文化・文政期） 江戸を含め全国の経済発展 →都市の下層町人も担い手に →地方の豪農が文化を受容 幕藩体制の動揺、列強の接近 →合理的・実証的学問の発展

(1)　(2)

第18章のテーマ

16世紀後半～19世紀前半に展開した近世文化を見ていきます。

(1) 近世では、統一権力の全国支配のもと、担い手の階層が拡大しました。戦国大名・豪商が担った豪華・壮大な**桃山文化**や、幕藩体制確立期の**江戸初期の文化**を経て、社会の安定や全国経済の発達を背景とする武士や上方（大坂・京都）町人の**元禄文化**、さらには都市文化の地方農村への拡大も含めた豊かで多彩な**江戸中・後期の文化**が展開しました。

(2) それぞれの文化の時期は、「○世紀前半／後半」の50年単位で把握すると良いです。また、各時期の政治・外交や社会・経済の状況を思い出しながら、文化ごとの特徴を理解していきましょう。

1 桃山文化（16世紀後半）

桃山文化は**信長・秀吉政権**の時期だから、何世紀ごろかな。

16世紀後半の文化だね。近世になると出来事が増えるから、100年ごとではなく50年ごとのまとまり（世紀の前半・後半）で考えたほうがいいよ。

各地の**戦国大名**が活躍し、都市では**豪商**が成長した時期だから、文化の特徴も想像できるよ。強い権力や経済力を持った人々が担い手だから、**豪華さ・壮大さ**が出てきそう。

そういうことだね。特に、美術のなかに、そういった権力の強さや経済力の豊かさが表れているんだ。そして、新しい動きとして、ヨーロッパの接近を背景とする、**南蛮文化**の要素も見られるんだよ。

南蛮貿易も、文化に影響を与えたんだね。

① 建築・美術

建築の面では、山城から平山城・**平城**へ移っていくにしたがい**城郭建築**が発達し、重層の**天守閣**が造られました。城郭建築の遺構として、豊臣秀吉の聚楽第・伏見城の一部が、別の寺院や神社の建物のなかに残っています。また、桃山文化のなかでは珍しく、簡素・侘びの精神による**茶室建築**も見られました。

桃山文化を代表するのは、なんといっても絵画です。襖や屏風に描いて城郭や書院を飾り立てる**障壁画**は、大名の権威・権力を示すものとして重宝されました。そこには、金箔を貼った上に絵の具を濃彩で描く**濃絵**の技法や、室町文化以来の水墨画の技法が用いられました。濃絵の『**唐獅子図屏風**』を描いた**狩野永徳**や、その弟子の狩野山楽が、豊臣秀吉などの権力者に仕えて**狩野派**を発展させる一方、**長谷川等伯**が狩野派のライバルとして台頭し（水墨画にもすぐれていました）、**海北友松**も障壁画を描きました。また、都市の庶民生活や祭礼などを描き、現在では絵画資料として用いられることも多い**風俗画**では、京都内外の生活を描いた狩野永徳の『**洛中洛外図屏風**』や、宣教師が伝えた西洋画の影響で日本人がヨーロッパ風俗を描いた『**南蛮屏風**』も登場しました。

桃山文化（★は人名）

●建築
姫路城（兵庫）…世界遺産
聚楽第・伏見城…★豊臣秀吉の建造、遺構が残る
妙喜庵待庵…★千利休の茶室

●障壁画
唐獅子図屏風…★**狩野永徳**
智積院襖絵
松林図屏風（水墨画）
（以上2点）…★**長谷川等伯**

●風俗画
洛中洛外図屏風…★狩野永徳
南蛮屏風

② 芸能・文芸

禅の精神を取り入れた質素な**侘茶**は、【東山文化】で村田珠光が創始し→第12章、【戦国期文化】で武野紹鷗が受け継ぎ、この【桃山文化】で**千利休**が大成しました。彼は秀吉に仕えた堺商人で、秀吉が京都北野神社で開催した**北野大茶湯**でも活躍しました。茶道は武士や商人の間で受け入れられていきます。

次に、舞踏・音曲を見ましょう。出雲大社の巫女であった**出雲阿国**が、男装して舞い踊る**かぶき踊り**（**阿国歌舞伎**）を京都でおこなったことから、**歌舞伎**が登場しました。そののち、歌舞伎は庶民が見物する娯楽として大いに流行することになります。さらに、**三味線**の伴奏による語りと人形操りによる**人形浄瑠璃**が登場し、これも江戸時代にかけて流行します。また、堺商人の高三隆達が小歌→第12章に節をつけて歌った**隆達節**も登場しました。

文芸では、一つひとつの文字を組み並べて印刷する**活字印刷術**が出現したことが重要です。イエズス会の**ヴァリニャーニ**→第13章が伝えたローマ字印刷機による**キリシタン版**（**天草版**）では、『平家物語』『伊曾保物語』（イソップ物語）が出版されました。秀吉の朝鮮出兵→第13章で伝来した技術による**慶長勅版**は、後陽成天皇の勅命による出版事業でした。

生活の面では、衣服は**小袖**が一般化し、食事は１日２食から３食へと変化し

(昼飯を食べるようになった)、都市の住居は瓦屋根に2階建のものが登場しました。また、「カステラ・カルタ・パン・カッパ・コンペイトウ」などの日本語に、**ポルトガル語**系の外来語の影響が見られます。

2 江戸初期の文化（17世紀前半）

そしたら、次に来る**江戸初期の文化**は、**17世紀前半**の文化だね。江戸幕府の将軍でいうと、**家康・秀忠・家光**にあてはまるかな。

幕藩体制が確立した時期だ。そして、3代将軍家光のときの元号をとって**寛永期文化**ともいう。江戸幕府は秀吉政権が作ったしくみを受け継いでいるが、江戸初期の文化も桃山文化を受け継いだ面が強いんだ。

受け継ぐだけじゃなく、元禄文化につながる面もありそうだね。

特に、**儒学**は江戸幕府の支配のなかで用いられた学問だから、この時期から大いに発展していくんだ。

儒学が人々の間に広がると、社会も変わっていきそうだね。

① 建築・美術

江戸初期の文化（★は人名）

●建築
日光東照宮…権現造
桂離宮…数寄屋造
●絵画・工芸
大徳寺方丈襖絵…★狩野探幽
風神雷神図屛風…★俵屋宗達　装飾画
舟橋蒔絵硯箱…★本阿弥光悦

建築では、二つの様式が登場します。一つは死者の霊をまつる**霊廟建築**に取り入れられた、装飾彫刻を用いた豪華な**権現造**です。家康をまつった**日光東照宮**が典型例で、「見ざる言わざる聞かざる」の彫刻があることで知られています。もう一つは書院造に茶室建築の様式を取り入れた**数寄屋造**で、京都の**桂離宮**などがあります。

絵画の面で重要なのは、デザインと構図を工夫して描いていく**装飾画**の登場です。京都の**俵屋宗達**はユーモラスで大胆な構図の**『風神雷神図屛風』**を描き、彼の画風は尾形光琳に受け継がれていきました。一方、狩野派では**狩野探幽**が**幕府御用絵師**となり、その地位が代々受け継がれていきますが、権力と結びついたために画風の発展は見られなくなりました。

工芸の面では、京都町衆の**本阿弥光悦**が多芸多才な文化人として活躍し、楽焼（手で成形して低温で焼く）の茶碗や**蒔絵**を製作しました。また、秀吉の朝鮮出兵→第13章で日本へ連行された朝鮮人陶工が製陶技術を伝えると、九州・中国地方の各地で陶磁器生産が盛んとなり、肥前の有田焼では**酒井田柿右衛門**が上絵付け法（焼いた後で色を付ける）の**赤絵**を完成しました。

狩野派
狩野正信・元信…狩野派確立～**東山・戦国期文化**
狩野永徳・山楽…信長や秀吉に仕える～**桃山文化**
狩野探幽…江戸幕府の御用絵師～**江戸初期の文化**
狩野芳崖…日本画を復興～**明治の文化**

② 学問・文芸・芸能

学問では、なんといっても朱子学を中心に儒学が盛んになったことが重要です。朱子学は宋の朱熹が始めた儒学の一派であり、室町時代では五山の禅僧が教養として学んでいました→第12章。そして、朱子学の**大義名分論**は君臣の別をただして上下の秩序を保つ側面があったことから→第15章、江戸時代になると幕府・諸藩に受け入れられました。そのきっかけを作ったのが、京都五山の相国寺で学んだ藤原惺窩です。僧侶から俗人に戻って朱子学を広め、近世儒学の祖とされました。そして、弟子の林羅山が将軍家康・秀忠・家光・家綱に仕えて以来、子孫の**林家**は代々幕府の文教政策を担当する儒者となりました。

文芸では、【室町文化】の御伽草子→第12章を受け継いだ、教訓・道徳を表現する絵入り小説の**仮名草子**が登場し、のちの浮世草子につながります。【室町文化】の連歌から上の句（5・7・5）が独立した俳諧が登場し、民衆文芸の基礎が形作られました。京都の松永貞徳が始めた**貞門俳諧**や、奇抜な趣向を狙った西山宗因の**談林俳諧**を経て、のちに松尾芭蕉の蕉風（正風）俳諧が登場します。

歌舞伎では、阿国歌舞伎を発展させた**女歌舞伎**が登場しますが、風俗取り締まりのため江戸幕府によって禁止され、のちには少年が踊る**若衆歌舞伎**も禁止されて、のちの野郎歌舞伎につながっていきます。

3 元禄文化（17世紀後半～18世紀初め）

元禄文化が発達した元禄時代といえば、5代将軍綱吉の時代だね。

時期をもっと広く考えて、17世紀後半から18世紀初めにかけての文化を元禄文化と呼ぶよ。政治史では**文治政治**の時期が中心になるね。平和な世の中になって幕府の政治も安定したことで、それまでの公家・武士・僧侶や富裕な豪商に加えて、一般の町人や地方の商人、農村で成長した豪農も担い手になった。

上方（大坂・京都）を中心に、全国的に経済が発展した時期だから、

担い手も一気に増えたんだ。だから、こういった人々の好みに合った文学や芸能が生まれたんだね。

学問も重要だよ。武断政治から文治政治へ転換したのを覚えているよね→第15章。**儒学**は、幕府や諸藩に受け入れられ、武士に加えてほかの身分の人々も基礎教養として学んだ。すると、ものごとを合理的に考える姿勢や実証的に研究する方法が、ほかの学問も発達させたよ。

江戸時代の人たちは学問が好きだったのかな。私も学ばなきゃ！

① 文学・芸能

元禄文化(1)（★は人名）

●浮世草子
- 好色一代男（好色物）
- 武道伝来記（武家物）
- 日本永代蔵（町人物）
…★井原西鶴

●俳諧
- 奥の細道（紀行文）…★松尾芭蕉

●人形浄瑠璃の脚本
- 曽根崎心中（世話物）
- 国性(姓)爺合戦（時代物）
★…近松門左衛門

元禄文化を代表するのは、なんといっても上方を中心に発展した町人文芸でしょう。【室町文化】の御伽草子や【江戸初期の文化】の仮名草子から発展した**浮世草子**は、人々のリアルな生活や感情を描いたものです。大坂町人の**井原西鶴**は、愛欲を描いた**好色物**、武士の義理などを描いた**武家物**、三井などの豪商や一般町人を描いた**町人物**で、文学に新境地をもたらしました。

「古池や蛙飛びこむ水の音」という句を聞いたことがありますか？　この句を詠んだ**松尾芭蕉**は、こういった幽玄閑寂（奥深く物静かな境地）を表現した**蕉風（正風）俳諧**を創始しました。『**奥の細道**』などの紀行文からは、地方の農村部にも彼のような文化人を受け入れた人々がいたことがわかります。

人形浄瑠璃は上方で発展しますが、その中心となったのは**近松門左衛門**の脚本と**竹本義太夫**の語りでした（のち音曲が独立して義太夫節に）。近松は、義理と人情の間で悩む人間の姿といった、当時の世相に題材を求めた**世話物**や、滅亡した明の復活をめざす鄭成功をモデルにするなど、歴史的内容をもとにした**時代物**の脚本を書き、民衆の共感と人気を呼びました。

歌舞伎は、【桃山文化】の阿国歌舞伎から、【江戸初期の文化】の女歌舞伎・若衆歌舞伎（幕府が禁止）を経て、成人男性が演じる**野郎歌舞伎**がおこなわれるようになりました。そして、上方・江戸の芝居小屋で演じられる舞台演劇に発展していきました。人気を呼んだ俳優として、江戸でアクションの激しい**荒**

事を演じた**市川団十郎**と、上方で恋愛物の**和事**を演じた**坂田藤十郎**を区別しましょう。さらに、男が女を演ずる**女形**を得意とした**芳沢あやめ**もいました。

② 学 問

(1) 儒学は、政治権力と結びつき、著作の執筆や私塾での教育で広まった

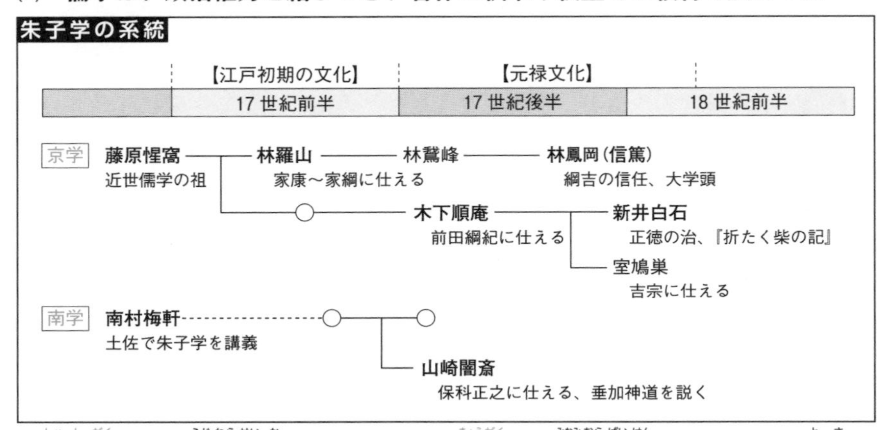

朱子学には、藤原惺窩が京都で開いた**京学**と、南村梅軒が戦国時代に土佐で開いたとされる**南学**の、二つの派があります。

京学には、林羅山・林鵞峰・林鳳岡（信篤）と続く**林家**と、木下順庵や弟子の新井白石・室鳩巣らが出た系統の、二つの系統が含まれます。**林鳳岡（信篤）**は５代将軍綱吉のもとで**大学頭**となり→第15章、**木下順庵**は**加賀藩の前田綱紀**に仕え→第15章、**新井白石**は６代将軍家宣・７代将軍家継のもとで**正徳の治**を推進しました→第15章。

南学では、**山崎闇斎**が**会津藩の保科正之**に仕えたことに加え→第15章、儒教を用いて神道を解釈した**垂加神道**を説いたことをおさえましょう。

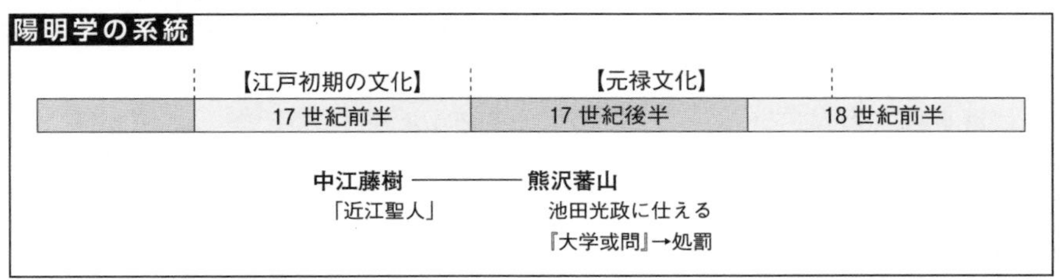

陽明学は、明の王陽明が始めた儒学の一派で、朱子学の理論重視を批判し、理論と実践の一致である**知行合一**を説いたので、幕府は警戒しました。日本陽明学の祖となった**中江藤樹**は近江で活動し、弟子の**熊沢蕃山**は**岡山藩の池田光政**に仕えました→第15章。しかし、著作の**『大学或問』**で幕政を批判したため、

幕府によって下総古河に幽閉されてしまいました。

古学の系統

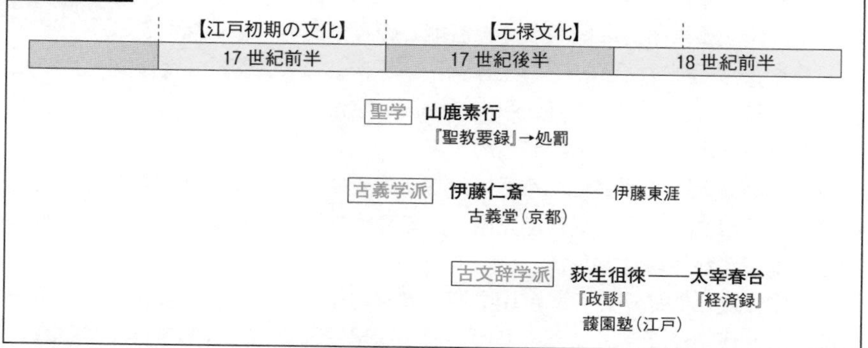

	【江戸初期の文化】17世紀前半	【元禄文化】17世紀後半	18世紀前半

聖学　山鹿素行
『聖教要録』→処罰

古義学派　伊藤仁斎 ―― 伊藤東涯
古義堂（京都）

古文辞学派　荻生徂徠 ―― 太宰春台
『政談』　『経済録』
蘐園塾（江戸）

古学は、日本生まれの儒学の一派で、朱子学や陽明学のもとである孔子・孟子の原典に戻ることを説きました。山鹿素行の**聖学**、伊藤仁斎が始めた**古義学派**（堀川学派）、荻生徂徠が始めた**古文辞学派**という三つの系統があります。

聖学は、古代の聖賢である孔子・孟子の人物を理想化したもので、**山鹿素行**は著作の**『聖教要録』**で朱子学を批判したため、幕府によって播磨赤穂に流罪となってしまいました。

古義学派は、儒教の古典である『論語』『孟子』の内容解釈を重視したもので、**伊藤仁斎**が京都堀川に私塾**古義堂**を開きました（子の東涯が継承）。

古文辞学派は、儒教の古典を中国語を用いて直接解釈する漢文学として始まり、しだいに儒教の古典に載る中国の伝説的な王の「先王の道」に注目したことから、政治・経済を説く**経世論**へと発展していきました。**荻生徂徠**は江戸に私塾**蘐園塾**を開くとともに、柳沢吉保に仕え、享保の改革を主導した8代将軍吉宗→第16章の命令で、武士の土着を説いた著作**『政談』**を幕府に提出したりしました。弟子の**太宰春台**は**『経済録』**などで経世論を展開し、武士の商業活動と藩専売によって財政難を克服することを説きました。

(2) 自然科学も含めて、多種多様な学問が登場した

歴史学は、合理的に解釈する儒学の影響で、史料にもとづく史実の考証研究が進みました。幕府の命令で**林羅山・林鵞峰**が編纂した**『本朝通鑑』**や、**徳川光圀**が水戸藩の事業として編纂を開始した**『大日本史』**、**新井白石**が独自の時代区分論で幕府の正統性を合理化した**『読史余論』**などがあります。そして、『大日本史』編纂事業のなかから、朱子学の大義名分論にもとづき天皇を「王者」として尊ぶ**水戸学**が成立しました。

植物・動物・鉱物の薬効を研究する**本草学**は、中国から伝来して**貝原益軒**や

稲生若水が研究を進め、のちに本草学は自然物や資源を記録する**博物学**（物産学）に展開していきました。

農業に関する実用的な**農学**では、各地での実践的な経験を集めた**農書**が普及し、技術や生産力が全国的に向上していきました→第15章。【元禄文化】では『**農業全書**』の**宮崎安貞**が、【江戸中・後期の文化】では『広益国産考』の大蔵永常があてはまるので、時期を区別しましょう。

測量や商業取引で用いられる実用的な**和算**では、寺子屋の教科書を書いてそろばんの普及をもたらした**吉田光由**や、筆算代数法や円周率計算といった高等数学の**関孝和**が登場しました。

天文学は暦と関係が深く、**渋川春海**（**安井算哲**）は天体観測により**貞享暦**を作成し、５代将軍綱吉は功績をあげた渋川を幕府**天文方**に任じました→第15章。

地理学では、**西川如見**が長崎で見聞きした海外情報を記し、**新井白石**が日本に潜入した宣教師**シドッチ**を尋問して世界地理を記しました。これらは、のちに西洋の学術を直接摂取する**洋学**の前提となりました。

国文学では、『古今和歌集』の今までの解釈を否定し、『万葉集』を重視した新しい歌学のあり方が見られ、**契沖**は『万葉集』を研究した『**万葉代匠記**』を著しました。また、**北村季吟**は『源氏物語』の注釈書を著し、５代将軍綱吉は北村を幕府**歌学方**に任じました。これらは、のちに日本古来の道を追求する**国学**の前提となりました。

仏教では、明の僧の**隠元隆琦**が禅宗の一派である**黄檗宗**を日本に伝え、宇治に万福寺を開きました。

元禄文化(2)（★は人名）

●儒学
大学或問…★**熊沢蕃山**　参勤交代緩和を説く
聖教要録…★**山鹿素行**　朱子学を批判
政談…★**荻生徂徠**　武士の土着を説く
経済録…★**太宰春台**　幕藩体制の改良策を説く

●歴史学
本朝通鑑…★林羅山・鵞峰　幕命で編纂
大日本史…★**徳川光圀**　水戸藩の編纂事業
読史余論…★**新井白石**　時代区分論

●本草学
大和本草…★**貝原益軒**　本草学の始まり
庶物類纂…★**稲生若水**　物産の研究

●農学
農業全書…★**宮崎安貞**　総合的な農業技術

●和算
塵劫記…★**吉田光由**　寺子屋の教科書に
発微算法…★**関孝和**　筆算代数法や円周率

●地理学（→洋学へ）
華夷通商考…★**西川如見**　西洋の事情
西洋紀聞・采覧異言…★**新井白石**　世界地理

●国文学（→国学へ）
万葉代匠記…★**契沖**　万葉集の注釈

③ 美 術

元禄文化③（★は人名）	
●装飾画	
紅白梅図屏風 燕子花図屏風	…★尾形光琳
●浮世絵	
見返り美人図（肉筆画）	…★菱川師宣
●工芸	
八橋蒔絵螺鈿硯箱	…★尾形光琳

絵画では、【江戸初期の文化】以来の**装飾画**が発展し、**尾形光琳**は京都で俵屋宗達の技法を継承しつつ図案化や象徴的表現を進め、**琳派**という流派をおこしました。伝統的な大和絵では、**土佐光起**が室町時代の土佐光信以来の土佐派を復興して**朝廷絵師**となり、そこから分かれた**住吉如慶**は狩野派とともに幕府に仕え、住吉派を形成しました。一方、江戸では都市の風俗を描く**浮世絵**が**菱川師宣**によって始められ、全身を描く美人画などが描かれました。彼が発明した**版画**技法は大量生産が可能で、安価となった浮世絵は大人気となりました。浮世絵は庶民の絵画として発展します。

陶芸では、**野々村仁清**が京焼の上絵付け法である**色絵**を完成しました。また、尾形光琳は装飾画だけでなく漆器の作成にもすぐれ、金粉で模様を描く**蒔絵**や、貝殻を磨いてはめ込む**螺鈿**を駆使した作品を残しました。染物では、京都で**宮崎友禅**が**友禅染**を創始しました。

4 江戸中・後期の文化（18世紀後半〜19世紀前半）

① 学問・思想・教育

桃山・江戸初期・元禄文化だけでも、すごいボリュームだ！

江戸中・後期の文化には、**18世紀後半**の**宝暦・天明期の文化**と**19世紀前半**の**化政文化**が含まれる。ここからもかなりのボリュームだ。

まだまだがんばろう！　ところで、この文化の特徴は？　田沼時代、寛政の改革、文化・文政時代、天保の改革だから江戸幕府の体制が崩れてくるし、列強の接近で「鎖国」もヤバいし……。

そこまで思い出せれば上出来だ。危機的状況のなかで、古い体制に疑問を持ち、新しい学問を始めようとする気運が生まれるのでは？

この時期に、学問が発展して、一気に花開いたんだね。

(1) 18世紀以降の洋学（蘭学）の発展に、幕府はさまざまな形で関与した

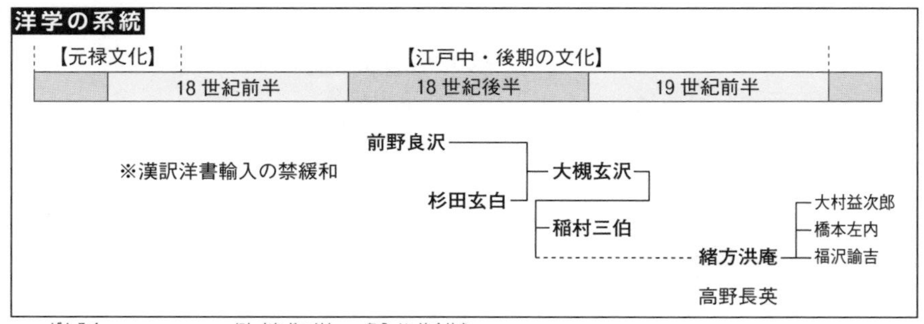

【元禄文化】で、西川如見や新井白石が西洋事情を伝える地理学をおこしたことが、洋学発達の前提となりました。そして、18世紀前半の享保の改革において、８代将軍吉宗が**漢訳洋書の輸入の禁を緩和**し→第16章、**青木昆陽**と野呂元丈にオランダ語を学ばせたことで、洋学は**蘭学**としてスタートしました。

18世紀後半になると、洋学は実用的な学問を中心に、オランダ語の翻訳を通して西洋の知識を直接理解していきました。**前野良沢・杉田玄白**らは、オランダ語の医学書『**ターヘル＝アナトミア**』を訳し、『**解体新書**』として刊行しました。当時は田沼時代であり、規制のない自由な雰囲気も洋学発展を促したのでしょう（田沼意次も蘭学に興味を示します）。そして、玄白・良沢の弟子の**大槻玄沢**は蘭学入門書『**蘭学階梯**』を著し、**江戸**に私塾**芝蘭堂**を開いて多くの弟子を育て、その弟子の**稲村三伯**は蘭和辞典の『**ハルマ和解**』を作りました。本草学者の**平賀源内**は**エレキテル**の実験で有名ですが、西洋科学の知識を使ってさまざまな分野に関与し、西洋画も描くなど博学多才な人でした。また、19世紀初頭、オランダ通詞（幕府の公式通訳）だった**志筑忠雄**が地動説や万有引力を紹介した『暦象新書』を著すとともに、ケンペルの著書『日本誌』の一部を訳すときに「鎖国論」というタイトルを用いました（これが「鎖国」という言葉が初めて使われた場面です）。

19世紀前半になると、列強の接近もあって→第17章、世界や日本の地理を研究する動きも盛んになりました。下総の酒造家だった**伊能忠敬**は幕府の天文方で測地法を学び、幕府の命令で蝦夷地から始まり全国を測量しました→第17章。その成果は、彼の死後、驚異的な正確さを誇る日本全図の『**大日本沿海輿地全図**』として実現しました。また、幕府も洋学の実用性を認めて摂取をはかり、天文方の**高橋景保**の建議で**蛮書和解御用**が設置され、洋書の翻訳にあたりました。さらに、民間で洋学への関心が高まると、オランダ商館医師のドイツ人**シーボルト**が**長崎**に開いた**鳴滝塾**（高野長英がここで学びました）や、**緒方洪庵**が**大坂**に開いた**適塾**（**適々斎塾**）（福沢諭吉がここで学んだのは有名です）な

ど、蘭学を教える私塾も設立されました。

江戸中・後期の文化⑴（★は人名）

●洋学

解体新書…★**前野良沢**・**杉田玄白**ら　解剖書
蘭学階梯…★**大槻玄沢**　蘭学の入門書
ハルマ和解…★**稲村三伯**　オランダ語辞書
暦象新書…★**志筑忠雄**　天文・物理学書
大日本沿海輿地全図…★**伊能忠敬**　日本全図

●国学

古事記伝…★**本居宣長**　『古事記』の注釈
群書類従…★**塙保己一**　日本の古典を収集

しかし、幕府の洋学に対する姿勢は、あくまでも自然科学を中心とした実学の分野に限定した摂取を認めるというものであり、幕府の方針に反するものや、幕府の政策を批判するものには、弾圧を加えました。たとえば、禁止されている地図の国外持ち出しが発覚し、シーボルトが国外追放処分を受けた**シーボルト事件**や（地図を渡した天文方の高橋景保も処罰されました）、アメリカ船モリソン号を撃退したモリソン号事件に対し（1837）、これを批判した渡辺崋山や高野長英が処罰された**蛮社の獄**も起きました→第17章。そして、幕末の開国論者である佐久間象山が「東洋道徳・西洋芸術（技術）」を主張したことからもわかるように、西洋文明の摂取は科学技術の側面に限定され、洋学はその初期から一貫して実用的な学問（実学）として受容され続けました。

(2)　古典研究から日本古来の道を説く国学が生まれ、のち国粋的要素を強めた

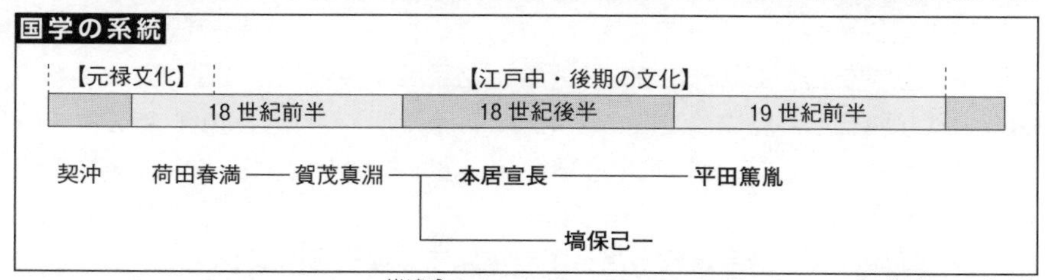

【元禄文化】で生まれた、契沖をはじめとする古典研究は、『古事記』『日本書紀』の研究を通じた古代日本精神の探究に発展し、儒教・仏教などの外来思想を排して日本古来の道（**古道**）を説く**国学**が生まれました。18世紀前半には**荷田春満**が登場し、その弟子の**賀茂真淵**は『万葉集』や『古事記』から古道を追求しました。その弟子の**本居宣長**は18世紀後半、古語の用例研究をもとにした『古事記』の注釈書である**『古事記伝』**を著し、国学を大成しました。また、**塙保己一**は江戸の和学講談所で古代以来の数多くの古書を分類・整理して**『群書類従』**を編纂・刊行しました。

19世紀前半の国学は、日本が外国よりもすぐれていると考える国粋主義・排外主義を強め、**平田篤胤**が日本古来の純粋な信仰を重視する**復古神道**を唱え

ました。彼の思想は地方の武士や豪農に浸透して、幕末の尊王攘夷運動にも影響を与えました。

(3) 幕藩体制の動揺に対し、さまざまな立場から考える諸学問が発展した

江戸中・後期の文化(2)（★は人名）

●経世論
稽古談…★**海保青陵**　藩専売制論
経世秘策・西域物語…★**本多利明**　開国貿易論
経済要録…★**佐藤信淵**　産業国営化
●その他の学問・思想
自然真営道…★**安藤昌益**　身分制を批判
夢の代…★**山片蟠桃**　無神論

儒学では、古学派に加え、諸派が融合した折衷学派や、清の影響を受けた実証的な考証学派も発展しました。これに対し、幕府は支配の正統性を支える学問として朱子学を重んじ、寛政の改革で**寛政異学の禁**を発して→第16章、朱子学を**正学**とし、聖堂学問所での**異学**（朱子学以外の儒学）の講義を禁止しました（のち**聖堂学問所**は林家の私塾から幕府直営の**昌平坂学問所**となります）。そして、異学の禁を主導した柴野栗山・尾藤二洲・岡田寒泉（のち岡田に代わり古賀精里）を幕府の儒官としました（**寛政の三博士**）。

尊王論は、朱子学の大義名分論を根拠に、幕藩体制のなかにある天皇を「王者」として敬うというもので、天皇に任命された将軍の権威を高めることで幕藩体制を支えるという側面がありました。しかし、幕府のコントロールが効かない尊王論に関しては弾圧を加えました。18世紀後半、京都で国学者の**竹内式部**が尊王論を公家に説き、追放刑となった**宝暦事件**に続き、江戸で兵学者の**山県大弐**が尊王と幕府攻撃を説き、死刑となった**明和事件**も発生しました。一方、**水戸学**は、【元禄文化】で水戸藩徳川光圀が始めた『大日本史』編纂事業から成立しました。そして、19世紀前半になると藩主徳川斉昭のもとで、**藤田幽谷・東湖**の父子や**会沢安**らが外国を排斥する**尊王攘夷論**を説きました。これは、幕末の尊王攘夷運動に影響を与えました。

経世論は、儒学の古文辞学派（荻生徂徠・太宰春台）が起点となり、幕府のしくみを改良して現状の打開をはかるもので、商業・貿易論を展開しました。18世紀末以降に登場した３人の主張を比較しましょう。**海保青陵**は、武士が商業を見下す考え方をいましめ、積極的な藩専売制の強化による収入増加を主張しました。**本多利明**は**『経世秘策』**に「**日本は海国なれば～万国へ船舶を遣りて、国用の要用たる産物、及び金銀銅を抜き取て日本へ入れ、国力を厚くすべきは海国具足**（整備する）**の仕方なり**」とあるように、開国による西洋諸国との貿易や、人口増大に備えた蝦夷地開発を主張しました。**佐藤信淵**は、強力な集権国家体制による産業国営化や対外進出を主張しました。

実務的な**農政論**は、農民の階層分化や相次ぐ飢饉で農村が荒廃するなか、村の共同体や田畑の回復をはかろうとするものでした。19世紀、**二宮尊徳**は勤労や倹約を中心とする**報徳仕法**で各地の農村復興を推進し、**大原幽学**は道徳と経済の調和をはかる**性学**を説いて下総で農村復興を実践しました。

身分制社会や既成の教学への疑問を投げかける学問・思想も生まれました。**石田梅岩**は、18世紀前半の享保期、儒教に神道・仏教を加えた町人の倫理・道徳である**心学**を京都で創始し、商人の存在意義や役割を人々に説きました。**安藤昌益**は**『自然真営道』**に「各耕シテ子ヲ育テ、子壮ニナリ、能ク耕シテ親ヲ養ヒ子ヲ育テ、一人之ヲ為レバ万万人之ヲ為テ、貪リ取ル者無レバ貪ラルル者モ無ク～是レ自然ノ世ノ有様ナリ」とあるように、誰もがみずから耕作する「自然の世」を理想として、身分制社会を批判しました。また、大坂の**懐徳堂**出身者のなかから、合理主義の立場に徹する思想家も現れました。**富永仲基**は儒教・仏教・道教を否定し、**山片蟠桃**は霊魂や精神の存在を否定する無鬼論（無神論）を唱えて『夢の代』を著しました。

(4) 多種多様な教育施設が作られ、社会の各階層で教育が盛んになった

江戸時代には、幕府が儒学教育を武士に奨励し、諸藩も藩士教育のために**藩学**（**藩校**）を設置し、武士に加えて庶民にも門戸を開いた**郷学**（**郷校**）を設置する藩もありました（**岡山藩主池田光政**による**閑谷学校**など）。また、民間有志による地方学校も郷学と呼ばれ、**大坂町人**の出資による**懐徳堂**は、富永仲基・山片蟠桃などの特異な思想家を生みました。また、民間教育施設の**私塾**では、儒学に加えて蘭学や国学が講

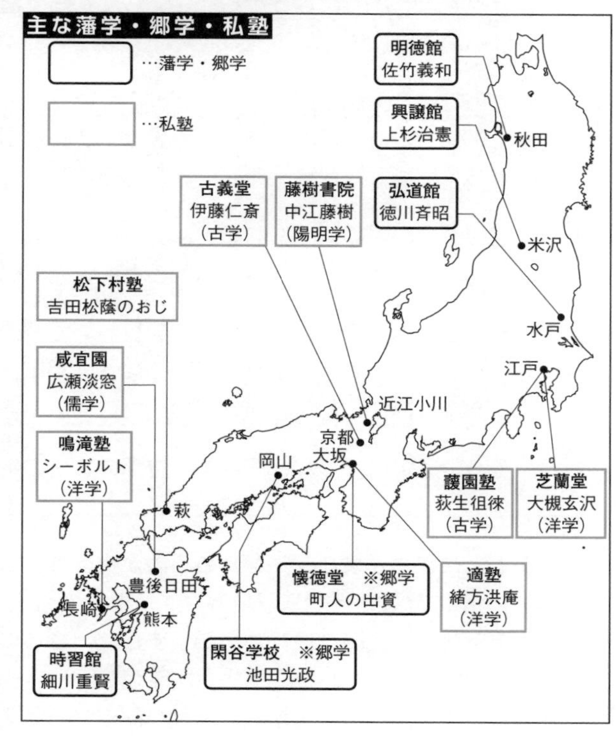

義されました。儒学者の**広瀬淡窓**が豊後日田に開いた**咸宜園**や、**吉田松陰**のおじが長門萩に開いた**松下村塾**（高杉晋作や伊藤博文らが学びました）も知っておきましょう。

都市に加えて農村でも商品生産が盛んとなり貨幣経済が全国的に浸透したことから、日常生活に必要な読み書き・そろばんを教える初等教育施設の**寺子屋**も全国的に増加していきました。また、女子教育には教科書として『女大学』などが用いられました。

② 文　学

庶民にも**教育**が広がったおかげで、文字が読める人が増えたから、庶民向けの文学も盛んになったんだよね。

理由は、教育だけじゃないんだ。江戸時代には、紙の生産が発展し、木版による印刷の技術も発達した。こうして**出版**が盛んになれば、出版物が大量に出回るから安くなって、庶民でも気軽に書物を手にすることができるようになったんだ。貧しくても、**貸本屋**から書物を借りればいいよね。

都市では下層民が増えるけれど、こういった人々にも受け入れられる文化ができたんだね。でも、百姓は生活を規制され、年貢を納めるので精一杯だったから、農村には文化が普及しなかったのかな。

江戸時代の中期以降になると、上方だけでなく全国に経済発展が及び、農村にも貨幣経済が浸透したことを覚えているかな？

そうか、百姓のなかには豪農に成長して経済的なゆとりができる人もいたし、農村で商品生産が盛んになれば都市と経済的につながるから、都市で発達した文化が地方の農村にも広く普及したんだね。

そう。その広がりが、江戸中・後期の文化の特徴でもあるんだよ。

(1)　時期ごとにさまざまなジャンルの小説が生まれ、庶民の人気を得た

18世紀後半になると浮世草子は衰え、代わって歴史・伝説を題材とする長編小説である**読本**（**上田秋成**）が登場しました。さらに、江戸の遊里を舞台に遊女と客の会話を主体とした**洒落本**（**山東京伝**）や、子ども向け絵本の草双紙から発展して大人向けの挿し絵入り風刺小説となった**黄表紙**（**恋川春町**）も登

場しました。これらは田沼時代の自由な風潮のなかで流行しましたが、**寛政の改革**では風俗を乱すとして弾圧の対象となり、**洒落本**作家の山東京伝と**黄表紙**作家の恋川春町が処罰されました。

19世紀前半になると、衰えた洒落本に代わり、庶民の生活を軽妙な会話主体に描く娯楽小説である**滑稽本**（**十返舎一九**・**式亭三馬**）と、江戸町人の情話を描く恋愛小説である**人情本**（**為永春水**）が登場しました。洒落本の「会話」が滑稽本に、洒落本の「男女」が人情本に、それぞれ受け継がれたのです。さらに、衰えた黄表紙に代わり、黄表紙を数冊とじ合わせた挿し絵入りの長編小説の**合巻**（**柳亭種彦**）も登場しました。黄表紙の「挿し絵」が合巻に受け継がれたのです。これらは文化・文政時代の経済発展を背景に庶民に受け入れられましたが、**天保の改革**では厳しい風俗取り締まりのなかで弾圧の対象となり、**人情本**作家の為永春水と**合巻**作家の柳亭種彦が処罰されました。一方、読本は相変わらず盛んで、**曲亭**（**滝沢**）**馬琴**が勧善懲悪をテーマとした作品で人気を得ました。

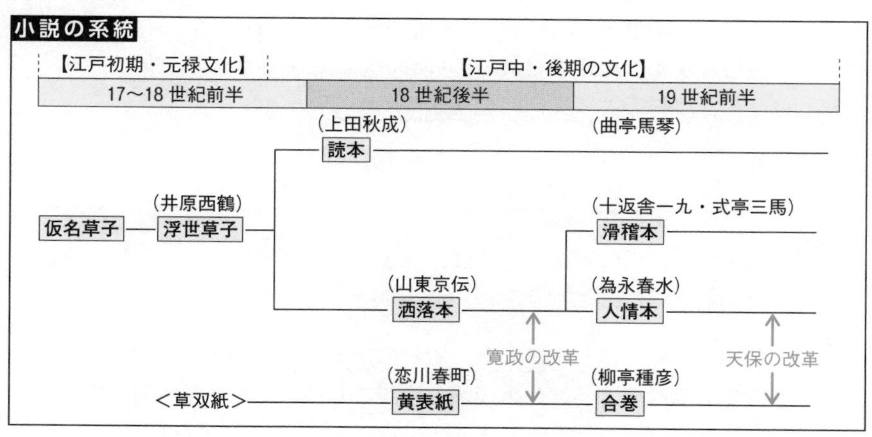

(2) 町人文芸の制作活動は農村へも広がり、歌舞伎は庶民芸能として発展した

俳諧は、農村の豪農層にも句作が広まり、各地に俳諧のサークルができました。18世紀後半では京都の**与謝蕪村**が写生的な句を詠み（彼は文人画の『十便十宜図』も描きました）、19世紀前半では信濃の**小林一茶**が農民の生活感情を詠みました。また、地方の庶民の風俗を記述した**随筆**も現れ、越後の**鈴木牧之**は雪国の生活を記述しました。

川柳は俳句の「5・7・5」の形式を用いて世相を風刺したもので、**柄井川柳**が文学のジャンルとして確立しました。また、**狂歌**は「5・7・5・7・7」の形式で滑稽や幕政批判を込めた和歌で、江戸の御家人の**大田南畝**が代表的な作家です。寛政の改革を風刺した狂歌を確認しましょう→第16章。

江戸中・後期の文化③（★は人名）

●小説
雨月物語…★上田秋成　読本　古典が題材の怪奇談
仕懸文庫…★山東京伝　洒落本　江戸の遊女
金々先生栄花夢…★恋川春町　黄表紙　栄華を極めた男
東海道中膝栗毛…★十返舎一九　滑稽本　滑稽な旅行記
浮世風呂・浮世床…★式亭三馬　滑稽本　銭湯・床屋
春色梅児誉美…★為永春水　人情本　男性をめぐる愛欲
偐紫田舎源氏…★柳亭種彦　合巻　家斉の大奥を風刺
南総里見八犬伝…★曲亭馬琴　読本　主家の再興物語

●俳諧・随筆・脚本
おらが春…★小林一茶　俳諧　農村の生活感情
北越雪譜…★鈴木牧之　随筆　雪国の自然と生活
仮名手本忠臣蔵…★竹田出雲　脚本　赤穂事件
東海道四谷怪談…★鶴屋南北　脚本　亡霊の復讐

脚本では、18世紀前半に**竹田出雲**が人形浄瑠璃の脚本を書きましたが、人形浄瑠璃は歌舞伎の人気におされていきました。そして、19世紀前半には**鶴屋南北**が歌舞伎狂言の作者として活躍し、幕末には**河竹黙阿弥**が盗賊を主人公とした白浪物の作者となりました。歌舞伎は、浮世絵・出版物や地方興行によって全国各地に伝えられ、村中で農作業をいっせいに休む「遊び日」には、村々の若者によって歌舞伎をまねた**村芝居**も演じられました。このように、歌舞伎は村人の娯楽となって、農村の民衆文化に影響を与えました。

③ 美　術

江戸中・後期の美術といえば、庶民的な浮世絵だね！　なぜ庶民に受け入れられたのかな？

印刷・出版が盛んになると、版画の技法も発達した。１枚の紙に多くの色を重ねて刷る**錦絵**の技法が完成されると、大量生産で安価となり、しかもビジュアル的にも美しい浮世絵は、江戸の庶民に好まれ、さらに地方への江戸土産になって、全国に流布していったんだ。

でも、安いだけじゃ売れないよね。みんなが欲しがる絵じゃないと。

浮世絵は、はじめは江戸の男性が好む**美人画**が中心だったけれど、歌舞伎が庶民の人気を呼ぶと、**役者絵**も流行した。さらに、19世紀前半には、生活に余裕が出てきた庶民の旅行が盛んになると、各地の名所を描く**風景画**も流行したんだ。

時代のニーズに合わせて、画題も変化していくんだね。

(1) 浮世絵は錦絵の技法を用いて庶民向けに発達し、黄金時代を迎えた

江戸中・後期の文化(4)（★は人名）

●浮世絵
婦女人相十品…★喜多川歌麿　美人画・大首絵
市川鰕蔵…★東洲斎写楽　役者絵・大首絵
富嶽三十六景…★葛飾北斎　風景画
東海道五十三次…★歌川広重　風景画

●文人画
十便十宜図…★池大雅・与謝蕪村　田園生活
鷹見泉石像…★渡辺崋山　肖像画

●写生画
雪松図屏風…★円山応挙

●西洋画
不忍池図…★司馬江漢　銅版画

【元禄文化】において菱川師宣が始めた浮世絵版画は、18世紀後半になると**鈴木春信**によって多色刷り版画の技法（**錦絵**）が発案され、浮世絵はこの技法を用いて発展していきました。18世紀末には顔の表情を中心に上半身のみを描く**大首絵**の構図が登場し、美人画では**喜多川歌麿**が、歌舞伎役者を画題とする**役者絵**では**東洲斎写楽**がこの構図を用いました。19世紀に入ると、各地の自然や生活を描いた**風景画**が流行し、**葛飾北斎**が描いた『**富嶽三十六景**』や**歌川広重**が描いた『**東海道五十三次**』は、大胆な構図や色彩を用いた傑作です。また、**歌川国芳**は世相や政治を批判する**風刺版画**を制作しました。

浮世絵は開国後に海外に紹介され、19世紀後半にフランスで日本美術への関心が高まるなかで（ジャポニスム）、印象派の画家に大きなインパクトを与えました（ゴッホが歌川広重の絵を模写したりしています）。

(2) 絵画では、文人画・写生画・西洋画などのジャンルが加わった

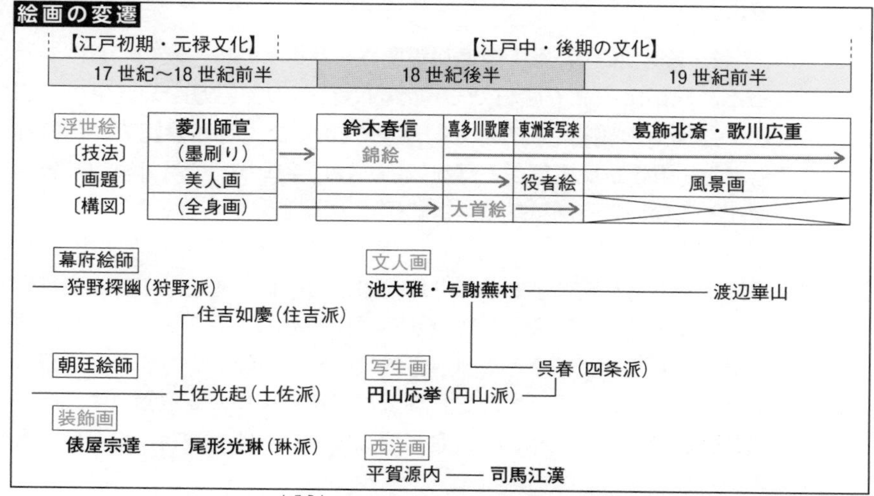

文化人・学者が余技（素人の遊び）として、明・清の画風にならった**文人画**

を描くことが盛んになりました。18世紀後半には**池大雅**・**与謝蕪村**が画風を確立して『**十便十宜図**』を描き、19世紀前半には**渡辺崋山**が出ました。崋山は、蘭学者の高野長英と交流があり、モリソン号事件に関連した蛮社の獄でともに処罰を受けました→第17章。

京都では、中国の影響で写生を重視しつつ、西洋の遠近法も取り入れた**写生画**が登場し、**円山応挙**の円山派や、円山派から分かれた**呉春**（**松村月溪**）の**四条派**が、上方の豪商などに受け入れられました。

近世の初めに南蛮人がもたらした**西洋画**は途絶しましたが、洋学の発達とともに油絵の技法が日本に伝えられると、**平賀源内**が西洋画を取り入れ、彼に学んだ**司馬江漢**は日本初の**銅版画**を制作し、亜欧堂田善も西洋画を描きました。

④ 生　活

まず、都市庶民の娯楽について。三都をはじめ多くの都市で常設の**芝居小屋**が作られ、特に歌舞伎では回り舞台や花道などが工夫されました。さらに、落語や講談などの大衆芸能が**寄席**でおこなわれ、下層町人に人気となりました。また、観覧料を集める**相撲**の興行がおこなわれ、将軍の上覧もあって、相撲は歌舞伎とならぶ民衆娯楽の花形となりました。

次に、寺社での催しについて。現世利益を求める民衆の信仰の場であった寺社は、供養をおこなう**縁日**や、秘仏を特別公開する**開帳**（ほかの場所で仏像を公開する**出開帳**は、現在の博物館「○○展」のようなものです）、番号札を買って当たりを競う**富突**（現在の宝くじのようなものです）など、経営費を稼ぐための人集めイベントをおこなうようになりました。

さらに、庶民の旅行について。街道が整備されるとともに、農村に貨幣経済が浸透すると、都市に加えて農村でも遠方の寺社への物見遊山や温泉への湯治、あるいは霊場への**巡礼**が盛んにおこなわれました。**寺社参詣**では伊勢神宮・信濃善光寺・讃岐金比羅宮が人気を集め、特に全国から伊勢神宮へ熱狂的な集団参拝がおこなわれる**御蔭参り**は、約60年周期で発生しました。

最後に、民間信仰について。いろいろな庶民信仰や宗教が混ざり合いました。**盂蘭盆**は夏に祖先の霊をまつるもので、現在の「お盆」にあたります。**庚申講**は十干十二支で庚申の日に集会して徹夜する、災いを除き福を招く信仰の集まりで、しだいに娯楽や社交の場となり、各地に庚申塔が建てられました。幕末には社会不安が高まり人々の「世直し」願望が高まるなか、**天理教**（中山みきが教祖）・**黒住教**（黒住宗忠が教祖）・**金光教**（川手文治郎が教祖）などの民間神道が発生しました。

チェック問題にトライ！

西洋の情報の摂取に関して述べた次の文Ⅰ～Ⅲについて、古いものから年代順に正しく配列したものを、下の①～⑥のうちから一つ選べ。

Ⅰ　新井白石が、イタリア人宣教師シドッチを尋問した。
Ⅱ　幕府の天文方に、翻訳のための蛮書和解御用がおかれた。
Ⅲ　漢訳洋書のうち、キリスト教にかかわらないものの輸入が認められた。

①　Ⅰ－Ⅱ－Ⅲ　②　Ⅰ－Ⅲ－Ⅱ　③　Ⅱ－Ⅰ－Ⅲ
④　Ⅱ－Ⅲ－Ⅰ　⑤　Ⅲ－Ⅰ－Ⅱ　⑥　Ⅲ－Ⅱ－Ⅰ

（センター試験　2010年度　本試験）

解説　Ⅰは「シドッチを尋問」して書かれた『西洋紀聞』『采覧異言』（元禄文化）か、「新井白石」から正徳の治（6代将軍家宣・7代将軍家継）を想起します。Ⅱは「蛮書和解御用」の年代（1811）を覚えていなくても、蘭学の発展や列強の接近を受けて幕府が西洋の知識を摂取したのが江戸時代後期だと判断しましょう。Ⅲは「漢訳洋書」輸入の許可から享保の改革（8代将軍吉宗、18世紀前半）を想起します。

⇒したがって、②（Ⅰ－Ⅲ－Ⅱ）が正解です。

17世紀半ば以降、『源氏物語』や『太平記』などの文学作品に注釈が付された書物が広く流布したり、その内容が演劇や文学の時代設定に利用されたりしたことに関連した次の文Ⅰ～Ⅲについて、古いものから年代順に正しく配列したものを、下の①～④のうちから一つ選べ。

Ⅰ　徳川光圀の援助を受けて、『万葉集』の注釈書である『万葉代匠記』が著された。
Ⅱ　『源氏物語』の配役を借りた『偐紫田舎源氏』の作者が、天保の改革で処罰された。
Ⅲ　赤穂事件から約半世紀を経て、『太平記』の世界を時代背景に借りた『仮名手本忠臣蔵』が作られた。

①　Ⅰ－Ⅱ－Ⅲ　②　Ⅰ－Ⅲ－Ⅱ　③　Ⅱ－Ⅲ－Ⅰ
④　Ⅲ－Ⅰ－Ⅱ

（センター試験　2007年度　追試験）

解説　Ⅰにある契沖の『万葉代匠記』は元禄文化（17世紀後半が中心）です。Ⅱの「天保の改革」は19世紀半ばで、柳亭種彦の合巻『偐紫田舎源氏』は化政文化（19世紀前半）です。Ⅲの「赤穂事件」は5代将軍綱吉の元禄時代（17世紀末から18世紀初め）の出来事で、その「約半世紀」後にあたる竹田出雲の『仮名手本忠臣蔵』は18世紀半ばだと判断しましょう。これは、宝暦・天明期の文化（18世紀後半）です。

⇒したがって、②（Ⅰ－Ⅲ－Ⅱ）が正解です。

近代・現代 総合年表

世紀	将軍	政治	外交・社会・経済
19世紀後半	⑫家慶	第19章 3幕末の政治	第19章 1開国
	⑬家定		
	⑭家茂		第19章 2開港と貿易
	⑮慶喜		

年代	内閣	政治	外交	社会・経済	文化
1860年代		第20章 1明治維新			第25章 1文明開化
1870年代		第21章 1自由民権運動	第20章 3明治初期の外交 第22章 1条約改正	第20章 2殖産興業 第23章 1松方財政と寄生地主制	
1880年代	伊藤① 黒田	第21章 2立憲体制の形成	第22章 2日清戦争	第23章 2近代産業の形成 第23章 3社会運動の発生	第25章 2明治の文化

※内閣の①・②は第1次・第2次内閣を表す。

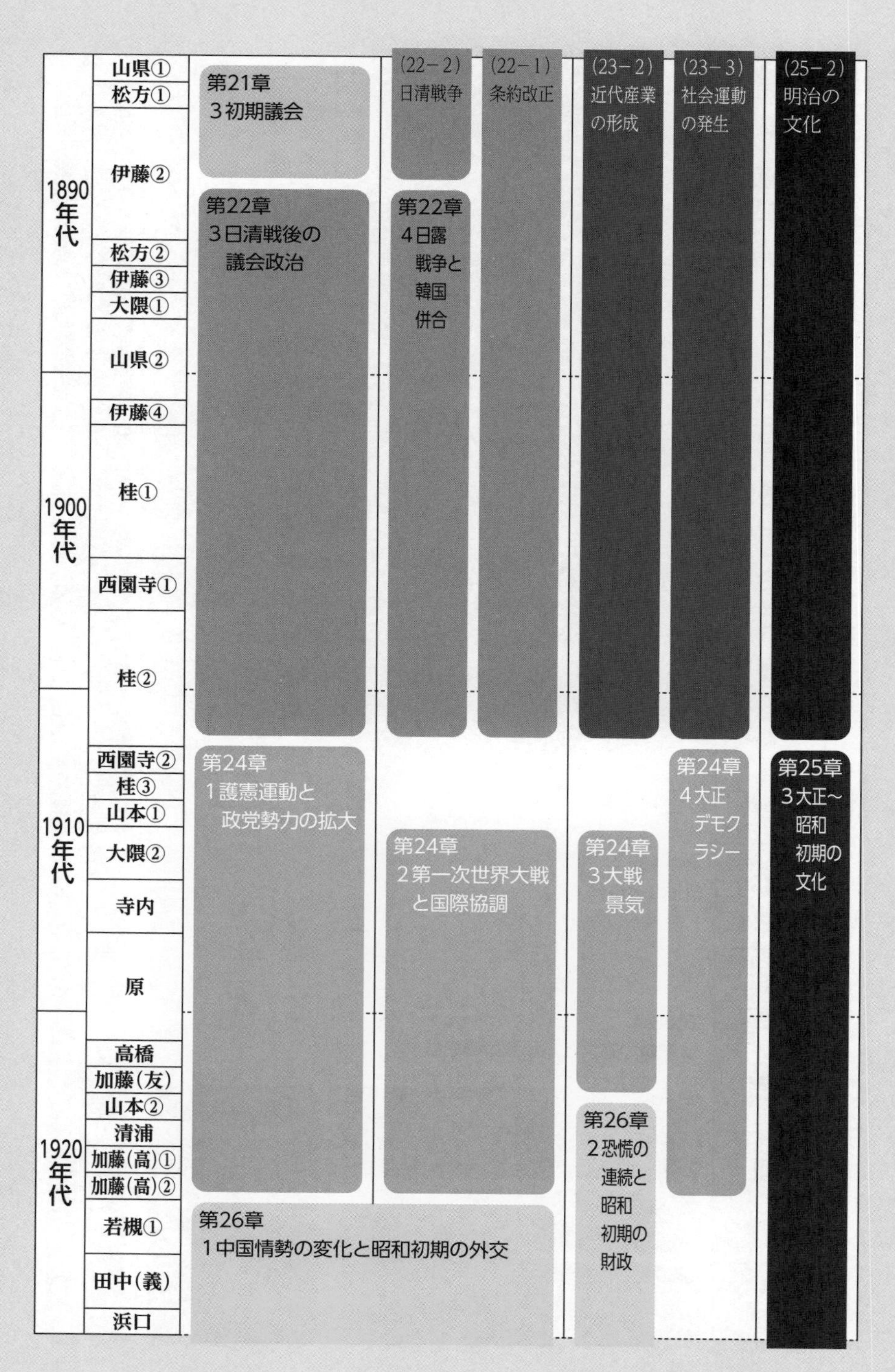
山県①
松方①
伊藤②
松方②
伊藤③
大隈①
山県②
伊藤④
桂①
西園寺①
桂②
西園寺②
桂③
山本①
大隈②
寺内
原
高橋
加藤(友)
山本②
清浦
加藤(高)①
加藤(高)②
若槻①
田中(義)
浜口
1890年代
1900年代
1910年代
1920年代
第21章 3初期議会
第22章 3日清戦後の議会政治
第24章 1護憲運動と政党勢力の拡大
第26章 1中国情勢の変化と昭和初期の外交
(22－2) 日清戦争
第22章 4日露戦争と韓国併合
(22－1) 条約改正
第24章 2第一次世界大戦と国際協調
(23－2) 近代産業の形成
第24章 3大戦景気
第26章 2恐慌の連続と昭和初期の財政
(23－3) 社会運動の発生
第24章 4大正デモクラシー
(25－2) 明治の文化
第25章 3大正～昭和初期の文化
Ⅳ
近代・現代

年代	内閣	政治	外交	社会・経済	文化
1930年代	(浜口)	(26－1) 中国情勢の変化と昭和初期の外交		(26－2) 恐慌の連続と昭和初期の財政	(25－3) 大正～昭和初期の文化
	若槻②	第26章 3満洲事変と軍部の台頭			
	犬養				
	斎藤				
	岡田				
	広田	第27章 1日中戦争と総動員体制			
	林				
	近衛①				
	平沼	第27章 2第二次世界大戦と翼賛体制			
	阿部				
1940年代	米内				
	近衛②				
	近衛③	第27章 3太平洋戦争と敗戦			
	東条				
	小磯				
	鈴木(貫)				
	東久邇宮	第28章 1戦後の民主化政策			第30章 4戦後の文化
	幣原				
	吉田①				
	片山				
	芦田				
	吉田②	第28章 2冷戦の拡大と占領政策の転換			
	吉田③				
1950年代		第29章 1サンフランシスコ講和と独立		第30章 1高度経済成長と国民生活	
	吉田④				
	吉田⑤				
	鳩山(一)	第29章 2 55年体制の成立			
	石橋	第29章 3保守長期政権と戦後の外交			
	岸				

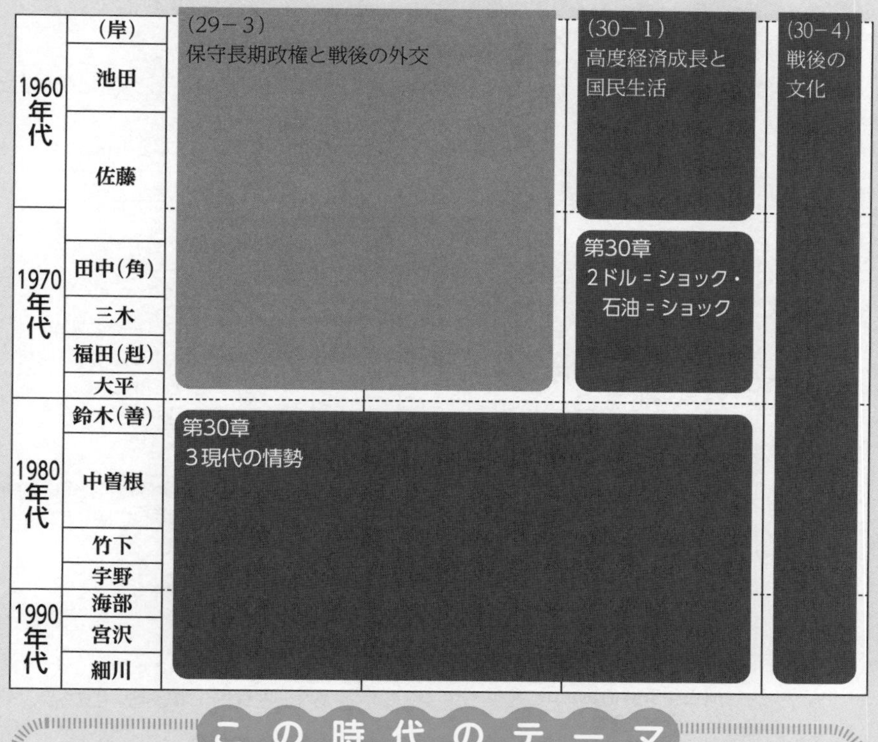

この時代のテーマ

第19章 欧米列強との接触：開国と開港貿易、幕末の政局の展開を追っていきます。
第20章 明治政府の成立：明治政府による近代化政策（政治・経済・外交）を見ていきます。
第21章 立憲政治の展開：政治史の重要テーマである自由民権運動と立憲体制を扱います。
第22章 日清・日露戦争：条約改正、日清・日露戦争と日朝関係という外交史が中心です。
第23章 資本主義の形成：松方財政、近代産業形成と社会運動という社会経済史が中心です。
第24章 第一次世界大戦：大正期の政党政治、第一次大戦と国際協調、大戦景気を扱います。
第25章 近代文化：文明開化、明治期の文化、大正～昭和初期の文化を見ていきます。
第26章 政党内閣の時代と満洲事変：昭和期の中国情勢と反復恐慌、満洲事変がテーマです。
第27章 日中戦争・太平洋戦争：総動員・翼賛体制、太平洋戦争への過程と敗戦を扱います。
第28章 占領下の日本：戦後の民主化から、冷戦の拡大と占領政策の転換までをながめます。
第29章 国際社会への復帰：サンフランシスコ講和、55年体制、保守長期政権がテーマです。
第30章 現代の日本：高度経済成長、ドルと石油の「ショック」、現代の情勢、これで終了！

欧米列強との接触
（江戸時代末期）

年代	将軍	政治	外交
1840年代	⑫家慶	3 幕末の政治	1 開国
1850年代	⑬家定		2 開港と貿易
1860年代	⑭家茂 ⑮慶喜		

3 幕末の政治

①幕政の転換

【老中阿部正弘】
朝廷へ報告、大名の意見を聞く
【老中堀田正睦】
将軍継嗣問題（一橋派・南紀派）
孝明天皇の条約勅許が得られず

【大老井伊直弼】
勅許なしで通商条約に調印
将軍を慶福（家茂）に決定
安政の大獄
桜田門外の変(1860)

【老中安藤信正】
公武合体運動
→和宮と将軍家茂の婚姻
坂下門外の変

②雄藩の政治進出

○薩摩藩（公武合体派）
幕政改革要求→文久の改革
生麦事件→薩英戦争
○長州藩（尊王攘夷派）
幕府に攘夷を要求→攘夷を決行
○薩長の対決
八月十八日の政変
禁門の変
第１次長州征討
四国艦隊下関砲撃事件
○倒幕運動
薩長同盟
第２次長州征討
大政奉還（1867）
王政復古の大号令
小御所会議

1 開国

①開国への道

オランダの開国勧告
ペリー来航(1853)(アメリカの要求)
プチャーチン来航(ロシアの要求)
ペリーとの交渉→日米和親条約
(片務的な最恵国待遇)

②通商条約の締結

ハリスとの交渉→日米修好通商条約
(領事裁判権の承認・関税自主権の欠如)

2 開港と貿易

①対欧米貿易の開始

横浜が中心　イギリスが中心
生糸などを輸出　綿織物などを輸入

②国内社会への影響

流通の変化→五品江戸廻送令
金の海外流出→万延小判を鋳造
物価高騰→打ちこわし・攘夷運動

(1)
(2)
(3)

第19章のテーマ

1850年代〜60年代の江戸時代末期（幕末）から近代が始まります。

(1) **ペリー来航**により日本は開国し、欧米列強と**不平等条約**を結びました。そして、開港と対欧米貿易の開始が、日本社会を変化させました。

(2) 江戸幕府の老中・大老が対外交渉と幕政変革に取り組み、**桜田門外の変**のあとは、**薩摩・長州**が朝廷と結んで日本政治を動かしていきました。

(3) 近代史は判明する出来事が多く、事態が刻々と変化するので、10年単位（たとえば「1860年代」）で区切りましょう。

1 開国（1840年代〜50年代）

いよいよ、近代史が始まります。欧米諸国は、すでに江戸時代後期の日本に接近していました→第17章。そして、**1853年**の**ペリー来航**をきっかけに、日本は欧米諸国と条約を結んで開国・開港し、近代国家となっていた欧米列強と正面から向き合うことになりました。

このころに、アメリカが日本に接近してきたのは、なぜだろう？

アメリカは、日本でいうと田沼時代にあたる18世紀後半に建国された新しい国なんだ。最初はアメリカ大陸の東海岸（大西洋沿岸）にあった国土が、19世紀半ばには西海岸（太平洋沿岸）まで広がった。西部で金が発見されて、ゴールドラッシュが起きたのも大きいね。そうすると、進出した**北太平洋で捕鯨**をおこなうだけでなく、太平洋の向こうにある**清国との貿易**を望み、その途中にある日本を寄港地にしようとしたんだ。たとえば、ペリーは浦賀に来る直前に琉球に立ち寄り、日米和親条約を結んだ直後に琉球と条約を結んでいるよ。

燃料や食料や水を手に入れられる寄港地を、東アジアに求めたんだね。でも、アメリカだけでなく、ヨーロッパ諸国も日本と条約を結んだから、日本への接近は、欧米諸国に共通の事情がありそうだね。

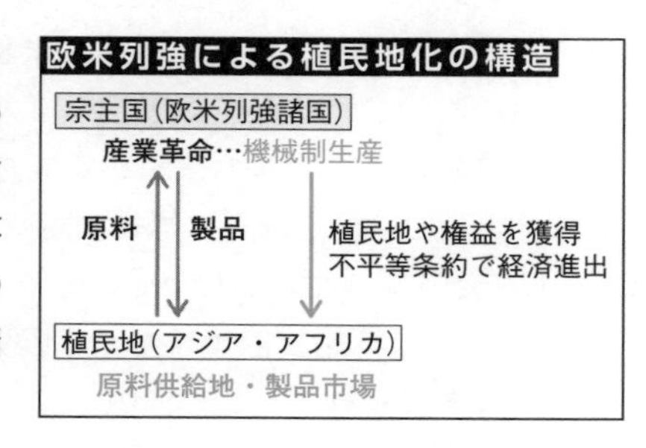

産業革命を知っている？　機械による大量生産という近代工業のあり方は、イギリスに始まり欧米に広まった。機械は人間の出せないパワーを休むことなく出し続けて、たくさんの製品を作り続けるんだ。

休んだり寝たりしないと生きていけない人間を働かせるより、機械を使ったほうが、効率的だし、もうかりそうだね。でも、機械でずっと作り続けたら、製品が余っちゃうし、原料も足りなくなるよ。

だからこそ、原料を作らせたり製品を売ったりする場所として、**植民地や権益**が必要になってくるんだ。欧米諸国は植民地や権益を得るために世界に進出し、**不平等条約**を結んで経済的な影響力を強めたり、戦争で支配地域を広げたりした。これが、近代という時代なんだ。

その影響が、幕末の日本にも及んできたんだね。

① 開国への道

年表	
1840	アヘン戦争（～42）→南京条約
1844	オランダ国王の開国勧告
1846	アメリカのビッドル来航（浦賀）
1853	アメリカの**ペリー来航**（浦賀） ロシアのプチャーチン来航（長崎）
1854	**ペリー**と**日米和親条約**を結ぶ →一方的な最恵国待遇を与える プチャーチンと**日露和親条約**を結ぶ
1856	アメリカ総領事ハリスが着任
1858	**ハリス**と**日米修好通商条約**を結ぶ →治外法権の承認、関税自主権の欠如
1859	横浜などで欧米との貿易を開始
1860	**五品江戸廻送令**・万延小判

イギリスが**アヘン戦争**に勝ち、**南京条約**で清から香港を獲得するといった動きは日本へも伝わり、天保の改革では**天保の薪水給与令**が出されました→第17章。しかし、天保の改革が終わった直後、**オランダ国王**ウィレム２世の**開国勧告**を拒絶するなど(1844)、幕府は「鎖国」を維持しようとしました。

そして、今度はアメリカが接近してきました。まず、**ビッドル**が相模国の**浦賀**に来航して通商を要求しますが（1846）、幕府はこれを拒絶しました。そのことを教訓に、今度は強力な軍事力を見せつける形でアプローチしてきたのが、ペリーです。**1853年**、**ペリー**が軍艦４隻で**浦賀**へ来航して開国を迫ると、12代将軍家慶が病に倒れるという状況のなかで幕府は何も決定できず、アメリカ大統領の国書を受け取ってペリーを帰国させました（その直後に13代将軍家定に替わります）。ちなみに、「黒船」に**蒸気船**が含まれていたので、「**泰平の眠りを覚ます上喜撰　たった四杯で夜も寝られず**」（「上喜撰」＝上等の茶）という狂歌も登場しました。そして、同じころにはロシアの**プチャーチン**が**長崎**へ来航し（浦賀来航ではありません)、通商などを要求しました。

翌年、ペリーが再び来航すると、幕府は**日米和親条約**(1854)を結びました。まず、開港場を伊豆国の**下田**と蝦夷地の**箱館**とし、**領事**の駐在を許可しました。そして、アメリカ船が望む燃料・食料については日本政府(幕府)が供給することになりました。政府の規制がない自由貿易は、許可しなかったのです。しかし、日本はアメリカに対し、他国よりも不利にならないようにする**最恵国待遇**を**一方的に**与え、これは不平等な規定として問題になりました。

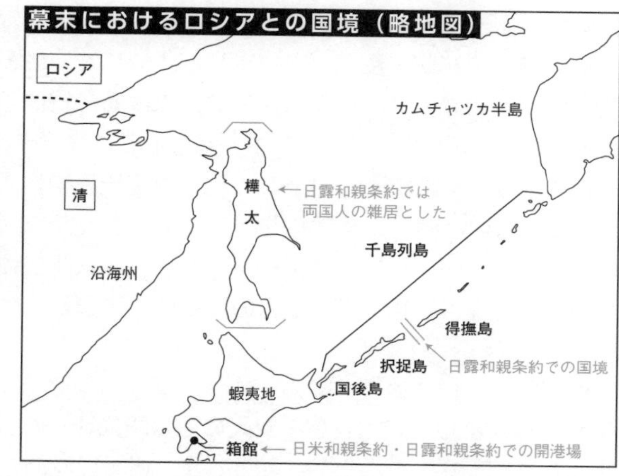

一方、プチャーチンも再び来航して**日露和親条約**が結ばれました。日米和親条約とくらべると、開港場が下田・箱館・**長崎**だったことに注意しましょう。また、日露間で国境が画定され、千島列島は**択捉島**以南が日本領で**得撫島**以北がロシア領、**樺太**は両国人の雑居として国境を定めませんでした。

最終的に、日本はアメリカ・イギリス・ロシア・オランダと国交を樹立し、「鎖国」体制を転換しました。

② 通商条約の締結

そののち、日米和親条約の規定にしたがい、アメリカ総領事**ハリス**が下田に着任しました。和親条約では民間の自由貿易が許されていなかったため、自由貿易を認める通商条約を結ぶことがアメリカの望みでした。ハリスは**アロー戦争**(第2次アヘン戦争[1856~60]:清がイギリス・フランスに敗北)の状況を幕府に説いて、通商条約の締結を迫りました。結局、幕府は**日米修好通商条約**(1858)を結び、アメリカとの間で自由貿易を許可しました。

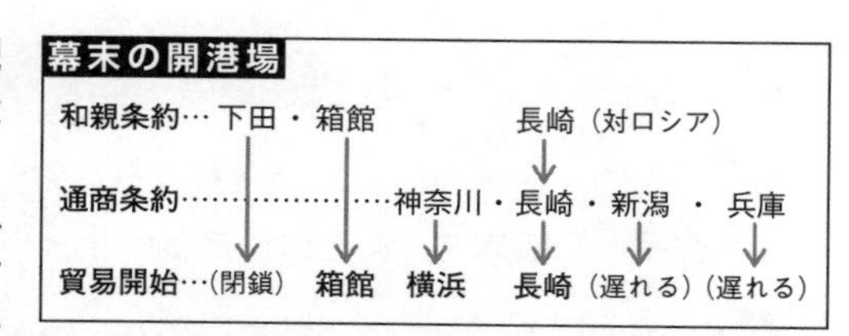

和親条約との違いも意識しながら、通商条約の特徴を見ていきましょう。開港場は**神奈川**(実際は**横浜**)・**長崎**・**新潟**・**兵庫**(実際は**神戸**)でしたが、新潟と兵庫は開港が遅れました。また、箱館は和親条約以来の開港状態が続きま

したが、下田は神奈川開港ののちに閉鎖されました。したがって、実際の開港場は、**横浜・箱館・長崎**となりました。そして、外国人の居住は開港場の**居留地**に限定されました（のちに明治政府による条約改正交渉のなかで、諸外国は日本に対し、日本国内の好きな場所に住むことができる「内地雑居」を要求することになります→第22章）。さらに、日本が輸出品や輸入品にかける関税の税率を決定できないという**関税自主権の欠如**（関税を日米で定める**協定関税制**）と、日本にいるアメリカ人に日本の法や統治権が及ばない**治外法権**（日本におけるアメリカ人の犯罪は領事がアメリカの法で裁く**領事裁判権の承認**）は、不平等な規定でした。

最終的に、日本はアメリカ・オランダ・ロシア・イギリス・フランスと通商条約を結びました。これらを**安政の五カ国条約**と呼びます（フランスも加わりました）。そして、近代的な条約には、調印したあとで**批准**（各国政府による承認）をおこなう必要があるので、批准書を交換するための使節がアメリカへ派遣されました。このとき、幕府の**勝海舟**を艦長とする**咸臨丸**が同行し、日本人の手による太平洋横断が実現しました。

不平等条約は、日米和親条約が一方的な最恵国待遇、日米修好通商条約が関税自主権の欠如と治外法権、という区別をすればいいんだね。でも、どこがどう不平等なんだろう？

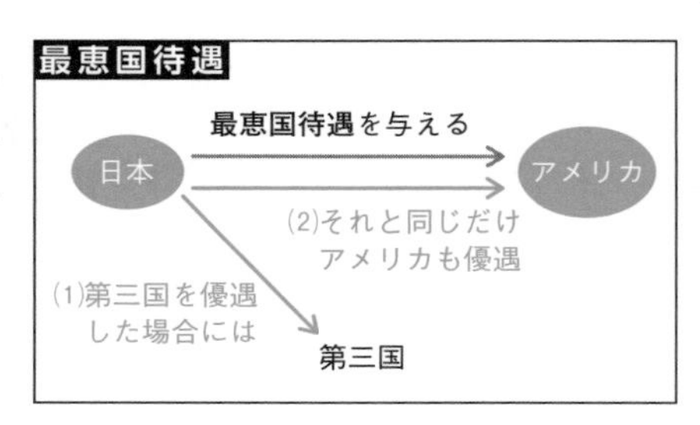

突然だけれど、「近代国家の三要素」って覚えている？

政治・経済の授業でやったような気がするけれど、忘れちゃった。**国民**と、**領域**と、あとは何だっけ？

主権だよ。国内では領域内のあらゆる個人や集団を支配し、対外的には外からの干渉をしりぞける独立性と対等性を持つのが主権だ。まず、一方的な最恵国待遇をアメリカに与えるということは、図にあるような優遇措置を日本がアメリカに対しておこなう義務があるのに、同じことをアメリカが日本に対しておこなう義務がないということだ。**最恵国待遇**を与える義務が日本にだけあるので、主権の面でアメリカと対等とはいえないよね。

それと、関税自主権の欠如か。そもそも、何のために関税ってあるのかな？

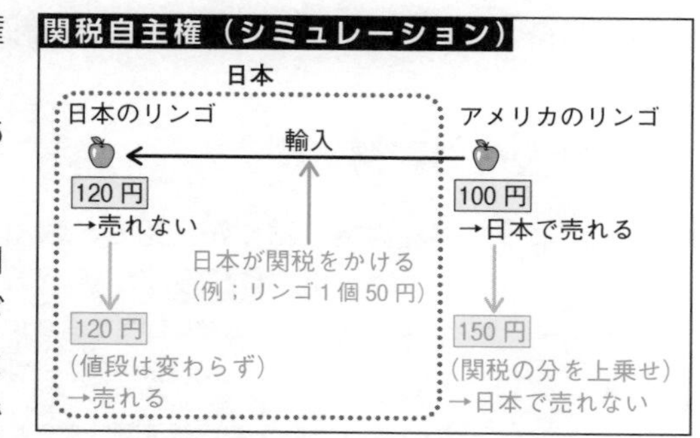

輸出品や輸入品に関税をかければ、政府が税収入を得られるよね。でも、それだけではないんだ。図のように、安い外国の品が日本へ輸入されると日本の品が売れなくなるので、日本は輸入品に関税をかける。そうすると、関税の分が輸入品の販売価格に上乗せされるから、日本の品が売れる。国内産業を保護する権限も、主権のなかに含まれるんだよ。

そしたら、その関税を日本だけで決められずにアメリカと一緒に決める**協定関税制**は、主権の面でアメリカから独立しているとはいえないね。そうか、**領事裁判権**も、日本の国内にアメリカの裁判が及んでくるから、これも日本の主権が独立しているとはいえないんだ。

そう。欧米列強は、主権を持つ近代国家として、日本を対等と見ていなかった。だから、不平等な条約の改正が、今後の課題なんだね。

2 開港と貿易

① 対欧米貿易の開始

和親条約と修好通商条約を経て、欧米諸国との貿易が始まりました。貿易にあたって、開港場に設けられた外国人の**居留地**で、日本人商人が外国人と取引しました。輸出品は農水産物やその加工品が多く、輸入品は工業製品が中心でした。貿易の全体として、はじめ

開港

(1)貿易　幕府役人が立ち会わない自由貿易
(2)開港場　**横浜**・**長崎**・**箱館**　横浜での取引が多い
(3)相手国　**イギリス**が中心
(4)貿易　輸出…**生糸**・**茶**・**蚕卵紙**（蚕の卵を付けた紙）
輸入…**毛織物**・**綿織物**・武器
輸出超過→改税約書（関税率下げ）→輸入超過

輸出：生糸 79.4%、茶 10.5、蚕卵紙 3.9、海産物 2.9、その他 3.3
輸入：毛織物 40.3%、綿織物 33.5、武器 7.0、艦船 6.3、綿糸 5.8、その他 7.1
（1865年）
（石井孝『幕末貿易史の研究』による）

は**輸出超過**でしたが、のち諸外国との間で**改税約書**に調印して関税率を下げると、**輸入超過**となりました。

② 国内社会への影響

(1) 輸入によって綿織物業・綿作が衰退し、輸出によって製糸業が発達した

繊維産業

●絹に関連する産業
繭（**養蚕業**）→生糸（**製糸業**）→絹織物（**絹織物業**）

●木綿に関連する産業
綿花（**綿作**）→綿糸（**紡績業**）→綿織物（**綿織物業**）

開港により、欧米の資本主義の波が日本に及んできました。まず、貿易にともなって国内産業にどのような影響が及んだのか考えましょう。イギリスは産業革命が始まった国であることをイメージすれば、イギリスから機械制生産による安い綿製品が大量に輸入されたことが推定できますね。その結果、日本国内の**綿織物業**や、綿糸の原料となる綿花を栽培する**綿作**は衰えてしまったので、これを回復することが明治以降の国内産業の課題となりました。

一方、生糸が大量に輸出されることで、蚕の繭から生糸を生産する**製糸業**は生産が増えてマニュファクチュア（工場制手工業）による生産が進展し→第17章、その後も製糸業は重要輸出品である生糸を作る産業として発展していきました。ところが、生糸を原料に絹織物を生産する**絹織物業**は、生糸が輸出されてしまうことで原料が不足し、衰退したのです。生糸（絹）に関わる産業のなかでも明暗が分かれたことに注意しましょう。

(2) 輸出によって国内の流通機構が変化し、それを防ぐための法令も出た

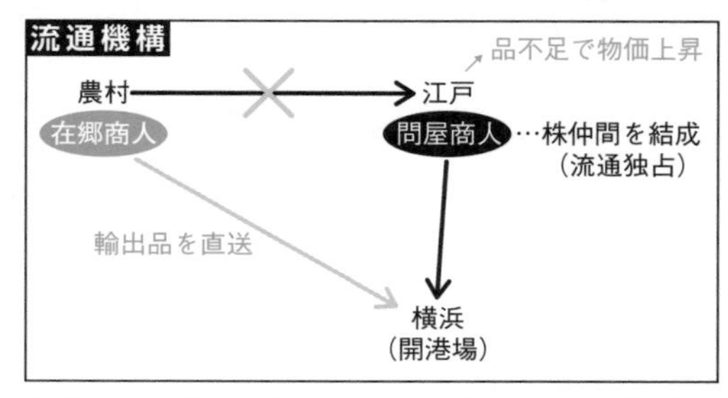

これまで形成されてきた流通機構は、幕府が問屋商人に株仲間を結成させ、流通独占の特権を与えることで流通を統制する、というものでした。したがって、開港後も、本来であれば江戸の問屋商人が農村から輸出品を集荷し、開港場へ輸送する、となるはずでした。ところが、すでに農村で商品の生産・加工・出荷を積極的におこない成長していた**在郷商人**は→第17章、江戸の問屋商人を通さず、開港場の横浜へ輸出品を直送するようになりました。このことで、江戸では輸出される品の不足による物価上昇が生じ、在郷商人と問屋商人との対立も深まりました。

そこで幕府は、**五品江戸廻送令**（1860）を発し、雑穀・水油・蠟・呉服・

生糸の５品目（茶は含まれません）の輸出は江戸の問屋商人を経由して輸出させ、株仲間を中心とする流通機構の維持と物価引き下げをはかりました。しかし、在郷商人の反発や諸外国の自由取引要求で効果は上がりませんでした。

⑶　金貨が海外へ流出したが、それを防ぐための貨幣改鋳は物価を高騰させた

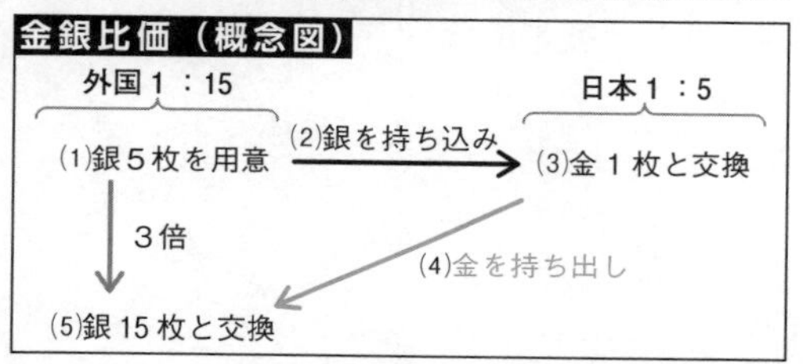

日米修好通商条約では、日本と外国の貨幣は、同じ種類（金もしくは銀）どうしで同じ量を交換してもよいということになり、外国の金貨や銀貨も日本で使えるようになりました。しかし、これが思わぬトラブルを生みました。金と銀を交換する割合（**金銀比価**）が、日本では**金１：銀５**だったのに対し、外国では**金１：銀15**だったため、大量の日本金貨が海外へ流出してしまいました。

話をわかりやすくするため、「日本では金１枚と銀５枚が同じ価値」「外国では金１枚と銀15枚が同じ価値」と考えます。外国人は、銀貨５枚を日本へ持ち込んで金貨１枚と交換し、それを外国に持ち出して銀貨15枚と交換すると３倍の大もうけとなり、日本の金貨の持ち出しをせっせとおこなったのです。

幕府はあわてて**万延小判**を鋳造しました（1860）。それまでの金貨とくらべて１枚の大きさ（重さ）を３分の１にすることで（金貨・銀貨の両方ではなく、金貨の品質だけを引き下げたことに注意しましょう）、日本の金銀比価は金1/3：銀５、つまり金１：銀15となりますから、金銀比価が外国と同じになれば金貨の流出は止まります。しかし、お金の額は同じなのにお金の大きさ・重さが３分の１になれば、貨幣の価値が下がったことになりますから、逆に物価は上がります。こうして、金貨流出を防ぐための貨幣改鋳は、それまでの品不足による物価上昇に拍車をかけることになりました。

⑷　開国と貿易に対する、庶民や武士の不満が増大した

物価上昇は庶民の生活を圧迫し、農民の百姓一揆や都市下層民による打ちこわしが増加しました。そして、ペリー来航以来の列強の圧力による対外的危機感とともに、開国に対する反感も高まったことで、外国人や貿易商人を殺傷したり、公使館を襲撃したりする**攘夷運動**が激化することになりました。こうして、天皇を「王者」として尊ぶ尊王論に、外国排斥を唱える攘夷論が結合した尊王攘夷論は、現実の政治を動かす**尊王攘夷運動**として高まっていきました。

3 幕末の政治（1850年代〜60年代）

① 幕政の転換

幕末の政治の展開は、前半と後半に分けましょう。前半は、老中・大老ごとに、列強の圧力や朝廷・大名の動きとどのように関わったのかをおさえます。

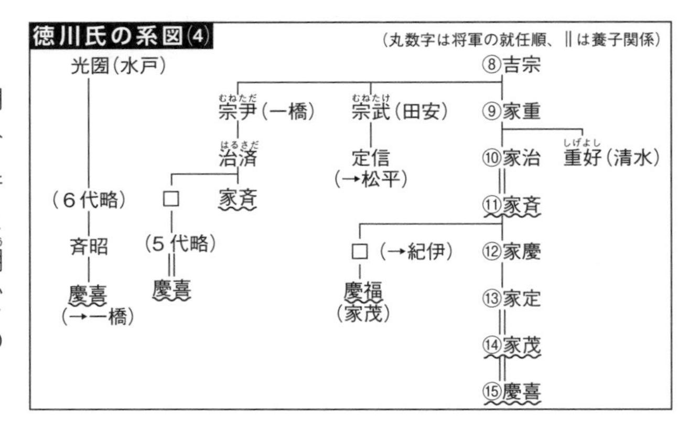

(1) 阿部正弘は、ペリー来航と日米和親条約の調印に関与し、幕政を改革した

年表

1853 ペリー来航　→老中**阿部正弘**
1854 日米和親条約を結ぶ
1856 総領事ハリスが着任
　※将軍継嗣問題・条約勅許問題
　　→老中**堀田正睦**　→大老**井伊直弼**
1858 日米修好通商条約を結ぶ（勅許なし）
　　徳川慶福が将軍に（14代将軍家茂）
　　安政の大獄（〜59）
1859 貿易の開始
1860 桜田門外の変
　※公武合体運動　→老中**安藤信正**
1862 和宮の降嫁（将軍家茂の夫人に）
　　坂下門外の変

まず、1850年代の歴史から始めます。ペリー来航に対処し、アメリカなどと和親条約を結んだときの老中首座は、**阿部正弘**でした。阿部は、事態を朝廷に報告するとともに、諸大名・幕臣に意見を求めました。これは、禁中並公家諸法度によって政治への関与ができなかった**朝廷**や→第14章、幕政から排除されていた**外様大名**、幕府の要職に就いていなかった**親藩**の政治発言力を増大させ、それまで将軍を頂点に譜代大名・旗本が中心となって担ってきた幕府の政治は大きく転換することになりました。そして、阿部は前水戸藩主の**徳川斉昭**を幕政に参加させ、越前藩・薩摩藩といった有力な親藩・外様の協力を得ました。

さらに、江戸湾に大砲砲台の**台場**を設置したり、江戸の**講武所**や長崎の**海軍伝習所**で洋式の軍事教育を実施し、**蕃書調所**（蛮書和解御用→第18章を改組）で洋学の教授や洋書の翻訳をおこなうなど、西洋の軍事技術を導入しました。

(2) 堀田正睦は、将軍継嗣問題と通商条約勅許の問題を解決できなかった

領事として駐在したハリスと通商条約を結ぶ交渉をおこなった老中首座は、**堀田正睦**でした。実は、当時の幕府内部では**将軍継嗣問題**というゴタゴタが発

生していました。13代将軍**家定**が病弱で子もいないため、将軍の跡継ぎを決めておく必要があったからです。しかし、新しく幕政に進出した親藩・外様大名の雄藩が中心で、若くて実力のある**一橋慶喜**を推挙した**一橋派**と、保守的な譜代大名・旗本が中心で、幼年だが血筋のよい**徳川慶福**を推挙した**南紀派**との対立が激化し、堀田はこの対立に悩まされていたのです。

これに加え、**条約勅許問題**も発生していました。阿部正弘がペリー来航の事態を朝廷に報告して以来、幕府は朝廷の意向を無視できなくなっていたことに加え、19世紀前半以来の危機的状況のなかで、尊王論の盛り上がりなどで天皇の権威も上昇しつつありました。こうしたなか、通商条約を結ぶことについては幕府内部や諸大名のなかにも反対があったため、堀田は天皇の許可を得て反対意見を抑えようとしたのです。しかし、**孝明天皇**は外国人を排斥する攘夷の姿勢を持っており、通商条約の調印を断固として拒否しました。堀田は条約の勅許を得られず、失脚しました。

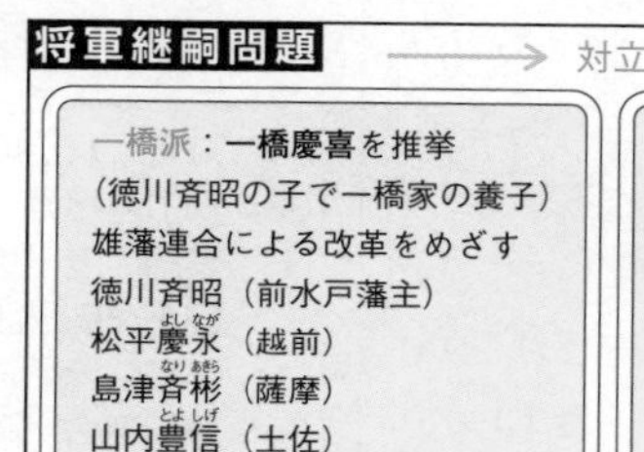

(3) 大老井伊直弼は、通商条約を結び、反対者を弾圧したが、のち暗殺された

将軍継嗣問題と条約勅許問題を、半ば強引に解決したのは、**大老**に就任した**井伊直弼**でした。彼は南紀派だったので、将軍の跡継ぎを徳川慶福に決定し(のち14代将軍**家茂**となります)、アメリカなどとの修好通商条約については、孝明天皇の勅許がないままの調印を強行しました。

一橋派は、一方的な将軍の跡継ぎ決定を非難しました。また、尊王攘夷派は、天皇の考えに反する条約調印を非難し、外国と接触する開国・開港に反対しました。これに対し、井伊は**安政の大獄**で弾圧しました。一橋派の大名を謹慎処分にするとともに、長州藩士で松下村塾で教えていた**吉田松陰**などの尊王攘夷派の武士や、越前藩士で一橋派を支えていた**橋本左内**を死罪としました。

しかし、こういった強硬姿勢は反発を生み、水戸藩の浪士が大老井伊直弼を暗殺する**桜田門外の変**（1860）が起きてしまいました。

現職の大老が暗殺されたことで、幕府の権威は大きく揺らぎました。こののち、幕府は朝廷の権威と結びついて幕府の権力を保とうとする、**公武合体運動**を進めていきました。

(4) 安藤信正は、公武合体運動を推進したが、襲撃されて失脚した

ここから、1860年代の歴史に入ります。幕府による公武合体運動を進めたのは、老中の**安藤信正**でした。将軍家と天皇家が結びつくことで幕府と朝廷の融和をはかるため、孝明天皇の妹である**和宮**（孝明の子ではありません）を14代将軍家茂の夫人に迎えることにしました。しかし、尊王攘夷派の武士たちがこれに反発し、安藤信正が水戸藩の浪士らに傷つけられる**坂下門外の変**が発生すると、安藤は失脚しました。

年表

1862	島津久光（薩摩）の幕政改革要求
	→文久の改革
	生麦事件
1863	長州、朝廷を通じて幕府に攘夷を要求
	長州による攘夷決行
	→**薩英戦争**
	八月十八日の政変
1864	池田屋事件
	禁門の変（蛤御門の変）
	第１次長州征討
	四国艦隊下関砲撃事件（←長州による攘夷決行）
1866	**薩長連合（薩長同盟）**
	第２次長州征討
	14代将軍家茂の死→15代将軍慶喜
1867	**大政奉還**
	王政復古の大号令

② 雄藩の政治進出

幕末の政治の後半は、薩摩・長州がどのように日本の政治と関わったのかを見ていきましょう。その際、朝廷・幕府とのつながりに注目します。

いよいよ、薩摩と長州が一緒に幕府を倒すんだね！

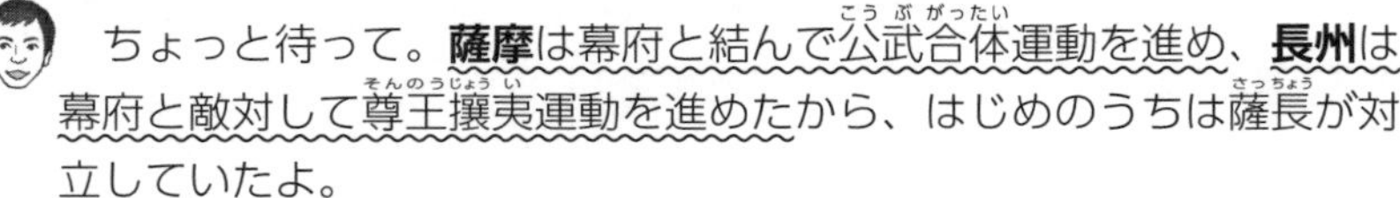
ちょっと待って。**薩摩**は幕府と結んで公武合体運動を進め、**長州**は幕府と敵対して尊王攘夷運動を進めたから、はじめのうちは薩長が対立していたよ。

よし、尊王攘夷で討幕だ！　坂本龍馬が大活躍！

えっと、尊王攘夷運動は討幕をめざしたものではないよ。諸外国と戦い、攘夷が無理だとわかったあとで、薩摩と長州は結びついて倒幕運動を進めた。この**薩長連合**（**薩長同盟**）に、坂本龍馬が関わるんだ。

なんだか先入観があって、いろいろかんちがいしていたよ。

そして、薩長が「討幕」、つまり武力倒幕を実行する前に、幕府は**大政奉還**でみずから消滅した。朝廷が幕府へ委任していた政治を、今度は幕府が朝廷へ返したんだ。討幕で幕府が倒されたのではないよ。

よく知られた時代だからこそ、展開を正確に知ることが大事だね。

(1) 薩摩藩が公武合体の立場から幕府に介入し、朝廷との間を仲介した

薩摩藩は、公武合体の立場をとり、幕府と朝廷が連携した体制を薩摩が支えることを望み、幕府の政策である開国は容認という姿勢でした。

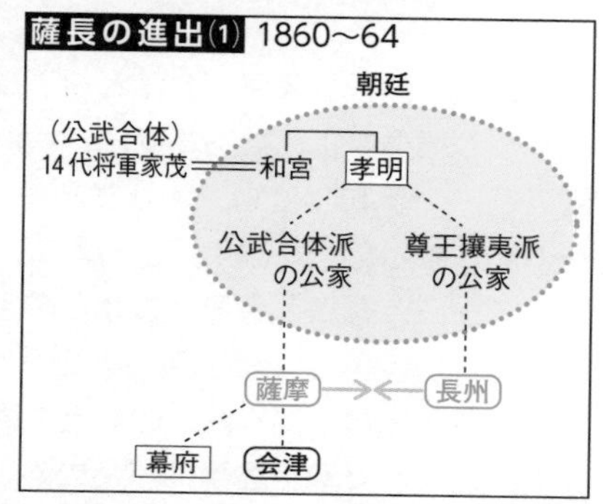

坂下門外の変ののち、いよいよ薩摩が動き出します。藩主の父である**島津久光**(しまづひさみつ)が京都を訪れて公武合体派の公家(くげ)と結んだことで、天皇の周辺は公武合体派が優勢となりました。孝明天皇も公武合体を望んだため（妹の和宮は14代将軍家茂の夫人です）、島津久光は天皇の勅使(ちょくし)をともなって江戸(えど)に下り、天皇の意を受けたとして幕政改革を要求しました。

その結果、一橋(ひとつばし)派が実権を掌握し、将軍を補佐する**将軍後見職**(こうけん)に**一橋慶喜**(よしのぶ)を任命し、政局運営の責任者である**政事総裁職**(せいじそうさい)に**松平慶永**(まつだいらよしなが)を任命し、京都の治安維持をおこなう**京都守護職**(しゅご)に会津(あいづ)藩の**松平容保**(かたもり)を任命しました（いずれも親藩(しんぱん)です）。あわせて、参勤交代(さんきんこうたい)を３年１勤とし、大名(だいみょう)妻子の江戸居住を廃止するなど、参勤交代制を緩和(かんわ)しました。これを**文久の改革**(ぶんきゅう)と呼びます。

しかし、島津久光が江戸から帰る途中、行列を横切ったイギリス人を「無礼である！」と殺傷する**生麦事件**(なまむぎ)（1862）が起きました。薩摩藩は開国容認の立場で攘夷には反対のはずですが、イギリス人への切捨御免(きりすてごめん)をやったことで、結果的には攘夷となりました。その報復として、イギリスは次の年に薩摩を攻撃しました（**薩英戦争** 1863）。攘夷の危険性を改めて実感した薩摩は、むしろイギリスに接近して西洋文明を摂取し、藩の実力を強めていきました。

(2) 長州藩が尊王攘夷の立場から朝廷に働きかけ、幕府の政策に介入した

長州藩は、尊王攘夷の立場をとり、朝廷と結びつつ幕府への反抗を強め、幕府の政策である開国には反対して条約の破棄をめざす姿勢でした。つまり、親(しん)幕府の立場である薩摩とは逆に、反(はん)幕府の立場であり、両者は敵対しました。

島津久光が京都を去ったあと、長州は藩士を京都に送り込み、天皇の周辺は尊王攘夷派の勢力が拡大しました。孝明天皇も攘夷を望んだため（通商条約の調印に反対して勅許(ちょっきょ)を出しませんでした）、14代将軍家茂と一橋慶喜が京都へ赴いて孝明天皇に攘夷を約束し、幕府は５月10日の攘夷決行を諸藩に命じました。このように、長州は朝廷を通して、幕府に政策変更を迫ったのです。

その結果、長州は1863年５月10日に**攘夷を決行**し、外国船を砲撃しました。しかし、その直後に薩英戦争が発生し、イギリスとの戦いを経験した薩摩は、

長州の無謀な攘夷を危険視するようになりました。

(3) 公武合体派の薩摩・会津と尊王攘夷派の長州が激突し、長州が敗北した

長州の攘夷を止めたい薩摩は、会津とともに、公武合体派の公家と結んで朝廷でクーデタを起こし、朝廷から尊王攘夷派の長州藩士と公家（三条実美ら）を追放しました（**八月十八日の政変**　1863）。

ここから、**薩摩・会津**と**長州**との全面対決が始まります。尊王攘夷をあきらめきれない長州は、尊王攘夷派の武士を再び京都に潜入させました。しかし、彼らが**新選組**（京都守護職のもとに置かれた尊王攘夷派を制圧する部隊）によって殺傷される**池田屋事件**が起きると、長州は藩兵を京都に派遣し、薩摩・会津連合軍と戦いますが、敗北しました（**禁門の変**［**蛤御門の変**］1864）。

そして、とうとう幕府も**第１次長州征討**に乗り出しました。幕府が天皇からの勅命を受けて大坂まで出兵すると、長州は戦わずに降伏しました。

長州に追い打ちをかけたのが、前の年の攘夷決行に対する諸外国の報復でした。イギリス・アメリカ・フランス・オランダ（ロシアは含まれません）の連合艦隊による**四国艦隊下関砲撃事件**（1864）で、長州が進めてきた攘夷はとうとう挫折し、尊王攘夷派は攘夷をあきらめることになりました。

(4) 列強の圧力が強まるなか、薩長による倒幕派が形成された

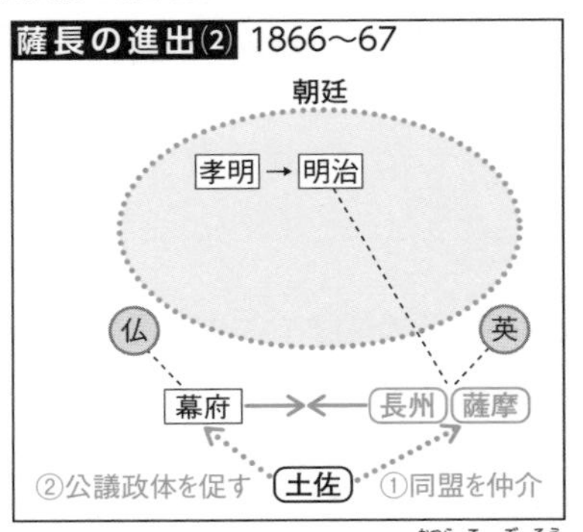

連合艦隊は、さらに日本に圧力をかけ、朝廷から条約の勅許を獲得し、幕府との間で**改税約書**に調印して関税率を下げさせました（輸出超過から輸入超過となる）。

一方、薩摩藩では幕府を見限る動きが出現し、藩士の**西郷隆盛**・**大久保利通**が登用されると、藩論が「開国・倒幕」となりました。さらに、長州藩では幕府に屈服した藩の上層部に反発する動きが出現し、**高杉晋作**が志願制の部隊である**奇兵隊**を率いてクーデタを決行し、藩士の**桂小五郎**（のち**木戸孝允**）らが権力を握ると、藩論が「開国・倒幕」となりました。

列強の動きも活発でした。**イギリス**公使**パークス**は天皇を中心とする新政権を期待するようになり、薩長に接近しました。これに対し、**フランス**公使**ロッシュ**は幕府を支持しました。当時のイギリスとフランスは、世界進出をめぐってのライバル関係にあったので、その対立が日本国内に持ち込まれたのです。

薩長が結びつく気運が生まれるなか、土佐藩出身の**坂本龍馬**・中岡慎太郎の

仲介で、倒幕をめざす**薩長連合**（**薩長同盟**）が成立しました（1866）。対立の構図は薩摩・幕府と長州との対立から、薩摩・長州と幕府との対立に変化しました。長州は幕府との対決姿勢を強め、これを抑えるために幕府は**第２次長州征討**をおこないましたが、長州は薩摩の支援で優勢となり、みずから大坂城に出陣していた14代将軍家茂の病死を理由に、幕府軍は撤退しました。

開港してから物価が上昇して社会不安が広がり、幕府への不満が高まりました。これに加え、第２次長州征討に際して幕府が兵糧を徴収したことで、さらに物資不足による物価高騰が発生しました。こうして**世直し一揆**が激化し、江戸や大坂で**打ちこわし**も発生しました。

(5) 徳川慶喜は大政奉還を実行したが、倒幕勢力は天皇中心の新政府を作った

いよいよ、幕府滅亡の場面です。最後の将軍となった15代将軍**慶喜**は、フランスの援助を受けて幕政の立て直しをはかり、孝明天皇が急死して**明治天皇**が即位すると、薩長は「討幕」、つまり武力による倒幕を画策しました。

事態が緊迫するなか、幕府を支える立場を維持していた**土佐藩**が動きました。藩士の**後藤象二郎**と坂本龍馬は、朝廷のもとに雄藩連合政権を作り、徳川慶喜を議長とする大名の会議で政治を運営する**公議政体論**の構想を持っていました。そして、これを実現するため、まずは政権を朝廷に返上することを、前藩主の**山内豊信**を通じて15代将軍慶喜に伝えました。武力で倒される前に幕府がみずから消滅したうえで、のちに再び朝廷から委任を受けた徳川氏が主導する新しい政府を作ろう、というわけです。これを受け入れた15代将軍慶喜は、京都二条城で**大政奉還**（1867）をおこない、将軍職も辞退しました。

しかし、薩長や公家の**岩倉具視**を中心とする倒幕派は、明治天皇から**討幕の密勅**を得ており、徳川慶喜の動きに対する巻き返しをはかる必要がありました。江戸幕府に代わる新しい政府の主導権を、誰が握ることになるのか。

当時、伊勢神宮の御札が降ったのを機に、民衆が集団で乱舞する「**ええじゃないか**」が東海道筋から京都・大坂に及んでいました。そして、その混乱にまぎれて準備を進めた倒幕派が、天皇中心の新政府を樹立する**王政復古の大号令**（1867）を発令し、幕府も将軍も摂関も廃止したうえで、**三職**（**総裁**・**議定**・**参与**）に雄藩の藩主・藩士を任じました。つまり、天皇親政のもとで雄藩連合の形をとりつつ、徳川慶喜を排除した政府を作ろうとしたのです。

その日の夜、総裁・議定・参与による**小御所会議**が開かれ、徳川慶喜の処分を決定しました。その処分とは、内大臣の官職と領地（もと幕領）の一部を返上させるという**辞官納地**でした。徳川慶喜はこれを拒否し、二条城から大坂城へ移って戦争の準備を進めました。そして、**戊辰戦争**→第20章が始まります。

チェック問題にトライ！

川柳や狂歌は、だじゃれによることば遊びや機知にとんだユーモアで広く人々の人気を集めた。次に掲げた四つの狂歌は、いずれもそれぞれの時代の政治や世相を痛烈に皮肉ったものである。

ア　泰平のねむりをさますじょうきせん　たった四はいで夜も寝られず
イ　徳川の清き流れをせきとめて　己が田へひく水野にくさよ
ウ　井伊しかけ毛せんなしの雛まつり　真赤に見えし桜田の雪
エ　白河の清きに魚もすみかねて　もとの濁りの田沼こひしき

問　ア～エの四首の狂歌の内容を古いものから年代順に並べた場合、その組合せとして正しいものを、次の①～⑧のうちから一つ選べ。
① アーイーウーエ　② アーエーイーウ　③ イーエーアーウ
④ イーエーウーア　⑤ ウーアーイーエ　⑥ ウーアーエーイ
⑦ エーイーアーウ　⑧ エーイーウーア
（センター試験　1990年度　本試験）

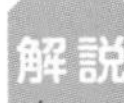
史料文のなかからキーワードを探すという、未見史料の問題を解く方法を使いましょう。

ア「じょうきせん」は上喜撰（緑茶のブランド）と蒸気船（ペリー来航　1853）をかけていて、「高級緑茶を４杯飲むと興奮して寝られない」と「黒船が４隻やってきて不安で寝られない」の二つの意味が含まれます。
イ「水野」から、水野忠邦による天保の改革（19世紀中期）を推定します。
ウ「井伊」「桜田」から、井伊直弼と桜田門外の変（1860）を推定します。
エ「白河」は白河藩主松平定信を示し、「寛政の改革は清らかすぎて反発が大きく、田沼時代は濁っていたが過ごしやすかった」という意味です。
⇒したがって、⑦（エーイーアーウ）が正解です。

貨幣改鋳に関連して、次の表を参考にしながら、江戸時代の小判について述べた文として正しいものを、下の①～④のうちから一つ選べ。

小判の重量と成分比

種類	1枚あたりの重量[匁(もんめ)](注1)	成分比(注2)	
		金[%]	銀[%]
慶長小判	4.76	84.29	15.71
元禄小判	4.76	57.37	42.63
宝永小判	2.50	84.29	15.71
正徳小判	4.76	84.29	15.71
享保小判	4.76	86.79	13.21
元文小判	3.50	65.71	34.29
文政小判	3.50	56.41	43.59
天保小判	3.00	56.77	43.23
安政小判	2.40	56.77	43.23
万延小判	0.88	56.77	43.23

(国立歴史民俗博物館編『お金の不思議　貨幣の歴史学』により作成)

(注1)　1匁=3.75グラム　　(注2)　成分比は、幕府が公定した品位による。

① 江戸時代の小判は、慶長小判の発行以後、改鋳のたびに金の成分比が下がり続けた。
② 江戸時代の小判のうち、はじめて銀の成分比が40%を超えたのは、文政小判である。
③ 新井白石は、小判の重量は変えずに、金の成分比を下げることによって増収をはかろうとした。
④ 幕府は、小判1枚あたりの金の重量を軽くすることによって、開港後の状況に対応しようとした。

(センター試験　2013年度　本試験)

解説　事実関係が正しいか誤りかを判断するため、**選択肢の内容と表の数値とを比較・検討する**問題です。「金銀成分の比較」グラフも見ましょう→第15章。

①「金の成分比」は、元禄(げんろく)小判で下がり、宝永(ほうえい)小判で上がったので、誤りです。
②「はじめて銀の成分比が40%を超えた」のは、元禄小判なので、誤りです。
③「小判の重量は変えずに、金の成分比を下げ」たのは、慶長(けいちょう)小判から元禄小判にかけてであり、5代将軍綱吉(つなよし)のときなので（荻原重秀(おぎわらしげひで)の建議）、誤りです。
④「開港後の状況」にあてはまるのは、万延(まんえん)小判です。安政(あんせい)小判の重量（2.40匁）に成分比（56.77%）をかけた金の重量よりも、万延小判の重量（0.88匁）に成分比（56.77%）をかけた金の重量は軽くなるので、正しいです。

⇒したがって、④が正解です。

歴史総合のための世界史 「近代化と私たち」1 産業革命

幕末（江戸時代末期）の開国に至るまでの、日本を取り巻くアジア・世界の状況に加え、「近代化」の柱の一つである**産業革命**を見ていきましょう。

① 中国の経済とヨーロッパのアジア進出

まず、中国から。14世紀に成立した**明**では（室町幕府の足利義満は15世紀初めに明との勘合貿易を開始→第11章）、長江下流域で生糸や絹織物・綿織物などの**手工業**が発達し、原料の**商品作物**（桑や綿花）の生産が増え、**遠隔地商業**による国内市場の統一が進みました。16世紀、後期倭寇→第11章が**海禁**（対外貿易を朝貢貿易に限定する政策）を破って貿易を広げ、のち海禁が緩和されて「大交易時代」が到来すると、明には日本やアメリカ大陸から**銀**が大量に流入しました（石見大森銀山や→第11章、スペイン支配下の南米ポトシ銀山）。17世紀に成立した**清**では、アメリカ大陸原産のトウモロコシやサツマイモが栽培され、18世紀以降の人口増加を支えました。また、徴税や貿易管理のため欧米船の入港を中国南部の**広州**に限定して許す一方、日本や東南アジアへは中国船が出向きました（江戸幕府は中国船来航を長崎だけにして貿易を管理→第14章）。

次に、ヨーロッパのアジア進出について。**アジア域内貿易**は、古くから中国人商人や**ムスリム商人**（イスラーム教徒の商人のことでアラブ人やペルシア人）などが携わっていましたが、15世紀末に**大航海時代**が始まると、モルッカ諸島など東南アジアでとれる**香辛料**（胡椒・クローヴ・シナモンなど、保存用食肉の味付けなどに使用）の直接取引を望むヨーロッパ人（ポルトガル・スペイン）も参入しました→第13章。アジア域内貿易では、生糸・綿織物・香辛料・砂糖・米・蘇木（染料）・銀・銅など、高級品も日用品も取引されました。

16世紀末以降、イギリス・オランダやフランスは**東インド会社**を設立して貿易独占権を認め、アジアとの貿易をおこないました。特にオランダ東インド会社はアジア各地の港に商館を設け、それらを結ぶ貿易で繁栄しました（日本の平戸に設けた商館は、「鎖国」政策によって長崎の出島に移された→第14章）。

アジアから西ヨーロッパへは、**胡椒**・**綿織物**・**陶磁器**・**茶**・砂糖・コーヒーなどが輸出されました。しかし、経済的に豊かなアジアには西ヨーロッパから輸入する必要のあるものは少なく、**銀**がアジアに持ち込まれたのです。

② 産業革命と技術革新

「近代化」の柱である**産業革命**はイギリスの綿工業から始まりました（18世紀半ば～19世紀初め）。背景には、①17世紀の市民革命（ピューリタン革命・

名誉革命）を通して市民の自由な経済活動が保障されたことや、②大航海時代を経て確立したヨーロッパ・西インド諸島（カリブ海）・西アフリカの**大西洋三角貿易**で富が蓄積されたことや、③キャラコ（インド産綿織物）がブームとなるなか、綿花の輸入で綿布を国産化する動きが生じたことがありました。

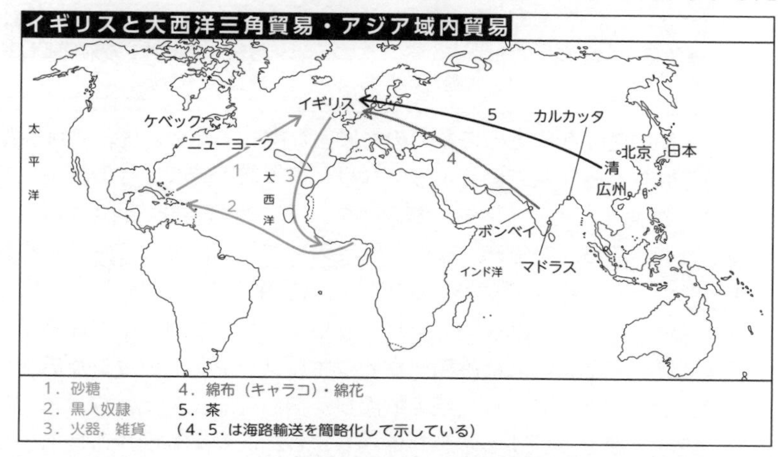

産業革命を支えたのは、**石炭**を動力源とする**蒸気機関**を用いた、大規模な生産装置である**機械の発明**です。ヤカンに水を入れて沸騰させたときに飛び出す蒸気の力を利用する原理を、18世紀末にワットが回転運動に変換させました。当時、毛織物産業で展開していた工場制手工業（マニュファクチュア、分業と協業で生産）を前提に、工場に機械を導入する**工場制機械工業**が発展すると、紡績機械が次々と発明されて綿糸生産が効率化し、綿布生産の機械化も進む、といったように技術革新が連鎖しました。こうして、強力なパワーでスピーディーに大量かつ安価・良質な製品を生産するとともに、貿易に対する政府の規制を撤廃し、相手国にも同じ措置を要求する**自由貿易政策**を推進し、製品輸出を増大させた19世紀のイギリスは「**世界の工場**」と呼ばれたのです。

③ 産業革命と社会の変化

機械制生産の広がりは、社会のあり方を変えました。工場のオーナーである**（産業）資本家**と、資本家に労働力を提供して給料をもらう**労働者**の、２種類の新階層の登場です。こうした**資本主義**のシステムでは、複雑な作業は機械に任せられるので、健康な体さえあれば、熟練のスキルがなくても労働者として勤務できました。そこで、資本家は替えがきく存在として労働者を低賃金・長時間で雇いました。「お前の代わりなどいくらでもいる！」という強気の態度です。こうして、労働者は劣悪な労働条件を強いられたのです。イギリスでは悲惨な児童労働が社会問題となり、19世紀に数回にわたり工場法が制定されました（日本でも明治末期の20世紀初めに工場法が制定された→第23章）。

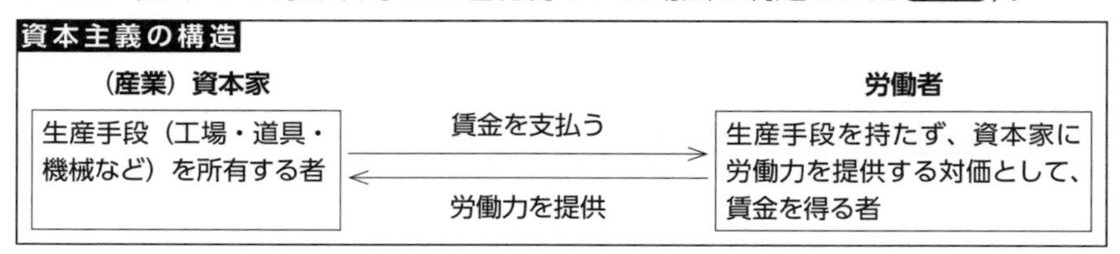

そして、１個の製品を作るのに多くの労働者が関わるため、労働者は製品の出来高払いではなく時間給で働くようになり、資本家は時間に従う画一的な規律を労働者に求めました。「遅刻・早退はダメ！　勤務時間内はサボるな！」というわけです。こうした労働形態は、時計の刻む時間に従って生活する習慣を広げました。また、今まで家で働いていた男性が工場へ通勤し、「男性は仕事、女性は家庭」という性別役割分業が定着しました。ちなみに、産業革命期のイギリスでは、労働者階層に**砂糖**（サトウキビプランテーションが広がった西インド諸島から輸入）を入れた**茶**の飲用が定着し、国民文化となりました。

一方で、資本主義を批判する思想も登場しました。産業革命が各地に広がるなか、「生産手段（工場）を所有する資本家が労働条件を決めるから、労働者は苦しむ。ならば、労働者が生産手段を奪って自らの手で共同で運営すれば、労働者自身が労働条件を決めることになるので待遇も良くなる」という考え方が出てきました。生産手段は資本家の私有財産なので、このアイデアを突き詰めると「私有財産を皆で共有しよう」という考えになる。これが**社会主義**で、**マルクス**やエンゲルスによって理論化されました（日本でも産業革命が進むなかで、明治末期の20世紀初めに社会主義運動が発生→第23章）。

マルクスは、人間の歴史にも科学的な法則があると考えました（唯物史観）。「経済・生産力（土台・下部構造）が発展すると、それがうまくいくように社会変革（反乱・革命）が起きて、政治・社会システム（上部構造）が変化する」というもので、当時の資本主義社会にもこの法則をあてはめ、「労働者による**共産主義革命**は、すべての国家でいつか必ず実現する（世界革命）」という未来像を示しました。これは、労働者にとっては「心強い味方」ですが、資本家にとっては「目の敵」なので、資本主義国は共産主義を弾圧するようになります。

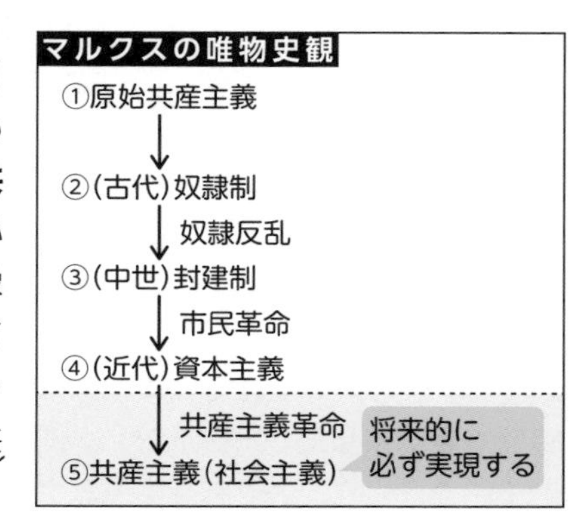

④ 清の開港と日本の開国

産業革命をリードしたイギリスは、東アジアとどう関わったのでしょうか。中国では中華思想のもとで皇帝が頂点の体制が形成され、当時の清は「貿易は皇帝の恩恵である」という考えのもと、欧米船の入港を**広州**に限定し、特定の中国商人に取引を独占させました。一方、イギリスでは産業革命期を通じて労働者階層にも茶が普及し、茶を入手する中国貿易が重要になりましたが、清にとって欧米の商品は必要性が低かったのです。そこで、18世紀後半のイギリスは、銀を支払って茶を買う片貿易（一方的に商品を買う貿易のこと）をおこないましたが、自由貿易の要求が清に拒否されると、19世紀のイギリスは、不足した銀に代わり、インドで生産させたアヘンを清に密輸しました（**三角貿易**）。

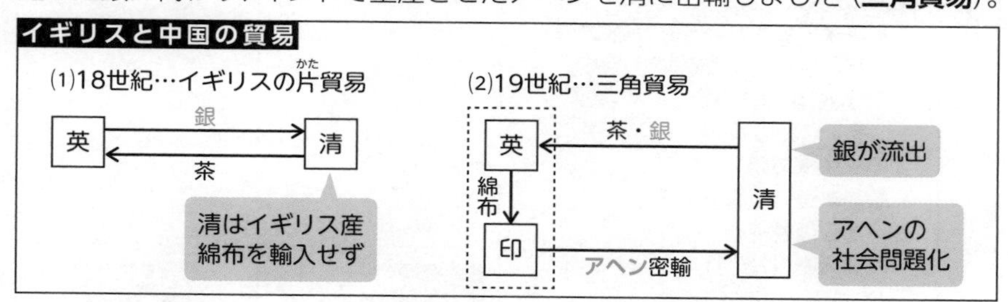

アヘン中毒患者が街にあふれて社会問題化したことを重く見た清は、林則徐に対策を命じ、彼はイギリス商人の持つアヘンを没収しましたが、イギリスは自由で対等な貿易を清に認めさせるため、蒸気船の軍艦を含む艦隊を派遣して宣戦に踏み切り、**アヘン戦争**（1840～42）が勃発しました。当時の江戸幕府では天保の改革の最中で、天保の薪水給与令が発されました→第17章。

そして、イギリス勝利のもとで結ばれた南京条約では、香港島がイギリスに割譲され、上海など5港が開かれました。さらに、追加でイギリスの領事裁判権や一定の関税率（関税自主権の喪失）を清に認めさせました。

その後、イギリスは**アロー戦争**（第２次アヘン戦争　1856～60）を始めました（ナポレオン３世が率いるフランスと共同出兵）。この出来事は来日していたハリスによって示され、日米修好通商条約の締結につながりました→第19章。そして、戦争後には中国人の**移民**が増加し（**華僑・華人**）、アメリカでは大陸横断鉄道の建設、東南アジアではマレー半島の錫鉱山の労働力となりました。

このころ、清を悩ませた**太平天国の乱**（キリスト教結社の上帝会を組織した洪秀全の反乱）（1851～64）が収まると、1860年代以降には乱を鎮圧した官僚の李鴻章らが主導し、「中体西用」（中国の伝統的専制や儒教的価値観を維持しつつ欧米の科学技術を軍備や工業に導入）を唱えた**洋務運動**が進みました。

明治政府の成立（明治時代初期）

年代	政治		外交	経済
1860年代	**1 明治維新** **①戊辰戦争** 鳥羽・伏見の戦い 江戸城無血開城 五稜郭の戦い **②新政府の成立** 五箇条の誓文（1868）（基本方針） 五榜の掲示（民衆支配） 政体書（政府組織） **③中央集権体制** 版籍奉還（知藩事を任命） →藩政の継続		(1) (3)	(2)
1870年代	廃藩置県（1871） （府知事・県令を派遣） **④近代軍制** 徴兵告諭（「血税」） 徴兵令（国民皆兵） ※血税一揆 **⑤身分制改革** 「四民平等」 壬申戸籍 秩禄処分（1876） 廃刀令 **⑥財政の確立** 地券を発行 地租改正条例(1873) ※地租改正反対一揆	第21章 1自由民権運動 ①明治六年の政変 ②士族反乱 ③士族民権 ④豪農民権	**3 明治初期の外交** **①対欧米関係** 岩倉使節団 寺島宗則の交渉 **②清国との関係** 日清修好条規 台湾出兵 **③朝鮮との関係** 征韓論→中止 日朝修好条規 **④琉球帰属問題** 琉球藩 沖縄県 **⑤蝦夷地** 開拓使 **⑥国境の画定** 樺太・千島交換条約	**2 殖産興業** **①産業の育成** 工部省・内務省 官営模範工場 （富岡製糸場） **②交通・通信** 官営鉄道 郵便制度 海運（三菱） **③貨幣・金融制度** 不換紙幣の発行 新貨条例 国立銀行条例 （兌換は未確立）

第20章のテーマ

明治時代初期（1860年代末～70年代）の政治・経済・外交を見ます。

(1) 政府は、江戸時代の支配身分である武士の諸特権を奪い、欧米を参考に**近代化**を進めて政治体制・軍制・税制を導入しました。

(2) 政府は、欧米列強の資本主義システムを日本に取り入れるため、**殖産興業**を主導し、産業や金融などの面での近代化をはかりました。

(3) 政府は、欧米との間で不平等条約の改正をめざしました。一方、近代国家として東アジアの伝統的な国際秩序に向き合いました。

1 明治維新（1860年代～70年代）

明治「維新」というけれど、どのあたりが新しいのかな？

欧米列強と向き合うことで近代史が始まったよね→第19章。明治新政府は、江戸時代の支配のしくみを壊し、新しく欧米の制度や文化を取り入れて、日本を近代国家にしようとしたんだ。

知ってる！　文明開化の「開化」だね。そしたら、日本はこれまでとは全然違う、欧米のような国になったんだ。

そうでもないんだ。明治新政府の始まりは、**王政復古の大号令**だったね。倒幕派から新政府のメンバーとなった人たちは、古代以来の天皇という存在を抱え込むことで、日本を統治する正統性を得ようとした。だから、伝統を復活させる「復古」の側面もあったんだよ。

新しいものと古いものとが、共存していたんだね。

① 戊辰戦争

倒幕派が王政復古の大号令によって樹立した明治新政府は、旧幕府側と対決した**戊辰戦争**（1868～69）を勝ち抜くことで、新しく日本を統一しました。

鳥羽・伏見の戦いで新政府軍が勝利すると、敗北した徳川慶喜は江戸に逃れ、新政府軍が江戸に進撃しました（このとき新政府軍［官軍］に参加した義勇軍のうち、赤報隊の相楽総三が「偽官軍」として新政府に処刑されるという事件も起きました）。そして、徳川慶喜が降参して**江戸城が無血開城**すると、新政府は江戸幕府が支配していた直轄地や幕領を没収しました。新政府に反発した東北の諸藩が**奥羽越列藩同盟**を結成しましたが、その中心だった会津若松城が落城して会津藩（藩主は松平容保）が新政府軍に敗北すると、奥羽越列藩同盟も崩壊しました。最後は、箱館の**五稜郭**に立てこもった幕臣の**榎本武揚**が降伏し、戊辰戦争が終わりました。

② 新政府の成立

戊辰戦争と並行して、新政府の体制が固まっていきました。まず、基本方針として**五箇条の誓文**（1868）が公布されました。明治天皇が神々に誓う形式をとり、天皇親政が強調されました。内容は、長州の**木戸孝允**が最終的に確定し、「広ク会議ヲ興シ」という**公議世論の尊重**や、欧米列強の支持を得るための**開国和親**が示されました（攘夷は「旧来ノ陋習」、つまり古い悪習とされました）。その直後に、民衆支配に関わる**五榜の掲示**が各地に掲げられました。**徒党・強訴やキリスト教の禁止**といった点は、江戸幕府の方針のままでした。さらに、政府組織に関する**政体書**が公布されました。中央は、**太政官**に権力を集中させ、**アメリカ**を参考に三権分立の体制としました。地方は、戊辰戦争で旧幕府側から没収した直轄地や幕領に府・県という行政区分を設定しましたが、大名が支配する藩は残ったので、のち廃藩置県でこれを廃することになります。

年表

1868	鳥羽・伏見の戦い（**戊辰戦争**開始）
	五箇条の誓文
	五榜の掲示
	政体書
	江戸を東京と改称
	明治に改元…一世一元の制
1869	**版籍奉還**の開始
	東京へ遷都
	五稜郭の戦い（戊辰戦争終結）
1871	**廃藩置県**

これらに加え、江戸を「東京」と改称し、元号を「明治」として**明治時代**（1868〜1912）が始まりました。そして、**一世一元の制**（天皇の在位期間と元号とを一致させる）を採用し、翌年には天皇御所を旧江戸城に移転して、京都から東京へ遷都しました。

③ 中央集権体制

全国を政治的に統一したい明治新政府が次に断行したのは、江戸時代以来、各地を支配してきた大名の力を奪う政策でした。

(1) 版籍奉還で、旧大名は将軍の家来から新政府の地方長官に変わった

まず、藩主（旧大名）が領地（版）と領民（籍）を返上する**版籍奉還**（1869）が実施されました。長州の木戸孝允や薩摩の大久保利通らの画策で**薩長土肥の**

4藩主が自主的に奉還したのち、新政府が全藩主に奉還を命令すると、藩主は、将軍から与えられた知行地（藩）を、天皇へ返上しました。

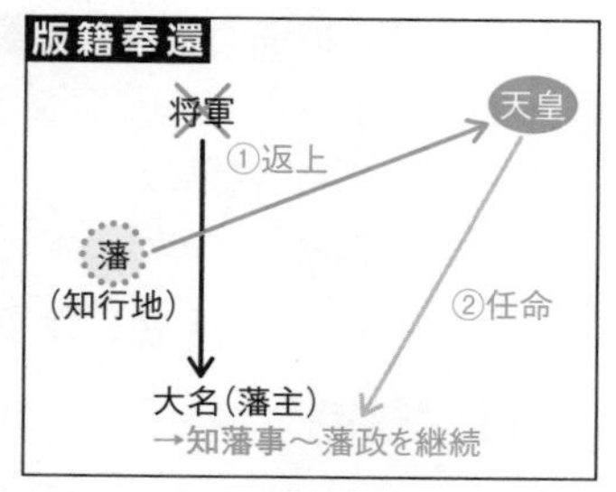

こうして、全国の土地と人民は新政府が支配しましたが、藩という枠組みがなくなったのではありません。旧大名は政府から**知藩事**に任命され、引き続き藩内の政治にあたりました（藩に属していた軍事権と徴税権を行使）。とはいえ、旧大名の藩に対する支配力はそのまま残りつつも、新政府に所属する地方長官になったことで（知藩事には政府から**家禄**が支給されました）、旧大名（藩主）と家臣（藩士）との主従関係はなくなり、これがのちの廃藩置県を容易にしました。

版籍奉還と同時に、中央組織の改革がおこなわれました。祭政一致（神々への祭りと政治が一体のものとなる）と天皇親政が強調され、**神祇官**を太政官の外に並べて置き、太政官のもとに各省を置きました。

(2) 廃藩置県で、新政府が政治的統一を達成し、中央集権体制が確立した

そして、新政府は**廃藩置県**（1871）を断行しました。藩主の抵抗を防ぐために**薩長土の3藩**から約1万人の**御親兵**を集めたうえで、知藩事を罷免して東京に居住させました。天皇が任命した知藩事を天皇が辞めさせるという巧みなやり方で、旧大名は力を失ったのです。さらに、**府知事**・**県令**を中央政府から派遣して地方行政にあたらせることで、新政府は中央集権体制を確立しました。

また、藩を廃止して県を設置し、各藩に属していた軍事権・徴税権を新政府が接収したことで、新たな軍事制度である**徴兵制**や、新たな税制度である**地租改正**をおこなう基盤がととのったのです。

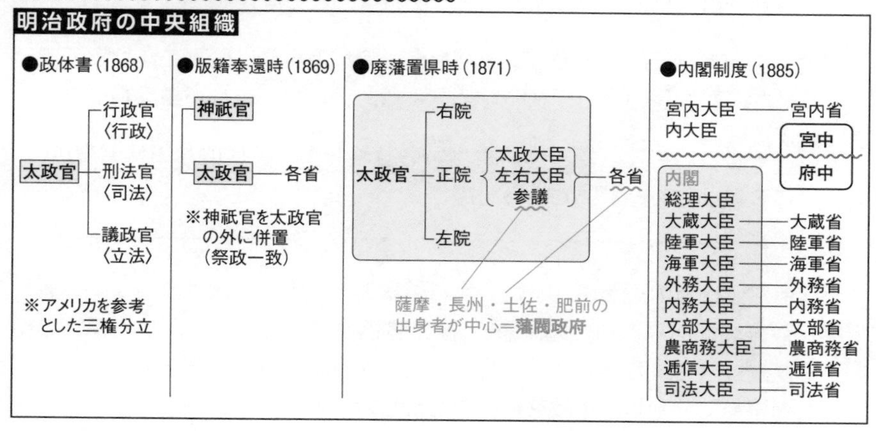

廃藩置県と同時に、中央組織の改革がおこなわれました。太政官のなかに正院・左院・右院を置く**三院制**とし、正院に太政大臣・左大臣・右大臣と**参議**が置かれて最高行政機関となり、各省を管轄しました。そして、**薩摩・長州・土佐・肥前**のもと下級藩士を中心に、参議や各省の卿・大輔（長官・次官）の地位を握りました。明治新政府を**藩閥政府**と呼ぶことが多いのは、このためです。

④ 近代軍制

列強の接近や→第17章、開国のところで見たように→第19章、18世紀後半以来、欧米列強が東アジア進出を進めてきました。こういった動きに対抗するため、新政府は強力な軍事制度をととのえようとしました。

欧米列強の東アジア進出に対抗できる軍事力をつける必要があったんだね。でも、江戸時代の軍隊と、明治新政府の軍隊は、どこが違うんだろう？

「近代国家の三要素」を思い出そう。今回は、**主権**や**領域**ではなく、国家の構成員である**国民**に注目するよ。全員の平等が法により保障されている、つまり「法の下の平等」が、国民のあり方なんだ。

そうすると、江戸時代にあった身分制度を改革する必要があるね。武士という特定の身分が軍事力を独占する軍隊もなくなりそう。

それと、もう一つ。近代国家はナショナリズムの意識でまとまっているので、自分自身と国家を同一視する、あるいは、一体のものとみなすのも国民のあり方なんだよ。たとえば、自分が暮らしている国が侵略されたら、近代国家の国民であれば、どう考えるかな？

国のピンチは自分のピンチだから、特定の身分に国防を任せるのではなく、国民の誰もが国防を担うよね。そうか、それが**徴兵制**だ！

そういうこと。国民全員に兵役の義務を課す近代的な軍事制度は、この考えにもとづいているんだね。

近代的な国民軍の設置は、長州の**大村益次郎**が立案し（彼は緒方洪庵の適塾で学んだ経験がありました→第18章）、彼が暗殺されたあとは、同じく長州の**山県有朋**が受け継ぎました。まず、古代律令制を復活させた兵部省を、のちに陸軍省と海軍省に分割し、軍政を担当させました。

そして、徴兵告諭（1872）を発布し（兵役を「**血税**」と表現しました）、これにもとづいて翌年に**徴兵令**を公布しました。**国民皆兵**の原則が掲げられ、満**20歳以上**の男性に３年間の兵役を課す統一的な制度が確立しました。しかし、戸主や跡継ぎ、政府役人や学生、代人料270円の納入者には兵役を免除する**免役規定**があり、実際には皆兵とはいえませんでした。そして、二男以下が兵役に取られるなど負担が増加した農民が中心となり、徴兵に反対する**血税一揆**を起こしました。

警察制度については、**明治六年の政変**（1873）の直後に設置された**内務省**が、警察事務・地方行政・殖産興業を担当し、首都東京の警察行政を担当する警視庁も置かれました。

⑤ 身分制改革

日本が近代国家になるためには、家ごとに職が世襲的に決まっているという近世の身分制社会を解体し、江戸幕府が武士に与えていた特権を解消する必要がありました。

(1) 近世の世襲的身分が撤廃され、国民全員を登録する戸籍制度ができた

版籍奉還のころから、政府は、公家・大名を**華族**、旧幕臣・藩士を**士族**、百姓・町人を**平民**としました。そして、平民に苗字を許可し、さらに、華族・士族と平民との結婚の自由や職業選択の自由を認めました。こうして、近世の世襲的な身分はなくなり、**四民平等**となりました。

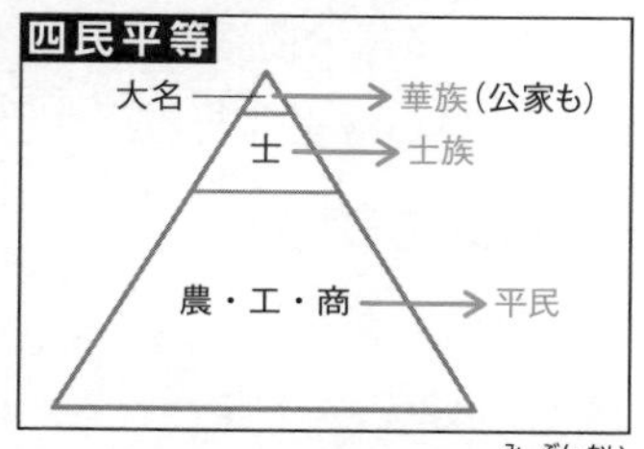

一方、江戸時代に差別の対象となっていた、えた・非人については、**身分解放令**を出して、身分・職業については平民と同様の扱いとすることにしましたが、社会的な差別はその後も続きました。このことが、大正時代における被差別部落の解放運動につながりました→第24章。

そして、戸籍法で近代的戸籍の制度を定め、華族・士族・平民の区分にもとづいて**壬申戸籍**（1872）を作成しました。戸籍の作成は古代律令制のとき以来です（江戸幕府が作成した宗門改帳は戸籍の役割を果たしますが、戸籍ではありません）。そして、国民全員が国家に把握されたことで、統一的な軍事制度である徴兵制や、統一的な税制である地租の課税も可能となりました。

(2) 新政府は士族への秩禄支給をやめ、近世以来の士族の特権は失われた

廃藩置県後も、新政府は華族（旧大名）・士族（旧武士）に対し、江戸時代

の俸禄に代わる**家禄**を含めた**秩禄**を毎年支給しました。しかし、近代的な徴兵制度ができれば、それまで軍事力を持っていた華族・士族の役割は薄れます。そこで新政府は、財政負担となっていた秩禄の支給をやめることにしました。

秩禄処分

【江戸時代】
俸禄…武士に対して主君から与えられる収入（＝御恩）
【明治時代】
家禄…華族・士族に対して明治政府から支給される収入
賞典禄…王政復古の功労者へ支給される収入
※家禄＋賞典禄＝秩禄

まず、**秩禄奉還の法**を発してこれ以降は秩禄を受け取らないという者を募集しました（代わりに彼らには一時金を支給）。こうして、政府は秩禄の支給を減らし、最終的に**金禄公債証書**を華族・士族の全員に与えて、秩禄の支給を打ち切りました（1876）。公債とは、証書を持つ人に対する国の借金であり、国はあとで利子の支払いや現金の償還（返済）をおこないます。例えていうなら、「華士族のみなさんは全員クビです（＝秩禄支給の廃止）。あとで退職金を払うので（＝現金の償還）、待ってもらう間は毎年利子を払うので我慢してね（＝利子の支払い）」という証明書のようなものです。しかし、士族の公債は少額で、受け取る利子では生活が難しく、不慣れな「**士族の商法**」に手を出して失敗する者もおり、政府の**士族授産**（屯田兵制度など）も不十分でした。

また、金禄公債証書の交付と同年、政府は**廃刀令**を発して帯刀を禁止しました。こうして、武士身分が江戸時代以来持っていた特権がすべて失われました。

⑥ 財政の確立

近代国家となるための新しい政策や事業には、お金がたくさんかかります。新政府は財政を安定させるため、**地租改正**を実施しました。

地租は土地を課税対象とするので、その前提として、江戸時代の土地制度を改める必要がありました。そこで政府は、田畑勝手作りの禁を廃止しました。次に**田畑永代売買の禁止令を廃止**し（1872）、土地ごとに**地価**を計算して、従来の年貢負担者である地主・自作農（もと本百姓）に**地券**を発行し、土地所有権を保証

地租改正 ※江戸時代の税制からの変化を理解しよう

	江戸時代	明治
●基準	石高（土地の米生産量）	→**地価**（土地の値段）
●税率	年貢率（四公六民など）	→**地租率**（地価の3％）
●納税法	現物納（米など）	→**定額・金納**（貨幣）
●納税者	検地帳に載る年貢負担者	→地券を持つ土地所有者

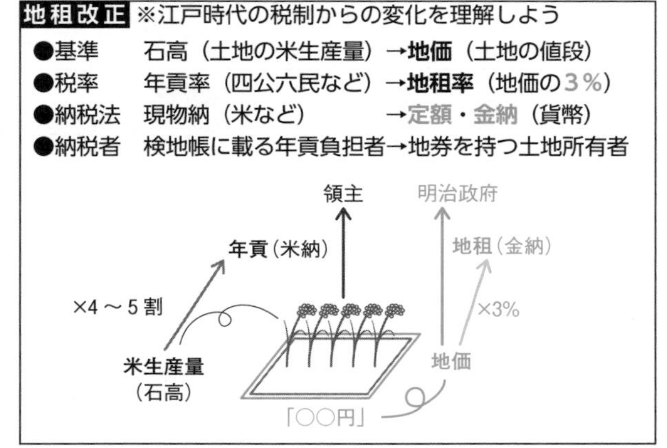

しました。そして、**地租改正条例**（1873）を発布しました。

(1)　近代的税制と近代的土地制度が確立した

地租改正によって、政府は、全国統一基準で金納による、安定した税収入が得られるようになりました（米価や米生産量に左右されなくなった）。こうして**近代的税制**が確立し、殖産興業や富国強兵のための財政基盤がととのいました。さらに、地券を得た者は、個人の排他的な土地所有権を、法的に認められるようになりました（領主が支配する土地から年貢を徴収できる知行権が消滅した）。こうして**近代的土地制度**も確立しました。

(2)　農民は、相変わらず重い負担に苦しんだ

しかし、地租改正は、さまざまな社会的影響を生みました。政府は、今までの年貢収入を減らさない方針で地租改正をおこないました。江戸時代の年貢（石高の４～５割）と明治初期の地租（地価の３％）とがだいたい同じになるように、土地から得られる収穫物収入をもとに地価を計算していきました。すると、農民の負担は今までと変わらなくなってしまいます。

そして、政府は、**入会地**の多くを官有地にしてしまいました。入会地は、室町時代の惣村のところで学んだように→第10章、惣村の人々が共同で利用して燃料・肥料などを得る場でした。共有地だったので、個人の所有権を証明できない場合が多く、政府が没収してしまったのです。そうすると、農民は燃料や肥料が自給できなくなり、経費が増えてしまいます。

(3)　近世以来の地主・小作関係はそのまま残った

江戸時代中期以降、各地の農村で地主が成長する一方、土地を持たない小作人（小作農）は土地を借りて耕作しました→第16章。こうした農民の階層分化は明治時代になっても続き、明治政府が地主の土地所有権を認めたこともあって、江戸時代以来の**地主・小作関係**が温存されました。

地主・小作関係

政府
↑
地租（金納）　定額を納入
　　　　インフレ…売却収入が多い
地主～小作料を換金
　　　　デフレ…売却収入が少ない
↑
小作料（現物納）
小作農

まず、地主の状況を見ましょう。彼らは土地を貸して**現物納**（米など）の**小作料**を得ていました。一方、**地租**は**金納**なので、地租を貨幣で払うためには、現物の小作料収入を売ってお金にする必要があります。図にあるように、物価が上がる**インフレ**のときには、小作料は高く売れ

ますので、地主は貨幣収入が増えます。しかも、負担する地租は**定額**なので、小作料がたくさん手元に残り、地主は成長するのです。これに対し、物価が下がる**デフレ**のときには、小作料は安くしか売れませんので、地主は貨幣収入が伸びません。しかも、負担する地租は定額なので、小作料が手元にあまり残らず、地主は少々苦しいです。

次に、小作農の状況を見ましょう。彼らは土地を所有していないので地租負担はありませんが、土地を借りているので現物納の小作料負担に苦しみました。生産した米は、その多くを小作料として納めるため手元に残らず、困窮する場合も多かったようです。

(4) 農民は、負担の軽減を求めて一揆を起こした

こうしたなか、不満をためた農民が**地租改正反対一揆**（1876）を起こしました。特に、茨城や東海地方での一揆は大規模で、同年には秩禄処分・廃刀令に不満を持つ士族の反乱（敬神党［神風連］の乱・秋月の乱・萩の乱）も相次いだことから→第21章、翌年に政府は地租率を**2.5%**に軽減しました（1877）。

年表 ※1871年の廃藩置県で中央集権体制が確立し、全国統一的な政策が実施されました

【軍制】	【身分制】	【財政】
1869 兵部省を設置	1869「華族・士族・平民」 ※四民平等	
1871 **廃藩置県**		
	1871 身分解放令	1871 田畑勝手作りの禁廃止
1872 陸軍省・海軍省 **徴兵告諭**	1872 壬申戸籍	1872 田畑永代売買の禁止令廃止 **地券**を発行
1873 **徴兵令** ※**血税一揆** 内務省を設置	1873 秩禄奉還の法 ↓（**秩禄処分**）	1873 **地租改正条例**
1874 警視庁を設置		
	1876 **金禄公債証書** **廃刀令**	1876 **地租改正反対一揆**
		1877 地租率を2.5%に

2 殖産興業（1870年代）

明治政府は、資本主義にもとづく自由な経済活動を進めるため、江戸幕府が作ったさまざまな規制である、関所や宿駅・助郷の制度を撤廃し→第15章、株仲間も廃止しました→第15章。そして、欧米と並ぶ国力を持つため、**富国強兵**をスローガンに経済面での近代化をはかりました。その際、政府みずから、**御雇い外国人**（外国人教師）から欧米の学問や技術を学び、欧米の工業を移して、日本へ根付かせるなど、「上からの近代化」が進んだのです。

① 産業の育成

まず、**殖産興業**を推進するための中央官庁として設置された**工部省**が、鉄道・鉱山・造船といった官営事業の経営を担当しました。これに加えて、**明治六年の政変**（1873）で征韓派が下野したのち、内治優先派だった**大久保利通**が設置した**内務省**が、地方行政や警察に加えて勧業政策も担当しました(大久保が初代の内務省長官［内務卿］となりました)。

政府は、幕府・諸藩が持っていた工場・鉱山を官営とし、のちに民間へ払い下げました。東京・大阪の砲兵工廠や旧幕府の横須賀造船所が軍事産業を支え、**長崎造船所**はのち三菱へ払い下げられました。また、近代産業のエネルギー資源として重要な**石炭業**では、福岡県の**三池炭鉱**がのち三井へ、長崎県の**高島炭鉱**はのち三菱へ、それぞれ払い下げられました。

政府は、貿易に関連する産業を育成するために**官営模範工場**を設立し、機械制生産の様式を民間に普及させていきました。特に、**生糸**は幕末から輸出の主力品であったため→第19章、これを製造する**製糸業**は輸出指向型産業として育成されました。その代表例が、**フランス**の機械を導入した群馬県の**富岡製糸場**で、ここで技術を身につけた「富岡工女」が各地に技術を伝えました。さらに、政府は国内技術の奨励もはかり、内務省主導で第一回**内国勧業博覧会**が開かれました（1877)。また、農業・牧畜業に関する西洋の技術を導入するため、東京に駒場農学校や三田育種場が開設されました。

② 交通・通信

政府が欧米の交通・通信のしくみを取り入れると、ヒト・モノの移動や情報伝達のスピードが速くなり、資本主義の自由経済はいっそう活性化しました。

陸上交通では、**官営鉄道**が東京の**新橋**と開港場の**横浜**との間に開通し(1872)、これ以降全国に鉄道網が広がっていきました。また、海に囲まれた日本では、水上交通を担う**海運業**が重要なものとなるので、政府は土佐藩出身の**岩崎弥太郎**が経営する**三菱**に手厚い保護を加え、台湾出兵や西南戦争で軍事輸送を請け負わせました。こうした政府と関係の深い民間業者は**政商**と呼ばれ(政商の保護には、外国資本の排除と、日本の外国に対する経済的自立という目的もありました)、江戸時代以来の三井・住友や、明治時代に登場した三菱は、政府からさまざまな特権を与えられ、のちに**財閥**へと発展しました。

通信では、**前島密**の建議によって、江戸時代の飛脚に代わる官営の**郵便制度**が発足しました。また、**電信線**が次々と設置されて、国内での連絡や国外との連絡が迅速になりました（のちに電話も日本へ導入されました)。

③ 貨幣・金融制度

明治政府は、近代的な貨幣・金融制度を整備するため、通貨価値の基準として**正貨**（**金・銀**）を用いる**本位貨幣制**（**金本位制・銀本位制**）を欧米にならって導入しようとしました。しかし、なかなかうまくいきませんでした。

正貨とか金本位制とか、言葉は知っていても理解がイマイチ……。

まず、お金とは何かを考えてみようか。ちょっとイヤな言い方だけれど、「世の中、お金さえあれば、何でも買える」よね。つまり、貨幣は、どんな物とも交換できる価値を持っている。それは、みんなが価値を信用しているからなんだ。たとえば、どんな材料でできていれば、価値を信用できるかな？

兌換制度（シミュレーション）

1万円の金　1万円札「1万円の金と交換」
兌換…価値が安定
※1万円の紙幣と1万円の金準備

※すべての紙幣と同じ額の金準備

円　兌換　正貨準備高　紙幣発行高
※紙幣高は正貨高を上回らない（紙幣の価値を保証）

円　不換　正貨準備高　紙幣発行高
※紙幣高は正貨高を上回る（紙幣価値が保証されず）

そうだなぁ、やっぱり**金・銀**かなぁ。

そうだね。だから、古今東西、金・銀が貨幣の材料だった。でも、近代資本主義経済は、取引の金額がとても多くなるから、重くて欠けやすく持ち運びに不便な金・銀よりも、**紙幣**を使いたい。

今は、みんなが1万円札の価値を信用しているよね。でも、よく考えてみると、材料は紙だから、本当に1万円の価値があるのかな？単なる紙切れじゃないのかな？

紙・インク・印刷の代金を想像すると、1万円札を1枚造るのに1万円もかからないだろうね。でも、みんなが「1万円の価値がある紙切れ」と信用すれば、紙幣として機能するんだ。そこで、みんなが価値を信用していた金や銀を**正貨**とし、紙幣と同じ金額の正貨（金・銀）と交換できるように正貨を準備しておけば、みんなが安心して「１万円の価値がある紙切れ」と信用できる。これが、**兌換制度**だ。

そしたら、正貨が十分に準備できていないと、お札は同じ金額の金・銀と交換できないね。そうか、それが**不換紙幣**なんだ。なんだか価値が下がっちゃいそうだね。

兌換については、実際はそこまで多くの正貨を準備していなくても、お札の価値と正貨の価値が同じになれば兌換制度にできるんだけれど、あくまで理屈を理解するうえで、前ページの図を参考にしてみよう。

(1) 新貨条例により、近代的な貨幣制度が導入された

明治政府は成立直後、戊辰戦争の戦費などにあてるために**太政官札**などを発行しましたが、これらは同じ金額の正貨（金や銀）と交換できない**不換紙幣**であったため、紙幣価値の信用が得られませんでした。また、江戸時代以来の金銀銭貨や藩札も流通しており、貨幣制度は混乱していました。

近代的な統一された貨幣制度を整備するため、政府は**新貨条例**（1871）を公布し、**十進法**を採用して**円・銭・厘**で単位を統一しました。そして、**金本位制**をめざしたものの、貿易では銀貨が使われ、実質的には金銀複本位制でした。何よりも、正貨として金を用いる兌換制度は確立していませんでした。

(2) 国立銀行に兌換紙幣を発行させる試みは、失敗に終わった

そこで、地主・商人など民間の資本に兌換紙幣を発行させるため、政府は**渋沢栄一**の推進で**国立銀行条例**（1872）を制定しました。**アメリカ**のナショナル＝バンク制度にならったものですが、「ナショナル」は「国法にもとづく」という意味で、国立銀行は国の経営ではなく民間銀行である点に注意しましょう。そして、国立銀行に兌換銀行券（**国立銀行券**）を発行させ、保有する正貨との兌換を義務づけました。しかし、民間での正貨の確保は難しく、渋沢栄一が頭取となった第一国立銀行など**４行**しか設立されませんでした。いくら兌換制度確立のためとはいえ、全国に紙幣が出回らなくては意味がありません。

のち、政府は**国立銀行条例を改正**（1876）して、国立銀行の正貨兌換義務を廃止しました。正貨を確保しなくてもよいので、国立銀行設立が容易になったのです。さらに、この年は秩禄処分が断行され、金禄公債証書を得た華族・士族が銀行設立に参入してきました。その結果、国立銀行が増えて**第百五十三**

国立銀行まで設立されたものの、国立銀行が不換紙幣を大量に発行することで紙幣価値が下がり、逆に物価が上がるという**インフレーション**をもたらしました。これは、政府にとっては歳出を増やすことになり、一方で当時の政府財政は定額・金納の地租歳入が中心だったので、財政難をもたらしました。

結局、国立銀行を用いた兌換制度の確立は失敗に終わり、兌換制度はのちに1881年から始まった**松方財政**のなかで確立しました→第23章。

3 明治初期の外交（1870年代）

日本の近代は、欧米との関わりが深くなった時代です。一方、東アジアとの関係は、以前とは違ったものになっていきました。そして、日本が近代国家となるにあたって、**主権**・**国民**・**領域**の３要素を備える必要があるので→第19章、琉球・蝦夷地・北方と南方で国境を定めて領域を画定していきました。

① 対欧米関係

明治政府は、幕末以来の不平等条約を改正し、欧米と対等な地位を得ることを目標としました。**和親条約**では片務的な最恵国待遇が、**修好通商条約**では関税自主権の欠如と領事裁判権の承認が規定され、日本に不利でした→第19章。

(1) 岩倉使節団は、条約改正交渉に失敗したのち、欧米の情勢視察を進めた

廃藩置県（1871）で全国の政治的統一が達成されたうえ、通商条約では「1872年から条約の改正交渉が可能で、その場合には１年前に通告する」と規定されていたことから、明治政府は公家出身の右大臣**岩倉具視**を大使、**木戸孝允**（長州）・**大久保利通**（薩摩）・**伊藤博文**（長州）らを副使とし、総勢100名を超える**岩倉使節団**（1871～73）を派遣しました。しかし、アメリカとの条約改正交渉は、手続きの不備などもあって失敗したので、欧米の情勢を視察して日本の国家のあり方を模索することに専心し、使節団はアメリカからヨーロッパ諸国へとめぐっていくことになりました。この使節団には、アメリカに留学して帰国後に女子英学塾（のち津田塾大学）を開いた**津田梅子**や、フランスに留学して帰国後にルソーの思想を紹介し自由民権運動に影響を与えた**中江兆民**など、多数の留学生も同行していました。

(2) 寺島宗則の条約改正交渉は、イギリスの反対で終わった

1870年代後半に条約改正交渉を担当したのは、外務卿の**寺島宗則**でした。当時の明治政府は、殖産興業政策を推進するために多額の費用がかかるので、関税収入に注目し、**税権回復**（関税自主権の獲得）に目標を定めました。そし

て、アメリカと交渉し、改正の直前までいったのですが、イギリスなどの反対で挫折しました。こうした**イギリス**の反対姿勢が、しばらくの間条約改正交渉を停滞させることになりました。

② 清国との関係

江戸幕府は鎖国していたけれど、明治政府は五箇条の誓文で開国和親の方針を示したから、中国や朝鮮とも仲よくしたんだね。

開国和親は、欧米列強の支持を得るためだよ。東アジアに対しては、それとは別の姿勢で臨んだんだ。「冊封体制」って覚えている？

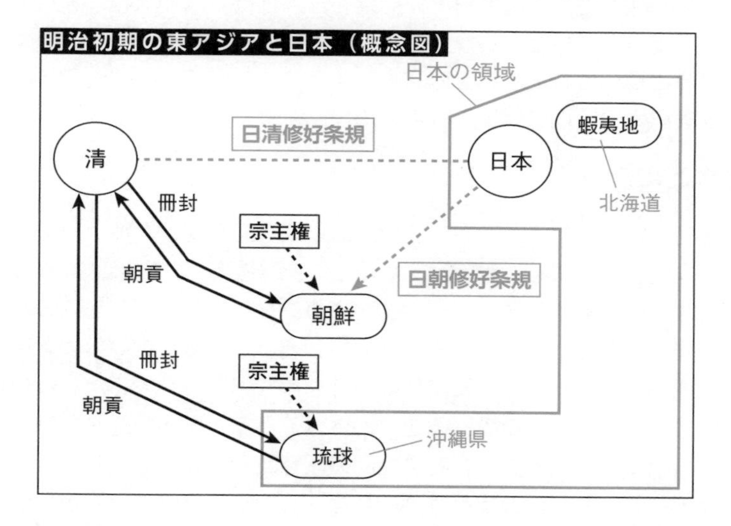

たしか、中国が周辺の国々に朝貢を求め、朝貢してきた国には称号「王」や返礼品などを与えたんじゃなかったっけ。

そう、中国皇帝と周辺国王との間に、形式上の君臣関係を設定するものだったね→第1章。そして、当時の清は、朝鮮や琉球といった朝貢国に対する**宗主権**を主張して属国として扱い、介入や干渉の姿勢を強めつつあったんだ。アヘン戦争で負けて以来→第17章、欧米列強の進出に対するガードを固めたかったんだろう。

でも、当時の日本は、近代国家になることをめざしていた。そうしたら、中国中心の冊封体制に対し、どのように関わったんだろう？

江戸幕府は、中国船の来航を直轄地の長崎で管理し、明・清とは貿易のみをおこなう関係を築いていました→第14章。明治政府は、清との間に対等条約である**日清修好条規**（1871）を結びましたが、そのころに、台湾で琉球漂流民が殺害される事件が発生しました。明治政府は、琉球を日本の領域に組み入れるにあたり、この事件を利用しました。「琉球民＝日本国民」とみなし、その殺害の責任を清に負わせようとしたのです。

そして、この事件に対する清国への抗議が聞き入れられないと、明治政府は実力による報復として、西郷従道を中心として**台湾出兵**（1874）を断行しました。この出兵を強硬に進めたのが大久保利通で、出兵に反対した木戸孝允は政府を辞めました。これは、近代日本最初の海外出兵です。

イギリスの調停で、清国は日本の出兵を正当な行動だと認め、事実上の賠償金を日本へ支払いました。しかし、これは明治政府にとっては「琉球民＝日本国民」が清に認められたことを意味しますので、こののちに明治政府は**琉球処分**で琉球を日本の領域に組み入れました。

③ 朝鮮との関係

江戸幕府は、対馬の宗氏を介して朝鮮と正式国交を結び、将軍代替わりなどに通信使を迎えてきました→第14章。しかし、廃藩置県で対馬藩はなくなったので、明治政府は改めて朝鮮に国交樹立を求めました。しかし、当時の朝鮮は鎖国政策を強化しており、交渉は不調でした。そうしたなか、軍事力を用いてでも朝鮮を開国させるという**征韓論**が政府のなかで唱えられました（近代化を進める明治政府に対する士族の不満を、海外へそらすという目的もありました）。これは、岩倉使節団が派遣されていた間の留守政府が画策したもので、西郷隆盛を使節として朝鮮へ派遣する計画でした。しかし、帰国した岩倉使節団のメンバーは「**内治優先**（国内政治の安定を優先）」を唱えて征韓派と対立し、最終的に征韓は中止となりました。こうして、敗れた征韓派の西郷隆盛・板垣退助・後藤象二郎・江藤新平らは政府を辞めました。これを**明治六年の政変**（1873）と呼びます。

しかし、明治政府は朝鮮の開国をあきらめたのではありません。その２年後、明治政府は朝鮮へ軍艦を派遣して挑発行為をおこなわせ、それに対する朝鮮からの攻撃を口実に江華島を占領し、軍事力を用いて開国を迫りました。この**江華島事件**を契機として、翌年、日本は朝鮮と**日朝修好条規**（1876）を結び、朝鮮を開国させました。朝鮮を「**自主ノ邦**」「**日本国ト平等ノ権ヲ保有**」と規定し、独立・対等な近代国家どうしでの条約という形をとり、清の朝鮮に対する**宗主権**を朝鮮に否定させました。さらに、釜山のほかに仁川・元山を開港させ、日本の領事裁判権を朝鮮に承認させるだけでなく、日本は関税免除の特権も獲得しました。実際は、朝鮮側に不利な内容の、不平等条約だったのです。

④ 琉球帰属問題

江戸時代（近世）の琉球王国は、明・清への朝貢をおこない形式上は中国の属国でありながら、薩摩藩の支配を受け→第14章、日本と中国に両属していました。清は琉球に対する**宗主権**を主張していましたが、明治政府は琉球を近代国家の領域に組み入れようとしました。日本が清と日清修好条規を結ぶと、琉球が日本と清のどちらに帰属するのか、という問題が発生しました。日本政府は琉球を併合する方針を固め、**琉球藩**を設置（1872）して琉球を政府の直轄下に置き、最後の琉球国王**尚泰**を藩王としました（廃藩置県のあとに登場した藩です）。そして、この前年に発生した琉球漂流民殺害事件への報復として、**台湾出兵**（1874）を断行し、日本は清国から事実上の賠償金を獲得しました。こうして、清国からのお墨付きを得たと解釈した日本は、軍事力を用いて琉球藩の廃止と**沖縄県**の設置（1879）を強行しました（尚泰を東京に移して琉球王府を廃止）。こうした**琉球処分**に対して清は反発し、前アメリカ大統領グラントが日清両国を調停しましたが不調に終わり、最終的には日清戦争（1894～95）により琉球帰属問題は決着を見ました。

その後の日本政府は沖縄統治を徹底するため、琉球の旧来の支配階層と妥協し、琉球王国時代の支配のしくみなどをそのまま残したので（旧慣温存策）、沖縄の近代化は遅れました。たとえば、琉球王国以来の租税である**人頭税**が続いたため、これを廃止する運動が沖縄で発生しました。また、**謝花昇**による参政権獲得運動も展開されましたが、沖縄において衆議院議員選挙がおこなわれたのは、本土の1890年から大きく遅れた1912年（大正元年）でした。

⑤ 蝦夷地

江戸時代の蝦夷地では、松前藩がアイヌとの交易独占権を認められていました→第14章。明治政府は、蝦夷地をロシアの進出に対する防波堤として重要視し、明治の初めに蝦夷地を**北海道**と改称して**開拓使**を設置しました。そして、**アメリカ**式の大農場経営方式を採用し、開拓と北方防衛を担わせる**屯田兵**の制度も用いて開発を進めました（これは特権を失った士族に対する士族授産の一環でもありました）。さらに、**札幌農学校**を設立し、アメリカから**クラーク**を招きました（“Boys, be ambitious!” で有名ですね）。彼の教育は、のちにキリスト教徒となった内村鑑三らに影響を与えました。そして、のちに開拓使は廃止され（その直前の1881年に開拓使官有物払下げ事件が発生しています→第21章）、北海道庁が設置されました。

北海道の開発は、アイヌの生活圏を侵害しました。さらに、政府が「日本人への同化」を基調に日本語教育や農業奨励を推進すると、アイヌの伝統的な文化や生活が失われました。この状況は、**北海道旧土人保護法**が制定（1899）されてから拍車がかかりました（平成の時代になって、アイヌ民族の自立と人権保護をうたったアイヌ文化振興法［アイヌ新法］が制定されました）。

⑥ 国境の画定

明治初期におけるロシアとの国境（略地図）

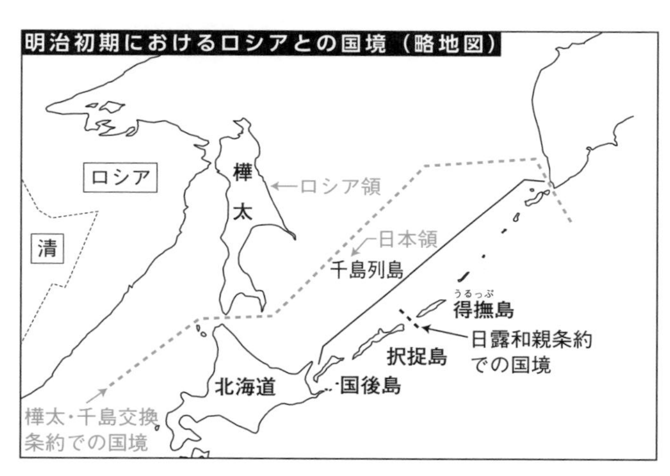

北方では、ロシアとの間で国境が画定しました。日本全権の榎本武揚（五稜郭の戦いで負けた旧幕臣）により、**樺太・千島交換条約**が結ばれました(1875)。幕末に結ばれた**日露和親条約**からの変化に注目しましょう。国境を定めずに両国人雑居だった**樺太**がロシア領となり（日本は北海道の開発で手一杯だったので、樺太をロシアに譲ったのです）、ロシア領だった得撫島から先の千島列島が日本領となりました（日露和親条約で日本領だった国後島・択捉島を含め、すべての**千島列島**が日本領となりました）。

南方では、**小笠原諸島**の領有をアメリカ・イギリスに通告し、最終的に東京府に編入しました。

年表 ※外交上の出来事がどのようにつながるのかを、矢印を追いながら確認しよう

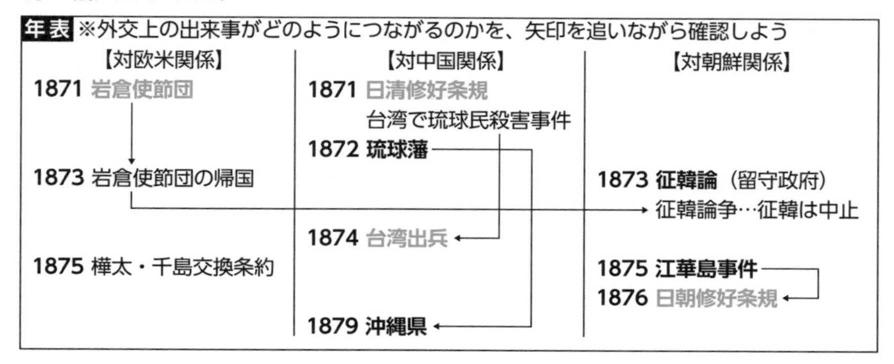

【対欧米関係】	【対中国関係】	【対朝鮮関係】
1871 **岩倉使節団**	1871 **日清修好条規**	
	台湾で琉球民殺害事件	
	1872 **琉球藩**	
1873 岩倉使節団の帰国		1873 **征韓論**（留守政府）
		征韓論争…征韓は中止
	1874 **台湾出兵**	
1875 樺太・千島交換条約		1875 **江華島事件**
		1876 **日朝修好条規**
	1879 **沖縄県**	

チェック問題にトライ！

土地制度にかかわる次の図・写真Ⅰ～Ⅳについて述べた文として正しいものを、以下の①～④のうちから一つ選べ。

Ⅰ　東大寺領糞置荘開田図

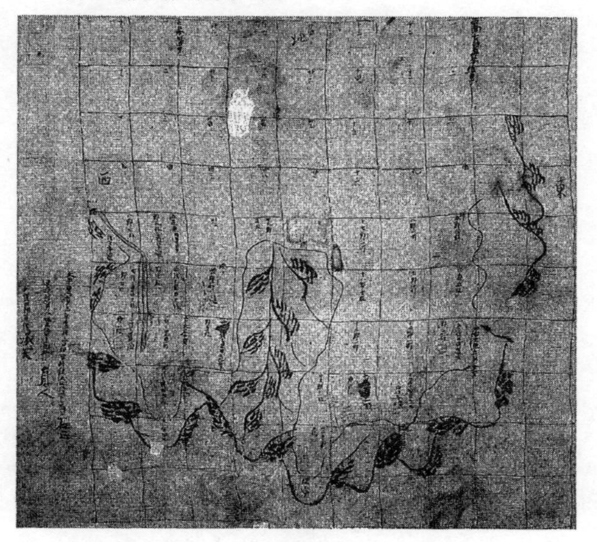

Ⅱ　伯耆国東郷荘の下地中分図

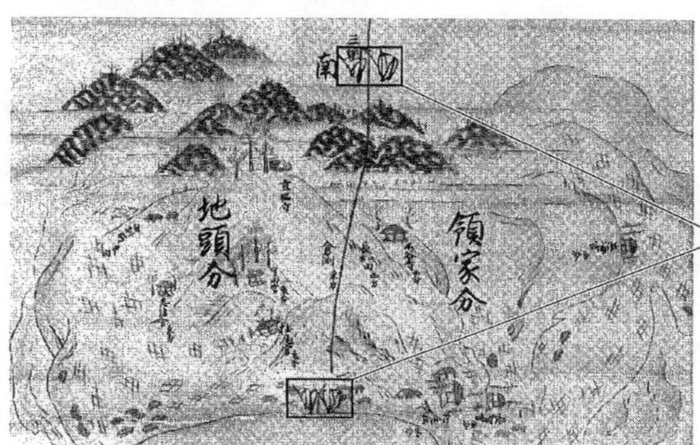

Ⅲ　検地仕法

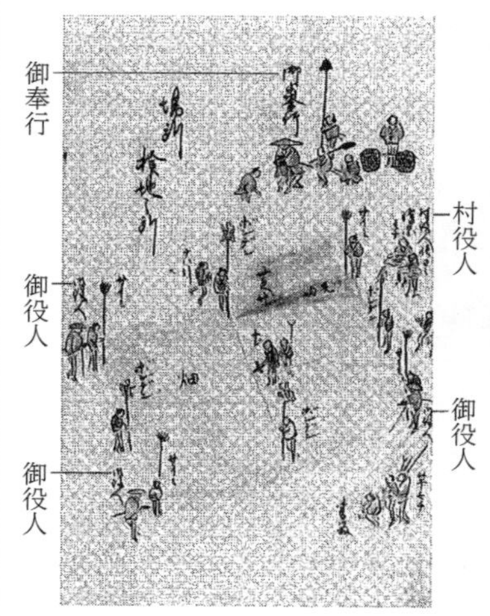

Ⅳ　地　券

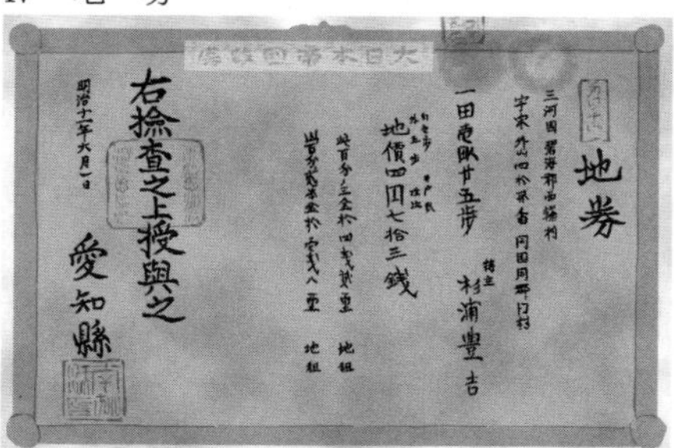

① Ⅰでは、条坊制にもとづく土地区画のための線が引かれている。
② Ⅱでは、荘園領主同士が和解し、幕府の関与のもと下地中分が成立した。
③ Ⅲでは、奉行が役人や村役人らを監督し、検地を行っている。
④ Ⅳでは、土地所有者・土地面積・収穫高などがそれぞれ記されている。

（センター試験　2018年度　本試験）

解説 **土地制度史は受験生が苦手とする分野です**。理解できているか確認したうえで、選択肢にある内容を絵図から読み取る練習をしましょう。

① Ⅰは、古代における初期荘園の事例です。図からは、縦と横の線が読み取れるので、「土地区画のための線が引かれている」は正しいです。しかし、それは条里制のことなので、「条坊制にもとづく」は誤りです。

② Ⅱは、中世における下地中分の事例です。図からは、「地頭分」「領家分」が読み取れ、地頭と荘園領主との間で和解したことがわかるので、「荘園領主同士が和解」は誤りです。ちなみに、図の「執権・連署の花押（サイン）」から、「幕府の関与のもと」は正しいことがわかります。

③ Ⅲは、近世における検地の事例です。図からは、「御奉行」「御役人」「村役人」が読み取れるので、「奉行が役人や村役人らを監督」は正しいです。

④ Ⅳは、近代における地租改正の事例です。図からは、「地券」の横に土地面積や土地所有者に加えて地価が書かれているのが読み取れるので、「収穫高」が「記されている」は誤りです。明治政府は、地価を定めて土地所有者に地券を発行し、地租改正条例を発して地価の３％にあたる地租を納めさせました。収穫高（土地の米生産量である石高）を基準とする江戸時代の年貢から変化したのです。

⇒したがって、③が正解です。

歴史総合のための世界史 「近代化と私たち」 ❷ 市民革命

明治新政府は、近代の価値観を日本に導入することをめざしていました。産業革命と並ぶ「近代化」の柱である、**市民革命**を見ていきましょう。

① アメリカ独立革命

市民革命は、18世紀後半以降にアメリカとフランスから世界に広がりました。これは、基本的人権を保障された人々が主権者となり、「自由」や「平等」など近代市民社会の価値観により民主主義的な社会を実現させていく事象です。同時期の日本では、田沼時代と寛政の改革が展開していました→第16章。

まず、**アメリカ独立革命**から。イギリスは17世紀初め以降、北アメリカ東部に**13植民地**を建設し（ヴァージニアが最初）、自治を認めました。寒冷な北部では中小の自作農民が農業（小麦など）をおこない、工業も盛んでした（製鉄業や造船業など）。温暖な南部ではヨーロッパに輸出する商品作物（タバコ・米・藍）をプランテーションで栽培し、アフリカから連れてきた黒人奴隷を労働力としました。

18世紀後半にイギリスが植民地での課税を強めると、自治の侵害として反対運動が高まりました。特に、印紙法（公文書などに有料の印紙を貼らせて課税）の制定時には、「植民地人の代表は本国の国会議員になれないので、本国政府による植民地への課税は認められない」という論理（「**代表なくして課税なし**」）で、権利意識が表明されました。

そして、植民地は大陸会議を開いて反イギリスと武力独立の方針を決定し、**独立戦争**が始まりました（総司令官にワシントンを任命）。こうしたなかで発された**独立宣言**（1776　トマス＝ジェファソンらが起草）では、基本的人権や人民主権に加えて**抵抗権・革命権**が掲げられました。「人民の生命・自由・財産を守る役割を果たさない政府に対して、人民はこれを交替させることができる」として、独立戦争を正当化したのです。そして、ヨーロッパ諸国が植民地を支援するなか、イギリスはパリ条約（1783）でアメリカの独立を認めました。一方で、先住民（インディアン）や黒人奴隷の権利が無視されたことは、アメリカ独立革命の限界でもありました。

独立後のアメリカでは、州政府と連合会議（中央政府にあたる）の関係が問題となりました。植民地は独立後に州となりますが、13植民地以来の「自分たちのルールは各植民地で決める」気風が残り、連合会議は大きな権限が与えられず弱体でした。しかし、財政窮乏や混乱のなかで強力な中央政府を待望する声が高まり、**合衆国憲法**（1788年に批准）が制定されてアメリカ合衆国が正式に成立しました。強化された権限を持つ連邦政府が成立し、徴税権と常備軍の保持が認められる一方、各州には大幅な自治権が認められました。また、行政府である連邦政府の強大化を防ぐため、**立法**（上院と下院の二院制のアメリカ連邦議会）・**行政**（任期４年の大統領を連邦政府の長とする）・**司法**（立法・行政が憲法に適合するかを判断する最高裁判所）が相互に牽制し合う**三権分立**を採用しました。そして、ワシントンが初代大統領に就任しました。

② フランス革命

次は、**フランス革命**です。フランスは、免税特権を持つ第一身分（聖職者、人口の0.5%）・第二身分（貴族、人口の1.5%）と、第三身分（平民、人口の98%）からなる身分制社会でした。18世紀後半、国王ルイ16世の悩みは財政悪化で（アメリカ独立戦争への参戦、王妃マリ＝アントワネットの贅沢）、特権身分からの徴税は抵抗され、1780年代の不作もあって平民は生活苦でした。

国王政府は、事態打開のため身分制の議会である**三部会**を開催しましたが、第三身分代表が中心となり独自の**国民議会**を開き、議員が球戯場に集まり「憲法を制定するまで議会を解散しない」と誓い合いました。国王が国民議会を抑えようとすると、パリ市民が武器弾薬を求めて圧政の象徴の**バスティーユ牢獄を襲撃**し、革命の火ぶたは切って落とされました！　そして、国民議会は**人権宣言**（1789）を発し、基本的人権・国民主権・**私有財産の不可侵**などを掲げました。のちに制定された1791年憲法は、**制限選挙**（一定額以上を納税する成人男性に選挙権・被選挙権を認める）と**立憲君主政**（憲法によって主権者の権力行使を制約する**立憲主義**にもとづく君主政）を定め、専制に歯止めをかけたものの、王政は維持されました。民衆や農民に不満が残る改革だといえます。

ヨーロッパ諸国による反革命の動きの高まりに対し、フランスの革命政府はオーストリアなどと戦争を始めたものの苦戦し、危機感を抱いた義勇兵とパリの都市民衆（中小店主や職人）は国王一家を逮捕し、国王権力が停止されました。そして、**男性普通選挙**が実施されて国民公会が召集され、**共和政**（国家元首として君主を持たない政体）に移行しました（1792）。都市民衆の支持を背景に主導権を握ったロベスピエールは、もと国王夫妻を処刑したほか、対外戦争が激化するなかで**徴兵制**を導入して軍事力を強化しました。また、社会権まで保障する広範な基本的人権を規定した1793年憲法を制定しました（施行されず)。しかし、急進的な政策で賛否両論が生じ、ロベスピエールは独裁と反対派の弾圧・処刑に訴えたため(**恐怖政治**)、反発を招いて失脚しました。

その後、政治の混乱で強い指導者を求める声が高まるなか、イタリア遠征などで名声を得ていた軍人**ナポレオン=ボナパルト**が、その期待に応えました。

③ ナポレオンの登場

ナポレオンはクーデタで革命を終了させ(1799)、第一統領の地位に就きました(事実上の独裁)。内政面では、革命支持派と反対派に分裂した国民を統合し、10年間の革命の成果を確認して維持することをめざしました。法の下の平等・私有財産の不可侵・契約の自由を定めた**民法典**の制定(1804)はその表れで、さらに国民投票で**皇帝ナポレオン1世**として即位しました。

ナポレオンは「革命の輸出」(自由と平等の精神をヨーロッパに拡大させる)を名目に大陸制覇に乗り出し、ナショナリズムの高揚で国民意識を強めた成人男性が徴兵制により供給されて、勝利を重ねました。しかし、このことは侵略された側にもナショナリズムを生じさせ、諸国の近代化につながりました(プロイセンで農民解放・**徴兵制**導入・教育改革が進み、ドイツ「国民」の意識が高まった)。スペイン反乱(1808)での苦戦、ロシア遠征(1812)失敗を受けて権力基盤である軍事力が失われ、ナポレオン支配に反対する諸国の解放戦争に敗れて退位しました(1815)。

④ 市民革命の世界的影響

ナポレオンがヨーロッパに広げた自由主義は、ラテンアメリカにも伝わりました。15世紀末以来、スペインやポルトガルが進出して植民地化が進み、**インディオ**(先住民)による銀の採掘業や、**黒人奴隷**(アフリカから連行)によるサトウキビなどのプランテーション農業が展開され、**クリオーリョ**(植民地生まれの白人で地主階級)が頂点の階級社会が形成されましたが、18世紀末、カリブ海のイスパニョーラ島西部(フランス領)ではフランス革命の影響で奴隷解放と独立の動きが高まり、世界初の黒人共和国**ハイチ**が誕生し(1804)、1810〜20年代を中心にクリオーリョ主導の独立運動で、アルゼンチン・チリやコロンビア・ベネズエラなどが独立しました。

第21章 立憲政治の展開（明治時代前期・中期）

年代	内閣	政治	
1870年代		第20章 1明治維新 ③中央集権体制 ④近代軍制 ⑤身分制改革 ⑥財政の確立	(1) **1自由民権運動** **①明治六年の政変**（1873） 征韓派の辞職（西郷・板垣・後藤・江藤） **②士族反乱** 佐賀の乱（江藤）・西南戦争（西郷） **③士族民権** 民撰議院設立の建白書（板垣・後藤・江藤） 政社の結成（立志社・愛国社） →大阪会議…漸次立憲政体樹立の詔 →讒謗律・新聞紙条例 **④豪農民権** 立志社建白 →地方三新法（府県会規則など） 国会期成同盟→集会条例 **⑤明治十四年の政変**（1881） 開拓使官有物払下げ事件 →国会開設の勅諭 政党の結成・私擬憲法の作成 **⑥激化事件** 福島事件・秩父事件　大阪事件 **⑦大同団結** 三大事件建白運動→保安条例
1880年代	伊藤① 黒田	(2) **2立憲体制の形成** **①制度の整備** 伊藤博文の渡欧 →シュタインらに学ぶ 華族令 **〔第1次伊藤博文内閣〕** 内閣制度（1885） 〔黒田〕枢密院 **②憲法・諸法典** 大日本帝国憲法（1889） 衆議院議員選挙法 〔山県①〕民法→民法典論争	
1890年代	山県① 松方① 伊藤②	**3初期議会** **①第1議会** 政府と民党の対立（予算） 民党「政費節減・民力休養」 **②第2・第3議会** 〔松方①〕品川内相の選挙干渉 **③第4〜第6議会** 〔伊藤②〕和衷協同の詔書 条約改正をめぐる対立	(3)

第21章のテーマ

明治時代前期・中期（1870年代～90年代前半）の政治を見ます。

(1) 近代化政策と並行して、**明治六年の政変**を機に士族や豪農が参加して**自由民権運動**が高揚し、激化事件や大同団結運動も展開しました。

(2) 伊藤博文を中心とする政府は、**明治十四年の政変**を起点に制度や法典の整備を進め、**大日本帝国憲法**の発布により**立憲体制**が確立しました。

(3) 民権派が結成した政党は、衆議院で政府と対決しました（**初期議会**）。予算や条約改正をめぐる対立に注目しましょう。

1 自由民権運動（1870年代～80年代）

自由民権運動は、「超」がつく重要テーマです。しかし、出来事や登場する人物の数が多く、マスターするのに時間がかかります。「なぜこの時期に、このような形で運動が盛んになるのか」を理解しながら学んでいきましょう。

自由民権運動というと、反政府運動だよね。藩閥政府を打倒だ！

ちょっと待って。民権運動は、政府を批判はしたけれど、政府を打倒する運動ではないよ。そもそも、政府と民権派は、日本を近代国家にするという点では、目標は同じだったんだよ。

エッ、そうなの？　そしたら、路線は違っていても向かう方向は一緒だったのか。そしたら、**憲法**を作ることが同じ目標だったのかな？

近代国家であることの根拠は憲法にあるし、日本が欧米にならって近代国家になろうとしているのだから、当然そうなるよね。そして、近代国家は、国民が国家の運営に参加するのが基本だから……。

そうか！　**議会**を開くんだね。しかも、**選挙**で自分たちの代表を議会に送り込めば、国民も国家の運営に参加できるね。

つまり、**公選制**にもとづく議会制度だ。自由民権運動は、国民が政治に参加できる権利を実現するものとして、公選制にもとづく議会の開設を要求した。それに加え、日本が近代国家になるための憲法の制定も政府に要求した。それだけではなく、国民としての自覚を人々へ訴えて、支持を広げようとする面もあったんだ。

国民としての意識が広まることで、本当の意味で日本が近代国家になっていくんだね。自由民権運動は、そういった意味を持つんだ。

① 明治六年の政変（1873）

まず、**明治六年の政変**（**征韓論政変**　1873）から確認しましょう→第20章。岩倉使節団が派遣されたのち、留守政府の参議の西郷隆盛（薩摩）・板垣退助（土佐）・後藤象二郎（土佐）・江藤新平（肥前）らが**征韓論**を唱えました。しかし、帰国した岩倉使節団メンバーの大久保利通（薩摩）・木戸孝允（長州）・伊藤博文（長州）らが「**内治優先**」を唱えて、征韓に反対しました。そして、征韓論争は内治優先派が勝利して征韓は中止となり、敗北した征韓派の参議は政府を辞めました。

そして、西郷を除く板垣・後藤・江藤らが**民撰議院設立の建白書**（1874）を提出して自由民権運動が始まりましたが、明治六年の政変は、士族反乱・経済政策・日朝関係などさまざまな出来事につながっていく点にも注意しましょう。

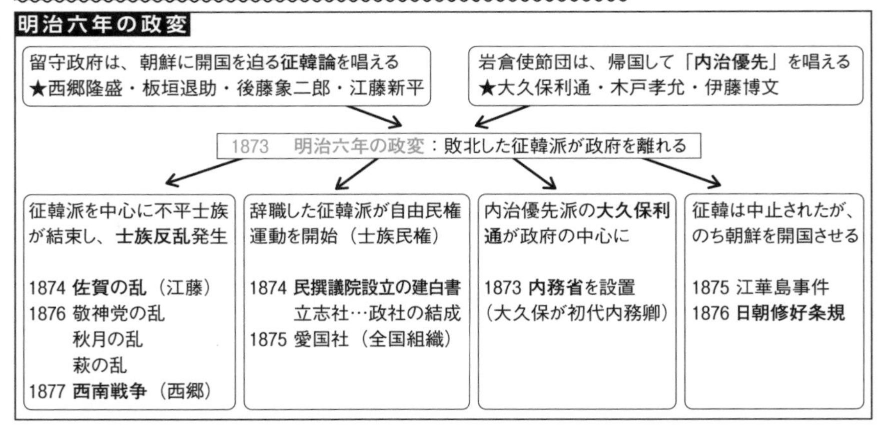

② 士族反乱（1870年代）

明治政府のさまざまな政策は、江戸時代に支配階層であった武士の身分的特権を失わせていくというものでした。特権を奪われて不満をためた士族のなかには、武力で明治政府へ抵抗する者もいました。

自由民権運動だけでなく、士族反乱も、明治六年の政変がきっかけとなって始まりました。政府を辞職した征韓派のもとに、不平士族が結集したからです。民撰議院設立の建白書の提出に参加した**江藤新平**は、その直後に郷里の佐賀に戻り、政府に反乱を起こしました（**佐賀の乱**　1874）。

1876年、士族反乱が立て続けに起きました。帯刀を禁じる**廃刀令**に加え、**秩禄処分**が断行されると→第20章、身分的特権を失った士族の不満が爆発したのです。熊本県の**敬神党（神風連）の乱**、福岡県の**秋月の乱**、山口県の**萩の乱**（もと参議の前原一誠が中心）は、発生した場所で区別します。

最後の士族反乱が、鹿児島で起きた**西南戦争**（1877）です。明治六年の政変で辞職して以来地元に帰っていた**西郷隆盛**が中心となり、九州の不平士族も加わった大規模な反乱でしたが、政府は徴兵軍を用いて鎮圧しました。

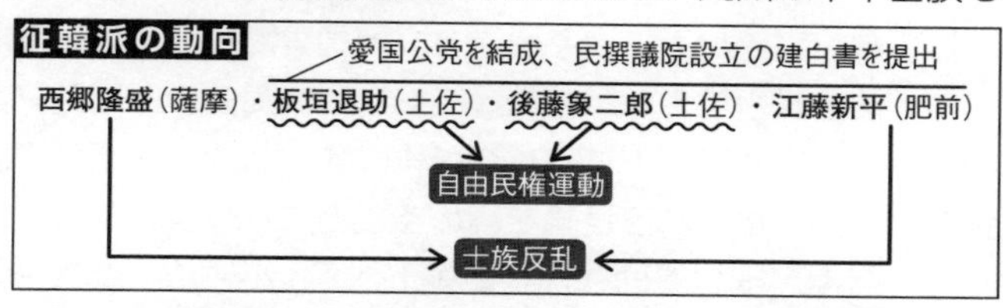

士族反乱は西南日本に集中していました。新政府樹立に貢献した薩摩・長州・肥前などでは、特権を失うことへの不満はいっそう大きかったのでしょう。

③ 士族民権

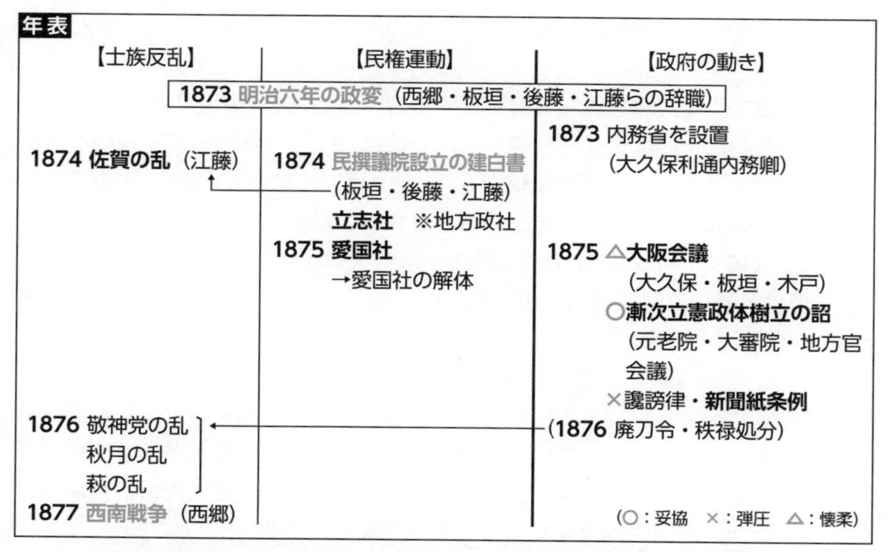

自由民権運動は、民権運動の動きと、それに対する政府の対応とを分けると、全体の流れが見えてきます。運動に参加した人々の特徴によって、政治的な主張をするときの方法が決まります。一方、政府は、妥協（○：アメを与える）・弾圧（×：ムチをふるう）・懐柔（△：抱き込んで味方につける）といった、さまざまな方法で民権運動を抑え込もうとします。民権運動の方法が政府の弾圧の方法につながる、ということを意識しましょう。

(1) 身分的特権を失った士族が、政府を批判する言論活動をおこなった

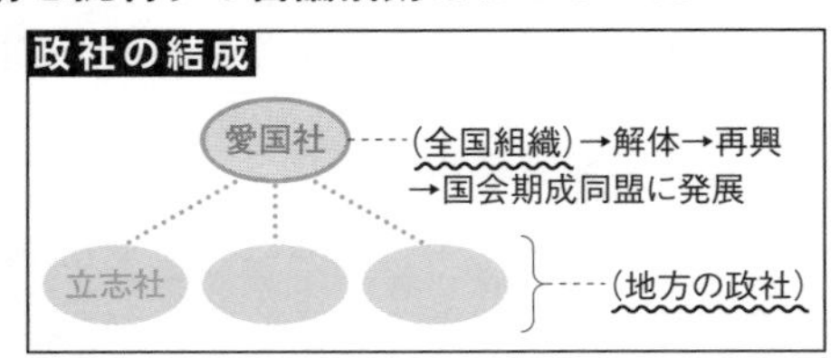

明治六年の政変で政府を辞めた征韓派のうち、西郷隆盛を除く板垣退助・後藤象二郎・江藤新平らは愛国公党を結成し、**民撰議院設立の建白書**(1874)を政府へ提出しました。少数の政府官僚のみによる政治を「**有司専制**」であると批判し、五箇条の誓文にあった公議世論の尊重→第20章を根拠に、国会の即時開設を要求しました。この文書は、イギリス人ブラックが経営する新聞『日新真事誌』に掲載され、国会を開くべきだという世論を高めることになりました。

この時期、板垣退助が民権運動を主導しました。彼は郷里の**高知**へ帰ると、**片岡健吉**らとともに**立志社**を結成しました。以後、士族を中心に、各地で**政社**が結成され、新聞・雑誌を発行して言論活動を活発におこないました。士族は、江戸時代には政治家・役人としての役割を果たし、藩学(藩校)で高度な教育を受けていたので、政治的主張をともなう言論活動ができるのですね。そして、各地の政社をまとめる全国組織として、板垣は**大阪**で**愛国社**を結成しました。

(2) 政府は、立憲政体を作る方針を示す一方、言論活動を弾圧した

当時、政府の中心は**大久保利通**でした。彼は、明治六年の政変で政府を辞めて民権運動を進めていた**板垣退助**と、台湾出兵に反対して政府を辞めていた→第20章**木戸孝允**の二人を、政府に復帰させようと画策しました。こうして開かれた**大阪会議**(1875)で、板垣退助は提案を認められたことで政府へ復帰し(のち再び辞職して民権運動に戻ります)、愛国社は解体しました。政府の懐柔策によって、民権運動は骨抜きになったのです。

そして、政府は**漸次立憲政体樹立の詔**(1875)を発して、時間をかけて憲法を制定し議会を設立していく方針を示し、新しい政府組織として、立法機関の**元老院**、司法機関の**大審院**、(のち最高裁判所)、府知事・県令を東京に召集した**地方官会議**を設置しました。公選制にもとづく議会はすぐには実現しませんでしたが、政府は民権運動の主張を一部取り入れる妥協もしたのです。

一方、政府は**讒謗律**を発して政府への批判を禁止し、**新聞紙条例**(1875)で政府を攻撃する出版物を発禁としました。言論活動をおこなう士族民権に対し、言論を取り締まる法令で弾圧したのです。

のち、敬神党の乱・秋月の乱・萩の乱といった士族反乱や地租改正反対一揆が発生し(1876)、西南戦争も起きて(1877)、国内は騒然としました。

④ 豪農民権

1870年代末以降、民権運動は大きく盛り上がりました。士族に加え、豪農（地主）や商工業者にも参加が拡大していったからです。

このころ、豪農（地主）も公選制の議会を開いて欲しいと願うようになったのは、なぜなんだろう。

中江兆民の思想については近代文化で説明するけれど→第25章、「人は誰でも生まれながらにして人権が与えられている」とする**天賦人権思想**が広まれば、国の政治に参加するための議会制度を望むんじゃないかな。そして、豪農（地主）は、納税者としての権利を主張するという面も強かったんだよ。

そうか、豪農（地主）はたくさん土地を持っているから、地租を多く払うんだった。税金を取られたくないから、**地租軽減**を要求するよね。

そういった要求や主張を政府に突きつける場として、議会が求められた。それに加えて、当時の豪農（地主）が経済的に成長していたことも大きいよ。当時、国立銀行券が不換紙幣となって**インフレ**が生じていたことは学んだね→第20章。そうすると、現物納で得ていた小作料が高い値段で売れるから、お金の収入が増える。一方、地租の負担は定額だから、手元にたくさんお金が残り、豊かになったんだ。

生活にゆとりが出て、政治運動に参加することもできたんだね。

(1) 成長した豪農（地主）が民権運動に参加し、地方での集会活動を広げた

西南戦争（1877）で不平士族の反乱は終了し、士族は言論や集会活動による政府批判に集中するようになりました。また、同年に片岡健吉らが政府へ提出した**立志社建白**の要求に、国会開設や条約改正と並んで地租軽減が含まれていたことから、豪農（地主）が民権運動に参加するきっかけができました。こうして、各地で交流会・学習会・演説会といった集会活動が盛んになると、解体されていた**愛国社が再興**（1878）されました。

(2) 政府は、地方の実情に配慮したが、国会開設要求はさらに高まった

こういった民権運動の広がりに対し、政府は士族反乱・農民一揆がおさまっ

たあと、地方行政制度を再編成するため**地方三新法**(1878)を制定しました（廃藩置県の直後に設定されていた画一的な大区・小区を廃止して江戸時代の郡・町・村を復活させた**郡区町村編制法**、地方議会である府県会［府議会・県会］を公選制に統一した**府県会規則**、地方税の使い道を府県会で審議するようにした**地方税規則**)。こうして、地方議会は即時開設となり、しかも公選制なので、選挙で当選し議員となった豪農（地主）らが地方行政に関与しました。政府としては、各地域の実情を反映する地方行政制度にしたことで民権運動に妥協したのですが、このことは「公選制の地方議会が開かれたので、次は公選制の国会を開け！」といった形で民権運動を刺激しました。

年表

【民権運動】	【政府の動き】
1877 立志社建白	
1878 愛国社の再興	**1878 ○地方三新法**
※豪農の政治進出	郡区町村編制法 府県会規則 地方税規則
1880 国会期成同盟	**1880 ×集会条例**
	1881 開拓使官有物払下げ事件
1881 明治十四年の政変 ○払下げの中止 ×大隈重信が政府から追放される **○国会開設の勅諭**	
1881 自由党	
1882 立憲改進党	**1882** 立憲帝政党
※私擬憲法の作成	

（○：妥協　×：弾圧）

(3)　国会開設要求の高まりに対し、政府は集会活動を規制して弾圧した

政社の全国組織である愛国社は、のち**国会期成同盟**（1880）に発展し、国会開設を政府へ要求する署名活動を広げました。しかし、政府は署名の受け取りを拒否したうえ、**集会条例**（1880）を発して政治集会や結社を地方警察に規制させました。豪農民権は、各地で集会活動をくり広げるものだったので、それに合わせて地方警察が弾圧を加えられるようにしたのです。

⑤ 明治十四年の政変（1881）

明治十四年の政変（1881）は、民権運動の新たな展開の起点となる、大きなターニングポイントでした。

(1)　政府内での対立が生じるなか、官有物払下げ事件で政府が非難された

大久保利通が不平士族に暗殺された（1878）のち、当時の政府には強力な指導者がいませんでした。そして、肥前の**大隈重信**は、今すぐ国会を開設すべきだと主張して民権運動に同調したのに対し、長州の**伊藤博文**らは、少しずつ立憲政体を整備していこうとするこれまでの政府方針を保とうとしました。こうして、政府内部で国会開設の時期をめぐる対立が生じていました。

こうしたなか、北海道の開拓使長官の**黒田清隆**から政商の**五代友厚**へ、開拓使が所有する施設を安く払い下げるという計画が露見しました（同じ薩摩出身者どうしの癒着です）。この**開拓使官有物払下げ事件**（1881）で、民権派は政府を激しく非難しました。

(2) 政府は大隈重信を罷免するとともに、1890年に国会を開くことを公約した

結局、政府は開拓使官有物の払下げを中止し、政府を攻撃する民権派に妥協しました。しかし、こういった世論と大隈重信が関係していると見て、政府は**大隈重信を罷免**しました。民権派にとっては、自分たちと同じ意見を持った大隈が政府から離れるのは痛手です。そして、大隈重信や肥前出身の官僚が政府を追われたことで、政府は薩長中心の藩閥政府となりました。

政党の結成

自　由　党…主権在民・一院制、支持層は**豪農（地主）**・士族
立憲改進党…君民同治・二院制、支持層は**都市商工業者**・知識人
立憲帝政党…天皇主権・二院制、支持層は官僚・神官・僧侶

この政変で民権派が得た最大の成果は、政府が**国会開設の勅諭**（1881）を発布したことです。1890年（明治23年）の国会開設を公約したことで、政府は９年後までに憲法の制定と国会の開設を実現しなくてはなりません。そして、民権派は将来の選挙にそなえる必要があります。**板垣退助**を中心に立志社や愛国社の流れをくむグループが集結し、フランス流の共和制を主張して自由主義を強く打ち出した**自由党**が結成されました。これに対し、**大隈重信**を中心に、イギリス流の議院内閣制を主張する**立憲改進党**が結成されました。一方、政府は福地源一郎を中心に、政府を支持する**立憲帝政党**を結成させました。

そして、民権派が主張する、国民の権利を重視した立憲政治のあり方を表現するものとして、**私擬憲法**が作られました。交詢社の「私擬憲法案」（改進党系）や、立志社の「日本憲法見込案」（自由党系）があり、土佐の**植木枝盛**の「**東洋大日本国国憲按**」は、国民の**抵抗権・革命権**を規定した急進的な内容でした。また、東京多摩の農民有志グループが開いた学習会の成果をもとに千葉卓三郎がまとめた「**五日市憲法草案**」は、民権運動の広がりを示しています。

⑥ 激化事件

1880年代前半、士族を中心とする自由党の急進派や、デフレ不況によって没落した貧農が、直接的な行動で政府を攻撃する**激化事件**が発生しました。反乱や一揆の要素を含んでいたため、政府は警察や軍隊を用いて弾圧しました。

デフレ不況って、何のこと？

さっき豪農民権のところで説明したように、当時はインフレによって豪農（地主）が成長していたよね。ところが、物価が上がるインフレは、政府にとっては使うお金が増えることにつながるんだ。

政府が官営模範工場を経営するのにも、余計なお金がかかるってことなのかな。政府の財政は、悪くなっちゃうね。

そういうこと。だから、政府にとっては物価が下がるデフレのほうがいいんだ。そこで、財政政策の中心だった大隈重信が明治十四年の政変で追放されると、薩摩の**松方正義**が大蔵卿（大蔵省の長官）となって**デフレ政策**を推進した。でも、デフレになると、農民にとっては作った農作物を売るときに安くしか売れないから……。

収入が減って困るね。そうか、デフレは農村に不況をもたらすし、それで没落する農民も多かったんだね。

松方財政は近代経済史で学ぶから→第23章、お楽しみに！

福島事件（1882）は、福島県令の**三島通庸**が県民に土木工事を強制するなどの厳しい政治をおこなったことに対して、不況で苦しんでいた農民が抵抗し、農民を助けた自由党の**河野広中**らが検挙された事件です。

加波山事件（1884）は、自由党員を含む民権派が三島通庸の暗殺に失敗したのち、茨城県の加波山で蜂起した事件で、直後に自由党は解党しました。

同年の**秩父事件**（1884）は、埼玉県秩父地方の農民が困民党を組織し、多くの民衆も加わって高利貸などを襲った事件で、政府は軍隊を動員して鎮圧しました。のち、大隈重信が立憲改進党を脱党して民権運動から離れました。

大阪事件（1885）は、もと自由党員の大井憲太郎らが（女性の民権運動家である景山英子も参加）、朝鮮の保守的な政府を打倒して改革派の政権を樹立する計画を立て、渡航する前に検挙された事件です。この事件の背景となった、1884年に朝鮮で起きた甲申事変は、日朝関係史で学びます→第22章。

⑦ 大同団結

「**大同団結**」とは、共通の目的のために、小さな意見の違いにこだわらず一つにまとまる、という意味です。1880年代後半、いよいよ国会開設が迫ってきたので、旧自由党と立憲改進党が再結集して民権運動を盛り上げたのです。この運動は旧自由党の星亨が提唱し、のち**後藤象二郎**が運動をリードしました。

そのころ、〔**第1次伊藤博文内閣**〕のもとで、**井上馨**外務大臣が条約改正交渉をおこなっていました→第22章。しかし、彼が進めた極端な**欧化政策**には批判が多く、井上が外務大臣を辞職して改正交渉が失敗に終わると、民権派は「地租軽減」「言論・集会の自由」「**外交失策の挽回**（対等条約の締結）」という三大要求を掲げて**三大事件建白運動**（1887）を展開しました。これは、民権派が全国から東京に集まって、政府機関へ陳情するという運動だったので、政府は**保安条例**（1887）を発し、民権派を東京から追放して弾圧しました（皇居から３里以上離れた場所に３年間追放）。

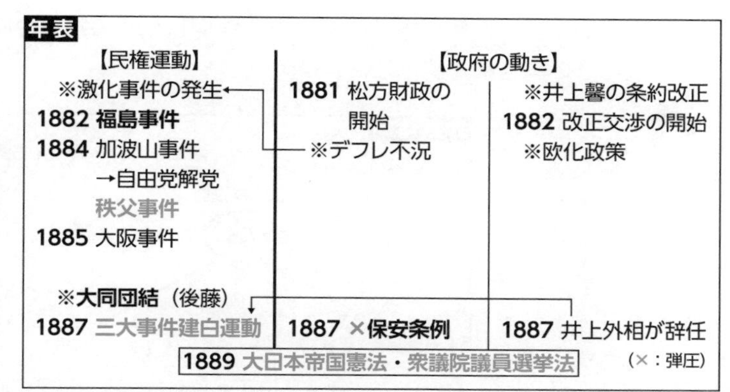

年表

【民権運動】	【政府の動き】	
※激化事件の発生	1881 松方財政の開始	※井上馨の条約改正
1882 福島事件	※デフレ不況	1882 改正交渉の開始
1884 加波山事件 →自由党解党 秩父事件		※欧化政策
1885 大阪事件		
※大同団結（後藤）		
1887 三大事件建白運動	1887 ×保安条例	1887 井上外相が辞任
1889 大日本帝国憲法・衆議院議員選挙法		

（×：弾圧）

しかし、民権派の活動は地方で続き、**大日本帝国憲法**発布（1889）・**衆議院議員選挙法**公布（1889）によって、憲法と公選制の議会を要求していた自由民権運動の目標は、ひとまず達成されました。

2 立憲体制の形成（1880年代）

ここで、**明治十四年の政変**（1881）の時点まで戻ります。自由民権運動の展開と並行して、憲法にもとづく近代的な国家体制が成立していきました。これを主導したのは、大隈重信を追放し、政府の中心となった**伊藤博文**でした。

伊藤博文は、**大日本帝国憲法**を作った人だよね。**ドイツ流**の憲法を定めた、と聞いたことがあるけれど、どんな特徴があるのかな。

今の日本国憲法に定められている国民主権と違って、**天皇主権**だったね。そして、天皇と政府が強い権限を持っていて、公選制の議会である**衆議院**の権限がそれほど強くなかったんだ。

明治政府が天皇中心だったから、憲法もそういう形にしたのかな。

それもあるし、自由党や立憲改進党が、自由主義的で国民の権利を重視するフランス流やイギリス流の立憲政治をめざしたことも大きい。それに、民権派が作った私擬憲法は、公開の場で内容を議論して定めるという、民定憲法のあり方を表現したものだ。政府としては、これらの動きに対抗しなきゃね。

だから、伊藤博文はコッソリ憲法を作ったのか。でも、憲法と議会を作っただけでは、近代国家としてはまだ不十分な気がするよ。

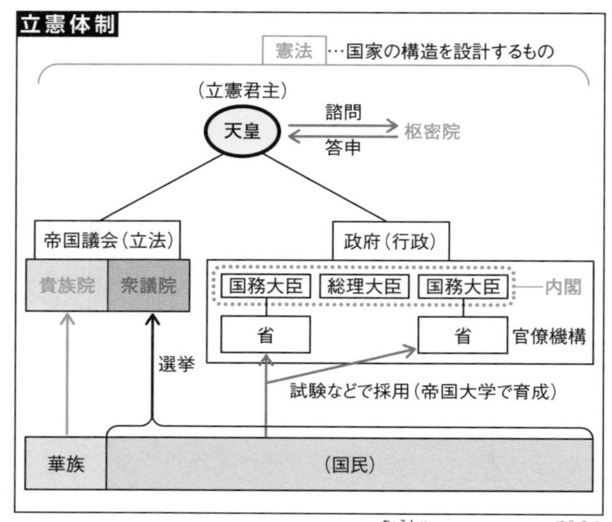

そこで、伊藤博文は、政府の各省をたばねて行政をリードする**内閣**や、天皇からの意見聴取にこたえる**枢密院**も作った。議会も、衆議院のほかに、特権階級の代表や政府が選んだ議員からなる**貴族院**が置かれたよ。

特権階級って、**華族**のことかな→第20章。貴族院議員は、国民の選挙で選ばれないんだね。民主的な議会のほうがいいなぁ。

国民の選挙で選ばれた議員からなる衆議院は、民意を直接反映するから、もし国民の判断が誤った場合、衆議院も誤った判断をする可能性がある。そのとき、常に国家や政府の立場に立つ議会がもう一つあれば、立法府のなかでチェックが働くよ。

それが二院制の意味なんだね。伊藤博文は、議会だけじゃなく、憲法にもとづく総合的な政治制度を、欧米から取り入れたんだ。

これらを**立憲体制**と呼ぶよ。重要ポイント、しっかり学ぼう！

① 制度の整備（1880年代）

明治十四年の政変（1881）のときに国会開設の勅諭を発して、1890年の国会開設を宣言した政府は、君主権の強い**ドイツ流**憲法を参考に、天皇が定める形式の**欽定憲法**を制定する方針を決めました。

(1)　伊藤博文は渡欧して立憲体制の構想を作り、帰国後に国家機構を整備した

年表

【民権運動】	【政府の動き】
1881 明治十四年の政変（国会開設の勅諭）	
1881 自由党	※欽定憲法の方針
1882 立憲改進党	1882 伊藤博文の渡欧（~83） ※グナイストとシュタインに学ぶ
※激化事件の発生 1882 福島事件 1884 加波山事件 →自由党解党 秩父事件	1884 華族令
1885 大阪事件	1885 内閣制度〔伊藤①〕 ※憲法草案の作成
※大同団結（後藤） 1887 三大事件建白運動	
	1888 枢密院〔黒田〕
1889 大日本帝国憲法・衆議院議員選挙法	

伊藤博文は憲法調査のためヨーロッパに渡り、ベルリン大学の**グナイスト**や、ウィーン大学の**シュタイン**に学びましたが、特にシュタインから多大な影響を受けました。伊藤は、憲法や議会制度のことだけでなく、政府の行政システムを整備することや、憲法のなかに君主を位置づけることなど、**立憲体制**の全体像を学んだのです。これで、民権派への対抗はバッチリですね。自信を得た伊藤博文は、帰国すると、立憲体制の整備を一気に進めました。

まず、**華族令**（1884）を公布して公・侯・伯・子・男の五つの爵位を規定し、公家・大名に加えて国家に功績のあった者（政府の薩長藩閥勢力など）も華族に追加し、以後その範囲を広げていきました。こうして、将来**貴族院**を設置するときの基盤を作りました。

太政官制から内閣制度へ

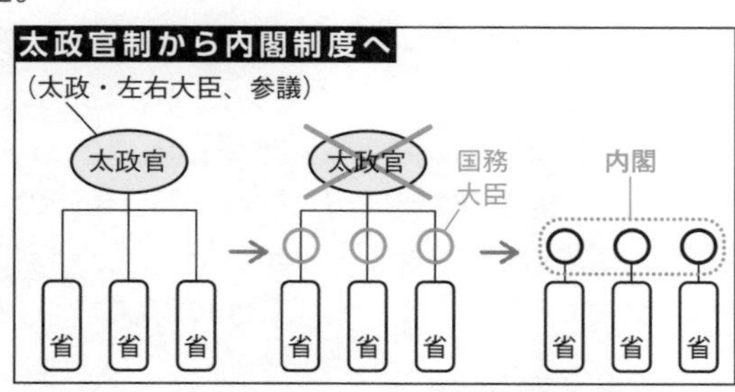

そして、**太政官制を廃止**して**内閣制度**（1885）を創設し、伊藤博文が初代首相となり、薩長藩閥内閣である**〔第1次伊藤博文内閣〕**が成立しました。太政官制における大臣は、太政官の太政大臣・左大臣・右大臣でしたが、各省との一体感に欠けていました。内閣制度では、各省の長官として**国務大臣**を置き、**総理大臣**を中心に国務大臣が内閣を構成することで、各省の連携が増し、行政府の強化につながりました。国務大臣は天皇に任命されて直接責任を負い、総理大臣のもとで行政を担当しました。

一方、**宮内大臣**（宮内省長官で皇室事務を担当）や**内大臣**（天皇のそばで公

務を補佐）は内閣の外に置かれ、天皇の公務や皇室の私事と、政府・内閣とが分離され（宮中・府中の区別）、近代的な皇室と政府の関係が築かれました。

さらに、官僚の候補を養成する高等教育機関として**帝国大学**を設置し→第25章、官僚を試験によって採用する制度を整備して、各省を支える官僚を供給するシステムを作りました。

(2) 憲法草案が起草され、大日本帝国憲法が発布されて、立憲国家が成立した

こうして、近代国家の制度整備を進めたうえで、憲法草案の起草が始まりました。伊藤博文に、**井上毅**・**伊東巳代治**・**金子堅太郎**が加わり、ドイツ人顧問**ロエスレル**の助言を得ながら秘密作業で進められました。

完成した憲法草案は、新たに設置された**枢密院**（1888）で審議されました。枢密院は、のち天皇の諮問を受けて国家の重要事項（緊急勅令や条約など）を審議する機関となりました。伊藤博文が枢密院議長となったので、薩摩の**黒田清隆**が首相となり〔**黒田清隆内閣**〕が成立しました。

1889年2月11日（2月11日は、初代天皇の神武天皇が即位した日とされる**紀元節**→第25章）、**大日本帝国憲法**が発布されました。内容が国民に知らされることなく作成され、天皇の名で発布された**欽定憲法**でした。外国人教師のドイツ人**ベルツ**（医学）の日記には、憲法発布を前にした東京の状況について「**滑稽なことには、誰も憲法の内容をご存じないのだ。**」と記されています。

(3) 憲法にあわせ、地方制度の整備も進められた

憲法の発布と前後して、**山県有朋**内務大臣とドイツ人顧問**モッセ**が中心となって新たな地方制度が整備されました。地方三新法（郡区町村編制法・府県会規則・地方税規則）（1878）からどのように変化したか、注目しましょう。**市制・町村制**（1888）では、人口２万5000人以上の町を、新設された「市」という郡と同レベルの行政区分にしました。一方、**府県制・郡制**（1890）によって、府県会の議員は市会議員・郡会議員の投票による間接選挙となり、県民が直接選挙で選べなくなりました。地方自治は少し後退し、中央集権的な地方制度になったのです（県知事は政府が決定して天皇が任命）。

② 憲法・諸法典

大日本帝国憲法（明治憲法）の特徴を、日本国憲法と比較してみましょう。

(1) 天皇主権のもとで三権が分立し、各機関が天皇を補佐する全体構造だった

明治憲法では、日本は「**万世一系**」の天皇が統治し、天皇は「**神聖**」で不可

侵の存在だと規定される一方、天皇は「**元首**」であり、憲法に従って統治権を行使する立憲君主として位置づけられました。そして、三権分立の体制が作られ、司法権については裁判所が天皇を補佐し、行政権については内閣（国務大臣）が天皇を補佐し、立法権については帝国議会が天皇を補佐するという形で天皇の統治権が行使されました。このように、国家の諸機関が天皇を補佐するのが明治憲法体制であり、日本国憲法とくらべると形式的な三権分立でした。

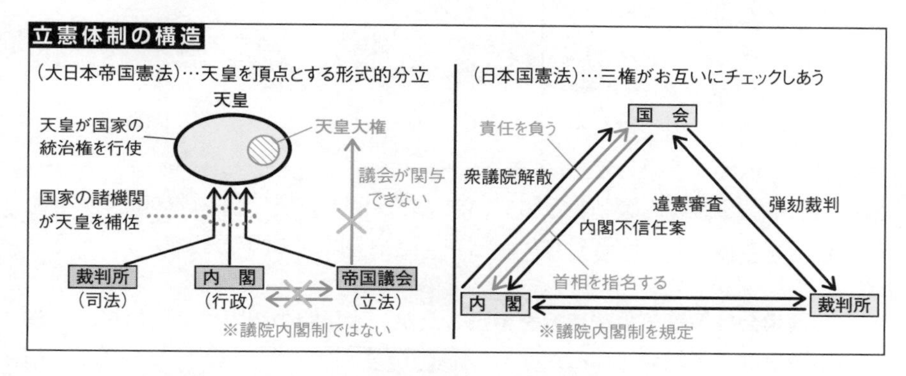

(2) 天皇大権が定められ、特に軍に関する権限は独立性が高いとされた

天皇大権とは、統治権のうち天皇に属する権限として憲法に規定されたもので、帝国議会が定める法律に代わる**緊急勅令**を発令する権限、陸海軍の作戦・指揮をおこなう**統帥権**、陸海軍が常備する兵額を決定する**編制権**、条約の締結や宣戦・講和をおこなう権限などがありました。

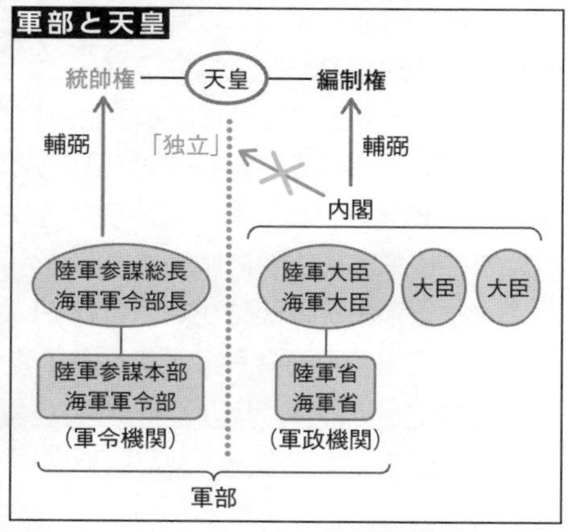

天皇大権は、帝国議会が関与することができませんでした。つまり、選挙で議員が選ばれる衆議院が関与できず、国民のチェックが効きにくいのです。そして、天皇大権は国務大臣が天皇を輔弼する（＝助言をおこなう）形で行使されるのですが、統帥権は帝国議会だけでなく内閣（国務大臣）も関与できないので、「統帥権の独立」と呼ばれました。統帥権は、軍令機関の長である陸軍参謀総長・海軍軍令部長が輔弼し、軍政機関の長である陸海軍大臣（内閣）は関与できません。ちなみに、陸海軍大臣（内閣）は、編制権を輔弼します。

(3) 内閣の国務大臣が天皇に責任を負い、帝国議会への責任は明確でなかった

実は、明治憲法には内閣の規定がなく、それぞれの国務大臣が天皇を「**輔弼**」する（＝助言をおこなう）形で天皇の行政権を行使するという、**単独輔弼制**がとられていました。それぞれの国務大臣が天皇に責任を負ったのです。

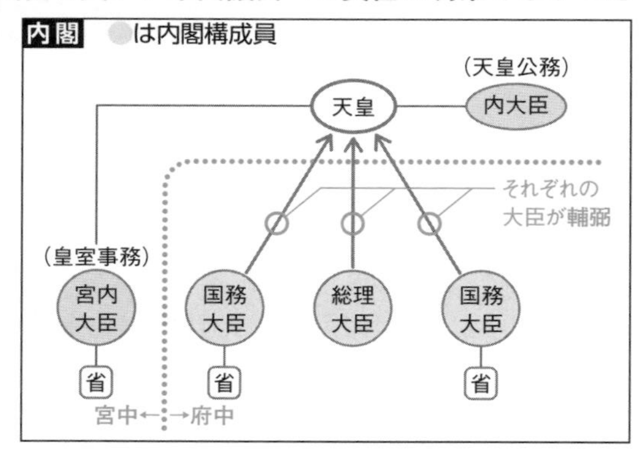

日本国憲法は、国会が首相を指名し、内閣が連帯して国会に責任を負う議院内閣制を定めていますが、明治憲法体制での内閣は、帝国議会に対する責任は不明確でした。宮中・府中の区別も図で確認しましょう。

(4) 帝国議会は予算案や法律案を審議したが、衆議院の権限には制約があった

帝国議会は、予算や法律に対する「**協賛**」（＝承認・同意）の形で天皇の立法権を行使しました。**衆議院**・**貴族院**の二院制で、衆議院に予算先議権がありますが（予算については衆議院が先に審議して議決をとる）、衆議院・貴族院の権限は対等でした。衆議院が法案を可決しても、貴族院が否決すれば廃案になってしまいますから、衆議院の権限は貴族院に制約される場合がありました。日本国憲法では、参議院に対する衆議院の優越が定められていますね。

帝国議会
衆議院…有権者の選挙による公選議員（最初は定数300名）
貴族院…華族議員（世襲や互選）・勅選議員（天皇が任命）・多額納税者議員

また、内閣の帝国議会に対する責任は不明確だったので、選挙により民意を反映した衆議院の意向に左右されず、政府（内閣や官僚機構）が行政を強力に進めるという側面がありました。政府の力が強い体制だったのです。

(5) 国民は「臣民」とされ、国民の権利保障は不十分だった

国民は、天皇の「**臣民**」とされました。明治憲法には兵役や納税の義務が規定され、言論・集会・結社の自由などの「臣民」の権利は、法律の範囲内という制限がある一方で、日本国憲法が規定する基本的人権はなかったのです。

(6) 近代的法典の整備も進められたが、民法は内容に関する論争が発生した

すでに、明治憲法制定の前から刑法などの法典は公布・施行されていました

が、明治憲法が成立したタイミングで諸法典が編纂され、皇室典範も作成されました（これは公布されませんでした）。しかし、フランス人顧問の**ボアソナード**が起草した**民法**は、個人の権利を重視した内容だったので、学者の穂積八束が論文「民法出デヽ忠孝亡ブ」で、日本の伝統的な道徳が破壊されるなどと批判し、ボアソナード民法に対する賛成・反対の**民法典論争**が起こりました。結局、民法は施行が延期となり、ドイツ流に改正された新しい民法は、強大な**戸主権**や長子相続制度などを規定した、伝統的な家制度を残したものとなりました。

年表

1880 刑法…ボアソナード起草
1889 大日本帝国憲法
皇室典範…天皇や皇族に関する法典
1890 刑事訴訟法・民事訴訟法
民法…民法典論争→施行延期→新民法
商法…ロエスレル起草→施行延期→新商法

こうしたトラブルはあったものの、憲法と諸法典が完成して近代的な法治国家となったことで、条約改正交渉を前進させる条件がととのいました→第22章。欧米列強は、安心して日本を対等な国とみることができるからです。

3 初期議会（1890年代前半）

憲法制定と同時に**衆議院議員選挙法**（1889）が公布され、選挙により国民が国家の運営に参画することが可能となりました。衆議院が予算案や法案を審議するとき、衆議院議員は投票してくれた有権者の期待に沿って行動するからです。

しかし、国民の全員に選挙権が与えられたのではなく、納税資格による制限選挙でした。選挙人（有権者）は、**直接国税**（地租・所得税）**15円以上**を納める、満**25歳以上**の**男性**で、衆議院議員は人口の約１％の代表にすぎませんでした。

初期議会

- **〔第１次山県有朋内閣〕**
  〈第１回総選挙〉（1890）
  第１議会
- **〔第１次松方正義内閣〕**
  第２議会
  〈第２回総選挙〉（1892）
  第３議会
- **〔第２次伊藤博文内閣〕**
  第４議会

（第１議会〜第４議会：予算をめぐる対立）

第５議会
〈第３回総選挙〉（1894）
第６議会

（第５議会〜第６議会：条約改正をめぐる対立）

とはいえ、民権派が結成した**民党**（**立憲自由党・立憲改進党**）のメンバーは選挙に立候補し、当選した議員は民意や世論を味方につけて衆議院に乗り込み、**初期議会**（1890〜94）が始まりました。議会は、会期（開会から閉会まで）に通し番号をつけて「第○○議会」と呼びます。第１議会から第４議会までは予算がテーマで、第５・第６議会は条約改正がテーマでした。**〔第２次伊藤博文内閣〕**の途中でテーマが変化したことに注目しましょう。

いよいよ議会政治の開始だ。国の予算や法律をバンバン作るぞ！

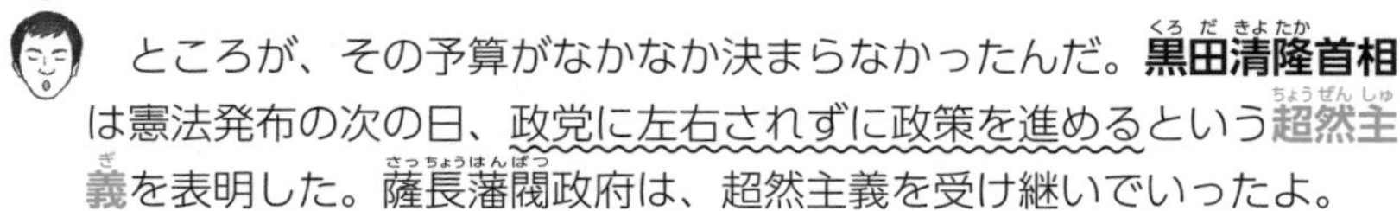

ところが、その予算がなかなか決まらなかったんだ。**黒田清隆首相**は憲法発布の次の日、政党に左右されずに政策を進めるという**超然主義**を表明した。薩長藩閥政府は、超然主義を受け継いでいったよ。

それって、政府が政党にケンカを売っている感じだね。そういわれた政党は、「政府に協力などするもんか！」と反発するよなぁ。どうやって政府に対抗したのかな。

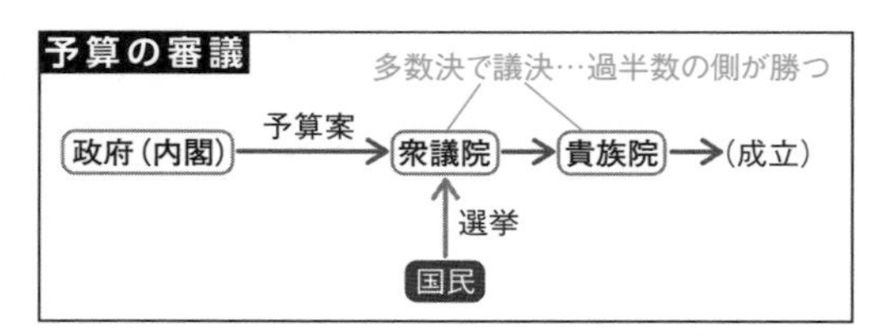

憲法によれば、帝国議会で予算が成立しなければ、政府は前の年度の予算を施行する。つまり、政府が新しい予算を作るには、帝国議会の承認が必要になる。当時の政府は、日本の防衛や対外戦争を見すえて、毎年のように**軍備拡張**をおこなう予算を求めていたから、前の年度の予算を施行するのは避けたいよね。

そしたら、政党は、「そんな予算案には反対だぞ！　こちらのいう通りに予算案を変えてくれ！」といえばいいね。でも、政党の規模が小さいと、反対を叫んでも、政府は聞いてくれなさそうだね……。

帝国議会では、最終的に多数決で議決をとるから、過半数が賛成だったら可決されるし、過半数が反対だったら否決される。だから、政党は過半数をとれれば自分たちの意見が通るので、それをめざして多数派を形成していくんだ。議席の数が、政党の力になるんだよ。政府が示した予算案や法案に対して、多数派の政党が同意を拒む姿勢を示すことで、政党は政治的な影響力を増していったんだ。

民権派が結成した民党は、多数派を作ることができたのかな。

① 第1議会（1890～91）

首相は黒田清隆から**山県有朋**に代わり〔**第1次山県有朋内閣**〕が成立すると、**第1回衆議院議員総選挙**（1890）がおこなわれました。結果は、もと民権派の**民党**（政府に反対する野党）が過半数を獲得し（定数300のうち立憲自由党は130議席、立憲改進党は41議席、合計171議席)、**吏党**(政府寄りの与党)は過半数に達しませんでした。反対派が過半数ですから、政府が提出した予算案は成立しない可能性が高いですね。

第1議会では、山県首相が「**主権線**(=国境)」に加えて「**利益線**(=**朝鮮**)」の防衛を主張し、政府は軍事費を増やした予算を要求しました。山県は、もし朝鮮が列強の影響下に置かれると日本の独立も危なくなる、したがって日本だけでなく朝鮮も防衛するだけの軍事力が必要だ、と考えたのです。当時、ロシアがシベリア鉄道の建設を発表しており→第22章、ロシアの東アジア進出と**南下政策**は、日本にとって脅威でした。

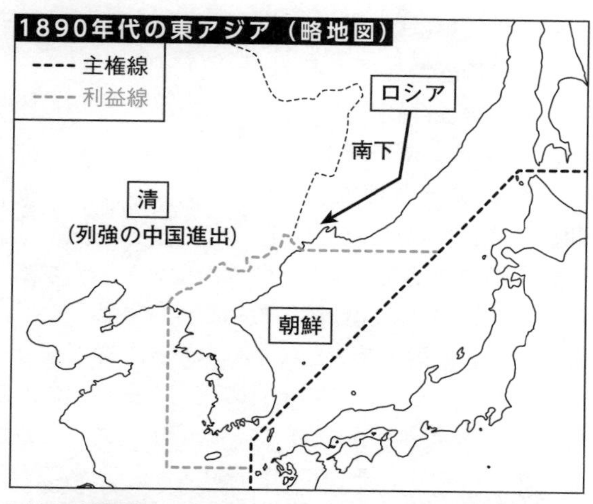

これに対し、民党は「**政費節減**(行政費の節約)・**民力休養**(地租の軽減)」を掲げて軍拡予算に反対しました。軍備拡張そのものに反対ではなかったものの、政府に対抗するために、「無駄な政費を削って減税を実現せよ」と主張したのです。立憲自由党は豪農(地主)が支持基盤の中心だったので、豪農(地主)による「地租の軽減」の主張を代弁したわけです。

このままいけば、予算は成立しません。そこで、政府は立憲自由党の一部(土佐派)を賛成に回らせました。これによって反対派は過半数を割ったので、予算は成立しました。

② 第2・第3議会 (1891〜92)

首相は山県有朋から**松方正義**に代わり、〔**第1次松方正義内閣**〕が成立しました。そして、第2議会が開かれると、今度は政府に切り崩されないぞ! とばかり、政府の軍拡予算案に対して民党は大幅な削減を要求しました。海軍大臣樺山資紀による政府擁護の蛮勇演説もあって議会が紛糾し、松方首相は衆議院を解散しました。

第2回総選挙では、**品川弥二郎**内務大臣の指揮下で民党の選挙活動を妨害する**選挙干渉**がくり広げられましたが、民党が優勢を保ちました。

そして開かれた第3議会では、民党は選挙干渉の件で政府を攻撃し、軍拡予算を否決すると、第１次松方内閣は総辞職に追い込まれました。

③ 第４～第６議会（1892～94）

民党の攻勢に対し、政府は再び**伊藤博文**を首相にして、薩長藩閥勢力を中心とする「元勲内閣」の〔**第２次伊藤博文内閣**〕が成立しました。

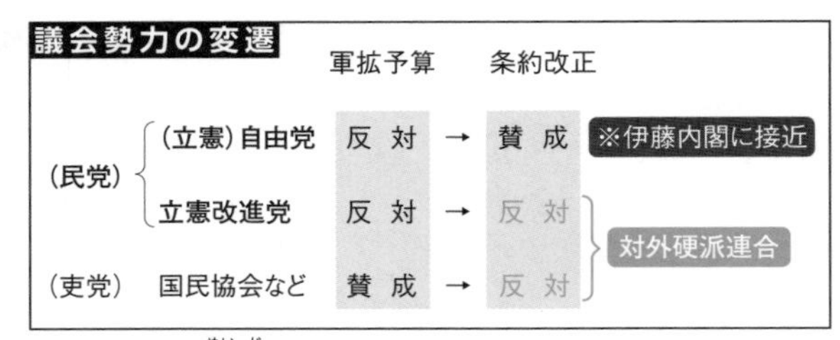

第４議会が開かれると、伊藤首相は明治天皇を切り札として用いることにしました。天皇が軍艦建造の費用を提供することで、議会にも協力を求めた**建艦詔勅**（和衷協同の詔書）により、軍拡予算が成立しました。

第５議会からは、それまでの政府と民党との対立は大きく転換しました。**自由党**（立憲自由党が改称）が、政府に協力して政治責任を分担することを自覚し始めたのです。そして、伊藤首相も、衆議院の第一党である自由党と協力して、議会運営をスムーズにしようと考えました。当時、陸奥宗光外務大臣による条約改正交渉が進められ、外国人の**内地雑居**→第19章を許可する条件で領事裁判権を撤廃するという条約改正が達成されようとしていました。自由党は〔**第２次伊藤博文内閣**〕と連携し、条約改正案に賛成しました。

ところが、自由党が伊藤首相に接近したことに反発した立憲改進党は、もともとは吏党だった国民協会などに接近し、列強に対する強硬な姿勢で条約改正に臨むべきだとして**対外硬派連合**を結成しました。そして、欧米資本が日本を侵食する危険がある内地雑居に反対し、「**現行条約励行**」（通商条約の規定通り、外国人に開港場居留地への居住を続けさせる）を唱えました。立憲改進党は都市商工業者が支持基盤の中心だったので、都市商工業者による「内地雑居に反対」の主張を代弁したわけです。

この対外硬派連合が衆議院で多数派を占めたため、伊藤首相は解散総選挙に打って出ました。しかし、第３回総選挙後も対外硬派が優勢でした。

第６議会が開かれても、条約改正をめぐる対立が続きましたが、日清戦争の直前になって、対外硬派連合も政府支持に転換しました。

こうして、1894年、**条約改正**が達成され→第22章、その直後に**日清戦争**が勃発しました→第22章。

チェック問題にトライ！

新聞紙若クハ雑誌雑報ニ於テ、人ヲ教唆シテ罪ヲ犯サシメタル者ハ、犯ス者ト同罪、其教唆ニ止マル者ハ、禁獄五日以上三年以下罰金十円以上五百円以下ヲ科ス。

問　史料は、反政府運動の高まりに対抗するために政府が制定した法令の一部である。この法令が制定された年の政治情勢を述べた文として正しいものを、次の①～④のうちから一つ選べ。

① 政府の条約改正方針への反対に端を発して、地租の軽減・言論の自由・外交の挽回を要求する運動が始まった。
② 帯刀が禁止され秩禄制度が全廃されたため、士族の不満が高まり、九州や中国地方で士族反乱が発生した。
③ 全国的組織が結成されるなど拡大していく自由民権運動に対応するために、政府は将来、立憲政治に移行していくという詔勅を出した。
④ 民党と対立し衆議院を初めて解散した政府は、政府支持派を当選させるために大規模な選挙干渉を行った。

（センター試験　1995年度　追試験）

解説　**近現代史では、「同じ年（時期）に何が起きていたのか」といったような、同時代の歴史をつかむ見方も大切です。**年表における「ヨコのひろがり」を意識した学習を心がけましょう。本問では、史料1行目「新聞紙」と設問「反政府運動の高まりに対抗」から、この「法令」は新聞紙条例（1875）で、士族民権（民権運動の1番目）と判断します。

① 井上馨の条約改正交渉失敗をきっかけとした三大事件建白運動のことです（1887）。自由民権運動の4番目にあたる大同団結の時期だと判断しましょう。
② 廃刀令や秩禄処分で士族の特権が失われ、敬神党の乱・秋月の乱・萩の乱が発生しました（1876）。史料の新聞紙条例と1年違いなので、微妙な判断となりますが、士族民権が新聞紙条例で弾圧され（1875）、その後で士族反乱が相次ぎ（1876）、のち西南戦争に至る（1877）、という流れを確認しましょう。
③ 愛国社の結成などを受けて、政府は漸次立憲政体樹立の詔を発しました（1875）。民権運動1番目にあたる士族民権の時期です。ここでは、1875年に起きた、愛国社の結成→大阪会議で板垣退助が政府へ復帰→漸次立憲政体樹立の詔で民権派に妥協→讒謗律・新聞紙条例で言論活動を弾圧、という流れを想起します。
④ 第1次松方正義内閣のとき、第2回総選挙で品川弥二郎内務大臣が選挙干渉をおこないました（1892）。初期議会の時期です。

⇒したがって、③が正解です。

Ⅳ 近代・現代

歴史総合のための世界史 「近代化と私たち」3 国民国家

自由民権運動は国民の政治参加を要求する運動で、政府による国会の設立は国民が国政に参画する装置でした。国民国家の形成を、見ていきましょう。

① 国民国家とナショナリズム

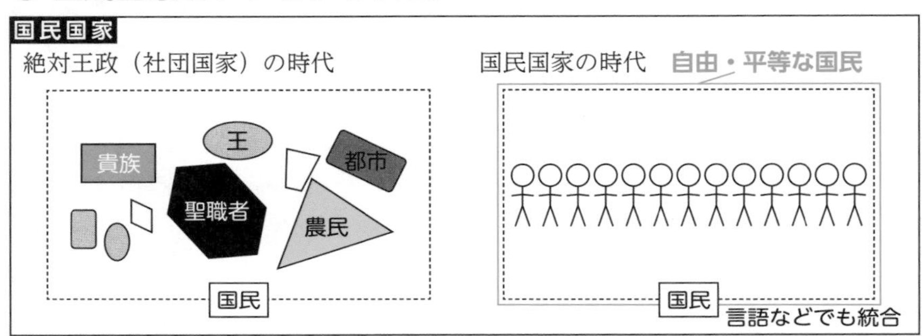

近代以前は、領土内に暮らす人々が、身分により異なる社団を構成していました。フランス革命を機に「自由・平等」が掲げられると、社団は解体され、共通のアイデンティティで統合された均質な「**国民**」が登場し（主権が君主ではなく国民にある国家が「**国民国家**（nation-state)」）、国民は「**ナショナリズム**」という国家への愛着を持ちました。国民の誕生には、言語や生活習慣などを均質化する必要があり、この役割を担うのが**学校**と**軍隊**でした。ヨーロッパ諸国は、国家体制を身分制国家から国民国家に再編成するため、統一や改革を進めたのです。日本では、明治維新(めいじいしん)で統一や改革が進行しました→第20章。

② ヨーロッパの国家統一と改革

ナポレオン戦争後のヨーロッパでは、国王ら保守派が参加したウィーン会議（1814～15）で復古(ふっこ)的な**ウィーン体制**が成立したものの、**1848年**のフランス二月革命の影響が各地に及んで自由主義とナショナリズムの運動が高まり、産業革命・市民革命に対応した国家統一や、「上からの」近代化が進みました。

領邦(りょうほう)が分立していたイタリアとドイツでは、**サルデーニャ王国**主導での統一と（イタリア王国　1861）、**プロイセン王国**（ビスマルク首相）主導での統一が成立しました（ドイツ帝国　1871）。ハプスブルク家の多民族国家オーストリアでは、帝国の求心力を高めるためハンガリーに自治権を与え**オーストリア＝ハンガリー帝国**が成立しました（1867）。ロシアでは、南下(なんか)政策でオスマン帝国と衝突した**クリミア戦争**（1853～56）の敗北後、皇帝（「ツァーリ」）アレクサンドル2世が領主貴族からの**農奴解放**(のうどかいほう)を実現しました（1861）。

③ 独立後のアメリカ合衆国

アメリカは、フランスからルイジアナを買収し、のちメキシコとの戦争でカリフォルニアを獲得（1848）するなど（金鉱の発見で**ゴールドラッシュ**！）、西方に領土を広げて開拓が進みました（**西漸運動**）。また、ヨーロッパ諸国などからの移民もあり、19世紀には人口が急増しました。一方、先住民強制移住法で先住民（**インディアン**）は西方の保留地に強制移住させられました。

こうしたなか、黒人奴隷制度にもとづく綿花・タバコのプランテーション農業で、ヨーロッパへの輸出も進めたい（自由貿易を望む）南部と、工業化が進展し、広大な国内市場に製品を売りたい（イギリス製品を排除できる保護貿易を望む）北部とが対立しました。南部は独立を宣言し、北部との内戦に突入しました（**南北戦争**　1861〜65）。戦時中には大統領リンカンが**奴隷解放宣言**（1863）を発して国際世論を味方につけ、最終的に北部が勝利しました。

一方、アメリカ外交では、ウィーン体制下でヨーロッパの関心がラテンアメリカに向くなか、アメリカは**モンロー宣言**（1823）を発し、南北アメリカ大陸とヨーロッパの相互不干渉を唱えてヨーロッパを牽制しました。同時に、アメリカ合衆国はヨーロッパ国際政治との関わりも避けました（**孤立主義**）。

④ 西アジアにおける立憲体制

オスマン帝国は西アジアとバルカン半島を支配したイスラーム国家（コーランにもとづくイスラーム法を用いる）で、スルタン（君主）がカリフ（宗教的指導者）を兼ねるとされました。19世紀にはスルタンの勅令で**タンジマート**（司法・行政・財政・軍事の西欧化）が進みましたが、クリミア戦争（1853〜56）に勝利したものの英・仏からの借金で財政が破綻し、列強への従属に対する危機感から立憲運動が高まりました。こうしたなか、アジア初の憲法である**オスマン帝国憲法**（**ミドハト憲法**　1876）が改革派により制定され、民族・宗教に関わりなくオスマン人としての自由と平等が掲げられました。しかし、直後にスルタンは憲法を停止して専制を復活させ、イスラーム教を柱に団結するパン=イスラーム主義に傾倒しました。これに対し、さきの改革で近代的な教育を受けた新階層が抵抗し、**青年トルコ革命**（1908）で憲法が復活しました。これは、日露戦争での日本の勝利に刺激されたものです→第22章。

イランのガ(カ)ージャール朝では、近代化策の費用調達のため政府が利権を列強に切り売りするなか、イギリスの会社にタバコの独占利権を与えたことに対する不買運動が高揚しました。そして、国王の専制と列強の介入への批判から**立憲革命**（1905〜11）が起こり、国民議会と憲法制定の動きが生じました。

日清・日露戦争
（明治時代中期・後期）

年代	内閣	政治	東アジア外交	欧米外交
1870年代			(1)	**1 条約改正** ①**岩倉具視** ②**寺島宗則**
1880年代	伊藤① 黒田	(2)	**2 日清戦争** ①**朝鮮への進出** 壬午軍乱・甲申事変 天津条約	③**井上馨** 欧化政策 （鹿鳴館外交） 外国人判事の問題 ノルマントン号事件 ④**大隈重信** 外国人判事の問題
1890年代	山県① 松方① 伊藤② 松方② 伊藤③ 大隈① 山県②	(3) **3 日清戦後の議会政治** ①**政府と政党の協力** 〔伊藤②〕自由党が協力 〔松方②〕進歩党が協力 〔伊藤③〕憲政党が対抗 ②**第１次大隈重信内閣** 初の政党内閣（憲政党） ③**第２次山県有朋内閣** 政党の進出を抑える 軍部大臣現役武官制	②**日清戦争** 甲午農民戦争 日清戦争(1894～95) →下関条約 三国干渉 **4 日露戦争と韓国併合** ①**ロシアとの対立** 韓国（親露政権） ロシアが満洲進出 （旅順・大連を租借）	⑤**青木周蔵** イギリスが好意的に 大津事件 ⑥**陸奥宗光** 内地雑居の問題 日英通商航海条約 領事裁判権を撤廃
1900年代	伊藤④ 桂① 西園寺① 桂②	④**立憲政友会の結成** 〔伊藤④〕政友会が与党 ⑤**桂園時代** 山県・伊藤は元老に 〔桂①〕 桂太郎（陸軍・長州閥） 〔西園寺①〕 西園寺公望（政友会） 〔桂②〕	北清事変 →ロシアの満洲占領 日英同盟協約 ②**日露戦争** 日露戦争(1904～05) →ポーツマス条約 ③**満洲進出と国際関係** 関東州・南満洲鉄道 ④**韓国併合** 日韓協約(１～３次)	
1910年代			韓国併合条約 （朝鮮総督府）	⑦**小村寿太郎** 関税自主権を回復

第22章のテーマ

明治時代前期も含む中期・後期（1870年代～1910年代初め）の外交に加え、明治後期（1890年代後半～1910年代初め）の政治を見ます。

(1) 明治時代全体を通して、**不平等条約の改正**が達成されていきました。

(2) 朝鮮をめぐる日本と清との対立から**日清戦争**が勃発し、韓国・満洲をめぐる**日露戦争**を契機として、日本は**韓国併合**に向かいました。

(3) 日清戦争後の議会政治では、政党が政府へ接近するケースが増えていき、初の**政党内閣**も出現しました。

1 条約改正（1870年代～1910年代）

不平等条約

和親条約～片務的な最恵国待遇を承認

通商条約～ **領事裁判権の承認**（治外法権）／**関税自主権の欠如**（協定関税制）

日本が近代国家になるためには、幕末に結んだ不平等条約の改正が重要でした→第19章。政府は、特に通商条約の内容に関わる、**領事裁判権の撤廃**（**法権の回復**）と**関税自主権の回復**（**税権の回復**）をめざしました。

富国強兵で経済力と軍事力をつけるだけではなく、**大日本帝国憲法**が発布され、近代的法典（刑法・民法・商法など）も完成すると→第21章、なぜ条約改正が可能になるのかな。

欧米からすれば、裁判や社会生活や商業活動が欧米と同じルールでおこなわれれば、安心して日本とつき合えるよね。でも、交渉はスンナリとはいかなかった。そもそも、不平等条約は、日本が下（不利）で欧米が上（有利）だけど、それを対等条約にするということは？

日本は位置が上がって有利になり、欧米は下がって不利になるね。

そしたら、欧米は、不利になった分の見返りが欲しくなるよね。これが、改正にあたって、日本が欧米に与える**付帯条件**なんだ。

でも、結局は、欧米の望む付帯条件を与えるということは、日本が損するわけだから、反発が起きないかな？

実は、日本国内での反発がいろんな形で表れ、交渉に影響するんだ。

① 岩倉具視（右大臣・特命全権大使　1872）

まず、1870年代から。**廃藩置県**（1871）で政府による国内統一が達成されたのち、**岩倉具視**を中心とする**岩倉使節団**（1871〜73）が改正交渉に臨みました。しかし、最初に訪れた**アメリカ**での交渉は準備不足からいきなり失敗し、欧米の事情や制度を視察することにして、使節団はアメリカからヨーロッパへ渡りました。そして、帰国後の征韓論争を経て**明治六年の政変**（1873）が起こり、自由民権運動が始まったのは、すでに学びましたね→第21章。

② 寺島宗則（外務卿　1878）

治外法権（領事裁判権の承認）は、司法権を外国に侵害され、国家の独立が保てていない状態なので、岩倉使節団では法権の回復を主眼としていました。のち、政府は**殖産興業政策**→第20章を進めるために関税収入を増やそうとして、外務卿の**寺島宗則**は**税権の回復**（関税自主権の回復）を主眼としました。しかし、**アメリカ**は賛成したものの**イギリス**などが反対し、交渉は失敗しました。条約改正で不利になるのがアメリカだけだと、「ほかの国よりも絶対に損しない！」という最恵国待遇→第19章に違反するので、アメリカも撤回したのです。

③ 井上馨（外務卿→外務大臣〔第１次伊藤内閣〕　1882〜87）

1880年代、交渉は本格化しました。外務卿（**内閣制度**からは**〔第１次伊藤内閣〕**の外務大臣）の**井上馨**は、主眼を**法権の回復**（領事裁判権の撤廃）に戻し、税権の一部回復（関税率の引上げ）もめざしました。その際、外国人の裁判に対する**外国人判事の任用**、外国人が開港場居留地の外に住むことを許可する**内地雑居**、欧米と同じ法典の整備、以上３点を付帯条件としました。

交渉の方法は独特で、東京での会議に列国の代表者を集めて改正案を検討する**一括交渉**の方式でした。そして、交渉を有利に進めるため、西洋の風俗・慣習・生活様式を取り入れる**欧化政策**を推進し、その一環として**鹿鳴館**を建てて舞踏会を開きました。「昼は会議、夜はダンスパーティー」というわけです。

しかし、政府顧問のフランス人**ボアソナード**は、外国人判事任用は司法権が侵害されたままであると批判し、極端な欧化主義に対する反発の広まりは、**国家主義**が生まれる契機となりました→第25章。

欧化主義への反発 1880年代末〜
- ●**徳富蘇峰**の**平民的欧化主義**
  政府の欧化を「貴族的欧化」だと批判
- ●**三宅雪嶺**の**国粋保存主義**
  欧化への懐疑と伝統文化の保存を主張

さらに、領事裁判権の問題点を日本国民が認識することになった**ノルマントン号事件**が発生しました。**イギリス**船が沈没したときに日本人乗客が見殺しにされてしまった事件に対し、治外法権のために日本はイギリス人船長の罪を問うことができなかったのです。政府を批判する世論が高まるなか、交渉が行き詰まってしまった井上馨は外務大臣を辞めました（1887）。

ここで、自由民権運動との関連を確認しましょう。**大同団結**が唱えられるなか、井上の外相辞任をきっかけに、民権派は「外交失策の挽回（＝対等条約の締結）」を含む三大要求を掲げて**三大事件建白運動**を展開しました→第21章。

④ 大隈重信（外務大臣〔第１次伊藤内閣→黒田内閣〕 1888〜89）

大隈重信は肥前出身の藩閥政治家でしたが、**明治十四年の政変**（1881）で政府を追われ→第21章、**立憲改進党**を結成して自由民権運動に参加しました。しかし、激化事件が相次ぐなかで立憲改進党を脱党しました。そして、井上馨の外相辞任後、伊藤博文に頼まれて政府へ戻り、外務大臣となったのです。

大隈は井上と異なり、一括交渉の方式を採用せず、条約改正に好意的な国から順番に交渉していくという**国別（個別）交渉**の方式をとりました（外交交渉には水面下の根回しも大事ですね）。改正内容は井上と同じでしたが、外国人判事の任用については**大審院**に限定する、といった修正を加えました。

改正にはアメリカなどが賛成したものの、またもや**イギリス**が反対しました。そして、新聞『ロンドン＝タイムズ』で改正案が報道されると、日本では**大日本帝国憲法**（1889）が発布されていたこともあり、外国人判事の任用は憲法違反だとの批判も高まりました。そして、国家主義団体の**玄洋社**による爆弾テロで大隈が負傷すると、大隈外相を含む〔**黒田内閣**〕が総辞職しました。

⑤ 青木周蔵（外務大臣〔第１次山県内閣→第１次松方内閣〕 1891）

1890年代、改正交渉はヤマ場を迎えました。国内では**初期議会**が始まった時期です→第21章。〔**第１次山県内閣・第１次松方内閣**〕の外務大臣**青木周蔵**は、引き続き法権の回復を主眼としましたが、付帯条件のうち、外国人判事の任用が削除されました。憲法と近代的法典を備えた法治国家体制が確立したので、外国人判事がいなくても日本の司法は欧米に信頼されます。これまで批判を浴びてきた外国人判事問題がなくなれば、国内での反対も起きにくくなります。

加えて、国際環境も大きく変わりました。それまで一貫して改正に反対し続けていた**イギリス**が、日本に好意的になりました。当時、**ロシア**はシベリア鉄道を着工するなど東アジアでの南下政策を進めており、アヘン戦争以来中国市場を確保してきたイギリスはこれを警戒したのです。そこでイギリスは、同じくロシアの南下政策を警戒する日本に接近し（山県有朋首相の「**利益線**（＝朝鮮）」防衛の主張を確認しましょう→第21章）、日本が求める条約改正に応じる姿勢を見せ始めました。

しかし、青木周蔵は**大津事件**の責任をとって外務大臣を辞職し、条約改正は失敗に終わりました。

> **大津事件**（1891）
> (1)ロシア皇太子が来日、滋賀県で津田三蔵巡査に傷つけられる
> (2)ロシアとの関係悪化を防ぎたい政府は、津田を死刑にする圧力をかける
> (3)大審院長**児島惟謙**のもと、裁判所は刑法の規定通りに無期徒刑の判決を出す
> ※児島は「司法権の独立」を守った

⑥ 陸奥宗光（外務大臣〔第2次伊藤内閣〕 1894）

〔第2次伊藤内閣〕の外務大臣**陸奥宗光**は、法権の回復を主眼とし、もと外務大臣の青木周蔵が駐英公使となってイギリスで交渉を続けました。

国内政治は、第5・第6議会のころでした→第21章。このとき、自由党は条約改正に賛成しましたが、**対外硬派連合**（立憲改進党や国民協会など）は付帯条件の**内地雑居**に反対し、「現行条約励行」を主張しました。通商条約では外国人を居留地にしか居住させない規定だったので、もしそのことに不満を持った欧米の側から日本に条約改正を求めるようになれば、日本に有利な内容の条約になるだろう（だから今の条約のまま続けるべき）、という考えでした。

しかし、**日清戦争**の開戦を目の前にして、対外硬派連合も政府を支持しました。そして、**日英通商航海条約**（1894）が調印され、各国とも同じ内容の条約を結んでいきました。内容は、**領事裁判権の撤廃**（法権の回復）・関税率の

条約改正の一覧 ※それぞれの項目ごとに、変化を追っていきましょう

担当者	職名	主眼	方法	付帯条件（外国の要求）	国内政治との関連	外国の姿勢
岩倉具視 1872	右大臣				廃藩置県 →**岩倉使節団**の派遣	アメリカが反対
寺島宗則 1878	外務卿	税権				アメリカが賛成 イギリスが反対
井上馨 1882～87	外務卿→ 大臣 伊藤①	法権	一括交渉 ※**鹿鳴館外交**	外国人判事　内地雑居	井上外相辞任 →**三大事件建白運動** ※欧化へ反発→国家主義	
大隈重信 1888～89	外務大臣 伊藤① 黒田		国別交渉	外国人判事は 大審院のみ		
青木周蔵 1891	外務大臣 山県① 松方①			(外国人判事 を削除)	**大津事件**→青木外相辞任 ※大審院長の児島惟謙が司法権独立を守る	イギリスが賛成 ※ロシアの南下を警戒
陸奥宗光 1894	外務大臣 伊藤②	**達成**	青木駐英公使 の現地交渉	内地雑居	第5・第6議会 **対外硬派**が内地雑居反対	
小村寿太郎 1911	外務大臣 桂②	税権 **達成**				

引き上げ（税権の一部回復）・最恵国待遇の相互承認の３点で、同時に居留地が廃止されました（内地雑居）。そして、日本は日清戦争に突入したのです。

⑦ 小村寿太郎（外務大臣〔第２次桂内閣〕 1911）

改正条約は、調印の５年後の1899年に発効し、有効期間は12年間でした。そして、期限が切れるタイミングで、**〔第２次桂内閣〕**の外務大臣**小村寿太郎**が**日米通商航海条約の改正**（1911）に成功し（今度はアメリカが最初に応じた）、**関税自主権の回復**が実現しました。幕末から50年以上がたち、明治時代末期になって、ようやく条約の面で欧米と対等になったのです。長かった！

2 日清戦争

日清戦争（1894〜95）は、近代で初めての本格的な対外戦争でした。列強の東アジア進出に対抗するため、軍備拡張による軍事力増強を進めた日本は、日清戦争を通して東アジアへの影響力を拡大していきました。

1870年代、日本は朝鮮と**日朝修好条規**（1876）を結び、清の朝鮮に対する**宗主権**を朝鮮に否認させたことは、すでに学びましたね→第20章。そして、1880年代、朝鮮国内での政治的な対立からクーデタが２回発生し、そこに日本と清が介入して対立が深まり、これが背景となって日清戦争に至るのです。

当時の朝鮮は、どんな状況だったの？

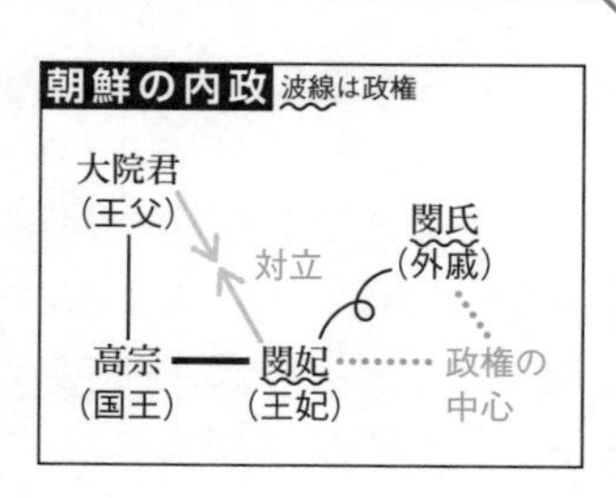

国王高宗の父である**大院君**が失脚したあと、王妃の**閔妃**と外戚の**閔氏一族**が政治を主導していた。そして、日本にならって近代化を進めたい改革派は、閔妃政権と協力し、宗主国である清との伝統的な関係を保ちたい保守派は、大院君に接近した。

日本は、改革派を支援したいよね。一方、清は朝鮮の宗主国だから、どんな感じで朝鮮に介入していくのかな。

① 朝鮮への進出（1880年代）

(1) 改革派（親日）の閔妃政権に対し、保守派（親清）がクーデタを起こした

日朝修好条規が結ばれたのち、国王高宗の王妃**閔妃**と外戚の**閔氏一族**は、改革派（親日）とともに近代化を進めました。しかし、反発した保守派（親清）が王父**大院君**と結び、軍の近代化に不満を持っていた旧軍隊兵士とともに、閔妃政権を倒そうとしました（**壬午軍乱**　1882）。

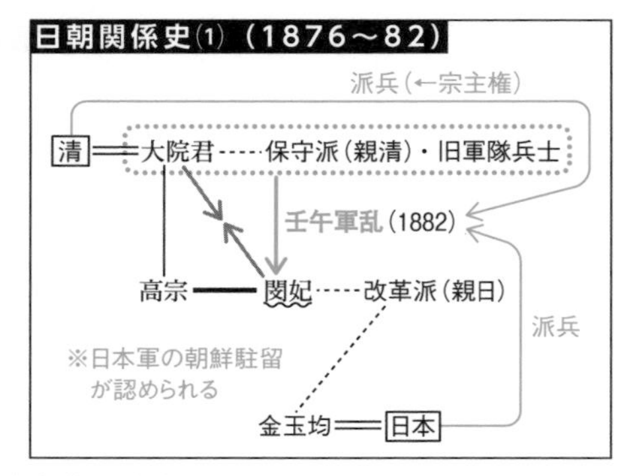

このとき、清はどう反応したか。親清派が実行したクーデタに味方しそうなものですが、実は軍隊を派遣してクーデタを鎮圧し、朝貢国であった朝鮮に対する**宗主権**を発動したのです。この結果、日本は日本軍の駐留権を朝鮮に承認させました。

⑵　保守化した閔妃政権に対し、改革派（親日）がクーデタを起こした

そののち、清の軍隊の強さを実感した閔妃・閔氏一族の政権は、改革派から保守派に転換して清に接近しました（事大党政権）。これに対し、孤立した改革派（親日）の**金玉均**ら**独立党**は、清仏戦争（1884～85）の勃発を機に、日本の援助を受けて事大党政権を倒し、親日政権を立てようとしました（**甲申事変**　1884）。

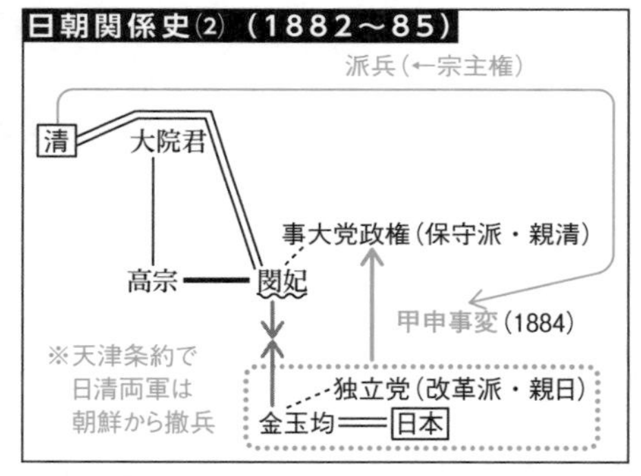

ここでも清は宗主権を根拠に朝鮮へ派兵して、クーデタを鎮圧しました。日清両国の関係が悪化するなか、伊藤博文と李鴻章との間で**天津条約**（1885）が結ばれ、日清両国が朝鮮から撤兵し、朝鮮への派兵時は日清が互いに事前通告することが決まりました。

⑶　甲申事変ののち、日本のアジアに対する見方が変化し、国権論が高まった

こうした朝鮮の情勢に対し、日本ではさまざまな反応が表れました。**福沢諭吉**は、新聞『時事新報』の社説で「**脱亜論**」を発表しました（1885）。もともと改革派の独立党を支援していましたが、甲申事変を機に、「アジア全体が近代化して欧米列強に対抗するべきだ」という考え方をやめ、「日本

近代軍制（明治時代）

⑴徴兵告諭（1872）・徴兵令（1873）
　国民皆兵（免役規定あり、のち廃止）
⑵**軍人勅諭**（1882）
　軍人に対し、天皇への服従を強調
⑶鎮台を**師団**に（1888）
　対外戦争向けの編制（約1万人の単位）
⑷大日本帝国憲法（1889）
　「臣民」の兵役の義務を規定

はアジアを脱して、欧米列強と同じ姿勢でアジアと接するべきだ（＝アジア分割）」と唱えたのです。また、甲申事変を機に、民権派の大井憲太郎らが保守化した朝鮮政権の打倒を計画したのが、自由民権運動の激化事件が多発するなかで起きた**大阪事件**（1885）でした→第21章。個人の「民権」を獲得する運動は、国家の「国権（日本の諸外国に対する権利）」を高める要素も含んでいたのですね。こうして、ナショナリズム的な**国権論**が広がっていきました。

また、政府は軍事制度を整備し、軍事費を増やしました。**松方財政**（1881年開始）では、緊縮により政府歳出が削減されましたが、それは「軍事費を除く緊縮」、つまり軍事費を削減しない形での緊縮だったのです→第23章。

② 日清戦争（1890年代）

(1) 朝鮮で発生した甲午農民戦争を機に日清戦争が始まり、日本は勝利した

日清戦争の直前には、日本人商人による米・大豆の買い占めに対し、朝鮮が米・大豆の対日輸出を禁止する**防穀令**を発し、日本が抗議して賠償を求めた事件が発生しました（**防穀令事件**）。

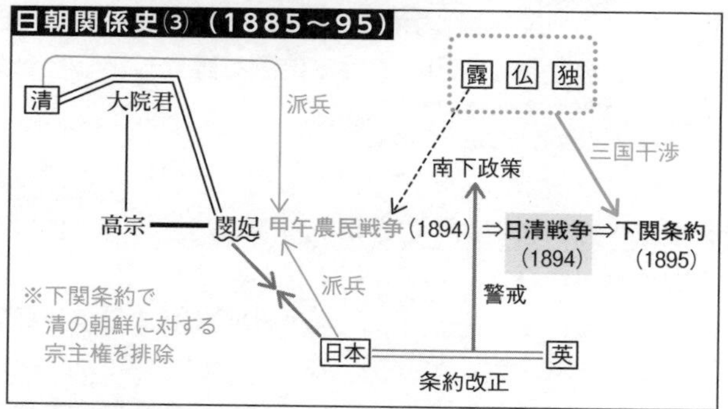

そして、朝鮮で起きた大規模な農民反乱である**甲午農民戦争**（東学の乱 1894）が、日清戦争の直接の原因となりました。朝鮮の要請によって清が出兵し、天津条約による事前通告を受けて日本も出兵しました。**〔第２次伊藤内閣〕**は派兵を決定して衆議院を解散すると、**対外硬派連合**も政府支持に転換し→第21章、**日英通商航海条約**（1894）が結ばれて法権の回復が実現しました。ロシアの南下政策を警戒したイギリスと条約改正を達成できたことで、朝鮮をうかがうロシアの干渉を防ぐことができます。そして、**日清戦争**（1894～95）が始まりました。近代的な軍備をととのえた日本軍は清国軍を圧倒して勝利し、日本全権の伊藤博文首相・陸奥宗光外相、清全権の**李鴻章**との間で**下関条約**（1895）が結ばれました。

(2) 下関条約で、清は朝鮮の独立を認め、日本は割譲地や賠償金を得た

清の朝鮮に対する宗主権が排除されたことが、日本にとって最大の成果でした。宗主国の立場を失った清に代わり、日本が朝鮮進出を強化できますね。

また、清は**遼東半島**・**台湾**・**澎湖諸島**を日本に割譲し、日本はこれらを植民地として獲得することになりました。さらに、清は新たに重慶などの4港を開港しました。台湾では、統治機構として**台湾総督府**が置かれ（1895）、海軍の樺山資紀が初代総督となりました。そして、植民地となった台湾から日本へは、食料品の**米**・**砂糖**がもたらされていきます（製糖業が進出しました）。植民地台湾は、日本にとって食料供給地という意味を持っていたのです。

しかし、遼東半島への進出を狙っていた**ロシア**が**フランス**・**ドイツ**を誘い、「遼東半島は清に返還しろ！」と日本へ外交圧力をかけ、日本は屈しました（**三国干渉**　1895）。国民は「**臥薪嘗胆**」（復讐のため辛さに耐えて苦労すること）を合言葉にしてロシアへの敵対心を強め、政府はよりいっそうの軍備拡張につとめました。

そして、清は**賠償金**2億両（約3億1000万円）を日本に支払うことになりました。日本は、この大半を軍事費に回して軍備拡張をさらに進めるとともに、一部を準備金として用いて**金本位制を確立**しました→第23章。

日清戦争の持つ意味

勝った日本は、東アジアの強国となり、さらに軍備拡張を進めて、大陸侵略へ向かっていくことになりました。一方、負けた清は、列強による**中国分割**にさらされていくことになりました。

経済面では、中国・朝鮮市場への輸出拡大による**軽工業**中心の**産業革命**や、賠償金を用い金本位制の確立など、資本主義の成長をもたらしました。

文化面では、三国干渉での反露感情から**国家主義**が台頭し、国民世論や思潮におけるナショナリズムの高まりが、日本の対外進出を推進する原動力の一つとなりました。

3 日清戦後の議会政治（1890年代後半～1910年代前半）

日清戦争後の政治は、政府と政党の対立から政府と政党の協力に変化し、大隈重信を首相とする**初の政党内閣**が誕生しました。政府内で山県有朋（長州）の反政党路線と伊藤博文（長州）の親政党路線が対立したのち、山県の路線を桂太郎が継承し、伊藤の路線を西園寺公望が継承する**桂園時代**となりました。

① 政府と政党の協力（1895～98）

日清戦争前から続いた〔**第2次伊藤博文内閣**〕は、戦後に**自由党**と協力しました。**板垣退助を内務大臣**として迎え、自由党は軍備拡張予算を承認しました。

次の〔**第２次松方正義内閣**〕は、立憲改進党を中心に結成された**進歩党**（「改進党」改め「進歩党」）と協力しました。**大隈重信を外務大臣**として迎え（「松隈内閣」と呼ばれます）、進歩党も軍備拡張予算を承認しました。また、貨幣法を制定して金本位制を確立しました→第23章。

しかし、〔**第３次伊藤博文内閣**〕が提出した**地租増徴案**を、自由党・進歩党は否決しました。対ロシア戦を想定した軍備拡張のためとはいえ、地租増徴には抵抗感が強かったのです（いつの時代でも増税はイヤですよね）。そして、自由党・進歩党が合同で**憲政党**を結成して議会で多数を占め、政府に対抗しました。これでは予算案も法律案も通らないので、伊藤博文は政権を投げ出し、憲政党に政権をゆずりました。こうして、初の政党内閣が誕生したのです。

政党内閣って、どういうメリットがあるのかな？

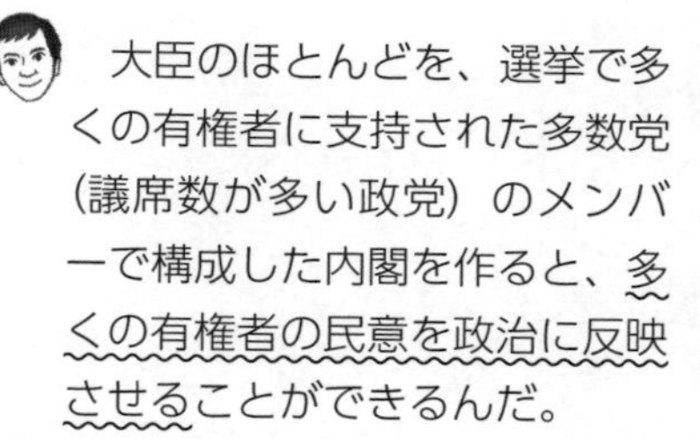

大臣のほとんどを、選挙で多くの有権者に支持された多数党（議席数が多い政党）のメンバーで構成した内閣を作ると、多くの有権者の民意を政治に反映させることができるんだ。

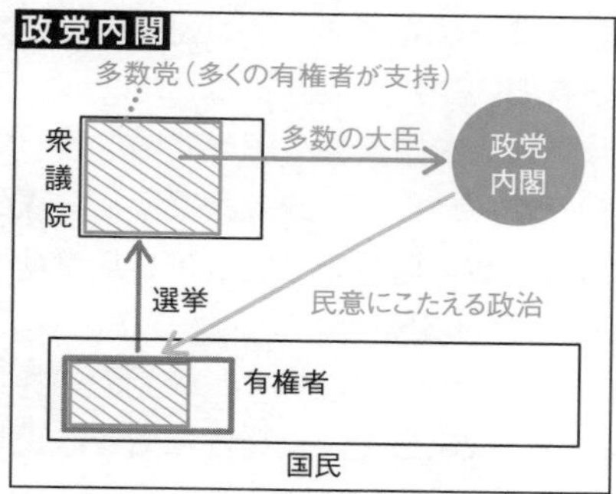

最近は、政権を担う政党が選挙のときの公約に違反する政治をやっちゃったりするけど、有権者が内閣をちゃんと監視しなくちゃね。

でも、図を見ると、国民に占める有権者の割合が少ないね。民意を反映するといっても、限られた人々の意見でしかないね。

たしか、選挙権があるのは納税額の多い男性だけだったし、女性には選挙権がなかったはず→第21章。選挙権の制限をなくしたほうが、もっと多くの国民の意見が政治に反映されると思うなぁ。

だからこそ、**普通選挙**を実現しようという動きが、のちになって盛んになるんだよ。

② 第１次大隈重信内閣（1898）

日清戦争と日露戦争の間にあたる1898年、〔**第１次大隈重信内閣**〕が誕生しました。陸軍大臣・海軍大臣を除いたすべての大臣が憲政党の出身者で占められる、初の政党内閣でした。大隈重信が総理大臣と外務大臣を兼任し、板垣退助が内務大臣となったので、「隈板内閣」と呼ばれました。

しかし、尾崎行雄が「もし日本で共和政治がおこなわれたら……」と発言して問題となり、文部大臣を辞職した**共和演説事件**を機に、後任人事をめぐって憲政党の内部で対立が激化しました。そして、憲政党は自由党系の**憲政党**（「憲政党」の名前をそのまま使用）と、進歩党系の**憲政本党**（「憲政党」の名前を取られたので「本当の本党」とＰＲ？）とに分裂し、内閣は総辞職しました。

③ 第２次山県有朋内閣（1898〜1900）

そこで、長州出身で陸軍・官僚・貴族院を基盤とする**山県有朋**が首相となり、〔**第２次山県有朋内閣**〕が成立しました。

政党政治を好ましく思っていなかった山県首相ですが、最初は政党と妥協し、**憲政党**と提携して**地租増徴**を実現しました（地租率を**2.5%**から**3.3%**へ）。

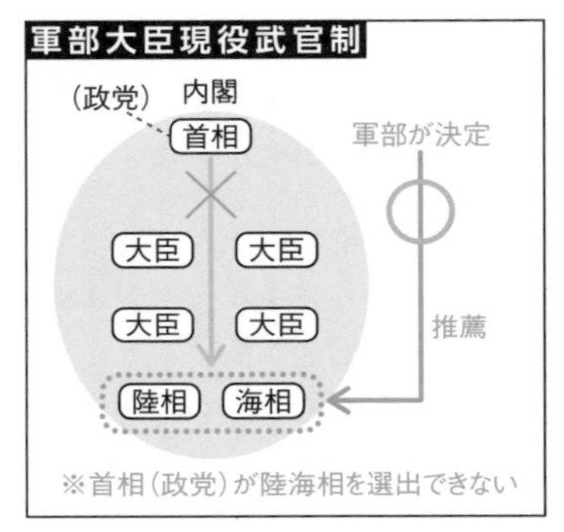

それ以降の山県首相は、政党の勢力拡大を防ごうとしました。**文官任用令を改正**し、高級官僚の任用資格を定めて、政党員の官僚機構への進出を防ぎました。さらに、**軍部大臣現役武官制**（1900）を定め、陸軍大臣・海軍大臣は現役の大将・中将しか就任できないようにしました。現役の軍人をどの役職に就けるかは軍部が決定するので、首相（内閣）が陸海軍大臣を選出することができず、軍部が陸海軍大臣を決定して推薦することになったのです。政党内閣の場合をイメージすれば、政党（内閣）が陸海軍大臣を選出できない。結果的に、政党の軍部への影響力を抑えることになりますね。

また、**治安警察法**を制定し（1900）、労働組合期成会が結成されるなど盛んになりつつあった労働運動の規制を強化しました→第23章。

④ 立憲政友会の結成

一方、山県と同じ長州出身の藩閥政治家である**伊藤博文**は、みずから政党を組織して国民の政治参加を拡大し、立憲国家を発展させる考えでした。〔**第２次山県有朋内閣**〕の**選挙法改正**で有権者の納税資格を直接国税15円以上から**10円以上**へ引き下げ、人口の約１％から約２％に選挙権を拡大したのは、伊藤の意向の反映です。そして、伊藤のビジョンに賛同した憲政党は解党し、伊藤派の官僚とともに**立憲政友会**の結成（1900）に参加しました。こうして、**伊藤博文**を総裁とする、政権担当能力のある保守的な有力政党が誕生しました。

そして、立憲政友会を与党とする〔**第４次伊藤博文内閣**〕が成立しましたが、貴族院の抵抗が強く、数カ月で総辞職しました。

⑤ 桂園時代（1901～13）

明治時代末期（1900年代～1910年代初め）は、山県有明の路線を受け継いだ**桂太郎**と、伊藤博文の路線を受け継いだ**西園寺公望**が交互に内閣を組織したので、**桂園時代**と呼ばれます。桂太郎は長州出身の陸軍大将で、軍部・官僚・貴族院を基盤としていました。一方、西園寺公望は公家出身で、立憲政友会の総裁でした。そして、伊藤・山県らは天皇の最高顧問である**元老**となり、首相の推薦に関わる形で内閣に影響力を及ぼしました。

議会政治の展開（明治時代）

⑴1890年代前半（初期議会）
　政府と政党との対立…予算、条約改正
⑵1890年代後半（日清戦争後の議会）
　政府と政党の協力→初の政党内閣〔**大隈①**〕
⑶1890年代末～1900年代初頭
　政府内部での対立 { **山県有朋**（反・政党） / **伊藤博文**（親・政党）
　※伊藤は**立憲政友会**を結成
⑷1900年代～1910年代初頭（**桂園時代**）
　{ 山県→**桂太郎**(陸軍・官僚・貴族院) / 伊藤→**西園寺公望**(立憲政友会の総裁)
　※山県・伊藤は**元老**となる

〔**第１次桂太郎内閣**〕は、日英同盟協約を結び（1902）、日露戦争を実行しました（1904～05）。日露戦争については、このあとで学びます。

〔**第１次西園寺公望内閣**〕は、鉄道国有法を制定し、日本社会党を公認しました→第23章。また、内閣は関与しませんでしたが、軍部は帝国国防方針を作成し、日露戦争後における新しい軍隊編制のあり方を構想しました。

〔**第２次桂太郎内閣**〕は重要です。日露戦争に勝利して目標を見失った国民のなかに、国家・地方よりも個人の幸福を重視する風潮が広がっていたことを受け、勤労や倹約などの道徳を強化する**戊申詔書**が発されました。また、日露戦争後に不況が広がるなか、農村組織の強化などで行政単位の町村における地方財政の改善をはかる**地方改良運動**が、内務省主導で進みました。また、関税自主権の回復（1911）は既習ですが、これから学ぶ韓国併合（1910）や、大逆事件（1910）・工場法の制定（1911）も→第23章、この内閣です。

内閣の順番と、政党の名称について

近代史の学習では、必ず**内閣の順番**を覚えましょう。こういった場合、語呂合わせや替え歌（？）が役に立つ場合が多いのですが、内閣の順番に関しては、頭文字を並べた「**いくやまいまい、おやいかさかさ**」を念仏のように何度もくり返し唱えて覚えましょう。

政党の名称は似ているものがあるため、図を何度も描いて、政党の名称がどのように変化していくのかを覚えると、各場面での政党名が記憶に残りやすくなります。

明治時代の内閣 頭文字の順番は「いくやまいまい、おやいかさかさ」

（1 政党内閣　2 閣内協力　3 超然内閣）

区分	内閣	基盤
3	伊藤博文①	長州
3	黒田清隆	薩摩
3	山県有朋①	長州
3	松方正義①	薩摩
3	伊藤博文②	長州
3	松方正義②	薩摩
3	伊藤博文③	長州
1	大隈重信①	（憲政党）
3	山県有朋②	長州
2	伊藤博文④	（立憲政友会）
3	桂太郎①	長州
2	西園寺公望①	（立憲政友会）
3	桂太郎②	長州
2	西園寺公望②	（立憲政友会）

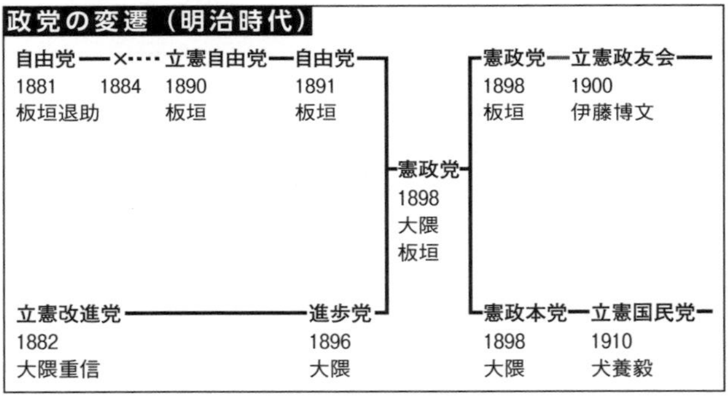

政党の変遷（明治時代）

自由党（1881 板垣退助）―×（1884）…立憲自由党（1890 板垣）―自由党（1891 板垣）

立憲改進党（1882 大隈重信）―進歩党（1896 大隈）

自由党・進歩党→憲政党（1898 大隈 板垣）

憲政党→憲政党（1898 板垣）―立憲政友会（1900 伊藤博文）

憲政党→憲政本党（1898 大隈）―立憲国民党（1910 犬養毅）

4 日露戦争と韓国併合（1890年代～1910年代）

日露戦争（1904～05）は、近代で初めての列強との戦争でした。そして、日本は日露戦争を通して、さらに東アジア進出を強めていきました。それが、**韓国併合**による**朝鮮**の植民地化と、**満洲**（中国東北部）への進出です。

① ロシアとの対立（1890年代～1900年代初め）

日清戦争後の時点に戻り、東アジアでの日露関係を見ていきましょう。

(1) 朝鮮はロシアに接近し、親露政権の韓国が成立した

朝鮮では、ロシア中心の三国干渉の圧力に日本が屈するのを見て、閔妃と閔氏一族の政権がロシアに接近すると、親日政権樹立をはかった日本公使の指示で**閔妃殺害事件**が発生しました（他国の王妃を殺害するとは！）。しかし、国

王高宗はロシアの保護下で親露政権を立て、皇帝となって国号を**大韓帝国**（**韓国**）としました（1897)。ロシアが韓国への影響力を強めていくなか、日本は韓国進出のため、はじめはロシアと協調していました。

(2) 日清戦争ののちに列強の中国分割が進み、ロシアは満洲へ進出した

列強の中国分割 租借地と勢力範囲

●ロシア
遼東半島の**旅順**・**大連**を25年間租借
中国東北部の満洲を勢力範囲に

●ドイツ
山東半島の**膠州湾**を99年間租借
中国北部の山東省を勢力範囲に

●イギリス
香港近くの**九龍半島**を99年間租借
山東半島の**威海衛**を25年間租借
中国中部の長江流域を勢力範囲に

●フランス
広州湾を99年間租借
中国南部の広州を勢力範囲に

●日本
福建省（台湾対岸）の不割譲を約束させる

●アメリカ
ジョン＝ヘイ国務長官の「**門戸開放**」宣言

列強は、清の日本への賠償金を肩代わりする見返りとして、**租借地**（一定期間、植民地とする）や勢力範囲（経済的な権利を独占する）などの利権を清へ要求しました。こうして、日清戦争後に**列強の中国分割**が進みました。

そのなかで、ロシアは満洲進出を強めました。清の領土内に**東清鉄道**を作る権利を得て、建設中のシベリア鉄道と連結させ、さらに遼東半島（ロシア主導の三国干渉で日本が清へ返した場所です！）の先端部にある**旅順**・**大連**の**租借権**を清から得ました（1898)。これを受け、日本国内では〔**第2次山県内閣**〕のもと、旧自由党系の憲政党も軍備拡張のための地租増徴（2.5%→3.3%）に賛成しました。「臥薪嘗胆のためなら増税もしかたない……」ということなのでしょう。

一方、太平洋方面に勢力を広げつつも、中国分割に出遅れたアメリカは、**ジョン＝ヘイ**国務長官が中国の「**門戸開放**」（すべての国に自由な市場として開放）を宣言し、中国市場への参入をはかりました。

(3) 北清事変を契機としてロシアは満洲支配を強めた

列強の中国分割に対して清国内で不満が高まり、「扶清滅洋」を唱える排外主義的な結社の**義和団**を中心に民衆が蜂起しました。武装勢力が北京の列国公使館を包囲すると、清国政府はこれを鎮圧するどころか、逆に列強に対して宣戦布告しました。こうして発生した**北清事変**（義和団戦争　1900）に対し、列強は日本・ロシアを中心に共同出兵して鎮圧しました（当時は〔**第2次山県内閣**〕で、1900年は軍部大臣現役武官制が定められた年ですね）。

そして、戦後に結ばれた**北京議定書**で、列強は賠償金と北京公使館への守備

兵駐留権を獲得しました（このとき北京に置かれた日本軍が、のちに中国軍と衝突して盧溝橋事件が発生し、日中戦争が始まりました→第27章）。

(4) 日本とイギリスの東アジアにおける利害が一致し、日英同盟が結ばれた

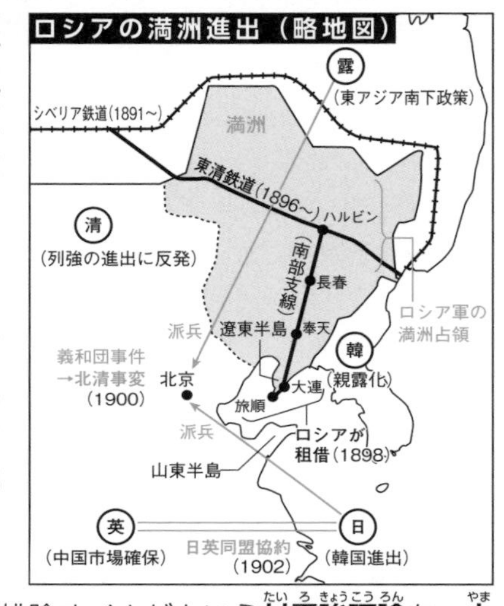

日本にとっては、このときロシアが満洲を軍事占領し、北清事変が終わったのちも占領を継続したことが、大きな問題となりました。**東清鉄道南部支線**の建設や、旅順の軍事基地化も進められていくと、満洲と隣り合う韓国における日本の権益が脅かされることになります。

当時、日本政府では、ロシアの満洲支配と日本の韓国における利権を互いに認め合う「満韓交換」の方針でロシアと交渉すべきだという**日露協商論**を、**伊藤博文・井上馨**が唱えていました。しかし、ロシアの満洲占領が長引くなか、イギリスと軍事同盟を結んで満洲からロシアを排除すべきだという**対露強硬論**を、**山県有朋・桂太郎首相・小村寿太郎外相**が唱え、こちらが優勢になっていきました。

清に多くの利権を持つイギリスは、ロシアの満洲進出が軍事面にも及ぶと、これを軍事力で防ぐ必要が出てきました。とはいえ、当時のイギリスは南アフリカ植民地を拡大する戦争をおこなっており、東アジアでの軍事行動は日本に任せたい。イギリスにとっても、日本と軍事同盟を結ぶ理由ができました。

日英同盟

(1)日英の韓国・清国での利益を互いに保護
※条約の適用範囲は東アジア
(2)戦争における、他の一国の厳正中立
（日露戦争でイギリスは介入しない）
(3)第三国の参戦時における協同戦闘義務
（もしロシアに味方する勢力が現れたら、イギリスは日本に味方して参戦）

こうして、〔**第1次桂太郎内閣**〕のもとで**日英同盟協約**（1902）が結ばれました。当時、ロシアとフランスは露仏同盟を結んでいたので、フランスもロシアに誘われて参戦する可能性がありました。しかし、その場合、イギリスは日本に味方して参戦するので、ロシアは圧倒的な海軍の実力を持つイギリスを敵に回すことになります。イギリスがフランス参戦を警戒し牽制する状態が生じたので、日本はロシアとの開戦を見すえて交渉を続けました。

(5) 日本国内では非戦論も見られたが、世論の多くは主戦論に傾いていった

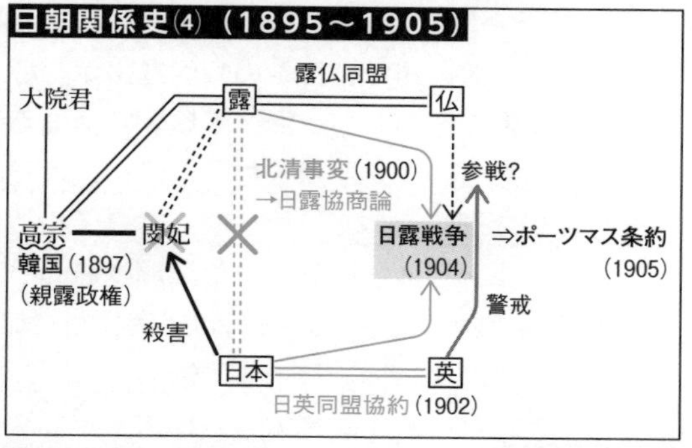

当時の国内世論は、こうした状況をどのようにとらえていたのか。国家主義団体の対露同志会（近衛篤麿ら）や、七博士意見書を政府に提出した帝大教授の戸水寛人などが日露開戦の世論をあおり、当時発行部数の多かった黒岩涙香の新聞**『万朝報』**が非戦論から主戦論へ転じたことも、世論へ影響を与えました。そして、同紙の記者として非戦論を主張していた幸徳秋水・堺利彦・内村鑑三が『万朝報』を退社すると、**幸徳秋水・堺利彦**は社会全体の平等をめざす社会主義の立場から反戦論を唱え、**平民社**を結成して**『平民新聞』**を発行し、**内村鑑三**はキリスト教的な人道主義の立場からの反戦論を唱えました。また、**与謝野晶子**は戦争中、反戦詩「君死にたまふこと勿れ（旅順口包囲軍の中にある弟を歎きて）」を雑誌『明星』に発表しました。このように戦争に異を唱える動きもありましたが、国民の多くは戦争を支持しました。

② 日露戦争（1900年代）

(1) 日露戦争は、アメリカの講和仲介もあり、日本の勝利に終わった

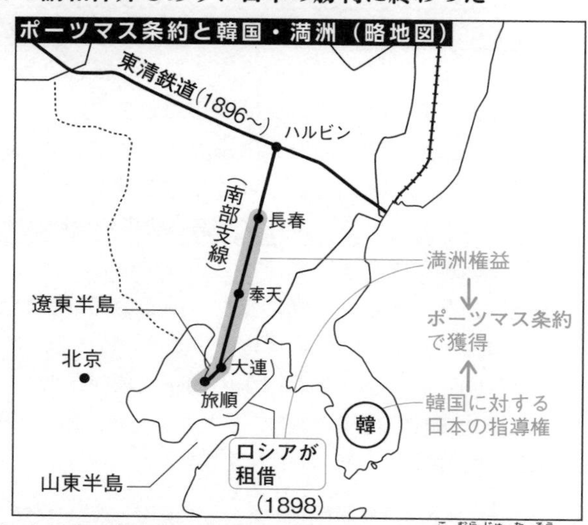

〔第1次桂太郎内閣〕のもとで**日露戦争**（1904〜05）が始まりました。日本は清国（満洲）の旅順や奉天で勝利し、**日本海海戦**では圧勝しました。しかし、外債・内債（政府の国外・国内からの借金）や増税で調達した戦費はあまりにも多額で、日本は国力の限界に達していました。そして、アメリカの**セオドア＝ローズヴェルト**大統領が講和を仲介し、日本全権の**小村寿太郎**外

相、ロシア全権の**ウィッテ**との間で**ポーツマス条約**（1905）が結ばれました。

(2) ポーツマス条約で、日本の韓国進出が認められ、ロシアの満洲権益を得た

日本が**韓国**において、政治・軍事・経済面での利益を得ることを、ロシアは承認しました。ロシアが韓国から退いたことで、日本が韓国を**保護国**（主権の一部を失った国）としていくことになりました。

また、ロシアが清から得ていた**満洲権益**のうち、**旅順・大連**の**租借権**と、**東清鉄道南部支線**の**長春・旅順**間の経営権が、ロシアから日本へ譲られました。今後の日本は、ポーツマス条約で獲得したこの満洲権益を維持・拡大していく道を歩むことになります。**樺太**は、樺太・千島交換条約→第20章以来ロシア領でしたが、ロシアは樺太の**北緯50度以南**の部分を日本に割譲し、日本はこれを植民地としました。沿海州・カムチャツカでの漁業権も得ました。

しかし、増税と戦闘による死傷で国民の犠牲は大きかったものの、**賠償金なし**という講和の内容に国民の不満が高まり、講和に反対する国民大会の民衆が暴徒化して**日比谷焼打ち事件**（1905）が発生しました。このとき、首都東京が混乱に陥ったことから、政府は**戒厳令**を出して軍隊にも治安維持をおこなわせました。この後、〔**第1次桂内閣**〕は総辞職しました。

日露戦争の持つ意味

日本の国際的地位はさらに上昇し、欧米列強と並ぶ「一等国」となりました。アジアの日本が欧米のロシアに勝ったことは、列強の支配下に置かれていたアジアの民族主義を刺激し、独立運動への気運を高めました（しかし、日本国民はアジアの民族に対する優越感を強め、日本は列強の一員としてアジアを抑圧する側に回るのですが）。

戦後にイギリスとロシアの植民地・権益をめぐる対立が解消され、イギリスの新しいライバルはドイツになりました。そしてイギリス・ドイツの植民地・権益をめぐる対立が、**第一次世界大戦**の背景となりました。

日本の経済は、産業革命がさらに進行し、軽工業は満洲・朝鮮市場への輸出などを拡大し、軍備拡張から**重工業**の成長が始まりました。一方、国民の負担増や国家財政の悪化によって、戦後の日本は不況に苦しみました。

文化面では、明治維新以来の国家目標が達成されたことで、目標を見失った国民の中に個人主義が芽生えました（その対策として発されたのが〔**第2次桂内閣**〕の戊申詔書です）。

③ 満洲進出と国際関係（1900年代〜1910年代）

日露戦争ののち、日本はポーツマス条約で獲得した満洲権益の経営に乗り出しました。**関東都督府**が旅順に設置され（1906）、**関東州**（遼東半島南端の旅順・大連）の統治をおこないました。のちの大正時代、関東都督府は行政部門の**関東庁**と軍事部門の**関東軍**（旅順・大連と満鉄沿線の守備を担当）とに分立します。そして、半官半民（政府と民間が経営する）の**南満洲鉄道株式会社**（**満鉄**　1906）が大連に設立され（初代総裁は後藤新平）、東清鉄道の長春・旅順間の経営に加え、鉄道沿線の鉱山などの経営もおこないました。

(1) 日本の満洲進出などが背景となって、日米関係が悪化した

しかし、日本が南満洲の権益を独占すると、満洲の「門戸開放」を要求するアメリカと対立しました。アメリカは満洲進出を望み、満洲からロシアを排除するために戦う日本を支援しました（多額の戦費を貸し、講和会議を仲介）。しかし、桂首相と鉄道企業家ハリマンとで決定した鉄道の共同経営案が破棄され、日本が満鉄の経営を独占して以降、アメリカで対日批判が高まりました。

これに加え、**移民**問題も発生しました。明治時代初頭に日本人の移民が始まり（ハワイのサトウキビ農園へ）、19世紀末からアメリカへの移民が急増しましたが、移民はアメリカ人労働者の就労機会を奪う側面があったため、カリフォルニア州を中心に**日本人移民排斥運動**が高まりました。

(2) 日本は満洲をめぐってロシアに接近し、日露関係は良好となった

一方、日本とロシアは、戦前は敵対関係、戦後は良好な関係、という変化がありました。ロシアは日本に敗北して東アジアでの南下政策をあきらめ、現在持っている北満洲の権益維持を希望し、日本はロシアから得た南満洲の権益維持を希望しました。すると、日本とロシアは、満洲と蒙古（モンゴル）の権益を分割しつつアメリカの満洲進出を排除する、という点で利害が一致し、日本はロシアと**日露協約**（第１〜４次）を結んでいきました（1907〜16）。しかし、のちの**ロシア革命**によるロシア帝国の消滅とソヴィエト政権の樹立で（1917）、日露の協調関係は消滅しました→第24章。

④ 韓国併合（1900年代〜1910年代）

日清戦争・日露戦争を経て、日本は朝鮮（韓国）を植民地化しました。ポーツマス条約で日本の韓国に対する指導・監督権が認められ、それと並行して、日本は３次にわたる**日韓協約**を結び、最終的に**韓国併合**に至りました。

日露戦争が終わると、日本は韓国を植民地にしたんだね。

実際は、戦争開始後に保護国化を進め、最終的に植民地にしたよ。

エッ、ポーツマス条約を結ぶ前から植民地化への道が始まっていたんだ。プロセス大事！　ところで、**保護国**って、どういう国のこと？

保護国とは、主権の一部、たとえば外交権などを失った国のことだ。相手国と保護国とがあって、相手国は、保護国の主権の一部を代わりに行使することで、保護国への支配を強める。ただ、お互いに独立しているから、植民地とはいえないね。

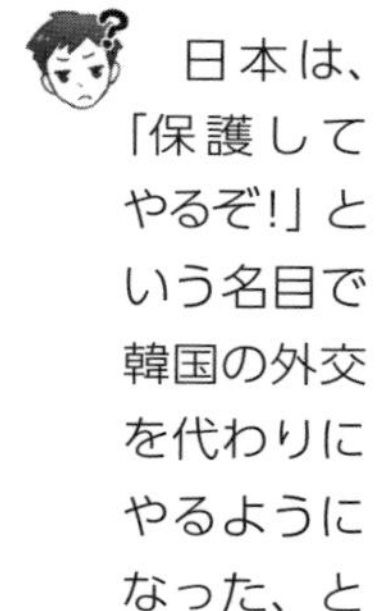

日本は、「保護してやるぞ!」という名目で韓国の外交を代わりにやるようになった、ということかな？

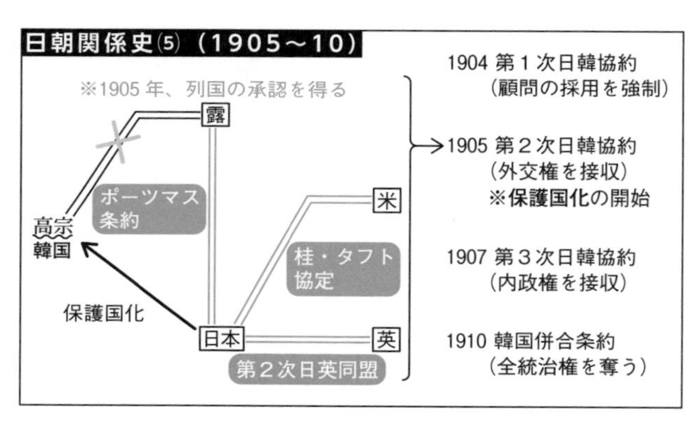

そういうこと。それが、**第2次日韓協約**の内容だ。

とうことは、その前に第1次日韓協約があるんだね。

そして、韓国の保護国化は欧米列強から承認されていた。帝国主義による植民地・権益の獲得が公然とおこなわれていた時代だからね。

植民地支配される人々のことを考えると、なんだか複雑だね。

(1) 日露戦争の開戦直後から、韓国を軍事拠点化して韓国進出を拡大した

日露戦争が開戦すると、日本は韓国に上陸して首都の漢城を制圧し、**日韓議定書**を結んで韓国での日本軍の軍事行動の自由や必要地点の占領・収用を要求しました。さらに、**第1次日韓協約**（1904）を結び、日本政府が推薦する**財務顧問**と**外交顧問**を韓国政府に置かせて、内政干渉を始めました。

(2) 日露戦争の終結後、列国の承認のもとで、韓国を保護国とした

日露戦争終結と前後し、日本はアメリカと**桂・タフト協定**を結び、イギリスと**第2次日英同盟**を結び、ロシアと**ポーツマス条約**を結びました。アメリカ・イギリス・ロシアは、日本による韓国の保護国化を承認したのです。

韓国の保護国化 列国の承認（1905）
●アメリカ：**桂・タフト協定**
日本の韓国保護権と、アメリカのフィリピン統治権を、相互に承認
●イギリス：**第2次日英同盟**
日本の韓国保護権をイギリスが承認
適用範囲を清・韓国からインドへ拡大
●ロシア：**ポーツマス条約**
日本の韓国での優越権をロシアが承認

その直後に**第2次日韓協約**（1905）が結ばれ、日本は韓国の**外交権**を接収し、韓国の外交を日本の外務省がおこなうことになりました。漢城に外交を統括する**統監府**を置き、**伊藤博文**が初代統監となりました。

(3) 日本は韓国国民の抵抗を武力で抑え、最終的に韓国を植民地化した

のち、皇帝高宗がオランダのハーグで開催された第2回万国平和会議に密使を派遣し、韓国の独立回復を訴えましたが、列強は受け入れませんでした。この**ハーグ密使事件**の報復として、日本は皇帝高宗を退位させました。そして、**第3次日韓協約**（1907）が結ばれ、日本は韓国の**内政権**を接収しました。続いて韓国軍を解散させると、もと兵士たちも参加して**義兵運動**による抵抗が激化しましたが、日本は軍隊を用いて鎮圧しました。

そして、日本政府は韓国併合の方針を決定し、かつて反対していた伊藤博文も韓国併合に同意しました。こうしたなか、前統監となっていた伊藤博文は、満洲のハルビン駅頭で韓国の民族運動家**安重根**に暗殺されました（1909）。

そして、〔**第2次桂内閣**〕のもとで**韓国併合条約**（1910）が結ばれ、韓国の**全統治権**が日本に譲渡され、日本は韓国を朝鮮と改めて植民地化しました。1392年以来の朝鮮（韓国）が、ここに滅亡したのです。漢城から名称を変更した京城に**朝鮮総督府**を置き、**寺内正毅**陸軍大臣が初代総督となりました。

(4) 朝鮮に対する植民地支配では、武断政治が展開した

朝鮮総督は現役軍人が就き、憲兵（軍の内部で警察活動をおこなう部隊）が朝鮮の一般人に対する治安維持活動をおこない（**憲兵警察制度**）、行政の末端まで軍が掌握していました。これを**武断政治**と呼びます。また、朝鮮総督府が進めた**土地調査事業**（地租改正と同じです）では、所有権が明確でないことを理由に朝鮮の農民から土地を接収するケースが多く（朝鮮で資源管理や殖産振興を担当する国策会社の**東洋拓殖会社**や、日本人地主が土地の払下げを受けた）、生活の基盤を奪われて日本へ移住する朝鮮の人々も多かったのです。

チェック問題にトライ！

次の絵は、ジョルジュ・ビゴーが1899年（明治32年）に描いた風刺絵（葉書）である。

問　この絵は、この時期の東アジアをめぐる国際関係を描いたものであるが、この絵にかかわる説明として正しいものを、次の①～④のうちから一つ選べ。

① この絵が描かれたとき、すでに(b)と(c)との間には、(a)に対する攻守同盟が結ばれていた。

② この絵が描かれたとき、すでに(b)は(a)に対する戦争開始を決定していた。

③ (a)は、さきに三国干渉のメンバーに加わり、(b)に遼東半島の返還を要求した。

④ (c)は、翌年（1900年）に清国で起きた反乱の鎮圧を理由に、満州を占領した。

（センター試験　1992年度　本試験）

解説　「1899年（明治32年）」は、日清戦争（1894～95）の直後です。当時の日本をめぐる国際関係は、ロシアの南下政策や（親露政権の韓国が成立、ロシアが満洲へ進出し旅順・大連を租借）、ロシアを警戒したイギリスの日本接近（日清戦争の直前に日本との条約改正に応じた）を想起します。以上から、(a)はロシア、(b)は日本、(c)はイギリスだと推定できます（(d)は問われていないので判断しなくて構いません）。

① 北清事変（1900）→ロシア軍の満洲占領→日英同盟（1902）→日露戦争（1904～05）という流れから、1890年代の時点では同盟は未締結だとわかります。

② ①と同様に、まだ日本はロシアに対する戦争開始を決定してはいません。

③ 日清戦争（1894～95）→下関条約（1895）→三国干渉（1895）という流れから、ロシアが三国干渉で遼東半島の返還を要求したことは正しいとわかります。

④ 「翌年（1900年）に清国で起きた反乱」は北清事変のことで、その「鎮圧を理由に、満州（洲）を占領した」のは、イギリスではなくロシアです。

⇒したがって、③が正解です。

　日本程借金を拵えて、貧乏震いをしている国はありゃしない。この借金が君、何時になったら返せると思うか。（中略）日本は西洋から借金でもしなければ、到底立ち行かない国だ。それでいて、一等国を以て任じている。そうして、無理にも一等国の仲間入りをしようとする。だから、あらゆる方向に向かって奥行を削って、一等国だけの間口を張ってしまった。なまじい張れるから、なお悲惨なものだ。牛と競争をする蛙と同じ事で、もう君、腹が裂けるよ。

（史料は、一部省略したり、書き改めたりしたところもある。）

問　上の文章は、夏目漱石が1909年に新聞に連載した小説『それから』の一節で、主人公の代助が日露戦争後の日本の姿について述べた部分である。下線部のセリフが示すような時代背景について述べた文として正しいものを、次の①～④のうちから一つ選べ。

①　鉄道国有法が公布され、神戸・大阪・京都間に鉄道が開通したが、不況のため民間に払い下げられた。

②　戦費は、外国債以外に内債や増税によってまかなわれ、それにより国民の負担は重くなった。

③　日本は、韓国での民族的抵抗を受けながらも、第一次日韓協約により韓国の内政権を掌握した。

④　戦勝によって日本は南満州の権益を独占しようとしたために、日英関係は悪化した。

（センター試験　2002年度　本試験・改題）

解説　「日露戦争後の日本の姿について述べた部分」に注目しましょう。**史料文は文面通りに読むのではなく、文章の背景となる歴史的事実を想起して読み解きます。**

　史料1～3行目からは、日露戦争の膨大な軍事費をまかなうため、日本政府が発行する外債をアメリカやイギリスに購入してもらった、という史実を想起します。

　そして、史料3～4行目からは、日露戦争において日本は国力の限界に達したものの、ようやくロシアに勝利して国際的地位を向上させた、という史実を想起します。

　さらに、史料4～6行目からは、日本の国際的地位向上は国家主義（ナショナリズム）の風潮を広げる一方で、日露戦争にともなう増税の負担が国民に重くのしかかった（日露戦争後の不況のもとで国民の生活が苦しい）、という史実を想起します。

　こう考えれば、下線部「一等国だけの間口を張ってしまった。なまじい張れるから、なお悲惨なものだ」が示す時代背景としては、②が適切であると判断できます。

　ほかの選択肢も検討しましょう。①の鉄道国有法は、もともと存在していた民営鉄道の幹線を買収して国有化する法律であり、これによって「神戸・大阪・京都間に鉄道が開通した」ことや、のちに「不況のため民間に払い下げられた」ことにはつながりません。③は、第1次日韓協約で「韓国の内政権を掌握した」という部分が誤りで、内政権の掌握は第3次日韓協約です。④は、「日本は南満州（洲）の権益を独占しようとした」ために「悪化した」のは、「日英関係」ではなく日米関係です。

　⇒したがって、②が正解です。

歴史総合のための世界史

「近代化と私たち」4 帝国主義

日清戦争・日露戦争の背景には、1870年代以降の欧米列強が進めた対外膨張策がありました。この**帝国主義**の状況を、見ていきましょう。

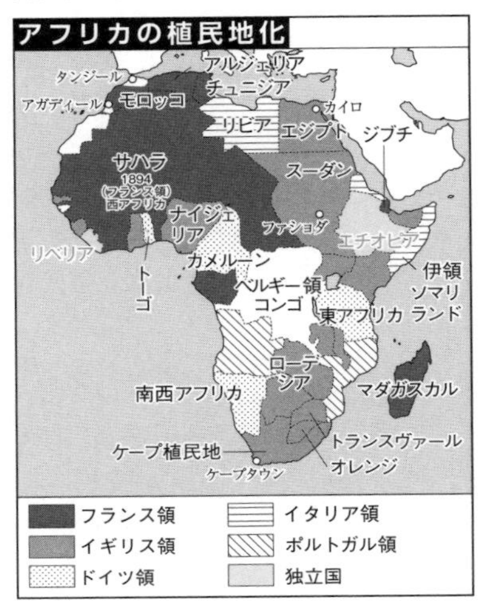

① 帝国主義

資本主義が発達した列強による膨張主義(植民地獲得と現地社会への介入)が、**帝国主義**(imperialism)です。帝国化すると、植民地を犠牲にした本国の経済成長で国民の不満が減り、植民地獲得はナショナリズムを高めるので、国民国家化も進みます。列強は自国が「**文明国**」で、遅れていると見なした植民地を文明化する使命を持つとして、支配を正当化したのです。

② アフリカの植民地化

ベルリン＝コンゴ会議(1884〜85)で植民地化の原則(先占権と実効支配)が定まるとアフリカ分割が進み、イギリスはエジプト・南アフリカに、フランスは北アフリカに、ベルギーは中部アフリカに、それぞれ進出しました。

オスマン帝国から自立したエジプトでは、フランス主導で**スエズ運河**が完成(1869)したのち、イギリスが運河会社の株式を買収し、立憲制をめざす軍人の反乱を鎮圧してエジプトを事実上の保護国としました。イギリスは**アフリカ縦断政策**を進め(ケープ植民地首相ローズが主導)、金やダイヤモンドを得るためオランダ系ブール人と**南アフリカ戦争**(1899〜1902)を起こし、彼らの国を併合しました。苦戦したイギリスは、ロシアの東アジア南下政策に対する牽制を日本に任せるため、日英同盟(1902)を結びます→第22章。

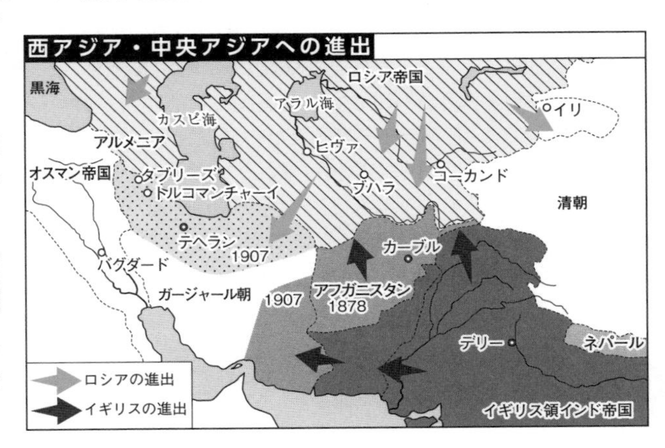

③ 西アジア・中央アジアへの進出

19世紀、ロシアはカスピ海西部のカフカスへ南下し、イラン（ガージャール朝）との戦争後に不平等条約を結びました。イギリスは植民地インドを防衛するため、アフガニスタンへ侵攻して保護国化しました。のち、日露戦争後に東アジアでの対立が解消されたイギリスとロシアは**英露協商**（1907）を結び、イラン（北部がロシア、東南部がイギリス）とアフガニスタンの勢力圏が確定してドイツに対抗する準備が整い、第一次世界大戦に突入します→第24章。

④ 南アジア・東南アジアの植民地化

イスラーム王朝ムガル帝国のインドでは、18世紀後半にイギリスの**東インド会社**による領土支配が始まりました。19世紀半ばには、イギリスから機械織**綿布**を輸入し（手織綿布の綿工業が壊滅）、**綿花**を輸出する、製品市場・原料供給地となりました→第19章。そして、東インド会社のインド人傭兵（**シパーヒー**）の蜂起を機とする反乱（1857〜59）が鎮圧されたのち、**イギリス領インド帝国**が成立しました（ヴィクトリア女王がインド皇帝を兼ねる、1877）。

東南アジアでのイギリスは19世紀前半に**海峡植民地**を築き、19世紀後半にマレー連合州で中国やインドからの移民を用いて**錫**鉱山や**ゴム**プランテーションを経営し、ビルマをインド帝国へ編入しました。オランダは17世紀からジャワ島を経営し、19世紀に**強制栽培制度**でコーヒーやサトウキビを安価に買い上げ、20世紀初頭に**オランダ領東インド**（現インドネシア）を支配しました。スペインは16世紀からフィリピンのマニラを拠点とし→第13章、19世紀末のアメリカ＝スペイン戦争でフィリピンが独立を宣言したものの、勝利したアメリカが植民地化しました。フランスは19世紀後半にインドシナ半島のベトナムを保護国とし、**清仏戦争**（1884〜85）でベトナムに対する清の宗主権を放棄させると、カンボジアと合わせて**フランス領インドシナ連邦**を成立させました（のちラオスも編入）。日露戦争後、ベトナムでは民族運動として日本留学がブームでした（東遊運動）。一方、タイは独立を保ち、チュラロンコン（ラーマ５世）が近代化を推進しました。

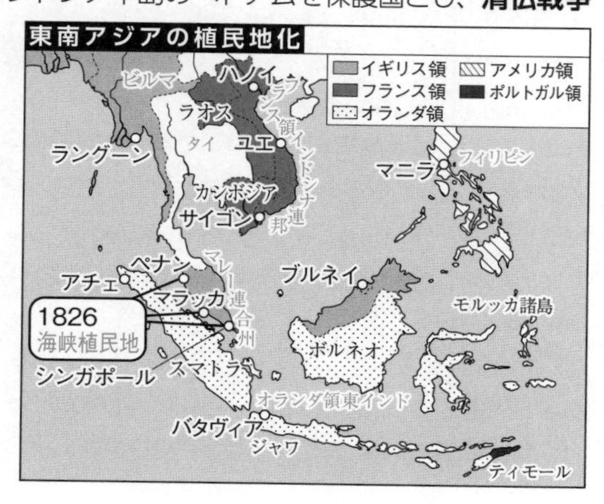

資本主義の形成 （明治時代の社会・経済）

年代	内閣	経済	社会
1870年代	(1)	**1 松方財政と寄生地主制** **①大隈財政** 不換紙幣の発行→インフレーション→財政難	
1880年代		**②松方財政** 明治十四年の政変（1881）→松方財政 不換紙幣整理・正貨蓄積→デフレーション 日本銀行→銀本位制の確立	**③寄生地主制の形成** 中小自作農の没落 →小作農に（労働者） 地主の土地集積 →寄生地主に（資本家）
	伊藤①	**2 近代産業の形成** **①紡績業**　**②製糸業**	**3 社会運動の発生** **①社会問題** 劣悪な労働条件 →ストライキ
	黒田	**③1880年代の経済** 企業勃興 日本鉄道会社・大阪紡績会社・日本郵船会社	
1890年代	山県① 松方① 伊藤② 松方② 伊藤③ 大隈①	**④1890年代の経済** 紡績業　機械紡績 綿糸の生産が輸入を上回る(1890) 綿糸の輸出が輸入を上回る(1897) 製糸業　器械製糸(座繰製糸を上回る) 重工業　官営八幡製鉄所(1897)　造船奨励法 鉄道業　民営鉄道の発展 海運業　航海奨励法 金融　貨幣法（1897）（金本位制）	足尾銅山鉱毒事件 (田中正造の追及) **②労働組合の結成** 労働組合期成会(1897)
1900年代	山県② 伊藤④ 桂① 西園寺① 	**⑤1900年代の経済** 綿織物　綿布の輸出が輸入を上回る(1909) 製糸業　生糸輸出が世界第1位に（1909） 重工業　日本製鋼所　三菱長崎造船所 鉄道業　鉄道国有法〔**西園寺①**〕 財閥　持株会社(三井合名会社)・コンツェルン	治安警察法（1900） **③社会主義運動の発生** 社会民主党 平民社（日露非戦論） 日本社会党
1910年代	桂②	(2)	(3) 大逆事件（1910） →幸徳秋水ら死刑 工場法（1911）

第23章のテーマ

明治前・中・後期(1870年代〜1910年代初め)の経済・社会史です。

(1) 1880年代、**松方財政**で貨幣制度がととのい、不況下の農村で**寄生地主制**が成立していき、資本主義の基盤（資本・労働力）が形成されました。

(2) 1890年代〜1900年代、**軽工業**（製糸業・紡績業など）中心の**産業革命**が起こり、製鉄業・造船業や鉄道業・海運業なども発展しました。

(3) 工業の発展はさまざまな社会問題を生み、労働者による**労働運動**や、**社会主義運動**が展開しましたが、政府はこれらを弾圧しました。

1 松方財政と寄生地主制（1880年代）

《総合年表》Ⅳ近代・現代を見ましょう。第20章は明治初期（1860年代〜70年代）の政治・外交・経済、第21章は明治前・中期（1870年代〜90年代前半）の政治、第22章は明治時代（1870年代〜1910年代）の外交中心で、この第23章では、明治時代（1870年代〜1910年代）の経済・社会を学びます。

まず、1881年から始まった**松方財政**を見ていきましょう、日本の**資本主義**を確立させた、明治政府のもっとも重要な経済政策でした。

突然だけど、キミたちがラーメン屋さんを開くとき、何が必要？

まず屋台から始めるぞ！　誰かお金を貸してくれるかな。そして、会社を作って全国チェーン展開！　社員やアルバイトを雇って……。

それが、**資本**と**労働力**だよ。これから学ぶ**松方財政**は、この資本と労働力を日本のなかに作り出していったんだ。

あとタレやスープ、ラーメンの麺が必要だね。醤油がいいかな、豚骨かなぁ。ちぢれ麺がいいかな、ストレート麺かなぁ……。

それが、**原料**だよ。工業生産には、この原料が必要だよね。

屋台をどこに置こうかな。サハラ砂漠の真ん中じゃ売れないしな……。そうか、お腹が空いた人がたくさんいる場所なら売れまくる！

それが、**市場**だ。さすがに、サハラ砂漠はラーメンの市場にはならないかも（笑）。製品の需要が多く生まれている場所が必要だよね。では、日本史に戻って、第22章で学んできたことを確認しよう。

Ⅳ 近代・現代

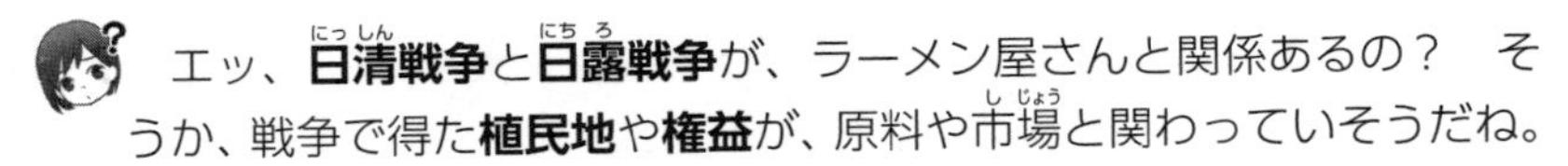

エッ、**日清戦争**と**日露戦争**が、ラーメン屋さんと関係あるの？　そうか、戦争で得た**植民地**や**権益**が、原料や市場と関わっていそうだね。

資本主義には、原料の供給地や製品の市場が必要だ（→第19章）。そして、日清戦争と日露戦争を通して、明治時代の日本は**中国**（**満洲**）**市場**や**朝鮮市場**を獲得していったんだ。

資本主義と対外関係が関連するのが、近代という時代なんだね。

① 大隈財政（1870年代）

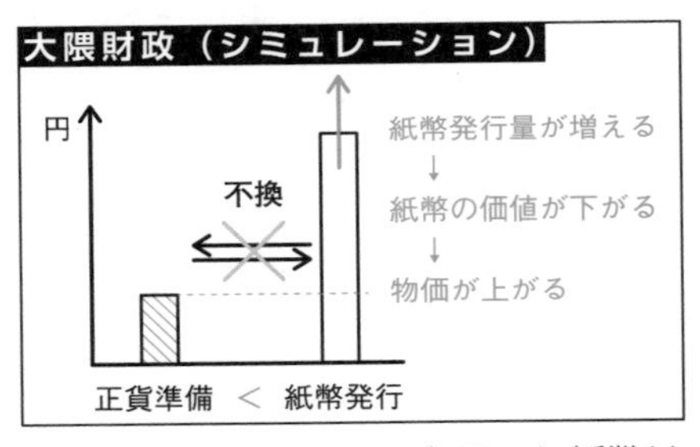

松方財政の前提となる、1870年代から始めます。財政の中心だった肥前出身の**大隈重信**が、殖産興業のための積極財政を推し進めたことに加え、**西南戦争**（1877）の戦費を調達するため、政府が紙幣を発行したので、同じ金額の正貨（金・銀）と交換できない**不換紙幣**が大量に流通しました（→第20章）。すると、世の中にたくさん出回った紙幣は価値が下がり、それにより物価が上がりました。これを**インフレーション**（**インフレ**）と呼びます。では、どのような影響がもたらされたのでしょうか。

(1) インフレのもとで、地主は成長し、政府の財政は悪化した

地主は、小作農に土地を貸し、**小作料**（土地のレンタル料）を**現物**（米など）で徴収しました。当時、インフレのおかげで小作料は高い値段で売れるので、地主の収入は増えました。一方、地主が払う地租の金額は一定ですから、地租の負担は実質的に減った状態になりました（しかも地租改正反対一揆［1876］の結果、地租率が3%から2.5%に下がっています（→第20章））。こうして、1870年代に地主は成長し、自由民権運動に参加しました（**豪農民権**（→第21章））。

政府は、インフレのもとで歳出（政府が使うお金）が増えました。一方、当時の歳入（政府が得るお金）は地租が中心で、その地租の金額は一定ですから、政府の歳入は実質的に減った状態になりました。こうして、1870年代に政府の財政は悪化しました。

また、インフレで輸出が伸び悩み（日本製品の値段が高いと外国は買ってくれません）、輸入が増えて（安い外国製品が入ってきます）、**輸入超過**（貿易赤

字）が続きました。これは、日本の経済にとってよい状況とはいえません。

(2) 大隈財政のもとで、政府は1880年代に入って財政整理を始めた

これ以上の財政悪化を防ぐため、政府は歳出を減らす必要がありました。そこで、経営状態が悪かった官営事業を民間へ払い下げるため、**工場払下げ概則**を定めますが（1880）、払い下げる際の条件が厳しく、払下げは進みませんでした。また、内務省・工部省の殖産興業部門を、新しく設置した**農商務省**に担当させることにしました（1881）。

② 松方財政（1880年代）

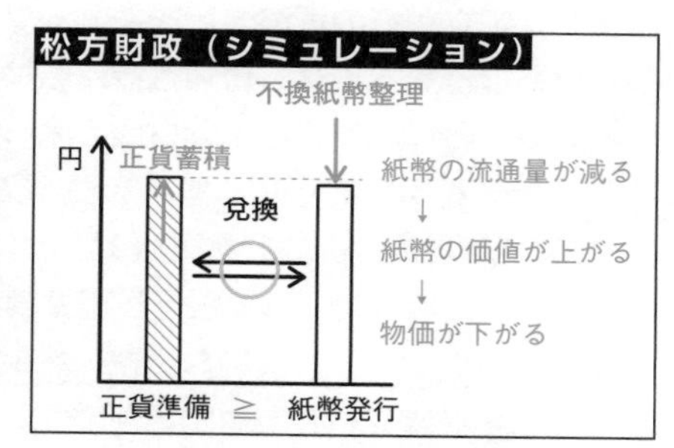

大隈が**明治十四年の政変**（1881）で追放されると→第21章、薩摩出身の**松方正義**が大蔵卿となり（1885年以降は大蔵大臣）、大隈に引き続き財政整理を進め、近代的な貨幣・金融制度の整備もおこないました。

松方の政策は、物価が下がる**デフレーション**（**デフレ**）をめざすものだったため、**デフレ政策**と呼ばれます。

(1) 不換紙幣の整理と、緊縮財政によって、デフレとなった

松方は、**酒税**などの間接税で**増税**を実施し、歳入を増やそうとしました（地租は増やしていません）。同時に、**緊縮財政**を実施し、歳出を減らそうとしました（当時の朝鮮では壬午軍乱・甲申事変が発生し→第22章、清との対立から軍事費は減らせなかったので、「軍事費を除く緊縮」です）。

政府が国民から税金をたくさん取ったうえで、緊縮によって使わずに余った分の紙幣を処分すれば（＝**不換紙幣の整理**）、世の中に出回る紙幣が減りますから、紙幣の価値が上がり、それによって物価が下がります。

そもそも、政府はたくさんのお金を使って物を買う存在です。したがって、緊縮財政によって政府がお金を使わず（物を買わず）、世の中の物が売れずに余れば、物価が下がります。「総需要の減少」により物価が下落したのです。

こうして**デフレ**が生じると、政府の歳出は減り、財政は好転しました。

(2) 政府は、正貨蓄積を進め、銀兌換の制度を確立した

貨幣の価値を正貨（金・銀）で保障する**兌換制度**は、貨幣の価値を安定させるだけでなく、日本の通貨と外国の通貨とを交換するときの**為替相場も安定**させる機能を持っていました。これは、貿易を盛んにするためにも必要なものです。しかし、**国立銀行条例**（1872）では、民間人が各地に設立した**国立銀行**に**正貨兌換**（紙幣を同じ金額の正貨と交換する）をおこなわせようとしましたが、**国立銀行条例の改正**（1876）によって、国立銀行が**不換紙幣**を発行するようになり、兌換制度は確立しませんでした→第20章。そこで政府は、政策と直結する**中央銀行**に正貨兌換をおこなわせる制度に改めることにしました。

政府は、中央銀行・唯一の発券銀行として、ほかの銀行に通貨を供給する役割をもった、**日本銀行**を設立しました（1882）。そして、**国立銀行条例の再改正**で、国立銀行の紙幣発行をストップさせました。のち、国立銀行は通常の預金業務などをおこなう**普通銀行**に転換していきました。

同時に、政府は増税と緊縮財政で余った政治資金のうち、紙幣の処分に使わなかった分を用いて正貨（**銀**）を買い入れました（＝**正貨蓄積**）。そして、不換紙幣の整理が進んで紙幣の価値が上がり、紙幣が同じ金額の銀と交換できるようになった時点で、日本銀行が**銀兌換券**を発行しました（1885）。こうして、**銀本位制が確立**し、近代的な貨幣・金融の制度がととのいました。

兌換制度が確立して為替相場が安定し、デフレで輸出品の価格も下がったことから、輸出が増えて、**輸出超過**（貿易黒字）の傾向が出てきました。政府は**横浜正金銀行**を特殊銀行（特別法で設置が許可された銀行）に転換させて、貿易のための金融機関としました。

(3) 官営事業の払下げが進み、政商が成長した

官営事業の払下げも、政府財政の整理に必要でした。これは、政府が所有する工場などを民間へ売却することで、政府歳出の削減と同時に、民間産業資本の育成にもつながるものでした。実は、**工場払下げ概則の廃止**（1884）によって、厳しい条件がなくなり、かえって払下げが増加しました。**三井**・**三菱**などの**政商**（政府と関係の深い事業者）は、このとき払下げを受けた鉱山や工場などを基盤に、のちに**財閥**となる基礎をととのえました。

官営事業の払下げ

●鉱山業
高島炭鉱（→三菱）
三池炭鉱（→三井）
佐渡金山・生野銀山（→三菱）
院内銀山・阿仁銅山（→古河）
●造船業
長崎造船所（→三菱）
兵庫造船所（→川崎）
●繊維業
富岡製糸場（→三井）

③ 寄生地主制の形成

松方財政の影響は、とても重要です。デフレは、深刻な不況（**デフレ不況**）を農村に広げていきました。日本の社会が、大きく変化していったのです。

(1) 中小自作農が土地を売却して小作農に転落し、賃金労働者を輩出した

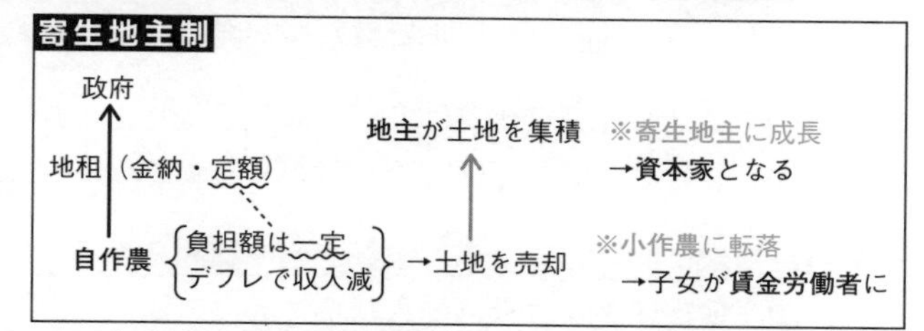

デフレにより、米価や繭価も下がると、米や繭を作って売る農民は、収入が減りました。一方、払う地租の金額は一定ですから、地租の負担は実質的に増えた状態になりました（それに増税も加わります）。こうして、中小規模の**自作農**（土地を持つ農民）が困窮し、地租の負担から逃れるために土地を売って**小作農**（土地を持たずに借りる農民）に転落する者が増えました。そして、小作農の子女（むすことむすめ）は、家計を助ける出稼ぎに出て、資本主義を支える**賃金労働者**となりました。

また、こうした貧農の増加が、自由民権運動のなかで**激化事件**が発生する原因となりました→第21章。

(2) 地主は土地を集積して寄生地主に成長し、資本家となった

一方、地主（豪農）は、中小の自作農たちが手放した土地を集積し（購入、あるいは質流しで入手）、**寄生地主**に成長する者も現れました。ちなみに、「寄生地主」とは、土地に寄生している、という意味です。広大な土地を所有した結果、それを貸して徴収する地代（土地のレンタル料のことで、小作料などを含む）の収入だけで生計を立てられる者を指します（農民が寄生地主となった場合、結果的に農業をやらなくなります）。そして、寄生地主は、工場の経営や株式への投資をおこない、資本主義をリードする**資本家**となりました。

こうして、松方財政をきっかけに形成されていった**寄生地主制**は、日本における資本主義成立の条件を生み出したのです。

2 近代産業の形成（1880年代後半～1910年代前半）

明治時代中期・後期の日本に、**機械制**による大量生産の様式が定着していきました。**産業革命**の時代がやってきたのです。明治時代の産業をリードしたのは、**軽工業**、特に**繊維産業**（紡績業・製糸業・綿織物業）でした。

紡績業も、製糸業も、同じように発展したのかな？

両者の違いを意識するといいよ。**紡績業**は、主に原料の**綿花**を用いて**綿糸**を作り、**製糸業**は、原料の**繭**を用いて**生糸**を作るんだったね

→第19章。そして、綿花は**インド産**をはじめとして輸入に頼っていたけれど、繭は**国産**だ。日本で養蚕業が発達したからね。

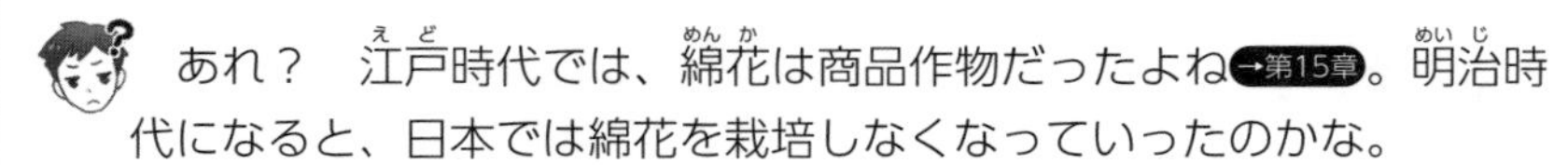

あれ？　江戸時代では、綿花は商品作物だったよね→第15章。明治時代になると、日本では綿花を栽培しなくなっていったのかな。

幕末に開港して以来、世界と自由貿易をするようになったから、外国産の綿花が安ければ輸入が増えるんだよ。

あと、綿糸と生糸とでは、売る場所が違う。綿糸は**中国・朝鮮**が主な輸出先で、生糸は**アメリカ**が主な輸出先なんだ。

もしかして、値段の違いが輸出先の違いにつながるのかな？　イメージとして、綿糸で作られたＴシャツや靴下は日用品で、絹織物やシルクのブラウス・ドレス・ネクタイは高級品だ。

その発想でいいよ。綿糸は、19世紀後半において経済レベルが低かったアジア・アフリカが市場になるだろうし、生糸は、経済レベルが高かった欧米列強が市場になるだろう、と推定できればOKだ。

アジアで日本に近い場所だとお隣の中国・朝鮮で、欧米で日本に近い場所だと太平洋を横断した先のアメリカ、ってことで合ってる？

バッチリ！　こうやって、産業と貿易の関係を理解できるといいね。

① 紡績業

まず、**綿糸**を作る**紡績業**を分析していきます。⑴歴史的経緯、⑵技術発展、⑶労働条件、⑷貿易との関連、の４点を考えます。

⑴　幕末の開港で綿産業が衰退したので、その回復がはかられた

開港によって、**イギリス**の良質な綿製品が大量に輸入され、国内の綿産業は打撃を受けました→第19章。したがって、明治政府としては、幕末に衰えた国内の綿産業を回復させ、綿製品の国産化を進める（綿製品を輸入しなくて済むようにする）ことが、殖産興業での課題となりました。しかし、政府が主導した紡績業は、なかなか発展しません。こうしたなか、**綿織物業**で、日本の手織機（布を織る道具）に「飛び杼」という欧米の技術が導入され、織物を織るスピードが上がり、農村を中心に綿織物の生産が回復しました。すると、原料の綿糸が足りなくなったので、綿糸の輸入が増加するとともに、国内での綿糸生産

が刺激され、紡績業が発展する条件がととのいました。

(2) 紡績業の技術発展では、手紡・ガラ紡に代わり、機械紡績が広がった

紡績業の技術は、在来の**手紡**(てつむぎ)（糸車などを使って生産）に加え、**臥雲辰致**(がうんときむね(たっち))が発明して**第1回内国勧業博覧会**（1877）で入賞した**ガラ紡**が普及しました。のち、動力として**蒸気機関**を用いた**輸入機械**（イギリス製・アメリカ製）による紡績が発展すると、手紡・ガラ紡は衰えていきました。

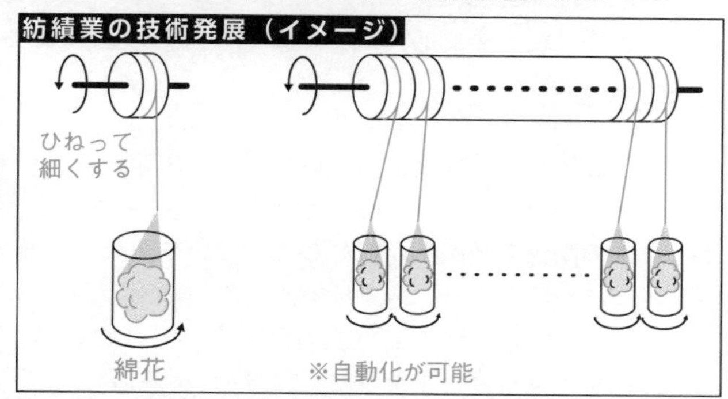

綿糸の原料となる**綿花**(めんか)は、木綿(もめん)の実で、たくさんの短い繊維がカタマリになっています。これを少しずつ引っぱり出しながらひねると、細い糸ができていきます（ティッシュペーパーを細い糸状にするやり方をイメージしましょう）。そして、このひねるという回転運動は、道具でも可能です。

図は、ガラ紡のしくみです。筒のなかに綿花を入れ、筒を回転させながら綿花を車輪で引っぱり上げることで、綿糸ができていく様子を示しています。この筒と車輪をたくさん同時に回転させれば、たくさんの綿糸ができていきます。そして、形は違いますが、機械紡績でも原理は同じです。加工する作業が自動化されているので、使われる道具を「**機械**」と呼ぶのです。

(3) 紡績業の労働条件は、昼夜2交代制となった

紡績業は機械化が進むので、機械の都合が優先される労働条件になります。機械は、故障しない限りはいくらでも動かし続けられる点がメリットです。しかし、労働者は機械の動作に24時間つき添えません。したがって、昼の労働者と夜の労働者が交代で機械の動作を補助する、**昼夜2交代制**になるのです。

(4) 紡績業は、輸出が輸入を上回る輸出産業となったが、輸入超過を生んだ

原料の綿花は、中国・アメリカに加え、安価な**インド**産のものが大量に輸入されました。そして、紡績機械は、**イギリス**・アメリカから輸入されました。

綿糸は、価格が安い日用品なのでアジアに輸出され、**中国**・**朝鮮**(ちょうせん)が紡績業の製品市場(しじょう)となりました。

Ⅳ 近代・現代

日清戦争（1894〜95）のころから綿糸の輸出が伸び、紡績業は輸入を上回る輸出産業へ成長しました。しかし、製品の綿糸を輸出しても、原料の綿花や機械を大量に輸入したため、紡績業の成長は、明治時代後期以降の日本の貿易に**輸入超過**（貿易赤字）をもたらす原因の一つとなりました。

② 製糸業

次に、**生糸**を作る**製糸業**を分析していきます。

(1) 幕末の開港で製糸業が成長したので、さらなる発展がめざされた

開港によって、生糸が大量に輸出され（輸出額の８割前後を占めて第１位でした）、マニュファクチュア生産が広がりました。したがって、明治政府としては、幕末以来成長した製糸業に欧米の技術も導入して、輸出産業としてさらに発展させることが、殖産興業での目標となりました。そして、**富岡製糸場**に**フランス**の技術が導入され→第20章、工女たちが技術を習得してそれを各地に伝え（伝習工女）、製糸工場が設立されていきました。

(2) 製糸業の技術発展では、座繰製糸に加え、器械製糸が広がった

製糸業の技術は、在来の**座繰製糸**（家内で、簡単な道具で個別に糸を生産）に加え、欧米技術を参考にして日本の技術に改良を加えた**器械製糸**（工場で、いっせいに多くの糸を生産）も発展しました。

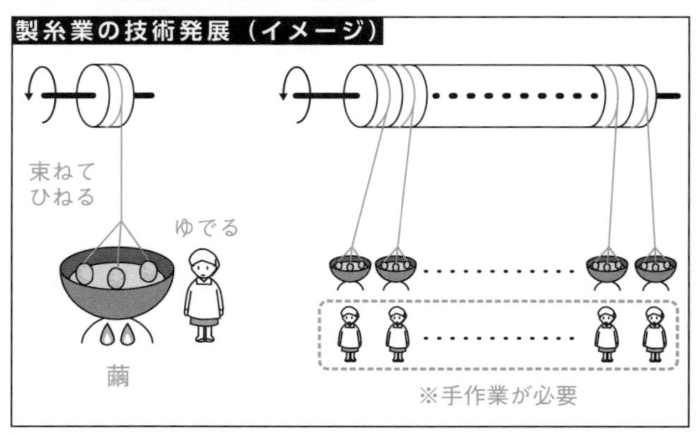

生糸の原料となる**繭**は、カイコの幼虫が吐き出した１本の長い繊維からできています。お湯でゆでてほぐし、細い繊維をいくつも束ねて、ひねると、糸ができていきます。このゆでてほぐし、束ねてひねる作業は、道具でおこなうのは難しいです。図は、製糸の作業です。１本の軸でたくさんの車輪を同時に回転させて、生糸を大量に生産したとしても、それぞれの鍋での作業は自動化できずに人間が手で作業をおこなうので、使われる道具は「**器械**」と呼ぶのです。

⑶ 製糸業の労働条件は、低賃金・長時間労働となった

製糸業は手工業なので、人間の都合が優先される労働条件になります。大量に生産するためには、たくさんの労働者を雇う必要があるので、労働者１人あたりの賃金を下げ、できるだけ長い時間働かせる、**低賃金・長時間労働**（多いときには１日18時間に及ぶことも！）になるのです。

⑷ 原料や器械が国産の製糸業は、外貨獲得産業となった

原料の繭は、国内における養蚕業の発達を背景に**国産**となり、日本の技術をベースにした製糸器械も**国産**でした。

生糸は、価格が高い高級品なので欧米列強に輸出され、**アメリカ**が製糸業の製品市場となりました。

原料の繭も器械も国産なので、これらを輸入して外国へ**外貨**（外国の通貨）を支払うことはありません。だから、生糸を輸出して外国から得た外貨が、そのまま日本に残ります。幕末以来の輸出産業である製糸業は**外貨獲得産業**として、重要な役割を果たしました。明治時代の日本は重工業の発達が遅れており、軍備拡張のためには機械（兵器を含む）・鉄類などの重工業製品を輸入しなくてはなりません。製糸女工の低賃金・長時間労働によって日本が獲得した外貨は、紡績業の原料綿花や紡績機械の輸入だけでなく、こうした軍需物資（機械・鉄類）の輸入にも用いられ、日本の富国強兵を支えたのです。

③ 1880年代の経済

ここからは、10年ごとに経済状況を見ていきましょう。1880年代前半は、松方財政のもとでデフレ不況が広がりましたが、貨幣・金融制度が整備されたことに加え、デフレによって**輸出超過**となると、日本経済はやや落ち着きを見せました。そして、土地を集積して成長した寄生地主や、多額の金禄公債証書を持っている華族が→第20章、新しい事業への投資を積極的に進めると、1880年代後半には**企業勃興**（**会社設立ブーム**）が起こりました。

しかし、こういった熱も、いつかは冷めます。会社設立が急増し、そのためにお金を貸す銀行の資金が不足したことで、**1890年恐慌**（1890）が発生し、経済成長はいったんストップしました。

⑴ 紡績業の発達は、大阪紡績会社がモデルケースとなった

この時期、**渋沢栄一**により、民間の**大阪紡績会社**が開業しました（1883）。動力に**蒸気機関**を用いた１万錘規模の**イギリス**製機械を導入し、**輸入綿花**を原料に、電灯を使用した**昼夜２交代制**でフル操業し、綿糸の大量生産に成功しま

した。これがモデルケースとなり、大阪やその周辺の都市部に大工場の設立が急増すると、**機械紡績**が従来の**手紡**や**ガラ紡**を圧倒していきました。

(2) 運輸業では、日本鉄道会社や日本郵船会社が登場した

サービス業である運輸業のうち、**鉄道業**は産業革命を支える陸上の物資輸送や人々の移動を担当し、**海運業**は海外貿易の発展に貢献しました。

民間の鉄道会社として、金禄公債を用いた華族の出資により**日本鉄道会社**が開業し（1881）、のちに上野・青森間が開通しました。これがモデルケースとなり、民営鉄道の会社設立が急増すると、民営鉄道（民鉄）の営業キロ数が官営鉄道（官鉄）の営業キロ数を上回りました（**東海道線**の東京・神戸間が開通するなど、官営鉄道も伸びました）。

海運業は**三菱**が独占していましたが、競争相手の共同運輸会社（政府・三井系）と合併し、**日本郵船会社**が設立されました（1885）。

④ 1890年代の経済

1890年代の産業革命と関係が深いのは、**日清戦争**（1894〜95）です。東アジア市場を獲得し、賠償金を用いて政府が戦後経営を推進したことで、軽工業を中心にさまざまな産業が発展していきました。しかし、過剰生産などによって**資本主義恐慌**（1900）が発生しました。

(1) 軽工業では、紡績業が輸出産業となり、製糸業も発展した

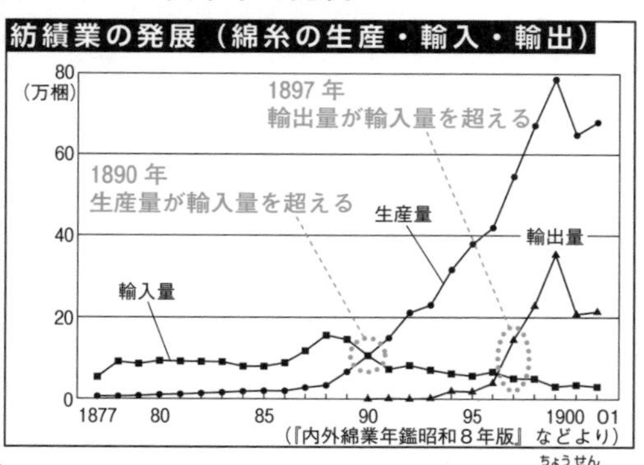

紡績業では、**綿糸の生産量**が**輸入量**を超え（1890）、輸入品の国産化に成功しました。さらに、日本郵船会社の**ボンベイ航路**（神戸・現ムンバイ間）が開設されると、安価な**インド**産の綿花が大量に輸入されました。そして、政府も免税（綿糸輸出税の撤廃・綿花輸入税の撤廃）によって輸出促進とコストダウンをはかり、日清戦争を機に**中国**・**朝鮮**での綿糸販売が拡大すると、**綿糸の輸出量**が**輸入量**を超え（1897）、紡績業が輸出産業として成長しました。

製糸業では、養蚕業が発達した長野県・山梨県などの農村部で小工場の設立が急増しました。そして、**アメリカ**など欧米向けの生糸輸出が増加し、日清戦

争後には**器械製糸**の生産量が**座繰製糸**の生産量を上回りました。

(2) 重工業では、政府が軍備拡張を進めるなかで、製鉄業がおこった

日清戦争のあとも政府は軍備拡張を進めました。そして、重工業の資材となる鉄鋼の国産化をはかり、福岡県に**官営八幡製鉄所**を設立しました（1897、操業開始は1901）。鉄鉱石は、清の**大冶鉄山**で産出されたものを輸入し、石炭は製鉄所の背後にある**筑豊炭田**から供給されたものを使用しました。

また、政府は**造船奨励法**（1896）を制定し、造船業に補助金を交付するなどして民間造船業の発達をはかりました。

(3) 運輸業では、政府の保護が加えられた

日本郵船会社は、ボンベイ航路（綿花を輸入）ののち、欧州航路・北米航路（生糸を輸出）などの遠洋航路を開きました。政府は、**航海奨励法**（1896）を制定し、海運業への補助金の交付などをおこなって、貿易や輸送を保護しました。

(4) 金本位制が確立し、貨幣制度・金融制度が整備された

本位貨幣制と外国為替相場との関係を見ていきましょう。

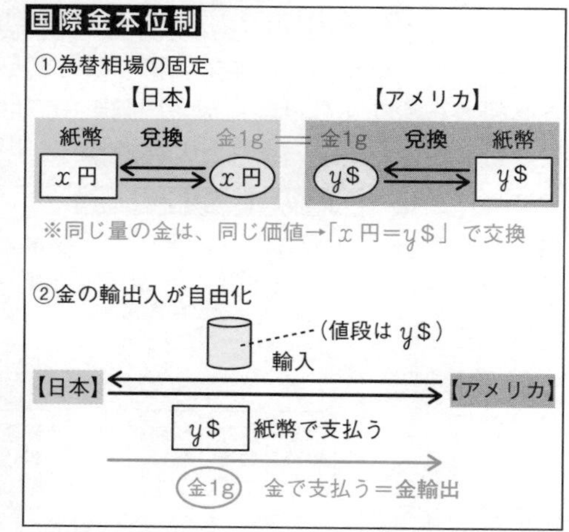

図①のシミュレーションは、日本もアメリカも金本位制で、紙幣が同じ金額の正貨（金）と交換される状態（＝兌換）を示します。仮に、日本でx円の金が1g（グラム）で、アメリカでy＄（ドル）の金が1gだとしましょう。金本位制では「同じ量の金は、同じ価値を持つ」とみなすので、同じ金本位制を採用する国どうしで、**為替相場を固定**するのです。この場合は、日本の通貨とアメリカの通貨は、同じ重さの金を基準として、常に「x円＝y＄」の相場で交換されるようになります。

図②は、貿易のときに用いられる金本位制の機能を示しています。品物を輸入して外国へ代金を支払うとき、外国の通貨で支払うだけでなく、金を使って支払うことも可能になります（＝**金輸出**）。この場合は、「y＄＝金1g」なので、y＄の品物を輸入するときに、y＄の紙幣で支払ってもよいし、1gの金で支払ってもよいのです。逆も同じで、品物を輸出して外国から代金を受け取

るとき、日本の通貨（円）で受け取るだけでなく、金で受け取ってもよいのです。このように、金の輸出入を自由にすることが、国際的な金本位制のルールです。金本位制を始める（為替を固定する）ことを「金輸出解禁」、金本位制をやめる（為替を固定しなくなる）ことを「金輸出禁止」と呼びます→第26章。

次に、銀本位制から金本位制へのプロセスを見ていきます。1880年代半ば、政府は松方財政のもとで銀本位制を確立しました。しかし、欧米諸国は金本位制を採用しており、産業革命をさらに推進するためにも、貨幣・金融システムを欧米と同じにする必要が出てきました。そこで、1890年代後半、日清戦争の賠償金を用いて正貨蓄積（金）を進め、〔**第2次松方内閣**〕が**貨幣法**（1897）を制定して**金本位制を確立**しました。国内では、紙幣と金の兌換が保証されました。そして、外国との間では、「100円＝約50＄」の為替相場で固定して金の輸出入を自由化したことで、貿易が安定しました。さらに、日本の通貨が国際的な信用を得たことで、外国資本を日本へ導入しやすくなりました（日露戦争ではアメリカ・イギリスが外債を購入して戦費を貸してくれましたね→第22章）。

銀本位制から金本位制へ

⑴松方財政で**銀本位制**を確立／欧米は**金本位制**
（1885、日本銀行が銀兌換券を発行）
⑵当時の世界情勢は、金に対する銀の価値が下落
→金本位制の欧米との間では「銀安」＝円安
●円安で、欧米への輸出は増加
※銀本位制だと、生糸の輸出に有利
●ドル高・ポンド高で、欧米からの輸入は減少
※銀本位制だと、機械・原料の輸入に不利
⑶日清戦争後、銀本位制から**金本位制**へ移行
（1897、**貨幣法**【100円＝金75g＝49.85＄】）

さらに、金融制度も整備されました。特別法で設置を認可された**特殊銀行**としては、貿易金融をおこなう**横浜正金銀行**が松方財政のときに登場していましたが、日清戦争後は農工業に融資をおこなう**日本勧業銀行**や、植民地経営の金融をおこなう**台湾銀行**なども設立されました。

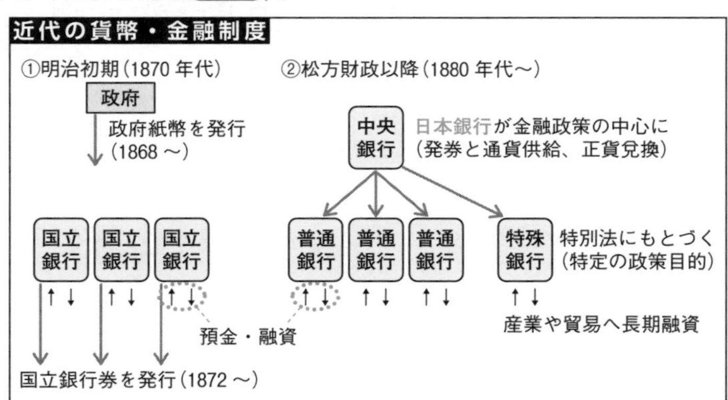

⑤ 1900年代の経済

1900年代の産業革命と関係が深いのは、やはり**日露戦争**（1904～05）でしょう。軽工業の産業革命が達成され、重工業が成長しました。しかし、原料や機械・鉄類の輸入が増えて貿易赤字がさらに拡大し、賠償金が得られなかったことから政府による戦後経営は困難で、1907年ごろから恐慌の状態となりました（第一次世界大戦期の大戦景気→第24章まで、しばらく我慢！）。

(1) 軽工業では、綿織物業が成長し、製糸業もさらに伸張した

綿織物業では、日清戦争後に**豊田佐吉**らによって**国産力織機**が発明され、農村での手織機による家内工業は、国産力織機を採用した農村内小工場での生産に転換していきました。そして、綿糸を生産する紡績会社が、**輸入力織機**を導入して綿布（綿織物）の生産もおこなうようになりました。さらに、日露戦争で得た**満洲**市場への綿製品輸出が増えていき、**綿布の輸出額**が**輸入額**を超え（1909）、綿織物業も紡績業に約10年遅れて輸出産業に成長しました。

製糸業では、**アメリカ**向け輸出がさらに増加し、**生糸**の**輸出量**は中国を抜いて**世界第１位**になりました（1909）。

(2) 重工業では、民間の鉄鋼業・機械工業も成長し始めた

鉄鋼業・機械工業では、日露戦争のあとに官営八幡製鉄所が経営を拡張するとともに、兵器を製作する民間の製鋼会社として北海道の室蘭に**日本製鋼所**が設立され、工作機械では池貝鉄工所がアメリカ式旋盤の製作に成功しました。

造船業では、官営事業の払下げを受けた**三菱長崎造船所**などが活躍しますが、造船業の本格的な成長は大戦景気以降となります→第24章。

(3) 運輸業では、鉄道業で国家による大規模な買収がおこなわれた

鉄道業では、民営鉄道（民鉄）が伸び、全国の幹線も建設しました。しかし、日露戦争後の〔**第１次西園寺内閣**〕のもとで**鉄道国有法**（1906）が公布され、全国の民鉄のうち幹線部分を政府が買収しました。朝鮮・満洲への軍事行動にともなう輸送を想定し、鉄道網の統一的な管理が求められたのです。

(4) 政商から財閥が成長し、明治時代末期から独占企業体となっていった

近代史における大企業というと、**財閥**を思い浮かべますよね。その始まりは、三井・三菱・古河などの**政商**です。これらは官営鉱山（炭鉱・銅山など）の払下げを受け、鉱工業を基盤に発展していきました。そして、さまざまな業種

（異なる産業部門）の**傘下企業**を抱えて**多角経営**を展開していき、明治時代末期からは、

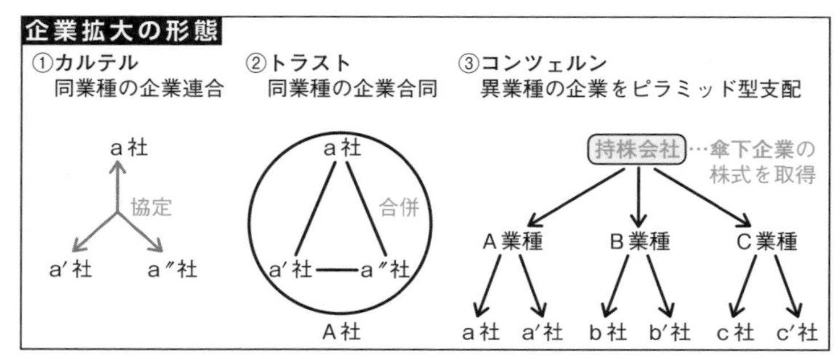

持株会社が傘下企業の株式を所有して支配していく、**コンツェルン**形態をととのえていきました。**四大財閥**といえば**三井**・**三菱**・**住友**・**安田**で、**三井合名会社**が最初の持株会社です（1909）。

植民地・権益との関係、貿易、農業について

植民地や権益は食料・原料・資源の供給地や工業製品の市場として重要でした。大正期以降に都市人口が増加すると、朝鮮・台湾から米の移入が増えました。

植民地・権益との経済的関係

- 台湾：下関条約（1895）、**米**・**砂糖**移入
- 満洲：ポーツマス条約（1905）、**大豆粕**輸入、**綿布**輸出
- 朝鮮：韓国併合条約（1910）、**米**移入、**綿布**移出

産業革命と貿易との関係

- 紡績業：綿花や機械を輸入→綿産業全体では輸入超過
- 製糸業：繭も器械も国産→外貨を獲得、最大の輸出産業
- 重工業：発達が不十分→機械・鉄類の輸入が増加

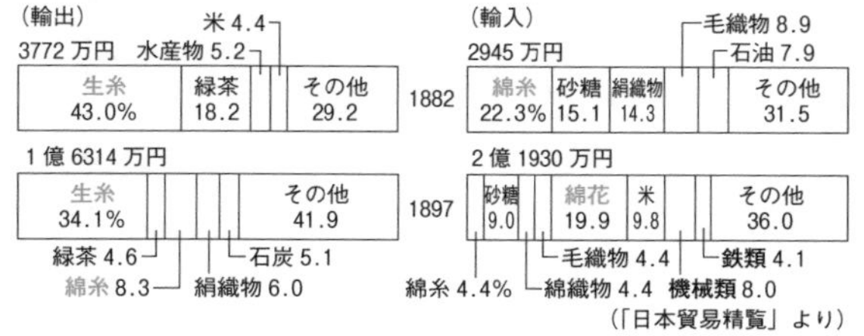

貿易では、1890年代後半から1910年代前半にかけて**輸入超過**（貿易赤字）でした。産業革命により製品（生糸・綿糸・綿布）の輸出は増えたものの、原料（綿花・鉄鉱石）・鉄類・機械の輸入も増えたためです。

農業は立ち遅れていました。**米作**中心の零細経営で、商品作物（綿花など）の栽培は衰える一方、桑の栽培と**養蚕**（繭を生産）が広まりました。

3 社会運動の発生（1880年代～1910年代）

産業革命の時代は、苦しい労働の時代でもありました。近代の資本主義を支えた労働者の状況に注目し、**社会運動**（**労働運動**・**社会主義運動**）の展開を見

ていきます。運動団体のメンバーが複数の団体に関わる場面に注意します。

明治時代は、政治も外交も経済も近代化した、素晴らしい時代だ！

物事には「光と影」があるよ。国家としては経済が発展したかもしれないけれど、この国に生きる人々の生活はどうだったのかな。

そうか、小作農の子女が工場で働くのは、苦しい家計を助けるためだったね。しかも**低賃金**で**長時間労働**だから、大変だ……。

労働者の実態

- ●横山源之助『日本之下層社会』(1899)
  …産業革命期の貧困層の状況調査
- ●農商務省『職工事情』(1903)
  …政府による工場労働者の実態調査
- ●細井和喜蔵『女工哀史』(1925)
  …第一次大戦後の紡績女工の状況

工業の発達で労働者が増え、社会問題が発生した。特に、繊維産業を支えた女性の工場労働者（**女工**）の、虐待ともいえる労働条件が問題になったんだ。

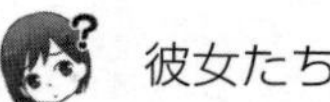

彼女たちは抵抗したのかな？

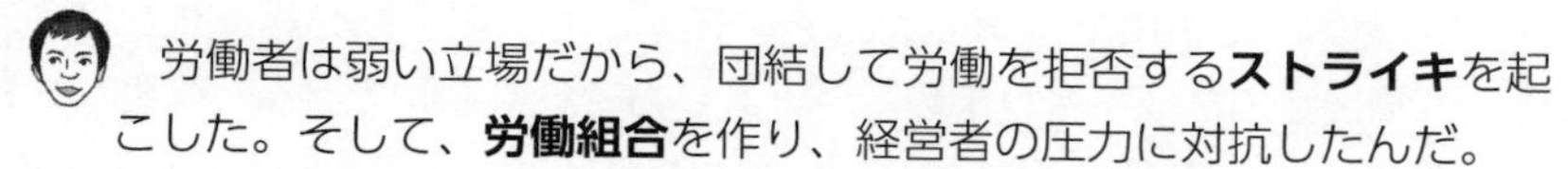

労働者は弱い立場だから、団結して労働を拒否する**ストライキ**を起こした。そして、**労働組合**を作り、経営者の圧力に対抗したんだ。

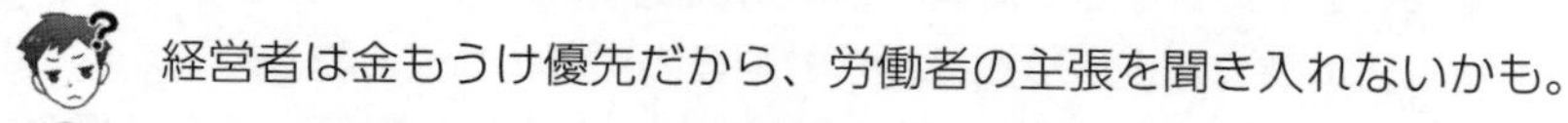

経営者は金もうけ優先だから、労働者の主張を聞き入れないかも。

そこで登場するのが、資本主義を否定し、社会平等をめざす**社会主義**だ。資本主義は、簡単にいうと「金もうけの自由」だけれど、それによって人々の共同体が壊され、資本家・地主と労働者・小作農との間で貧富の差が広がり、社会不安が増大する、というマイナス面がある。だから、貧困者を救済したり、経済活動を規制したり、土地や資本を公有したり、といった手段で平等を達成しようとするんだ。

でも、資本家や地主は、「金もうけの自由」によって資本や土地を自分のものにしたんだから、社会主義には反対するんじゃないかな。

そういうこと。そして、資本家・地主によって支えられている政府は、社会主義を危険なものとみなし、その運動を規制するんだよ。

労働者の苦しみは、なくならなかったんだね。

① 社会問題

(1) 産業革命が展開するのと同時に、労働争議も発生した

企業勃興から産業革命の時期（1880年代後半～90年代）、早くも製糸女工や紡績女工による**労働争議**が発生しました。労働者が**ストライキ**を起こし、待遇の改善を資本家（経営者）へ要求したのです。またこの時期、三菱高島炭鉱での坑夫虐待の実態を、三宅雪嶺の雑誌『日本人』→第25章が告発しました。

(2) 公害問題の原点ともいえる、足尾銅山鉱毒事件が発生した

足尾銅山鉱毒事件とは、**古河**（古河市兵衛）が経営する**栃木県足尾銅山**が廃水を垂れ流し、鉱毒によって**渡良瀬川**の流域の農業に被害を与えた事件です。衆議院議員の**田中正造**が議会で追及しましたが、外貨を獲得する輸出産業であった産銅業を守りたい政府は、鉱毒対策に及び腰でした。田中は議員を辞職し、天皇へ直訴しようとしましたが、果たせませんでした（1901）。その後も、田中は地域住民とともに、政府に抗議し続けました。

② 労働組合の結成

日清戦争後の1890年代後半になると、日常的な労働運動の組織化をはかるため、労働組合の結成が進みました。アメリカで労働運動を学んだ**高野房太郎**が**片山潜**とともに**労働組合期成会**（1897）を結成し、労働運動を指導すると、鉄工組合・日本鉄道矯正会など、男性労働者の組織化が進みました。

しかし、〔**第２次山県内閣**〕は**治安警察法**（1900）を制定して団結権やストライキ権を制限し、こういった労働運動を取り締まりました→第22章。

③ 社会主義運動の発生

(1) 社会主義政党が結成されたが、政府によって禁止された

日清戦争後、労働者を保護するための社会主義理論を実践する目的で社会主義研究会が作られ、1900年代になると、最初の社会主義政党として**社会民主党**（1901）が**安部磯雄**・**片山潜**・**幸徳秋水**・木下尚江らによって結成されました。しかし、治安警察法によって即日禁止となりました。

次に、**平民社**（1903）が**幸徳秋水**・**堺利彦**らによって結成され、**『平民新聞』**を発行して日露戦争に反対しました→第22章。

日露戦争後、最初の合法的な社会主義政党として**日本社会党**（1906）が結成され、〔**第１次西園寺内閣**〕が公認しました。しかし翌年禁止されました。

(2) 社会主義は政府によって弾圧され、社会主義者の活動は抑圧された

こうしたなか、**大逆事件**（1910）が発生しました。管野スガらの社会主義者による天皇暗殺計画をきっかけとして、〔**第2次桂内閣**〕は全国の社会主義者を逮捕したのです。翌年、**幸徳秋水**らが死刑となりました（幸徳秋水は暗殺計画に関与していませんでした）。こののち、社会主義者は表立って活動ができなくなる「冬の時代」となりました。そして、東京府の警視庁に政治犯・思想犯を取り締まる**特別高等課**（**特高**）が設置されました。

(3) 政府は労働者を保護する政策をおこなった

〔**第2次桂内閣**〕は社会主義運動を徹底的に弾圧したが、1910年代になると、労働者を保護する社会政策もおこない（労働者から徴発する兵士の弱体化防止もあった）、労働者に対する事業主の義務を定めた**工場法**（1911）を制定しました。しかし、労働者の保護は、1人あたりの労働時間短縮や賃金上昇などのコストアップにつながり、輸出産業である繊維産業から反対が多く、施行は5年後の1916年となりました。

工場法（1911年制定、1916年施行）
- ●労働者を保護する規定
  - ・12歳未満の雇用を禁止
  - ・女性や年少者は就労時間が12時間以内
  - ・女性や年少者は深夜労働を禁止
- ●不十分な内容、例外規定あり
  - ・従業員15人以上の工場にのみ適用
  - ・製糸業に14時間労働を許可（←長時間労働の産業であるため）
  - ・紡績業に期限付きで深夜業を許可（←昼夜2交代制の産業であるため）

年表 ※10年ごとの動向を確認しよう　※「1897年」に注目！

	軽工業	運輸業・重工業	貨幣・金融	社会運動
1880年代	1883 大阪紡績会社	1881 日本鉄道会社 1885 日本郵船会社	1881 松方財政開始 1882 日本銀行 1885 銀本位制確立	※ストライキの発生
1890年代	1890 綿糸 生産>輸入			
	1894～95 日清戦争			
	※器械製糸>座繰製糸 1897 綿糸 輸出>輸入	1897 八幡製鉄所	1897 金本位制確立	1897 労働組合期成会
1900年代		1901（操業開始）		●治安警察法（1900） 1901 社会民主党 1903 平民社
	1904～05 日露戦争			
	1909 綿布 輸出>輸入 1909 生糸 輸出第1位	1906 鉄道国有法		1906 日本社会党
1910年代				●大逆事件（1910） ●工場法（1911）

チェック問題にトライ！

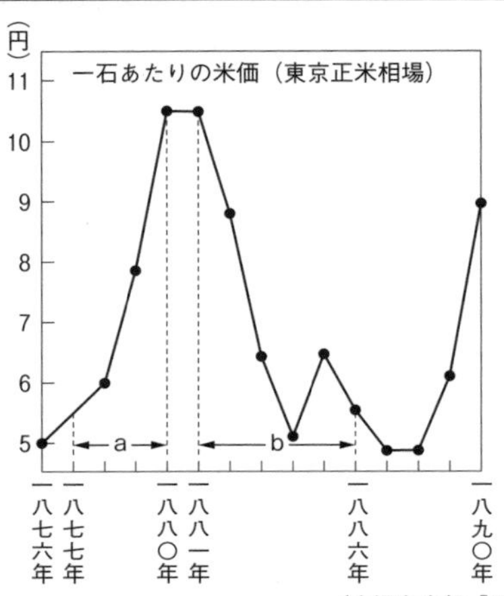

（中沢弁次郎『日本米価変動史』により作成）

上のグラフに関連して述べた文として正しいものを、次の①～④のうちから一つ選べ。

① aの時期の自由民権運動の主要な参加者は、米価高に苦しむ労働者であった。

② aの時期、米価は上昇したが地租も増えたので、農民の負担は変わらなかった。

③ bの時期の低米価の結果、多くの豪農も自由民権運動に参加しはじめるようになった。

④ bの時期の低米価は、地租の実質的負担を増加させたので、没落する農民が多くなった。　（センター試験　1995年度　追試験）

解説　**社会情勢と政治動向の関連を理解して時代の全体像をつかむ**ことは、大切です。本問は、松方財政と自由民権運動の関連を問うています。

① 1870年代後半の自由民権運動は、「米価高に苦しむ労働者」ではなく、現物の小作料の売却収入が増えて成長した豪農が参加しました。

② 「米価」が「上昇」すると、農家が米を売って得る収入は増えますが、「地租も増え」れば納税額も増えますから、「農民の負担は変わら」ないという理屈は正しいです。しかし、地租改正反対一揆を受けて1877年に地租率が３％から2.5％になっているので、「地租も増えた」が誤りです。

③ 1880年代前半の自由民権運動は激化事件で、1881年以降の松方デフレで没落した貧農などが関わりました。「豪農も～参加しはじめる」が誤りです。

④ 「低米価」では、農家が米を売って得る収入は減りますが、地租の納税額は一定なので、「地租の実質的負担を増加させた」は理屈として正しいです。「没落する農民が多くなった」も、歴史的事実として正しいです。

⇒したがって、④が正解です。

職工特に工女の幼なるは精紡機に属するは通例なるが、長ぜるも十六、七歳、たいてい十二歳ないし十四、五歳、甚だしきは七、八歳の児女を精紡に見る事あり。余は一日も早く各工場に全く幼年職工のなくならんことを欲して止まざるなり。

〔横山源之助『日本之下層社会』1899年（明治32年）刊〕

史料がおさめられている横山源之助の『日本之下層社会』は、日清戦争後に刊行された社会問題のルポルタージュであり、そこでは都市・農村の「下層社会」の実態が広く取り上げられている。下に掲げた同書の目次には一か所誤りを加えてあり、当時の「下層社会」のありようを示したものとしては**適当でないもの**がある。その番号を次の①～⑤のうちから一つ選べ。

目次

日本之下層社会

① 第一編　東京貧民の状態
② 第二編　阪神地方の朝鮮人職工
③ 第三編　手工業の現状
④ 第四編　機械工場の労働者
⑤ 第五編　小作人生活事情

（センター試験　1993年度　本試験）

解説　**選択肢が「当時の『下層社会』のありよう」という条件にあてはまるかを考えます。**「日清戦争後に刊行」（＝1890年代後半の産業革命期）がヒントです。

①「東京貧民の状態」が生じていたことは、あり得るでしょう。

②「朝鮮人職工」が増えたのは、韓国併合（1910）で日本が朝鮮を植民地とし、土地調査事業で土地を奪われるなどした朝鮮の人々が日本へ渡ってきたからだ、と推定できます。1890年代のことだとは考えにくいです。

③ 当時発展した製糸業や絹織物業は「手工業」ですから、正しいです。

④「機械工場」は機械を用いた工場という意味で、紡績業は機械化が進んでいましたから、正しいです。

⑤ 松方財政のあと、「小作人」となる農家が増えていましたから、正しいです。

⇒したがって、②が正解です。

歴史総合のための世界史 「近代化と私たち」5 第2次産業革命

日本の資本主義が形成されていく背景にあった、第2次産業革命を含む世界における産業革命の進展と、世界の一体化について、見ていきましょう。

① 清の改革の試み　※第22章の続き

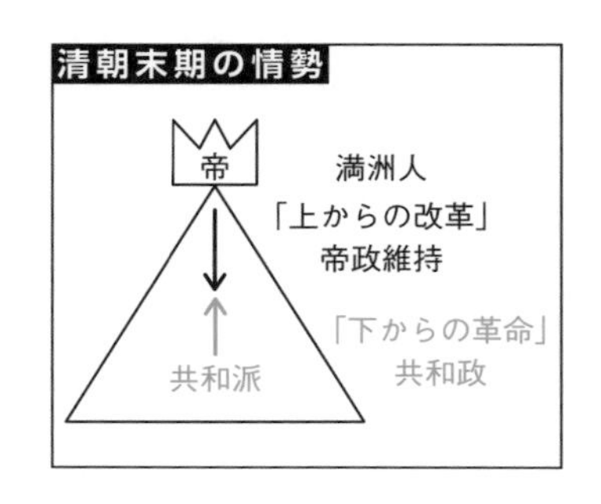

清では、日清戦争（1894～95）後の列強の中国分割→第22章に対する危機感から、康有為らが日本の近代化にならい立憲君主政などの政治改革を進めようとしたものの（**戊戌の変法**）、西太后らの保守派が政変で阻止しました。のち、義和団戦争（北清事変　1900）での清の惨敗や日露戦争（1904～05）での日本の勝利を受け、西太后も改革を容認し、官僚選抜試験制度である**科挙**の廃止や、憲法大綱の発布、国会開設の公約などをおこないました（日本への留学も増加）。一方、清を倒して共和国を作る革命運動を孫文らが主導し、辛亥革命（1911～12）が勃発します→第24章。

② 第2次産業革命

19世紀後半、産業革命の中心は石炭が動力源の軽工業から、石油・電気が動力源の重化学工業へ移行しました。この第2次産業革命を主導したのが**アメリカ**と**ドイツ**です。アメリカでは北東部を中心に機械工業が発達し、南北戦争（1861～65）後の**保護貿易政策**（輸入品に高い関税をかけて国内産業を守る）と広大な国内市場のもとで、19世紀末に世界最大の工業国となりました。ドイツでは、ドイツ帝国の統一に先立ちプロイセン主導のドイツ関税同盟（領邦間の関税を撤廃、1834）で経済的に結びつき、科学技術を発達させる大学の設立も進み、20世紀初めにイギリスを抜いて世界第2位の工業国に成長しました。こうした政府の関与は、日本の殖産興業→第20章にも見られます。

重化学工業は膨大な設備投資をともなうので、銀行から多額の融資を受けて産業資本と銀行資本が結合し（金融資本）、また1870年代半ばから1890年代半ばまで続く不況のもとで、市場内で大きなシェアを占める**独占資本**が形成されました（独占の形態はカルテル・トラスト・コンツェルン→第23章）。金融資本や独占資本は政府と結んで植民地へ資本を投下し、帝国主義を支えました。

また、重工業化が遅れたイギリスは植民地支配を強化して市場を囲い込む帝国主義策を進めるとともに、「世界の工場」から「世界の銀行」（海運・保険・

投資などのサービス収入を稼ぐ）へ転換しました。イギリス・フランスで国外投資が盛んになり（これはオスマン帝国やガージャール朝イランの対外債務膨張と列強への経済的従属につながる）、国際的な資金の流れが活発化しました。

一方、産業革命の世界的拡大は、それを達成できなかった国や地域を経済的に従属させることにつながりました。列強は、工業の製品市場や原材料供給地として、あるいは農産物の供給地として、アジア・アフリカ・ラテンアメリカ・オセアニアを位置づけたのです。こうして、財（商品）の移動における世界的ネットワーク（国際分業体制）が形成され、**世界の一体化**が加速しました。

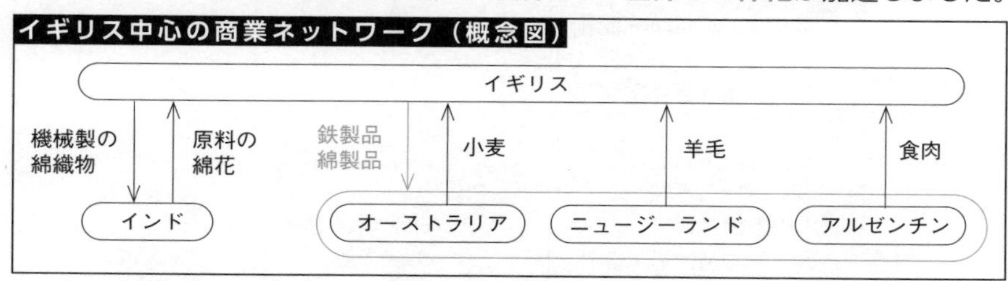

③ 産業革命にともなう交通・情報の革命

蒸気機関は工場機械に加えて機関車や船の動力源にもなり、ヒト・原料・製品の大量輸送や時間の短縮が実現しました（**交通革命**）。19世紀前半にスティーヴンソンが実用化した蒸気機関車がヨーロッパ諸国やインド・日本に普及しました。19世紀後半のアメリカで**大陸横断鉄道**が完成し、東部の工業製品と西部の食料・原料が結びつけられました。19世紀初めにアメリカ人フルトンが蒸気船を実用化し、輸送船や軍艦（ペリーの「黒船」→第19章）に利用されました。19世紀末にはドイツ人ダイムラーがガソリン内燃機関を発明して自動車を実用化し、ドイツ人ディーゼルもディーゼルエンジンを発明しました。

また、19世紀後半にエジプトに作られた**スエズ運河**はヨーロッパとアジアの間の移動距離を短縮させ、20世紀初めに中米に作られた**パナマ運河**はアメリカ大陸の東海岸・西海岸（大西洋・太平洋）の往来を容易にしました。

これらの変化で、**移民**や（1840年代にジャガイモ不作で飢饉（ききん）が広がったアイルランドからアメリカ合衆国への移住など）、外国旅行や（イギリスで世界初の旅行代理店の営業開始など）、探検（ヨーロッパ諸国による植民地化と関連するアフリカ大陸への探検など）といったヒトの移動が一気に増加しました。

また、情報も世界的に移動しました。19世紀、アメリカ人モース（モールス）が考案した有線電信機とモールス信号は素早い情報伝達を可能にし、19世紀半ばから**海底電信ケーブル**の敷設で情報通信網が形成され、日本も明治（めいじ）初期の1870年代に長崎から世界とつながる電信線に接続しました→第20章。

第一次世界大戦（大正時代）

年代	内閣	政治	外交	社会・経済
1910年代		1 護憲運動と政党勢力の拡大		
	西園寺②	①**第一次護憲運動** 〔西園寺②〕 陸軍２個師団増設問題	(1)	
	桂③	〔桂③〕 第一次護憲運動(1912)	(2)	
	山本①	〔山本①〕 軍部大臣現役武官制改正 ジーメンス事件	2 第一次世界大戦と国際協調	3 大戦景気
	大隈②	〔大隈②〕 第一次世界大戦に参戦	①**第一次世界大戦の勃発** 二十一カ条の要求	①**大戦景気** 海運業の躍進
	寺内	②**本格的政党内閣の誕生** 〔寺内〕 米騒動（1918）	石井・ランシング協定 ロシア革命 →シベリア出兵	重工業の発展 軽工業の輸出増 化学工業の勃興
	原	〔原〕 本格的政党内閣 大学令　選挙権の拡大	②**パリ講和会議** ヴェルサイユ条約 三･一独立運動　五･四運動 国際連盟	輸出超過へ 金本位制の停止 ②**戦後恐慌**
1920年代	高橋	〔高橋〕	③**ワシントン会議** 四カ国条約　九カ国条約 ワシントン海軍軍縮条約	輸出不振 工場の操業短縮
	加藤(友)	③**非政党内閣の継続** 〔加藤（友）〕	※ワシントン体制の成立 →協調外交の展開	
	山本②	〔山本②〕 関東大震災からの復興 虎の門事件		
	清浦	〔清浦〕 第二次護憲運動(1924)		(3)
	加藤(高)①	④**「憲政の常道」** 〔加藤（高）①〕 治安維持法（1925） 普通選挙法（1925） ※政党内閣の慣行が続く	日ソ基本条約	

4 大正デモクラシー

①**デモクラシー思潮**　民本主義　天皇機関説

②**社会運動の発展**　労働運動　農民運動　社会主義運動　女性解放運動　部落解放運動

第24章のテーマ

大正時代（1910年代〜20年代前半）の政治・外交と社会・経済を見ます。

(1) 国民の政治意識が高まるなかで、政党が伸長する一方で藩閥が後退し、**政党内閣**や**普通選挙制度**が実現して、**政党政治**が発展しました。

(2) **第一次世界大戦**に参戦した日本は国際的地位を高め、戦後の**ヴェルサイユ体制・ワシントン体制**を受容する協調外交を展開しました。

(3) **大戦景気**を機に日本は本格的な工業国となり、自由主義・社会主義の潮流が外国から流入して社会運動が盛んになりました。

1 護憲運動と政党勢力の拡大（1910年代〜20年代）

ここから**大正時代**（1912〜26）に入ります。まず政治史から。国民の支持を背景に政党が勢力を伸ばし、藩閥が後退していくと、**本格的政党内閣**である〔**原敬内閣**〕の成立を経て、〔**第1次加藤高明内閣**〕以降は政党内閣が継続する「**憲政の常道**」という状況が生まれました。

内閣の性格を、**政党内閣**（衆議院多数党の党首が首相となり、党員が大臣の大半を占める）、**閣内協力**（多数党の党員が大臣の一部）、**非政党内閣**（超然内閣など、多数党の党員が大臣にならない）の三つに分けて見ていきます。

明治憲法は天皇主権だけど →第21章、国民の「政治に参加したい！」という要求を実現するには、どうしたらいいのかな。

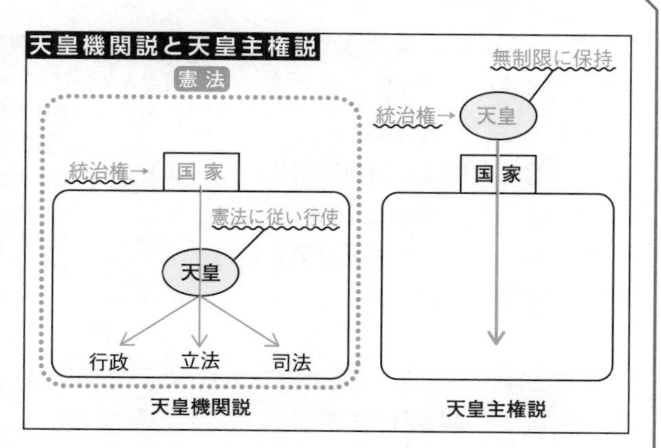

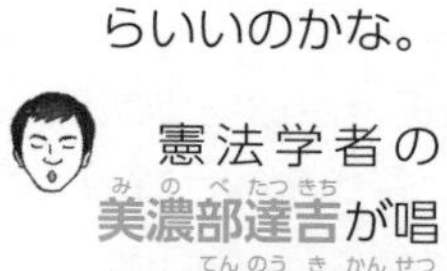

憲法学者の**美濃部達吉**が唱えた**天皇機関説**では、国家が統治権を持っていて、天皇は**憲法**にしたがって統治権を使うとした。天皇は、国家の最高機関というわけだ。もう一つ、天皇は制限なしに統治権を持つとした**天皇主権説**があったけど、一般的には天皇機関説が正しいと解釈されたんだ。

蒸気「機関」車みたいだけど、違うんだね（笑）。天皇は憲法にしばられて、むやみやたらに権力を使えない、という感じだね。

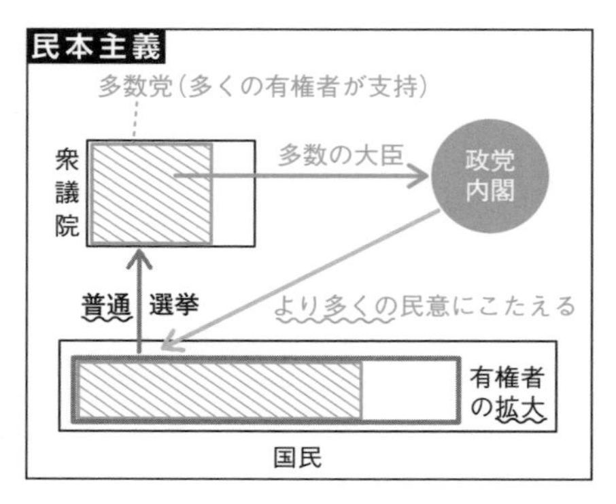

そして、政治学者の**吉野作造**が唱えた**民本主義**では、政治の目標は人民の幸福を実現することで、そのためには**政党内閣**と**普通選挙**が必要だ、と主張したんだ。「民本」は、民衆本位という意味だよ。図では有権者の範囲を実際より広くとっているけど、第22章の図とくらべて、普通選挙によって有権者が拡大し、より多くの国民のための政治になるイメージはつかめるかな→第22章。

こういった考えが人々の間に広まって、「政治に参加したい！」という要求が大きくなれば、政党内閣も普通選挙も実現しそうだね。

① 第一次護憲運動（1910年代前半）

まず、大正時代の始まりから。**第一次護憲運動**をきっかけにして政党の力が伸びていきました。

また、**第一次世界大戦が勃発**すると、日本はこれに積極的に関与し、それとともに、日本は**大戦景気**という空前の好景気を迎えました。

年表

〔西園寺②〕	1912	陸軍２個師団増設問題
〔桂③〕	1912	第一次護憲運動
	1913	大正政変
〔山本①〕	1913	軍部大臣現役武官制改正
	1914	ジーメンス事件
〔大隈②〕	1914	第一次世界大戦に参戦
	1915	二十一カ条の要求

(1) 政友会基盤の第２次西園寺内閣は、２個師団増設の拒否が原因で崩壊した

時は桂園時代→第22章、**立憲政友会**の総裁**西園寺公望**が再び首相となり、〔**第２次西園寺公望内閣**〕では立憲政友会が閣内協力しました。この内閣のときに明治天皇が亡くなり（1912）、明治45年から大正元年へ移行しました。

当時、**韓国併合**で朝鮮を植民地化していたので→第22章、**陸軍**は朝鮮に駐留する**２個師団増設**（師団は約１万人の部隊）を要求しました。しかし、当時は日露戦争後の不況で財政難だったので→第23章、内閣は拒否しました。

これに反発した陸軍大臣の上原勇作は辞任し、陸軍は内閣に「師団を増やさないと、次の陸軍大臣を推薦しないぞ！」というプレッシャーをかけました。軍部大臣現役武官制により、陸海軍大臣は軍部のみが決定することになったので→第22章、陸軍大臣が欠員となり、内閣は倒れてしまったのです。

(2)　超然内閣として出発した第３次桂内閣は、第一次護憲運動で崩壊した

元老の山県有朋の系列（陸軍閥・長州閥）である**桂太郎**が３度目の首相となり、**〔第３次桂太郎内閣〕**は官僚・軍部の支持を受けた**超然内閣**として発足しました。しかし、内大臣兼侍従長の桂の首相復帰に対して、宮中・府中の区別→第21章を乱すという批判があり、議会のなかから内閣打倒をめざす**第一次護憲運動**（1912〜13）が発生し、都市民衆・商工業者を巻き込んだ全国的な国民運動に発展しました。この運動を主導した政治家は、**立憲政友会**の**尾崎行雄**と**立憲国民党**（もと憲政本党）の党首**犬養毅**の二人。そして、「**閥族打破・憲政擁護**」（藩閥の打倒・世論尊重の政治実現）がスローガンに掲げられました。

実は、桂は山県有朋の影響から離れて政党政治へ移行することを望んでおり、桂を支持する官僚に立憲国民党の一部を加えた与党の形成を画策しました（これはのちに**立憲同志会**として成立します）。しかし、時すでに遅し。内閣打倒を叫ぶ民衆の議会包囲が続くなか、内閣は総辞職しました（**大正政変**）。

(3)　第１次山本内閣は、政党勢力に配慮したが、ジーメンス事件で崩壊した

次に首相となった**山本権兵衛**は**海軍**出身で薩摩閥の人物でしたが、**〔第１次山本権兵衛内閣〕**には**立憲政友会**が与党となって閣内協力しました。この内閣のトピックは、２点あります。まず、**軍部大臣現役武官制を改正**し、陸海軍大臣を現役軍人に限定する規定を外しました。制度上は内閣（政党内閣を含む）も陸海軍大臣を決めることが可能になったことで、軍部が陸海軍大臣を決めないことによって内閣を崩壊に追い込む、ということができなくなりました。さらに、**文官任用令を再改正**し、政党員が高級官僚になれるルートを設けました。こうして、**〔第２次山県内閣〕**のときに政党の影響力を抑えるために定められた制度は→第22章、**〔第１次山本内閣〕**のときに政党の勢力拡大に配慮するよう改められたのです。

しかし、海軍の高官が兵器会社から賄賂をもらったことが発覚した**ジーメンス（シーメンス）事件**（1914）で、国民の批判が高まり内閣総辞職しました。

(4)　第２次大隈内閣は、加藤高明外相のもと、第一次世界大戦に参戦した

民権運動以来の経歴で国民に人気があった**大隈重信**が、再び首相となりました。〔**第２次大隈重信内閣**〕は、桂太郎の新党構想をベースに成立した**立憲同志会**が閣内協力しました。そして、立憲同志会の**加藤高明**総裁が**外務大臣**となり、外交を積極的に主導しました。**第一次世界大戦**が勃発すると（1914）、日本は連合国として参戦し、中国政府に**二十一カ条の要求**（1915）を突きつけて、その大部分を承認させました。

一方、国内では総選挙で与党の立憲同志会が圧勝し、大戦景気で財政状況が好転すると、議会では立憲同志会の同意によって陸軍の２個師団増設予算が成立しました。軍部の望む軍備拡張は、政党勢力によって実現したのです。

② 本格的政党内閣の誕生（1910年代後半～20年代初め）

米騒動による民衆運動の高まりを受け、**本格的政党内閣**が誕生しました。

そして、**第一次世界大戦が終結**し、日本は国際社会のなかで重要な位置を占めるようになりました。しかし、**戦後恐慌**が発生し、その後の日本経済は景気がよくない状態が続きました。

年表（赤字の内閣は政党内閣）

内閣	年	事項
〔寺内〕	**1917**	石井・ランシング協定
	1918	シベリア出兵の開始
		米騒動
〔原〕	**1918**	**大学令**
	1919	選挙法改正 （直接国税額**３円以上**） パリ講和会議
〔高橋〕	**1921**	ワシントン会議（～1922）

(1) 超然内閣として出発した寺内内閣は、米騒動で倒れた

大隈のあとは、元老の山県有朋の系列（陸軍閥・長州閥）で初代朝鮮総督の**寺内正毅**が首相となりました。〔**寺内正毅内閣**〕は**超然内閣**でしたが、のち立憲政友会などとの協力も進めました。まず、外交面に注目しましょう。中国政府に**西原借款**を与え、日本の中国進出を有利にしようとしました（借款とは、政府どうしでお金の貸し借りをすること）。そして、アメリカと**石井・ランシング協定**（1917）を結び、日本の中国権益に関して日米間で調整がおこなわれました。さらに、労働者の蜂起がきっかけで発生したロシア革命によって、初の社会主義政権である**ソヴィエト政権**が成立すると、**シベリア出兵**（1918～22）で介入を始めました。

しかし、大戦景気のもとで都市化が進み、米の消費量が増えて米価が上がっていたところに、シベリア出兵による軍用米需要を見越した米の買い占めが重なり、米価が暴騰しました。こうしたなか、**富山県**で始まった米の安売りを要求する騒動は、漁村の女性の行動が新聞で報道されたことから全国に波及し、**米騒動**（1918）に発展しました。政府は軍隊も出動させてこれを鎮圧しましたが、寺内内閣の責任を追及する世論の批判が高まり、内閣総辞職しました。

(2) 原内閣は立憲政友会与党の本格的政党内閣だったが、普通選挙は拒否した

政治参加を求める世論を前に、元老の山県有朋らも政党内閣を認め、**立憲政友会**総裁の**原敬**が首相となって〔**原敬内閣**〕が成立しました。首相が多数党の党首であり、しかも衆議院に議席を持っているので、**本格的政党内閣**と呼ばれます（原は衆議院議員選挙に立候補して当選しています）。また、華族でも藩閥出身でもないことから、原は「**平民宰相**」とも呼ばれました。

〔**原内閣**〕は、立憲政友会が公約として掲げていた**積極政策**を実行しました。**大学令**（1918）を公布し、帝国大学以外の私立大学・公立大学・単科大学を認可しました。そして、地方の官有鉄道の拡張や、海軍軍備の拡張を進めて、農村や軍部の支持を得ました。

外交面では、**第一次世界大戦の終結**（1918）が原内閣の時期だと覚えましょう。日本は**パリ講和会議**（1919）に参加し、**ヴェルサイユ条約**に調印しました。一方、朝鮮で起きた**三・一独立運動**（1919）を弾圧しました。

選挙法の改正

公布年〔内閣〕	実施年〔内閣〕	選挙権を持つ人			
		直接国税額	性別・年齢	総数	人口比
1889〔黒田〕	1890〔山県①〕	15円以上	男 満25歳以上	45万人	1.1%
1900〔山県②〕	1902〔桂①〕	10円以上	〃	98万人	2.2%
1919〔原〕	1920〔原〕	3円以上	〃	307万人	5.5%
1925〔加藤(高)①〕	1928〔田中(義)〕	制限なし	〃	1,241万人	19.8%
1945〔幣原〕	1946〔幣原〕	〃	男女 満20歳以上	3,688万人	48.7%

さて、原敬は、普通選挙にどのようなスタンスで臨んだのでしょうか。当時、普通選挙運動が盛り上がりましたが、〔**原内閣**〕は普通選挙を導入しませんでした。ただし、**選挙法改正**で有権者の納税資格を直接国税額10円以上から**3円以上**へ引き下げ、人口の約２％から約６％に選挙権を拡大し、１選挙区で定員１名の**小選挙区制**を導入するなどの改革はおこないました。実は、小選挙区制は与党に有利で、直後の総選挙では立憲政友会が圧勝しました。

当時はロシア革命の直後で、納税額による選挙権の制限を一気に撤廃するのは、格差をなくそうとする社会主義的な考えにつながり、社会秩序を保つうえで適当ではない、と原敬は考えたのです。

そして、第一次世界大戦が終わると好景気も終わって**戦後恐慌**（1920）が発生し、積極政策が行き詰まるなか、原は東京駅頭で暗殺されました。

(3) 高橋内閣は立憲政友会与党の政党内閣を受け継いだが、短命に終わった

原敬のあとに**立憲政友会**の総裁となった**高橋是清**が首相となり、〔**高橋是清**

内閣〕は原内閣の大臣が留任して**政党内閣**が続きましたが、立憲政友会の内部対立があり、内閣は短命に終わりました。一方、**ワシントン会議**（1921〜22）に参加し、四カ国条約・九カ国条約・ワシントン海軍軍縮条約に調印して、ワシントン体制に対応する**協調外交**の基礎を築きました。

③ 非政党内閣の継続（1920年代前半）

そののち非政党内閣が３代続くと、政党勢力が結束して**第二次護憲運動**を展開し、**普通選挙**の実現を公約に掲げ国民の支持を得て、総選挙に勝利することで政党内閣を復活させました。

年表

〔加藤(友)〕	1922	シベリアから撤兵
〔山本②〕	1923	関東大震災からの復興 虎の門事件
〔清浦〕	1924	第二次護憲運動

(1) 加藤友三郎内閣は、ワシントン会議で決まった海軍軍縮を実行した

高橋内閣ののち、海軍大臣だった**加藤友三郎**が首相となりました。**〔加藤友三郎内閣〕**には立憲政友会が協力しましたが閣内には入らず、**非政党内閣**でした。加藤友三郎はワシントン会議の日本全権だったことから、ワシントン会議で決定した**海軍軍縮**を進め、**シベリアからの撤兵**（1922）を完了しました。

(2) 第２次山本内閣は関東大震災からの復興を進めたが、虎の門事件で倒れた

加藤友三郎が病死した直後、**関東大震災**（1923）が発生しました。その後、海軍出身の**山本権兵衛**が再び首相となり、**〔第２次山本権兵衛内閣〕**が**非政党内閣**として成立しました。東京・神奈川を中心に被害は大きく、死者は10万人以上に及びました。政府は、軍に首都の治安を維持させるため、**戒厳令**を発しました。また、日本経済は大きな打撃を受け、**震災恐慌**が発生しました。

この震災に関連して、「朝鮮人が暴動を起こした」などといった根拠のない噂を信じた市民により、朝鮮人や中国人が殺傷される事件が発生しました。そして、**無政府主義者**の**大杉栄**と**伊藤野枝**が、憲兵の甘粕正彦に殺される**甘粕事件**も発生しました（無政府主義とは社会主義の一種で、権力そのものを否定して小規模なコミュニティを重視する考え）。

山本権兵衛内閣

- ●第１次山本内閣→**ジーメンス事件**（海軍の汚職事件）で総辞職
- ●第２次山本内閣→**虎の門事件**（摂政裕仁親王への狙撃事件）で総辞職

山本は震災復興に尽力しますが、無政府主義者の難波大助が、大正天皇の摂政である裕仁親王（のちの昭和天皇）を狙撃する**虎の門事件**（1923）が発生すると、責任をとり内閣総辞職しました。

(3) 清浦内閣のとき、護憲三派による第二次護憲運動が発生した

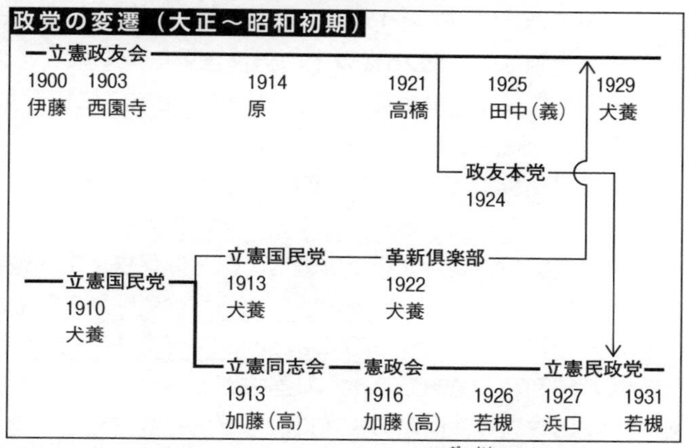

清浦奎吾が**貴族院**の勢力を基盤に、**超然内閣**の〔**清浦奎吾内閣**〕を組織しました。元老の西園寺公望らは、将来の総選挙による政党政治の復活を見越して、政党と距離を置く清浦を首相に推薦したのです。それに対し、政党勢力は一刻も早い政権奪還と、内閣打倒をめざして**第二次護憲運動**（1924）を始めました。**憲政会**（もと立憲同志会）・**立憲政友会**・**革新倶楽部**（もと立憲国民党）の３党が協力した**護憲三派**が主導し、「**普選断行**」（普通選挙実施）などを選挙公約として掲げました。

ところが、普選実施などの方針転換に批判的な勢力が立憲政友会から脱党し、**政友本党**を結成して清浦内閣の与党となりました。政友本党は、次の内閣での政党勢力の中心となるより、今の内閣での政権担当を優先したのです。

清浦は、解散・総選挙で決着をつけました。野党の護憲三派か、与党の政友本党か。結果は、護憲三派の圧勝。清浦内閣は、総辞職しました。

④「憲政の常道」（1920年代中ごろ～30年代初頭）

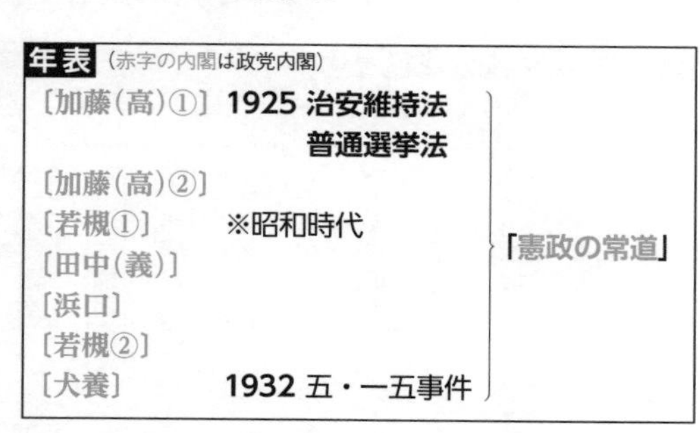

元老の**西園寺公望**は政党政治に理解があり（もと立憲政友会総裁）、７代にわたり多数党の党首を首相に推薦しました。こうして「**憲政の常道**」と呼ばれる政党内閣が継続する慣行が生まれ、政党政治は発展しました。**立憲政友会**と**憲政会**（のち**立憲民政党**）が交代で与党となる、二大政党制の時代がやってきたのです。

(1) 護憲三派が与党の第１次加藤高明内閣は、普通選挙を実現した

護憲三派のなかで憲政会が多数の議席を獲得したので、**憲政会**総裁の**加藤高**

明が首相となり、**護憲三派**が与党の〔**第1次加藤高明内閣**〕が成立しました。**政党内閣**の復活です。そして、公約の普通選挙制を実現するため**普通選挙法**（1925）を制定し、**満25歳以上**の**男性全員**に選挙権を与えました（人口の約６％から約20％に選挙権拡大）。女性参政権は戦後に実現することになります。

同時に、共産主義を取り締まる方針も打ち出しました。**治安維持法**（1925）を制定し、国体の変革や私有財産制度の否認（天皇制の打倒や資本主義の否定）を目的とする結社の組織者・加入者を処罰することにしました。当時、**幣原喜重郎**外務大臣が協調外交を受け継ぎ、日本は**ソヴィエト連邦**との間で**日ソ基本条約**を結んでいました。普通選挙による労働者階層の政治的影響力の拡大を抑えるとともに、日ソ国交樹立による海外からの共産主義の流入を防ぐことが、治安維持法制定の意図でした（共産主義とは社会主義の一種で、革命による労働者政権の樹立と、財産の共有による平等社会をめざす考え）。

また、**宇垣一成**陸相が**陸軍軍縮**を実施し、師団の削減と軍装備の近代化が進みました（失業した将校を学校に配属し、学校での軍事教練を義務化）。

(2) 憲政会が与党の第2次加藤高明内閣以降、政党内閣は犬養内閣まで続いた

〔**第2次加藤高明内閣**〕では護憲三派の連立が解消され、**憲政会**が与党の**政党内閣**でしたが、**加藤高明**首相が病死して総辞職となりました。

そして、**憲政会**の〔**第1次若槻礼次郎内閣**〕、**立憲政友会**の〔**田中義一内閣**〕、**立憲民政党**（もと憲政会）の〔**浜口雄幸内閣**〕と〔**第2次若槻礼次郎内閣**〕、**立憲政友会**の〔**犬養毅内閣**〕と、大正時代後期から昭和時代初期までの間、衆議院の多数党の党首が内閣を組織していきました。こういった状況を、「**憲政の常道**」と呼びます（1924〜32）。

大正・昭和初期の内閣 桂太郎③から、頭文字の順番は「かやおてはたかやき、かかわたハワイ」
（1 政党内閣　2 閣内協力　3 非政党内閣）

区分	内閣	与党・出来事
2	西園寺公望②	（立憲政友会）
3	桂太郎③	※第一次護憲運動
2	山本権兵衛①	（立憲政友会）
2	大隈重信②	（立憲同志会）
3	寺内正毅	※米騒動
1	原敬	（立憲政友会）
1	高橋是清	（立憲政友会）
3	加藤友三郎	
3	山本権兵衛②	
3	清浦奎吾	※第二次護憲運動
1	加藤高明①	（護憲三派）
1	加藤高明②	（憲政会）
1	若槻礼次郎①	（憲政会）
1	田中義一	（立憲政友会）
1	浜口雄幸	（立憲民政党）
1	若槻礼次郎②	（立憲民政党）
1	犬養毅	（立憲政友会）

2 第一次世界大戦と国際協調（1910年代〜20年代）

次は、大正時代の外交史です。日本は**第一次世界大戦**（**1914〜18**）に参戦し、大陸への進出を強め、中国での権益を拡大しました。そして、戦勝国として**パリ講和会議**（1919）に参加し、国際的地位を高めました。ただし、**ワシントン会議**（1921〜22）では、これ以上の権益の拡大はできなくなり、その後はアメリカ・イギリス中心の国際秩序に協力する**協調外交**を展開しました。

なぜ、第一次世界大戦が起きたのかな？

列強は19世紀末から**帝国主義**を広げた。資本が巨大化して国家権力と結びつき、軍事力で植民地や権益を獲得する国どうしの競争が激しくなったんだ。

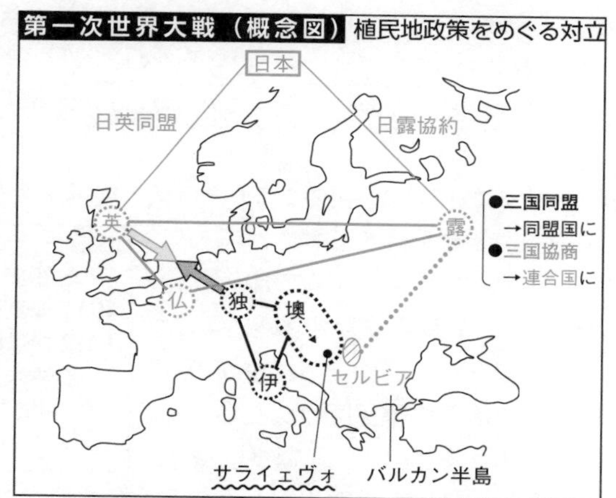

第一次世界大戦が起きる前は、どんな状況だったのかな？

ざっくりいうと、世界進出を強めた**ドイツ**と、従来世界秩序の中心だった**イギリス**との対立を軸に、**ドイツ・オーストリア・イタリア**（独・墺・伊）の**三国同盟**と、**イギリス・ロシア・フランス**（英・露・仏）の**三国協商**が対立した。地図でおおまかな位置がわかればOK。そして、第一次世界大戦が始まると、三国同盟は**同盟国**となり（ただしイタリアは連合国へ）、三国協商は**連合国**となるんだ。

そうすると、日本は**日英同盟**があるから、イギリスのいる連合国側になるし、イギリスのライバルであるドイツと戦うんだね。

そういうこと。そして、大戦の始まりは、**サライェヴォ事件**だ。オーストリアがバルカン半島への領土拡大を強めると、セルビアが危機感を持った。そして、オーストリア領となったサライェヴォで、セルビア人の民族主義者が、オーストリア帝位継承者を殺害したんだ。

オーストリアは怒って、セルビアと戦争を始めちゃうよね。

そこに、セルビアと親しいロシアが参戦して、オーストリアと三国同盟を結んでいたドイツが参戦して……さて、どうなっていくかな？

ヨーロッパ中を巻き込む全面戦争になってしまった！

① 第一次世界大戦の勃発

第一次世界大戦（1914～18）は、欧米列強どうしの帝国主義的な競争から生じた戦争で、国家の持つ軍事力だけでなく、一国の政治・経済を戦争に振り向け、国民のすべてをさまざまな形で動員する**総力戦**でした。

(1) ドイツに宣戦し、中国に二十一カ条の要求を突きつけて大陸進出を強化した

中国で清朝を打倒する動きが盛んになり（革命家の**孫文**が東京で中国同盟会を設立）、**辛亥革命**が中国全土に拡大し、アジア初の共和国（君主がいない国家）である**中華民国**が成立しました（1912）。しかし、軍閥（地域を支配する軍事集団）の**袁世凱**が北京政府の中心となって独裁を強めました。

年表

1905 孫文、東京で中国同盟会を設立
1911 辛亥革命…武昌の軍隊蜂起から拡大
1912 中華民国の建国…清朝の滅亡
⑴革命指導者の**孫文**が臨時大総統に
⑵軍閥の**袁世凱**が大総統となり独裁化
→北京の軍閥政府は、革命勢力を弾圧

第一次世界大戦の話に戻ります。〔**第２次大隈内閣**〕の**加藤高明外相**は、日英同盟を口実に連合国として参戦し、ドイツが東アジアに持つ権益を獲得して日本の国際的地位を高める、という野心的な考えを主張しました。

そして、日本はドイツに宣戦布告すると（1914）、中国の山東半島の**青島**を占領し、**山東省**の**ドイツ権益**を接収しました（これは日清戦争後にドイツが得ていた権益です→第22章）。あわせて、赤道以北のドイツ領**南洋諸島**（マリアナ諸島やマーシャル諸島などの中部太平洋）も占領しました。

そして、加藤高明外相は中華民国の**袁世凱**政権へ、**二十一カ条の要求**（1915）を突きつけました。主な内容は、**山東省**の**ドイツ**権益を日本が継承し、**旅順・大連**の租借の期限と**南満洲鉄道**の経営の期限を**99年間**延長する、というものでした。つまり、第一次世界大戦に関わる山東

二十一カ条の要求（1915）

⑴山東省のドイツ権益を継承
⑵南満洲・東部内蒙古の権益拡大
（旅順・大連の租借期限と南満洲鉄道の経営期限を、それぞれ99年間延長）
⑶漢冶萍公司（製鉄会社）の日中共同経営
⑷中国沿岸部を他国に割譲しない
⑸中国政府に日本人顧問を採用
※⑴～⑷を承認させる（⑸は撤回）

省権益を獲得するだけでなく、日露戦争後のポーツマス条約でロシアから譲られた→第22章南満洲権益を強化する要求もおこなったのです。

日本は中華民国政府に最後通牒を発し、要求の大部分を承認させましたが、中国国民は反発し、要求を受け入れた日を**国恥記念日**として記憶することになりました。そして、第一次世界大戦に乗じた日本の中国進出と権益拡大は、列強の反感を生んだので、今後はそれを解消する必要が出てきました。

次の〔**寺内内閣**〕は中国に対する軍事的進出を改め、袁世凱の後継者である軍閥の**段祺瑞**政権に**西原借款**を与えて、中国権益の確保をはかりました。

(2) 第一次世界大戦中、石井・ランシング協定を結び、シベリア出兵を実行した

1917年、第一次世界大戦に大きな動きがありました。**アメリカ**が**連合国**として参戦したのです。日露戦争後から、南満洲権益をめぐって日米は対立していました→第22章。そして、二十一カ条の要求によって、アメリカの日本に対する警戒はさらに強まっていました。しかし、日本とアメリカが同じ連合国になると、こうした対立をいったん先送りにする必要があります。そこで、〔**寺内内閣**〕のもとで**石井・ランシング協定**（1917）が結ばれました。まず、日米で、アメリカが主張していた、中国の領土保全・**門戸開放**・**機会均等**を確認しました（これは**ジョン＝ヘイ**の門戸開放宣言以来、アメリカの基本方針でした→第22章）。そして、アメリカは、日本の中国における特殊利益を認めました。ただし、この協定は、日米それぞれの立場を確認しただけに終わりました。

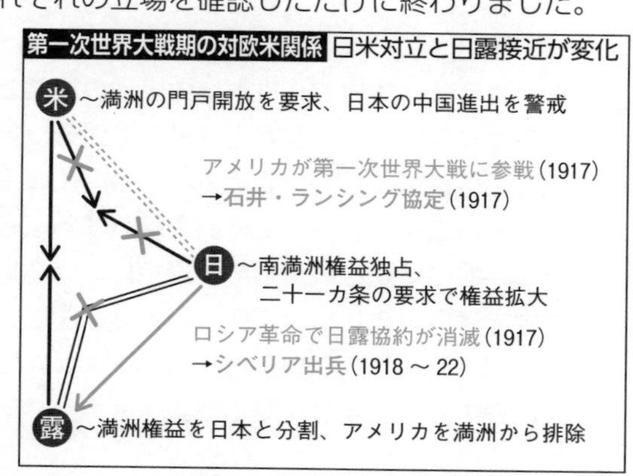

1917年には、もう一つ、世界を揺るがす大きな出来事がありました。労働者・兵士による**ロシア革命**で帝政ロシアが崩壊し、**ソヴィエト政権**が誕生したのです。翌年には、ドイツ・オーストリアと講和を結んで大戦から離脱しました。革命による社会主義国家の出現に対し、連合国（イギリス・フランス・アメリカ）は武力で干渉することを決定しました。日本は、これまでロシアと結んできた**日露協約**が消滅し→第22章、南満洲権益の安全を確保する必要もあって、この干渉戦争に参加することを決定しました。これが**シベリア出兵**（1918～22）で、米騒動の発生と〔**寺内内閣**〕の崩壊につながりました。日本軍は、東シベリア・北満洲（旧ロシア権益）を占領しまし

たが、連合国は第一次世界大戦終了後にシベリアから撤退したにも関わらず、日本は出兵を継続したので、「日本は、領土を拡張したいだけじゃないか？」と疑われることになりました。のち、日本はワシントン会議で**シベリア撤兵**を宣言し、〔**加藤友三郎内閣**〕のもとで撤兵を完了しました。

② パリ講和会議

第一次世界大戦は**連合国**の勝利に終わり、**ドイツ**・オーストリアを中心とする同盟国は敗北しました。連合国は「五大国」（米・英・日・仏・伊）となって**パリ講和会議**（1919）をリードし、**ヴェルサイユ条約**（1919）によってヨーロッパの新しい国際秩序が形成されました（**ヴェルサイユ体制**）。

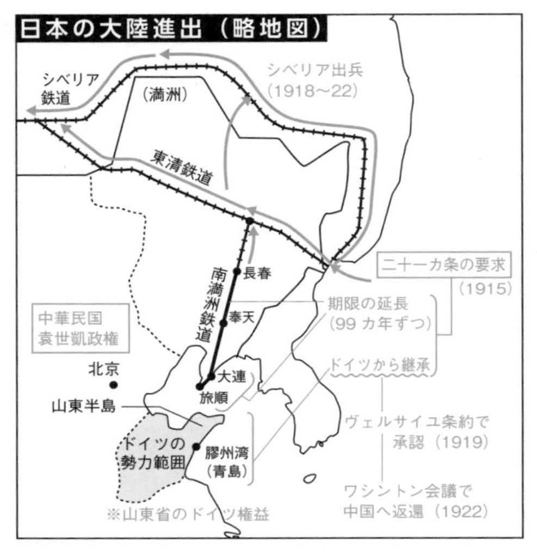

日本からは、立憲政友会が与党の〔**原内閣**〕が会議に参加し、日本全権として元老の**西園寺公望**（元首相で、もと立憲政友会総裁）を送りました。

(1) ヴェルサイユ条約で、日本は山東省の権益と南洋諸島の委任統治権を得た

ヴェルサイユ条約は、敗戦国ドイツの処分（植民地の剝奪と領土の縮小、軍備の制限、巨額の賠償金）とともに、勝利した日本の利益も定められました。まず、中国**山東省**の旧ドイツ権益を継承することになり、二十一カ条の要求の内容が国際的に承認されました。さらに、赤道以北の旧ドイツ領**南洋諸島**の**委任統治権**を獲得しました（委任統治とは、国際連盟からの委任によって一国が統治する形式）。このとき日本が会議に提示した人種差別撤廃案は、列国の反対で条約案には入りませんでした。

(2) 東アジアでは、日本の植民地支配や権益獲得に反発する運動が高まった

さて、東アジアの動きはどうだったのか。「それぞれの民族は、みずからの国家と政治体制を決定できる」という**民族自決**の世界的潮流は、東アジアにも影響を与え、**朝鮮**では日本からの独立をめざす**三・一独立運動**（1919）が拡大していきました。朝鮮総督府はこれを武力を用いて弾圧しましたが、そのの

ちに植民地朝鮮に対する統治を武断政治から**文化政治**へ転換し、憲兵警察制度の廃止などをおこないました→第22章。

さらに、大戦終結の直前に連合国として参戦し、パリ講和会議には戦勝国として参加していた**中国**では、日本の山東省権益の継承に対する反発が強まり、山東省の中国への返還などを求める**五・四運動**（1919）が展開しました。

(3) 国際平和を維持する機関として、国際連盟が設立された

アメリカ大統領**ウィルソン**の提唱にもとづく国際平和機関として**国際連盟**（1920）が設立され、スイスの**ジュネーブ**に本部が置かれました。日本は連合国（第一次世界大戦の戦勝国）だったこともあり、イギリス・フランス・イタリアとともに**常任理事国**となりましたが、アメリカは議会の反対で参加しませんでした。ドイツやソ連は、のちに国際連盟に参加しました。

③ ワシントン会議

パリ講和会議ののち、**ワシントン会議**（1921～22）がアメリカ主導で開かれました。会議が開かれたときは、立憲政友会を与党とする〔**高橋内閣**〕で、日本全権は海軍大臣の**加藤友三郎**でした。そして、この会議によって成立したアジア・太平洋の国際秩序を**ワシントン体制**と呼びます。アメリカ・イギリスを中心に、列国の協調と軍縮によって平和を維持していこうとするもので、1920年代の日本は、これに積極的に応じる**協調外交**を展開していきました。

(1) 四カ国条約・九カ国条約・ワシントン海軍軍縮条約が結ばれた

ワシントン会議（1921～22）では、軍縮問題と中国・太平洋問題が協議されました。アメリカは、米・英・日の建艦競争を終わらせて財政負担を軽くするとともに、第一次世界大戦後のアジア・太平洋地域の新しい秩序を築き、日本の中国・太平洋方面への進出を抑えようとしたのです。

まず、米・英・日・仏で**四カ国条約**（1921）が結ばれ、**太平洋**地域における勢力の現状維持と紛争の平和的解決が定められました。日本とイギリスの権益をお互いに保障し合う軍事同盟は意味がなくなり、**日英同盟が廃棄**されました。こうして、日本は太平洋に新しい権益を獲得できなくなったのです。

次に、米・英・日・仏・伊の五大国と、中国およびベルギー・オランダ・ポルトガルとで**九カ国条約**（1922）が結ばれ、**中国**の領土と主権の尊重や、中国における経済上の**門戸開放・機会均等**が定められました。アメリカの対中国方針を日本とアメリカで確認した協定は意味がなくなり、**石井・ランシング協定が廃棄**されました。こうして、日本の中国に対する政治的・軍事的な進出は

抑制されることになったのです。また、会議の場で、日本と中国との間で交渉がおこなわれ、**山東省の旧ドイツ権益**を中国へ返還することが決定しました。

いよいよ、ワシントン会議のメインテーマ、海軍軍縮です。米・英・日・仏・伊で**ワシントン海軍軍縮条約**（**ワシントン海軍軍備制限条約**）（1922）が結ばれ、艦隊の中心となる戦艦などの**主力艦**を10年間は建造禁止とし、その保有比率を、米・英・日・仏・伊で５：５：３：1.67：1.67と定めました。日本の保有量は、対アメリカで６割、対イギリスでも６割となり、日本は兵力の面でアメリカやイギリスに勝利することは実質的に不可能となりました。

日本が海軍軍縮に応じたのは、経済的な事情もありました。1920年以降、日本経済は第一次世界大戦中とはうってかわり、**戦後恐慌**に陥っていました。政府の財政が悪化したため、これ以上の軍備拡張は難しくなり、建艦競争を終わらせようとするアメリカの意向を受け入れたのです。

(2) 1920年代の日本は、ワシントン体制を受け入れる協調外交を展開した

ワシントン会議に参加した**〔高橋内閣〕**に続き、**〔加藤友三郎内閣〕**が海軍軍縮とシベリア撤兵を実行して、**協調外交**の基礎が築かれました。

そして、**護憲三派**の**〔第１次加藤高明内閣〕**と**憲政会**の**〔第２次加藤高明内閣〕〔第１次若槻内閣〕**では**幣原喜重郎**外務大臣が協調外交を継承しました（**幣原外交**）。のちの昭和初期、**立憲民政党**の**〔浜口内閣〕〔第２次若槻内閣〕**でも幣原外交が展開されました。幣原外交の特徴は、アメリカ・イギリスと協調して武力行使を避けた点と、中国に対しては**内政不干渉**を原則として、政治的・軍事的進出をおこなわない点にありました。実は、内政不干渉はアメリカや中国などの反発を避ける意図があり、それによって南満洲権益を確保しつつ中国市場を拡大するといった、**既得権益の維持**をはかったのです。

経済的な面から見ると、憲政会・立憲民政党は緊縮財政の方針をとっていたので、軍備拡張による対外進出は難しく、そのためこれらを与党とする内閣において外務大臣をつとめた幣原は、経済的な面での進出を充実させたのです。

3 大戦景気（1910年代後半〜20年代初め）

次は、大正時代の経済史です。日露戦争後は不況でしたが→第23章、**第一次世界大戦が勃発**すると、**大戦景気**（1915〜18）と呼ばれる好景気が到来しました（**〔大隈②〕〔寺内〕〔原〕**の各内閣）。しかし、第一次世界大戦が終わると、一転して**戦後恐慌**（1920）と呼ばれる不景気となりました。

① 大戦景気（1910年代後半）

(1) 世界的な船舶不足から、海運業が盛んとなり、造船業・鉄鋼業も発達した

大戦景気（1915〜18）には、第一次世界大戦が**総力戦**だったことが背景にありました。物資輸送が増えて世界的な船舶不足になり、日本の海運会社に「船を借りたい！」という依頼が殺到し、**海運業**が急成長しました。さらに、日本の海運業向けに船舶を生産する**造船業**が発達しました。急成長した業者は、将棋の駒の「歩」が「金」に成ることにたとえて「**船成金**」と呼ばれました。さらに、船舶原料の鋼材の需要が増え、**鉄鋼業**も発達しました（八幡製鉄所拡張、満洲で満鉄が経営する鞍山製鉄所の設立）。

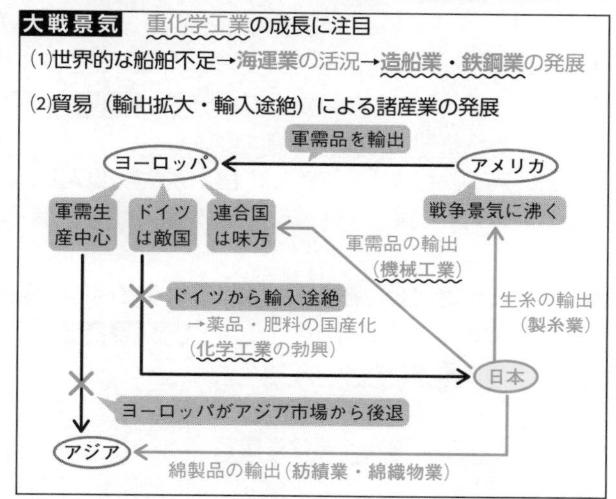

(2) 輸出の拡大で綿産業や製糸業が発達し、輸入の途絶で化学工業が発達した

総力戦でヨーロッパの工業が軍需生産優先となり、ヨーロッパ製品のアジア市場への流入が減ると、これに代わって日本製品がアジア市場を独占しました。アジアへの**綿織物**の輸出が拡大して**綿織物業**が成長し、**紡績業**では紡績会社が中国に工場を設立する動きが拡大しました（**在華紡**）。また、アメリカがヨーロッパへ軍需品を大量に輸出し、アメリカが戦争景気に沸くと、アメリカへの**生糸**の輸出が拡大して**製糸業**が成長しました。

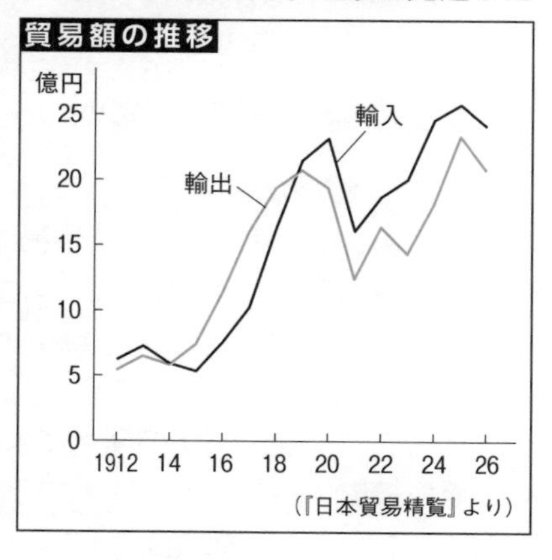

重化学工業では、造船業・鉄鋼業の発達に加え、敵国ドイツからの輸入が途絶し、肥料・薬品・染料が国産化されて**化学工業**がおこりました。連合国（英・仏・露）の軍需により**軍需品**が輸出され、機械工業も発達しました。

そのほか、**水力発電**による**電力事業**では、福島県の**猪苗代**発電所と**東京**との間の長距離送電が始まり、工場用動力で電力が蒸気力を上回りました。

Ⅳ 近代・現代

(3) 貿易は輸出超過となり、日本は債務国から債権国となった

輸出が伸び、貿易収支は**黒字**（**輸出超過**）となりました（1915～18）。また、海運業のサービス輸出が増え、サービス収支も黒字（海外からの受取が海外への支払を上回る）でした。さらに、日本は**債務国**（外国から資本の借り入れが多い）から**債権国**（外国への資本の貸し出しが多い）へ転換しました。

一方、第一次世界大戦の期間に日本は**金輸出禁止**（金本位制の停止）をおこない（1917）、これから10年以上、為替相場が不安定となりました→第26章。

(4) 工業化が進展し、都市への人口集中などの社会変化がもたらされた

工業化によって、1910年代後半には、**工業生産額**が**農業生産額**を上回りました。工場労働者が増え、特に重化学工業に従事する**男性労働者**が急増しました。そして、企業や工場が設立された都市部に人口が集中し、都市化が進行しました。

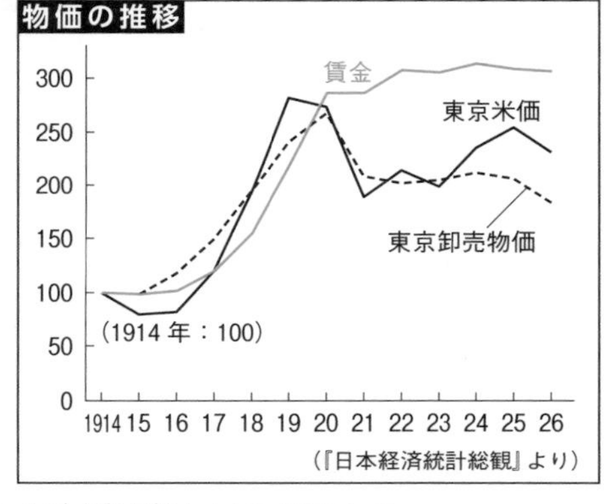

しかし、労働賃金は上がったものの、好景気による物価上昇（**インフレ**）の幅はそれより大きく、労働者の賃金は実質的に低下したため、人々の生活は苦しいものでした。

② 戦後恐慌（1920年代初め）

第一次世界大戦が終わると、ヨーロッパは復興し、さらにアジア市場へ復帰していきました。すると、日本製品は海外で売れなくなってしまい、貿易収支は赤字（**輸入超過**）となりました。生産過剰が生じ、株価が暴落して、**戦後恐慌**（1920）が発生しました。綿糸・生糸の相場は暴落し、企業の倒産や工場の操業短縮により失業者が増加し、成金の没落も相次ぎました。

こののち、関東大震災の発生による**震災恐慌**（1923）、銀行の休業が相次いだ**金融恐慌**（1927）と、1920年代の日本経済は反復恐慌（恐慌が連続する）の状況になりました→第26章。

4 大正デモクラシー（1910年代～20年代）

大戦景気をきっかけに全国的に**都市化**が進むと、生活水準の向上や教育の普及で、都市を中心に大衆の自由拡大要求や政治参加要求が高まりました。一方で、住宅不足や物価高騰などの社会問題も発生することで、都市はさまざまな

社会運動の舞台となり、農村へも影響を与えていきました。こうした風潮を「**大正デモクラシー**」と呼びます。また、第一次世界大戦後の世界的な自由主義的風潮が日本にも影響を与え、さまざまな社会階層で**社会運動**が発展しました。

① デモクラシー思潮

政治学者**吉野作造**の**民本主義**は、明治憲法のもとでの民衆本位の政治を目標とし、そのための手段として**普通選挙制**と**政党内閣制**を実現すべきだ、という主張です。吉野は "democracy" の訳語として、国民主権を意味する「民主主義」ではなく(「民主」では天皇主権の明治憲法に違反してしまいます)、民衆本位の政治を意味する「民本主義」を採用したのです。そして、吉野の主宰や指導によって、知識人団体の**黎明会**や学生団体の**東大新人会**が作られました。

憲法学者**美濃部達吉**の**天皇機関説**は、近代国家における統治権は法人としての国家が保持し、天皇は国家の最高機関として、**憲法の規定に従い**統治権を行使する、という学説です。美濃部は、統治権は神聖不可侵の天皇が無制限に保持する、という**天皇主権説**を唱えた**上杉慎吉**と論争し、そののち天皇機関説は憲法解釈の主流学説として、明治憲法体制を支えるものとなっていきました。

そのほか、雑誌**『東洋経済新報』**で活躍したジャーナリストの**石橋湛山**は、日本が植民地・権益を放棄することで平和的な経済発展がもたらされるという、リベラル(自由主義的)な「小日本主義」を主張しました。石橋は、戦後、自由民主党を与党とする内閣で総理大臣をつとめます→第29章。

② 社会運動の発展

(1) 工業化による労働者の増加を背景に、労働運動が高揚した

大正初めに**鈴木文治**が結成した**友愛会**(1912)は、労働者が資本家と協調する労資協調主義でした。そして、大戦景気で労働者が増加すると**労働運動**が盛んになり、戦後恐慌で労働者の解雇が拡大すると運動はさらに高まって、大規模なストライキが実行されました。友愛会は、のちに**日本労働総同盟**(1921)へと発展し、労働者が資本家と対決する階級闘争主義のもとで各地のストライキを指導しました。また、このころに第1回**メーデー**(5月1日におこなわれる労働者の祭典)も開催されました(1920)。

(2) 小作農が地主に対して小作争議を起こした

戦後恐慌で綿糸・生糸の価格が暴落し、繭の価格なども下がると農村は打撃を受けました。こうしたなか、小作農が寄生地主に対し、小作料の引き下げなどを求める**小作争議**が発生しました。**賀川豊彦**・**杉山元治郎**は**日本農民組合**

(1922) を結成し、各地の小作争議を指導しました。

(3) ロシア革命の影響を受けて、社会主義運動が復活した

社会主義運動は、明治時代末期の大逆事件以来「冬の時代」でしたが→第23章、ロシア革命の影響で運動が復活しました。資本主義を否定する勢力が幅広く結集して**日本社会主義同盟**(1920) が結成されましたが、翌年禁止されました。のち、**堺利彦・山川均**は、**コミンテルン**(国際共産党) の日本支部として**日本共産党**(1922) を結成しました。これは、革命による共産主義の実現をめざす非合法結社でした(「党」とありますが、議会政党ではありません)。**堺利彦**は、日露戦争に対する反戦論を唱えて『平民新聞』を発刊した、**平民社**のところでも出てきましたね→第22章。

(4) 社会的に差別された女性の地位向上をめざす、女性解放運動が広がった

明治末期、**平塚らいてう**が文学団体の**青鞜社**(1911) を設立し、雑誌『**青鞜**』を発刊しました。創刊号の巻頭には、平塚が書いた「**元始、女性は実に太陽であった。真正の人であった。今、女性は月である。……私共は隠されてしまった我が太陽を今や取り戻さねばならぬ。**」という有名なフレーズがあります。これは、**女性解放運動**の始まりを告げる宣言でした。

のち、**市川房枝**・平塚らいてうが政治団体の**新婦人協会**(1920) を結成し、女性の政治的権利を獲得する運動を展開しました。その結果、女性の政治運動を禁じていた**治安警察法第5条**の改正が実現し (1922)、女性も演説会に参加できるようになりました。

さらに、市川房枝が**婦人参政権獲得期成同盟会**(1924) を結成し、女性参政権を要求しましたが、普通選挙法では男性普通選挙が実現しただけであり、女性参政権は戦後になって実現しました→第28章。

一方、女性の社会主義団体である**赤瀾会**(1921) も、**山川菊栄・伊藤野枝**によって結成されました。伊藤は、関東大震災の直後、**大杉栄**とともに甘粕事件で殺害されました。

(5) 被差別部落に対する社会的差別を撤廃する、部落解放運動が起きた

江戸時代の被差別身分である「えた・非人」の呼称は、明治政府の身分解放令によって廃止されました→第20章。しかし、社会的差別が続いたため、政府の政策に頼らず自主的に差別を撤廃するよう働きかけていく**部落解放運動**が起こり、**全国水平社**(1922) が結成されました。

チェック問題にトライ！

次の史料は、第一次世界大戦中の輸出超過期に起こったある事件に対する『東洋経済新報』記者、石橋湛山（のちの首相）の論評である。

今は世界を挙げての大戦乱の場合である。かくの如き場合に、政府の第一に尽すべき任務は、国民生活上の必須品および経済的発展に欠いてはならぬ物資の供給を不足なからしむることである。

しかるに我が政府は、輸入の杜絶ないし不便は、少も意とせざるのみか、かえって自然の保護として祝福し、交戦国を始め海外諸国から我が物資に対する需要の限りなきを見て、天佑なりと打ち喜び、百方輸出を奨励した。その結果は、申すまでもなく［　　　］。

問　この史料の文意を考え空欄［　　　］に入るべき文章を、次の①～④のうちから一つ選べ。

① 物資の供給が大過剰に陥り、各種の物価は暴騰した。
② 物資の供給が大不足に陥り、各種の物価は暴落した。
③ 物資の供給が大過剰に陥り、各種の物価は暴落した。
④ 物資の供給が大不足に陥り、各種の物価は暴騰した。

（センター試験　1996年度　本試験）

解説　**史料の文脈から、空欄に最もふさわしい文章を選ぶ問題です**。読解力とともに、経済のしくみを理解しているかどうかが問われます。

第１段落は、【第一次世界大戦中なので、政府の大切な任務は、国民生活の必需品や経済発展に必要な物資を不足なく供給することだ】と述べています。

しかし、第２段落で、【政府は、輸入が減っていることを気にかけないどころか喜ばしいと考え、交戦国を含めた諸外国からの需要が高まったことに喜んで、輸出を奨励した】と述べています。

第１段落で日本国内における物資供給の重要性を説き、第２段落で輸入の減少と輸出の増加という現実を述べています。起きることは、日本国内における物資の供給不足です。そして、モノが足りなくなれば、物価は上がります。こうしたインフレが、「ある事件」、つまり米騒動の原因の一つとなったのです。

⇒したがって、④が正解です。

大正時代の日本が深く関わった**第一次世界大戦**と大戦後の国際秩序や、世界史上の転機となった**ロシア革命**を、見ていきましょう。

① 第一次世界大戦の経緯

バルカン半島は、日露戦争後にロシアがパン＝スラヴ主義（スラヴ系民族の団結でオスマン帝国からの自立をめざす）で南下政策を進め、ドイツがパン＝ゲルマン主義（ドイツ民族の結集で勢力拡大をめざす）でオーストリアの対外進出を後押しするなど、列強が諸民族のナショナリズムを利用しつつ抗争する「ヨーロッパの火薬庫」でした。オーストリアの帝位継承者がセルビア人の民族主義者に暗殺された**サライェヴォ事件**（1914）を機に**第一次世界大戦**（1914〜18）が勃発すると、日本は日英同盟を根拠に、イギリス・フランス・ロシアの**三国協商**が基盤の**連合国**側で参戦しました➡第24章（オスマン帝国はドイツ・オーストリア・イタリアの**三国同盟**が基盤の**同盟国**側で参戦し、イタリアはのちに連合国側で参戦）。

アメリカ合衆国は伝統的な**孤立主義**（ヨーロッパ諸国間の外交に関与せず）の立場から中立でしたが、ドイツが無制限潜水艦作戦で中立国も攻撃すると、1917年、アメリカは連合国側での参戦を決意して大兵力をヨーロッパに送り、膠着していた戦線に大きな影響を及ぼしました。実は、アメリカがイギリス・フランスに多額の戦費を貸していたことも、参戦決意の理由でした（もし英・仏が負けたら、賠償金支払いの負担が生じ、貸したお金がアメリカに返ってこないかもしれない…）。さらに、**ウィルソン大統領**が**十四カ条の平和原則**を発表し（1918.1）、秘密外交の禁止、公海の自由、**民族自決**（各民族が自らの意思で帰属や政治組織を決められる）、国際平和機構の設立などを訴えました。

ドイツは、ロシア革命（1917）で成立したソヴィエト政権とは**ブレスト＝リトフスク条約**で講和を結んだものの（1918）、同盟国が次々と降伏しました。厭戦気分が広がるなか、**キール軍港**での水兵の反乱が拡大、皇帝ヴィルヘルム２世が亡命してドイツ共和国が成立すると（**ドイツ革命**）、連合国と休戦協定を結びました（1918.11）。敗者の同盟国に加えて勝者の連合国も、国家・国民ともに物量戦・消耗戦でボロボロになっての大戦終結となったのです。

② 第一次世界大戦の影響

第２次産業革命による産業の高度化から、**戦車・毒ガス・飛行機・潜水艦**という現代の戦争・テロでも用いられる新兵器が登場し、戦禍が拡大しました。**機関銃**の普及で、戦場に壕(ほり)を掘って隠れながら互いに撃ち合う**塹壕戦**(ざんごうせん)が展開すると、攻撃側よりも防御側が有利になり戦線が膠着し、大勢の兵士が供給され、大量の武器や物資が消費されました。すると、人手不足から女性や青少年が工場へ動員され、軍需産業中心に経済統制が進むなど、**総力戦体制**が築かれました。このことは、労働者の地位向上や女性の社会進出につながりました。

ヨーロッパ諸国の荒廃と疲弊(ひへい)に対し、戦場とならなかったアメリカは繁栄し、政治・経済の面で国際社会をリードしました。また、初の世界大戦で膨大な戦死者が生じたことで、大戦後の国際世論は不戦の方向へ転換しました。

列強の植民地や従属地は大戦に巻き込まれ、物資の供給地や兵士・労働者の提供地となりましたが、戦争を担ったことで大戦後に自立意識を高めました。

③ ロシア革命とソ連の成立

すでにロシアでは、日露戦争（1904～05）での物資不足への不満から→第22章、**血の日曜日事件**を機とする1905年革命が起きていました。皇帝ニコライ２世が国会開設と憲法制定を約束したものの改革は不十分で、のちの1917年、第一次世界大戦での総力戦で生活苦となった労働者のデモから再び革命（**三月革命**、ロシア暦二月革命）が勃発しました。労働者が組織する**ソヴィエト**（評議会、工場内で自発的に結成）が各地に生まれ、一方で資本家中心の臨時政府も成立するなか、ニコライ２世は退位しました（ロマノフ王朝滅亡）。しかし、臨時政府が大戦継続による英・仏への協力を主張したのに対し、**ボリシェヴィキ**（ロシア社会民主労働党の急進派）の指導者**レーニン**が亡命先から帰国し、即時停戦とソヴィエトへの権力集中を主張して支持を集めました。ボリシェヴィキは武装蜂起で臨時政府を倒して政権を獲得し（**十一月革命**、ロシア暦十月革命）、史上初の本格的な社会主義革命による、初の社会主義政権（**ソヴィエト政権**）が誕生しました（1917.11）。

レーニンは「平和に関する布告」で無併合・無償金・民族自決での和平を求め（ドイツと講和）、「土地に関する布告」で土地私有権を廃止しました。憲法制定会議の選挙で農民が支持する政党が第一党になると、ボリシェヴィキ（のち**共産党**と改称）は会議を武力閉鎖し、反共勢力との戦いを理由に一党独裁体制を築きました。レーニンらは世界革命論（国際分業体制のもと、全世界を革命で共産化して協力体制を築く）を信奉し、世界の共産党総本部の**コミンテルン**を設立しました（1919）（その影響下で日本共産党も結成された→第24章）。

一方、地主・貴族・軍人らの反革命派（白軍）とソヴィエト政権（赤軍）との内戦が勃発し、さらに革命の影響による自国の労働運動の急進化を恐れた英・仏やアメリカが**対ソ干渉戦争**（1918～22）を実行しました（日本もシベリア出兵を実行→第24章）。戦争を乗り切るため、ソヴィエト政権は**戦時共産主義**を実施し、企業国有化と強制的な穀物の徴発を進めたが、農民の反発で食料不足に。そこで、中小企業の個人経営や農民の余剰穀物自由販売を認め、資本主義的要素を復活させる**ネップ**（新経済政策　1921）で国内を安定させました。のち、**ソ連**（ソヴィエト社会主義共和国連邦、ロシア・ウクライナ・ベラルーシ・ザカフカースの４共和国）が成立し（1922）、ドイツや英・仏との国交樹立で（日本はソ連と日ソ基本条約を締結→第24章）、対外関係も安定しました。

レーニン死去（1924）後、レーニン路線を継承するトロツキーに対し、一国社会主義論（資源・国土・人口が豊かなソ連単独で社会主義建設が可能とする）の**スターリン**が実権を握ると、トロツキーを国外追放し、秘密警察を使った政敵の「粛清」で1930年代の個人独裁を確立しました。社会主義的な計画経済による**第１次五カ年計画**（1928～32）を実施し、世界恐慌→第26章に陥った資本主義諸国を尻目に重工業生産を増やし、「富農階級の絶滅」を目標に農民を**集団農場**や国営農場に編入して土地・家畜・農具を共有させました。

④ ヴェルサイユ体制の成立

集団安全保障体制

加盟国すべてが侵略しないことを約束

Ⓐ-Ⓑ-Ⓒ-Ⓓ-Ⓔ-Ⓕ-Ⓖ

侵略する国があれば，他の全加盟国が侵略国に制裁

E vs Ⓓ　Ⓐ Ⓑ Ⓒ Ⓕ Ⓖ

EがDを侵略した場合，ＡＢＣＤＦＧがＥに制裁

大戦後、連合国は**パリ講和会議**を開いて**ヴェルサイユ条約**を結び（1919）、ヨーロッパ国際秩序の**ヴェルサイユ体制**が形成されました。アメリカ大統領ウィルソン「十四カ条」の一部は、**国際連盟**の設立（1920）として実現しました。ある加盟国に対する攻撃を全加盟国に対する攻撃とみなし、攻撃された国を全体で防衛する**集団安全保障体制**を築いたのです。しかし、経済制裁だけで軍事制裁の権限を持たず、また共産主義の**ロシア**（**ソ連**）や敗戦国の**ドイツ**は除外され、孤立主義に回帰した**アメリカ**は上院多数派の共和党が反対し、加盟できませんでした（日本は英・仏・伊とともに

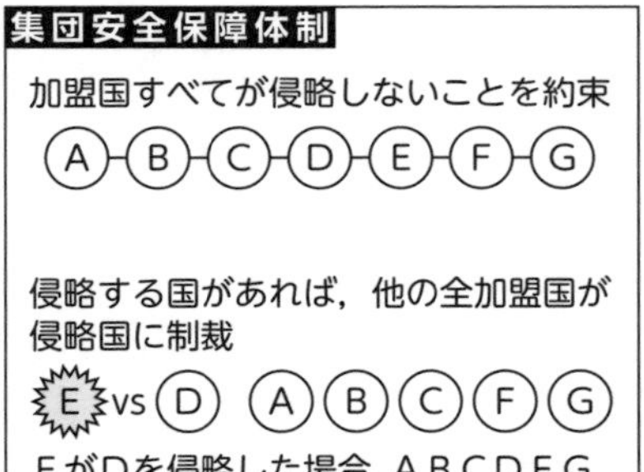

常任理事国となった→第24章)。また、各国の労働問題を調整する国際労働機関（ＩＬＯ）が設立されました。

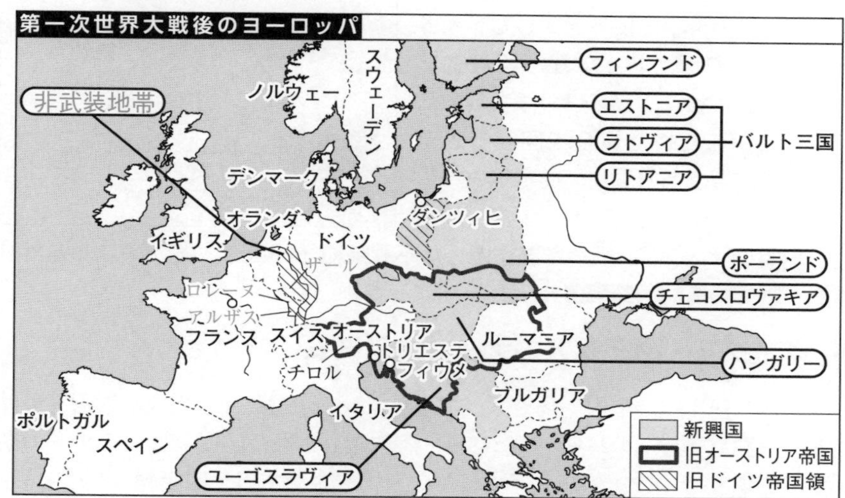

そして、**民族自決**原則が適用され、オーストリア＝ハンガリー帝国やオスマン帝国は解体し、東ヨーロッパやバルカン半島で被支配民族が独立しました（これらの国々はロシア共産主義の西ヨーロッパへの波及を防ぐ意味もあった）。

一方、フランスは、ドイツへの報復を求める国民の声を背景に、寛大な措置を求めるウィルソンの要求を拒否しました。ドイツは**アルザス・ロレーヌ**のフランスへの割譲や**ラインラント**（ライン川両岸地域）の非武装地帯化を受け入れ、巨額の**賠償金**を課されました。また、植民地を手放したくない英・仏の反発もあって、民族自決はアジアやアフリカの植民地には適用されませんでした。ドイツなどの敗戦国から奪った地域への戦勝国による支配には、国際連盟からの要請でおこなう**委任統治**の方式が用いられ、実態は植民地と変わりませんでした（日本は旧ドイツ領南洋諸島の委任統治権を獲得→第24章）。

⑤ 戦間期のアメリカ外交

大戦後のアメリカは、国際連盟への不参加など孤立主義へ回帰する一方、太平洋・ヨーロッパへ関与しました。日本の海軍力伸長への懸念から**ワシントン会議**（1921～22）を開催し（四カ国条約・九カ国条約・ワシントン海軍軍備制限条約を締結→第24章）、アジア・太平洋の国際秩序である**ワシントン体制**の形成を主導しました。ジュネーブ会議を経て、**ロンドン会議**（1930）では再び海軍軍縮の成果を上げました（ロンドン海軍軍備制限条約を締結→第26章）。

また、アメリカは**ドーズ案**（1924）を成立させました。賠償金支払い条件を緩め、アメリカ資本の投下を促してドイツを復興させれば、ドイツから賠償金が英・仏へ支払われ、アメリカは大戦中に英・仏に貸していた資金を回収できます。国際協調が進むなか、英・仏・独などのロカルノ条約を受けドイツが国際連盟に加盟し（1926）、戦争を違法とした**不戦条約**（1928）も結ばれました（日本も不戦条約に調印→第26章）。

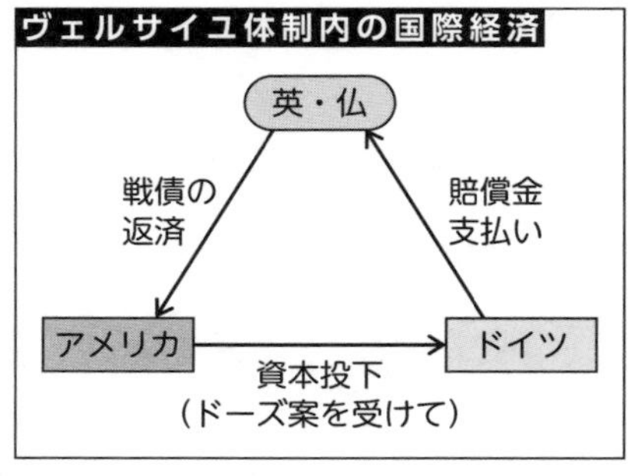

⑥ 東アジア・南アジアのナショナリズム

大戦後、日本統治下の朝鮮では、ウィルソンの示した民族自決に影響を受けた**三・一独立運動**（1919）が起こり、戦勝国となった中国では、二十一カ条の要求の無効や山東省の旧ドイツ権益の返還を求めた**五・四運動**（1919）が起こりました→第24章。五・四運動の広がりの背景には、辛亥革命後の中国で展開した**新文化運動**（「民主と科学」を掲げた陳独秀の雑誌『新青年』による西洋思想紹介、伝統的な儒教道徳への批判、話し言葉による文学を唱えた白話運動）があり、魯迅は『阿Q正伝』で中国人の心の暗部を描き出しました。また、大戦の勃発でヨーロッパからの製品輸入が減少すると、上海での紡績業など軽工業が発展し、中国系資本が成長して労働者も増えました（日本資本の工場である在華紡も設立→第24章）。大衆の政治意識が高まるなか、**孫文**は広く大衆に革命を訴える政党として**中国国民党**を結成し（1919）、また大戦中のロシア革命に知識人が刺激され、上海で**中国共産党**が結成されました（1921）。

19世紀後半からイギリス直接支配下のインドでは、英語教育を受けたインドエリート層を統治に利用するため、**インド国民会議**（1885）を開いて彼らを懐柔しました。しかし、ベンガル州を東（イスラーム教徒中心）と西（ヒンドゥー教徒中心）に分割する**ベンガル分割令**（1905）を公布すると、**国民会議派**は反英姿勢を強め、英貨排斥（イギリス製品ボイコット）・スワデーシ（国産品愛用）・スワラージ（自治獲得）・民族教育（ナショナリズム）を唱えました。すると、イギリスは親英的な**全インド＝ムスリム連盟**の結成（1906）を支援し、ヒンドゥー教徒とイスラーム教徒間で民族運動の分断を狙いました。

大戦中、イギリスは、兵士や物資の提供に協力したインドに大戦後の自治を約束したが、結局は名目的な自治しか与えず、令状なしの逮捕や裁判なしの投獄を認めた**ローラット法**（1919）で民族運動を抑圧しました。これに対し、国民会議派の**ガンディー**が訴えた**非暴力・不服従**（武装闘争を否定、イギリスへの経済的打撃や国際的非難を狙う）は大規模な大衆運動となり、急進派の**ネルー**は完全独立を主張しました。ガンディーはイギリスによる塩の専売に反対し、海岸まで歩いて製塩をおこない抵抗しました（「**塩の行進**」 1930）。

⑦ 西アジアのナショナリズム

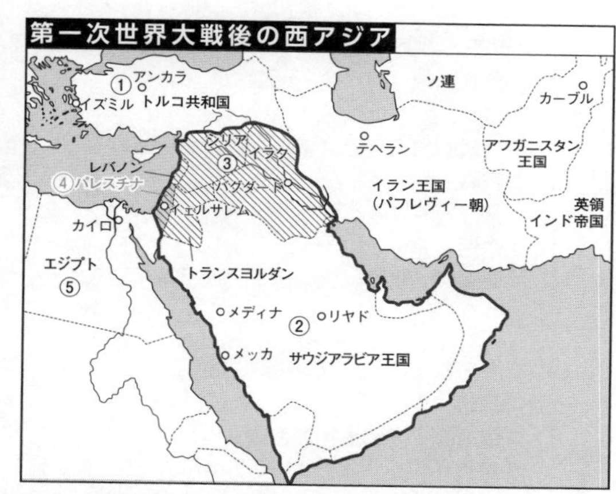

大戦中、イギリスはオスマン帝国のアラブ人の協力を得るため独立を約束し（フセイン・マクマホン協定、図②③④）、他方でユダヤ資本の協力を得るためパレスチナでの国家建設を約束しました（バルフォア宣言、図④）。大戦後にはアラブ人が住む図④のパレスチナにユダヤ人が入植し（1930年代後半以降のナチス＝ドイツによる迫害が入植に拍車をかけた）、現在も続く**パレスチナ問題**につながります。また、大戦後には図③④がイギリスとフランスの委任統治領となり、のちアラブ民族運動の高揚でイラク王国（1932）などが成立しました。

図⑤のエジプトは、大戦勃発(ぼっぱつ)後にイギリスが正式に保護国としましたが、ワフド党を中心に独立運動が起き、**エジプト王国**が成立しました（1922）。しかし、スエズ運河はイギリスの管理下に置かれ続けました。

大戦で敗戦国となったオスマン帝国は、**セーヴル条約**（1920）でアラブ人地域などを失い、解体の危機でした。アンカラに政権を立てた軍人**ムスタファ＝ケマル**は、エーゲ海沿岸を占領していたギリシア軍を撃退したのち、スルタン制を廃止し（オスマン帝国滅亡 1922）、連合国との間の不平等条約を撤廃して**トルコ共和国**（図①）を樹立しました（1923）。初代大統領ケマル（尊称「アタテュルク」）は、カリフ制廃止による**政教分離**、イスラーム法に代わる憲法制定、女性参政権、アラビア文字に代わるローマ字採用などの西欧化を進め、トルコ史とトルコ語の教育でトルコ＝ナショナリズムを育成しました。

イランのガージャール朝は、大戦では中立を表明したものの英露両軍に占領され、軍人レザー＝ハーンが**パフレヴィー朝**を樹立しました（1925）。トルコにならった西欧化を進め、国号をペルシアから**イラン**に変更して（1935）イラン＝ナショナリズムを高めたが、石油利権はイギリスに握られました。

第25章 近代文化

年代	文化	時期と特徴
1870年代	**1 文明開化** ①思想 啓蒙思想（明六社・天賦人権思想） ②教育 近代的教育制度（学制・教育令） ③宗教 神道・キリスト教・仏教 ④生活 太陽暦　文明開化の風潮（煉瓦造・ガス灯）	1870年代中心 （明治初期） 富国強兵・殖産興業 →政府主導で文化摂取 →欧米の近代文化導入
1880年代・1890年代・1900年代	**2 明治の文化** ①思想 国権論・国家主義の台頭 ②教育 学校令（初等教育の義務化・帝国大学）　教育勅語 ③学問 外国人教師　人文・社会科学　自然科学 ④出版・文学 新聞・雑誌 戯作文学 政治小説 写実主義 ロマン主義 自然主義 ⑤芸術 演劇（新派劇・新劇） 美術（西洋画・日本画・彫刻）洋風建築 ⑥生活	1880年代〜1900年代 （明治時代） 近代化の進行 →欧米文化が広く浸透 国家主義的風潮 →伝統文化の再興
1910年代・1920年代・1930年代	**3 大正〜昭和初期の文化** ①教育 高等教育の拡充（大学令） ②思想・学問 マルクス主義　国家主義 ③出版・文学 『キング』　円本　白樺派　プロレタリア文学 ④芸術 演劇（新劇の発展）　美術（西洋画・日本画） ⑤生活 洋風化（文化住宅）　映画　ラジオ放送	1910年代〜1930年代 （大正〜昭和初期） 大戦景気以降の都市化 →都市中間層が担い手 教育の普及 →大衆文化・市民文化

（1）（2）

第25章のテーマ

1870年代〜1930年代に展開した近代文化を見ていきます。

(1) 明治維新期に**文明開化**が広まり、立憲体制を築いて近代国家が形成されると、欧米文化の摂取、あるいは伝統的文化の復興という「開化と復古」を含んだ**明治の文化**が生まれました。さらに、資本主義が確立し、工業化・都市化が進むと、市民生活を豊かに彩る**大正・昭和初期の文化**が花開きました。

(2) 近代史は登場する出来事が増えるので、文化も10年ごとのまとまりで考え、それぞれの時期における政治や社会の状況と関連させながら理解しましょう。

1 文明開化（明治初期、1870年代中心）

1870年代中心の文明開化は、**明治政府の成立**ごろの文化だね→第20章。

富国強兵や殖産興業と、トップダウンでの近代化が進んだ時期だ。

当時の人々は、「近代とは何か」ということを理解していたの？

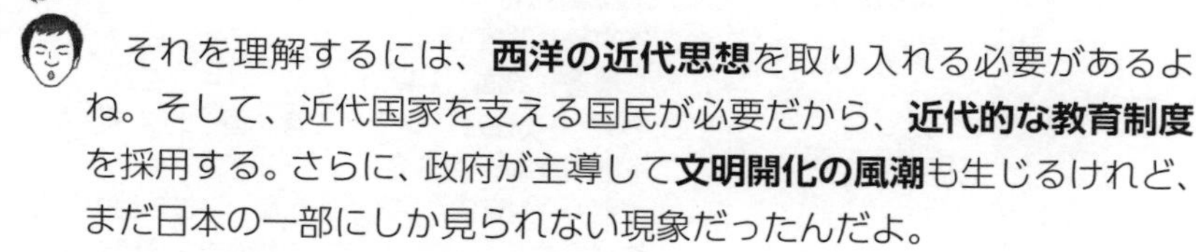
それを理解するには、**西洋の近代思想**を取り入れる必要があるよね。そして、近代国家を支える国民が必要だから、**近代的な教育制度**を採用する。さらに、政府が主導して**文明開化の風潮**も生じるけれど、まだ日本の一部にしか見られない現象だったんだよ。

近代的な文化は、一気に日本へ入ってきたわけじゃないんだね。

① 思　想

開国をきっかけに、欧米の学問・技術の摂取はいっそう盛んになり、幕府も蕃書調所→第19章を改組した**開成所**で洋学の研究や教育をおこないました。

明治初期、欧米を見習った近代化を広げたのが、1873（明治6）年に設立された**明六社**です。機関誌**『明六雑誌』**を発刊し、演説会を開いて、自由主義や個人主義といった**啓蒙思想**を広げるのに大きな役割を果たしました。メンバーの中心は**森有礼**（のち初代文部大臣）で、特に**福沢諭吉**と**中村正直**の著作を区別しましょう。福沢は、「**天は人の上に人を造らず、人の下に人を造らず**」

という一節が有名な『**学問のすゝめ**』や、欧米の実情を紹介した『**西洋事情**』を著しました。中村は、『**西国立志編**』『**自由之理**』でイギリス流の功利主義(幸福を追求する考え)などを紹介しました。また、**西周**・津田真道・**加藤弘之**も明六社に参加しました(ただし、加藤は、のち国家主義思想に転じます)。

文明開化(1)〈思想〉(★は人名)
●**明六社**…啓蒙団体、『**明六雑誌**』を発刊
★**森有礼**…明六社を主宰
★**福沢諭吉**『**学問のすゝめ**』(個人の独立を説く)
『**西洋事情**』(欧米の実情を紹介)
『**文明論之概略**』(西洋文明の摂取)
★**中村正直**『**西国立志編**』(個人主義)
『**自由之理**』(功利主義)
★**加藤弘之**『人権新説』(天賦人権論を否定)
★**西周**・津田真道…元開成所の教授
●**天賦人権思想**
★**中江兆民**『**民約訳解**』(『社会契約論』の翻訳)
★**植木枝盛**『民権自由論』

フランス流の**天賦人権思想**は、人は誰でも生まれながらにして人間としての権利(自然権)を持つとする考え方で、自由民権運動を理論の面で支えました。土佐出身の**中江兆民**は、岩倉使節団で**フランス**へ留学した経験を持ち→第20章、ルソーの思想を『**民約訳解**』で紹介しました。同じく土佐出身の**植木枝盛**は民権思想を説き、私擬憲法「東洋大日本国国憲按」を作成しました→第21章。

② 教 育

明治政府は、近代国家の構成員である国民を育成するため、**文部省**(1871)を設置し、欧米の公教育制度を導入していきました。

文明開化(2)〈教育〉
●近代的教育制度の形成
(1)**文部省**を設置(1871)
(2)**学制**(1872)…フランス流　画一的な学区制
※**学制反対一揆**の発生
(3)**教育令**(1879)…アメリカ流　町村の自由裁量
(4)**教育令改正**(1880)…中央集権化が進む
●官立の各種学校の設立
師範学校・女子師範学校…教員を養成
東京大学(1877)…高等教育　学術研究

まず、政府は**学制**(1872)を公布し、身分・性別に関係なく等しく学ばせる**国民皆学**の方針を掲げました。フランス式の画一的な学区制を採用し、初等教育機関の**小学校**を広げようとしました。しかし、小学校の設置は地域の負担となり、**学制反対一揆**が発生しました。

その後、政府は**教育令**(1879)を公布し、アメリカ式の自由主義的な制度を採用し、小学校の設立を町村の自由裁量に任せました。しかし、翌年の**教育令改正**によって、中央集権と政府の監督が強化されました。

また、学校教員を養成する**師範学校**・女子師範学校や、工部省の管轄で産業教育をおこなう工部大学校など、官立の専門教育学校も設置されました。そして、旧幕府以来の学校を統合した**東京大学**(1877)が高等教育機関の中心と

なり、外国人教師（御雇い外国人）を招いて学問を日本へ導入しました。

近代教育のあり方について、江戸時代の**藩学**（**藩校**）や**寺子屋**などと比較し→第18章、対象や目的の違いを考えてみましょう。

③ 宗　教

宗教については、神道・キリスト教・仏教の三つに分けて見ていきます。

(1) 明治新政府は、神道国教化には失敗したが、神道を国民教化の手段とした

文明開化③〈宗教〉
●神道・仏教
(1)**神仏分離令**（1868）…神仏習合を禁止
※**廃仏毀釈**の広まり…仏教界に打撃
(2)**大教宣布の詔**（1870）…神道国教化（→失敗）
●キリスト教
(1)**五榜の掲示**（1868）…江戸幕府の禁教を継承
※浦上で潜伏キリシタンを弾圧する事件が発生
(2)キリスト教禁止の高札を廃止（1873）

王政復古の大号令で成立した明治政府は→第19章、天皇の権威を広めるため、祭祀と政治を一体とする**祭政一致**を表明し、**神道**を天皇と結びつけて**国教**にしようとしました。

まず、**神仏分離令**で、奈良時代の天平文化以来続いてきた神仏習合→第7章を禁止し、続いて**大教宣布の詔**を発したものの、結局は神道国教化は実現しませんでした（近代国家には信教の自由があります）。

しかし、政府は全国の神社を管理し、**国家神道**を天皇崇拝など国民教化のために利用しました。また、祝祭日として**紀元節**（初代神武天皇が即位したとされる日、2/11）・**天長節**（明治天皇の誕生日、11/3）を制定しました。

(2) キリスト教は、はじめ禁じられ、のち黙認された

幕末、開港場横浜には外国人宣教師が来日し、医療や教育活動のかたわら和英辞書を編纂したアメリカ人**ヘボン**など、欧米の文化を日本へ伝える者もいました。

明治政府は**五榜の掲示**でキリスト教を禁じるなど→第20章、江戸幕府の禁教政策を受け継ぎました。そして、神道国教化を進めるなか、長崎の浦上（大浦天主堂）で潜伏キリシタンが信仰を告白すると、これを弾圧しました。しかし、こうした迫害は列強からの抗議をまねき、政府はキリシタン禁止の高札を廃止し、キリスト教を黙認することにしました。

(3) 仏教は、神道と分離したことで、攻撃を受けた

江戸幕府の滅亡で、寺社奉行や本山・末寺の制による寺院統制→第14章は消滅し、寺請制度による宗教統制もなくなりました。そして、明治新政府が**神仏分離令**を発すると、神道の側に立つ国学者や神官を中心に、仏教勢力を攻撃す

る**廃仏毀釈**が広がり、各地で寺院の破壊や仏像の流出などが発生しました。

④ 生　活

文明開化の風潮で、人々に一番影響を与えたのは、暦の変化です。明治政府は、月の満ち欠けをもとにした太陰太陽暦を廃し、太陽の運行をもとにした**太陽暦**を採用しました（旧暦の1872［明治５］年12月を、新暦の1873［明治６］年１月とした）。１日24時間制や七曜制（日曜日を休日とする）も採用し、日常生活のリズムが江戸時代までと大きく変わることになりました。

欧米風の衣食住も、東京など大都市の一部に広まりました。**洋服**は、役人・軍人から民間へ拡大していき、ちょんまげを切った「**ざんぎり頭**」が文明開化の象徴となりました。外食として**牛鍋**が流行しました。銀座通りなどには**煉瓦造**の建物が建ち、夜には**ガス灯**がともり、**人力車**（道路上を人が引く車）や**鉄道馬車**（レール上を馬に引かせる車）が走りました。

2 明治の文化（1880年代〜1900年代）

次に来る**明治の文化**は、**1880年代から1900年代**の文化か。この時期には、立憲体制が形成されたり、日清戦争・日露戦争に勝利したり、条約改正が達成されたりして、日本が近代国家となっていった時代だね。自分でいうのもなんだけど、復習はバッチリ！

そういったなかで、人々に、近代国家の国民としての意識が広がっていく時代でもあるから、ナショナリズムが高まった。すると、伝統文化を評価する動きが見られたりもしたんだ。**国家主義**と呼ぶよ。

1870年代の文明開化の時期は、欧米の文化を取り入れてばかりだったから、その反動もあるのかな。1880年代の井上馨の条約改正交渉というと、極端な欧化主義だったし。うん、私も復習はバッチリ！

それと、明治初期は、政府がトップダウンで欧米の文化を取り入れようとしたけれど、明治中期ごろになると、人々がみずから欧米の文化を身につけ、あるいは改良していくようになった。そして、交通・通信の発達もあって、そういった文化は日本全体に広がったんだよ。

古いものと新しいものを含んだ、国民の文化が作られたんだね。

① 思 想

1880年代から1890年代にかけて高まった**国家主義**と、1900年代に起こった国家主義に対する疑問、さらに宗教界の動向について見ていきます。

(1) 欧化主義への反発から起こった国家主義は、日清戦争を機に高まった

明治の文化①〈思想〉(★は人名)

●国家主義
○**平民的欧化主義**：★**徳富蘇峰**
　民友社、雑誌**『国民之友』**(1887)、**『国民新聞』**
　※日清戦争を機に、国家主義へ転換
○**国粋保存主義**：★**三宅雪嶺**
　政教社、雑誌**『日本人』**(1888)
○**国民主義**：★**陸羯南**
　新聞**『日本』**(1889)
○**日本主義**：★**高山樗牛**
　雑誌**『太陽』**(1895)
●国家主義への疑問に対する対応
　戊申詔書(1908)：〔**第2次桂太郎内閣**〕

1880年代、国家主義が起こりました。朝鮮で**壬午軍乱**・**甲申事変**が発生し→第22章、日本と清が対立すると、自由民権運動の**大阪事件**や、**福沢諭吉**が新聞『時事新報』で発表した「**脱亜論**」のように→第22章、日本の独立と国家の権利拡張を重視する**国権論**が台頭しました。

井上馨の条約改正交渉を機に→第22章、1880年代後半には**欧化主義への反発**が生まれました。**徳富蘇峰**は、政府が進める欧化は貴族的欧化であると批判し、地方有力者の生活向上や自由拡大で欧化を進めるべきだとする**平民的欧化主義**（**平民主義**）を唱え（「欧化をやるならボトムアップで！」)、**民友社**を設立して雑誌**『国民之友』**を発刊しました。一方、**三宅雪嶺**は、欧米に対抗して国家が独立することを重視し、日本人の国民性や日本の伝統的美意識を尊重すべきだとする**国粋保存主義**（**国粋主義**）を唱え（「欧化の前にニッポンを大切に！」)、**政教社**を設立して雑誌**『日本人』**を発刊しました)。**陸羯南**は、三宅と同じ立場で**国民主義**を唱え、新聞**『日本』**を発刊しました。

1890年代、日清戦争の勝利で国民のナショナリズムが高まり、三国干渉でロシアへの対抗意識も生じました→第22章。この風潮のなか、徳富蘇峰は対外膨張論を主張して国家主義に転じました。そして、**高山樗牛**は日本の大陸進出を賛美し、雑誌**『太陽』**で、日本の伝統を重視する**日本主義**を唱えました。

（ちなみに…徳富蘇峰は「平民的欧化・民友社・国民之友」なので「ミン・ミン・ミン」、「高山樗牛・太陽」は「た・た」の音で始まります）

(2) 日露戦争のころ、社会主義とともに、国家主義への疑問が広がった

1900年代は、産業革命の進展と労働運動の高まりを受けて、**社会主義**運動が発生した時期でした→第23章。

日露戦争に勝利した日本は欧米と対等な「一等国」となり、国家の目標は達成されましたが、国民の生活は増税と不況で苦しいものでした。都市では個人主義・虚無主義が広がり（志望大学に合格したあとの五月病のようなもの？）、農村では地方社会の利益を重視する考え方が広がっていきました。こうした国家主義への疑問に対し、〔**第2次桂太郎内閣**〕は**戊申詔書**（1908）を発して、国家を支える勤勉・倹約などの国民道徳を強化しました→第22章。

(3) 宗教では、欧米伝来のキリスト教と伝統的な神道・仏教とが競合した

明治時代、キリスト教は外国人教師の影響で青年知識人の一部に広がり、近代思想を伝える活動を展開しました。**札幌農学校**→第20章でアメリカ人**クラーク**の影響を受けた**内村鑑三**や**新渡戸稲造**、熊本洋学校でジェーンズの影響を受けた**海老名弾正**を知っておきましょう。また、キリスト教会は人道主義の立場から廃娼運動（公娼制度の廃止を要求）などを展開しました。

仏教では、政府の神仏分離令を受け、**島地黙雷**が完全な神仏分離を進めることで仏教界の復興と革新をはかりました。また、幕末のころに発生した**天理教**（中山みき）・**黒住教**（黒住宗忠）・**金光教**（川手文治郎）などの民間神道は→第18章、**教派神道**として政府に公認されました。

② 教　育

近代的な教育制度は、明治時代の中期・後期にととのえられていきました。初等教育（小学校）と高等教育（大学）のあり方を中心に見ていきましょう。

(1) 明治憲法体制の確立とともに、それに適合する教育制度の整備が進んだ

1880年代、**立憲体制の形成**とともに→第21章、国家主義的な教育制度も整備されていきました。

初代文部大臣**森有礼**のもとで、政府は**学校令**（1886）を公布しました。これは、小学校令・帝国大学令などの総称で、国家主義的な学校制度を体系化したものでした。初等教育では、小学校に原則4年間の**義務教育**が明確になりました。高等教育では、東京大学を**帝国大学**に改

明治の文化②〈教育〉（★は人名）

●近代的教育制度の確立
(1)**学校令**（1886）…**森有礼**文相、国家主義的制度
(2)**教育勅語**（1890）…忠君愛国を強調
　※**内村鑑三不敬事件**の発生
(3)教科書が検定制から**国定制**へ（1903）
(4)義務教育を**4年**から**6年**へ拡張（1907）
　※明治末期、義務教育の就学率は90%以上に
●私立学校の設立
慶應義塾（1868→慶應義塾大学）…★**福沢諭吉**
同志社英学校（1875→同志社大学）…★**新島襄**
東京専門学校（1882→早稲田大学）…★**大隈重信**
女子英学塾（1900→津田塾大学）…★**津田梅子**

組して、官僚養成機関・学術研究拠点としての機能を持たせました。のち、東京帝国大学に加え、京都帝国大学など官立の帝国大学が、昭和初期にかけて植民地を含む各地に創設されていきました。

さらに、大日本帝国憲法発布の直後に**教育勅語**（1890）が発布され、天皇を中心とする明治憲法体制を支える教育理念として、**忠君愛国**（儒教道徳と国家主義による天皇や国家への奉仕）が強調されました。教育勅語は各学校に下されて奉読され、天皇の存在が教育の場を通じて浸透していくなか、第一高等中学校の教員でキリスト教徒の内村鑑三が、教育勅語への拝礼を拒否したことを理由に辞職させられた**内村鑑三不敬事件**（1891）も起きました。

(2) 明治末期に至り、近代的な教育は国民の間に広く普及した

その後、高等女学校令で、男子の中学校と並ぶ高等女学校に法的な根拠がととのい、良妻賢母をめざす教育がおこなわれました。

小学校教科書は、それまでの**検定制**に代わり、文部省が作成した**国定教科書**のみの使用になりました（1903）。国家による教育統制が強まったのです。

その一方、明治末期には**義務教育**の年限が**4年間から6年間**に延長されました（1907）。明治初めの就学率は、男子が約40%、女子が約20%でしたが（男子が女子よりも高かった）、のち男子・女子ともに就学率が伸び、明治末期には男女ともに90%以上となり、初等教育は国民の間に広く普及したのです。

(3) 特徴的な民間の私立学校が創設された

明治初期から、さまざまな**私立学校**が創設されました。ただ、大学としての認可を得られず、専門学校の扱いでした（大正時代の**大学令**で、私立大学として認可されていく→第24章）。**福沢諭吉**の**慶應義塾**、**新島襄**の**同志社英学校**、**大隈重信**の**東京専門学校**、**津田梅子**の**女子英学塾**を知っておきましょう。

③ 学　問

近代的な学問研究は、富国強兵・殖産興業を進める目的で、外国人教師に学ぶ形で始められ、のちに日本人学者オリジナルの専門研究も登場しました。

外国人教師は、出身国にも注目しましょう。立憲体制の形成では、ドイツ人**ロエスレル・モッセ**や、フランス人**ボアソナード**が登場しました→第21章。大日本帝国憲法が発布されたときの様子は、ドイツ人医学者**ベルツ**の日記に書かれていました→第21章。大森貝塚を発見し、縄文時代の考古学研究に貢献したアメリカ人**モース**は、動物学者です→第1章。アメリカ人**フェノロサ**、イタリア人**フォンタネージ**・ラグーザ、イギリス人**コンドル**は、美術史で登場します。

人文・社会科学は歴史学・文学・経済学・法律学など文系の学問で、**田口卯吉**が『日本開化小史』で文明史を論じる一方、帝国大学教授の**久米邦武**は、論文「神道は祭天の古俗」の内容が、伝統を重視する神道家から非難され、帝大を辞職しました。

自然科学は理系の学問で、医学では**北里柴三郎**(ペスト菌の発見・**伝染病研究所**の設立)と**志賀潔**(赤痢菌の発見)、薬学では**高峰譲吉**(タカジアスターゼ創製・アドレナリン抽出)と**鈴木梅太郎**(オリザニン[ビタミンB_1]の抽出)、物理学では**長岡半太郎**(原子構造の研究)、地震学では**大森房吉**(地震計の発明)を知っておきましょう。

明治の文化③〈学問〉(★は人名)

●外国人教師
- ★ロエスレル(独)…憲法草案へ助言
- ★モッセ(独)…地方制度を整備
- ★ボアソナード(仏)…民法を起草(→民法典論争)
- ★クラーク(米)…札幌農学校
- ★ベルツ(独)…医学・『ベルツの日記』
- ★モース(米)…動物学・大森貝塚を発見
- ★フェノロサ(米)…哲学・日本古美術の発見
- ★フォンタネージ(伊)…西洋画
- ★ラグーザ(伊)…彫刻
- ★コンドル(英)…建築

●人文・社会科学
- ★**田口卯吉**…『日本開化小史』(文明史論)
- ★**久米邦武**…論文「神道は祭天の古俗」

●自然科学
- ★**北里柴三郎**(医学)…ペスト菌発見　伝染病研究所
- ★**志賀潔**(医学)…赤痢菌発見
- ★**高峰譲吉**(薬学)…タカジアスターゼ・アドレナリン
- ★**鈴木梅太郎**(薬学)…オリザニンの抽出
- ★**長岡半太郎**(物理学)…原子構造の研究
- ★**大森房吉**(地震学)…大森式地震計の発明

④ 出版・文学

近代文化において、江戸時代以上に出版が盛んになりました。明治初期に本木昌造が西洋の活字生産の技術を導入し、**活版印刷技術**が発達すると、これがジャーナリズムの発達を促進させ、また文学を広く流布させることにつながりました。

明治の文化④〈出版〉(★は人名)

●新聞
- **『横浜毎日新聞』**…日本初の日刊新聞
- 『時事新報』…★福沢諭吉　「脱亜論」を掲載
- 『日本』…★陸羯南　国民主義
- 『国民新聞』…★徳富蘇峰　政府の御用新聞
- 『万朝報』…日露戦争の非戦論から主戦論へ転換
- 『平民新聞』…★幸徳秋水・堺利彦(平民社)　日露非戦論

●雑誌
- 『明六雑誌』(1874～75)…明六社
- 『国民之友』(1887)…民友社　★徳富蘇峰
- 『日本人』(1888)…政教社　★三宅雪嶺
- 『太陽』(1895)…★高山樗牛
- **『東洋経済新報』**(1895)…★石橋湛山が記者で活躍
- **『中央公論』**(1899)…総合雑誌　デモクラシー論壇
- 『青鞜』(1911)…★平塚らいてう(青鞜社)　文学雑誌

(1) 新聞・雑誌が次々と発刊されて、ジャーナリズムが発達した

新聞は、民権派の政治評論から始まった**大新聞**と、娯楽面が中心の**小新聞**があり、初の日刊新聞は**『横浜毎日新聞』**（1870）です。

雑誌は、明治後期に**総合雑誌**が登場し、政治・経済・社会・文化の評論が盛んにおこなわれました。**『中央公論』**はその代表例で、のち大正デモクラシーをリードする存在の一つとなっていきました（吉野作造の民本主義が掲載されたのも『中央公論』です→第24章）。

(2) 文学は、それぞれの時代状況を反映して、文学理論（ジャンル）が展開した

明治の文化⑤〈文学〉（★は人名）

●**戯作文学**：★**仮名垣魯文**『安愚楽鍋』
●**政治小説**：★矢野龍溪『経国美談』
●**写実主義**：★**坪内逍遙**『**小説神髄**』（評論）
　　★**二葉亭四迷**『**浮雲**』…**言文一致体**
　　★**尾崎紅葉**『金色夜叉』
●理想主義：★幸田露伴『五重塔』
●**ロマン主義**：※雑誌『**文学界**』…★**北村透谷**
　　★**森鷗外**『舞姫』
　　★**樋口一葉**『たけくらべ』
　　★**与謝野晶子**『みだれ髪』（歌集）
　　★**正岡子規**…俳句の革新運動
●**自然主義**：★**国木田独歩**『武蔵野』
　　★**島崎藤村**『破戒』
　　★**田山花袋**『蒲団』『田舎教師』
●反自然主義：★**夏目漱石**『吾輩は猫である』
　　『坊っちゃん』
●社会主義的：★**石川啄木**『一握の砂』（歌集）
　　『時代閉塞の現状』（評論）

1870年代（明治初期）は、江戸文学（読本・滑稽本）の系統の**戯作文学**が人気で、**仮名垣魯文**が牛鍋など文明開化の風潮を描きました。

1880年代、自由民権運動が高揚すると、民権運動の宣伝を目的とする**政治小説**が登場し、矢野龍溪らの民権運動家がこれを執筆しました。

1880年代の井上外交における欧化政策は反発を生みましたが、文学には欧化の影響が及びました。**写実主義**は、西洋の文芸理論をもとに、人間の心理や世相を客観的に描写しようとするもので、**坪内逍遙**が評論**『小説神髄』**のなかで提唱しました。これに応じて、**二葉亭四迷**は日常語を用いる**言文一致体**を実践した小説として、**『浮雲』**を発表しました。写実主義の影響は、**硯友社**を結成して大衆的な作品を書いた**尾崎紅葉**や、東洋的な理想を追求した幸田露伴にも及びました。こうして、江戸文学の伝統を継承する戯作文学・政治小説に対し、写実主義は、近代文学の基礎を築くという意味を持ち、こののち、さまざまな文芸理論を欧米から取り入れて近代文学が発展していきます。

1890年代（日清戦争の前後）には、人間の自由な精神と感情表現を重視する**ロマン主義**文学が盛んになりました。その中心となったのは**北村透谷**の雑誌**『文学界』**です。また、**森鷗外**らが登場しますが、女性の活躍にも注目しましょ

う。**樋口一葉**は小説『**たけくらべ**』で女性の悲哀や思春期の少年少女を描き、**与謝野晶子**は情熱的な**短歌**を詠みました（与謝野は日露戦争に際して、反戦詩「君死にたまふこと勿れ」を雑誌『**明星**』に発表しました→第22章）。一方、写生にもとづく**俳句**の革新運動を、**正岡子規**が提唱しました。

1900年代（日露戦争の前後）には、社会の暗い現実をありのままに描く**自然主義**文学が、**国木田独歩**・**島崎藤村**・**田山花袋**を中心に盛んとなりました。

明治末期には、自然主義に対し、国家・社会と個人の内面との対立を描き、近代化の未熟さを表明した**夏目漱石**が登場しました。また、**石川啄木**は社会主義思想をベースに生活苦をうたった詩歌を発表し、国家を批判しました。

⑤ 芸　術

芸術にも、欧米の近代的なものの導入・摂取と、日本の伝統的なものの復興・革新という二つの側面が見られました。

(1) 演劇は、日本の伝統劇と、欧米から導入した近代劇があった

歌舞伎では、江戸時代以来の伝統を改良する動きが起こりました。幕末に登場した作者の**河竹黙阿弥**は→第18章、明治初期に文明開化の風俗を取り入れた作品を発表しました（散切物）。明治中期にはすぐれた俳優が活躍し、名前（「団十郎」「菊五郎」「左団次」）の頭文字を取り「**団菊左時代**」と呼ばれました。

新派劇とは伝統を改良した劇のことで、自由民権運動を盛り上げる**壮士芝居**から発展し、日清戦争のころから戦争劇・家族悲劇などを上演して人気を得ました。**川上音二郎**は、壮士芝居のなかで**オッペケペー節**（政治・時事を風刺する演歌）を歌い、新派劇の創始に関わりました。

新劇とは歌舞伎・新派劇に対する近代劇のことで、日露戦争後に出現し、シェークスピアやイプセンなどの海外の脚本を翻訳して上演しました。**坪内逍遙**・島村抱月の**文芸協会**と、**小山内薫**の**自由劇場**が、その代表です。

(2) 音楽では、西洋音楽が軍隊や学校に取り入れられた

西洋音楽は、まず軍楽隊に導入され、**伊沢修二**の努力で小学校教育に西洋風の**唱歌**が採用されました。専門教育では、1880年代に**東京音楽学校**が設立され、「荒城の月」を作曲した**滝廉太郎**らが輩出しました。

(3) 美術では、西洋の絵画・彫刻がもたらされ、日本画の復興も見られた

西洋画は、明治初期、政府主導による文明開化のもとで発展しました。政府は**工部美術学校**を設立し、イタリア人**フォンタネージ**の指導で西洋美術教育を

おこないました。そして、**高橋由一**が日本近代の洋画を開拓しました。

政府が伝統美術を重視するようになると、西洋画は一時衰退しましたが、**浅井忠**が初の洋画団体の**明治美術会**を結成し、フランスに留学して印象派を学んだ**黒田清輝**が帰国すると、西洋画は再び盛んになりました。黒田は洋画団体の**白馬会**を結成して外光派（明るい画風）の中心となり、青木繁らも参加しました。

日本画は、1880年代、井上外交における欧化主義への反発から、伝統美術を復興する気運が高まるなかで、新たな発展が見られました。アメリカ人**フェノロサ**は日本の伝統美術の保存と復興を唱え、東洋文化の優秀性を主張する**岡倉天心**とともに、**東京美術学校**（1887）の設立に力を尽くしました。東京美術学校では、日本美術の教育がおこなわれました（のち西洋画科も設置）。こうした政府の保護姿勢により、**狩野芳崖**らが活躍し、日本画団体の**日本美術院**も岡倉天心らにより結成されました。

明治の文化⑹〈芸術〉（★は人名）

●西洋画
- ★**高橋由一**「鮭」
- ★**浅井忠**「収穫」
- ★**黒田清輝**「湖畔」「読書」
- ★青木繁「海の幸」

●日本画
- ★**狩野芳崖**「悲母観音」

●彫刻
- ★**高村光雲**「老猿」
- ★**荻原守衛**「女」

●建築
- ★**コンドル**（英）…**ニコライ堂**
- ★**辰野金吾**…日本銀行本店（大正時代に東京駅を設計）
- ★片山東熊…旧東宮御所（赤坂離宮）

彫刻では、イタリア人ラグーザが工部美術学校で指導し、西洋の彫塑（ブロンズなどの原型となる塑像を形作っていく）が導入されました。仏像彫刻を受け継いだ、伝統的な木彫の**高村光雲**と、フランスに留学してロダンに師事した、西洋流の彫塑の**荻原守衛**が有名です。

明治末期には、国家が主導して日本美術と西洋美術の共存・統合をはかり、文部省が**文部省美術展覧会（文展）**を開設しました（1907）。

⑷ 建築では、近代的な建築技術・様式が導入された

明治初期の建築では、小学校校舎として建てられた**開智学校**（現・長野県松本市）に見られるように、伝統的な技術と西洋の様式が融合したものが登場しました（擬洋風建築）。

本格的な西洋建築は、イギリス人**コンドル**によってもたらされました。コンドルは教会聖堂の**ニコライ堂**を設計するかたわら、**辰野金吾**や片山東熊を教えました。そして、辰野や片山によって造られた本格的な洋風建築が、都市の景観を変えていきました。辰野は、大正時代に**東京駅**を設計します。

⑥ 生　活

明治中・後期になると、近代的な生活様式が人々の間に広がり、官庁・会社・学校では西洋風の様式（時刻に合わせる行動パターンなど）で過ごしました。

1880年代には、大都市の中心街では**電灯**がともり、都市の中心部には電力を用いた**路面電車**が走るようになりました。

それに対して、地方農村部の家庭では**石油ランプ**がともり、農作業の都合から太陽暦と旧暦（太陰太陽暦）の両方を使用していました。

3 大正～昭和初期の文化（1910年代～30年代）

近世文化も大変だったけれど、近代文化も量が多くて大変だ！　ようやく**大正～昭和初期の文化**まで来た～。**1910年代から1930年代**というと、第一次世界大戦が文化にも影響を与えそうだね。

大戦景気による工業化で、都市化が進展したよね→第24章。東京・大阪だけでなく地方都市でも、工場労働者だけでなく、企業に勤めて事務系の仕事をする**俸給生活者**（サラリーマン）が増える。それに、女性の社会進出も進んで、和文タイプライターを打つタイピスト、電話交換手、バス車掌などの**職業婦人**も増える。都市に住んで生活水準を向上させた人々が担い手となる、**大衆文化**が生まれたんだ。

そうしたら、文化の情報を手に入れて、生活を楽しみたいな。スマホやネットはないけれど、……あれ？　テレビはあったのかな？

テレビの登場は戦後だよ。でも、大正時代の末期に**ラジオ放送**が始まった。それに、**映画**が人気を集めた。新聞・雑誌の発行部数が伸びた。こういった**マス＝メディア**の発達が、大衆文化の柱の一つだったんだよ。ところで、なぜマス＝メディアの発達が可能だったのかな？

文字を読める人々や、文化を理解できる人々が増えたからかなぁ。そうか、明治時代に**義務教育が普及**していったし、大正時代には大学進学も増えたから、みんなマス＝メディアを利用できたんだね。

そして、地方でも中等学校（中学校・高等女学校）への進学が増えてくると、都市の文化は農村へも広がっていったんだよ。

文化が、広く国民のものとなっていったんだね。

① 教　育

大正時代、〔**原敬内閣**〕は**大学令**（1918）を発し、私立大学・公立大学を認可しました→第24章。これは、大戦景気を支える理系の技術者や文系の事務職を養成するという、産業界からの要望にこたえたものでした（工業が発達すると高い技術が必要ですし、輸出が拡大すると外国とのコミュニケーションが必要ですね）。

また、明治時代以来の画一的な教育に対し、子どもの自発性を尊重して個性を引き出す**自由教育運動**が盛んになりました。

② 思想・学問

大正〜昭和初期の文化①〈学問〉（★は人名）

●社会科学
★**河上肇**…マルクス主義　『**貧乏物語**』
・『**日本資本主義発達史講座**』（マルクス主義）
★**北一輝**…国家主義　『**日本改造法案大綱**』
●人文科学
★**西田幾多郎**…哲学　『**善の研究**』
★**津田左右吉**…歴史学　『神代史の研究』
★**柳田国男**…**民俗学**
●自然科学
★**本多光太郎**…金属学　ＫＳ磁石鋼の発明
★**野口英世**…医学　黄熱病の研究
・**理化学研究所**…民間の研究機関（のち財閥に）

社会科学では、労働者階級の解放と平等の実現をめざす**マルクス主義**の影響が拡大しました。経済学者の**河上肇**が書いた『**貧乏物語**』は反響を呼び、昭和初期にはマルクス主義経済学者のうち共産党系の人たちが、日本の社会構造を分析した『**日本資本主義発達史講座**』を刊行しました。しかし、こういった社会主義研究には制限が多く、大正時代、経済学者の森戸辰男は無政府主義者に関する研究を理由に処分されました。一方、国家主義思想では、**北一輝**が『**日本改造法案大綱**』を著し、軍隊のクーデタによって天皇を中核とする国家へ改造することを唱えました。これは、のち右翼のバイブルとなり、陸軍の青年将校にも影響を与えて**二・二六事件**（1936）の原因の一つとなります→第26章。

人文科学では、哲学の**西田幾多郎**（西洋哲学と東洋思想を融合、『**善の研究**』）、歴史学の**津田左右吉**（『古事記』『日本書紀』の科学的研究）、**民俗学**の**柳田国男**（「常民」の生活史や民間伝承を調査）が登場しました。津田の日本古代史に関する著作は、のちに天皇への不敬とされ発禁となります→第27章。

自然科学では、金属学の**本多光太郎**（ＫＳ磁石鋼を発明）、医学の**野口英世**（黄熱病の研究、アフリカで客死）を知っておきましょう。また、民間で物理・化学の応用研究をおこなう機関として設立された**理化学研究所**は、のちコンツェルンを結成して新興財閥となりました→第26章。

③ 出版・文学

新聞では、毎日100万部以上を発行する『大阪朝日新聞』『東京朝日新聞』などが現れ、総合雑誌では『中央公論』に加えて**『改造』**も発刊されました。大衆娯楽雑誌の**『キング』**は毎月100万部を売り上げ、児童文学雑誌の**『赤い鳥』**（**鈴木三重吉**）は児童の自由詩や童話・童謡を掲載しました。昭和初期には１冊１円で売ることをうたった**円本**（『現代日本文学全集』など）や岩波文庫が登場して、活字文化が大衆化しました。

大正～昭和初期の文化⑵〈文学〉（★は人名）

●**白樺派**：★**武者小路実篤**『その妹』
★**志賀直哉**『暗夜行路』
★**有島武郎**『或る女』『カインの末裔』
●**耽美派**：★**谷崎潤一郎**『痴人の愛』
★**永井荷風**『腕くらべ』
●**新思潮派**：★**芥川龍之介**『羅生門』『河童』
★**菊池寛**『父帰る』『恩讐の彼方に』
●**大衆小説**：★**中里介山**『**大菩薩峠**』
●**プロレタリア文学**：★**小林多喜二**『**蟹工船**』
★**徳永直**『**太陽のない街**』
●**新感覚派**：★**横光利一**『日輪』『機械』
★**川端康成**『伊豆の踊子』『雪国』

文学では、雑誌**『白樺』**を拠点とした、人道主義（ヒューマニズム）や理想主義の**白樺派**（**武者小路実篤・志賀直哉・有島武郎**）、芸術至上主義で感覚的な美を追究する**耽美派**（**谷崎潤一郎・永井荷風**）、理知主義で鋭く現実をとらえる**新思潮派**（**芥川龍之介・菊池寛**）を区別します。『白樺』創刊に参加した柳宗悦は民芸運動の先駆者で、朝鮮の芸術に理解を示しました。

大衆文化を特徴づけるのは、新聞・雑誌に連載された、歴史小説・推理小説・空想科学小説などの**大衆小説**で、**中里介山**の時代小説**『大菩薩峠』**をはじめ、娯楽路線で人気を得ました。

大正時代後半に労働運動・社会主義運動が高まると→第24章、雑誌**『種蒔く人』**やそれを継承する『文芸戦線』、あるいは雑誌『戦旗』を舞台に、労働者階級（プロレタリア）の過酷な生活と階級闘争を描く**プロレタリア文学運動**が盛んになりました。『戦旗』には、**小林多喜二**の**『蟹工船』**（北洋漁船の船員の闘い）や、**徳永直**の**『太陽のない街』**（みずからが体験した共同印刷争議）が掲載されました。

昭和初期、人間の感覚に根ざした表現を重視する**新感覚派**（**横光利一・川端康成**）が登場しました。川端は、のち**ノーベル文学賞**を受賞します→第30章。

④ 芸　術

新劇では、坪内逍遙とともに文芸協会を主宰していた**島村抱月**が、女優の松井須磨子と**芸術座**を結成しました。また、自由劇場を主宰していた**小山内薫**が、土方与志とともに**築地小劇場**を結成しました。築地に建設された劇場は、プロレタリア劇も上演されるなど、新劇運動の拠点となりました。
（島村抱月は「文芸協会→芸術座」で「げい・げい」、小山内薫は「自由劇場→築地小劇場」で「げき・げき」です）

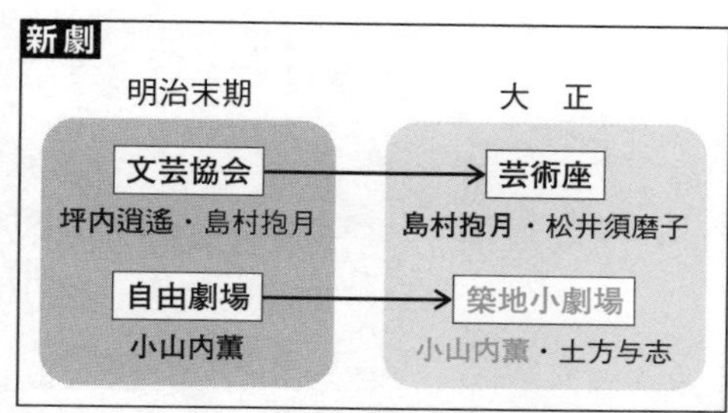

音楽では、洋楽の普及がめざましく、**山田耕筰**は交響曲の作曲家やオーケストラの指揮者として活躍し、三浦環は国際的なオペラ歌手（ソプラノ）として活躍し、プッチーニ『蝶々夫人』を演じて有名となりました。

大正〜昭和初期の文化⑶
〈芸術〉（★は人名）
●西洋画
　★**梅原龍三郎**「紫禁城」
　★**安井曾太郎**「金蓉」
　★岸田劉生「麗子微笑」
●日本画
　★**横山大観**「生々流転」

絵画では、政府主催の文展から独立した西洋画の在野団体として**二科会**が創設され、**梅原龍三郎**・**安井曾太郎**が活躍しました（ほか、岸田劉生の春陽会など）。さらに、日本画団体の日本美術院が**横山大観**らによって再興され、**院展**（日本美術院展覧会）が開催されました。そのほか、少年少女雑誌の挿し絵に大衆的な美人画を描いた竹久夢二も登場しました。

⑤ 生　活

都市化の実態から見ていきましょう。大都市の中心部には、**鉄筋コンクリート造**のビルディング（オフィスビル）が出現しました。さまざまな商品を売る**デパート**（百貨店）が発達し、私鉄は発着駅にターミナルデパートを経営しました。東京・大阪では**地下鉄**も開通しました（最初は上野・浅草間）。

都市民の間で、生活の洋風化が進みました。洋服を着る人々が増え、盛り場には洋装の**モボ**（モダンボーイ）・**モガ**（モダンガール）が出現しました。郊外電車の沿線には、和洋折衷の**文化住宅**が建てられて都市中間層が居住し、一般家庭にも**電灯**が普及しました。デパートのレストランでは、**トンカツ**や**カレーライス**など、ご飯に合うよう工夫された洋食が提供されました。

娯楽も増えました。映画は、最初は**無声映画**で**活動写真**とも呼ばれ、劇場で弁士が解説するものでしたが、昭和初期になると、音声入りの**トーキー**が出現しました。興業では、阪神急行電鉄社長の小林一三が設立した**宝塚少女歌劇団**が注目されます。**ラジオ放送**が東京・大阪・名古屋で開始され（1925）、**日本放送協会**（ＮＨＫ）も設立されました。ラジオは、全国中等学校優勝野球大会（のち高校野球）や東京六大学野球の実況が人気を呼びました。

チェック問題にトライ！

次の文章は、「近代日本における洋装」というテーマで調査発表をすることになった、史央理(しおり)さんと由華梨(ゆかり)さんとの会話である。この文章を読み、下の問いに答えよ。

（前略）

由華梨：　男性に比べると、女性の洋装化は遅れたみたい。日本髪は洋服と釣り合いがとれないのに、女性の断髪が禁止されていた時期もあったんだって。

史央理：　へぇ、そうなんだ。男性には散髪が奨励されて、文明開化の象徴とされたのとは対照的だね。日本髪を結ったまま生活するって、すごく大変そう。

由華梨：　そこで女性にも束髪という髪型を広める運動が起きたんだ。束髪は日本髪と比べて手軽で自由に結えて、洋装でも和装でも使える便利さから、あっというまに広まったんだって。日露戦争で日本軍が旅順を占領した頃に流行した「二百三高地」など、世相を反映した束髪もあったよ。

史央理：　和服よりも、洋服のほうが運動性にもすぐれているよね。女性が社会で広く活動できるようになるには、服装や髪型にも工夫が必要だったのね。

問　下線部に関連して、1885年に設立された「婦人束髪会」の趣旨を記した次の史料を読み、下の文X・Yの正誤の組合せとして正しいものを、下の①～④のうちから一つ選べ。図はこの史料が掲載された出版物である。

史料

従前の慣習たる島田髷(まげ)・丸髷（注1）などの如(ごと)きは、種々況々(いろいろさまざま)の雑品を毛の中へ挟むが故に（中略）衛生上に害を醸すこと僅(わず)かならず。よつて現に此(この)束髪会を設け、従前の弊害を脱せんとするの工夫なり。（中略）是乃(これすなわ)ち文明進歩人(じん)智(ち)発達の期にかなふが故に、其(その)便利と経済と衛生上などを思ふが為(ため)なり。然(しか)りと雖(いえど)も、いまだ旧習を踏むの徒は此束髪会に変ぜし婦人を見て、お転婆(てんば)あるいは刎(はね)上りなどと風潮（注2）すれど、そは訣(けっし)て信とするに至(いたら)ず。是一時風俗の遷(せん)するを羨みて云(いう)者なれば、是等(これら)の人に欺かれて止り給(たま)ふこと勿(なか)れ。

（注1）　島田髷・丸髷：日本髪の代表的な髪型。
（注2）　風潮：言いふらすこと。吹聴(ふいちょう)。

図 『大日本婦人束髪図解』

X　この史料は、髷を結う従来の習慣を文明進歩の時代にかなうとしている。
Y　この史料は、束髪を結う女性を批判する人がいることを指摘している。
①　X　正　　Y　正　　②　X　正　　Y　誤
③　X　誤　　Y　正　　④　X　誤　　Y　誤

（センター試験　2016年度　本試験　日本史A）

解説　**会話文を読んで要旨をとらえ、図を見てイメージをつかんだうえで、史料を読み取っていく**問題です。【近代日本において女性の洋装化は男性よりも遅れたが、旧来の日本髪を改めて束髪（そくはつ）を広げる運動が起きると、便利な束髪は広まり、女性の社会進出に寄与した】という内容の会話と、さまざまな髪型を可能とする自由な束髪が描かれた図をふまえ、史料を読んでいきます。

X 「髷（まげ）を結う従来の習慣」について、史料は「島田髷・丸髷（＝日本髪の髪型）」を「衛生上に害を醸（かも）す」「従前の弊害（へいがい）」などと否定的にとらえていますので、「文明進歩の時代にかなう」は誤りです。逆に、史料では「束髪会を設け、従前の弊害を脱せんとするの工夫」が「文明進歩人智（じんち）発達の期にかなふ」と述べられています。

Y 「束髪を結（ゆ）う女性を批判する人がいることを指摘」について、史料に「いまだ旧習を踏むの徒」が「お転婆（てんば）あるいは刎（はね）上りなどと風潮す（＝言いふらす）」とあるので、正しいです。

⇒したがって、③（X　誤　　Y　正）が正解です。

歴史総合のための世界史 「国際秩序の変化や大衆化と私たち」2 大衆社会と市民生活

大正時代の日本では、第一次世界大戦の影響で**大衆社会**が形成されました。大衆をめぐる、世界史上の政治的・経済的な動向を見ていきましょう。

① 第一次世界大戦と世界経済　※ 第24章の続き

第一次大戦の勃発を機に日本で生じた大戦景気の背景をまとめます→第24章。
①総力戦となり、ヨーロッパは軍需生産優先で民需生産が後回しになった。
②連合国の海上封鎖とドイツの潜水艦作戦で、貿易が途絶し船舶も不足。
③（①②から）ヨーロッパの植民地が多いアジアの市場で供給が不足した。
④アメリカ合衆国はヨーロッパへ軍需品などを輸出して、好景気となった。

また、大戦中には国際的な金融決済システムが混乱し、交戦国は**国際金本位制**→第23章から離脱しました（日本も1917年に金輸出禁止を実施→第24章）。

大戦後、総力戦で打撃を受けたヨーロッパでは復興が進む一方、日本では戦後恐慌が発生しました→第24章。また、主要国間で通貨価値を安定させる体制を再建するため、アメリカが国際金本位制へ復帰し（1919）、ヨーロッパ諸国もこれに続きましたが、1920年代末の時点で未復帰なのは日本だけでした。

② 大衆の政治参加

選挙権の拡大は、大衆の政治参加を促しました。イギリスでは、産業革命の進展や国民国家の形成（ヴィクトリア女王の時代［在位1837〜1901］が中心）を背景に、地主層（ジェントリ）限定の選挙権が、19世紀前半の選挙法改正で産業資本家層（ブルジョワジー）に拡大し、労働者層が普通選挙を求める**チャーティスト運動**が高まったのち（1848年フランス二月革命の影響）、19世紀後半には都市や農村・鉱山の労働者も選挙権を得ました。また、**男性普通選挙**は、フランス（フランス革命期の国民公会で初の男性普通選挙、1848年二月革命後の第二共和政で制度化）・アメリカ（1870、ただし南部では州法で黒人の投票権を制限）・ドイツ（1871、帝国議会）で実現しました。

男性と同様の参政権を求める**女性参政権運動**は、教育・職業の機会均等を求める女性運動と結びつき、20世紀初めに高揚しました。そして、総力戦となった第一次世界大戦では、軍隊に動員された男性に代わり女性が軍需産業に動員され、女性の社会進出が進むなか、大戦末期以降にイギリス（1918、男性普通選挙も導入）・ドイツ（1918）やアメリカ（1920）で**女性参政権が実現**しました。日本では、大正末期の普通選挙法で男性普通選挙が実現したものの→第24章、女性参政権は第二次世界大戦の敗戦後に持ち越されました→第28章。

③ 大衆消費社会とマスメディア

19世紀末から1920年代にかけて、西ヨーロッパやアメリカを中心に、第2次産業革命や植民地からの収益を背景に国民の生活水準の上昇と均一化がもたらされ、農民・労働者など職業的な枠を超えた集団（**大衆**）が国民の多くを占める**大衆社会**が形成されました。大量生産方式で低価格の工業製品が生まれ、自動車や家庭電化製品などが急速に普及しました。缶詰め・瓶詰めなどの食品や化粧品・薬品・衣類などの日用品も、日常的に販売・消費されました。こうした**大衆消費社会**は、人々の生活や価値観を均質なものにしました。

大衆社会の成立には、**マスメディア**も役割を果たしました。17世紀ごろに生まれた**新聞**や**雑誌**は、初等教育の普及による識字率の上昇で、20世紀初めに部数が飛躍的に伸びました。19世紀末に生まれた**映画**は大戦後に**大衆文化**の中心となり、1920年代には**ラジオ放送**が始まり受信機が家庭に普及しました。

④ 第一次世界大戦後のアメリカの繁栄

アメリカは本土に大戦の被害を受けず、連合国へは物資の輸出に加えて戦債の購入による資金の提供もおこない、**債務国**（従来はヨーロッパから資金を得て工業化していた）**から債権国へ**転じました。大戦後は世界金融の中心がイギリスのロンドン（シティ）からアメリカの**ニューヨーク**（**ウォール街**）に移り、1920年代末にアメリカの工業生産額が世界全体の40％以上を占めました。

1920年代のアメリカは、マスメディアの広告に支えられ、**大量生産**（規格の統一と工程の単純化）・**大量消費**（購買力を高めた大衆が購入）の社会が形成されました。ベルトコンベアー（組み立てライン）方式で自動車を安く提供した**フォード**の経営方式（フォーディズム）は、他産業にも広がりました。

アメリカの都市では、専門職や事務職や販売員に従事する中産階級の**新中間層**が増加し、家庭生活などで画一化された消費文化を受容しました。映画（ウォルト＝ディズニーのアニメーション映画が登場）や**ジャズ**音楽やプロスポーツ（野球でベーブ＝ルースが活躍）などの娯楽も広がりました。日本でも、大正～昭和（しょうわ）初期の文化では都市化を背景とする生活文化が登場しました→第25章。

しかし、この時期のアメリカ社会には、保守化による不寛容さも出てきました。WASP（ワスプ）（White, Anglo-Saxon, Protestant）の価値観が強調され、勤労と禁欲を重視する宗教的事情からの**禁酒法**(1919)や、東欧・南欧からの移民制限と日本からの移民禁止の**移民法**が制定され(1924)、また南部で成立した白人至上主義・黒人迫害の結社**KKK**(**クー＝クラックス＝クラン**)は、この時期に北部でも活動し、黒人に加えて移民も迫害しました。

政党内閣の時代と満洲事変
（昭和時代初期）

年代	内閣	政治・外交	対アジア外交	経済
1920年代	原	(1)		**2 恐慌の連続と昭和初期の財政**
	高橋			
	加藤(友)	**1 中国情勢の変化と昭和初期の外交**		**①震災恐慌** 〔山本②〕 支払猶予令 震災手形の発生 日本銀行の特別融資
	山本②			
	清浦			
	加藤(高)①	**①幣原外交** 〔加藤(高)①〕～護憲三派		
	加藤(高)②	〔加藤(高)②〕～憲政会		
	若槻①	〔若槻①〕～憲政会 対中国：内政不干渉 既得権益は維持(満洲)	**②中国統一の進展** 国民党が北伐を開始 (軍閥政権を打倒) →幣原外交への批判	**②金融恐慌** 〔若槻①〕～憲政会 震災手形処理 →取付け騒ぎ 台湾銀行救済に失敗
	田中(義)	**③田中外交** 〔田中(義)〕～立憲政友会 対欧米：協調(不戦条約) 対中国：強硬方針 **⑤田中内閣の反共政策** 第1回普通選挙 →三・一五事件 →治安維持法改正	**④山東出兵** 北伐へ干渉 張作霖爆殺事件 (関東軍)	〔田中(義)〕～政友会 支払猶予令 日本銀行の非常貸出
1930年代	浜口	**⑥幣原外交の復活** ロンドン海軍軍縮条約 →統帥権干犯問題		**③井上財政(デフレ)** 〔浜口・若槻②〕 金輸出解禁(1930) →為替安定をはかる
	若槻②	**3 満洲事変と軍部の台頭** **②軍部の台頭** 国家改造運動の高まり 十月事件	**①満洲事変** 柳条湖事件（1931） →関東軍の戦線拡大	緊縮財政 産業合理化 世界恐慌下で輸出減 →昭和恐慌の発生
	犬養	血盟団事件 五・一五事件（1932） →政党内閣が終わる	リットン調査団 第1次上海事変 「満洲国」建国	**④高橋財政(インフレ)** 〔犬養・斎藤・岡田〕 金輸出再禁止(1931) →円安で輸出増 →ソーシャル・ダンピング
	斎藤	滝川事件 (滝川幸辰)	日満議定書 国際連盟脱退通告	管理通貨制度
	岡田	天皇機関説問題 (美濃部達吉) 二・二六事件（1936）	ワシントン体制離脱	→予算の増加(軍需) →重化学工業が成長
		(3)		(2)

第26章のテーマ

昭和初期（1920年代後半〜30年代前半）の政治・外交・経済を見ます。

(1) 政党政治と**幣原外交**・**田中外交**が関連しながら展開していきました。

(2) **震災恐慌**・**金融恐慌**を経て、**井上財政**のもとで**昭和恐慌**が発生しましたが、**高橋財政**のもとで日本経済は恐慌から脱出しました。

(3) **満洲事変**の勃発後に日本は**国際連盟を脱退**し、軍部が台頭するなかで**五・一五事件**で政党内閣は終わり、学問が弾圧されました。

1 中国情勢の変化と昭和初期の外交（1920年代〜30年代初め）

昭和時代（1926〜89）の初期に入ります。政治史では「**憲政の常道**」を中心とする時期です→第24章。外交の流れと経済のしくみを理解し、内閣ごとの政治・外交・経済の展開をつかみましょう。その際、内閣の与党によって外交・経済政策が変化する点に注目します。

大正末期・昭和初期の内閣

（赤字は政党内閣、カッコ内は与党）

内閣	与党
加藤高明①	（護憲三派）
加藤高明②	（憲政会）
若槻礼次郎①	（憲政会）
田中義一	（立憲政友会）
浜口雄幸	（立憲民政党）
若槻礼次郎②	（立憲民政党）
犬養毅	（立憲政友会）
斎藤実	海軍
岡田啓介	海軍

① 幣原外交（1920年代中期）

まず、外交史から。1920年代の日本では、ワシントン体制を積極的に受け入れる**協調外交**が展開されました。これを1920年代半ばから受け継いだのが**幣原喜重郎**外務大臣です（**幣原外交**）。彼は、憲政会が中心の**護憲三派**を与党とする〔**第１次加藤高明内閣**〕（**日ソ基本条約**→第24章）、**憲政会**を与党とする〔**第２次加藤高明内閣**〕、**憲政会**を与党とする〔**第１次若槻礼次郎内閣**〕において外相をつとめ、欧米に対しては**協調**（アメリカ・イギリスと歩調を合わせる）、中国に対しては**内政不干渉**（政治的・軍事的な介入をおこなわない）、という方針で外交にあたりました。ただし、中国への内政不干渉には、満洲などにおける日本の経済的な既得権益は維持するという狙いがありました。

② 中国統一の進展

当時の中国は、どんな状況だったの？

復習から入ろう。清は滅びたけれど、中華民国では、**軍閥**が各地をバラバラに支配し、北京政府の実権をめぐって争っていたんだ。

〔第2次大隈内閣〕による**二十一カ条の要求**のときの**袁世凱**も、〔寺内内閣〕が与えた**西原借款**のときの**段祺瑞**も、軍閥だよね→第24章。

復習はバッチリだね。一方、革命運動を主導してきた**孫文**は、**中国国民党**を率いて南部に勢力を拡大した。軍閥が主導する北京政府を解消し、中華民国が中国国民の国家としてまとまることを望んだんだ。

でも、「まとまりたい！」という中国国民の願いがないと、かけ声だけじゃ空回りするんじゃないかな。

その願いは、第一次世界大戦後の**五・四運動**で見られたよ→第24章。日本は〔原内閣〕のころだね。二十一カ条の要求の撤回と山東省の返還を求めたのは、愛国心が芽生えたからじゃないかな。「中国は自分たちのものだ！　日本や列強のものじゃない！」ということだ。

外国からの圧力をはね返して、国がまとまる感じだね。

孫文は、軍閥に対抗するため、社会主義革命をめざす**中国共産党**と協力して**第1次国共合作**を結成した。ただ、直後に亡くなったよ。

中国の歴史が大きく動くね。日本はどのように対応したのかな。

孫文が亡くなったあとの中国国民党では、**蔣介石**が台頭し、国民革命軍（国民党の軍隊）を率いて、北京の軍閥政権を打倒する**北伐**を開始しました(1926)。軍事力による中国統一が始まったのです。蔣介石は広州から出発して**南京**を占領し、**国民政府**を樹立しました。ところが、中国共産党と敵対し（国共分裂）、その後は国民革命軍が単独で北伐を続けました。

当時は〔第1次若槻礼次郎内閣〕で（この内閣のとき、大正天皇が亡くなり[1926]、虎の門事件→第24章に関係した摂政裕仁親王が即位して、大正15年から昭和元年へ移行しました）、外相は対中国内政不干渉の方針の**幣原喜重郎**だったので、北伐には介入しませんでした。しかし、北伐が満洲まで及ぶと危険だと考えた軍部・枢密院・野党の立憲政友会が、幣原外交を「軟弱外交だ！」と非難しました。枢密院は、内閣に金融恐慌の処理を失敗させ、総辞職に追い込みました。これにより、幣原外交も終わりました。

③ 田中外交（1920年代後期）

次の〔田中義一内閣〕は立憲政友会が与党で、田中義一が外相を兼任しました（**田中外交**）。田中外交は、欧米に対しては**協調**関係を維持する方針で、この点は幣原外交と共通でした。日本は**ジュネーブ軍縮会議**に参加し、アメリカ・イギリス・日本で海軍軍縮を協議しましたが不調に終わり、条約は結ばれませんでした。また、戦争の違法化を進める国際的な潮流を背景に、国際紛争解決の手段としての戦争を放棄する**不戦条約**（1928）にパリで調印しました。

④ 山東出兵

しかし、田中外交は幣原外交と異なり、中国に対しては**強硬方針**で臨み、日本の中国における権益を守るために積極的な介入をおこないました。

⑴ 田中義一内閣は、中国に対する強硬外交方針のもと山東出兵を断行した

田中首相は、中国関係の外交官や軍人などを集めた**東方会議**を開き、中国における権益を実力で守る強硬方針を決定しました。それと並行して、**山東出兵**を断行しました（1927〜28）。中国における日本人居留民の保護を名目に、蔣介石が進める北伐に干渉したのです。このとき、日本軍が国民政府軍と衝突する**済南事件**も起きました。

⑵ 関東軍は、満洲軍閥の張作霖を爆殺する事件を起こした

当時の北京政府の中心は満洲軍閥の**張作霖**で、日本は満洲権益を守るために張作霖と手を結んでいました。ところが、北伐の国民革命軍は強力で、各地の軍閥は次々と敗北し、張作霖も北京を脱出して本拠地の満洲へ逃げていきました。これに対し、**関東軍**は➡第22章、河本大作らを中心に、弱体化した張作霖の排除と満洲全域の直接支配をたくらみ、本拠地の**奉天**に戻った張作霖を列車ごと爆殺する**張作霖爆殺事件**を起こしました（日本では満洲某重大事件として報道され、真相は国民に知らされませんでした）。このとき、田中首相は事件の処理の甘さで昭和天皇の信任を失い、総辞職しました。

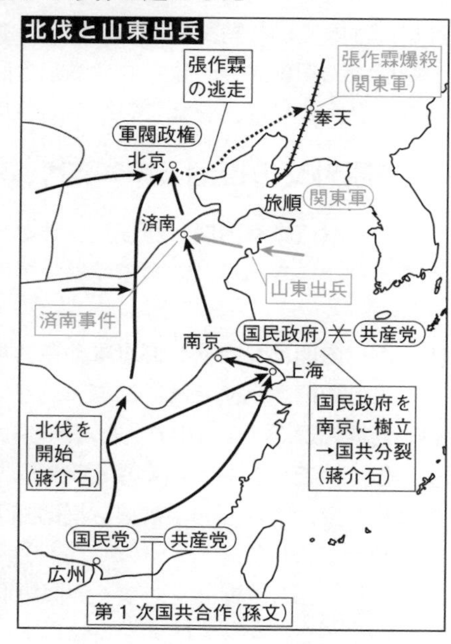

一方、張作霖の子の**張学良**は国民政府に合流し、蔣介石による北伐は完了しました。国民政府によって、満洲も含めた中国統一が達成されたのです。関東軍が狙った満洲全域の支配はできず、のちの**満洲事変**につながります。

⑤ 田中内閣の反共政策

〔第1次加藤高明内閣と田中義一内閣〕

- **〔第1次加藤高明内閣〕**
  普通選挙法・治安維持法（1925）
- **〔田中義一内閣〕**
  第1回普通選挙・治安維持法の改正（1928）

〔田中義一内閣〕の政治では、共産主義を弾圧する反共政策に注目します。**〔第1次加藤高明内閣〕**の政策との関連を意識しましょう→第24章。

〔田中義一内閣〕の反共政策の背景となったのは、**第1回普通選挙**（1928）の実施でした。当時、社会主義勢力のなかに、議会における立法で労働者・農民の立場を守ろうとする**無産政党**が登場し、労働組合・農民組合を基盤に**労働農民党**などが結成されました。そして、第1回普通選挙のとき、無産政党から合計8名が当選しました。しかし、非合法の共産党が労働農民党を指導するなど、公然と活動したことに危機感を持つ内閣は、**三・一五事件**で共産党員を検挙し、労働農民党を解散させました（翌年の四・一六事件でも弾圧）。

そして、内閣は**治安維持法の改正**（1928）をおこない、最高刑に**死刑**を導入し、また協力者も処罰可能としました。さらに、大逆事件の直後に東京警視庁に置かれていた**特別高等課**（**特高**）を→第23章、全国の警察に設置しました。

共産党の影響が強い政党や労働組合は活動が難しくなり、無産政党では、穏健な社会民衆党などを経て1930年代初めに**社会大衆党**が結成されました。

⑥ 幣原外交の復活（1920年代～30年代初め）

次の**〔浜口雄幸内閣〕**が成立すると、与党は立憲政友会から**立憲民政党**（もと憲政会）に変わり、**幣原喜重郎**が再び外務大臣となりました。

(1) 浜口内閣はロンドン海軍軍縮条約を結んだが、統帥権干犯問題が発生した

欧米との協調外交では、海軍軍縮を協議する**ロンドン会議**に参加し、全権として**若槻礼次郎**（元首相で、もと憲政会総裁）を送りました。そして、米・英・日・仏・伊で**ロンドン海軍軍縮条約**（**ロンドン海軍軍備制限条約**　1930）が結ばれ、主力艦よりも小規模な**補助艦**の保有量について、日本は対米・対英で約7割としました。

しかし、この軍縮に反対する海軍軍令部や、野党の立憲政友会、民間右翼は、**統帥権干犯**を主張して内閣を攻撃しました。天皇大権である統帥権（軍の作戦・

指揮権）と編制権（兵力量の決定権）は、本来別々の権限ですが→第21章、海軍軍令部は、編制権は統帥権に付属するという解釈をおこないました。つまり、政府が編制権を行使して兵力量を決定するときには、統帥権を行使する海軍軍令部の同意が必要であり、政府が海軍軍令部の同意を得ずに兵力量を決定したのは、海軍軍令部が行使する統帥権を侵害したことになる、このような理屈でした。内閣は、枢密院の承認を獲得して条約の批准に成功しましたが、浜口首相は東京駅で右翼に狙撃され、翌年に内閣総辞職しました。

(2) 第２次若槻内閣のときに満洲事変が勃発し、幣原外交は破綻した

そして、**立憲民政党**が与党のまま、**〔第２次若槻礼次郎内閣〕**が成立しました。このとき、満洲で**柳条湖事件**（1931）をきっかけに**満洲事変**が勃発し、関東軍が満洲（中国の東北部）を侵略していきました。これは九カ国条約に違反する可能性があり→第24章、内閣は不拡大方針を表明しました。しかし、軍事行動は抑えられず、内閣は総辞職しました。こうして、満洲事変の勃発によって、協調外交を方針とする幣原外交は終わりを告げたのです。

昭和初期の外交 ※与党の変化に注目して、内閣と外交政策との関連を追っていこう

●幣原外交	※欧米に対して協調	※中国に対して内政不干渉
〔加藤(高)①〕護憲三派 〔加藤(高)②〕憲政会 〔若槻①〕憲政会	1925 日ソ基本条約	1926 北伐の開始 →〔若槻①内閣〕は不介入方針
●田中外交	※欧米に対して協調	※中国に対して強硬方針
〔田中(義)〕立憲政友会	1928 不戦条約	1927 山東出兵（〜28） 1928 張作霖爆殺事件
●幣原外交	※欧米に対して協調	※中国に対して内政不干渉
〔浜口〕立憲民政党 〔若槻②〕立憲民政党	1930 ロンドン海軍軍縮条約	1931 柳条湖事件（満洲事変） →〔若槻②内閣〕は不拡大方針

2 恐慌の連続と昭和初期の財政（1920年代〜30年代中期）

次に、経済史を見ます。1920年代は、第一次世界大戦後に**戦後恐慌**（1920）となって以来→第24章、関東大震災による**震災恐慌**（1923）、銀行の経営危機が拡大した**金融恐慌**（1927）、と景気の悪い状況が続きました。

そして、二人の大蔵大臣、**井上準之助**蔵相と**高橋是清**蔵相が登場します。**井上財政**がどのように**昭和恐慌**（1930）をもたらしたのか、**高橋財政**がどのように日本経済を恐慌から脱出させたのか、そのしくみを理解しましょう。

① 震災恐慌（1923）

関東大震災により、**震災恐慌**（1923）が発生しました。こうした非常事態では、被災した企業【図のＡ社】が決済（代金の支払いによる取引の完了）の期日を守るのは難しいです【図①②③】。企業の倒産が相次いだりすると、世の中に不安が広がりますね。そこで、〔**第２次山本内閣**〕は期間１カ月の**モラトリアム**（**支払猶予令**）を緊急勅令で発令し、決済の期日を先送りさせました。

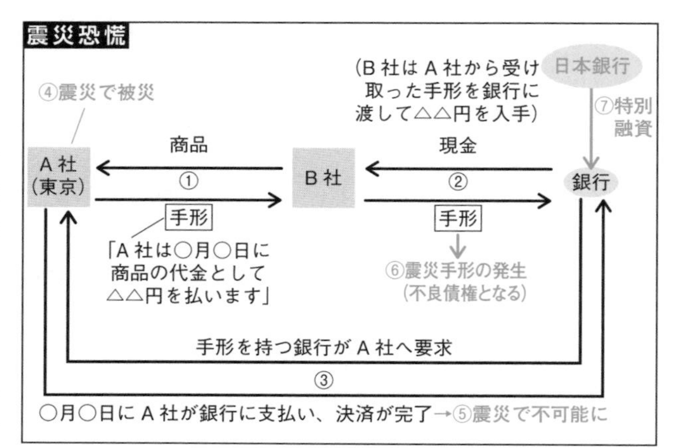

しかし、銀行が持っていた手形（一定の期日に一定の金額の支払いを約束した証書）のなかには、不良債権（期日に代金が支払われず決済が不能となった手形）となるものがありました。こうした**震災手形**の発生に対し【図④⑤⑥】、政府は**日本銀行**に指示し、**特別融資**をおこなわせました【図⑦】。日本銀行は、震災手形を持っていた銀行にお金を貸したのです。しかし、これは一時しのぎです。銀行は、手形を振り出した企業から支払いを受けて決済を完了し、特別融資を受けた分を日本銀行に返す必要があります。しかし、まだ企業の経営は回復せず、決済が終わっていない震災手形が世の中に残っていたのです。

② 金融恐慌（1927）

銀行が震災手形を持っていると、「今の銀行にはお金がない」というイメージを広めます。企業が銀行からお金を借りにくいし、銀行の預金者も安心できない。こうした金融不安のなかで発生したのが、**金融恐慌**（1927）です。

(1) 第１次若槻内閣が震災手形の処理を進めようとして、取付け騒ぎが発生した

昭和時代に入り、**憲政会**が与党の〔**第１次若槻内閣**〕は、**震災手形の処理**（手形の決済）を進めました。しかし、議会でその法案の審議中に、**片岡直温**大蔵大臣が「ある銀行が破綻した…」と失言すると（実際は破綻していなかったのです）、その話が世の中へ広まり、預金を引き出すために預金者が銀行へ殺到

する**取付け騒ぎ**が拡大し、銀行の休業が相次ぎました。

(2)　危機に陥った台湾銀行を、第１次若槻内閣は救済できなかった

金融恐慌は、まだまだ続きます。第一次世界大戦で急成長した商社の**鈴木商店**が経営危機となり、鈴木商店に大量のお金を貸していた**台湾銀行**が不良債権を抱えていました。植民地台湾の中央銀行である台湾銀行がつぶれる事態は避けたいので、政府は日本銀行からの融資で台湾銀行を救済しようとしました。当時、帝国議会が閉会中で法律が作れないため、天皇大権にあたる**緊急勅令**を用いたのですが、天皇の諮問機関である**枢密院**は→第21章、緊急勅令を認めませんでした。台湾銀行の救済に失敗した内閣は、総辞職しました。

当時、中国での北伐の進行に対して、**幣原外交**は内政不干渉方針で臨んでいました。枢密院はこの外交に反発し、北伐の放置を続ける〔**第１次若槻内閣**〕に対し、台湾銀行の救済を失敗させて圧力をかけたのです。

(3)　田中義一内閣は、モラトリアムと日銀の非常貸出で金融恐慌をしずめた

次の〔**田中義一内閣**〕は、もと立憲政友会総裁の**高橋是清**を大蔵大臣に迎え、与党**立憲政友会**の方針である**積極財政**で、銀行の危機を救おうとしました。まず、緊急勅令で３週間の**モラトリアム**（**支払猶予令**）を発令し、銀行の預金者へ預金を払い戻すことを一時停止させて、取付け騒ぎをおさめました。そして、**日本銀行**に**非常貸出**をおこなわせました。日本銀行が紙幣を大量に発行して、銀行へ供給すれば、金融機関に対する世の中の不安も解消されます。さらに、台湾銀行を救済するための特別融資を認める法案が、議会で成立しました。こうして、金融恐慌はおさまりました。

(4)　金融恐慌の結果、大銀行へ預金が集中した

金融恐慌のなかで休業に追い込まれたのは、中小銀行が中心でした。こうして、財閥系を中心とする**五大銀行**（三井・三菱・住友・安田・第一）に預金が集中し、中小銀行の整理・統合が進みました。また、財閥が系列の銀行を通して多くの企業にお金を貸して、産業を支配する傾向も強まりました。

そして、「憲政の常道」のもと、政党と財閥との結びつきも深まりました。三井と結んだのは立憲政友会で、三菱と結んだのは憲政会・立憲民政党です。

③ 井上財政（デフレ）（1920年代末～30年代初め）

1920年代は、とにかく景気が悪かったんだね。震災恐慌は自然災

害が原因だから仕方ないとして、経済界がもっと頑張らないと！

輸出が伸びなかったことが大きいよ。明治時代後期の1897年から、日本は金本位制をとっていて、為替相場は安定していた→第23章。しかし、第一次世界大戦中の1917年に、日本は金本位制を停止する**金輸出禁止**を実行し、為替相場が不安定になった→第24章。そして、第一次世界大戦後に欧米諸国は金本位制に復帰するんだけれど、日本は復帰しないままズルズルきてしまった。日本の為替相場が動揺と下落をくり返すと、貿易も不安定になってしまうんだ。

あれ？　為替相場の下落って、円安だよね。日本製品が安く輸出できるんだから、輸出は伸びるはずだけど……。

ところが、円安の傾向でも、輸出が伸びなかった。これまでの政府による恐慌対策に、その原因があるよ。

日本銀行がお札をたくさん刷り、困っている銀行にお金を貸したんだったね。そうか、紙幣の価値が下がって**インフレ**になる。日本製品が高くなって、外国に売れないね。それに、日本銀行からお金がやってくるとわかれば、銀行と関わる企業は経営努力をしなさそうだ。

第一次世界大戦の時期に産業が発達したけれど、日本銀行による融資が続いたことで、恐慌のときに採算がとれなくて倒産するはずの企業が生き残ってしまった。こうした、外国に売れる、安くて質のよいものが作れない状態を、**国際競争力の不足**というよ。こうして、**輸入超過**（貿易赤字）の状態が続いたんだ。

そしたら、物価を下げて、国際競争力を強くすれば、輸出が伸びて、日本の景気はよくなるんじゃないかな。

それが、**井上財政**がめざした政策なんだ。では、見ていこう。

田中義一首相は張作霖爆殺事件が原因で辞任し、〔**浜口雄幸内閣**〕が成立すると、大蔵大臣に迎えられた**井上準之助**が**井上財政**を進めていきました。

(1) 井上蔵相は、緊縮財政によって物価を引き下げ、産業合理化を進めた

その柱の一つは、**デフレ政策**です。与党の**立憲民政党**（もと憲政会）の方針である**緊縮財政**を実行し、国民に消費の節約を奨励しました。そうすると、世

の中の品物が売れずに余ります。つまり、総需要が減少するので、それによって物価が下がれば、輸出が増えていくはずです。

そして、物価が下がれば、生産性の低い企業は売り上げが減って苦しくなりますから、リストラやコスト削減を進めます。なかには倒産してしまう企業もあるでしょうが、安くて質のよい商品を作って収益が出る企業だけが生き残ればよいのです。こうした**産業合理化**が進めば、輸出が増えていくはずです。

このように、井上財政は、産業界のあり方を改善し、**国際競争力を強化**して輸出を拡大することを狙ったのです。

ちなみに、緊縮財政のもとでは、軍事費も抑える必要があります。したがって、〔**浜口内閣**〕は海軍軍縮をめざすロンドン会議に参加し、**ロンドン海軍軍縮条約**に調印しました。緊縮イコール軍縮、と理解しましょう。

(2) 金本位制に復帰して、為替相場を安定させ、貿易を盛んにしようとした

もう一つの柱は、金本位制(きんほんいせい)へ復帰する**金輸出解禁**(きんゆしゅつかいきん)（**金解禁**）です。これにより、同じ金本位制を採用する欧米諸国との間で為替相場(かわせそうば)が安定すれば、貿易が促進されます→第23章。そのうえで、国際競争力を強化し、安くて質のよい品物が輸出されれば、輸出の増加による景気の回復が期待できます。

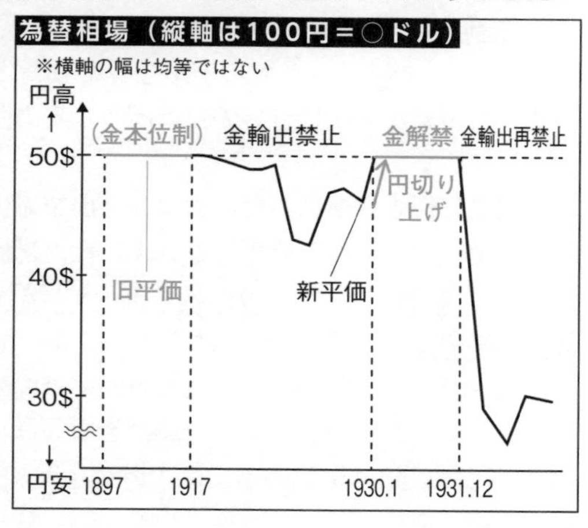

ところが、井上蔵相は、当時の為替相場である新平価(しんへいか)（100円＝約46〜47ドル）ではなく、かつて金本位制を採用していた期間（1897〜1917）の為替相場である**旧平価**(きゅうへいか)（100円＝約50ドル）で、金本位制に復帰することを決めました。100円で約46〜47ドルしか手に入れられない状態から、100円で約50ドルも手に入れられる状態に変われば、円の価値が上がっていますね。この**円切り上げ**（円高）によって輸出品の価格は上がるため、輸出を伸ばそうとすれば、さらに産業合理化する必要があります。井上蔵相は、円の国際的信用を高めるため、旧平価での金解禁を選択したのですが、日本の経済にとっては厳しい政策でした。

(3) 世界恐慌が発生するなかで金解禁をおこなった結果、輸出が激減した

そのころ、世界経済は危機的な状況でした。1929年10月に起きたアメリカでの株価暴落がきっかけとなって**世界恐慌**が発生しており、世界的な不況のなかで、井上蔵相は予定どおり**金輸出解禁**（1930.1）を断行しました。井上は、不況は一時的なものだとして、アメリカの経済力の強さを過信していました。

その結果、世界恐慌の影響で、外国は日本の品物を買ってくれなくなりました。これに、旧平価での金輸出解禁による円切り上げ（円高）で、余計に日本の輸出が減りました。すると、輸入が輸出を上回って輸入超過（貿易赤字）となります。金本位制では、輸入品の代金を相手側の通貨で払っても正貨（金）で払ってもよい、というルールでしたが→第23章、輸入超過のときには金で払うことになるので、**正貨**（金）が日本から大量に**流出**していきました。

そして、デフレによる不況に産業合理化が重なると、工場の操業短縮や企業の倒産によって**労働者の失業**や賃下げが増え、**労働争議**の件数が増加しました。こうして、**昭和恐慌**が発生したのです（1930）。政府は、**重要産業統制法**（1931）を制定してカルテルを奨励し、いっそうの産業合理化を推進しました（カルテルは同じ分野の企業どうしでの協定のこと→第23章）。

(4) 昭和恐慌の影響は農村におよび、農業恐慌が広がった

昭和恐慌は、農村を窮乏化させました。**米価が下落**したことに加え、世界恐慌の影響でアメリカへの生糸の輸出が激減すると、原料が不要となって**繭価も暴落**し、農業収入が激減しました。一方、失業者が農村に帰ってきて農村人口が増加したものの、不況で職業に就けない状態が広がりました。

こうして、昭和恐慌のもとで**農業恐慌**が深刻化すると、学校へ弁当を持って行くことができない（あるいは十分な食事がとれない）**欠食児童**が増えたり、借金を抱えた農家では**女性の身売り**がおこなわれたり、といった社会問題が広がり、**小作争議**も激化しました。そして、恐慌をもたらした政党内閣への不満が広がっていきました。

(5) 第2次若槻内閣のときに満洲事変が勃発し、井上財政は実施困難になった

井上準之助は、**立憲民政党**を与党とする〔**第2次若槻礼次郎内閣**〕でも大蔵大臣となりました。しかし、**満洲事変**が勃発すると（1931.9）、軍事費を増やす必要から緊縮財政は困難となりました。さらに、世界恐慌に苦しんだイギリスが金本位制を停止し、日本も将来的な金本位制の停止が見込まれました。

こうしたなか、財閥は、「円切り上げで金解禁したから今は円高ドル安だけど、金本位制が停止されたら円安ドル高になるだろう」と想定し、今のうちに

安いドルをたくさん買っておく**ドル買い**を進めました。実際に金本位制が停止されて円安ドル高になったときに、買い集めていたドルを売れば、安い円がたくさん手に入るというわけです。恐慌で国民が苦しいときに「カネでカネを買う」ような金もうけをおこなったことで、財閥に対する批判が高まりました。

④ 高橋財政（インフレ）（1930年代前期・中期）

1930年代になると、もっと景気が悪くなった！ 「日本の品物が安くなって輸出が増えれば景気がよくなる」という井上財政の理屈は正しくても、世界恐慌で輸出が減ったのか。現実はキビシイ……。

輸出を伸ばす方法は、ほかにもある。もうキミは気づいているよ。

円安になれば、輸出が伸びるね。そうか、旧平価で金解禁したら、円高になって輸出が伸びなかったから、金本位制をやめちゃおう！

まぁ、円安にするために金本位制をやめるのではないんだけれど、金本位制をやめたら、結果的に円安になり、輸出が伸びたんだよ。それが、これから見ていく**高橋財政**の柱の一つだ。それと、輸出以外にも、景気をよくする方法があるよ。すでに日本は戦争を始めているね。

満洲事変という名前が出てきたね。これから勉強するんでしょう？

くわしくは、この章で学ぶけれど、日本が戦争に関わり始めると、**軍需**が生まれるよね。それに応じるため、政府がお金を投じれば、軍需産業がもうかって、景気がよくなると思うよ。

そうすると、緊縮財政ではダメで、積極財政になるんだね。それに、軍需に応じるのだから、重化学工業が成長しそうだね。

それも、高橋財政の重要な柱になるんだよ。では、見ていこう。

若槻礼次郎首相は、満洲事変の拡大を止めようとして失敗し、辞任しました。そして、与党は**立憲政友会**に移り、〔**犬養毅内閣**〕が成立しました。もと立憲政友会総裁の**高橋是清**が再び大蔵大臣となり、次の〔**斎藤実内閣**〕〔**岡田啓介内閣**〕のもとでも蔵相を続け、**積極財政**での景気回復をはかりました。井上財政との違いを意識しながら、高橋財政について見ていきましょう。

IV
近代・現代

(1) 高橋蔵相が金輸出再禁止を断行すると、円安を用いた輸出の増加が生じた

高橋蔵相は、就任した直後に**金輸出再禁止**（1931.12）を断行し、日本は国際的な金本位制から離脱しました。一刻も早く、正貨（金）流出を止める必要があったからです。これにより為替相場が固定されなくなった結果、為替相場は一気に下がって**円安**になりました（為替相場のグラフを確認しましょう）。日本の品物が安く輸出できますから、輸出が急増し、特に**綿織物**の輸出はイギリスを抜いて世界第１位となりました。

しかし、欧米諸国は日本に対して「**ソーシャル・ダンピング**」（国ぐるみでの不当な安売り）だと非難する一方、イギリスなどは**ブロック経済**（高い関税をかける保護貿易政策）で日本製品の流入に対抗しました。

(2) 管理通貨制度へ移行し、軍需に応じた積極財政で重化学工業が発達した

高橋蔵相は、金輸出再禁止と同時に、円を金と兌換することを停止しました。日本は国内でも金本位制から離脱し、**管理通貨制度**（政府が不換紙幣の発行高を管理する）へ移行しました。さらに、赤字国債を発行し、それを日本銀行に引き受けさせて（日本銀行が政府へお金を貸す形になる）、予算を増やす**財政膨張**をおこないました。〔**犬養内閣**〕与党の**立憲政友会**は積極財政による**インフレ政策**の方針をとっていて、高橋蔵相はその後の内閣でも積極財政を続けました。

当時、満洲事変（1931～33）が起きており、軍事費を中心に予算を増大させました。すると、軍需品の生産が伸びるので、機械・金属・化学といった**重化学工業**が発達し（1930年代後半の日本では、重化学工業生産が軽工業生産を上回ることになります）、官営八幡製鉄所と民間の製鉄所が合同した日本製鉄会社も設立されました。また、このころに成長を遂げたのが**新興財閥**で、重化学工業部門を基盤に、軍部と協力して大陸進出を進めました。鮎川義介の**日産**（日本産業）は満洲の重化学工業を独占し、野口遵の**日窒**（日本窒素）は朝鮮に化学コンビナートを建設しました。理研は理化学研究所を母体に財閥となりました。一方、こうした重化学工業化によって、石油・鉄類・機械などの輸入をアメリカに頼る割合が増えていきました（そのアメリカと、のちに戦争することになるのですが）。

(3) 高橋財政は日本を恐慌から脱出させたが、二・二六事件で終了した

円安を利用した綿製品などの輸出増大と、軍需に応じた財政膨張による重化学工業の発達で、日本経済は恐慌から脱出しました。しかし、農業恐慌となっていた農村に対しては、自助努力をおこなわせる農山漁村経済更生運動を進め

たものの、農村の景気回復は立ち遅れました。

そして、高橋蔵相が軍事費を抑えると軍部は反発し、〔**岡田内閣**〕のときの**二・二六事件**（1936）で高橋蔵相は暗殺され、高橋財政は終わりました。

井上財政と高橋財政 ※しくみや方向性の違いを理解しよう

井上財政：〔浜口・若槻②〕	**高橋財政**：〔犬養・斎藤・岡田〕
井上準之助蔵相の**デフレ政策**	高橋是清蔵相の**インフレ政策**
金輸出解禁（1930）…金本位制復帰 →為替相場の安定（旧平価は円切り上げ）	金輸出再禁止（1931）…金本位制離脱 →為替相場の下落（**円安**に）
緊縮財政によるデフレと**産業合理化** …輸出増による景気回復をめざす →**世界恐慌**（1929）で輸出減 ※昭和恐慌 →デフレと合理化で失業増加 **生糸**の対米輸出減で繭価暴落 ※農業恐慌	管理通貨制度…軍需対応の**積極財政** →**重化学工業**の発達 （**日産**は満洲へ、**日窒**は朝鮮へ） 円安を利用した輸出増（**綿製品**など） →「**ソーシャル・ダンピング**」非難

3 満洲事変と軍部の台頭（1930年代前期・中期）

① 満洲事変（1931〜33）

大正から昭和にかけての経済史を一気に見たけど、1930年代の重化学工業の発達をもたらした**満洲事変**が、なんで起きたか気になる。

時間を、1920年代の終わりごろに戻そう。当時の中国の状況は？

蔣介石が北伐を進めて、国民政府による統一が達成されたね。中国の人々に「自分たちの国家が誕生した！」という自覚が生まれると、満洲の一部が日本のものになっているのは納得がいかない感じだね。

実は、北伐が完了したのち、列強や日本に奪われていた権益を取り戻す**国権回収運動**が、中国で進んでいた。ナショナリズムによる民族運動の高まりだ。日本は、これをどのように受け止めたと思う？

幣原喜重郎外相の協調外交だったら、ある程度は中国の権利を認めそうだね。でも、危機感を持って、軍事力を使ってでも満洲権益を守りたいと思う勢力もいるんじゃないかな。

満洲は、日本にとって重要な資源供給地であり重要な市場だったからね。そして、**関東軍**は**石原莞爾**らを中心に満洲の軍事占領計画を立てて、軍事侵略によって権益を確保・強化しようとしたんだよ。これが、**満洲事変**（1931〜33）なんだ。

満洲権益って、日露戦争後のポーツマス条約で獲得したんだよね→第22章。もう一度、満洲をめぐる日本の歩みを確認しておくよ！

(1) 関東軍が柳条湖事件を起こして、満洲事変が勃発した

関東軍は、**奉天**（かつて関東軍が張作霖爆殺事件を起こした場所）の郊外で、南満洲鉄道の線路を爆破する**柳条湖事件**（1931.9）を起こしました。そして、これを中国側の策略だとして、自衛を口実に軍事行動を開始し、満洲全土を占領していきました。当時の内閣は**立憲民政党**が与党の〔**第2次若槻内閣**〕で、幣原外相の協調外交のもと、内閣は満洲事変に対する**不拡大方針**をとりました。しかし世論やマスコミは軍の行動を支持し、事態を収拾できない内閣は総辞職しました。

代わって、**立憲政友会**が与党の〔**犬養毅内閣**〕が成立しました。関東軍はさらに戦線を拡大し、これに加えて中国本土で日本軍が中国軍と衝突する**第1次上海事変**も発生しました。

(2) 関東軍は占領地に満洲国を建国し、日本は日満議定書でこれを承認した

国際連盟の動きに注目しましょう。このとき国際連盟は、国民政府（蔣介石）からの訴えにもとづき**リットン調査団**を派遣していました。日本は「自衛のための軍事行動である」と主張したのに対し、中国は「日本軍による一方的な侵略である」と主張したため、どちらの言い分が正しいか調査したのです。

ところが、この調査が終わらないうちに、関東軍は、清王朝の最後の皇帝だった溥儀を執政として、**満洲国**の建国を宣言させました。〔**犬養毅内閣**〕は、満洲国を承認しないまま**五・一五事件**（1932）で倒れ、海軍の**斎藤実**を首相とする〔**斎藤実内閣**〕は、**日満議定書**を結んで満洲国を正式に承認しました。満洲国は、日本の軍人・官僚が実権を握る、事実上の植民地でした（のちに満洲国は帝政に移行し、溥儀は皇帝となりました）。

(3) 日本軍撤兵を求める国際連盟に対し、反発した日本は脱退を通告した

そのあとで、**リットン報告書**が国際連盟に提出されました。その内容は、日本軍の行動を否定し、満洲国の存在を否定するというものでした。これにもとづいて国際連盟の臨時総会が開かれ、日本軍の撤兵を求める（ただし日本の満洲権益は認める）対日勧告案が可決されました。すると、これに反対した全権の**松岡洋右**らが総会から退場し、その直後に〔**斎藤内閣**〕のもとで日本は**国際連盟脱退**を通告しました（1933　発効は1935）。そして、**塘沽停戦協定**（1933）で満洲事変は終結し、国民政府は満洲国の存在を事実上黙認しました。

さらに、海軍の**岡田啓介**を首相とする〔**岡田内閣**〕のとき、日本はワシントン海軍軍縮条約の廃棄を通告しました。ワシントン体制から離脱した日本は、大規模な軍備拡張とともに、戦時体制をととのえていきました。

その後の満洲国では、昭和恐慌の被害を受けた農村からの移住政策が進められ、のちに日中戦争が始まると満蒙開拓青少年義勇軍も組織されました。

② 軍部の台頭（1930年代前期・中期）

一方、1930年代の日本国内では**軍部の将校**（指揮官）や**右翼**による、政党内閣への攻撃が強まりました。中国での国権回収運動に対して「満蒙の危機」を叫び、ロンドン海軍軍縮条約を結んだ幣原外交や、昭和恐慌をもたらす一因となった井上財政を批判したのです。そして、元老・重臣（元首相）・財閥・政党などの既存勢力を打倒して軍中心の国家体制にするという**国家改造**を唱え、テロやクーデタを起こしました。

こうした動きは、ファシズム化を進行させることにもなりました。「**ファシズム**（全体主義）」とは、個人の自由や権利よりも全体の利益を優先させる考え方です。満洲事変・国際連盟脱退という外交史の動きと同じ時期に、国内では学問・思想の統制によるファシズム化が進み、自由にものがいえない、あるいは異論を許さない、そういった雰囲気が強まっていったのです。

(1) 軍部・右翼が政党内閣を攻撃し、五・一五事件で政党内閣は終わった

満洲事変の勃発と前後して、〔**浜口内閣**〕のときの**三月事件**や、〔**第2次若槻内閣**〕のときの**十月事件**といった、陸軍の結社である桜会と右翼によるクーデタ未遂事件が発生しました（1931）。これらは、**立憲民政党**が与党の政党内閣を打倒し、軍部内閣を樹立しようとするものでした。

さらに、**立憲政友会**を与党とする〔**犬養内閣**〕のとき、井上日召が率いる血盟団が**血盟団事件**（1932）を起こし、前大蔵大臣の**井上準之助**と三井財閥幹部の**団琢磨**が暗殺されました。昭和恐慌をもたらした政党内閣への不満や、そ

のなかで金もうけに走る財閥への不満が、右翼のテロを生んだのです。

そして、**海軍**の青年将校らが首相の**犬養毅**を殺害する**五・一五事件**(1932.5)が発生し、内閣は総辞職しました。そして、政党内閣に対する攻撃を見て、元老の西園寺公望は次の首相に政党の党首を推薦しませんでした。五・一五事件により、「憲政の常道」と呼ばれた政党内閣の慣行は終わったのです。

(2) 学問・思想に対する弾圧が強まっていった

国家による共産主義者への弾圧が強まるなか(プロレタリア作家の小林多喜二→第25章が特高に捕らえられて殺害される事件も起きました)、共産主義思想を放棄する**転向**が相次ぎました。さらに、社会主義を掲げる無産政党は、天皇のもとでの平等社会の実現や、国家による資本主義の制限といった、国家社会主義に転じました。このころ結成された**社会大衆党**もしだいに国家社会主義の傾向を強め、のちに軍に接近して戦時体制に協力しました。

さて、**五・一五事件**で**〔犬養内閣〕**が倒れたあと成立した、**海軍**の**斎藤実**を首相とする**〔斎藤実内閣〕**は、政党員(立憲政友会・立憲民政党)・官僚・貴族院議員が大臣となったことから「挙国一致内閣」と呼ばれます。この内閣のとき、京都帝国大学教授**滝川幸辰**の自由主義的な刑法の学説に対し、右翼から「共産主義的だ!」と非難する声が上がり、事態をおさめたい文部省が京大に圧力をかけて滝川が休職処分となった、**滝川事件**(1933)が起きました。

それに続く、**海軍**の**岡田啓介**を首相とする**〔岡田啓介内閣〕**では、陸軍が『国防の本義と其強化の提唱』というパンフレットを作り、陸軍による政治介入を宣言して問題化しました。さらに、**天皇機関説問題**(1935)が発生しました。**美濃部達吉**の憲法学説は、憲法解釈として正統な学説とされてきましたが→第24章、貴族院で「美濃部の学説は日本の国体に反する!」という非難が上がり、軍部・右翼による美濃部への攻撃が激しくなると、政府は美濃部の著作を発禁処分とし、美濃部は貴族院議員の辞職に追い込まれました。そして、内閣は**国体明徴声明**を発し、天皇制が日本の国体であるとして、天皇機関説を否定しました。こうして、政治の力によって学問の自由が奪われ、さらに政党政治の理論的根拠が失われることになったのです。

(3) 陸軍の青年将校による二・二六事件が発生した

軍部・右翼による国家改造運動は、最終的に**二・二六事件**(1936.2)をもたらし、これによって**〔岡田啓介内閣〕**は総辞職することになります。その原因は、当時陸軍のなかで起こっていた派閥争いでした。**統制派**は、財閥や官僚など既存の勢力と結んで軍の影響力を拡大し、総力戦体制をめざしました。一方、**皇道派**は、重臣や政党などの支配層を武力で排除し、天皇親政をめざしました（皇道派には右翼の**北一輝**→第25章が影響を与えています）。

この**陸軍皇道派**の青年将校が、1000人以上の部隊を率いて首相官邸や警視庁などを占拠し、二・二六事件が発生しました。そして、**高橋是清**蔵相や**斎藤実**内大臣らを殺害しました。しかし、戒厳令が発動され、昭和天皇の指示で彼らは「反乱軍」として鎮圧されました。

その結果、陸軍の内部では皇道派に代わって統制派が主導権を確立するとともに、その後の陸軍は、あからさまな政治介入を強めることになりました。

大正後期〜昭和初期の政治・経済　※与党と経済政策との関連をつかもう

（赤字は政党内閣）

内閣と与党	政治	経済	
〔山本②〕		1923 震災恐慌→震災手形発生	
〔清浦〕			
〔加藤(高)①〕護憲三派	1925 普通選挙法／治安維持法		
〔加藤(高)②〕憲政会			
〔若槻①〕憲政会		1927 金融恐慌 台湾銀行救済に失敗	
〔田中(義)〕立憲政友会	1928 普選①→治安維持法改正	1927 支払猶予令・日銀非常貸出	
〔浜口〕立憲民政党	1930 ロンドン海軍軍縮条約 →統帥権干犯問題 1931 三月事件	1930 **金輸出解禁** 昭和恐慌 1931 重要産業統制法	井上財政
〔若槻②〕立憲民政党	1931 **柳条湖事件→満洲事変**勃発 十月事件		
〔犬養〕立憲政友会	1932 血盟団事件／五・一五事件	1931 **金輸出再禁止**	高橋財政
〔斎藤〕	1933 **国際連盟脱退**を通告 滝川事件		
〔岡田〕	1935 天皇機関説問題 1936 二・二六事件		

チェック問題にトライ！

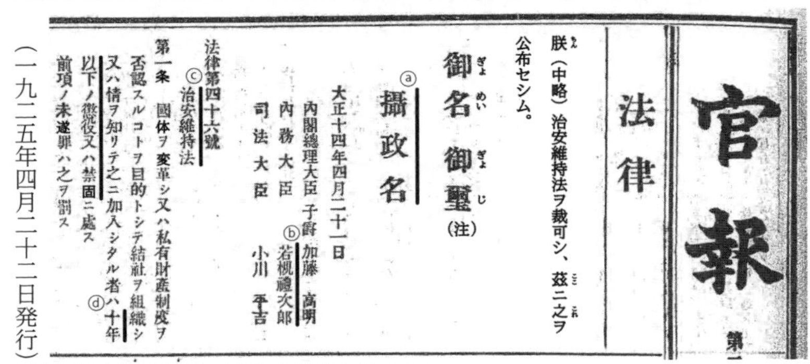

官報

法律

朕（中略）治安維持法ヲ裁可シ、茲ニ之ヲ
公布セシム。

御名御璽（注）

ⓐ摂政名

大正十四年四月二十一日
内閣総理大臣 子爵 加藤 高明
内務大臣 ⓑ若槻禮次郎
司法大臣 小川 平吉

法律第四十六號
ⓒ治安維持法

第一条 國体ヲ変革シ又ハ私有財産制度ヲ否認スルコトヲ目的トシテ結社ヲ組織シ又ハ情ヲ知リテ之ニ加入シタル者ハⓓ十年以下ノ懲役又ハ禁固ニ處ス
前項ノ未遂罪ハ之ヲ罰ス

（一九二五年四月二十二日発行）

(注) 御名御璽とは、天皇の署名と印のこと。

問 『官報』は、法令の公布を一つの目的として発行される政府の機関紙である。図の『官報』中の傍線部ⓐ～ⓓについて述べた文として正しいものを、次の①～④のうちから一つ選べ。

① 傍線部ⓐの摂政は、後に天皇になった。
② 傍線部ⓑの人物は、後に立憲政友会を基盤とする内閣を組織した。
③ 傍線部ⓒの治安維持法の公布に先立って、治安警察法は廃止された。
④ 傍線部ⓓに示された最高刑は、この法律の廃止まで変わらなかった。

（センター試験 1994年度 本試験）

解説 大正時代から昭和時代初期にかけての政治史が、総合的に問われています。**個々の知識を結びつけて覚えているかどうか、確認しましょう。**

① 図に「大正十四年」とあるので、大正天皇の「摂政」を考えます。裕仁親王は（虎の門事件で登場）、のち昭和天皇として即位しました。
② 第１次「若槻礼次郎」内閣は憲政会が与党、第２次「若槻礼次郎」内閣は立憲民政党が与党ですから、「立憲政友会を基盤とする」は誤りです。
③ 「治安警察法」（第２次山県内閣が制定）は労働運動の抑圧、「治安維持法」は共産主義団体の取り締まり、と目的が異なるので、このときに「治安警察法」は廃止されず、ともに戦後の民主化政策で廃止されました。
④ 「十年以下ノ懲役又ハ禁固」という「最高刑」の規定は、３年後の1928年、田中義一内閣によって死刑に変更されました。したがって、「この法律の廃止まで変わらなかった」は誤りです。

⇒したがって、①が正解です。

元来、養蚕農家は一体に田の作り方が少なくて、中位のものでも、取れる米は大体自分たちで食べるだけしかない。そこで養蚕農家の過半数はどうかというと、自分の食べるだけの米も十分取れないので、繭を売った金で米を買うという算段になっている。ところがこのごろの借金の重圧だ。繭の暴落だ。何十貫かの繭を持って行っても、その代金は、借金と差し引かれて一文も残らない。ひどいのはマイナスになる。

〔猪俣津南雄『踏査報告　窮乏の農村』1934年（昭和９年）刊〕

問１　下線部の背景について述べた文として正しいものを、次の①～④のうちから一つ選べ。

①　この年関東地方を襲った大地震が原因となって、恐慌が発生した。
②　前年まで続いた世界大戦の終結にともない、海外市場が縮小した。
③　アメリカで発生した恐慌が波及し、世界恐慌に巻き込まれた。
④　紙幣整理のためのデフレーション政策により、物価が下落した。

問２　史料に示された経済不況が始まった後で、日本がとった道について述べた文として正しいものを、次の①～④のうちから一つ選べ。

①　シベリアに出兵し、その占領・支配を企てた。
②　柳条湖事件を発端として、中国への侵略を拡大していった。
③　朝鮮の内政改革に干渉し、影響力の拡大を図った。
④　中国に二十一カ条の要求をつきつけ、権益の拡大を企てた。

（センター試験　1993年度　本試験）

解説　史料の「借金の重圧」「繭(まゆ)の暴落」と、出典にある「1934年（昭和９年）」から、昭和恐慌(きょうこう)（1930～）のもとでの農業恐慌を想起しましょう。

問１

①「関東地方を襲った大地震」による1923年の震災恐慌(しんさいきょうこう)は農業恐慌と無関係です。
②「前年まで続いた世界大戦の終結にともない、海外市場(しじょう)が縮小し」て輸出が減少したのは、1920年の戦後恐慌のことです。
③「アメリカで発生した恐慌が波及し、世界恐慌に巻き込まれた」ことで、生糸(きいと)の輸出が激減し、原料の繭の価格が暴落して農業恐慌となったので、正しいです。
④「紙幣整理のためのデフレーション政策」は、1880年代の松方財政(まつかたざいせい)のことです。

⇒したがって、③が正解です。

問２

①「シベリアに出兵」を開始したのは第一次世界大戦中で（1918)、これを決定したのは寺内(てらうち)内閣です。
②　昭和恐慌の影響が拡大するなか、「柳条湖(りゅうじょうこ)事件を発端として、中国への侵略を拡大していった」という満洲事変(まんしゅうじへん)が起きた（1931～33)、という流れになります。
③「朝鮮(ちょうせん)の内政改革に干渉し、影響力の拡大を図った」のは、日本が朝鮮の独立党と関わりを持った、1880年代の壬午(じんご)軍乱・甲申(こうしん)事変に関する内容です。
④「中国に二十一カ条の要求をつきつけ」たのは、第一次世界大戦中の第２次大隈重信(おおくましげのぶ)内閣のときです（1915)。

⇒したがって、②が正解です。

歴史総合のための 世界史

「国際秩序の変化や大衆化と私たち」3 世界恐慌

昭和初期の日本が大きな経済的影響を受けた**世界恐慌**と、その前後の時期の中国情勢を、見ていきましょう。

① 南京国民政府の成立と満洲事変

1920年代以降の中国では、**国民党**（**孫文**）と**共産党**の**第1次国共合作**が成立し、孫文の死去後は国民党の**蔣介石**が軍閥（日本と結ぶ満洲の**張作霖**など）を打倒する**北伐**（1926〜28）を進め（日本は山東出兵で干渉→第26章）、その途上で共産党を弾圧し（上海クーデタ）、**南京国民政府**を樹立しました。そして、張作霖爆殺事件の後、子の張学良が国民政府に合流して中国が統一されました。国民政府は民族意識高揚を背景に不平等条約改正を進め、**関税自主権を回復**しました（日本は幣原外交下で→第26章、1930年に日中関税協定を締結）。

こうしたなか、満洲の直接支配を企む関東軍による**柳条湖事件**（1931）を機に**満洲事変**（1931〜33）が勃発し、「**満洲国**」が建国されたものの（リットン調査団の報告書の採択に不満な日本は国際連盟を脱退→第26章）、日本とは停戦協定を結び、共産党との戦いに集中しました。共産党は、毛沢東の指導のもとで中国南東部の瑞金に臨時政府を築きましたが（1931）、国民政府の攻撃を受けて根拠地を中国北西部の延安に移動しました（長征　1934〜36）。

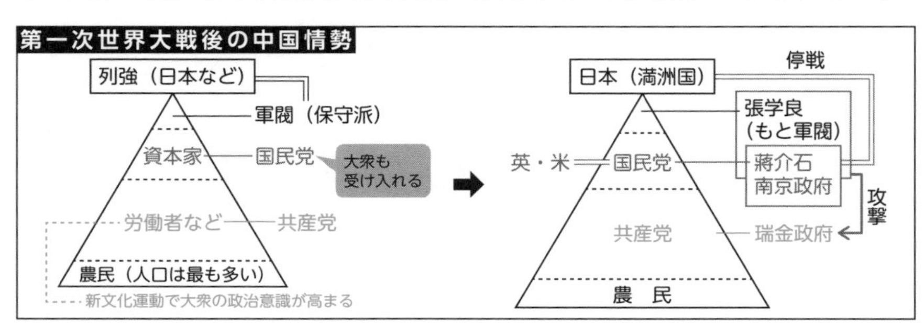

② 世界恐慌の発生

1920年代末、アメリカの繁栄に暗雲が立ちこめてきました。農産物・工業製品の過剰生産の一方で、世界から集まった資金が株式への投機に使われるなか、1929年10月にニューヨーク株式市場（ウォール街）で株価が大暴落すると（「**暗黒の木曜日**」）、経済全体の麻痺につながり、銀行の連鎖倒産や企業の生産縮小が発生しました。失業率は25%に上昇し、失業者が街にあふれました。

アメリカでの恐慌の影響は世界に拡大しました（**世界恐慌**）。アメリカが投じていた資本が撤退してドイツが打撃を受け、ドイツからの賠償金をあてにしていたイギリス・フランスの経済が苦しくなりした。日本では、景気が悪化したアメリカへの生糸の輸出が激減し、輸入超過が深刻化しました→第26章。

こうしたなか、イギリスが国際金本位制を離脱すると（1931）、アメリカなどがこれに続き、各国は通貨を政府が管理する管理通貨制度へ移行しました。(井上財政での金輸出解禁と、高橋財政での金輸出再禁止を確認！→第26章)

③ ブロック経済圏とアメリカ・ソ連の動向

イギリスは、ウェストミンスター憲章（1931）でカナダやオーストラリアなどの自治領に本国と対等の地位を与えてイギリス連邦を形成しました。そして、世界恐慌下で自由貿易策から**保護貿易策**に転換し、特恵関税制度でイギリス連邦内の関税を下げつつ、連邦外の国に対して高い関税をかけました。こうした**スターリング＝ブロック**（**ポンド＝ブロック**）に対し、フランスは植民地との間でフラン＝ブロックを形成するなど、排他的な**ブロック経済**が拡大し、国際協調体制が崩れていきました（列強は日本の円安を利用した輸出を「ソーシャル・ダンピング」と非難し、ブロック経済を強化した→第26章）。

アメリカでは、**フランクリン＝ローズヴェルト**大統領（民主党、1933年就任）が、従来の共和党政権の自由放任主義を転換させ、政府が経済活動に介入するケインズ流の修正資本主義を採用し、**ニューディール**（新規まき直し）と呼ばれる政策を実行しました。生産統制で農産物と工業製品の価格を引き上げ、ダム建設などの**公共事業**で失業者を雇用するためテネシー川流域開発公社（ＴＶＡ）を設立し、労働者を保護するため**団結権**と団体交渉権を認めるワグナー法を定めました。外交面では、海外市場拡大も狙ってソ連の承認や(1933)、ラテンアメリカへの干渉を控える善隣外交を展開しました。

ソ連は**スターリン**独裁のもとで**計画経済**を進め、1928年開始の第１次五カ年計画に続き、1933年開始の第２次五カ年計画では軽工業も含めた基礎産業の強化をめざしました。ソ連は世界恐慌の影響を受けず、社会主義的平等を達成した体制だと評価され、国際連盟に加盟(1934) して常任理事国となりました。

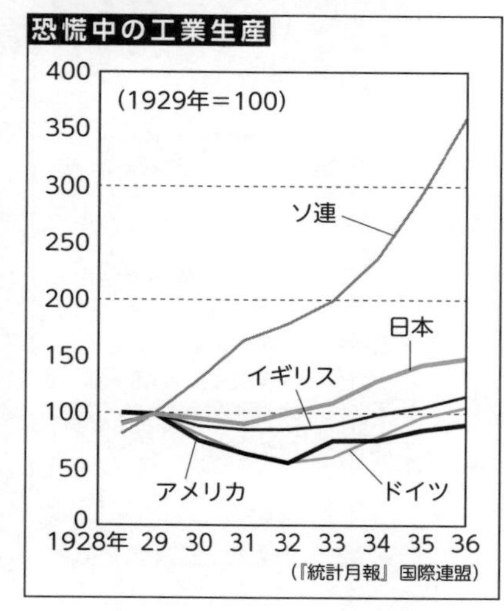

日中戦争・太平洋戦争（昭和時代の戦前・戦中期）

年代	内閣	政治・社会	対アジア外交	対欧米外交
1930年代	斎藤	**1 日中戦争と総動員体制**		
	岡田		**③中国情勢の変化** 国共内戦 華北分離工作	
	広田	**①軍部の政治進出** 軍部大臣現役武官制の復活 国策の基準（北進・南進）	西安事件 →国共内戦の停止	**②三国防共協定** 独伊の全体主義化 日独防共協定
	林			
	近衛①	**⑤戦時統制の強化** 国民精神総動員運動 国家総動員法	**④日中戦争** 盧溝橋事件→日中戦争 南京占領 近衛声明 蒋介石は重慶で抗戦	日独伊三国防共協定
	（1）	国民徴用令		
	平沼	**2 第二次世界大戦と翼賛体制**	**①第二次世界大戦と三国同盟** ノモンハン事件 （北進策の挫折）	日米通商航海条約廃棄の通告 独ソ不可侵条約
	阿部			第二次世界大戦
1940年代	米内	**②翼賛体制の成立** 新体制運動（近衛文麿）		
	（2）	大政翼賛会（隣組など） 大日本産業報国会 国民学校令	北部仏印進駐（南進）	日独伊三国同盟 日ソ中立条約
	近衛②	**3 太平洋戦争と敗戦**		
	近衛③		**①太平洋戦争の展開** 関東軍特種演習（北進） 南部仏印進駐（南進）	独ソ戦争 アメリカの対日石油禁輸
	東条	**②戦時下の国民生活** 翼賛選挙 ※供出制 配給制・切符制 学徒出陣	真珠湾攻撃・マレー半島上陸 →太平洋戦争の開戦 ミッドウェー海戦 大東亜会議 サイパン島陥落	ハル＝ノート →日米交渉の決裂 カイロ会談
	小磯	学童疎開	※「皇民化」政策	ヤルタ会談
	鈴木（貫） （3）	**③敗戦** ポツダム宣言受諾→敗戦	沖縄戦 原爆投下・ソ連の参戦	ポツダム会談

第27章のテーマ

昭和戦前・戦中（1930年代後半〜40年代前半）の政治・外交を見ます。

(1) 軍部の政治介入が進むなか、日本は**日中戦争**に突入して**総動員体制**を築きました。また、全体主義化を進める独・伊との提携が進みました。

(2) **第二次世界大戦**が勃発すると、日本はドイツとの関係を強化して三国同盟を結ぶ一方、日中戦争のもとで**翼賛体制**を完成させました。

(3) 日本は南方進出でアメリカと対立し、**太平洋戦争**に至りましたが、国民生活は破壊され、最後は連合国に無条件降伏しました。

1 日中戦争と総動員体制（1930年代後半）

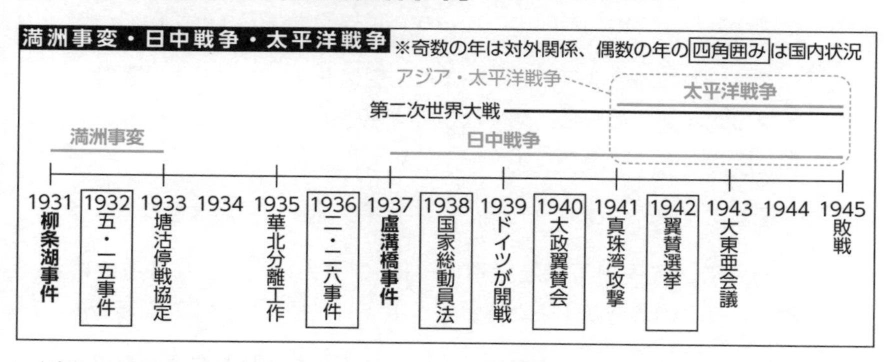

昭和戦前期から戦中期に入ります。**日中戦争**は1937〜45年で、1941年からは日中戦争と**太平洋戦争**（太平洋戦争は**第二次世界大戦**の一部）が同時に展開します。1941年以降に日本が戦った戦争（日中戦争プラス太平洋戦争）を**アジア・太平洋戦争**と呼ぶこともあります。

まず、1937年から始まった日中戦争について、その前提となる国内状況や、開戦後の経緯について、見ていきましょう。

① 軍部の政治進出

軍部大臣現役武官制

1900 制定	［第2次山県有朋内閣］…陸海相は現役軍人のみ
1913 改正	［第1次山本権兵衛内閣］…現役規定を削除
1936 復活	［広田弘毅内閣］…再び陸海相を現役軍人のみに

二・二六事件（1936）を機に〔**岡田啓介内閣**〕が総辞職すると→第26章、外交官出身の**広田弘毅**を首相として〔**広田弘毅内閣**〕が成立しました。陸軍の政治的発言力が強まるなか、内閣は**軍部大臣現役武官制を復活**させ（1936）、軍部による内閣への介

入が再び可能となりました。制度の変遷を確認しましょう→第22章、第24章。

また、〔**岡田内閣**〕のときに廃棄を通告したワシントン海軍軍縮条約が→第26章、この〔**広田内閣**〕のときに失効したので、大規模な軍備拡張計画にもとづき予算が大幅に拡大され、国防を中心とする戦時体制が作られていきました。

また、対外進出方針として「**国策の基準**」が決定されました。ここで示された、ソ連に対抗する**北進論**と、東南アジア・太平洋へ進出する**南進論**は、のちに日中戦争のなかで実行に移され、太平洋戦争へとつながっていきました。

② 三国防共協定

ところで、1930年代の欧米は、どのような状況だったかな？

いきなり世界史の質問！　たしか、**世界恐慌**が広がっていて……。

アメリカの恐慌は深刻で、日本にも影響を与えたけれど→第26章、**ドイツ**も大変だったんだ。第一次世界大戦の敗戦国だから、賠償金の負担が大きくて、経済がうまくいっていなかったんだ。

そこに世界恐慌がやってきたら、ドイツ国民の生活は壊れちゃう。

そして、国民の不満を背景に、「ユダヤ人排斥！　共産主義は敵だ！」などの過激な主張と宣伝のうまさで支持された政党があるよ。

それなら知ってる、ナチ党！　いよいよ独裁者**ヒトラー**が登場か。

ナチス政権のときにドイツは**全体主義**になり、人権や自由が奪われていった。そして、ヒトラーは**一党独裁体制**を確立し、ヴェルサイユ体制の打破を掲げて国際連盟を脱退し、再軍備を宣言して、ドイツの勢力を広げた。世界恐慌に影響されたアメリカやイギリスは、自分の国のことで精一杯で、ドイツの動きを抑えられなかったんだ。

そういえば、日本も**国際連盟を脱退**したし、**ワシントン海軍軍縮条約を廃棄**したから、ドイツと似たような動きだね。ヴェルサイユ体制とワシントン体制は、こうやって崩れていったんだね。

その日本とドイツが、手を結んだとしたら……。

なんだか、第二次世界大戦や太平洋戦争の影が見えてきた！

〔広田弘毅内閣〕の対ヨーロッパ外交は重要です。日本はドイツと**日独防共協定**（1936）を結び、ソ連に対抗して社会主義・共産主義の拡大を抑止することを互いに約束しました（のちの〔**第1次近衛文麿内閣**〕のとき、イタリアも含めた**日独伊三国防共協定**を締結）。当時のヨーロッパでは、ドイツやイタリアで一党独裁による全体主義化（ファシズム化）が進んでいましたが、日本はこの全体主義陣営との関係を深めていくことになったのです。

1930年代の世界情勢
・自由主義陣営…アメリカ・イギリス・フランスが中心
・全体主義陣営（枢軸）…ドイツ・イタリアが中心
・社会主義陣営…ソ連が中心

③ 中国情勢の変化

満洲事変の終結後も→第26章、蔣介石が率いる**国民政府**は**共産党**との**国共内戦**を続けていました。これを見た関東軍は、満洲国の南にある華北地域を国民政府の支配から切り離して日本の影響下に置くため、親日政権を中国人に作らせる**華北分離工作**（1935～37）を進めました。

ところが、日本への抵抗を唱える声が中国で高まったにも関わらず、国民政府の蔣介石は共産党との戦いばかりに熱中している。かつて父の張作霖を関東軍に殺され→第26章、国民政府に合流して日本への対抗姿勢を強めていた、満洲軍閥の張学良は、こうした蔣介石の姿勢に不満でした。

そして、**西安事件**（1936）が発生しました（西安は、かつて唐の都長安が置かれた場所で、遣唐使もここを訪れましたね→第4章）。共産党との戦いで西安にいた**張学良**が、視察のために西安を訪れた**蔣介石**を監禁し、国共内戦を停止して日本に抵抗することを要求したのです。ようやく考えを変えた蔣介石は、共産党への攻撃を中止し、抗日を決意しました。

④ 日中戦争

日中戦争（1937～45）は、日本にとっては想定外の長期戦となりました。そして、開戦を機に、政治制度や社会構造が大きく変わっていきました。日中戦争の経過を追うだけでなく、政治・社会を幅広く見ていくことが大切です。

(1) 北京で日中両軍が衝突する盧溝橋事件が勃発し、日中戦争が始まった

当時の日本国内では、陸軍の〔**林銑十郎内閣**〕を経て、貴族院議長の**近衛文麿**を首相とする〔**第1次近衛文麿内閣**〕が成立していました（近衛文麿は摂関家の一つである近衛家の出身）。そして、**北京**郊外で日中両軍が衝突する**盧溝橋事件**（1937.7）が勃発しました（この日本軍は、北清事変［1900］のあ

との北京議定書で設置が認められた駐留軍→第22章）。そして、内閣は軍部の圧力に流されるまま兵力を増やし、戦火は中国南部へ拡大、**第2次上海事変**も勃発しました。こうして日中戦争が始まると、国民政府と共産党による**第2次国共合作**が成立し、**抗日民族統一戦線**が形成されました。日本政府はこの戦いを「支那事変」と呼び、宣戦布告もないまま泥沼の長期戦へとなだれ込んでいったのです。そして、日本は国民政府の首都**南京を占領**（1937.12）しましたが、このとき日本軍が多数の中国人一般住民や捕虜を殺害する**南京事件**を起こしました。

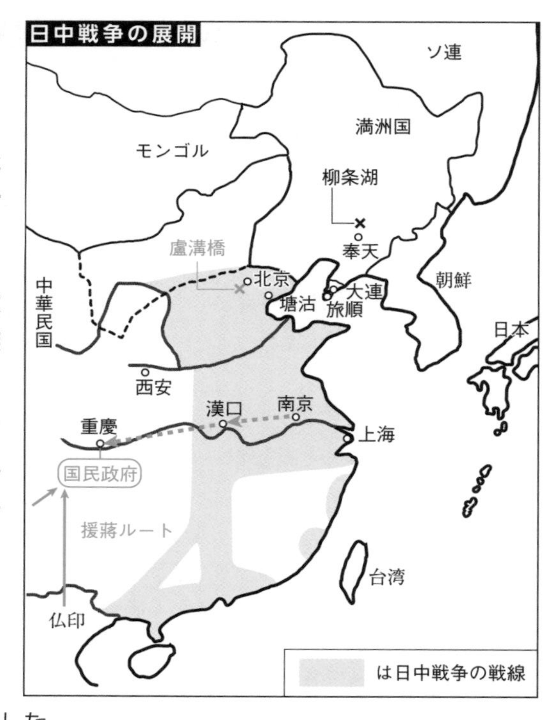

南京占領にも関わらず、戦争は終わりませんでした。蔣介石は南京を脱出し、1938年末には内陸部の**重慶**まで国民政府を移して抗戦を続けました。そして、日本の行動を従来の国際秩序に対する挑戦と受け止めたアメリカ・イギリスは、仏印（フランス領インドシナ）やビルマなど東南アジア方面からの**援蔣ルート**を通じて、重慶国民政府への物資援助をおこないました。

(2) 近衛声明が発表されたが、親日政権を通した和平工作は失敗した

1938年になると、〔**第1次近衛内閣**〕は近衛声明を発表し、中国各地に親日政権を作って和平を達成する方針にチェンジしました。第1次近衛声明（1938.1）では「**国民政府を対手とせず**」と表明し、蔣介石の国民政府との和平交渉を日本側から閉ざしました。そして、第2次近衛声明（1938.11）では、「戦争の目的は、日本・満洲・中国の連帯と**東亜新秩序**の建設にある」として、東アジアに日本中心の国際秩序を作るという戦争目的を（今さらですが）表明しました。こうしたなか、国民政府の要人で親日派の**汪兆銘**は重慶を脱出し、日本の保護のもとで**南京に新国民政府**を樹立しました（1940〔**米内光政内閣**〕）。しかし、この親日政権は中国国民への影響力を及ぼせないほど弱

体で、親日政権を通した和平工作は、うまくいきませんでした。

⑤ 戦時統制の強化

日中戦争が始まると、政府は日本の社会や経済を戦争に適応するように変えていきました。戦時統制が強化されたのです。思想の面から統制が強化され、さらに国民の経済活動も統制を強めて、**総動員体制**が作られていきました。

(1) 日中戦争の開戦後から、思想の面での国家統制が強まった

すでに日中戦争直前、**文部省**は『**国体の本義**』を作成し、神話をもとに国体の尊厳と天皇の神格性（天皇は「現御神」）を説き、国民精神を高めました。

1930年代以降の思想弾圧

●満洲事変後
滝川事件〔斎藤〕…刑法学者の**滝川幸辰**が京都帝大を辞職
天皇機関説問題〔岡田〕…**美濃部達吉**の学説が貴族院で問題化
→国体明徴声明〔岡田〕…政府は天皇機関説を否定
●日中戦争の開戦後
矢内原忠雄（経済学者）が植民地政策批判、東京帝大を辞職
人民戦線事件…日本無産党員や経済学者の**大内兵衛**らを検挙
河合栄治郎（経済学者）の『ファシズム批判』が発禁に
津田左右吉（歴史学者）の『神代史の研究』が発禁に

日中戦争が始まると、自由主義や社会主義への弾圧が強まりました。**矢内原忠雄**は政府の植民地政策を批判していましたが、開戦直後に書いた論文が反戦思想だと攻撃を受け、東京帝国大学を辞職しました。**人民戦線事件**では、反ファシズム団体である人民戦線の結成を計画したとして、**日本無産党**の指導者や、マルクス主義→第25章の経済学者である**大内兵衛**らが治安維持法違反で検挙されました。共産党員や共産主義者でなくても治安維持法が適用されたのです。**河合栄治郎**は自由主義的経済学者で、『ファシズム批判』が発禁処分となり、東京帝国大学を休職しました。**津田左右吉**による日本古代史の実証的研究が皇室への不敬にあたるとして、『神代史の研究』が発禁処分となり、津田は早稲田大学を辞職しました。これらの出来事を、満洲事変後の思想弾圧とくらべましょう→第26章。

また、この時期の文化では、日中戦争の従軍経験をもとにした戦争文学として、**火野葦平『麦と兵隊』**や**石川達三『生きてゐる兵隊』**が登場しましたが、『生きてゐる兵隊』は内容が問題視されて発禁処分になりました。

(2) 人や物を戦争に動員するための法令が作られ、国民生活も統制された

日中戦争が始まると、政府は国民に戦争協力を促しました。**〔第1次近衛内閣〕**は「挙国一致」などのスローガンを掲げた**国民精神総動員運動**を推進し、

国民に節約・貯蓄を奨励しました。さらに、職場ごとに**産業報国会**を結成させ、労働者が資本家とともに生産に協力するよう求めました。

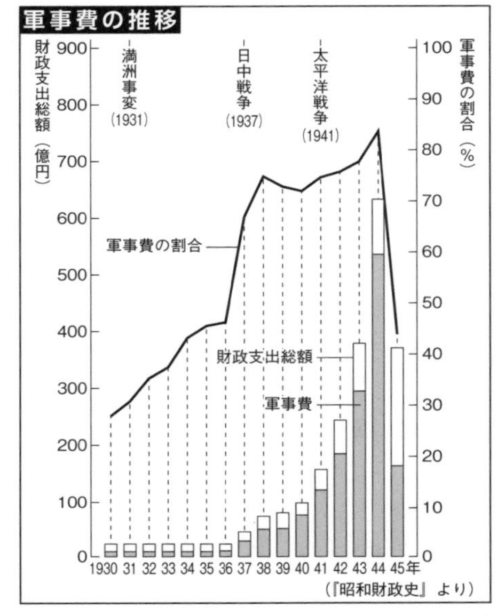

政府は軍事費をいっそう増大させ、経済統制を強めました。〔**第1次近衛内閣**〕は、**物資動員計画**を立てる内閣直属の機関として**企画院**（1937）を設置し、続いて**国家総動員法**（1938）を制定したことで、政府は議会の承認なしに、**勅令**を発して戦争に必要な労働力や物資を統制できる権限を持ちました。議会が立法権の一部を政府へ譲ったことになり、議会の審議が形骸化していきました。こうして、国家総動員法の制定は議会制度にとって重要なターニングポイントとなったのです。そして、国家総動員法にもとづく勅令として、国民を軍需産業へ動員する**国民徴用令**（1939〔**平沼騏一郎内閣**〕）や、公定価格を定めて値上げ・値下げを禁止する**価格等統制令**（1939〔**阿部信行内閣**〕）が出されました。

一方、軍需が優先されたために民需（民間需要）は制限され、生活物資が不足しました。「**ぜいたくは敵だ**」のスローガンが掲げられ、砂糖・マッチなどの日用品は、あらかじめ配布された切符を添えて買う**切符制**がとられ、米は買える量を一定に制限する**配給制**となりました。また、農村では生産者から米を強制的に買い上げる**供出制**がおこなわれました。こうして、生活物資の統制は極端に強まったのです。

年表

〔広田〕	**1936**	**軍部大臣現役武官制復活**
		「国策の基準」
		日独防共協定
〔林〕		
〔近衛①〕	**1937**	**盧溝橋事件→日中戦争**
		企画院
		国民精神総動員運動
		南京占領
	1938	第1次近衛声明
		国家総動員法
		産業報国会
		第2次近衛声明

2 第二次世界大戦と翼賛体制（1930年代末～40年代初め）

日中戦争が続くなか、世界では**第二次世界大戦**（1939～45）が勃発しました。はじめは、ヨーロッパでの戦争には介入しない方針だった日本も、ドイツが優勢になると、ドイツとの関係をさらに深める気運が高まってきました。こうして日本はドイツ・イタリアと軍事同盟を結ぶとともに、国内ではすべての国民を全体主義のもとに組織する**翼賛体制**を確立しました。

① 第二次世界大戦と三国同盟

とうとう、日本は太平洋戦争に向かうのか。日中戦争が終わっていないのに、なぜアメリカやイギリスとの戦争を始めたんだろう？

むしろ、行き詰まった日中戦争を打開するためにやったことが太平洋戦争を生んでしまった、と考えたらいいんじゃないかな。〔**広田内閣**〕の「**国策の基準**」を覚えている？

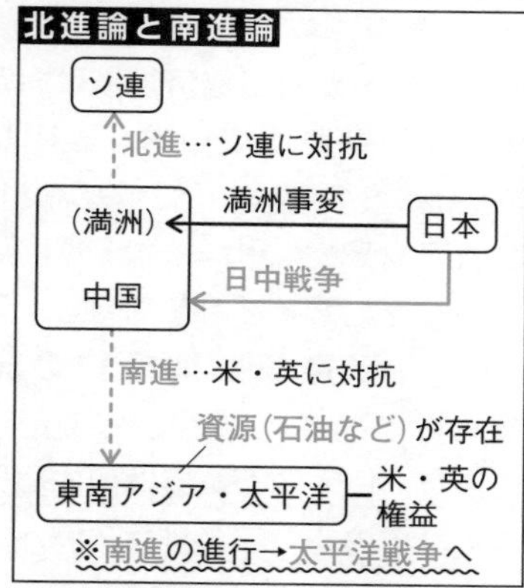

満洲国を作ったし、これからの対外進出をどうするか考えて、北進論と南進論を出したよね。でも、方針を示しただけだったような……。

それを実行する時が来たんだよ。ただ、**北進**は失敗したので、**南進**に向かっていった。東南アジアには石油や金属やゴムなどの資源がたくさんあるから、これらを獲得して日中戦争を続けようとしたんだ。

でも、東南アジアや太平洋には、アメリカやイギリスの植民地や権益があるから、南進すると、アメリカが怒っちゃうよ。

仲間を増やして、アメリカに対抗すればいいんじゃないかな。

もしかして……**日独伊三国同盟**？　ここでヒトラーと手を結んだ！

そう。日本は、第二次世界大戦を有利に進めていたドイツやイタリアと軍事同盟を結んだ。東南アジアには、ドイツに負けたフランスなどの植民地があったから、そこを狙うことができたんだ。そして、南進でアメリカとの対立を深めて、戦争になってしまったんだ。

ドイツとの関係が複雑にからんで、太平洋戦争につながったね。

⑴ ソ連と軍事衝突したノモンハン事件は失敗し、北進策は挫折した

日中戦争が続くなか、日本は満洲国と隣り合うソ連の動きを警戒し、国境をめぐってソ連と軍事衝突しました。北進策の実行です。〔**第1次近衛内閣**〕のとき、満洲国とソ連との国境付近で張鼓峰事件が起きました。そして、司法官僚出身の**平沼騏一郎**を首相として成立した〔**平沼騏一郎内閣**〕のとき、今度は満洲国とモンゴル（社会主義の親ソ国）との国境付近で**ノモンハン事件**（1939）が起きました。しかし、日本はソ連・モンゴルに惨敗しました。北進策は挫折し、北守南進策（北方を守り、南方へ進出する）へ転換しました。

⑵ アメリカが対日経済封鎖に向かい、独ソ不可侵条約で平沼内閣は倒れた

第2次近衛声明で日本が表明した「東亜新秩序の建設」は、ワシントン体制（アジア・太平洋の国際秩序）を主導してきたアメリカを刺激し、アメリカは**日米通商航海条約の廃棄**（1939）を日本へ通告しました。これにより、日米間の貿易は自由貿易ではなくなるので、アメリカ政府が貿易へ介入することが可能になりました。こうして、アメリカは日本に対する経済封鎖を強めていくことになったのです。1930年代の日本の産業は重化学工業化が進み、アメリカへの物資依存が大きくなっていたので→第26章、経済封鎖は日本への圧力として有効でした。

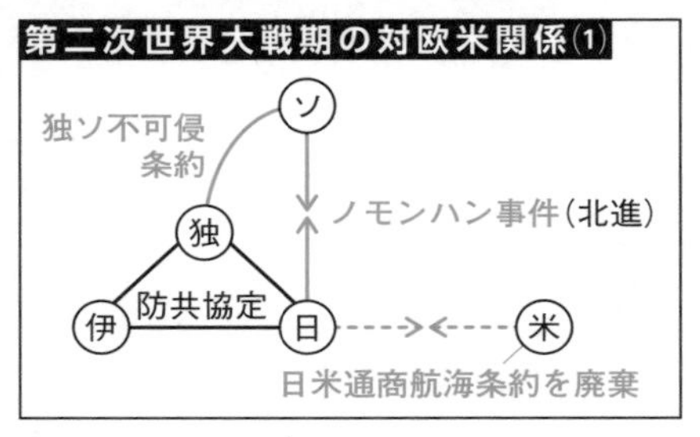

さて、ノモンハン事件でソ連と戦っていた〔**平沼内閣**〕にとって、驚く情報がヨーロッパから飛び込んできました。**独ソ不可侵条約**（1939）の締結です。ドイツは日本・イタリアとの防共協定でソ連と対抗していたはずなのに、ソ連との間で戦争をしないという条約を結んだ、という事態の変化に対応できず、「欧州の情勢は複雑怪奇」と表明して内閣総辞職しました。

一方、ソ連と結び、イギリス・フランスと対抗できる力を得たドイツは、その直後に第二次世界大戦を起こすことになるのです。

⑶ 第二次世界大戦が始まったが、はじめは不介入の方針だった

陸軍の〔**阿部信行内閣**〕が成立したのち、ドイツがポーランドへ侵攻し、イギリス・フランスがドイツへ宣戦布告して、**第二次世界大戦**が勃発しました（1939）。内閣は、ヨーロッパでの世界大戦には介入せず、中国での戦いに専念する方針でした。海軍の〔**米内光政内閣**〕も、世界大戦には不介入の方針を続けました（この内閣のとき、立憲民政党の**斎藤隆夫**が議会で反軍演説をおこ

ない、軍部の圧力で議員を除名されました)。

しかし、1940年になるとドイツが連戦連勝し(パリ占領により、フランスが降伏しました)、これを見た陸軍は「強いドイツと軍事同盟を結び、ドイツに負けたフランス・オランダの植民地を支配すれば、日中戦争を打開できる!」といった**南進論**を主張しました。

当時、元首相の**近衛文麿**は、ドイツやイタリアをまねた、強力な政治組織による一国一党体制をめざす**新体制運動**を進めていました。陸軍はこれを支持し、軍部大臣現役武官制を利用して〔**米内内閣**〕を総辞職に追い込みました(陸相の単独辞任という、〔**第2次西園寺内閣**〕崩壊と同じパターン→第24章)。

(4) 第2次近衛内閣は世界大戦への積極介入を進め、日独伊三国同盟を結んだ

再び近衛文麿が首相となり、**松岡洋右**が外相となって〔**第2次近衛文麿内閣**〕が成立すると、これまでの大戦不介入の方針を変更し、ドイツ・イタリアに加えソ連とも提携して**南進策**を強化しました(松岡洋右は国際連盟脱退のときの日本全権でしたね→第26章)。日本は、ドイツに降伏したフランスと交渉し、フランス領インドシナ北部へ軍を進める**北部仏印進駐**(1940.9)を実行しました。これで南進の拠点を確保し、援蔣ルートを断ち切って日中戦争を打開しようとしました。ほぼ同時に、アメリカを仮想敵国とする**日独伊三国同盟**(1940.9)を結び、南進で想定されるアメリカからの対日圧力を防ごうとしました。翌年には**日ソ中立条約**(1941.4)をソ連と結んで、南進強化のために北方の安全を固めるとともに、独ソ不可侵条約・日独伊三国同盟と合わせてアメリカを牽制しました。

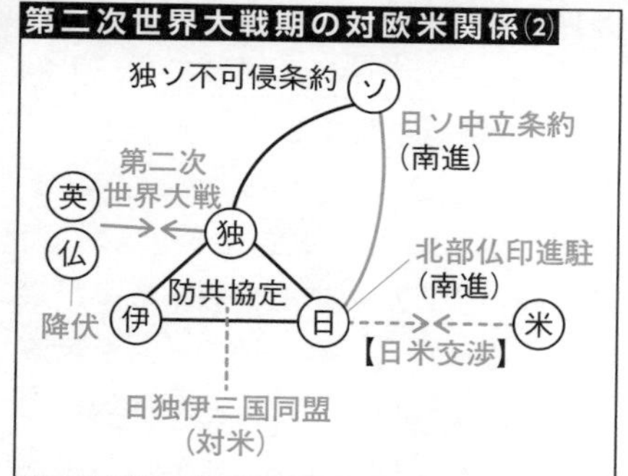

しかし、経済封鎖によって、すでにガソリンや鉄類といった重要物資がアメリカから日本に輸出されなくなっており、アメリカとの全面戦争を避けたい日本は、ハル国務長官を通じた**日米交渉**を始めました(1941.4〜)。

② 翼賛体制の成立

〔**第2次近衛文麿内閣**〕の国内政治に移ります。新体制運動の結果、社会大衆党・立憲政友会・立憲民政党といった今までの政党はすべて解散し、**大政翼賛会**(**1940**)が結成されました。ところが、これは当初めざした政党組織にはならず、官製の上意下達機関(上からの命令を下へ伝えていく)に変質しまし

た。下部組織として都市には**町内会**、農村には**部落会**が置かれ、これらの末端に**隣組**が組織されました（回覧板での情報伝達などを通じて人々を家ごとに動員）。つまり、大政翼賛会の結成によって、すべての国民を全体主義的に組織して戦争に協力させる体制が確立するとともに、結果として日本から政党組織が消滅してしまったのです。

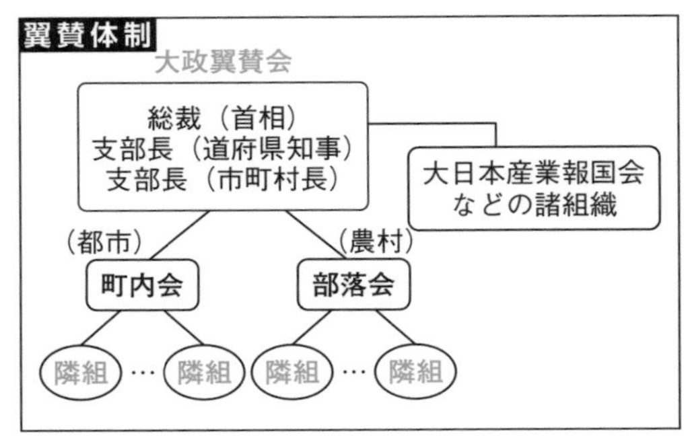

さらに産業報国会の全国組織である**大日本産業報国会**（1940）が結成され、すべての労働組合は解散し、労働者も全体主義的に組織されました。

教育の面では、小学校を**国民学校**と改称し（1941）、軍国主義的な教育を推進しました。また、日中戦争が始まったころから、植民地の朝鮮・台湾では**皇民化政策**によって日本語教育の徹底や神社参拝の強制が進められ、朝鮮では日本風の姓名を名乗る**創氏改名**も強制されていきました。

年表

〔平沼〕	1939	ノモンハン事件
		日米通商航海条約廃棄通告
		独ソ不可侵条約
〔阿部〕	1939	**第二次世界大戦**が勃発
〔米内〕	1940	近衛が**新体制運動**を提唱
〔近衛②〕	1940	**北部仏印進駐**
		日独伊三国同盟
		大政翼賛会
		大日本産業報国会
	1941	国民学校令
		日ソ中立条約

3 太平洋戦争と敗戦（1940年代前半）

日米交渉は失敗に終わり、日本はアメリカ・イギリスに宣戦布告して**太平洋戦争**（1941～45）を開始しました。最初は占領地域を拡大したものの、のちに敗退を重ねました。国民生活は戦争に巻き込まれて破壊されていき、最後は連合国が提示した**ポツダム宣言**を受諾して、敗戦に至りました。

① 太平洋戦争の展開

(1) 独ソ戦争が始まると、日本は北進論を復活させて関特演をおこなった

北進策・南進策の実行

1940	**北部仏印進駐**〔近衛②〕…南進	
1941	関東軍特種演習…北進（のち撤回）	
1941	**南部仏印進駐**〔近衛③〕…南進	

第二次世界大戦の情勢は激変しました。イギリスと交戦中のドイツが、独ソ不可侵条約を破ってソ連に侵攻し、**独ソ戦争**が始まったのです（1941.6）。日本は、南進策に加えて**北進策**も進めることにしました。もし独ソ戦争がドイツ

優位となった場合には、日ソ中立条約を破棄してソ連へ侵攻することを想定したのです。こうして、満洲国とソ連の国境付近に大軍を集結させ、**関東軍特種演習**（関特演　1941.7）がおこなわれましたが、ソ連へは侵攻せず、演習は途中で中止となりました。

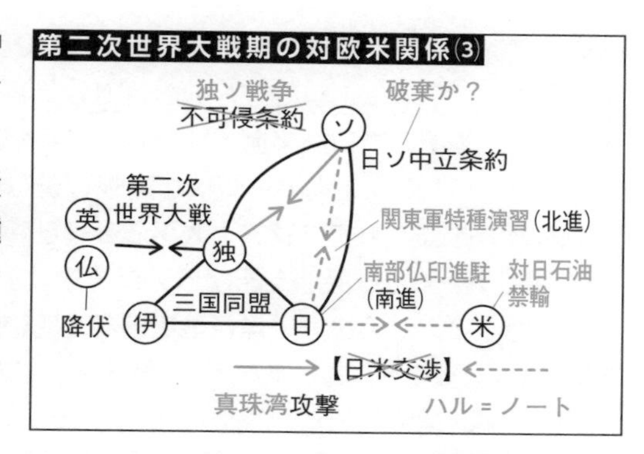

⑵　第３次近衛内閣の南部仏印進駐で、アメリカとの対立は決定的となった

〔第２次近衛文麿内閣〕から松岡洋右外相を外し、**〔第３次近衛内閣〕**が成立すると、従来の南進策を維持して**南部仏印進駐**を実行しました（1941.7）。その直後、アメリカは日本の在米資産を凍結し、**石油の対日輸出を禁止**して、日本に対抗しました。これでは日本の戦争継続は困難です（こうした対日経済封鎖を、軍部は「**ＡＢＣＤ包囲陣**」（米・英・中・蘭）と呼んで国民にその脅威を訴えた）。９月には天皇・政府・軍部による御前会議で「帝国国策遂行要領」を決定し、10月を期限に日米交渉を続けつつ、アメリカとの戦争準備をおこなうことにしましたが、結局交渉は不調のままで、内閣は総辞職しました。

⑶　東条内閣はハル＝ノートで日米交渉を断念し、太平洋戦争が開戦した

陸軍大臣だった**東条英機**が首相となり、**〔東条英機内閣〕**が成立しました（東条は陸軍大臣・内務大臣も兼任）。しかし、日米交渉のなかで11月の終わりにアメリカが示した**ハル＝ノート**は、「中国・仏印からの全面撤退、三国同盟の

破棄、満洲国・汪兆銘政権の否認」といった、満洲事変以前の状態に戻すことを要求する、日本にとって厳しい内容でした。そして、御前会議で開戦が最終決定され、陸軍の**マレー半島**上陸（イギリス領）と海軍の**ハワイ真珠湾**攻撃によって（1941.12）、**太平洋戦争**が開戦しました（この時点から、日中戦争・太平洋戦争をまとめて**アジア・太平洋戦争**と呼ぶこともあります）。

日本は「欧米の植民地支配からアジアを解放し、**大東亜共栄圏**を建設する」ことを掲げてアジア・太平洋各地を占領していきましたが、現地で資源や物資を収奪し（石油・金属・米など）、軍政をおこなってアジア諸民族を抑圧するのが、占領政策の実態でした。

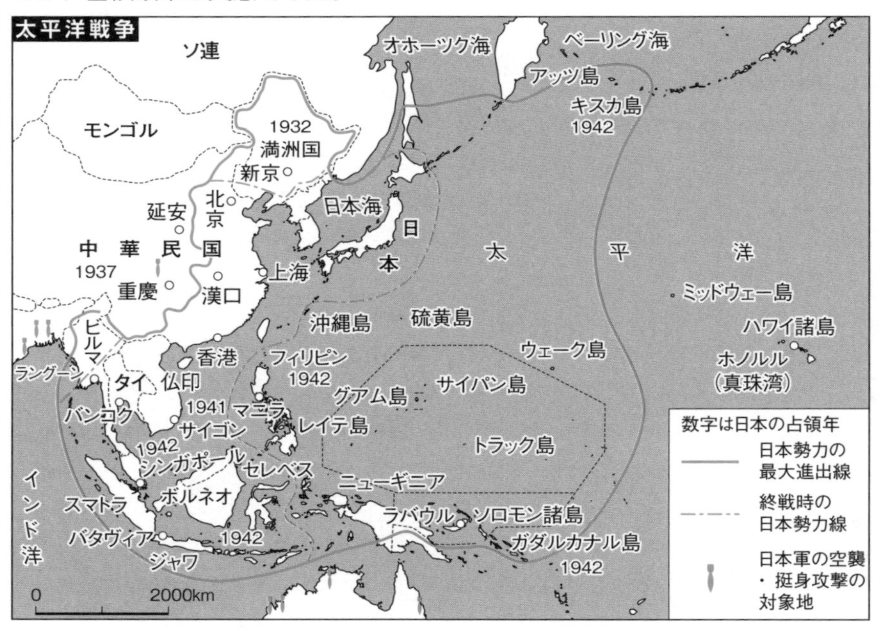

(4) ミッドウェー海戦の敗北から戦局は悪化し、サイパン島が陥落した

しかし、**ミッドウェー海戦**（1942）で敗北すると、さっそくアメリカ軍の反転攻勢が始まり、ガダルカナル島から撤退して以降、太平洋地域から後退していきました。

こうしたなか、日本は、汪兆銘政権や満洲国、さらに占領地の代表者を東京に集めて**大東亜会議**（1943）を開き、「大東亜共栄圏」の結束を誇示しました。しかし、アメリカ軍が**サイパン島を占領**すると（1944）、〔**東条内閣**〕は総辞職しました。そして、サイパン島にアメリカ軍基地が作られたことで、爆撃機による**本土空襲**が激しくなったのです。

② 戦時下の国民生活

(1) 翼賛選挙がおこなわれると、議会の機能はさらに低下した

太平洋戦争開戦の直後、〔**東条内閣**〕は**翼賛選挙**（1942）を実施しました。政府が援助した**推薦候補**が８割以上の議席を占め、非推薦候補はわずかでした。そして、議員のほとんどが翼賛政治会に参加し、議会は政府の決定を承認するだけの機関になりました。

(2) 農業労働力の不足もあって、食糧危機が深刻化した

国民生活は、これまで以上に苦しくなりました。配給も米以外の小麦粉やイモといった代用品になったり、配給では足りずに高価な**闇取引**に頼ったりしました。戦場への召集や工場への動員が強化されたことで、農村の労働力が不足し、食糧不足が生じたのです。こうしたなか、政府は**食糧管理法**（1942）を定めて、生産・流通・配給を統制しました。

(3) 植民地や占領地を含めて動員が強化され、空襲の激化で疎開も進んだ

兵力・労働力の不足を補うため、中学以上の学生・生徒や、**女子挺身隊**に組織された未婚女性を、軍需工場に動員しました（**勤労動員**）。また、1943年以降、徴兵の年齢に達した文科系学生（大学・高等学校など）を、在学中に召集して戦場に送りました（**学徒出陣**）。

植民地や占領地でも動員が激しくなりました。朝鮮や台湾では**徴兵制が施行**され、日本軍向けの「慰安婦」は日本に加えて朝鮮・中国・フィリピンなどから集められました。また、朝鮮人や占領地域の中国人を日本本土へ連れていき、鉱山や港湾などで働かせました（**強制連行**）。

1944年以降、**本土空襲**が激しくなると、国民学校の児童が地方へ集団で疎開する**学童疎開**がおこなわれました。また、工業都市が破壊されると、工場は都市から地方へ移転していきました。

③ 敗　戦

(1) 沖縄戦では、地上戦がおこなわれ、県民が多数犠牲となった

陸軍の〔**小磯国昭内閣**〕のときに**東京大空襲**（1945.3）が発生し、焼夷弾による東京下町への無差別爆撃で、死者が約10万人にのぼりました。アメリカ軍が**沖縄本島へ上陸**（1945.4）すると、内閣は総辞職しました。

そして、海軍出身で侍従長もつとめた**鈴木貫太郎**が〔**鈴木貫太郎内閣**〕を組織しました。**沖縄戦**（1945.4〜45.6）では、男子学徒は**鉄血勤皇隊**として戦

いに参加し、女子学徒は**ひめゆり隊**などとして看護に従事するなど、地上戦で県民が直接戦闘に巻き込まれ、多くの犠牲が出たのです。死者は軍人約９万人・民間人約９万人（うち沖縄県出身者は12万人以上）にもなりました。

そして、ドイツが降伏すると（1945.5）、連合国と戦っているのは日本だけとなりました。

(2) 連合国は戦後処理会談を開き、ポツダム宣言で無条件降伏を日本に迫った

連合国による戦後処理会談

カイロ会談（1943.11）	F＝ローズヴェルト（米）・チャーチル（英）・蔣介石（中）
カイロ宣言…**満洲**や**台湾・澎湖諸島**を中国へ返還、旧ドイツ領南洋諸島の委任統治領を剥奪、**朝鮮**の独立	
ヤルタ会談（1945.2）	F＝ローズヴェルト（米）・チャーチル（英）・スターリン（ソ）
ドイツ降伏の直前に、ドイツの戦後処理を協議 **ヤルタ協定**…ドイツ降伏後の**ソ連の対日参戦**、**南樺太**のソ連への返還と**千島列島**のソ連への譲渡	
ポツダム会談（1945.7）	トルーマン（米）・チャーチル（アトリー）（英）・スターリン（ソ）
ドイツ降伏の直後に、ヨーロッパの戦後処理を協議 **ポツダム宣言**（米・英・中）…**無条件降伏**、日本の非軍事化と民主化、カイロ宣言にもとづく領土の制限	

日本やドイツ・イタリアと戦っていた**連合国**(れんごうこく)は、アメリカ・イギリスを中心に、第二次世界大戦の戦後処理を協議しました。実は、すでに1943年には、エジプトのカイロでアメリカ・イギリス・中国による会談が開かれ、**カイロ宣言**（1943.11）が出されていました。戦後日本の領土について、**満洲**(まんしゅう)や**台湾**(たいわん)**・澎湖諸島**(ほうこ)の中国への返還や、旧ドイツ領南洋諸島委任統治領(いにんとうちりょう)の剥奪(はくだつ)や、**朝鮮の独立**などが定められました。日清(にっしん)戦争・日露(にちろ)戦争・第一次世界大戦で得た植民地や権益を確認しましょう→第22章、第24章。これらの多くは、のちのサンフランシスコ平和条約の内容と関連します→第29章。

年表

内閣	年	事項
〔近衛③〕	**1941**	**南部仏印進駐**
〔東条〕	**1941**	ハル＝ノート
		真珠湾攻撃→太平洋戦争
	1942	翼賛選挙
		ミッドウェー海戦
	1943	**学徒出陣**
		大東亜会議
		カイロ宣言
	1944	サイパン島陥落
〔小磯〕	**1944**	**学童疎開**
	1945	ヤルタ協定
		東京大空襲
〔鈴木(貫)〕	**1945**	**沖縄戦**
		ポツダム宣言
		広島に原爆投下（8.6）
		ソ連の対日参戦
		長崎に原爆投下（8.9）
		ポツダム宣言を受諾

1945年、ソ連のヤルタでアメリカ・イギリス・ソ連による会談が開かれ、**ヤルタ協定**が出されました（1945.2）。実は、秘密協定で、**ソ連の対日参戦**や、その見返りとして**南樺太・千島列島**のソ連領有が約束されました。日露戦争で得た植民地を確認しましょう→第22章。これも、のちのサンフランシスコ平和条約の内容と関連します→第29章。

さらに、ドイツのポツダムでアメリカ・イギリス・ソ連による会談が開かれました。その際、アメリカは日本に関する**ポツダム宣言**を提案してイギリスと合意し、日本と戦っているアメリカ・イギリス・中国の名で発表しました（1945.7）。**日本の無条件降伏**を勧告するとともに、戦後日本の占領方針として、**軍国主義の排除**と**民主化**が示され、これはのちのＧＨＱによる占領政策に受け継がれました→第28章。

(3) 広島・長崎への原爆投下後、ポツダム宣言を受諾した日本は敗戦を迎えた

昭和戦前・戦中期の内閣 頭文字は、「さおひはこひあよ、こことこす」

首相	出身
斎藤実	海軍
岡田啓介	海軍
広田弘毅	外交官
林銑十郎	陸軍
近衛文麿①	貴族院議長
平沼騏一郎	司法官僚
阿部信行	陸軍
米内光政	海軍
近衛文麿②	
近衛文麿③	
東条英機	陸軍
小磯国昭	陸軍
鈴木貫太郎	海軍・侍従長

1937 盧溝橋事件　1940 大政翼賛会　1941 真珠湾攻撃
1938 国家総動員法

そして、８月６日、アメリカは開発したばかりの**原子爆弾**（**原爆**）を**広島**に投下し、死者は14万人以上となりました（**原爆ドーム**は、核兵器の惨禍を伝える文化遺産として**世界遺産**に登録→第30章）。８月８日には、ヤルタ協定にしたがって**ソ連が対日宣戦布告**し、満洲・朝鮮に侵攻しました（戦後、満蒙開拓移民のなかから中国残留孤児が生じ、ソ連の捕虜となった兵士のシベリア抑留も起きた）。８月９日、アメリカが今度は**長崎**に原子爆弾を投下し、死者は７万人以上となりました（広島・長崎の死者数は1945年末の時点での推計）。

最終的に、８月14日の御前会議でポツダム宣言の受諾が決定され、連合国に通告されて、日本は**無条件降伏**しました。そして、８月15日、昭和天皇のラジオ放送が全国に流れ、〔**鈴木貫太郎内閣**〕は総辞職しました。

長い長い、戦争の時代が、ようやく終わりました。そして、戦後が始まります。

チェック問題にトライ！

次のⅠ～Ⅳは、新聞の見出しを年代順に配列したものである。

Ⅰ　支那軍満鉄を爆破し奉天の日支両軍激戦中　我軍遂に奉天城攻撃開始
（『大阪毎日新聞』）

Ⅱ　片言隻句を捉へて反逆者とは何事　美濃部博士諄々と憲法を説き貴族院で一身上の弁明
（『東京朝日新聞』）

Ⅲ　近衛総裁烈々の気魄　けふ大政翼賛会発会式
（『読売新聞』）

Ⅳ　西太平洋に戦闘開始　布哇米艦隊航空兵力を痛爆
（『朝日新聞』）

問　次の新聞の見出しが掲載された時期として正しいものを、下の①～④のうちから一つ選べ。

平沼内閣総辞職　独ソ条約の責任痛感　（『東京朝日新聞』）

①　ⅠとⅡの間　②　ⅡとⅢの間
③　ⅢとⅣの間　④　Ⅳのあと

（センター試験　2003年度　本試験）

解説　**史料文中のキーワードから時期を推定しましょう。**内閣の順番を知っていると、判断がしやすいです（「さおひはこひあよ、こことこす」）。設問の史料は、独ソ不可侵条約の締結による平沼内閣の総辞職です。その直後、ドイツが第二次世界大戦に突入しました（1939）。

Ⅰ「満鉄を爆破」「奉天の～激戦中」は、関東軍が南満洲鉄道を爆破した柳条湖事件による満洲事変の勃発（1931）です（第２次若槻内閣）。

Ⅱ「美濃部博士～憲法を説き貴族院で一身上の弁明」は、美濃部達吉の学説が問題化した天皇機関説問題です（岡田内閣）。

Ⅲ「近衛総裁～大政翼賛会発会式」は、新体制運動が結実した大政翼賛会の成立（1940）です（第２次近衛内閣）。

Ⅳ「布哇米艦隊航空兵力を痛爆」は、ハワイ真珠湾攻撃による太平洋戦争の開戦（1941）です（東条内閣）。

⇒したがって、②（ⅡとⅢの間）が正解です。

日中戦争以後の日本軍の作戦行動にかかわる都市について述べた次の文X・Yと、その都市の所在地を示した下の地図上の位置a～dとの組合せとして正しいものを、下の①～④のうちから一つ選べ。

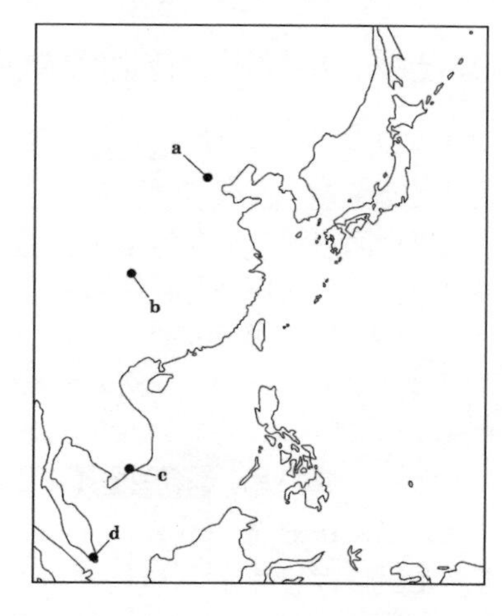

X　中国の国民政府が首都を移したこの都市には、日本軍により繰り返し爆撃が行われた。

Y　イギリスの植民地であったこの都市とその周辺地域では、反日活動の疑いをかけられた中国系住民（華僑・華人）が、日本軍により殺害された。

①　X－a　Y－c　②　X－a　Y－d

③　X－b　Y－c　④　X－b　Y－d

（センター試験　2013年度　本試験）

解説　近代の対外戦争は、戦闘がおこなわれた場所を、地図上の位置とともに把握しておきましょう。本問は、「日本軍の作戦行動」の知識としては共通テストのレベルを超えていますが、読み取れる情報を組み合わせて解きます。

X「中国の国民政府が首都を移した」から、南京（ナンキン）占領後に首都が移された、bの重慶（じゅうけい）です（aは北京（ペキン））。日中戦争における、日本軍の重慶爆撃です。

Y「イギリスの植民地」から、マレー半島のdと判断すればOKですが、インドシナ半島のcがフランスの植民地なので、消去法で解くことも可能です。太平洋戦争における、日本軍のシンガポール華僑虐殺（かきょうぎゃくさつ）事件です。

⇒したがって、④（X－b　Y－d）が正解です。

Ⅳ 近代・現代

歴史総合のための世界史　「国際秩序の変化や大衆化と私たち」4 ファシズムと第二次世界大戦

昭和初期の日本は、**ファシズム**化したドイツ・イタリアと関係を深めつつ、日中戦争に加えて**第二次世界大戦**の一環である太平洋戦争にも関与しました。

① ファシズムの台頭とヴェルサイユ体制の動揺

イタリアやドイツの**ファシズム**体制は、反共産主義を掲げ、民族や国家の利益を最優先のものとして大衆を動員し、独裁的指導者による一党制を敷き（議会制民主主義を否定）、対外侵略で領土を拡張し国民統合をはかるものです。イタリアでは、第一次世界大戦後の経済混乱で共産主義の気運が高まったことに対し、**ムッソリーニ**が**ファシスト党**を組織し（1919）、共産主義を警戒する資本家・地主・軍部から支持されるなか、党員の示威行動である**ローマ進軍**（1922）を機に政権を掌握して、ファシスト党の独裁体制を敷きました（1926）。

ドイツでは、大戦後にヴァイマル共和国が成立し、民主的な**ヴァイマル憲法**（1919）が制定されました（生存権を含む社会権を定めるなど画期的）。**ヒトラー**が率いる**ナチ党**（**国民社会主義ドイツ労働者党**）は小規模な極右政党でしたが、世界恐慌下で失業率が急上昇するなど経済危機になると、労働者の支持を得た共産党と、ヴェルサイユ体制打破による市場獲得を掲げて新中間層に支持を広げたナチ党が伸長しました。総選挙でナチ党が第一党に躍進すると、共産党を警戒する軍部や企業家の期待を集め、ヒトラー政権が成立しました。するとヒトラーは共産党を弾圧し、政府に立法権を与える**全権委任法**（1933）を成立させ（日本では日中戦争勃発後、議会の承認なしに政府が勅令を出せる国家総動員法が成立→第27章）、ナチ党以外の政党を解散させて一党独裁体制を築き、大統領と首相を兼ねた**総統**に就任しました。

各国の失業率

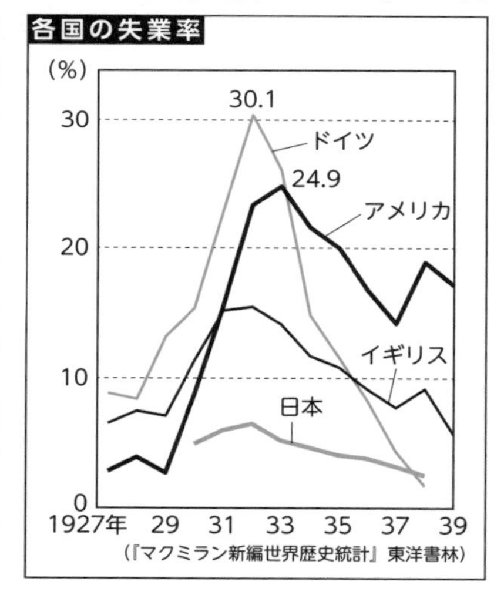

（『マクミラン新編世界歴史統計』東洋書林）

ヒトラーは公共事業（自動車専用高速道路のアウトバーン建設）と軍需産業での計画経済（四カ年計画）で不況を克服しました。一方、ドイツ民族共同体の建設を掲げて**ユダヤ人**を迫害し、政府のプロパガンダで国民を統合し、秘密警察で反対派を取り締まる**全体主義国家**が成立しました（日本では1930年代に軍部が政治発言力を強め、天皇機関説問題など思想弾圧がおこなわれた→第26章）。

外交面では、国際連盟から脱退し（1933）、**再軍備宣言**をおこない（1935）、ロカルノ条約を破棄して**非武装地帯ラインラントへ進駐**しました（1936）。また、世界恐慌の影響下のイタリアが**エチオピアへ侵攻**し（1935、翌年併合）、国際連盟から脱退するなど（1937）、ヴェルサイユ体制が動揺しました。

② 反ファシズムの動向

ソ連は反共を掲げるファシズム勢力に対抗するため、各国の共産党が反ファシズム勢力と協力する**人民戦線**戦術を採用し、フランスとスペインでは反ファシズムを唱えて社会党・共産党や労働組合、自由主義者や知識人が**人民戦線内閣**を結成しました。しかし、スペインでは軍部・地主などの反共勢力に支持された**フランコ**が反乱を起こし（**スペイン内戦**　1936〜39）、ドイツ・イタリアがフランコ側を支援し（ドイツによる空爆を描いたのがピカソ『ゲルニカ』）、ソ連と国際義勇軍が人民戦線側を支援しましたが、フランコが勝利しました。

スペイン内戦を機に、ドイツとイタリアが接近してベルリン＝ローマ**枢軸**が結ばれ、さらに日独防共協定（1936）（二・二六事件の直後に組閣した広田弘毅内閣が日独防共協定を結んだ→第27章）は、翌年にイタリアが加わり**日独伊三国防共協定**が結ばれて、反共産主義のファシズム陣営が形成されました。

③ 日中戦争の勃発

中国では、共産党が人民戦線戦術のもとで、国民政府に内戦停止と抗日民族統一戦線を呼びかけ、これに共鳴した張学良が蔣介石を監禁して内戦停止を認めさせる**西安事件**が発生しました（1936）。北京で日中両軍が衝突した**盧溝橋事件**（1937.7）を機に**日中戦争**（1937〜45）が勃発すると、**第２次国共合作**が成立し、日本軍の**南京占領**で南京事件が発生するなか（1937.12）、蔣介石は長江をさかのぼりながら国民政府を**重慶**へ移して持久戦となりました。日本は**汪兆銘**を引き抜いて南京に新国民政府を樹立しますが、戦局は好転しませんでした（日本は大政翼賛会で全体主義的な戦争協力体制を構築→第27章）。

④ ドイツの対外侵略

ドイツは対外侵略に乗り出しました。同じゲルマン民族で第一次世界大戦の敗戦国**オーストリア**を併合し（1938）、さらにチェコスロヴァキア内のドイツ人居住地域**ズデーテン地方**の割譲を要求すると、英・仏・独・伊の首脳による**ミュンヘン会談**でイギリス首相チェンバレンらは戦争を避けるため、ドイツに譲歩して割譲を認めました（宥和政策）。しかし、ヒトラーは侵略の手を止めず、翌年チェコスロヴァキアを解体して併合していきました。こうしてドイツへの宥和政策は失敗しました。

⑤ 第二次世界大戦の勃発

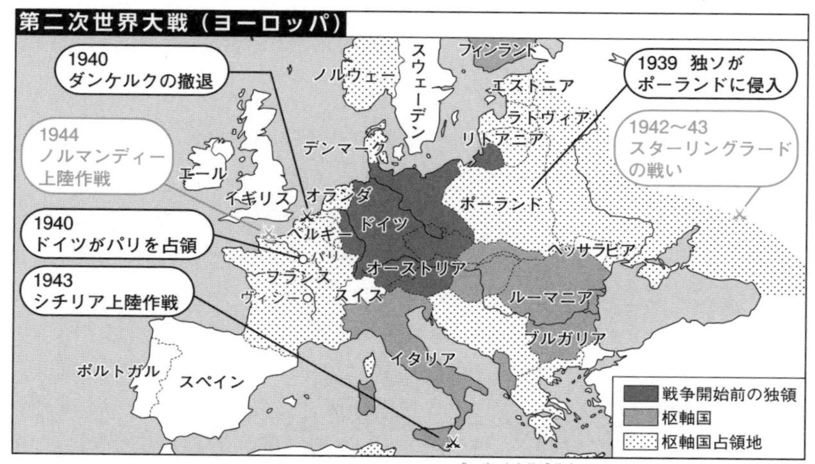

ソ連が、それまで敵対したドイツと**独ソ不可侵条約**（1939.8）を結び、世界を驚かせました（日本では平沼騏一郎内閣が「欧州情勢は複雑怪奇」として総辞職→第27章）。そして、ドイツが**ポーランド**へ侵攻し（1939.9）、英・仏がドイツへ宣戦布告して、**第二次世界大戦**（1939～45）が始まりました。ソ連とドイツは独ソ不可侵条約での密約に従ってポーランドを東西分割占領し、ソ連がフィンランドへ侵攻すると国際連盟はソ連を除名しましたが、ソ連はさらにバルト3国（エストニア・ラトヴィア・リトアニア）を併合しました（1940）。

1940年になると、イタリアがドイツ側で参戦し、ドイツはデンマーク・ノルウェー、さらに中立国オランダ・ベルギーからフランスへ侵攻して、**フランスが降伏**しました。フランスでは親独的なヴィシー政権が成立しましたが、**ド＝ゴール**将軍が中心の抗戦派は亡命先のイギリスで自由フランス政府を組織し、抵抗運動（**レジスタンス**）を展開しました。イギリスではチェンバレンに代わって首相となった対独強硬派の**チャーチル**が徹底抗戦を呼びかけ、ドイツの空襲を受けながらも、ヒトラーにイギリス本土上陸を断念させました。

⑥ 第二次世界大戦の展開と太平洋戦争の始まり

1930年代のアメリカは**中立法**（1935）で交戦国への武器輸出を禁じるなど孤立主義で、第二次世界大戦当初は中立でしたが、ドイツのフランス制圧で方針転換し、外国政府に軍需品を提供する権限を大統領に与える**武器貸与法**（1941）を定め、反ファシズム国家を支援する姿勢を示しました。一方、日本・ドイツ・イタリアは**日独伊三国同盟**（1940.9）を結びました（日本は北部仏印進駐や日ソ中立条約締結などアメリカへの対抗姿勢を強めた→第27章）。

ヨーロッパ戦線では、ドイツが独ソ不可侵条約を突如破棄してソ連に侵攻し**独ソ戦**が始まりました（1941.6）。ドイツは短期決着をめざして首都モスクワに迫りましたが、ソ連は持久戦で抵抗し、戦闘は膠着状態となりました。

こうしたなか、アメリカとイギリスは両国首脳による大西洋上会談にもとづき**大西洋憲章**を公表し（1941.8）、ファシズム打倒という戦争目的と戦後の国際平和機関の再建を発表しました（日本の南部仏印進駐に対してアメリカが対日石油禁輸などで圧力をかけ、ハル＝ノートの提示で日米交渉は行き詰まった→第27章）。そして、日本の真珠湾攻撃とマレー半島上陸（1941.12）で**太平洋戦争**（1941～45）が勃発した後、ドイツ・イタリアがアメリカに宣戦し、**枢軸国**（日・独・伊が中心）と**連合国**（米・英・ソが中心）の世界的な戦争に拡大しました。日本はアメリカ領のフィリピン、イギリス領の香港・マレー・シンガポール・ビルマ、オランダ領東インド（インドネシア）を占領し、大西洋憲章に対抗してアジア民族の解放と「**大東亜共栄圏**」建設を訴えました→第27章。

⑦ 第二次世界大戦の終結

ヨーロッパでは、ソ連がスターリングラードの戦いでドイツを破り（1943.2）、連合国の**シチリア島上陸**でムッソリーニが失脚し（1943.7）、イタリアは**無条件降伏**しました。そして、米・英・ソによる**テヘラン会談**（1943.11）にもとづき（その直前に米・英・中のカイロ会談→第27章）、連合国は北フランスの**ノルマンディーに上陸**して（1944.6）、パリを解放しました。さらに、米・英・ソは**ヤルタ会談**（1945.2）でドイツ降伏後の占領政策を協議しました。そして、ソ連がドイツ占領下の東ヨーロッパを解放し、ベルリンを陥落させたのち（ヒトラーは直前に自殺）、ドイツは**無条件降伏**しました（1945.5）。

アメリカが**沖縄**本島を占領したのち（1945.6）、米・英・ソはベルリン郊外での**ポツダム会談**（1945.7）でヨーロッパの戦後処理を協議し、米・英・中の名で日本の無条件降伏を要求する**ポツダム宣言**を発表しました。アメリカは開発直後の**原子爆弾**を**広島**・**長崎**に投下し（8月6日・9日）、ソ連が日ソ中立条約を無視して宣戦するなか（8月8日）、日本は8月14日にポツダム宣言を受諾し、9月2日に降伏文書に調印して、第二次世界大戦は終結しました。

第二次世界大戦は5000万人以上の命を奪い、特に民間人の多大な犠牲は都市への**無差別爆撃**（**空襲**）や占領地域での徴用・動員、飢餓などで生じました。ドイツはユダヤ人を拘束し、ポーランドに設けた**アウシュヴィッツ**などの強制収容所で組織的に殺害し（**ホロコースト**）、世界に衝撃を与えました。

占領下の日本（昭和時代の戦後期）

年代	内閣	政治	外交	社会・経済
1940年代	東久邇宮	1 戦後の民主化政策 ①占領の開始 降伏文書調印 人権指令		2 冷戦の拡大と占領政策の転換 ③経済再建から経済自立へ
	幣原	五大改革指令 天皇の人間宣言 公職追放令 東京裁判 ④政党政治の復活 〔幣原喜重郎〕 男女同権の総選挙	③日本国憲法の制定 憲法改正要求〔幣原〕 マッカーサー草案	国民生活の困窮 インフレ 金融緊急措置令〔幣原〕
	吉田①	〔第１次吉田茂〕 日本自由党 日本国憲法の公布 衆・参の総選挙	日本国憲法〔吉田①〕 国民主権 平和主義 基本的人権の尊重	傾斜生産方式〔吉田①〕
	片山	〔片山哲〕～社会党 社会・民主・国民協同	民法・刑法の改正	
	芦田	〔芦田均〕～民主党 社会・民主・国民協同 昭和電工事件	①冷戦の構造 米ソの対立 「西側」…資本主義	※占領政策の転換
	吉田②	〔第２次吉田茂〕 民主自由党	「東側」…社会主義 ②東アジアでの冷戦	経済安定九原則〔吉田②〕 ドッジ＝ライン
	吉田③	〔第３次吉田茂〕 ※保守政権の継続	北朝鮮・韓国の建国 中華人民共和国 →国民政府は台湾へ	単一為替レート シャウプ税制 下山・三鷹・松川事件

（1）　（2）　（3）

年代	政治
1940年代	1 戦後の民主化政策 ②五大改革指令と民主化 ●婦人参政権の付与　→選挙法改正（女性参政権） ●労働組合の結成奨励　→労働組合法など ●教育制度の自由主義化　→教育基本法・学校教育法 ●秘密警察などの廃止　→治安維持法などを廃止 ●経済機構の民主化 →財閥解体（持株会社整理委員会など）※財閥解体は不徹底 →農地改革（自作農創設特別措置法など）※寄生地主制の解体

第28章のテーマ

現代が始まる、戦後初期（1940年代後半）の政治・経済・外交を見ます。

(1) **GHQによる占領**のなかで、大日本帝国憲法は**日本国憲法**に改められ、民主主義国家日本が誕生しました。議会政治も復活しました。

(2) 民主化政策として、**五大改革指令**にもとづく諸改革が実行されました。

(3) 第二次世界大戦後、米ソ対立から**冷戦**が展開し、東アジアへ波及して日本にも影響が及びました。日本経済の復興も進みました。

1 戦後の民主化政策（1940年代後半）

ここから**現代**に移り、**戦後史**が始まります。日中戦争・太平洋戦争の敗戦を機に、**連合国**による占領が始まりましたが、実質的にはアメリカ軍の単独占領で、約７年間続きました（1945～52）。初期の占領政策は、**ＧＨＱ**（**連合国軍最高司令官総司令部**）の最高司令官**マッカーサー**が主導しました。

① 占領の開始

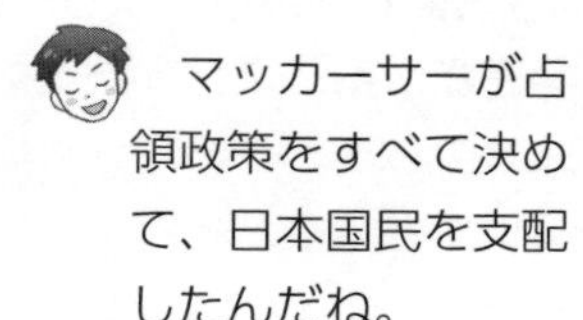

マッカーサーが占領政策をすべて決めて、日本国民を支配したんだね。

日本管理の方式

極東委員会（1946.2～）…ワシントン、占領政策の最高機関（米・英・仏・ソ・中など11カ国）
↓ 基本方針
アメリカ政府
↓
GHQ → 諮問 → 対日理事会（1946.4～）…東京、占領に関する諮問機関（米・英・ソ・中の４カ国）
↓ 指令・勧告
日本政府（議会）
↓ ポツダム勅令 ↓ 法律
日本国民

占領米軍 → 直接軍政 → 沖縄・小笠原

たしかに彼の権限は強かったけれど、日本の**非軍事化**・**民主化**をめざす占領政策の根拠は、**ポツダム宣言**の「軍国主義の排除」「戦争犯罪人の処罰、民主主義的傾向の強化、自由と人権の尊重」といった内容にあったんだ→第27章。それに、ポツダム宣言を受諾した日本は、これらを実行する義務があった。

ＧＨＱも日本も、ポツダム宣言にしたがって政策を進めたわけか。

そう。そして、敗戦後も日本政府はそのまま残り、ＧＨＱは日本政

府の機構を利用する**間接統治**の方式を採用したから、日本国民が直接マッカーサーに支配されたわけじゃないよ。それに、最高決定機関の**極東委員会**や、ＧＨＱ諮問機関の**対日理事会**の関与もあった。

そういえば、**沖縄**が気になる。沖縄戦→第27章でアメリカ軍に占領されたあと、どうなったんだろう。

戦後もそのままアメリカ軍が支配して、**直接軍政**がおこなわれたんだ。**小笠原**も、同じような状況だったよ。

沖縄と小笠原はＧＨＱによる間接統治から外れ、日本本土とは別の扱いになったのか。その後の歴史も、違う道を歩んだんだろうなぁ。

のちにサンフランシスコ講和で日本が独立したあとも→第29章、沖縄と小笠原はアメリカの施政権のもとに置かれ続けたんだ。

⑴　ＧＨＱが軍国主義の排除を主導し、公職追放や東京裁判がおこなわれた

軍国主義の排除は、どのように進んだのか。ポツダム宣言を受諾した直後に〔**鈴木貫太郎内閣**〕は総辞職し、皇族の〔**東久邇宮稔彦内閣**〕が成立しました。この内閣は、**降伏文書に調印**し（この1945年９月２日が、第二次世界大戦が正式に終結した日です）、陸軍・海軍の武装解除を進めました。一方、ＧＨＱは戦争責任の追及を開始し、「平和に対する罪」を犯したとして、政府・軍部の戦争指導者たちを**Ａ級戦犯**容疑者として逮捕していきました。

〔**東久邇宮内閣**〕は、ＧＨＱが治安維持法・特別高等警察（特高）の廃止や政治犯の釈放を求めた**人権指令**（1945.10）に対応できずに総辞職し、代わって〔**幣原喜重郎内閣**〕が成立しました（**幣原喜重郎**は協調外交を進めた元外相→第26章）。さっそく、マッカーサーは幣原首相に**五大改革**と憲法の自由主義化を指示しました（1945.10）（これらはあとで学びましょう）。そして、ＧＨＱが軍国主義者の**公職追放**を指令すると（1946.1）、政界・財界・官界・言論界の指導者が、戦争に深く関わったことの責任を問われて職を追われ、特に翼賛選挙→第27章の推薦議員が全員失格となったことで、政界は混乱しました。

さて、逮捕されたＡ級戦犯容疑者は、どんな運命をたどったのか。**極東国際軍事裁判所**が設置され、**東京裁判**が開かれました（1946～48）。起訴された容疑者は全員有罪となり、元首相の東条英機・広田弘毅らが死刑となりました。一方、従来の戦争犯罪（捕虜・住民の虐待などの行為）を犯した**Ｂ・Ｃ級戦犯**容疑者は、アジア各地に開かれた裁判所で裁かれました。

(2) 戦後の天皇の地位は、GHQや昭和天皇の動きによって定まった

天皇の地位をめぐる、興味深い動きがありました。当時、昭和天皇の戦争責任を追及する世論が国内・国外に存在していましたが、GHQは昭和天皇を戦犯容疑者に指定しませんでした。神格化された天皇への畏敬の念が国民のなかに残っていたため、GHQは天皇制の廃止による国内の混乱を避け、むしろ昭和天皇を占領支配に利用しようとしたのです。とはいえ、戦前の天皇制のままではなく、GHQは政府と神道・神社との関わりを禁じる**神道指令**を発して(1945.12)、天皇崇拝の基盤である国家神道→第25章を解体しました。さらに、昭和天皇が「**人間宣言**」と呼ばれる声明を発表し(1946.1)、「現御神」としての神格性→第27章をみずから否定して、民主化の方針に同調する姿勢を示しました。こうして、天皇の新しい地位や役割が定まっていったのです。

② 五大改革指令と民主化

では、戦後史の最重要ポイント、**五大改革指令**(1945.10)にもとづく民主化政策を、具体的に見ていきましょう。五大改革指令とは、**婦人参政権の付与**(女性の解放)、**労働組合の結成奨励**、**教育制度の自由主義化**、**秘密警察などの廃止**(圧制的諸制度の撤廃)、**経済機構の民主化**、の5点です。

(1) 女性参政権が認められ、衆議院に女性議員が誕生した

婦人参政権の付与については、〔**幣原内閣**〕のもとで**衆議院議員選挙法が改正**され(1945.12)、**満20歳以上の男女**が選挙権を持つことになりました(選挙権の変遷を確認しましょう→第24章)。そして、**戦後初の総選挙**(1946.4)では、大日本帝国憲法のもとでの帝国議会の衆議院に、初の**女性議員**39名が誕生しました。男女同権を定めた日本国憲法が公布・施行される前に、**女性参政権**が認められたのは、とても興味深いです。

(2) 労働組合法・労働関係調整法・労働基準法が制定された

労働組合の結成奨励については、労働者の権利を確立するため、労働三法が制定されました。**労働組合法**(1945)で労働者の団結権・団体交渉権・争議権(ストライキ権)が保障され、**労働関係調整法**(1946)で労働争議の予防と解決の方法が定められ、**労働基準法**(1947)で労働条件の最低基準が1日8時間労働と定められました(工場法→第23章は廃止)。さらに、労働省も設置されました。労働者の社会的地位が安定すると購買力が向上し、国内市場が形成されて、海外市場の植民地を獲得する侵略戦争は不要になります。

(3) 教育基本法・学校教育法が制定され、民主主義的な教育制度となった

教育制度の自由主義化については、ＧＨＱが国家主義的な教育の廃止と軍国主義的な教員の追放を指示し、戦前の国定教科書の不適当な部分が「**墨ぬり**」されました。さらに、戦前の道徳や皇国史観などが否定されて**修身・日本歴史・地理**の授業が一時禁止されました（新学制にもとづき**社会科**を新設）。そして、アメリカ教育使節団が来日し、民主主義教育の促進を勧告すると、**教育基本法**（1947）で日本国憲法の精神にもとづく**民主主義教育の理念**が示され、教育の機会均等・男女共学・**義務教育９年**が定められました。あわせて**学校教育法**（1947）で機会均等を実現する**新学制**として、６・３・３・４の単線型学校制度が定められました。さらに、**教育委員会法**（1948）で教育行政の地方分権をはかるための**教育委員会**を都道府県と市町村に設置することとされ、教育委員は地域住民の選挙による**公選制**とされました（のち〔**鳩山一郎内閣**〕で、教育委員は自治体首長の指名による**任命制**に変更［1956］）。

また、天皇中心の明治憲法体制を支えてきた教育勅語→第25章は、国会の決議によって排除・失効が確認されました（1948）。

(4) 治安維持法や特高など、人々の権利を抑圧する法律や制度が廃止された

秘密警察などの廃止（圧制的諸制度の撤廃）については、五大改革指令の直後に治安維持法・治安警察法・特別高等警察が廃止され（1945.10）、さらに共産主義者などの政治犯を釈放しました。〔**東久邇宮内閣**〕が実行できなかった人権指令を、〔**幣原内閣**〕が実行した形になりました。

ただし、言論の自由は制限され、「**プレス＝コード**」によってＧＨＱへの批判は許されず、マスコミは事前の検閲制になりました。

(5) 持株会社整理委員会などによって財閥は解体されたが、不徹底に終わった

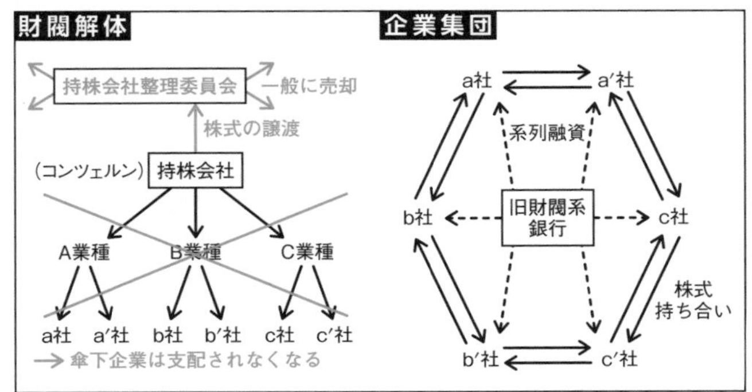

経済機構の民主化では、**財閥解体**が進められました。財閥は→第23章、戦時中には陸海軍と結んで大陸進出や南方進出に協力し、軍国主義を助長した側面がありました。財閥解体は、独占を排して自由な企業活動が可能になることを意味してい

ますが、GHQは日本が二度と戦争に訴えることのないよう日本の工業生産力を抑制し、経済を弱体化させることを狙ったのです。

まず、GHQが15財閥の資産凍結を指令（1945.11）したのち、**持株会社整理委員会**（1946）が発足し、持株会社が保有していた株式を譲渡されて一般に売却しました。こうして、株式所有による傘下企業への支配がなくなり、持株会社を頂点とする**コンツェルン**形態が解体しました。

そして、企業の拡大・巨大化が起きないよう、**独占禁止法**（1947）で持株会社・カルテル（企業連合）・トラスト（企業合同）を禁止し→第23章、**公正取引委員会**を設置して監視させました。

さらに、**過度経済力集中排除法**（1947）を制定し、それぞれの業界を支配する巨大企業を分割することにして、325社を分割指定しました。ただし、銀行は分割の対象外でした。

これらの結果、どうなったのか。アメリカによる占領政策の転換で、解体は不徹底に終わりました。企業分割は11社だけにとどまり、独占禁止法も緩和されました。日本経済の弱体化は、冷戦のもとでソ連との対決姿勢を強めたアメリカにとって、望ましくなかったのです。

そして、高度経済成長期には、解体されなかった旧財閥系の銀行を中心に、系列企業への融資を通じて**企業集団**が形成されました→第30章。

(6) 自作農創設特別措置法などにより、寄生地主制は解体された

もう一つ、経済機構の民主化として**農地改革**が進められました。寄生地主制→第23章のもとで小作農が貧困だったことが国内市場の狭さを生み、海外市場獲得のための侵略戦争をもたらしました。そこでGHQは、地主の土地を開放して小作農に取得させ、自作農を創出することを狙ったのです。自分の耕地を持った農家は生産意欲を向上させて豊かになり、食料増産にもつながります。

農地改革は、２度にわたっておこなわれました。〔**幣原内閣**〕が実施した**第１次農地改革**では、所有する土地に住んでいない**不在地主**については、小作農などに貸している**小作地**がすべて開放の対象となりました。不在地主は、小作地をすべて失います。そして、所有する土地に住んでいる**在村地主**については、小作地のうち**５町歩**（１町歩は約１万m^2）を超えた部分を開放しました。小作地のうち５町歩までの部分は、在村地主が持ち続けます。そして、土地の譲渡は、地主と小作農との間での協議でおこなわれました。

次ページの図を見ると（６町歩・２町歩の小作地を所有する在村地主のシミュレーション）、在村地主から小作農へ開放される土地はとても狭いことがわかります。こうした、不在地主には厳しくても在村地主には甘い規定や、当事者

どうしでの不徹底な土地の譲渡では、改革が不十分だとGHQは判断しました。

そこで、**〔第1次吉田茂内閣〕**が制定した**自作農創設特別措置法**(1946)などにもとづき、**第2次農地改革**(1947～50)が実施されました。不在地主の全小作地の開放は変わりませんが、在村地主については**1町歩**(北海道では4町歩)を超えた部分の小作地を開放の対象としました。土地の譲渡は、国家が地主から強制買収し、小作農へ売却することにしました(タダでの没収・無償供与ではありません)。

農地改革

	第1次	第2次
不在地主の小作地	小作地保有を認めず(＝小作地はすべて開放)	小作地保有を認めず(＝小作地はすべて開放)
在村地主の小作地	小作地保有限度は5町歩 5町歩までは地主保有継続 6町歩 小作農へ開放 2町歩 (小作農へ開放されず)	小作地保有限度は1町歩(北海道では4町歩) 1町歩までは地主保有継続 6町歩 小作農へ開放 2町歩 小作農へ開放
土地譲渡	地主・小作農での協議	国家が買収、小作農へ売却

再び図を見ると、在村地主から小作農へ開放される土地が広くなり、多くの小作農が土地を取得できるようになりました。しかも土地の譲渡に国家が介入するので、改革は徹底しました。このほか、各市町村に設置された**農地委員会**を通じて実行されたことや、残った小作地の**小作料**が現物納から**金納**になったことを知っておきましょう。

これらの結果、どうなったのか。小作地が全農地の約5割から約1割に減少し、小作農が激減する一方、地主の経済力や社会的地位が失われ、**寄生地主制は解体**されました。しかし、大量に創出された自作農の多くは、耕地面積が狭い零細農家で、農業協同組合(農協)が各地に設立されて農業経営を支援しました。また、山林は開放の対象から外れたため、山林地主は残りました。

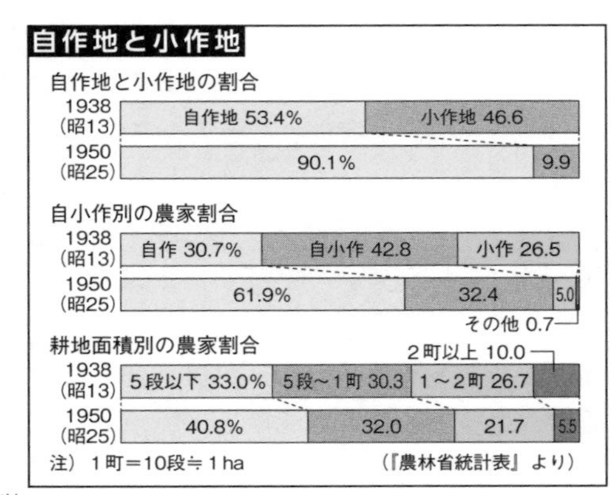

③ 日本国憲法の制定

五大改革指令と並び、日本国憲法の制定も民主化政策として重要でした。制定のプロセスを追っていくとともに、日本国憲法の内容の特徴を理解しましょう（高等学校日本史探究というよりは、中学校公民の復習になります）。

(1) 日本政府の改正案は拒否され、民主的なマッカーサー草案が提示された

まず、〔**幣原内閣**〕の関与から。五大改革指令と同時に、マッカーサーは憲法の自由主義化を幣原首相に指示しました（1945.10）。日本政府は、憲法問題調査委員会を設置し（委員長は松本烝治）、作成した改正案をマッカーサーへ提出しました（1946.2）。ところが、天皇の統治権や不可侵性を維持するなど、明治憲法の原則のままだったため、ＧＨＱはこれを拒否しました。

しかし、日本政府に改正案の修正は求めず、マッカーサーはＧＨＱに改正案の作成を指示しました（1946.2）。当時、発足の直前だった極東委員会が、国際世論を根拠に天皇制の廃止を求めてくる可能性があり、マッカーサーにとっては憲法改正を急いで進める必要があったのです。そして、わずか２週間足らずで、ＧＨＱは**マッカーサー草案**を提示しました。草案作成の際には、民間の憲法研究会が作成した、主権在民制と立憲君主制を含む「憲法草案要綱」も参照されました。こうして、マッカーサー草案は国民主権・天皇制の維持・平和主義を含む内容となったのです。

マッカーサー草案は英文だったので、日本政府が和訳・修正し、政府原案として公表しました。そして、新選挙法のもとで初の総選挙がおこなわれたのち（衆議院に女性議員39名が誕生）、第一党となった**日本自由党**を与党とする〔**第1次吉田内閣**〕のもとで、明治憲法改正の手続きにもとづき政府原案の修正がおこなわれました（天皇の発議、帝国議会［衆議院・貴族院］における審議）。そして、1946年11月３日に公布され（明治天皇誕生日の**天長節**→第25章）、1947年５月３日に施行されました（現在の憲法記念日）。

(2) 日本国憲法は、国民主権・平和主義・基本的人権の尊重を三大原則とした

日本国憲法の特色といえば、まずなんといっても**国民主権**（**主権在民**）でしょう。そして、**天皇**は「日本国民統合の象徴」（第１条）、つまり**象徴**として政治権力を持たない存在となりました。これらのことは、近代国家の大原則である三権分立の特徴にも表れていました→第21章。明治憲法においては天皇を頂点とする形式的な三権分立の構造だったのに対し、日本国憲法においては司法・立法・行政の三権が相互に牽制する構造でした。そして、国民主権であるから

こそ、直接選挙にもとづく立法府の**国会**（衆議院・参議院）は「**国権の最高機関**」（第41条）として、三権のうち突出した形になっています。また、明治憲法では貴族院・衆議院が対等でしたが、日本国憲法では衆議院の優越が定められました（法律・予算・条約批准などにおいて、一定日数以内に参議院で議決しない場合は衆議院の議決が国会の議決となる、など）。

次に、**平和主義**です。**戦争放棄**（第９条の第１項）と、そのための戦力不保持（第９条の第２項）が定められました。日本が二度と戦争を起こさないように、歯止めをかけたのです。

さらに、**基本的人権の尊重**です。日本国憲法は、基本的人権を、「**侵すことのできない永久の権利**」（第11条）として国民に保障したのです。

(3) 新憲法にもとづき、民法・刑法改正をはじめ、民主的諸制度が整備された

日本国憲法の理念にもとづく諸法典の改正も進められました。**民法の改正**（1947）では、男女同権にもとづき、新しい家族制度が定められ、旧民法→第21章にあった**戸主権が廃止**されました。**刑法の改正**（1947）では、法の下の平等にもとづき、大逆罪・不敬罪（天皇・皇室への罪）や姦通罪（夫のある妻とその相手となった男性の罪）が廃止されました。

これまで中央集権的な地方制度・警察制度の柱となっていたのは、内務省→第20章でした。しかし、地方公共団体を規定した**地方自治法**が制定され（1947）、首長（都道府県知事・市町村長）は住民の直接選挙による**公選制**となり、リコール制・条例制定権なども定められました。また、警察の地方分権化を規定した**警察法**（1947）が制定され、人口5000人以上の市町村が独自に持つ**自治体警察**と、国家地方警察の二本立ての制度となりました。これらにより役割を終えた**内務省**は、ＧＨＱの指示で解体されました。

④ 政党政治の復活

ここまでの流れを、内閣を軸にまとめましょう。まず、政党の名称の確認から。大政翼賛会→第27章は解散し、戦前の政党が復活しました（1945）。自由主義・資本主義を唱える**保守**勢力として、旧立憲政友会系の**日本自由党**（**鳩山一郎**総裁）や、旧立憲民政党系の**日本進歩党**が結成されました。そして、社会主義を唱える**革新**勢力として、旧無産政党を統合した**日本社会党**（**片山哲**書記長）が結成され、合法政党となった**日本共産党**が活動を再開しました。また、中道勢力として日本協同党が結成されました。

● **〔東久邇宮稔彦内閣〕**

降伏文書に調印しましたが、のちに人権指令を実行できず総辞職しました。

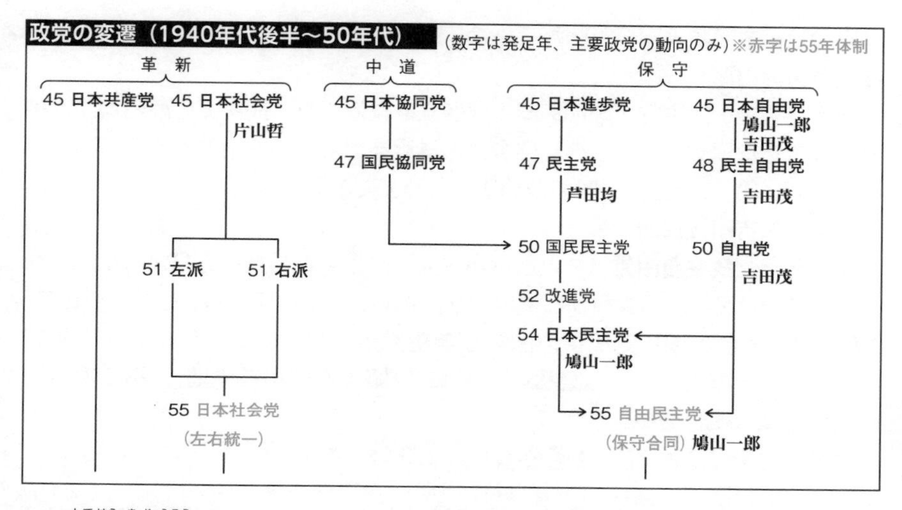

● 〔幣原喜重郎内閣〕

五大改革指令を受けて民主化政策を進め、憲法改正を開始し、衆議院議員選挙法の改正で**女性参政権**を実現しました。戦後初の総選挙では**日本自由党**が第一党となりましたが、総裁の鳩山一郎が公職追放となり、外務大臣だった**吉田茂**が党の新総裁となりました。

● 〔第1次吉田茂内閣〕

日本自由党を与党の中心とする、戦後初の政党内閣です。民主化政策をさらに進め、日本国憲法を公布しました。そして、貴族院が廃止されて公選制の**参議院**が新設され、新憲法にもとづく最初の衆・参同日選挙がおこなわれました（1947.4）。ところが、**日本社会党**が第一党になったため、総辞職しました。

● 〔片山哲内閣〕

与党は日本社会党・民主党・国民協同党の連立で、日本社会党の**片山哲**が首相となりましたが、保守・中道との

年表（赤字の内閣は政党内閣）

内閣	年	事項
〔東久邇〕	1945	降伏文書に調印
		人権指令→総辞職
〔幣原〕	1945	五大改革指令
		選挙法改正（**女性参政権**）
		労働組合法
	1946	天皇の人間宣言
		公職追放令
		金融緊急措置令
		戦後初の総選挙（**女性議員**）
〔吉田①〕	1946	持株会社整理委員会
		自作農創設特別措置法
		日本国憲法の公布
		傾斜生産方式
	1947	二・一ゼネスト中止
		教育基本法
		独占禁止法
		新憲法初の総選挙（衆・参）
		日本国憲法の施行
〔片山〕	1947	労働省設置
		改正民法の公布
		過度経済力集中排除法
〔芦田〕	1948	**昭和電工事件**
		教育委員会法（公選制）
		政令201号
〔吉田②〕	1948	国家公務員法の改正

連立で社会主義政策実施が困難でした。

● 〔**芦田均内閣**〕

日本社会党・民主党・国民協同党の連立は維持され、民主党の**芦田均**が首相となりました。しかし、復興金融金庫の融資をめぐる汚職事件である**昭和電工事件**（1948）が発生し、それが原因となって総辞職しました。

● 〔**第２次吉田茂内閣**〕

野党だった**民主自由党**（もと日本自由党）が、少数与党となりました。しかし、総選挙で民主自由党が単独過半数を獲得し、政権は安定しました。そして、〔**第３次吉田茂内閣**〕で民主自由党が**自由党**となり、サンフランシスコ講和（1951）を実現しました→第29章。さらに、〔**第４次吉田茂内閣**〕〔**第５次吉田茂内閣**〕と長期政権が続きました。

戦後の内閣の順番については、頭文字を２文字ずつ取って、「**ひが・しで・よし・かた・あし・よし・よし・よし・よし**」と把握するといいと思います。「東で、良し！片足、良し良し良し良し！」とまぁ、少々くだらないですが（笑）。

戦後の内閣 頭文字は「ひが・しで・よし・かた・あし・よし・よし・よし・よし」

（赤字は政党内閣、カッコ内は与党の中心）

内閣	備考
東久邇宮稔彦	皇族
幣原喜重郎	外交官
吉田茂①	（日本自由党）
片山哲	（日本社会党）
芦田均	（民主党）
吉田茂②	（民主自由党→自由党）
吉田茂③	（自由党）
吉田茂④	（自由党）
吉田茂⑤	（自由党）

2 冷戦の拡大と占領政策の転換

第二次世界大戦が終わった直後、国際連盟に代わる新しい国際平和維持機関として**国際連合**が設立され、アメリカのニューヨークに本部が置かれました（1945.10）。連合国51カ国が参加して発足した点からわかるように、戦勝国による協調体制がその本質でした（国際連合の“United Nations”は「連合国」という意味です）。そして、**安全保障理事会**を構成する米・英・仏・ソ・中（国民政府）の常任理事国は拒否権を持ち、経済制裁や軍事行動もできる強力な権限で世界大戦の再発を防ぎ、国際紛争を解決することになりました。

一方、大戦後の世界では、**アメリカ**中心の「**西側**」（資本主義・自由主義陣営、西ヨーロッパなど）と、**ソ連**中心の「**東側**」（社会主義陣営、東ヨーロッパなど）の二大陣営が形成され、政治・経済・イデオロギー（理念）の面で争いました。この情勢は**核兵器**の保有をともない、世界大戦は起きなくても軍事的な緊張が続く、という意味で「冷たい戦争（**冷戦**）」と呼ばれました。

① 冷戦の構造

東西両陣営の形成

「西側」（資本主義陣営）	「東側」（社会主義陣営）
1945 アメリカが原子爆弾開発→広島・長崎投下	
1947 トルーマン＝ドクトリン（アメリカ大統領） …共産主義に対する「封じ込め」を宣言	**1947** コミンフォルム …ソ連・欧州の共産党情報局
1947 マーシャル＝プラン（アメリカ国務長官） …ヨーロッパの経済復興を援助する計画	
1949 北大西洋条約機構（NATO） …アメリカと西ヨーロッパの集団安全保障	**1949** ソ連が原子爆弾開発 →米ソの核兵器開発競争が激化
	1955 ワルシャワ条約機構 …ソ連と東欧の集団安全保障

自分が生まれたときには、ソ連はもうなかったから、**冷戦**といわれてもピンとこない。先生は、バッチリ冷戦を経験しているでしょ？

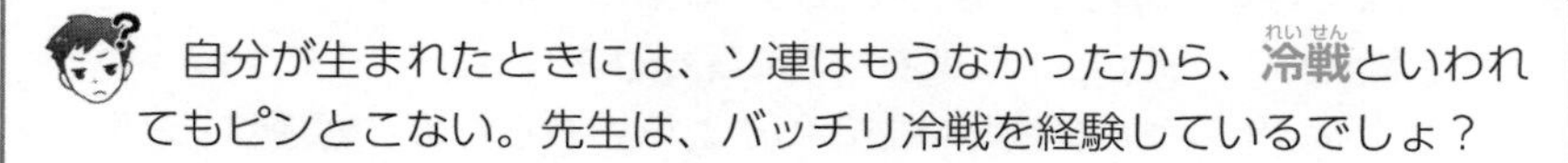

……（年齢がバレるので「自分の青春時代は冷戦のまっただ中」なんていえない）。ま、それはともかく、第二次世界大戦の**独ソ戦争**から話を始めよう→第27章。このとき**東ヨーロッパ諸国**は、ドイツ側で戦ったり、ドイツに占領されたりしたんだけれど、劣勢だったソ連がドイツに反撃していく過程で、今度はソ連に占領されていったんだ。

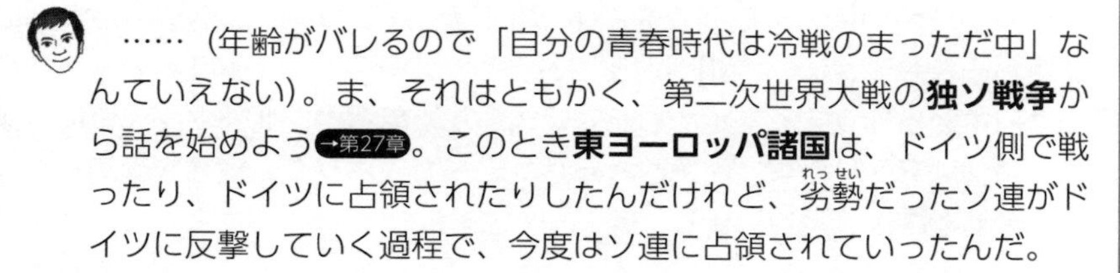

東ヨーロッパはドイツとソ連にはさまれているから、最初はドイツの影響下で、のちにソ連の影響下に置かれた、というイメージかな？

それでOK。そして、第二次世界大戦後に東ヨーロッパ諸国で親ソ政権が成立し、社会主義化を進め、「東側」が形成された。

アメリカは、イギリスやフランスなどの**西ヨーロッパ諸国**と関係が深かったし、ソ連が東ヨーロッパを取り込む動きは警戒するよね。

そして、大国となったアメリカは、経済援助や軍事協力などを通して西ヨーロッパとの関係をいっそう強めた。これが「西側」が形成された事情だ。こういった冷戦を象徴するのは、「東側」の**東ドイツ**と「西側」の**西ドイツ**とに分かれて独立した東西ドイツだ→第30章。

現在の世界にも核兵器があるけど、そのころはどうだったのかな。

まずアメリカが**原子爆弾**を開発して広島・長崎に投下し→第27章、次にソ連が原爆を開発した。もっと威力の強い**水素爆弾**も開発されて、核兵器の開発競争が激しくなった。核実験も盛んで、アメリカの水爆実験で被爆したのが第五福竜丸だよ→第29章。

アメリカとソ連が、強い経済力と軍事力で影響を拡大したんだね。

② 東アジアでの冷戦

ヨーロッパを中心に激化した冷戦は、東アジアに波及しました。日本を取り巻く国際環境は、どのように変化していったのでしょうか。

(1) これまで日本が獲得してきた植民地・権益は、敗戦で消滅した

「大日本帝国」の領土は、敗戦で大きく変わりました。

ソ連は1945年のヤルタ協定にもとづき対日参戦したのち→第27章、満洲・朝鮮に侵入し、南樺太・千島列島を占領しました。「満洲国」は崩壊し、満洲はソ連軍が占領して、のち中国へ返還されました。朝鮮は、1943年のカイロ宣言では日本から独立すると定められていましたが→第27章、北部がソ連軍に占領され、南部はアメリカ軍に占領されました。一方、ポツダム宣言を受諾した日本は、台湾を中国へ返還しました。

(2) 朝鮮は北朝鮮・韓国に分断独立し、中国では中華人民共和国が建国された

アメリカ軍とソ連軍によって南北に分割占領された朝鮮は、のち冷戦が激化したため、統一されませんでした。そして、アメリカ軍が占領していた朝鮮南部に**大韓民国**(韓国、李承晩大統領)が建国され(1948)、ソ連軍が占領していた朝鮮北部に**朝鮮民主主義人民共和国**（北朝鮮、金日成首相）が建国されました（1948)。こうして、冷戦の構造は、朝鮮の分断独立という形で東アジアに及んだのです。

日中戦争に勝利した中国では、日本軍が撤退したのち、これまで抗日民族統一戦線を結成していた第２次国共合作→第27章が崩壊し、国民党と共産党の内戦が再燃しまし

た。蔣介石が率いる国民政府（国民党政権）は国内統治に失敗する一方、農村に支持を広げた共産党が台頭し、内戦に勝利した共産党が北京で**中華人民共和国**（毛沢東主席）の建国を宣言しました（1949）。内戦に敗北した蔣介石は**台湾**へ逃れ、国民党による**中華民国政府**（蔣介石総統）を存続させました（1949）。中華人民共和国は「東側」の一員となり、多くの国々に承認されたのに対し、アメリカは台湾の中華民国政府を中国の正式代表としたため（国際連合の常任理事国である中国は、台湾の中華民国政府）、中国政府の地位にも冷戦の構造が持ち込まれたのです。

③ 経済再建から経済自立へ

日本も冷戦と深く関わることになりました。冷戦の激化によって、アメリカの日本占領政策が変化したからです。1940年代後半の日本の社会や経済に、当時の世界情勢はどのような影響を与えたのでしょうか。

(1) 敗戦直後の経済と生活は危機的状況で、激しいインフレーションが生じた

戦争は、日本経済と国民生活に大きなダメージを与えました。本土空襲で工業都市は壊滅し、船舶が破壊されて原料輸入は途絶し、敗戦を機に軍需工場は閉鎖されて、工業生産力が激減しました。また、海外の植民地・権益や占領地・戦場からの軍人の**復員**や民間人の**引揚げ**は、人口の急増による食糧不足を生みました（復興過程でのベビーブームも生じました）。配給の**遅配・欠配**が続くなか、都市の人々は農村への**買出し**や都市の**闇市**での闇買いをおこなって、皆が生き残るのに必死でした。アメリカが日本へ提供したガリオア資金（占領地行政救済資金）を用いた、緊急の食糧輸入もおこなわれました。

こうした物資不足に加え、戦争の事後処理のために通貨の発行量を増やしたことで貨幣価値が下がり、激しい**インフレーション**が生じました。この物価上昇を抑えることが、敗戦直後の経済政策の目標となったのです。

(2) 政府は金融緊急措置令や傾斜生産方式では、物価上昇は抑えられなかった

そこで、〔**幣原内閣**〕は**金融緊急措置令**（1946）を発令しました。銀行預金の引出しを禁じる**預金封鎖**と、旧円の流通を禁じて強制預金させる**新円切替**をおこない、さらに銀行からの新円引出しの上限金額を設定して**引出しを制限**しました。通貨の流通量を減らし、貨幣価値を上げることで、物価を下げようとしたのです。しかし、インフレを抑制する効果は一時的でした。

次の〔**第1次吉田内閣**〕は、**経済安定本部**を設置して経済復興計画を進め（のちの経済企画庁→第30章）、〔**第1次吉田・片山・芦田内閣**〕のときに**傾斜生産方**

式が実行されて、重要産業である石炭業・鉄鋼業へ資金や資材を集中させました（大学入試の「受験科目による傾斜配点」をイメージするとよいかもしれません）。生産力を回復し、製品の供給を増やすことで、物価を下げようとしたのです。しかし、新設された**復興金融金庫**から産業への融資が増えると、通貨の流通量が増えて貨幣価値が下がり、かえって物価が上昇しました（復金インフレ）。

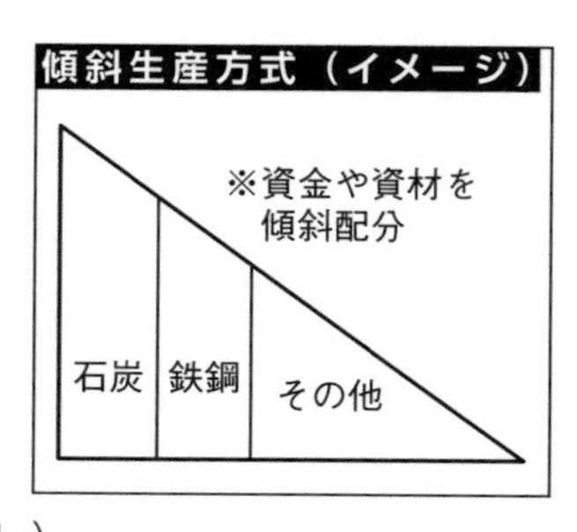

(3) 敗戦後の生活困難により労働運動が高揚したが、のち抑制されていった

人々の生活が苦しいなか、労働者の権利を主張する労働運動が盛り上がりました。1945年に労働組合法が制定されると、1946年にはメーデーが復活し、飯米を要求する**食糧メーデー**も開催されました。労働組合の全国組織として、右派の日本労働組合総同盟（**総同盟**）と、左派の全日本産業別労働組合会議（**産別会議**）が結成されました（産別会議は共産党が指導）。また、労働組合が自主的に業務を管理・運営する、生産管理闘争もおこなわれました。1947年には、国鉄労働組合などを中心に官公庁労働者がまとまり、「吉田内閣打倒」などを掲げた全国一斉・無制限のゼネラル＝ストライキ（**二・一ゼネスト** 1947）を計画しましたが、GHQの指令で実行前日に中止されました。

1948年になると、アメリカの**日本占領政策の転換**がはっきりと表れてきました。冷戦の拡大による東アジアの社会主義化が進むなか（北朝鮮の建国、国共内戦で中国共産党が優位に）、社会主義陣営との対決姿勢を強めていたアメリカは、日本の労働運動を抑制しました。労働者が実力行使で政権を奪取する社会主義革命が起こることを、恐れたのです。GHQの指令を受けた〔**芦田内閣**〕は、公務員の争議権を否認した**政令201号**（1948）を発し、のちに国家公務員法も改正されて、公務員の争議権否認が明記されました。

(4) 経済安定九原則にもとづくドッジ＝ラインで、物価上昇はようやくおさまった

日本占領政策の転換は、経済にも影響を与えました。アメリカは、戦争防止のために日本経済を弱体化させるよりも、むしろ日本経済の復興と自立を促し、「西側」の一員（アメリカの友好国）として、東アジアにおける社会主義勢力の拡大に対抗させようとしたのです。

1948年になると、アメリカのロイヤル陸軍長官が、日本を東アジアにおける「反共の防壁（＝共産主義の拡大を防ぐ拠点）」にするべきだと演説しました。そして、GHQは〔**第２次吉田内閣**〕に対して**経済安定九原則**（1948）

の実行を指令しました。これには予算の均衡、徴税の強化、賃金の安定、物価の統制などが含まれ、**総需要の減少**という共通点があることに注目しましょう（政府も国民もお金を使って物を買わなくなる）。物が売れなければ物価が下がってデフレになるので、インフレを抑えられます。そして、デフレで安い物が外国に売れると輸出が増え、これにより日本経済の自立を達成する、という狙いがありました。

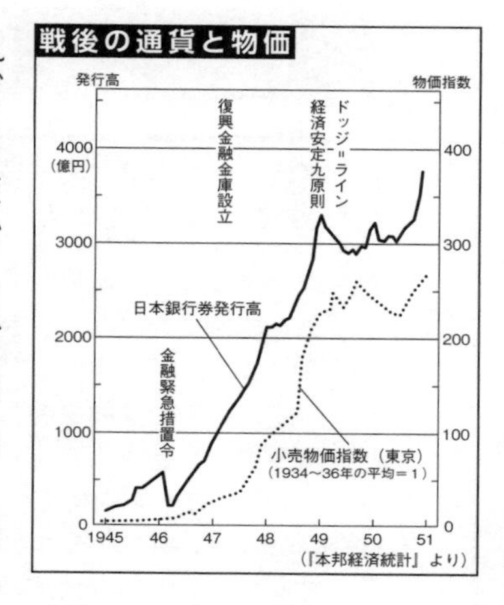

そして、銀行家の**ドッジ**が来日し、その指示のもとで〔**第３次吉田内閣**〕が**ドッジ＝ライン**（1949）と呼ばれる政策を実施しました。まず、赤字がゼロになるように政府歳出を大幅に減らす**超均衡予算**を作成しました（こうした緊縮財政は、松方財政→第23章や井上財政→第26章でもおこなわれていましたね）。次に、貿易品目ごとに異なっていた為替相場（複数為替レート）をやめ、すべての貿易品に一つの為替相場を適用する**単一為替レート**を採用し、そこに**１ドル＝360円**の固定相場を導入することで、輸出の安定をはかりました。

さらに、大学教授の**シャウプ**らが来日し、その勧告にもとづく**シャウプ税制改革**では**直接税**（**所得税**）中心主義が採用されました。

こうして、経済安定九原則が実施されるとデフレが生じ、これまで金融緊急措置令や傾斜生産方式では抑えられなかったインフレは、ようやく収束したのです。

(5) デフレ不況で労働運動が高揚したが、国鉄の謀略事件を機に抑圧された

一方、超均衡予算による政府歳出の削減は、官公庁の人員整理（公務員のリストラ）につながり、デフレによる収益の減少は、企業の人員整理につながりました。これらに、デフレによる中小企業の倒産も重なって失業者が激増すると、労働運動が激化しました。

国鉄の怪事件（1949）

下山事件…国鉄総裁の下山定則が、常磐線の綾瀬駅付近で怪死
三鷹事件…中央線三鷹駅構内で、無人電車が暴走
松川事件…東北線の松川駅付近での、列車転覆事故

しかし、**下山事件・三鷹事件・松川事件**といった国鉄の怪事件が相次ぎ（1949）、これらが国鉄労働組合や、それを指導した共産党の仕業であるという疑いがかけられて、労働運動は打撃を受けました。

チェック問題にトライ！

次の史料は、第二次世界大戦後の占領期のある時点における、アメリカの日本に対する政策方針を示したものである。

民主主義的基礎の上に組織せられたる労働、産業および農業における組織の発展はこれを奨励支持すべし。所得ならびに生産および商業手段の所有権を、広範囲に分配することを得しむる政策はこれを支持すべし。

日本国国民の平和的傾向を強化し、かつ経済活動を軍事的目的のために支配しまたは指導することを困難ならしむると認めらるる経済活動、経済組織および指導の各形態はこれを支持すべし。

右目的のため、最高司令官は左の政策をとるべし。

（イ） 将来の日本国の経済活動をもっぱら平和的目的に向けて指導せざる者は、これを経済界の重要なる地位にとどめ、またはかかる地位に選任することを禁止すること。

（ロ） 日本国の商工業の大部分を支配し来たりたる産業上および金融上の大コンビネーションの解体計画を支持すべきこと。

（『日本占領及び管理重要文書集』）

問　占領期に行われた次の諸施策ア～エのなかで、上記の史料に表れている方針を直接反映しているものの組合せを、次の①～⑥のうちから一つ選べ。

ア　公職追放　　　　イ　ドッジ＝ライン

ウ　レッド＝パージ　　エ　労働組合法の制定

①　ア・ウ　　②　ア・エ　　③　イ・ウ

④　ア・イ・ウ　　⑤　ア・イ・エ　　⑥　イ・ウ・エ

（センター試験　1999年度　追試験）

解説　**史料の内容と選択肢の内容との関連性を判断する問題です**。まず、史料１行目の「民主主義的基礎」や、４・５行目の「軍事的目的～困難ならしむる」から、民主化・非軍事化という方針が読み取れます。そこから、この史料は占領初期の1945年ごろの方針を示していると推定しましょう。そうすれば、イ（1949年のドッジ＝ライン）や、ウ（1950年のレッド＝パージ）は、時期も内容も外れることが判断できます。これらは、占領政策が転換したあとの、日本経済の自立化や「東側」への対抗（共産主義の排除）といった目的で実施された施策です。

そして、史料の１行目の「労働～組織の発展はこれを奨励支持すべし」から、エ（労働組合法の制定）があてはまり、史料の８～10行目の「平和的目的に向けて指導せざる者は～かかる地位に選任することを禁止」から、ア（公職追放）があてはまります。

⇒したがって、②（ア・エ）が正解です。

次のグラフは、東京府（都）・大阪府・愛知県の人口の推移を、1920年から1960年までの40年間について整理したものである。

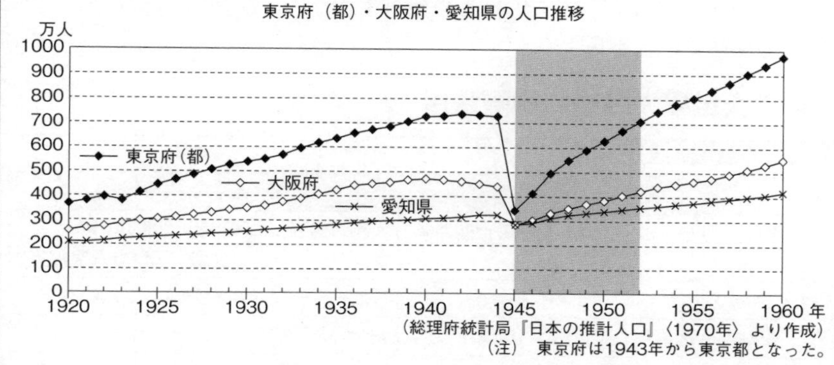

（総理府統計局『日本の推計人口』〈1970年〉より作成）
（注） 東京府は1943年から東京都となった。

問１　このグラフに関して述べた文として**誤っているもの**を、次の①～④のうちから一つ選べ。

①　1945年における人口減少の背景には、戦災による都市の破壊がある。
②　1945年における東京都の人口減少は、1920～44年の増加分に匹敵する。
③　太平洋戦争期の大阪府の人口は、減少傾向にある。
④　東京都・大阪府は、1950年代を通じて戦前の人口水準を回復していない。

問２　グラフに示した■の占領期の出来事に関して述べた次の文Ｘ・Ｙについて、その正誤の組合せとして正しいものを、下の①～④のうちから一つ選べ。

Ｘ　引揚者の帰国があいついだ。
Ｙ　農村の過疎化と都市の過密化が進んだ。

①　Ｘ　正　Ｙ　正　　②　Ｘ　正　Ｙ　誤
③　Ｘ　誤　Ｙ　正　　④　Ｘ　誤　Ｙ　誤

（センター試験　2007年度　本試験）

解説　問１については、1945年が敗戦の年だとわかっていれば、本土空襲の激化から①は正しいと判断できます。また、グラフの傾向の読み取りから、②・③も正しいです。しかし、東京都は1953～54年にかけて、大阪府は1957年に、戦前の人口水準を上回っているので、④「戦前の人口水準を回復していない」は誤りだと判断しましょう。

⇒したがって、④が正解です。

問２については、Ｘは軍人の復員や民間人の引揚げで、占領期には海外からの帰国が相次いだことから、正しいです。Ｙは、農村の過疎化と都市の過密化が進むのは高度経済成長期のことなので、誤りです。

⇒したがって、②（Ｘ　正　Ｙ　誤）が正解です。

歴史総合のための世界史 「国際秩序の変化や大衆化と私たち」5 戦後の国際秩序

占領下の日本で戦後の民主化が進められたころの、1940年代後半における世界情勢を見ていきましょう。

① 第二次世界大戦後の国際秩序

国際連盟と国際連合

	国際連盟（1920年設立）	国際連合（1945年設立）
成立背景	ウィルソン米大統領の十四カ条	大西洋憲章：国際平和機関の再建へ サンフランシスコ会議：国連憲章を採択
本部	ジュネーヴ（スイス）	ニューヨーク（アメリカ）
常任理事国	理事会　英仏日伊（米は不参加）	安全保障理事会　米英仏ソ中
議決方法	総会は**全会一致** 理事会は全会一致	総会は**多数決** 安保理は常任理事国の拒否権
制裁措置	規定が不明確（**経済制裁**のみ）	**武力制裁**も可能

第一次世界大戦後に成立した国際連盟（こくさいれんめい）は、⑴総会が全会一致、⑵制裁規定が不明確で軍事制裁ができない、⑶大国が不参加、という問題点から機能不全に陥り、第二次世界大戦を防げませんでした。そこで、連合国は、第二次世界大戦中から国際連合憲章（こくさいれんごうけんしょう）の作成を開始し、終戦後に**国際連合**が発足（ほっそく）しました（1945.10）。総会（加盟国が平等な権利を持つ）は、現実的な**多数決**としました。また、いずれの国に対する侵略であっても集団で防衛する**集団安全保障体制**を機能させるため、**武力制裁**を認め（国連軍の組織など）、**安全保障理事会**（あんぜんほしょうりじかい）（アメリカ・ソ連・イギリス・フランス・中国［中華民国］の常任理事国（じょうにんりじこく）5カ国と非常任理事国6カ国）において**常任理事国**に**拒否権**が与えられました。たとえば、常任理事国4カ国と非常任理事国のすべてが賛成しても、常任理事国1カ国が拒否権を行使すれば、議案は否決されます。決議に実効性を持たせる「大国一致の原則」です。また、国際連盟には加わらなかったアメリカや共産主義のソ連が最初から参加したことも、集団安全保障の面では有意義でした。

> 日本国憲法第9条で戦争放棄（せんそうほうき）と戦力不保持（せんりょくふほじ）が規定され、日本の安全保障は国際連合の集団安全保障体制で担われると想定されましたが、**冷戦**（れいせん）の激化で**米ソ対立**が国連に持ち込まれ、拒否権による安全保障理事会の機能不全が懸念（けねん）されました➡第28章。結局、日本は米軍駐留（ちゅうりゅう）を認めて**日米安全保障条約**（1951）に調印し、アメリカとの関係のなかで安全保障が築かれました➡第29章。

国際金融では、**ブレトン＝ウッズ会議**（1944）で**国際通貨基金**（こくさいつうかききん）（ＩＭＦ、国際為替の安定のため対象国に支援や指導をおこなう）と**国際復興開発銀行**（ＩＢＲＤ、復興や途上国開発の融資をおこなう）の設立が決まり、各国の通貨の交換比率（為替相場）が固定されました。そして、アメリカが世界の金の約７割を保有していたことを前提に、金との交換を保障された米ドルを国際的な**基軸通貨**として、国際為替相場の安定をはかりました（**金ドル本位制**・**ブレトン＝ウッズ体制**）。世界恐慌のなかで1930年代に各国で停止された金本位制をアメリカが再び採用し、これを軸に国際金融システムが築かれました。

また、世界恐慌のもとでの保護貿易体制が（イギリスのブロック経済圏など）、自前の市場に乏しい国々を対外拡張に突き進ませ（ドイツの「ヴェルサイユ体制打破」）、第二次世界大戦の一因となったことから、**関税及び貿易に関する一般協定**（ＧＡＴＴ）が発足し（1948）、多角的貿易交渉（ラウンド）で自由貿易ルールの拡充を進めることにしました。圧倒的な生産力・輸出力を持ったアメリカにとって、自由貿易体制が好都合であったという側面もありました。

日本の経済システムは、**ドッジ＝ライン**（1949）で**単一為替レート**が設定されたとき、**１ドル＝360円**の**固定相場**となりました→第28章。さらに、**独立達成**後にＩＭＦとＩＢＲＤに加盟し（1952）、のちＧＡＴＴにも加盟しました→第30章。

② 占領と戦後改革

ドイツと日本に対する連合国の占領統治では、連合国の脅威とならないように**非軍事化と民主化**が基本方針でした。ドイツは米・英・ソ・仏の４カ国に**分割占領**され（1945.6）、ナチス政権崩壊をふまえた**直接統治**がおこなわれました。また、連合国はナチ党や軍の指導者を戦争犯罪人に指定し、Ａ級戦犯（「平和に対する罪」：開戦や戦争指導など）・Ｂ級戦犯（通例の戦争犯罪：戦場での捕虜虐待など）・Ｃ級戦犯（「人道に対する罪」：一般国民に対する絶滅目的の大量殺人など）の容疑で裁きました（**ニュルンベルク国際軍事裁判** 1945～46）。さらに、旧ナチ党員は公職から追放されました。

米軍の**単独占領**下の日本で、ＧＨＱが日本政府を通じて**間接統治**をおこないました。また、ＧＨＱは**極東国際軍事裁判**（**東京裁判**　1946～48）でＡ級戦犯を裁きましたが、占領統治の安定のため昭和天皇を戦犯容疑者に指定しませんでした（Ｂ級戦犯はアジア各地の裁判所で裁かれ、Ｃ級戦犯は日本に適用されず）。さらに、政・官・財界や言論界の戦争協力者が公職追放されました→第28章。

③ 冷戦の開始

第二次世界大戦末期のヤルタ会談（1945.2）で生じた、連合国におけるアメリカ・イギリスとソ連の対立は、戦後に表面化しました。ソ連軍が解放したドイツ以東の東ヨーロッパで共産主義政党が勢力を伸ばすなか、まずイギリスの元首相**チャーチル**がヨーロッパを東西に分ける「**鉄のカーテン**」を指摘し、ソ連への警戒心を表明しました（1946）。次に、アメリカのトルーマン大統領がソ連の地中海への南下を食い止めるため、共産主義勢力が伸張したギリシア・トルコへの支援を表明しました（**トルーマン＝ドクトリン**　1947）。共産主義勢力の膨張（ぼうちょう）を阻止する「**封じ込め政策**」の始まりです。その一環として、アメリカはヨーロッパに経済援助する**マーシャル＝プラン**（ヨーロッパ経済復興援助計画　1947）を発表しました。西ヨーロッパ諸国は受け入れたものの、ソ連は東ヨーロッパ諸国に不参加を求め、国際共産党組織の**コミンフォルム**（共産党情報局　1947）を結成しました（のちマーシャル＝プランに対抗してソ連・東ヨーロッパ諸国は**コメコン**［経済相互援助会議　1949］を結成）。

そして、東ヨーロッパ随一の工業国で議会制民主主義が定着していた**チェコスロヴァキア**で、共産党がソ連軍の力を背景にクーデタで一党支配を実現し（1948）、東ヨーロッパ諸国は共産主義政党の独裁（どくさい）体制へ移行しました。ただし、**ユーゴスラヴィア**は、**ティトー**の指導下でソ連に頼らずドイツ軍を撃退し、みずから共産主義国となった経緯から、ソ連から離れて独自路線を歩みます。

東西対立の焦点となる、ドイツの状況を見ていきましょう。ソ連は、米・英・仏が占領地域で独自の通貨を発行したことに反発し、西ベルリンへ向かう交通路を遮断（しゃだん）しました（**ベルリン封鎖**　1948〜49）。図を見ると、米・英・

仏が共同管理する西ベルリンは、ソ連の占領地域に囲まれた飛び地ですね。そこで、米軍が西ベルリンへ向けて物資を空輸して対抗し、翌年にソ連はベルリン封鎖を解除したものの、ドイツの分裂は決定的となり、米・英・仏占領地域から**ドイツ連邦共和国**（**西ドイツ**）が、ソ連占領地域から**ドイツ民主共和国**（**東ドイツ**）が、それぞれ成立しました（1949）。また、ソ連脅威論の強まりから、集団安全保障を定めた反共軍事同盟として、西ヨーロッパ諸国にアメリカ・カナダが加わり**北大西洋条約機構**（**NATO**）が結成されました（1949）（これに対抗してソ連中心の東ヨーロッパ諸国が東ヨーロッパ相互援助条約［**ワルシャワ条約機構** 1955］を設立）。また、ソ連が**原爆**の開発に成功し（1949）、アメリカによる核兵器独占体制が崩れ、米ソの軍拡競争がいっそう激しくなりました。

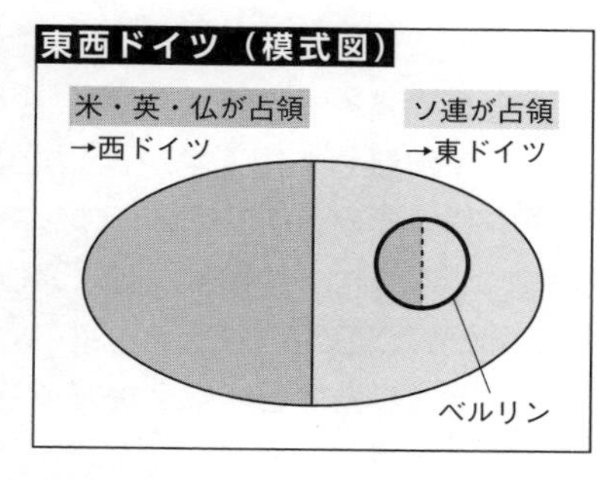

こうして、世界がアメリカ中心の**西側**陣営とソ連中心の**東側**陣営とに分かれ、イデオロギー的・軍事的に対立し合う「**冷戦**」となっていきました。

④ 東アジアの独立と朝鮮戦争

日本の降伏（1945.8）で戦勝国となった中華民国ですが、**中国国民党**（**国民政府**）を率いる**蔣介石**は徹底した反共主義で、**中国共産党**との間で**国共内戦**が再燃しました（1946〜49）。当初はアメリカ支援下で国民党が優勢でしたが、経済の混乱や幹部の腐敗で信頼を失い、一方で共産党は地主の土地を分配する土地改革を約束して農民の支持を集め、中国全土を制圧しました。そして、共産党指導者の**毛沢東**が**中華人民共和国**の建国を宣言すると（1949.10）、国民政府は**台湾**に逃れ、**中華民国**の存続を主張しました。アメリカ中心の西側諸国（イギリスは除く）は中華人民共和国を承認せず、中華民国政府を中国代表とする立場をとりました（国連の安全保障理事会では中華民国が常任理事国）。

日本の植民地であった朝鮮は、第二次世界大戦中のカイロ宣言（1943.11）でその独立が規定されましたが、日本の敗戦後に**北緯38度線**を境として北部をソ連が、南部をアメリカが占領しました。米ソ対立のなかで南北統一選挙の協議も不調に終わり、**李承晩**を大統領とする**大韓民国**（韓国　1948）と**金日成**を首相とする**朝鮮民主主義人民共和国**（北朝鮮　1948）が成立しました。そして、統一をめざす北朝鮮がソ連のスターリンの同意を得て韓国へ侵攻し、**朝鮮戦争**（1950〜53）が勃発しました。アジアに及んだ冷戦は「熱戦」となったのです。軍事力・経済力に勝る北朝鮮が優勢となるなか、アメリカのトルーマン大統領は韓国支援を決断し、国連安保理は北朝鮮軍の行動を侵略と認めた勧告を決議し（当時、「中国代表権は中華人民共和国にすべき！」と主張するソ連が抗議して国連を欠席したので、安保理はアメリカ主導で機能した）、米軍中心の国連軍が派遣されました。他方、ソ連と中華人民共和国は北朝鮮を支援し、中国は「義勇軍」を派遣してアメリカと直接交戦しました。のち板門店で**朝鮮休戦協定**（1953）が結ばれ、南北分断が固定化されました。この情勢下、アメリカは**日米安全保障条約**（1951）を結び、また韓国・台湾と相互防衛条約を結んで（1953・1954）東アジアでの反共軍事同盟を強化しました。

⑤ 東南アジアの独立とインドシナ戦争

東南アジアでは、第二次世界大戦中に日本軍の占領と軍政に対する抗日運動が高まり、戦後には独立の傾向を強め、欧米による植民地支配が動揺しました。**ビルマ（ミャンマー）**はアウン＝サンの指導でイギリスから独立し（1948）、**フィリピン**はアメリカから独立しました（1946）。**インドネシア**では、第二次世界大戦中に日本軍に協力してオランダからの独立運動を進めた**スカルノ**が、戦後に大統領となって独立を宣言しました（1945、独立承認は1949年）。

ベトナムでは、第二次世界大戦中に仏領インドシナに進駐した日本軍と戦った**ホー＝チ＝ミン**が、戦後に**ベトナム民主共和国**の建国を宣言し（1945）、共産主義国としての独立をめざしました。しかしフランスはこれを認めず武力介入し、**インドシナ戦争**（1946～54）が始まります。ディエンビエンフーの戦い（1954）でフランスが大敗すると、**ジュネーヴ国際会議**で**ジュネーヴ休戦協定**が調印され（1954）、**北緯17度線**を境に**北ベトナム**（ベトナム民主共和国、共産主義）と**南ベトナム**（ベトナム国［のちベトナム共和国］、資本主義）が並存しました（1953年独立のラオスとカンボジアについてもジュネーヴ国際会議で承認）。冷戦が激化するなかで共産主義の拡大を恐れるアメリカは、ジュネーヴ休戦協定の調印を拒否して南ベトナムを支援しました。

⑥ 南アジアの独立

インドは、第二次世界大戦中から**ガンディー**や**ネルー**が率いる**国民会議派**（ヒンドゥー教徒中心）がイギリスからの即時独立を要求しました。しかし、ガンディーは統一インドでの独立を主張したのに対し、**ジンナー**を指導者とする**全インド＝ムスリム連盟**はイスラーム国家パキスタンの分離・独立を求めました。戦後、イギリスは**インド**（初代首相ネルー）と**パキスタン**（初代総督ジンナー）の分離・独立を認めましたが（1947）、インドのイスラーム教徒がパキスタンへ、パキスタンのヒンドゥー教徒がインドへ、という住民の大量移動が生じました。そして、宗教的融和を説いた「独立の父」ガンディーは、ムスリムとの妥協に反発するヒンドゥー教徒に暗殺されました（1948）。また、セイロン（のちスリランカ）はイギリスから独立しました（1948）。

⑦ アラブ諸国と中東戦争

中東では、第二次世界大戦前から大戦後にかけて独立したエジプト・シリア・レバノン・イラク・ヨルダン・イエメン・サウジアラビアのアラブ諸国が（「アラブ人」はアラビア語を使い、イスラーム教徒であることが多い）、協力と連帯を目的とする**アラブ連盟**を結成しました（1945）。

そして、現在も続く**パレスチナ問題**が生じました。パレスチナは７世紀以降に**アラブ人**が征服しましたが、元来イスラーム教徒は宗教的に寛容で、この地ではイスラーム教徒・キリスト教徒・ユダヤ教徒などが共存していました（16世紀にはオスマン帝国領となり、20世紀初めの第一次世界大戦後はイギリスの委任統治領に）。一方、19世紀末のヨーロッパでは、迫害された**ユダヤ人**（「ユダヤ人」はユダヤ教を信仰する人々）の間で、ナショナリズムにもとづく民族意識の高まりから、ユダヤ人国家の建設をめざして故郷パレスチナへ帰還する運動が起こったのです（**シオニズム**）。そして、20世紀になってヨーロッパからパレスチナへ移り住んできたユダヤ人は、現地のアラブ人の排除を試みたので、土地をめぐる対立が激しくなりました。

戦後、パレスチナ処理の舞台は委任統治をおこなっていたイギリスから国際連合に移り、パレスチナをユダヤ人国家とアラブ人国家に分割する案（**パレスチナ分割案**）が決議（1947）されましたが、人口で３分の１のユダヤ人にパレスチナの半分強の土地を割り当てるなどの内容は、パレスチナ人（パレスチナのアラブ人）が承服できないものでした。そして、ユダヤ人がシオニズムにもとづき**イスラエル**の建国を宣言すると（1948）、アラブ連盟はこれに反対して**第１次中東戦争**（パレスチナ戦争　1948）が勃発し、イスラエルが勝利しました（ユダヤ系移民が多いアメリカは基本的に親イスラエルの立場をとり、イスラエルは優勢を保ちます）。パレスチナの約80％がイスラエル支配下となり、大勢のアラブ人がパレスチナから追われました（**パレスチナ難民**）。

国際社会への復帰
（昭和時代中期）

年代	内閣	政治	外交
1950年代	吉田③④⑤	**1 サンフランシスコ講和と独立**	
		警察予備隊の設置→再軍備開始 レッド＝パージ 公職追放の解除 破壊活動防止法　保安隊・自衛隊 米軍基地反対闘争　原水爆禁止運動	**①朝鮮戦争と日本の独立** 朝鮮戦争の勃発→単独講和へ サンフランシスコ平和条約〔吉田③〕 日米安全保障条約→米軍の駐留 **②日米安保体制と「逆コース」** ＭＳＡ協定 第五福竜丸事件
	鳩山(一)	**2 55年体制の成立** **①吉田長期政権の崩壊** 〔第５次吉田茂〕～自由党 **②55年体制** 〔鳩山一郎〕～日本民主党 鳩山首相が改憲・再軍備を掲げる 社会党が改憲阻止の議席を確保 自由民主党の結成（保守合同）	**③ソ連との国交回復** 日ソ共同宣言〔鳩山(一)〕 →国際連合へ加盟
	石橋	〔石橋湛山〕～自由民主党	
	岸	**3 保守長期政権と戦後の外交** 〔岸信介〕	**①安保条約の改定**
1960年代		安保改定への反対→60年安保闘争	日米相互協力及び安全保障条約〔岸〕
	池田	**②経済政策優先への転換** 〔池田勇人〕 国民所得倍増計画 東京オリンピック	
	佐藤	〔佐藤栄作〕	**③ベトナム戦争と日米関係の強化** 日韓基本条約〔佐藤〕 小笠原諸島の返還 沖縄返還協定〔佐藤〕→米軍基地の存続
1970年代	田中(角)	〔田中角栄〕 「列島改造」　第1次オイル＝ショック	**④中国との国交正常化** 日中共同声明〔田中(角)〕 →台湾と断交
	三木	〔三木武夫〕 ロッキード事件	第１回先進国首脳会議〔三木〕
	福田(赳)	〔福田赳夫〕	日中平和友好条約〔福田(赳)〕

第29章のテーマ

戦後（1950年代～70年代）の外交を中心に、国内政治も見ます。

(1)　**朝鮮戦争**の勃発後、**サンフランシスコ平和条約**で独立した日本は西側の一員となり、**日米安全保障条約**で日米の防衛協力が強まりました。

(2)　憲法問題を機に、自由民主党が単独与党の**55年体制**が成立しました。

(3)　サンフランシスコ講和会議で残された外交上の課題（ソ連との国交、韓国との国交、中国との国交）が解決されていきました。

1 サンフランシスコ講和と独立（1950年代前半）

ＧＨＱによる占領下にあった日本は、**1950年**に始まった**朝鮮戦争**（1950～53）をきっかけに、独立に向けて大きく舵を切りました。朝鮮戦争がアメリカの日本に対する姿勢にどのような影響を与えたのか、そのことが1950年代の日本の歩みをどのようなものに変えていったのか、見ていきましょう。

① 朝鮮戦争と日本の独立

なんで朝鮮戦争が起こったんだろう？

朝鮮半島は南北に分断されたよね→第28章。そして、**北朝鮮**（朝鮮民主主義人民共和国）が南北統一をめざし、北緯38度線を越えて南へ侵攻したんだ。そして、**韓国**（大韓民国）を占領していった。

たしか、北朝鮮は社会主義陣営の「東側」で、韓国は資本主義陣営の「西側」だったよね。**冷戦**で対立する国どうしの戦争だから、ソ連やアメリカが介入するんじゃないかな。

その通り。国際連合の安全保障理事会が北朝鮮への武力制裁を決定し、それに応じて**アメリカ**を中心とする国連軍が介入し、韓国軍を支援して北朝鮮軍を押し返した。ところが、国連軍は北緯38度線を越えて中華人民共和国・北朝鮮の国境付近まで追撃したんだ。

もとの状態に戻すだけじゃなくて、北朝鮮を占領しちゃったんだね。中華人民共和国は「東側」だから、「西側」の韓国と国境を接することになるのはイヤじゃないのかな。

だから、**中華人民共和国**は人民義勇軍を参戦させたんだ。そして、ソ連も北朝鮮を支援し、北朝鮮軍は北緯38度線まで戦線を戻した。のち、板門店(はんもんてん)で会議が開かれ、1953年に休戦協定が調印されたよ。

冷戦が「熱戦」になっちゃった感じだね。朝鮮半島に近い日本にも、大きな影響があっただろうなぁ。

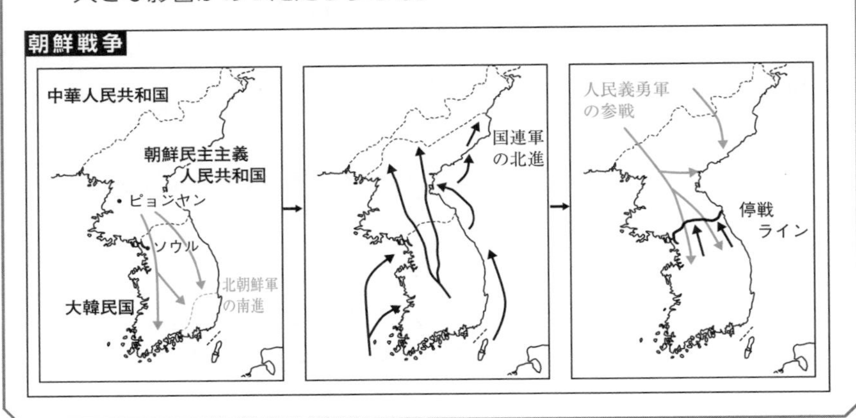

(1) 朝鮮戦争をきっかけに警察予備隊が作られ、レッド＝パージが始まった

朝鮮戦争が始まると（1950）、ＧＨＱは〔**第３次吉田茂内閣**〕に対し、朝鮮戦争への対応を迫りました。

すでに、冷戦が激化して占領政策の転換が進むなか、労働運動とそれを指導する共産党が抑圧され（下山事件・三鷹事件・松川事件→第28章）、ＧＨＱが共産党幹部の公職追放を指令しました。そして、朝鮮戦争の開始後、共産党員や共産党支持者もマスコミ・企業・官公庁から追放する**レッド＝パージ**が進行しました。アメリカの意向で、日本は国内の共産主義を排除したのです。

そして、ＧＨＱの指令で**警察予備隊**（1950）が創設されました。日本を占領していたアメリカ軍が朝鮮半島に出撃したので、その軍事的な空白を日本が埋めて国内治安体制を補う、という目的がありました。こうして、日本は朝鮮戦争をきっかけに再軍備を開始し、のちに自衛隊が発足する流れが作られていきました。また、**公職追放の解除**が進められ→第28章、戦前の議会政治家が政界へ復帰するとともに、旧軍人が警察予備隊に採用されました。

さらに、ＧＨＱの支援のもと、反共産主義の労働組合である日本労働組合総評議会（**総評**）が結成されました。

一方、**特需景気**と呼ばれる好景気が生まれ→第30章、日本経済はドッジ＝ラインによるデフレ不況を克服しました。

(2) 西側とだけ講和を結ぶ単独講和が進められる一方、全面講和論も生じた

占領という形でアメリカ軍が日本にいたからこそ、アメリカは朝鮮戦争にすばやく介入できました。アメリカは東アジア国際戦略における日本の重要性を認識し、アメリカ軍が日本に駐留し続けるため、一刻も早く講和を結んで日本を独立させ、西側陣営へ編入することを画策したのです。

日本国内の世論は、講和のあり方をめぐって分裂しました。〔**第3次吉田茂内閣**〕は、アメリカ中心の「西側」（資本主義陣営）とのみ講和を結ぶ**単独講和**を進めました。吉田首相は、アメリカ軍の駐留を受け入れれば日本の軍備負担が少なくなり、経済の復興に集中できると考えたのです。これに対し、ソ連などの「東側」（社会主義陣営）を含むすべての交戦国と講和すべきだという**全面講和論**を日本社会党・日本共産党や労働組合が支持し、東京大学総長の南原繁らが全面講和論を展開しました。ただし、講和をめぐって日本社会党が**左派**（全面講和論を主張）と**右派**（単独講和論を主張）とに分裂しました。

(3) サンフランシスコ講和会議では、「東側」との国交正常化は見送られた

敗戦から6年、やっと講和の道が開かれました。**サンフランシスコ講和会議**（1951）では吉田首相みずからが全権の一人となり、52カ国が会議に参加しましたが、日中戦争の交戦国であった中国、つまり**中華人民共和国**・**中華民国**（**台湾**）は最初から会議に招待されず、インドやビルマ（ミャンマー）などは会議に招待されましたが参加を拒否しました（のち日本は「西側」の中華民国［台湾］と**日華平和条約**を結び［1952］、インドやビルマとも個別に平和条約を結んだ）。そして、48カ国と日本が**サンフランシスコ平和条約**に調印し（1951.9、発効は1952.4）、日本は独立を達成しました。ただし、**ソ連**や一部の東欧諸国は会議に参加したものの条約の調印を拒否しました。

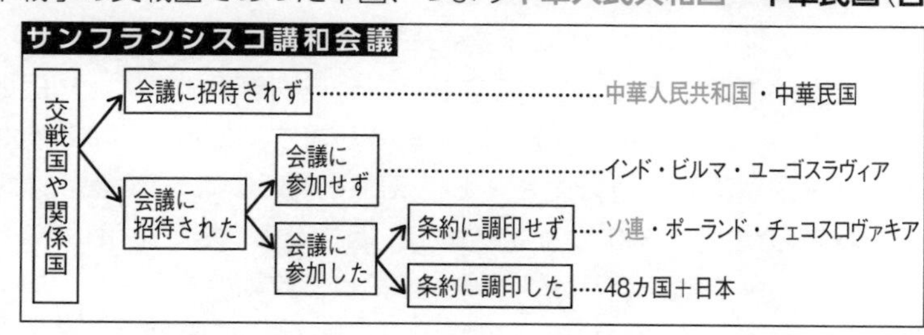

また、敗戦国の日本にとっては、賠償問題が重要でした。しかし、サンフランシスコ平和条約では日本の賠償義務を規定したものの、それは役務（サービス）を提供する形でおこなうとされ、巨額の賠償金の支払いなどは課せられませんでした。そして、多くの条約調印国は、日本への賠償請求権を放棄しました。とはいえ、かつて太平洋戦争で日本軍が占領した東南アジア4カ国に関し

ては、日本との間で賠償協定が結ばれることになりました。

(4) 平和条約で、日本の北方・南方の領土にさまざまな限定が加えられた

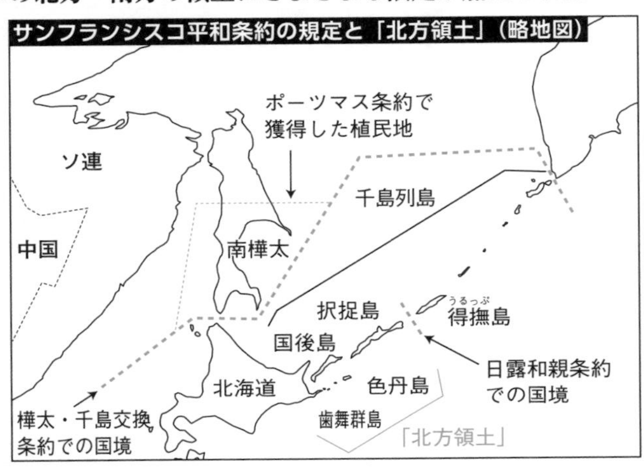

サンフランシスコ平和条約では、領土に関する規定が重要です。日本は**朝鮮**の独立を承認し、**台湾・澎湖諸島**(日清戦争で獲得)を放棄しました。さらに、**南樺太**(日露戦争で獲得)・**千島列島**を放棄しました。これらの規定に、カイロ宣言・ヤルタ協定の内容が含まれていることを確認しましょう→第27章。

問題は、千島列島の扱いです。千島列島は、日本が戦争などで獲得した植民地とは異なり、日露和親条約→第19章や樺太・千島交換条約→第20章で日本の領土となった土地です。ポツダム宣言の受諾は→第27章、植民地の放棄による領土の限定を受け入れるということですから、千島列島の放棄は、植民地ではない日本の領土が一方的に奪われることを意味します。のち、日本政府は、国後島・択捉島・歯舞群島・色丹島を「平和条約で放棄した千島列島には含まれない、日本固有の領土」、つまり「**北方領土**」として領有権を主張しました。

また、太平洋戦争でアメリカ軍が占領し、敗戦後もアメリカ軍による軍政がおこなわれていた**南西諸島**(**沖縄**)・**小笠原諸島**は→第28章、アメリカによる**信託統治**領になるよう、アメリカが国際連合へ提案することが決められました(信託統治とは、国際連合の依頼により統治すること)。しかし、実際にはアメリカはこの提案をおこなわず、アメリカによる沖縄への直接施政が続くことになりました。サンフランシスコ平和条約によって日本が独立を達成しても、沖縄は日本へ戻ってこなかったのです。奄美諸島については、日本が独立した直後に日本へ返還されました(1953)。

(5) 平和条約とともに日米安全保障条約が結ばれ、日米の軍事協力が進んだ

サンフランシスコ平和条約には、もう一つ、重要な取り決めがありました。それは、日本の独立後に占領軍は撤退するが、外国軍の駐留は「**協定**」で認め

られる、というものです。この「**協定**」こそが、サンフランシスコ平和条約と同じ日に調印された、アメリカ軍の日本駐留を定めた**日米安全保障条約**（**安保条約**）（1951）なのです。

安保条約は、日本が一方的に負う義務が多い、片務的な内容でした。まず、アメリカは日本のどこにでもアメリカ軍の配備を要求できる権利を持ちました。そして、その駐留は日本の安全に加えて「**極東の平和と安全**」も保つためだとされ（「**極東**」は安保条約の重要ワード！）、日本の「**内乱及び騒じょう**」にも出動できるとしました（アメリカによる内政干渉の可能性がある）。何よりも、アメリカ軍は日本の防衛に「**寄与するために使用することができる**」として、アメリカが日本を防衛する義務を規定しなかったのです。条約の期限も明記しませんでした（条約の継続・破棄の判断をおこなう機会がない）。

安保条約にもとづき、細目を規定した**日米行政協定**（1952）が結ばれました。日本はアメリカ軍に基地（施設・区域）を提供し、駐留費用を分担し、在日アメリカ軍の実質的な治外法権を認めました（アメリカ軍人の犯罪はアメリカ軍の裁判権が優先される、など）。これが、のちの日米地位協定に継承され、現在も続く在日アメリカ軍基地の問題につながるのです。

② 日米安保体制と「逆コース」

1952年に独立を回復すると、日本では平和条約や安保条約に対応した国内体制の整備が進められました。冷戦が展開するなかで、アメリカは日本にさまざまな要求をおこない、〔**第3～5次吉田茂内閣**〕はその要求に応じ続けたのです。なかには非軍事化・民主化に逆行する（戦前に戻った状態になる）ものもあり、こういった政治のあり方は、当時「**逆コース**」と呼ばれました。

(1) 治安体制の強化がはかられ、破壊活動防止法が制定された

平和条約が発効して独立を回復した直後のメーデー（5月1日の労働者の祭典）で、デモ隊が皇居前広場に突入して警官隊と衝突した**メーデー事件**（血のメーデー事件）が発生しました。これがきっかけとなり、暴力主義的な政治活動をおこなう団体の規制・解散を定めた**破壊活動防止法**（破防法）（1952）が制定されました。さらに、警察法の改正で自治体警察が廃止され→第28章、警察庁が指揮する都道府県警察に一本化されて中央集権化が進みました。こうした治安体制の強化により、労働運動や社会運動は抑圧されました。

また、教育統制も強化され、のち〔**鳩山一郎内閣**〕のもとで**教育委員**は地域住民による**公選制から**自治体首長による**任命制へ**変更しました（1956）。

IV 近代・現代

(2) 防衛体制が強化され、警察予備隊は保安隊に、さらに自衛隊になった

日米安全保障条約は、軍事面での日米接近をもたらしました。アメリカの日本に対する再軍備要求はさらに強まり、日本の独立後に警察予備隊が組織変更されて**保安隊**（1952）が発足しました。さらに、アメリカの軍事的・経済的な援助と引きかえに、日本が防衛力を増強する義務を負うという**ＭＳＡ協定**（1954）が結ばれると、保安隊が組織変更されて**自衛隊**（1954）が発足し、**防衛庁**が設置されました。自衛隊は文民統制の形をとっています（最高指揮権は首相が持ち、防衛庁長官は武官からは選ばれない）。

(3) アメリカ軍基地への反対闘争や、原水爆禁止運動が高まった

こうした「逆コース」政策に対し、「護憲・平和」を唱える革新勢力（左派社会党・右派社会党・共産党・総評など）は批判を強めました。安保条約によってアメリカ軍基地が整備・拡張された1950年代には、地域住民と革新勢力が協力し、石川県の**内灘事件**や東京都の**砂川事件**などの基地反対闘争がくり広げられました。

さらに、太平洋地域でおこなわれたアメリカの水爆実験で→第28章、マグロ漁船の**第五福竜丸**が被爆するという事件が発生すると（1954）、**原水爆禁止運動**が全国へ広がりました。そして、第１回原水爆禁止世界大会が**広島**で開催されました（1955）。その一方で、原子力の「平和利用」がうたわれて原子力基本法が制定され、茨城県東海村に原子力研究所が設立されると、1960年代には**原子力発電所**が稼働し始めました。

2 55年体制の成立（1950年代半ば）

55年体制とは、1955年から1993年まで続いた、戦後の日本政治の基本的な枠組みのことで、**自由民主党**を単独与党とする保守政権が継続した政治状況のことを指します。それが、どのように形成されたのかを見ていきましょう。

年表

内閣	年	事項
〔吉田③④⑤〕	1950	**朝鮮戦争**開始→**警察予備隊**
		レッド＝パージ
	1951	**サンフランシスコ平和条約**
		日米安全保障条約
	1952	日本の独立→**保安隊**
		破壊活動防止法
	1954	ＭＳＡ協定→**自衛隊**
〔鳩山一郎〕	1955	総選挙で社会党が３分の１超え
		自由民主党　※**55年体制**
	1956	**日ソ共同宣言**→**国際連合加盟**
〔石橋〕		

① 吉田長期政権の崩壊

吉田茂を首相とする**自由党**内閣が長期化し、政界では吉田の強権的な政治運営に対する反発が強まり、国民の批判も増していきました。そして、**〔第５次**

吉田茂内閣〕のときに、造船業界と自由党幹部が関係する**造船疑獄事件**が発生しました。公職追放の解除で、もと日本自由党の党首だった**鳩山一郎**がすでに政界に復帰していましたが→第28章、鳩山は吉田との対抗姿勢を強め、鳩山のもとに反吉田勢力が結集して自由党から脱党しました。そして、もと日本進歩党・民主党系の政党に合流して、**日本民主党**が結成されました→第28章。政権運営が困難となって内閣は総辞職し、保守勢力のなかで与党が交代して、日本民主党を与党とする〔**鳩山一郎内閣**〕が成立しました（1954）。

② 55年体制

鳩山首相は、「自主憲法制定（**改憲**）・再軍備」の方針を掲げました。これは、日本国憲法がＧＨＱ案をもとにしていることを口実に→第28章、「日本人の手で新しい憲法を作る（憲法を改正する）」という主張でした。これに対し、**左派社会党**と**右派社会党**は「憲法改正反対（**護憲**）・再軍備反対（平和）」を唱えて鳩山首相と対立し、国民の支持を広げていきました。

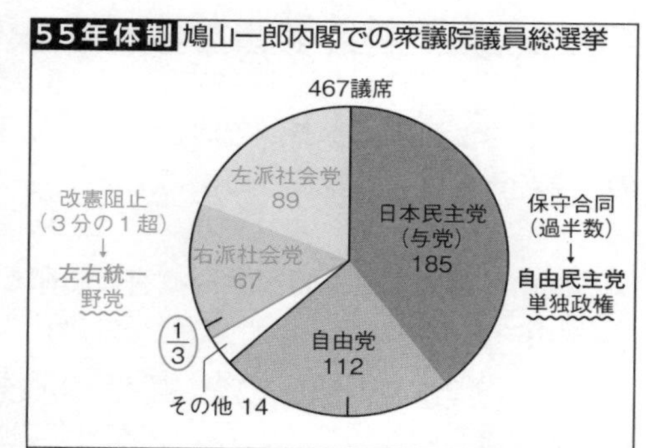

そして、衆議院の解散総選挙がおこなわれると（1955）、議席を伸ばした左右社会党は、**改憲の阻止**に必要な**３分の１の議席**を確保しました。憲法改正の発議には、衆議院・参議院の両院で議員の３分の２以上の賛成が必要なので、この時点で反対が３分の１以上となり、改正発議はできなくなりました。

一方、少数与党だった**日本民主党**も議席を伸ばしましたが、過半数には達しませんでした。社会党の勢力拡大に危機感を持った保守勢力は、日本民主党と**自由党**との**保守合同**を進め、過半数の議席数を抑えて優位となりました。

その後、日本社会党は**左右統一**を果たし、日本民主党と自由党は合流して**自由民主党**を結成しました（1955）。鳩山一郎は初めての自由民主党総裁となり（「政党の変遷」図を見ましょう→第28章）、〔**鳩山一郎内閣**〕の与党は日本民主党から自由民主党に変わりました。こうして、保守の自由民主党が過半数を確保して単独与党となり、革新の日本社会党を中心とする野党が３分の１を維持して対抗する、**55年体制**が成立したのです。この政治状況は、〔**石橋湛山内閣**〕を経て（**石橋湛山**は雑誌『東洋経済新報』で活躍し→第24章、戦後は政治家に転身）、1993年に〔**宮沢喜一内閣**〕が総辞職するまで続きました→第30章。

③ ソ連との国交回復

(1) 1950年代の世界は、冷戦が緩み、アジア・アフリカの影響力が強まった

1950年代は、アメリカ・ソ連による核兵器の開発競争が高まるなか→第28章、冷戦による東西対立が緩和される「**雪どけ**」が進みました。1953年、朝鮮戦争の休戦協定が結ばれ、また冷戦構造を作り上げたソ連の指導者スターリンが死去しました。その後、米・英・仏・ソによるジュネーブ四巨頭会談やソ連による「東西の平和共存」表明など、ソ連の歩み寄りが見られました。

第二次世界大戦後にアジア・アフリカ諸国の独立が進むと、東西両陣営のどちらとも距離を置く「**第三勢力**」が国際社会のなかで影響力を持ち始めました。中国・インドを中心に新興独立国が参加した**アジア＝アフリカ会議**（1955）がインドネシアの**バンドン**で開かれ、反植民地主義・民族主権・平和共存などの「平和十原則」が採択されました。

(2) 鳩山一郎内閣は、日ソ共同宣言に調印し、国際連合への加盟を実現した

〔**鳩山一郎内閣**〕は、これまでアメリカ一辺倒だった吉田外交を批判し、「自主外交」の方針を掲げてソ連との関係改善をめざしました。「雪どけ」の広がりによる冷戦の緩和もあって、**日ソ共同宣言**（1956）が調印され、日ソ間の戦争状態が終了して国交が回復しました。そして、ソ連が日本の国際連合加盟を支持したため、日本は**国際連合への加盟**を実現しました（1956）。

ただし、共同宣言の規定では日ソ間で平和条約を結んだ後に**歯舞群島・色丹島**が引き渡されるとされ、平和条約を締結しないかぎりはソ連（現在のロシア）との間で「北方領土」問題は解決しないことになったのです。

3 保守長期政権と戦後の外交（1950年代後半～70年代）

1950年代後半からは、**自由民主党**が単独与党となる内閣が続きました（**55年体制**）。そして、重要な条約が諸外国との間で結ばれていきました。内閣の移りかわりと、アメリカの動向の変化に注目し、戦後外交史の重要ポイントをおさえていきましょう。

1950年代～70年代の内閣 カッコ内は与党

吉田茂③④⑤	鳩山一郎	石橋湛山	岸信介	池田勇人	佐藤栄作	田中角栄	三木武夫	福田赳夫
（自由党）	（日本民主党→自由民主党）	（自由民主党）	（自由民主党）	（自由民主党）	（自由民主党）	（自由民主党）	（自由民主党）	（自由民主党）

55年体制

① 安保条約の改定（1950年代末～60年代初め）

〔**岸信介内閣**〕が成立すると、**岸信介**首相は「日米新時代」を唱え、アメリカと対等な立場になるために日米安全保障条約の改定をめざし、**日米相互協力及び安全保障条約**（**新安保条約**）（1960）に調印しました。

(1) 岸信介内閣は安保条約を改定し、アメリカとの軍事的な協力関係を深めた

旧安保条約との違いに注目しましょう。岸首相の狙いは、安保条約を「片務的から双務的に」することであり、アメリカの日本防衛義務が明記されました。さらに、日本側も条約運用のイニシアチブを持つため、在日アメリカ軍の軍事行動に関する日米の**事前協議**を導入し、条約の期間を**10年間**と定めて10年後の条約廃棄を可能にしました（10年後に廃棄の通告がなければ**自動延長**になる）。また、旧安保条約の日米行政協定を受け継いだ日米地位協定も結ばれました。こうして、軍事面での日米協力関係が強化されたのです。

そして、新安保条約には、日本や在日アメリカ軍基地への攻撃に対する日米の**共同行動**も規定されました。

日米安全保障条約「極東」・日本の安全のために米軍駐留を認める

●旧安保条約（1951）	●新安保条約（1960）
アメリカの日本防衛義務なし 在日米軍が日本の内乱鎮圧に出動 条約の期限は明記されていない	アメリカの日本防衛義務を明記 (内乱鎮圧に関する条項を削除) 条約の期限は10年、以後は自動延長 在日米軍の活動に対する事前協議 攻撃に対する日米の共同行動

これにより、アメリカの軍事戦略に日本が巻き込まれる可能性があることから、革新勢力（社会党・共産党や労働組合）や市民団体・学生団体が結集して**安保改定阻止国民会議**を組織し、安保改定に反対しました。

(2) 新安保条約を批准する過程で、60年安保闘争の気運が高まった

安保条約の改定に反対する**60年安保闘争**（**安保闘争**）が激化した原因は、革新勢力と全面的に対決する、岸首相の強引な政治手法にありました。

近代的な条約は、【全権による調印→国会での批准→条約の発効】というプロセスを経て効力を持つのですが、新安保条約を批准するとき、政府・与党は警官隊を国会に導入して反対議員を排除するといった非民主的な手法を使い、**衆議院で強行採決**しました。これにより、「安保改定反対」を掲げていた運動は、「民主主義擁護・岸内閣打倒」を掲げた運動へと転じ、国会を包囲するデモが高揚しました。結局、参議院では審議されず、新安保条約は30日後に**自然成立**しました（衆議院の優越により、参議院で審議・採決しなくても、30

日後には衆議院の議決が国会の議決になります)。そして、日本国内を騒然とさせたことで与党内でも批判が高まり、内閣は総辞職しました。

② 経済政策優先への転換(1960年代前半)

〔池田勇人内閣〕が成立すると、**池田勇人**首相は「**寛容と忍耐**」をスローガンに、60年安保闘争に見られた革新勢力との対決を避けようとしました。そして、経済政策に重点を移し、**高度経済成長**を促進していきました。

年表

〔岸〕	1960	日米相互協力及び安全保障条約
		60年安保闘争
〔池田〕	1960	国民所得倍増計画
	1961	農業基本法
	1964	東海道新幹線・**東京オリンピック**
〔佐藤〕	1965	日韓基本条約
	1968	小笠原の返還
	1971	沖縄返還協定

(1) 池田勇人内閣は経済政策を重視し、国民所得倍増計画を打ち出した

〔池田内閣〕の経済政策では、まず「10年間で国民総生産(GNP)と1人あたり国民所得を2倍にする」という**国民所得倍増計画**(1960)を発表しました。また、立ち遅れている農業と工業・サービス業との格差を是正するため、農家の自立経営を促進する**農業基本法**(1961)を制定しました→第30章。さらに、**東海道新幹線**(1964)が東京・新大阪間に開通し、**東京オリンピック**(1964)も開催されました→第30章。

貿易・金融では、開放経済体制への移行をはかりました→第30章。さまざまな分野で自由化を進め、世界のなかで自由競争に乗り出すことになったのです。具体的には、**GATT11条国への移行**(1963)による貿易の自由化に加え、**IMF8条国への移行**(1964)による為替の自由化や、**OECDへの加盟**(1964)による資本の自由化を進めました。そのほか、社会主義国である中華人民共和国との間で、LT貿易と呼ばれる準政府間貿易も始めました。

(2) 1960年代には、野党の多党化という政治状況が見られた

1960年代以降、**野党の多党化**が進みました。社会党の右派は、安保改定をめぐる路線の対立で社会党を脱して民主社会党(のち民社党)を結成しました。また、創価学会を基盤に公明党が結成され、共産党が議席を伸ばしました。

③ ベトナム戦争と日米関係の強化(1960年代後半~70年代初め)

インドシナ半島のベトナムにおける**ベトナム戦争**に対し、**1965年**にアメリカが軍事介入すると(1965~73)、当時の日本の歩みに影響が及びました。

⑴ 1960年代の世界は、中ソ対立が表面化し、ベトナム戦争が本格化した

1960年代になると、それまで続いていたアメリカ・ソ連を中心とする核兵器開発競争に歯止めがかかりました。核ミサイル配備をめぐり核戦争の寸前となったキューバ危機（1962）を機に、核実験が制限され、さらに核兵器の他国への供与などを禁止した核兵器拡散防止条約（1968）が結ばれました。

また、「東側」（社会主義陣営）のなかに亀裂が走りました。**中ソ対立**です。社会主義の路線や冷戦のあり方をめぐって、中華人民共和国がソ連との敵対関係を強めていき、中・ソ間での国境紛争も発生しました。

一方、独立を果たしたアジア・アフリカ諸国が国際連合へ加盟していくと、これらの国々が国際社会のなかで存在感を増していきました。

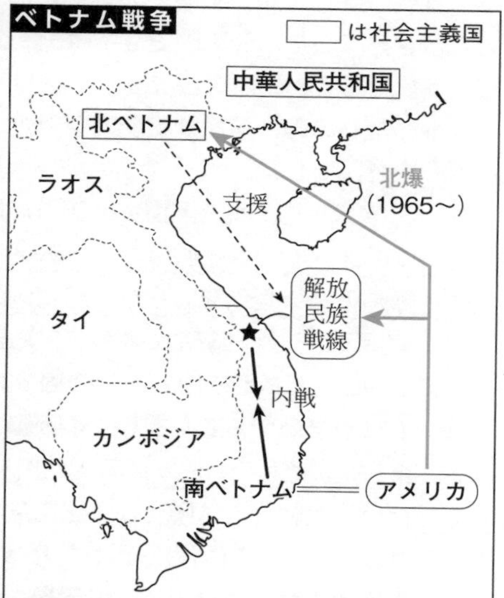

ベトナムと日本との関係は、ちょっとイメージしにくいけれど……。

ベトナムは、フランス領インドシナ（仏印）の一部だった場所だよ。

日中戦争が続くなかで、日本軍が北部仏印進駐や南部仏印進駐を実行し、太平洋戦争に至る、という流れだったね→第27章。

そして、敗戦で日本軍が撤退すると、ベトナムは独立を果たして社会主義政権が成立した。そして、独立をめぐる、もと宗主国のフランスとの戦争を経て、1960年代には社会主義国の北ベトナムと資本主義国の南ベトナムとに分かれて対立する状態だったんだ。

ここでも**冷戦**だ！　とすると、ベトナム戦争は、アメリカが南ベトナムを助けて北ベトナムを攻撃する、という感じになるのかな。

それでOK。アメリカは以前から南ベトナム政府を支えていたけれど、南ベトナムは反政府組織（南ベトナム解放民族戦線）との内戦が激化して動揺していた。

ベトナム戦争

□ は社会主義国
中華人民共和国
北ベトナム
ラオス
支援
北爆
(1965～)
解放民族戦線
タイ
内戦
カンボジア
南ベトナム
アメリカ

南ベトナムがなくなったら、ベトナム全体が社会主義になりそうだし、アメリカはそれを恐れたんだね。

だから、1965年、アメリカは北ベトナムへの爆撃（北爆）を開始し、全面戦争に発展したんだ。

ベトナムは日本から遠いけれど、アメリカが戦争に関わっているから、日本へも影響しただろうね。

(2) ベトナム戦争は日韓の国交正常化交渉を促進し、日韓基本条約が結ばれた

韓国との国交樹立を実現したのは、〔**佐藤栄作内閣**〕です。実は、サンフランシスコ平和条約（1951）で日本が朝鮮の独立を承認した時点では、国交樹立ができませんでした。交戦国でない韓国・北朝鮮は講和会議に招かれなかったからです。そして、日本の独立後、アメリカの影響下で「西側」の韓国とのみ交渉を進めたものの、植民地支配の事後処理や漁業権などが問題化し、国交樹立に至りませんでした。

しかし、アメリカの**北爆開始**（1965）によって、事態は急展開しました。社会主義国の北ベトナムと戦うため、アメリカはアジアの反共（資本主義・自由主義）陣営の結束強化をはかり、日韓両国に交渉を促進するよう働きかけたのです。こうして、**日韓基本条約**（1965）が調印されました。条約では、1910年以前に「**大日本帝国と大韓帝国との間で締結されたすべての条約及び協定は、もはや無効である**」として→第22章、植民地支配が完全に終わったことを確認しました。そして、日本は韓国政府を「**朝鮮にある唯一の合法的な政府**」と認めたため、北朝鮮とは国交が不正常な状態が現在も続いています。

国内では、ベトナム特需の影響も加わって、1960年代後半に**いざなぎ景気**と呼ばれる好景気が生まれました→第30章。

(3) ベトナム戦争は日米の沖縄返還交渉を促進し、沖縄返還協定が結ばれた

沖縄返還を実現したのも、〔**佐藤栄作内閣**〕です。太平洋戦争の沖縄戦（1945）でアメリカ軍が占領して以来、沖縄は常にアメリカ軍の影響下にありました。敗戦後の沖縄はアメリカの直接軍政のもとに置かれ→第28章、サンフランシスコ平和条約が発効（1952）したあともアメリカの施政権下に置かれて、アメリカ軍基地が住民の生活圏に存在する状態は続きました。

1960年代に始まった、住民が主体となって沖縄返還などを求める**祖国復帰運動**は、アメリカの**北爆開始**（1965）によって、さらに高揚しました。沖縄がアメリカ軍の出撃基地となり、アメリカ軍による基地用地の強制接収が進んだり、アメリカ兵の犯罪が増加したことで、基地に反対する闘争も加わったからです。こうなると、アメリカはベトナム戦争を継続する（つまり沖縄のアメリカ軍基地を使い続ける）ためにも、沖縄返還に応じることで住民感情をやわらげる必要が出てきました。

一方、日本政府にとっての懸念は、沖縄のアメリカ軍基地に持ち込まれていた核兵器の存在でした。このまま沖縄返還になると、日本国内に核兵器が存在してしまうことになりますから、世論に配慮して**非核三原則**「もたず、つくらず、もち込ませず」を表明し、アメリカ政府との交渉にあたりました。

そして、まず**小笠原諸島が返還**（1968）され、次に**沖縄返還協定**（1971）が調印されて、**沖縄の日本復帰**（1972）が実現しました。しかし、協定には新安保条約の沖縄への適用が規定され、沖縄のアメリカ軍基地はその後も使用されることになりました（現在もアメリカ軍専用施設の約75%が沖縄に集中）。

④ 中国との国交正常化（1970年代）

1970年代、アメリカが「東側」の中華人民共和国との関係を改善する**米中接近**に踏み出したことは、1970年代の日本の歩みに影響を与えました。

(1) ニクソン米大統領が訪中し、中華人民共和国との敵対関係を終了した

まず、全体状況として、1960年代から続く**中ソ対立**がありました。中華人民共和国がソ連を離れてアメリカに接近する条件が生まれていたのです。

1970年代に入ると、国際連合の総会決議で中華人民共和国が国連代表権を獲得し、中華民国（台湾）が国際連合から追放されました。国際社会は中華人民共和国を正式な中国だと認めるようになり、中華人民共和国は国連安全保障理事会の常任理事国として、世界の大国の一つとなったのです。

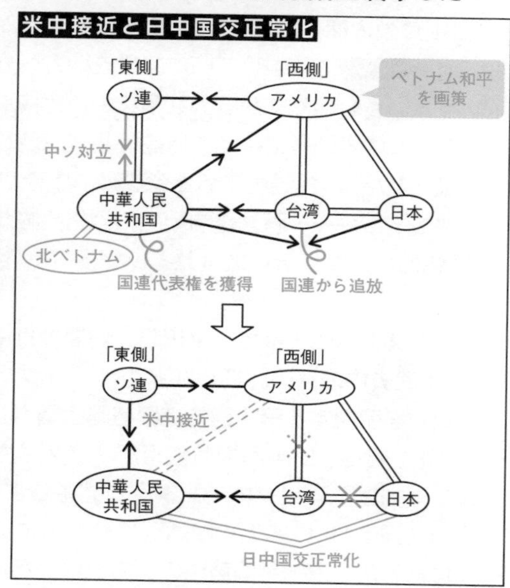

一方、ベトナム戦争が泥沼化したアメリカは、北ベトナムを支援していた中

華人民共和国に接近することで、中華人民共和国を介して北ベトナムとの和平を引き出そうとしました（のちベトナム和平協定でアメリカはベトナムから撤退し、最終的に北ベトナムがベトナムを統一）。

機は熟しました。アメリカの**ニクソン大統領が訪中**し（1972）、これまでの中華人民共和国との敵対関係を終了しました（米中の国交正常化は1979年）。そして、アメリカに合わせて中華人民共和国に対する敵視政策をおこなってきた〔**佐藤栄作内閣**〕は、ここで総辞職しました。

(2) 田中角栄内閣は、日中共同声明で国交正常化を達成した

年表

〔田中角栄〕	1972	日中共同声明
	1973	第1次オイル＝ショック
〔三木〕	1975	第1回サミット
	1976	ロッキード事件
〔福田赳夫〕	1978	日中平和友好条約

日中国交正常化を実現したのは、〔**田中角栄内閣**〕です。田中首相が訪中して周恩来首相と会談し、**日中共同声明**（1972）が調印されました。日本が侵略戦争の「**責任を痛感し、深く反省**」し、日中両国が戦争の終結を確認しました。そして、日本は「**中華人民共和国政府が中国の唯一の合法政府**」であり、「**台湾が中華人民共和国の領土の不可分の一部**」だと認めました。これにより、中華民国（台湾）との国交を断絶し、日華平和条約は破棄されました（しかし日本と台湾との経済関係は深化していきました）。

〔**田中角栄内閣**〕の国内政策を見ましょう。**日本列島改造**政策は、太平洋ベルト地帯→第30章に集中していた産業を地方へ分散させて高速交通網で相互に接続するというものですが、公共事業の拡大によって地価が高騰しました。加えて、第４次中東戦争によって原油価格が高騰して**第１次オイル＝ショック**（**石油危機**　1973）が発生すると→第30章、中東からの石油輸入に依存していた日本ではエネルギー・石油化学製品の価格高騰が発生し、ほかの物価も暴騰して「**狂乱物価**」となりました（トイレットペーパー買占め騒動も発生しました）。

(3) 三木武夫内閣を経て、福田赳夫内閣で日中平和友好条約が結ばれた

〔**三木武夫内閣**〕の時期、オイル＝ショックで生じた世界的な不況を受けて経済問題を協議する**第１回先進国首脳会議**（サミット）→第30章が開かれました（1975）。また、**田中角栄**前首相が、アメリカ航空機会社の売り込みをめぐる汚職で逮捕される**ロッキード事件**が発生しました。〔**福田赳夫内閣**〕では、**日中平和友好条約**（1978）が調印され、日本は中華人民共和国と正式に国交を樹立しました。日中共同声明の、中ソ対立を背景とする覇権条項（中華人民共和国がソ連を牽制）は、平和友好条約にも入れられました。

チェック問題にトライ！

次の表は第二次世界大戦後の各時期の政治・文化について詠まれた短歌を、古いものから年代順に並べたものである。（短歌はすべて『昭和万葉集』より）

ア

a　敗れたる国にひびき来る新しき古き隣国の革命のさま

b　手をつきて詫びねばならぬ国は見えず講和会議終る海の向うで

イ

c　奇怪なるゲームの如し刻々に安保成立を待つテレビ像

ウ

d　天に照る日のひかり採りし聖火いまオリンピアより東京に来ぬ

e　見事なる縄文期土偶ただ一つ万国博の記憶にのこる

エ

問　次の短歌f～hは表のア～エのいずれの時期の出来事を詠んだものか。その組合せとして正しいものを、下の①～⑥のうちから一つ選べ。

f　風吹く午後をしきりに基地拡張に争う砂川町の半鐘聞ゆ

g　所得倍増の演説さなかキロ三円の白菜相場は赤字なり

h　悲痛なるゼネスト中止の放送を労働者吾は泣きて聞きたり

① f－ア　g－イ　h－ウ　　② f－ア　g－ウ　h－エ

③ f－イ　g－ウ　h－ア　　④ f－イ　g－エ　h－ア

⑤ f－ウ　g－エ　h－イ　　⑥ f－ウ　g－イ　h－エ

（センター試験　1995年度　追試験）

解説　「古いものから年代順に並べた」ことを念頭に置きながら、a～eを確定しましょう。aは「隣国の革命」から中国共産党による中華人民共和国の建国(1949)、bは「講和会議」からサンフランシスコ講和会議（1951)、cは「安保成立を待つテレビ像（テレビ放送は1953年に開始)」から新安保条約の成立（1960)、dは「聖火いまオリンピアより東京に来ぬ」から東京オリンピック（1964)、eは「万国博」から日本万国博覧会（1970）を判断します（eは第30章で登場します)。

f　「基地拡張に争う砂川町」から、砂川事件を想起します。日米安全保障条約（1951）と日米行政協定（1952）にもとづき置かれたアメリカ軍基地に反対する闘争なので、bよりもあとと判断します。(→イ)

g　「所得倍増」から、国民所得倍増計画を想起します。これを発表した池田勇人内閣は、岸信介内閣の次の内閣なので、cよりもあとと判断します。(→ウ)

h　「ゼネスト中止」から、二・一ゼネスト計画とその中止（1947）を想起します。官公庁労働者を中心とする全国一斉のストライキ計画は、占領政策の労働改革によって労働運動が盛んになった時期で、a・bよりも前と判断します。(→ア)

⇒したがって、③（f－イ　g－ウ　h－ア）が正解です。

歴史総合のための世界史 「グローバル化と私たち」1 冷戦と世界経済

冷戦が展開し、日本が国際社会へ復帰し経済成長を遂げた、**1950年代～1970年代**の約30年あまりの時期における情勢や出来事を見ていきましょう。

① 冷戦と核軍拡・核軍縮や平和運動の動き

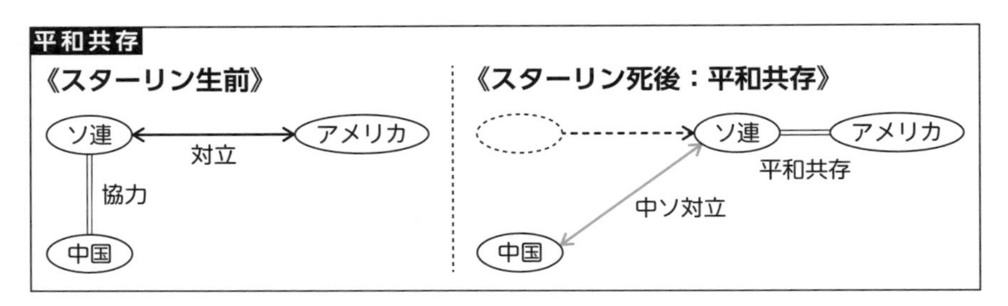

冷戦の展開を、**核兵器**をめぐる動向から見ていきましょう。ソ連が**スターリン死去**（1953）を機に**平和共存**を打ち出し、1950年代は米ソの緊張が緩和しました（「**雪どけ**」）。背景には、米ソが原爆よりも強力な**水爆**を開発したことで、「恐怖の均衡」（核戦争による米ソ共倒れの恐れから、互いに手出しできない状態）が生じていたという事情もありました。さらに、核弾頭をミサイルに載せて目的地へ打ち込む戦術が研究されるなか、ロケットなどの宇宙開発が軍事技術と結びつき、ソ連が世界初の**人工衛星**スプートニク１号の打ち上げ（1957）や**大陸間弾道ミサイル**の開発に成功しました（アメリカでは宇宙開発がソ連よりも遅れるという「ミサイル＝ギャップ論」が提起されました）。一方で、1950年代には核兵器廃絶を求める声も広がりました。核戦争の悲惨さを訴えたラッセル・アインシュタイン宣言（それぞれ哲学者・物理学者）が発表され、その呼びかけで科学者たちが参加した**パグウォッシュ会議**（1957）は世界的な世論形成に寄与しました（しかし核開発は止まりませんでした）。

> 1950年代の核兵器廃絶運動には、アメリカの水爆実験や、それにより発生した**第五福竜丸事件**（1954）が大きな影響を及ぼしました→第29章。

1960年代は、米ソ中心の二極体制が動揺する**多極化**の時期で、米ソやイギリスのほかに、フランス（対米従属を嫌うド＝ゴール大統領の独自路線）や中華人民共和国（ソ連の平和共存に失望して**中ソ対立**へ）が独自に核兵器を開発しました。一方で、**キューバ危機**（1962）によって米ソ核戦争の危機が生じると（キューバ革命後にカストロの主導で社会主義化が進んだキューバに、ソ連がミサイル基地を建設したことが発覚し、アメリカがキューバの海上封鎖を断行すると、米ソ関係の緊張がピークに！）、その後両国は核開発の制限に乗り出し、地下を除く核実験を禁止する**部分的核実験禁止条約**（1963）が米・英・ソ３国間で結ばれました。さらに、国連で核兵器保有国の増加を防ぐ体制が検討され、**核拡散防止条約**（ＮＰＴ　1968）が調印されました。しかし、核兵器保有国（アメリカ・ソ連・イギリス、のちフランス・中国も条約に加わる）のみに引き続き保有を認め、非保有国には製造と取得を禁じて国際原子力機関（ＩＡＥＡ）による査察受け入れを義務づける内容には反発もあり、条約に参加しなかったインドの核開発や（1974）パキスタンの核開発が進み（1998）、のち北朝鮮は条約から脱退して核実験に乗り出しました（2006）。

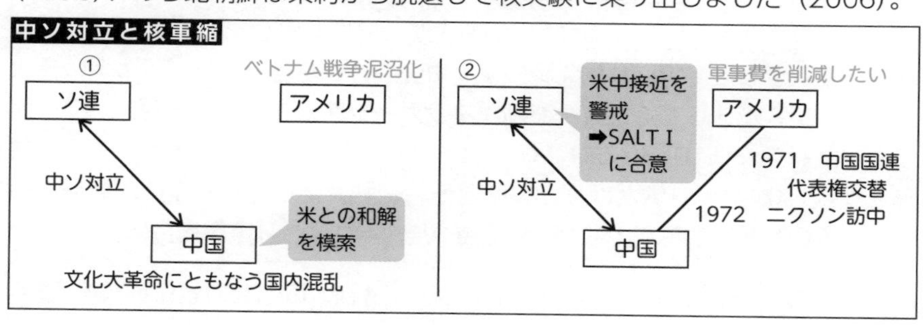

1970年代は、米ソ自身が核軍縮に踏み出し、**デタント**（**緊張緩和**）が進みました。アメリカは、戦費がかさんで財政難をもたらす**ベトナム戦争**（アメリカの介入は1965～73）から手を引きたいと考え、北ベトナムとの和平を引き出すために中国との関係改善をはかり、**ニクソン米大統領**が中華人民共和国を訪問しました（1972）。すると、中ソ対立という状況のなかで、ソ連は「米中が手を組んでソ連に対抗してくるのはマズい」と考えてアメリカとの関係改善を進め、その結果、米ソは**第１次戦略兵器制限交渉**（ＳＡＬＴ Ⅰ　1972）を妥結し、長距離ミサイルの総数制限で合意しました。デタントの動きはヨーロッパにも及び、西ドイツのブラント首相がソ連・東ヨーロッパの社会主義国と対話した**東方外交**は東ドイツ・西ドイツの国際連合加盟（1973）を実現し、ヘルシンキで開かれ東西ヨーロッパ諸国やアメリカも参加した全欧安全保障協力会議（1975）は冷戦終結につながる動きの一つとなりました。しかし、その後の米ソは**第２次戦略兵器制限交渉**（**ＳＡＬＴ Ⅱ**　1979）に調印したものの、ソ連が**アフガニスタン**へ軍事介入したことで、反発したアメリカは批准を拒否し、デタント（緊張緩和）も終了し、「**新冷戦**」に突入します。一方、アメリカの**スリーマイル島原子力発電所事故**（1979）は、原子力の平和利用を名目に普及してきた原子力発電が大きなリスクを抱えていることをあらわにしました。

② 冷戦期（1950年代〜70年代）のアメリカ合衆国

西側をリードしたアメリカでは、1920年代以来の「大衆消費社会」化がいっそう進み、都市郊外には白人の中産階級が居住する一戸建てが築かれ、高速道路網と大量供給の自家用車が職場と自宅を結びました。経済が順調に成長するなか、この時期のアメリカ政府は総じてニューディール的な「大きな政府」路線を採用しました（民主党は雇用の維持や年金などに連邦政府が関与する「大きな政府」、共和党は連邦政府の役割を限定する「小さな政府」）。

1950年代、すでにトルーマン大統領（民主党、任1945〜53）のもとで冷戦が始まり反共主義が広がるなか、知識人や公務員の思想を追及する「**赤狩り**」が吹き荒れました。特に共和党議員マッカーシーが主導し、リベラル派の要人を共産主義者だとして追放した運動が**マッカーシズム**です。アイゼンハワー大統領（共和党、任1953〜61）は、スターリン死去（1953）を受けて**平和共存**を模索しました（「**雪どけ**」）。彼は退任時、肥大化した軍需産業が軍部と癒着して不当な政治的影響力を持つことを警告しました（「**軍産複合体**」批判）。

> 日本では、朝鮮戦争が勃発した1950年、冷戦の激化を背景に、共産主義者が公職を追放される**レッド＝パージ**が始まりました→第29章。

1960年代、初のアイルランド系でカトリックのケネディ大統領（民主党、任1961〜63）は、アメリカ社会ではマイノリティという出自もあって、人種差別や貧困の問題に取り組みます（ニューフロンティア政策）。当時、黒人差別に反対する**公民権運動**が拡大し、**キング牧師**（ガンディーの影響を受けた非暴力運動を推進）は奴隷解放宣言100周年記念のワシントン大行進を組織し、「**私には夢がある**」演説（1963）をおこないました。外交面では**キューバ危機**（1962）において戦争をギリギリ回避し、翌年に部分的核実験禁止条約にこぎつけました。ケネディが暗殺されると、副大統領から昇格したジョンソン大統領（民主党、任1963〜69）はケネディ路線を継承し、**公民権法**（1964）を成立させて法的な人種差別が撤廃されました（社会的な差別は根強く残るのですが）。一方、北爆の開始（1965）で介入した**ベトナム戦争**が泥沼化すると、**ベトナム反戦運動**と黒人差別撤廃運動が連携し、公民権運動に参加した女性たちによる、性別役割分担への批判などの女性解放運動（**フェミニズム**）も盛んになりました。また、若者たちに（第二次世界大戦終結後に出生率が増加した時期に生まれたベビーブーマー世代）、既存の価値観に反発する対抗文化（**カウンターカルチャー**、ヒッピーやロックなど）が流行しました。

③ 冷戦期（1950年代〜70年代）の西ヨーロッパ諸国

西側諸国を構成する西ヨーロッパでは、アメリカからマーシャル＝プランの援助を受けて経済復興が進み、1950年からの20年間は高い経済成長率が続きました。この間、労働者や労働組合の支持を受けた政党が主導し、国民への再分配政策で年金や失業対策などが充実する**福祉国家路線**が展開しました。

国別に見ていきましょう。西ドイツは初代首相アデナウアーのもと、親米路線のもとで**ＮＡＴＯに加盟**（1955）しつつ（ソ連はこれに対抗してワルシャワ条約機構を結成）、「雪どけ」の影響もあってソ連との国交回復を実現したが、東ドイツとは断絶したままでした（東ドイツは「**ベルリンの壁**」を建設　1961）。また、経済面では「奇跡の復興」を遂げました（1960年に西ドイツの国民所得は東ドイツの２倍）。フランスでは第二次世界大戦後に第四共和政が発足しますが、ベトナムとのインドシナ戦争（1946〜54）やアルジェリア戦争（1954〜62）といった、独立をめざす植民地との戦争に苦しみました。のち、第五共和政のもとで「フランスの栄光」を掲げる**ド＝ゴール大統領**は、核兵器の保有（1960）、中華人民共和国の承認（1964）、ＮＡＴＯからの脱退（1966）など、アメリカから距離をおく独自路線を突き進みました（アルジェリア独立も承認）。イギリスは、ポツダム会談中の総選挙で勝利した労働党のアトリーが「大きな政府」路線による福祉国家建設をめざし、重要産業の国有化や社会保障の充実（「**ゆりかごから墓場まで**」）を進めました。しかし、国営企業の低い生産性や財政の圧迫などの問題が生じ、経済成長率が低迷しました。さらに、エジプトにスエズ運河国有化を宣言されたことに対する第２次中東戦争（スエズ戦争　1956〜57）では国際的非難を浴び、イギリス軍はその後スエズ以東から撤退するなど（1968）、世界での影響力は縮小しました。

この時期の西ヨーロッパでは、**ヨーロッパ統合**が始まりました。第二次世界大戦で消耗し、戦後に植民地を失った西ヨーロッパ諸国が、大国アメリカへの対抗からヨーロッパ統合に活路を見いだしたのです。フランス外相シューマンが石炭業と鉄鋼業の共同管理を提案し、フランス・西ドイツ・ベネルクス３国（ベルギー・オランダ・ルクセンブルク）・イタリアが**ヨーロッパ石炭鉄鋼共同体**（**ＥＣＳＣ**　1952）を立ち上げました。こうして、長年対立してきたフランスとドイツ（西ドイツ）を軸に（国境地帯のアルザス・ロレーヌは石炭と鉄鉱石が豊富で両国間の係争地でしたね）、経済統合が始まりました。さらに、ソ連が率いる社会主義圏との対立もあって、共通関税などで経済統合をめざす**ヨーロッパ経済共同体**（**ＥＥＣ**　1958）や原子力資源を共同管理するヨーロッパ原子力共同体（ＥＵＲＡＴＯＭ　1958）が設立され、のちに３共同体が合併してヨーロッパ共同体（ＥＣ　1967）となりました。ただし、イギリスは対米関係やイギリス連邦（イギリスの植民地だった国々のグループ）との関係を重視し、ヨーロッパ統合とは距離を置いてヨーロッパ自由貿易連合（ＥＦＴＡ　1960）を結成しました。のち、経済が停滞したイギリスはＥＣへの参加を望みますが、イギリスの背後にあるアメリカを警戒したフランスのド＝ゴールがこれを拒否、そしてド＝ゴールの退陣（1969）と第１次オイル＝ショック（石油危機　1973）による経済的動揺を背景に、ＥＣはイギリスなどの加盟を認め（1973）、拡大ＥＣに向かいます。

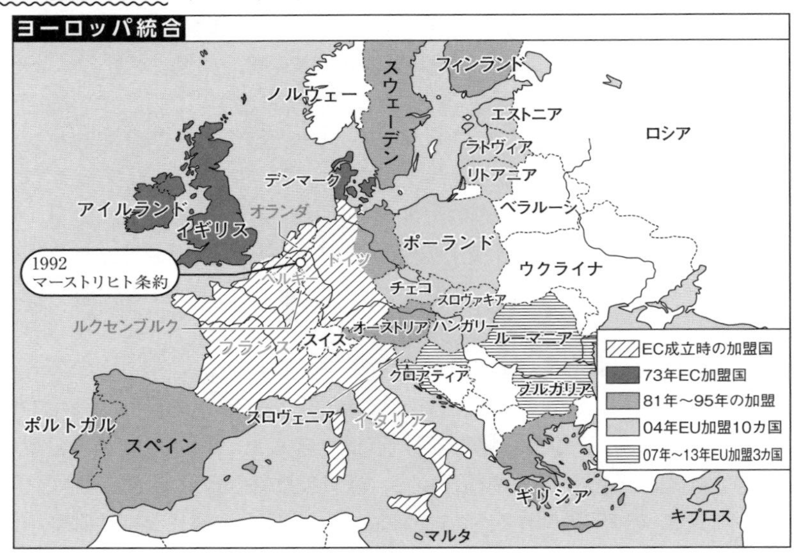

1960年代の西側諸国の社会情勢で注目されるのは、**1968年**を中心に発生した「青年の反乱」です。フランスでは、教育の大衆化が進む一方で、教育政策は不十分で教育内容も古く、これに幻滅した大学生が「自主管理」（自分たちのことは自分たちで決める）をスローガンに大学改革を求めてストライキやデモを挙行し、労働組合の支持を得て政治・社会運動に発展しました（五月危機・五月革命　1968）。結局、政府は大学生や労働組合に譲歩して事態を収拾しました（これは翌年にド＝ゴールが退陣する一因となった）。アメリカでは、1960年代半ば以降の**ベトナム反戦運動**を大学側が禁圧したことで、大学生の不満は大学の管理運営にも向けられ、大学占拠などが多発しました。

日本では、1960年代末に大学の民主的運営を求める学園紛争が、各地の大学で起きました→第30章。

④ 冷戦期（1950年代～70年代）のソ連と東ヨーロッパ

東側諸国をリードしたソ連とその衛星国である東ヨーロッパの情勢について見ましょう。スターリン死去（1953）の後、ポツダム会談以来10年ぶりに米ソ首脳が顔を合わせるジュネーヴ４巨頭会談（1955、米・英・仏・ソ）が開かれるなど、1950年代後半は東西対立が緩む「雪どけ」となりました。ソ連では、実権を握った**フルシチョフ**が**スターリン批判**（1956）でスターリンの独裁・粛清・個人崇拝を糾弾し、コミンフォルム解散で東ヨーロッパへの締めつけも緩和するなど、従来の対米対決路線を転換して（当時のアメリカはアイゼンハワー大統領）**平和共存**を打ち出しました。さらに、フルシチョフはソ連の指導者として初めてアメリカを訪問しました（1959）。こうしたなか、東ヨーロッパでは自由化やソ連支配からの解放を求める動きが生じましたが、ポーランド反ソ暴動（1956）は政府が抑え込んでソ連の介入を防いだものの、ハンガリー反ソ暴動（1956）ではソ連の軍事介入で反ソ政権が倒されました。

日本は、「雪どけ」も背景となり、ソ連と**日ソ共同宣言**（1956）を結んで国交を回復し、さらに国際連合への加盟を果たしました→第29章。

1960年代、フルシチョフは**キューバ危機**（1962）を乗りこえ、部分的核実験禁止条約（1963）を結びました（当時のアメリカはケネディ大統領）。一方、ソ連は政治的・経済的に行き詰まりました。**重工業**と軍需産業が重視され、日用品などの分野は軽視されました。自由な商売が認められない**計画経済**のもとでは、一定の生活水準は保障されますが、新規事業の開拓や技術開発への意欲が低下してしまいます。アメリカ・西ヨーロッパの製品との品質の差も拡大しました。また、特権階級化した官僚（「赤い貴族」と呼ばれた）の腐敗も進んでいきました。東ヨーロッパでは、東ベルリンから西ベルリン（西ドイツ）へ脱出する東ドイツ国民が続出するなか、東ドイツが西ベルリンの周囲（東西ドイツの境界線）に**ベルリンの壁**を建設しました（1961）。また、チェコスロヴァキアでは政府が国民の支持を得ながら政治と経済の自由化に着手しました（「**プラハの春**」 1968）。しかし、ブレジネフが率いるソ連は、ワルシャワ条約機構軍を動員して抑圧しました。ソ連は、「ソ連の勢力圏内の社会主義国が政治的危機に陥ったとき、他国による武力介入も許容される」とする**制限主権論**（ブレジネフ＝ドクトリン）で、民主化抑圧を正当化したのです。

とはいえ、社会主義にもとづく政党・思想・政策（国有企業など）については、西側の先進国（フランス・イギリス・スウェーデン・イタリア・日本など）で根強い支持を受けていたという面もありました。

⑤ 冷戦期（1950年代～70年代）の第三世界

第三世界とは、西側にも東側にも属さず中立かつ自立の路線を進む国々のことです。第二次世界大戦後、民族自決の理念はアジア・アフリカの植民地でも認められ、独立が進みました。そして、インドシナ戦争（1946～54）や朝鮮戦争（1950～53）が起こるなど冷戦がアジアへ波及すると、新興の独立国は「イギリスやフランスから独立できたのに、今度はアメリカやソ連に従属するのはイヤ！」と考えたのです。そして、中国の**周恩来**首相とインドの**ネルー**首相が会談し（1954）、**平和五原則**（領土主権の尊重・相互不可侵・内政不干渉・平等互恵・平和共存）を提唱しました。さらに、日本を含めたアジアやアフリカ29カ国の代表がインドネシアのバンドンに集まり、**アジア＝アフリカ会議**（**バンドン会議**　1955）を開いて平和十原則（平和五原則に、国連憲章の尊重・人種と国家間の平等・武力侵略の否定・自衛権の尊重・正義と義務の尊重を加えた）を宣言しました。こうして、アジア・アフリカ諸国が、東西冷戦のなかで独自の主張を掲げたのです。のち、ユーゴスラヴィアのティトー大統領（ソ連の影響下に収まることを嫌った共産主義者）の呼びかけで、ユーゴスラヴィアの首都ベオグラードで開かれた**第１回非同盟諸国首脳会議**（1961）に25カ国が参加し、反帝国主義・反植民地主義などを掲げました。

冷戦期のアメリカとソ連は、第三世界からどう受け止められていたのでしょうか。農業国であったロシアがソ連の社会主義のもと、人工衛星ではアメリカに先んじ、核兵器で互角に渡り合っていることは、世界に驚きを与えました。**階級格差**（資本家と労働者）のない社会、勤労者みずからが支配する社会という理想も、第三世界には魅力的に映ったのです。1950年代にはソ連の経済も好調で、政府主導で短期間に工業化に成功したモデルとされました。インドは経済では社会主義的要素を強め（政治的には民主主義を遵守）、北ベトナム（統一後はベトナム）やキューバなどが**ソ連型社会主義**を踏襲しました。一方、アメリカは、自由と民主主義という価値観の魅力を説き、安全保障・軍事援助・経済援助の提供を手段として用いました。しかし、アメリカを含む先進資本主義国は旧植民地宗主国でもあり、依然として経済的に第三世界を搾取・収奪する「**新植民地主義**」だと見なされ、新興の独立国からの批判にさらされました。

⑥ 冷戦期（1950年代～70年代）の中華人民共和国

建国まもない1950年代前半の中華人民共和国は、日本とその背後のアメリカを仮想敵国とする**中ソ友好同盟相互援助条約**（1950）をソ連と結び、**朝鮮戦争**（1950～53）では「義勇軍」を参戦させ、「国連軍」主力のアメリカと対決しました。また、国内では私営企業を廃して国営化するなどの社会主義政策を進め、地主の土地所有を廃止して農民に土地を分与する土地改革をおこないました。

朝鮮戦争の勃発（1950）後、日本は西側諸国とのみ講和を結ぶ単独講和を受け入れました。**サンフランシスコ講和会議**（1951）には、中華人民共和国と台湾（中華民国）のどちらも招かれず、日本独立の直後に日華平和条約（1952）で台湾と国交を結ぶ一方、中華人民共和国を敵視しました→第29章。

しかし、1950年代後半になると、フルシチョフの**スターリン批判**（1956）に象徴される、アメリカとの平和共存をめざすソ連の外交に対し、中国は共産主義の理念を貫きアメリカと対決する姿勢を維持したため、ソ連の技術者が中国から撤収するなど中ソ関係は悪化していきました。こうしたなか、**毛沢東**の主導で急進的な社会主義建設をめざす「**大躍進**」政策が始まり（1958）、農村では**人民公社**に立脚した**集団化**が進められました。これは、労働に加えて生活も、家族ではなく共同体の枠組みで営まれるものでしたが（土地は共同所有、農民は共同作業、食事は共同食堂など）、社会主義のマイナス面ともいえる悪しき平均主義（収益の平等分配は、働いても働かなくても同じ報酬に）が生産のモチベーションを下げ、自然災害も影響して餓死者が続出するなど、失敗に終わりました（毛沢東は国家主席を辞任）。

1960年代、中国は**キューバ危機**（1962）におけるソ連の妥協を非難し、アメリカとの対決を視野に入れつつソ連の「核の傘」からの離脱をはかって核兵器を保有し（1964）、のち**中ソ国境紛争**（1969）も発生するなど、**中ソ対立**は深刻化しました。さらに、チベット動乱（1959）の鎮圧後に宗教指導者ダライ＝ラマ14世がインドへ亡命してチベット独立を宣言すると、中国はインドと対立を深め（非同盟諸国の結束が損なわれた）、カシミール地方をめぐる**中印国境紛争**（1962）も起きました。こうした国際的孤立のなか、毛沢東は復権を画策し、大衆的な政治運動である**プロレタリア文化大革命**（文革）（1966〜77）を発動しました。共産主義の敵と見なした資本主義を排撃することなどを掲げ、学生などから動員された**紅衛兵**が「反革命」とされた人々をつるし上げるなど、国内が混乱状態となりました。また、共産党内部での激しい政治闘争が、毛沢東が死去するまで続きました。

この間、外交では**中国の国連代表権交替**（1971）が国連総会で可決され、中華人民共和国が常任理事国となりました。さらに、**ベトナム戦争**（1965〜73）を終わらせたいアメリカが中国に接近し、**ニクソン大統領が訪中**（1972）して米中が和解しました（米中国交正常化は1979年、カーター大統領）。

日本は、米中接近を受けて田中角栄首相が訪中し、**日中共同声明**（1972）に調印して日中の国交正常化が実現しました。中国にとっては、中ソ対立による国際的孤立や、文化大革命による国内の混乱で経済が停滞し、その回復には日本との経済関係構築が必要だったのです→第29章。

⑦ 冷戦期（1950年代〜70年代）の東南アジア

独立を達成したあとの東南アジアでは、強権的政治体制のもとで外資の導入などで経済開発を実現して政権を正当化する「**開発独裁**」の手法が、親米の国々で採用されました。イギリス領のマレー半島では第二次世界大戦後にマラヤ連邦が誕生し（1957）、イギリス領ボルネオなどを合併して**マレーシア**となりました（1963）。しかし、先住民のマレー系による支配に反発した**シンガポール**（中国系の華人が多い）が分離独立し（1965）、リー＝クアンユー首相が独裁的な政治のもとで経済発展を推進しました。一方、マレーシアはマレー人優遇政策を進め、のちマハティール首相（1981年に就任）は日本の近代化を手本にする「ルックイースト」を掲げました。**インドネシア**では、スカルノ大統領が陸軍と共産党とのバランスのうえに政権を維持しましたが（アジア＝アフリカ会議（1955）をバンドンで開催するなど第三世界をリード）、陸軍が共産党を弾圧し（1965）、親米のスハルト将軍が実権を奪うと、強権的な政治体制を基盤に経済発展を実現しました。**フィリピン**では、マルコス大統領が議会を停止し（1972）、独裁体制下で経済発展を優先させました。一方、**ビルマ**（現ミャンマー）ではネ＝ウィンを指導者とする軍事政権が成立し（1962）、独自の社会主義的政策を進めました。

ベトナムは、ホー＝チ＝ミンが率いる共産主義の**北ベトナム**（ベトナム民主共和国）に対し、アメリカはインドシナ戦争（1946〜54）終結後に傀儡として立てた**南ベトナム**（ベトナム共和国）を支援したため、南北の分断は続きました。南ベトナムでは反米を掲げる反政府組織の**南ベトナム解放民族戦線**が成立し（1960）、北ベトナムの支援を受けて内戦を展開しました。アメリカは東南アジアでの共産主義拡大を恐れ、ジョンソン大統領（民主党）のもとで北ベトナムへの爆撃（**北爆**）を開始し（1965）、米軍の直接介入に踏み切ると（**ベトナム戦争**　アメリカの介入は1965〜73）、ソ連と中国は北ベトナムを支援しました。そして、北ベトナムと解放民族戦線による、ジャングルや山間部などの地形を利用したゲリラ戦で、戦局は泥沼化しました。この戦争は、初めて戦闘シーンがテレビ放映されたことや、ジャングルを丸裸にするため毒性の強い枯葉剤を散布したこともあって（現在でもダイオキシンによる人体への被害が問題となっている)、アメリカの世論は二分され、国際的非難も浴びました。そして、ニクソン大統領(共和党)が中華人民共和国を訪問して(**ニクソン訪中** 1972)米中関係の改善が進み、**パリ和平協定**(1973)で米軍が南ベトナムから撤退すると、ベトナム戦争は内戦に変質し、南ベトナムの首都サイゴンが陥落(1975)して北ベトナムが勝ち、翌年に南北を統一したベトナム社会主義共和国が成立しました(アメリカは共産主義封じ込めに失敗)。

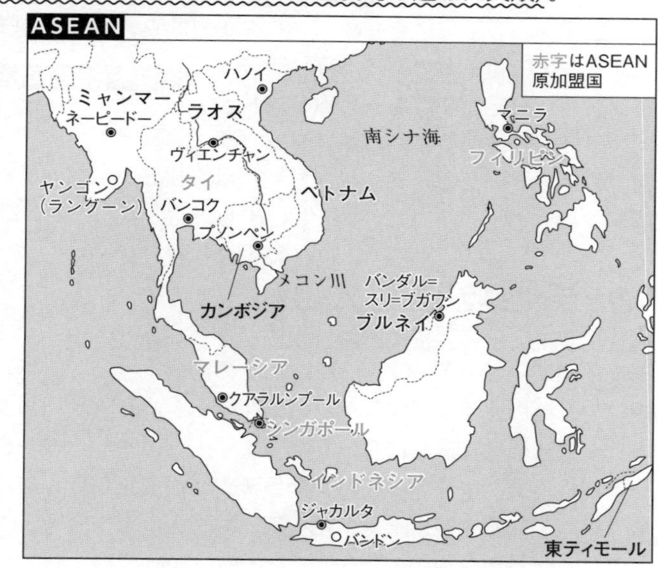

東南アジア諸国の連携は、冷戦を反映したものになりました。インドシナ戦争の終結後、共産主義の拡大阻止でアメリカも加わった東南アジア条約機構(SEATO 1954)が結成されました。また、東南アジア諸国による地域的協力組織として、インドネシア・マレーシア・フィリピン・シンガポール・タイの5カ国が**東南アジア諸国連合**(ASEAN 1967)を結成した当初は、反共産主義的性格が強いものでした。また、東南アジアの経済発展は、先進国からの**政府開発援助**(ODA)による資金や技術の支援に支えられました。

日本は、**サンフランシスコ平和条約**(1951)で定められた戦時賠償を、ビルマ(ミャンマー)・フィリピン・インドネシア・南ベトナムに対し、**役務の提供**(労働・サービス・技術・知識の供与)と**借款**(政府間での資金貸与)でおこないました→第29章。役務は経済開発の支援になり(日本から技術者を派遣、発電所や道路などを建設、機械や工業製品を輸出)、さらに東南アジアへの経済進出の機会となりました。賠償の終了後も**政府開発援助**(ODA)を継続し、1970年代から90年代前半にかけて援助金額が急増しました。

一方、北爆の開始後、日本国内では沖縄の米軍基地がベトナム戦争に利用されることへの批判やベトナム反戦運動が高まりました→第29章。

⑧ 冷戦期（1950年代〜70年代）の南アジア

インドは独立（1947）の後、ガンディーとともに独立運動を指導していた**ネルー**が初代首相となりました。ネルーは第三世界における非同盟中立運動の指導者となり、国内では国民会議派を率いて社会主義的な計画経済を実施しつつ、政治的には民主主義を守り、政教分離も維持しました。冷戦期のインドは**国営企業**中心の工業化を進め、のち主要銀行や一般保険も国有化しました。

南アジアでは宗教が絡む問題が続き、ヒンドゥー教徒が多数を占める**インド**とイスラーム教徒が優勢な**パキスタン**（地図中のA・B）との間で、**インド＝パキスタン戦争**が３度にわたり発生しました。第１次（1947）・第２次（1965）は**カシミール地方**（住民の多くはムスリムだが藩王がヒンドゥー教徒）をめぐる国境紛争で、第３次（1971）は言語の違いなどをめぐる東パキスタン（地図中のB）の分離独立運動に介入したインドが勝利し、東パキスタンに**バングラデシュ**が成立しました。印パ対立はのちに核保有（インドは1974、パキスタンは1998）にまで至ります。

また、**スリランカ**（1972年にセイロンから改称）では、先住民（多数派で仏教徒）のシンハラ人と、南インドからの移住民（少数派でヒンドゥー教徒）のタミル人とが対立し、1980年代以降に内戦に発展しました。イギリスは、植民地セイロンで開発した茶のプランテーションに、インド人を労働力として連れてきたため、独立後に民族対立が生じたのです。

⑨ 冷戦期（1950年代〜70年代）の中東

中東における**アラブ民族主義**の動向を見ましょう。1950年代、**エジプト**では、親英の王政をクーデタで打倒し共和政を実現した指導者**ナセル**が、アジア＝アフリカ会議（バンドン会議　1955）に参加するなど非同盟主義を打ち出し、さらにソ連に接近しました。すると、イギリス・アメリカはエジプトを封じ込めるためアスワン＝ハイダム建設の資金援助を撤回しました。エジプトはその建設資金捻出のため、イギリスの支配下にあった**スエズ運河の国有化**を宣言しました（1956）。これに対し、イギリスはフランスと反アラブのイスラエルを誘ってエジプトに軍事侵攻し、**第２次中東戦争**（スエズ戦争　1956〜

57）が勃発したが、米ソと国際世論から非難を浴びたイギリスは侵攻軍を撤退させ、政治的に勝利したナセルはアラブ諸国のリーダーとなったのです。

1960年代、アラブ民族主義を警戒したイスラエルがアラブ側を奇襲し、**第３次中東戦争**（６日戦争　1967）が勃発しました。イスラエルはヨルダン川西岸、シナイ半島とガザ地区（エジプトから奪う）、ゴラン高原（シリアから奪う）を占領して圧勝しました。アラブ側が惨敗したことで、ナショナリズムにもとづくアラブ民族主義が挫折したことに加え、西洋から近代的・世俗的な自由主義を導入したにも関わらず、欧米への従属と貧困が続くという状況のもと、1970年代以降、西洋モデルの国家と宗教を分離した近代化ではなく、イスラームの考えによる国家や社会の建設をはかる政教一致の**イスラーム主義**（イスラーム原理主義）が高まっていきました。また、パレスチナでは、パレスチナ人が土地と権利回復のため**パレスチナ解放機構**（ＰＬＯ）を結成し（1964）、第３次中東戦争後には**アラファト**が議長となって、イスラエルとの武装闘争を展開しました。

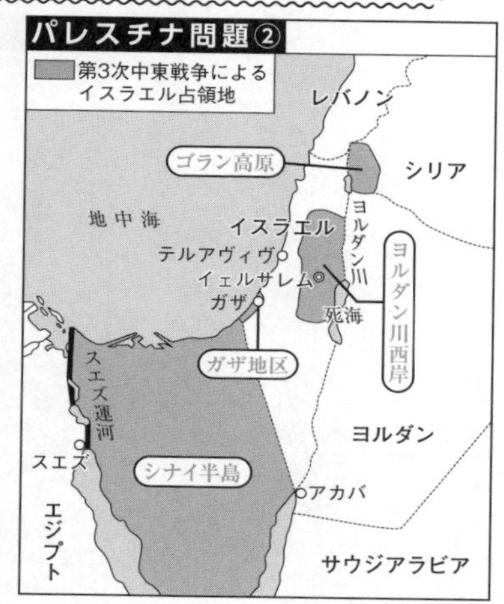

中東の産油国における**資源ナショナリズム**の動向を見ていきましょう。ペルシャ人国家の**イラン**は国王パフレヴィー２世が親英で、採掘される石油はイギリス系企業が独占しました。これに対し、民主的選挙で政権についたモサッデグ首相は**石油の国有化**（1951）を実行しました。しかし、米・英の国際石油資本（石油メジャー）がイラン産石油を市場から閉め出し、アメリカがパフレヴィー２世にクーデタを起こさせてモサッデグを追放しました。そして、1960年代〜70年代のイランはアメリカとの関係を深め、パフレヴィー２世は世俗主義による脱イスラーム化と上からの近代化（実態は開発独裁）を主導しましたが（**白色革命**）、宗教勢力の反発、インフレや貧富差の拡大に苦慮しました。

戦後、自国の石油利権を欧米に掌握された産油国は、1960年代には**石油輸出国機構**（ＯＰＥＣ　1960、最初はイラン・イラク・クウェート・サウジアラビア・ベネズエラの５カ国）や**アラブ石油輸出国機構**（ＯＡＰＥＣ　1968、クウェート・リビア・サウジアラビアが中心）を結成するなど、資源ナショナリズムが高まりました。1970年代、ＯＰＥＣは原油の価格決定権を国際石油資本（石油メジャー）から取り戻し、**２度のオイル＝ショック**（**石油危機**）を引き起こすことになります。

⑩ 冷戦期（1950年代〜70年代）のアフリカ

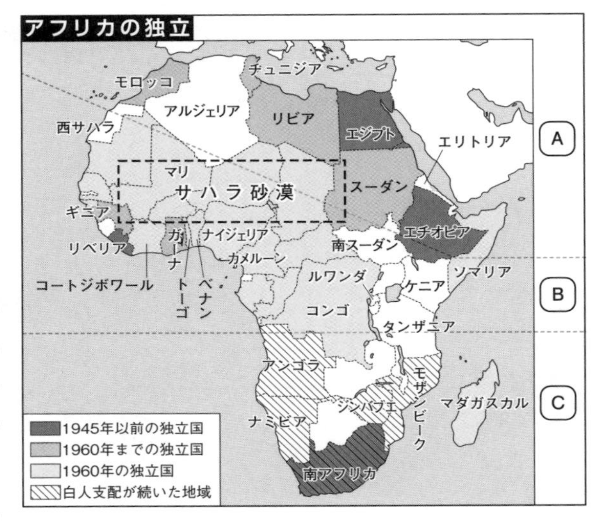

戦後のアフリカは脱植民地化していきました。北アフリカでは（図のA）、1950年代の独立が多く、第二次世界大戦に敗れたイタリアからリビアが独立し（1951）、また当初は戦後も植民地を維持する方針だった英・仏が独立運動の激しさに直面して独立容認へ傾き、スーダン（旧イギリス領）・モロッコ（旧フランス領）・チュニジア（旧フランス領）が独立しました（1956）。しかし、**アルジェリア**はフランスが手放さず（フランス本国から近く白人の入植者が多い）、長期のアルジェリア戦争を経て独立を果たしました（1962　フランスはド＝ゴール大統領）。

サハラ以南では（図のB）、**1960年**に17カ国が独立し、この年は「**アフリカの年**」と呼ばれました。ただし、この地域では、それ以前に**ガーナ**（旧イギリス領、「アフリカの星」と呼ばれた指導者エンクルマの活躍）・ギニア（旧フランス領）が独立を果たしていました（それぞれ1957・1958）。また、アフリカ諸国の組織として、アフリカ諸国首脳会議で**アフリカ統一機構**（ＯＡＵ）が結成され（1963）、アフリカ諸国の連帯や植民地主義の克服をめざしました。

南部では（図のC）、ポルトガル領（アンゴラ・モザンビーク）の独立は1970年代以降となりました。また、**南アフリカ**はイギリス連邦から離脱しましたが（1961）、以前から続く**アパルトヘイト**（黒人への人種隔離政策）で国際的に孤立しました（各国からの非難や経済制裁など）。

独立後のアフリカは、経済的な立ち後れの問題に加え、内戦・紛争の問題を抱えていました。列強が現地の部族の分布を無視して植民地化し、領内の部族どうしを仲違いさせて団結を防ぐ分断統治をおこなったため、のちに植民地の境界線がそのまま独立時の国境になると（アフリカでは直線状の国境線が多く、交易網も寸断された）、仲の悪い部族の同居による部族対立が生じました（同じ部族の分断も見られた）。そして、資源をめぐる野心や、ソ連（反帝国主義の立場から独立を支援する）・アメリカ（英仏による支配体制を切り崩す）・旧宗主国（独立を認めず独立後も介入する）の思惑も絡み、情勢が複雑化したのです。こうした内戦・紛争には、コンゴ（現コンゴ民主共和国）で銅などの資源をめぐり旧宗主国ベルギーが干渉したコンゴ動乱（1960〜65）、**ナイジェリア**で部族対立や石油資源をめぐる争いから旧宗主国イギリスなどが介入したビアフラ紛争（1967〜70）、ツチ人（遊牧）とフツ人（農耕民で富裕層）の抗争である**ルワンダ内戦**（1990〜94）などが挙げられます。

⑪ 冷戦期（1950年代〜70年代）のラテンアメリカ

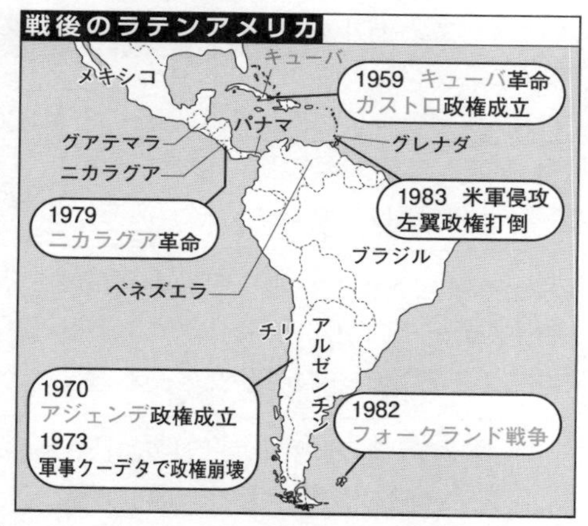

戦後のラテンアメリカは、圧倒的な経済力と軍事力を持つアメリカ合衆国の影響下に置かれ、経済的にもアメリカ資本の影響を受け、軍事面では反共同盟である**米州機構**（**OAS**　1948）に組み込まれました。しかし、ペロン大統領のもとの**アルゼンチン**や、カストロ首相のもとの**キューバ**のように、反米的な民族主義政権も成立しました。

キューバは、アメリカ資本と結びついたバティスタ独裁政権のもと、企業や農地の大部分をアメリカ資本が所有するなど、アメリカ経済に従属する「アメリカの裏庭」でした。これを憂慮した**カストロ**は、**ゲバラ**とともに山岳地帯でゲリラ戦を展開し、これに都市の大衆蜂起が呼応してバティスタを打倒しました（**キューバ革命**　1959）。カストロ首相は**農地改革**と基幹産業の国有化を進めたものの、対米関係が悪化したため、ソ連に接近して社会主義を宣言し、アメリカ合衆国に対抗しました（中南米初の社会主義政権）。キューバ革命は、中南米における武装ゲリラや社会主義の動きを活発化させました。また、冷戦構造のなかで世界を戦慄させた、**キューバ危機**（1962）が発生しました。

こうしたなか、アメリカ合衆国は社会主義にもとづく左派政権（それを支援するソ連）を警戒し、1970年代以降はラテンアメリカ諸国への干渉をいっそう強化し、軍事政権を樹立させて開発独裁をおこなわせました。**チリ**では革命ではなく選挙によって**アジェンデ**社会主義政権が成立しましたが（1970）、ピノチェトのクーデタで崩壊し（1973）、軍事独裁政権のもとで**新自由主義**にもとづく経済政策や民営化、外資導入などが進められました。

⑫ 1970年代の世界的な経済変動：ドル＝ショックとオイル＝ショック

1970年代になると、世界的な経済変動をもたらした出来事が二つ発生しました。その一つが**ドル＝ショック**（1971）です。アメリカは、**ベトナム戦争**（北爆開始は1965）の莫大な戦費や、1960年代の貧困対策などの「大きな政府」路線の費用で、財政が悪化しました。また、日本や西ドイツの経済的躍進で、これまで１世紀近く続いた貿易収支の黒字が赤字に転じました。大量のドルが発行されて海外に支払われると、ドルと金との交換に不安を抱いた諸国がアメリカから金を引き出し、アメリカの金保有量が減るなか、ついにニクソン大統領が**金とドルの交換停止**を発表したのです（1971）。この**ドル＝ショック**（**ニクソン＝ショック**）により、アメリカが保有する金が通貨価値を支えるブレトン＝ウッズ体制は崩壊し、のち各国の通貨の需要と供給で日々の為替レートが変わる**変動相場制**に移行しました（1973）。固定相場による安定的な貿易関係は激変し、資本主義経済におけるアメリカへの一極集中は崩れました。

日本は、ドル＝ショック後のスミソニアン協定による**円切り上げ**（１ドル360円から１ドル308円へ）や、変動相場制移行後の円高基調で、高度成長を支える要素の一つ（割安な円為替による輸出増大）を失いました→第30章。

世界的な経済変動をもたらした出来事のもう一つが、二度にわたる**オイル＝ショック**（**石油危機**　第１次は1973、第２次は1979）です。エジプトとシリアがイスラエルを攻撃して始まった**第４次中東戦争**（1973）で、アラブ側は最初は勝利したものの、第３次中東戦争で失っていた占領地を奪回することはできませんでした。しかし、アラブ産油国からなるＯＡＰＥＣが原油の減産と「イスラエルを支持する国には原油を売らない！」という**石油戦略**を発動し、ＯＰＥＣも原油価格を引き上げた結果、原油価格が４倍に急騰し、世界規模で**第１次オイル＝ショック**（**第１次石油危機**）が発生しました。その後、西側のアメリカ・イギリス・フランス・西ドイツ・イタリア・日本は、二つの「ショック」による経済成長の鈍化や通貨・債務問題やエネルギー問題に対応するため**先進国首脳会議**（**サミット**　1975）を開催しました（以後毎年開催、現在はＧ７）。

日本では田中角栄内閣の**列島改造政策**によるインフレーションに第１次オイル＝ショックが重なって「**狂乱物価**」が生じ、深刻なスタグフレーションで**戦後初のマイナス成長**（1974）となってしまいました→第30章。

イランではパフレヴィー国王の世俗主義により宗教勢力への弾圧が強まり、

近代化による貧富差の拡大で不満も高まるなか、パフレヴィー朝が打倒され、宗教指導者**ホメイニ**を中心とする革命勢力がイスラーム主義（イスラーム原理主義）にもとづく国家体制の樹立を宣言しました（**イラン＝イスラーム革命** 1979）。これにより、世界第２位の産油国イランでの原油生産が中断し、**第２次オイル＝ショック**（**第２次石油危機**　1979）が発生しました。

1970年代に相次いだオイル＝ショックが、世界にもたらした影響を見ていきましょう。西側の欧米諸国ではオイル＝ショックの影響が大きく、これに対応して**省エネルギー型**の経済構造に転換しました。しかし、順調な経済成長に終止符が打たれたことで、戦後における「大きな政府」（高福祉などの再分配、需要の刺激を重視して赤字財政を許容、政府による規制）が行き詰まりました。イギリスでは1970年代に不況とインフレが同時に発生する「イギリス病」が生じ、なかなか回復しない経済は政治的不満を生み出しました。これが、**新自由主義**（**ネオリベラリズム**）にもとづく改革政治につながります。

日本では、第１次オイル＝ショック以降の1970年代後半、石油依存から脱却する省エネルギーや工場・オフィスの自動化での人件費削減などによる**減量経営**が進み、第２次オイル＝ショックもいち早く脱して**安定成長**に向かいました→第30章。

一方、ソ連はバクー油田などの石油と天然ガス資源を保有していたので、オイル＝ショックで利益を得たものの、かえって創意工夫による技術革新のチャンスを逃すことになり、旧式の設備や重工業に偏（かたよ）った産業構造のままでした。これは、ソ連の石油や天然ガスに依存する東ヨーロッパ諸国も同様でした。

開発途上国では、低賃金によるコスト削減をアピールすることで外国企業を誘致し、労働集約的な工業製品を先進国へ輸出する路線が拡大しました。これにより、韓国・台湾（たいわん）・香港（ホンコン）・シンガポール・ブラジル・メキシコなどが**新興（しんこう）工業経済地域**（**ＮＩＥＳ**（ニーズ））となっていきました。

中東では、原油価格の高騰により、イラン・イラク・サウジアラビア・クウェートなどの産油国では輸出による収入が激増して好景気となりました。オイルマネーと呼ばれる巨額の資金は世界の金融市場（きんゆうしじょう）にもたらされ、国際的な政治的発言力も増大させるとともに、国内投資で自国経済の振興もはかりました。しかし、1980年代に入ると、自由市場の形成で、産油国による原油価格の決定力が低下して原油価格は低迷し、オイルマネーの影響力は低下しました。

現代の日本（昭和時代後期〜平成時代）

年代	内閣	政治	外交	社会・経済
1950年代	吉田③④⑤ 鳩山(一) 石橋 岸		(1)	**1 高度経済成長と国民生活** ①**特需景気**　※朝鮮戦争(1950) ②**高度経済成長** 神武景気　岩戸景気 ※技術革新・エネルギー革命 東京オリンピック〔**池田**〕 いざなぎ景気 ③**国民生活の変化** 消費革命(三種の神器・3C) ④**公害問題** 四大公害訴訟（水俣病など） 公害対策基本法〔**佐藤**〕 環境庁〔**佐藤**〕
1960年代	池田 佐藤			
1970年代	田中(角) 三木 福田(赳) 大平	(2)		**2ドル＝ショック・オイル＝ショック** ①**ドル＝ショック** 金・ドル交換停止〔**佐藤**〕 変動相場制〔**田中**〕 ②**オイル＝ショック** 第１次〔**田中**〕→「狂乱物価」 第２次→安定成長へ
1980年代	鈴木(善) 中曽根 竹下 宇野	**3 現代の情勢** ③**保守長期政権の解体** 分割民営化〔**中曽根**〕 消費税の導入〔**竹下**〕	①**冷戦の終結** 東欧の民主化 冷戦の終結宣言	②**経済大国日本** 輸出増大→貿易摩擦 プラザ合意〔**中曽根**〕→円高 内需拡大策→「バブル経済」
1990年代	海部 宮沢 細川	55年体制の崩壊〔宮沢〕 非自民連立内閣〔細川〕	東西ドイツ統一 湾岸戦争 ソ連の解体	株と土地の「バブル」崩壊 →平成不況

年代	文化	時期と特徴
1940年代〜	**4 戦後の文化** ①**学問・文化** ノーベル賞（湯川秀樹）　文化財保護法　世界遺産 ②**文学・芸能・メディア** 文学　映画　漫画（手塚治虫）　テレビ放送	1940年代後半〜（戦後期） 敗戦でアメリカ文化の流入 消費社会を背景に大衆化 (3)

第30章のテーマ

戦後（1950年代〜70年代）の経済と、現代（1980年代〜）の政治・外交や戦後の文化を見ていきます。

(1) 1950年代後半から**高度経済成長**が始まり国民生活が変化し、1970年代の**ドル＝ショック**と**オイル＝ショック**は日本経済に影響を与えました。

(2) 1980年代から90年代にかけて、55年体制の動揺・崩壊や、**冷戦の終結**や、経済大国化が見られました。

(3) 戦後の文化を学べば、日本史の全体学習は終了です！

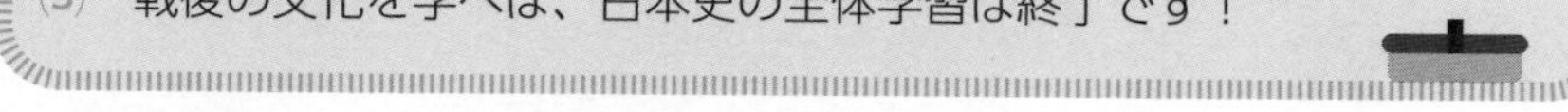

1 高度経済成長と国民生活（1950年代〜70年代初め）

経済復興と高度経済成長
特需景気（1950〜53）
神武景気（1955〜57）
岩戸景気（1958〜61）
オリンピック景気（1963〜64）
いざなぎ景気（1966〜70）

経済安定九原則にもとづくドッジ＝ライン→第28章により、敗戦直後から続いた**インフレ**は収まったものの、**デフレ**不況が拡大しました。しかし1950年代に入ると経済は急速に回復し、1970年代初めにかけて好景気が続く**高度経済成長**の時代となりました。

では、この時期の経済成長とその要因や、国民生活の変化について、見ていきましょう。

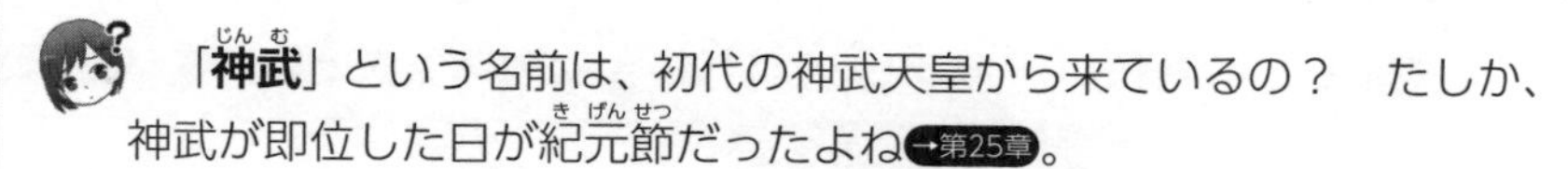

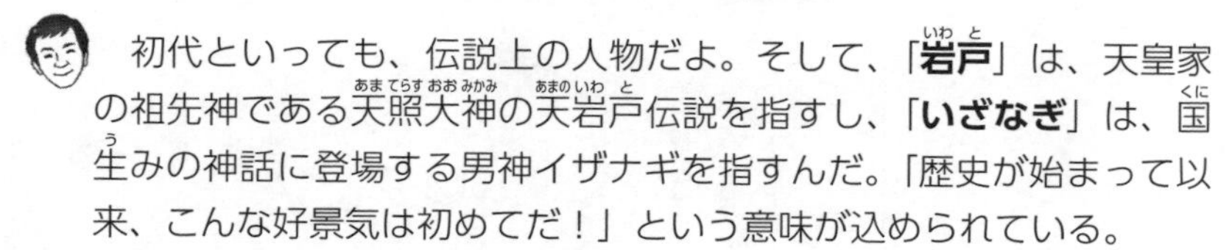

「**神武**」という名前は、初代の神武天皇から来ているの？　たしか、神武が即位した日が紀元節だったよね→第25章。

初代といっても、伝説上の人物だよ。そして、「**岩戸**」は、天皇家の祖先神である天照大神の天岩戸伝説を指すし、「**いざなぎ**」は、国生みの神話に登場する男神イザナギを指すんだ。「歴史が始まって以来、こんな好景気は初めてだ！」という意味が込められている。

なんだか、時期がどんどんさかのぼっているのが、面白いね。

当時は戦前・戦中の日本を経験している人々が多いから、歴史の始まりを建国神話で表すのがイメージしやすかったのかもしれないよ。

「**特需**」と「**オリンピック**」も含め、順番をしっかり覚えなきゃ！

① 特需景気

(1) 朝鮮戦争における米軍の需要で特需景気が生まれ、日本経済は回復した

まず、**特需景気**（1950～53）から。**朝鮮戦争**が勃発すると（1950）、これに出動した**アメリカ軍**が日本で軍需品の調達や機械・自動車の修理をおこないました。こうした「特殊需要」に応じた日本に対し、対価として大量に支払われたドルが、日本経済発展のきっかけとなったのです。さらに、第二次世界大戦後の世界的な好景気のなかで、アメリカへの輸出が増大したこともあって、繊維・金属の生産が増え、鉱工業生産が戦前の水準に回復しました。そのほか、政府が出資した会社による水力発電所の建設や、政府資金を投入した計画造船が進められました（造船量は1956年に世界第１位になります）。

(2) 日本が独立すると、アメリカ中心の国際的な経済システムに組み込まれた

さらに、サンフランシスコ平和条約の発効（1952）で独立が達成されると、日本は経済の面でも「西側」（資本主義陣営）の一員になりました。1952年には、外国為替安定や貿易促進のための融資をおこなう**ＩＭＦ**（国際通貨基金）と、戦災復興や経済建設のための融資をおこなう**ＩＢＲＤ**（世界銀行）に加盟しました。世界銀行の融資はインフラ整備などに使われ、日本も東海道新幹線をつくるときに融資を受けています。さらに、1955年には**ＧＡＴＴ**（関税と貿易に関する一般協定）にも加盟しました。

② 高度経済成長

(1) 神武景気・岩戸景気・オリンピック景気・いざなぎ景気と好景気が続いた

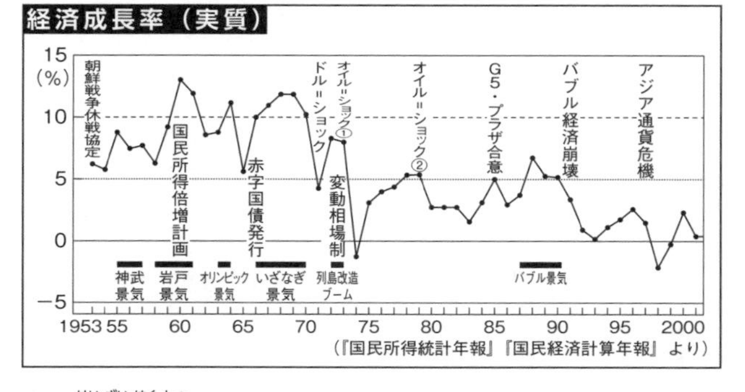

（『国民所得統計年報』『国民経済計算年報』より）

特需景気が一段落したあと、**神武景気**（1955～57）が生まれました。年平均の経済成長率が10%を超える、高度経済成長の時代が始まったのです。

この時期、経済企画庁が1956年に出した『**経済白書**』では、「**もはや戦後ではない**」という言葉が登場しました。実は、「敗戦のどん底から回復したいという国民の欲求や、朝鮮特需といった、急速な経済成長を促す良い条件がなくなってしまったので

(＝戦後は終わった)、これからは近代化による自立的な経済成長をめざさなくてはならないのだ！」というキビシイ決意の表明なのです。

次に、岩戸景気（1958〜61）が生まれました。この時期には、〔**池田勇人内閣**〕による**国民所得倍増計画**（1960）→第29章が発表されたこともあって、経済成長が加速していきました。

さらに、オリンピック景気（1963〜64）が生まれました。**東京オリンピック**（1964）に関連する公共事業などで経済が成長したのです。オリンピックに間に合わせて、東京・新大阪間に**東海道新幹線**（1964）が開通しました。

オリンピック景気の反動で不況がやってきたのち（不況対策として〔**佐藤栄作内閣**〕が戦後初の赤字国債を発行)、いざなぎ景気（1966〜70）と呼ばれる長期間の好景気が生まれました。重化学工業製品の輸出が増えて貿易黒字が拡大し、**GNP**（**国民総生産**）が資本主義世界でアメリカに次ぐ**世界第２位**となりました（1968)。また、この時期に大阪で開かれた**日本万国博覧会**（1970）は、経済成長を遂げた日本を世界にアピールするものとなりました。

(2) 高度成長の背景には、エネルギー革命や技術革新・設備投資などがあった

なぜ高度経済成長がもたらされたのか。さまざまな要因があります。

一つ目は、外国技術の導入と改良による技術革新と、生産拡大をめざした民間企業の積極的な設備投資です。これにより、鉄鋼、家電などの機械、自動車、プラスチックや合成繊維などの**石油化学**といった重化学工業が発達しました。政府も沿岸部の埋め立てなどの社会資本整備を進め、**太平洋ベルト地帯**に臨海型の製鉄所や石油化学**コンビナート**が建設されました。

二つ目は、**石炭から石油へ**と主要エネルギーを転換するエネルギー革命です。中東（西アジア・北アフリカ）で油田の開発が進み、安価な原油を大量に輸入できたのです。ただ、このことが石炭産業の衰退をもたらし、労働者の大量解雇に反対する**三井三池炭鉱争議**（1960）が起きました（同じ1960年には、日米安保条約の改定に反対する安保闘争も起きました→第29章)。

三つ目は、国内需要の拡大です。**終身雇用**や**年功序列賃金**といった「日本型経営」の広まりによって、サラリーマンや労働者の収入や地位が安定しました。さらに、日本労働組合総評議会（**総評**）の指導のもとでおこなわれる**春闘**（毎年春に実施される、一斉に賃上げを求める労働運動）が、賃金を上昇させていきました。こうして国民の所得水準が上がって豊かになり、購買力が伸びていけば、工業製品は日本国内でどんどん売れていきます。

四つ目は、ドッジ＝ライン以来続いた、１ドル＝360円の**固定相場**です→第28章。為替相場の安定は、貿易の安定をもたらします。また、高度経済成長

期に日本経済の実力が伸びれば伸びるほど、それとくらべて固定されたままの為替相場は割安となっていったので（1ドル＝360円という数字は変わらないのに円安の状態になっていく）、これが輸出拡大につながりました。

(3)　経済成長が進んだ日本は、開放経済体制へ移行していった

「開放経済体制」とは、保護政策をやめて自由化を進めることを指します。日本は先進国になりつつあったので、国際自由経済体制の一員となることが求められたのです。**〔池田勇人内閣〕**のもとで、ＧＡＴＴ11条国へ移行して貿易を自由化したのに続き、1964年には**ＩＭＦ８条国へ移行**して為替取引を自由化し、**ＯＥＣＤ**（経済協力開発機構）**に加盟**して資本を自由化しました。

こうした自由化、特にＯＥＣＤへの加盟は、外国資本の流入による競争の拡大をもたらすので、これに対抗する必要が生じました。そこで、かつて過度経済力集中排除法によって分割されていた企業が合併するなど、企業の大型化が進みました。さらに、旧財閥系などの銀行を中心に、三井・三菱・住友・第一勧銀・富士・三和といった**企業集団**が形成されていきました→第28章。

③ 国民生活の変化

戦後の民主化政策が、高度経済成長をもたらした側面もあるよ。

五大改革指令の復習だね。**労働組合法**などで労働者の権利が保障されたことは大きいよなぁ。それに、**農地改革**で小作農が土地を得て**自作農**になったら→第28章、小作料の負担がなくなるし、農家の収入が増えそう。国民が豊かになってモノを買えば、経済発展だ！

もう一つ、**財閥解体**が高度経済成長につながった面は？

う～ん、バラバラになった企業がライバルと活発に競争しそうだけれど……。それが、**技術革新**につながるのかな？

それもあるけれど、財閥解体が不徹底だったことが重要だよ。**過度経済力集中排除法**で→第28章、旧財閥係の銀行は分割されたかな？

銀行は分割されずに生き残ったよね。だから**企業集団**の中心になったのか。でも、それと高度経済成長とを結びつけるのは難しいな。

企業が設備投資したいときに、何が必要かな？

資金かな……。そうか、企業集団は、銀行が系列企業へ融資して結びついたから、系列に加われば、**設備投資**の資金が手に入るね。

バッチリだ！　先生は、キミたちの成長がとてもうれしいよ！

(1) 大衆消費社会が到来し、「三種の神器」「3C」が国民に普及した

国民の消費生活は豊かになりました。「欲しい！　買いたい！」という意欲が高まり、**消費革命**と呼ばれる耐久消費財の普及が見られました。1960年代には「**三種の神器**」と呼ばれた**電気冷蔵庫・電気洗濯機・白黒テレビ**が普及し（消費者が所有したい物を、天皇が持つ宝物になぞらえた）、

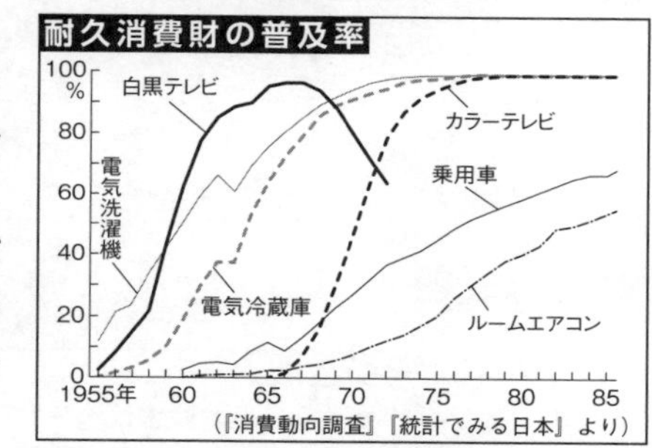

1970年代にかけて「**3C**」（新三種の神器）と呼ばれた**自家用車**（car）・**クーラー・カラーテレビ**が普及しました。マス＝メディアの広告が、こうした購買欲に刺激を与えました。

そして、マス＝メディアの影響は、国民の生活様式を画一化させることにもつながりました。高度経済成長期には、国民の８～９割が「自分は社会の中層にいる」という**中流意識**を持つようになりました。

自動車は、1960年代後半からアメリカへの輸出が伸びましたが、国内でも普及していき、「マイカー（自家用車）」時代がやってきました。こうした**モータリゼーション**を示すのが、**名神高速道路**や東名高速道路の開通です。

(2) 農業は立ち遅れ、農村での過疎化や都市での過密化が進んだ

産業構造は高度化し、第１次産業（農業）の衰退と、第２次産業（工業）・第３次産業（サービス業）の成長が見られました。そして、農業と工業・サービス業との間で所得格差が拡大していきました。こうした格差を是正するため、〔**池田勇人内閣**〕は**農業基本法**（1961）を制定しました。機械化・多角化による農家の自立経営促進と所得増大をめざしたのですが、日本の国土は平野が狭いために耕地となる場所が少なく、機械化は広い耕地における大規模経営につながらずに省力化だけが進みました。時間のゆとりができれば出稼ぎが増えますから、農業外収入が農業収入を上回る**第２種兼業農家**が増える結果となりました（「父ちゃん」が出稼ぎに出て、残った「母ちゃん・爺ちゃん・婆ちゃん」が「三ちゃん農業」をおこなう）。さらに、豊かさは食生活の多様化

をもたらし、小麦の消費や副食の消費が増えて、主食である米が余るようになりました。政府は、米の作付け制限やほかの農作物への転作などの**減反政策**（1970〜）を進めました。

産業構造の高度化は、農村から都市への人口移動を促し、農村の人口が減少して**過疎化**する一方、都市は人口が増加して**過密化**しました。大都市の中心部では住宅事情が悪化し、交通渋滞や通勤ラッシュが激化し、公共施設が不足するなどの都市問題が発生しました。これに対処するため、大都市の近郊に大規模な**団地**をともなう**ニュータウン**（大阪の千里ニュータウンや東京の多摩ニュータウンなど）が建設されました。都市の住民は、夫婦と未婚の子女で構成される**核家族**が多く、1世帯あたりの家族構成員の数は減っていきました。

④ 公害問題

四大公害

水俣病…熊本県水俣湾岸、有機水銀中毒（工場廃水）
新潟水俣病…新潟県阿賀野川流域、有機水銀中毒（工場廃水）
イタイイタイ病…富山県神通川流域、カドミウム中毒（鉱毒）
四日市ぜんそく…三重県四日市市、硫黄酸化物（石油コンビナート煤煙）

物事には、光と影が存在します。高度経済成長は、住民の生活環境を悪化させる**公害問題**も発生させました。1960年代後半、**水俣病**（熊本県）・**新潟水俣病**（新潟県）・**イタイイタイ病**（富山県）・**四日市ぜんそく**（三重県）の被害をめぐる**四大公害訴訟**が起こされ、これらはすべて、訴えた被害者側が勝訴しました。

こうしたなか、政府も公害問題への対処を迫られました。〔**佐藤栄作内閣**〕のもとで、公害の規制と防止をはかる**公害対策基本法**（1967）が制定され、環境保全行政を担う**環境庁**（1971）が設置されました。

そして、公害対策は、当時の地方自治体のあり方にも影響を与えました。社会党・共産党に推薦された人物が首長となる**革新自治体**は、地域住民の暮らしを守る公害規制や福祉政策を掲げました。**美濃部亮吉**が東京都知事に当選した1967年は、公害対策基本法制定の年でもあります。

2 ドル＝ショック・オイル＝ショック（1970年代）

1970年代に入ると、高度経済成長は終わりました。経済に関する二つの「ショック」が世界に広がり、その影響を日本も受けたからです。それが、1971年の**ドル＝ショック**（ドル危機）と、1973年の（第1次）**オイル＝ショック**（石油危機）です。その時代背景とプロセスを、見ていきましょう。

① ドル＝ショック

(1) ドルを基軸通貨とする通貨システムに日本も参入、固定相場が維持された

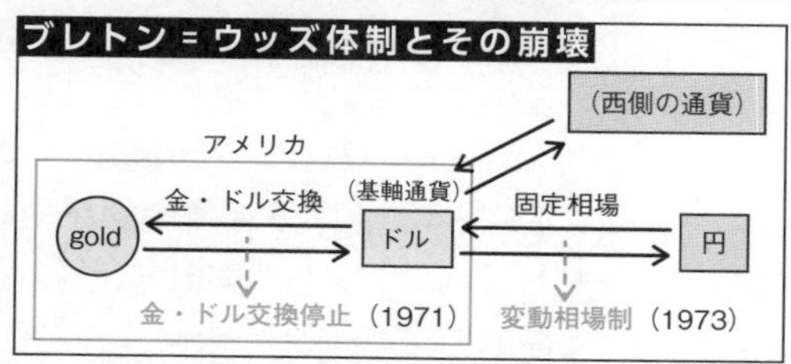

第二次世界大戦後の国際的な通貨・金融システムを、ブレトン＝ウッズ体制（ＩＭＦ体制）と呼びます。まず、アメリカが世界中の金の大半を保有していることを背景に、ドルと金との交換比率を固定して、兌換を保証します（**金・ドル交換**）。そして、ドルと西側諸国の通貨（日本の円など）とを**固定相場**で結びます。こうした金ドル本位制（金本位制の一種で、金で価値が保証されたドルを基軸通貨とする）によって、アメリカを中心とする西側諸国は、お互いに固定相場のなかで円滑な貿易をおこなうことができました。日本は、1949年のドッジ＝ラインで**単一為替レート**を実施したとき→第28章、このブレトン＝ウッズ体制に参入しました。

(2) アメリカが金・ドル交換停止を発表し、そののち変動相場制へ移行した

さて、それから約20年後、1960年代後半のアメリカでは、ベトナム戦争のための軍事支出や、西側諸国への経済援助、復興した日本やヨーロッパからの輸入などによって国際収支が悪化し、ドルが海外へ流出しました。そして、各国は獲得したドルをアメリカで金と兌換したため、大量の金がアメリカから流出しました。金の準備が減れば、金・ドル交換の維持が困難となります。

こうしたなか、アメリカの**ニクソン大統領**は**金・ドル交換停止**を含む新経済政策を発表し、**ドル＝ショック**（1971）と呼ばれる衝撃が世界に広がりました。１ドル＝360円という割安で輸出に有利な為替レートは、崩れたのです。そして、スミソニアン協定で各国通貨のレート調整をおこない、日本の円については**１ドル＝308円**で固定相場制が維持されました。その結果、円切り上げ（ドル切り下げ）、つまり円高となり、輸出に不利な状況となりました（日本では〔**佐藤栄作内閣**〕）。

この1971年には、ニクソン大統領の訪中（東側陣営である中華人民共和国への訪問）も発表されました→第29章。これと、新経済政策（金・ドル交換停止など）の発表の二つを合わせて、**ニクソン＝ショック**と呼びます。

最終的に、スミソニアン協定で定められた為替レートが現実の通貨価値と一致しなくなり、固定相場制から**変動相場制**へ移行しました（1973）。これ以降、成長した日本経済の実勢に合わせて円高の傾向が強まっていきました。

② オイル＝ショック

⑴　第４次中東戦争で原油価格が高騰し、第１次オイル＝ショックが起きた

第二次世界大戦後の中東では、パレスチナに移住したユダヤ人が建国したイスラエルと、この地を追い出されたパレスチナ人を支援するアラブ諸国との間で、激しい対立があり（**パレスチナ問題**）、すでに３度の戦争が起きていました。そして、1973年に**第４次中東戦争**が勃発すると、アラブの産油国で結成されたＯＡＰＥＣ（アラブ石油輸出国機構）が、イスラエルを支援する欧米や日本に対して原油の輸出制限を実施し、４倍にまで価格を引き上げました。

この**第１次オイル＝ショック**（1973）は、原油のほとんどを輸入に頼っていた日本経済を直撃しました。エネルギー資源や石油化学工業原料の価格高騰は、〔**田中角栄内閣**〕の列島改造政策による地価高騰と相まって→第29章、激しいインフレーションとなり「**狂乱物価**」が発生しました。そして、1974年の国民総生産は前年を下回り、経済成長率は戦後初の**マイナス成長**となりました。

⑵　２度のオイル＝ショックを経て、高度経済成長から安定成長に向かった

1970年代の終わりに、イランでイスラーム復興と反欧米を掲げた革命が勃発すると（**イラン革命**）、革命の混乱によるイランの原油輸出停止に、アラブ産油諸国の原油価格引き上げも加わり、再び原油価格が高騰して**第２次オイル＝ショック**（1979）が発生しました。こうして、国内需要の高さに支えられてきた高度経済成長の時代が終わり、日本経済は安定成長へ向かいました。

第１次オイル＝ショック以来、企業は省エネルギーや人件費削減などの**減量経営**につとめ、天然ガスや原子力など石油代替エネルギーへの依存度も高まっていきました。また、「重厚長大」産業から「軽薄短小」産業（ハイテク産業）への転換が進むなど、産業構造が高度化しました。パーソナル＝コンピュータや産業ロボットといったＭＥ（マイクロ＝エレクトロニクス）技術を導入した、事務所や工場のＯＡ（オフィス＝オートメーション）化も進みました。

3 現代の情勢（1980年代～2010年代）

長かった日本史の歩みも、いよいよゴールが見えてきた。ここまで、よくがんばったね。

やっぱり、大学入試で戦後史がどの時期まで出題されるのかが、とても気になるよ。あとどれぐらい勉強すればいいのかな？

せっかくの機会だし、今の日本に生きる一人の人間として知っておく必要があるのは何か？　ということを考えながら、戦後史をどこまで勉強するかを考えてみてはどうかな。

現在の日本につながっていく面を意識しながら現代史を勉強しよう、ってことだね。

もっといえば、日本史という科目の枠組みを超え、高等学校の地歴公民科で学んだこととの関連性を意識するといいよ。実は、第30章では、世界史・地理や政治経済の内容も勉強しているんだよ。

私は今の日本に生き、そして今の世界に生きているから、そういった自分の立ち位置とのつながりで、現代史をとらえるといいんだね。

現代史だけじゃないよ。「**歴史とは、現在と過去との間の尽きることを知らぬ対話である**」という言葉がある。日本史のすべてが、今を生きるキミたちにつながっているんだよ。

そういったことを意識しながら、また最初のところから復習して、日本史をマスターしていくよ！

① 冷戦の終結

まず、世界情勢から。アメリカとソ連の対立を中心とする冷戦(れいせん)の時代から、唯一の大国アメリカが国際秩序を主導する時代へと変化していきました。

(1) 1980年代は米ソ対立が激化したのち緩和され、「冷戦の終結」が宣言された

1980年代前半は、冷戦が再び激化しました（新冷戦(しんれいせん)）。ソ連がアフガニスタンへ侵攻して（1979）、社会主義の親ソ政権を反政府組織から守ろうとしたのに対し、アメリカを中心に西側(にしがわ)諸国が反発し、モスクワオリンピックを西側諸国（日本も含みます）がボイコットしました（1980）。アメリカのレーガン大統領はソ連への強硬姿勢をとり、再び東西両陣営が緊張を高めました。

しかし、1980年代後半になると、ソ連の指導者としてゴルバチョフが登場し、社会主義を維持したうえで民主的な改革を進めました（チェルノブイリ原子力発電所事故［1986］はこの時期の出来事です）。外交面では核兵器(かくへいき)を含めた軍縮と対米協調を進め、アフガニスタンから撤退しました。

そして、米ソ首脳のマルタ島での会談で「**冷戦の終結**」宣言（1989）が出されました。冷戦は「ヤルタからマルタへ」などといわれることがあります。

(2) 東欧諸国で社会主義政権が倒れて民主化が進むなか、ソ連が解体された

ソ連の改革は東ヨーロッパ諸国にも影響を与え、社会主義政権の崩壊と民主化が進行しました（東欧革命）。その象徴的な事例が、東西に分断されていたドイツです。ベルリンも東ベルリン（東ドイツ領）と西ベルリン（西ドイツ領）に分断され、その境に「ベルリンの壁」が建設されていましたが、市民の力によって**「ベルリンの壁」が崩壊**（1989）したのです。東ドイツ国民の西ドイツへの出国が相次ぐなか、**東西ドイツ統一**（1990）が達成されました。

そして、東欧の民主化に刺激を受けたソ連邦内の共和国が、次々と連邦からの離脱を宣言し、最終的に**ソ連邦は解体**（1991）されました。こうして、1990年代初めには、冷戦の時代は完全に終わったのです。

(3) 地域紛争が各地で起きるなか、アメリカ主導の国際秩序が作られていった

その後、宗教・民族の対立による内戦が各地で勃発し、唯一の大国となったアメリカがこれに介入する動きが強まりました。イラン革命を契機とするイラン＝イラク戦争（1980～88）を終えたイラクは、国力回復をはかって隣国のクウェートへ侵攻しました（1990）。これに対し、アメリカ中心の「多国籍軍」が国連決議のもとで武力制裁を加えました。この**湾岸戦争**（1991）に、日本は多額の資金供与をおこないましたが、その後の日本は「国際貢献」の名目でアメリカの世界戦略への協力をいっそう求められるようになりました。

② 経済大国日本

次に、経済状況です。1980年代の日本は、世界のＧＮＰに対して占める割合が約10％に達し、**「経済大国」**となりました。そして、アジアＮＩＥＳ（韓国・シンガポール・台湾・香港などの新興工業経済地域群）やＡＳＥＡＮ（東南アジア諸国連合）と合わせたアジア経済圏が発展していきました。

1980年代前半の**貿易摩擦**、1980年代後半の「**バブル経済**」の発生、1990年代の「バブル経済」崩壊と**平成不況**、という展開を見ていきましょう。

(1) 貿易黒字が増えて貿易摩擦が起こり、プラザ合意ののちに円高が進んだ

２度のオイル＝ショックと減量経営の拡大で国内需要が期待できなくなると、日本の産業は輸出に活路を見いだしました。1980年代前半は、自動車・電気機械・**半導体**（電子部品の材料）などを中心に輸出を伸ばし、日本の**貿易黒字**が大きく拡大しました。しかし、このことは欧米との間に**貿易摩擦**を生み、特に膨大な対日貿易赤字を抱えたアメリカは、日本に対して批判的となりました。

そのため、米・日・独（西ドイツ）・仏・英の５カ国で**Ｇ５**（５カ国蔵［財

務］相・中央銀行総裁会議）が開かれ、為替市場へ協調介入してドル高を是正することが合意されました。ドル安・円高に誘導して、日本の輸出を抑えようとしたのです。この**プラザ合意**（1985）ののち、円高が急激に進行しました。

日本の輸入を増やすため、農産物の輸入自由化も進められました。アメリカとの交渉で**牛肉・オレンジの自由化**が実施され、GATTの多国間交渉であるウルグアイ＝ラウンドで、コメ輸入の部分開放も実施されました（1993）。

⑵ 円高不況ののち、土地・株の価格が上がり「バブル経済」が発生した

1980年代後半の経済は、急速な円高の進行によって、輸出不振による**円高不況**が生じました。企業は海外へ生産拠点を移すといった対策をとり、日本国内では**産業の空洞化**が進みました。

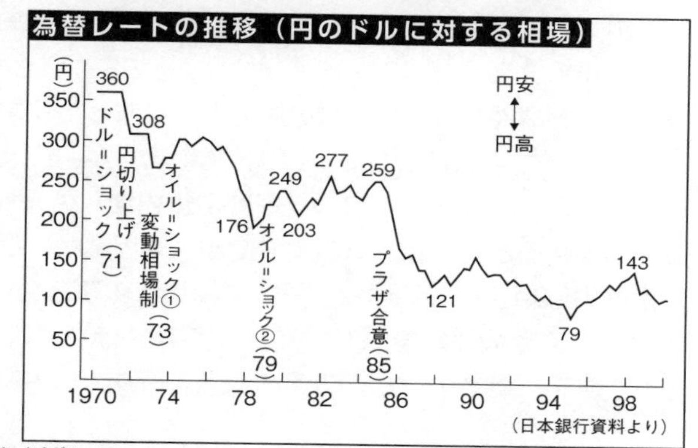

輸出による経済発展が難しくなると、政府は国内需要を活性化させる内需拡大策をとりました。金利を下げてお金を借りやすくし、設備投資を促そうとしたのです。ところが、金融機関から貸し出された多額の資金が、株式や土地の投機的な取引へも流れ込みました。「投機」とは、安いときに買い、値上がりしたら売る、というやり方で利益を得る売買のことで、その手段に株式や土地が用いられました。こうして、株価や地価が暴騰し、1980年代後半には空前の好景気である「**バブル経済**」が生まれました。

⑶ 「バブル経済」は崩壊し、平成不況となった

1990年代に入ると株価の暴落に続いて地価も暴落し、**「バブル経済」が崩壊**しました。金融機関は不良債権（震災恐慌でも登場しました→第26章）や不良資産（値段が下がった株式や土地など）を抱えて経営が悪化し、企業の生産活動も停滞して、**平成不況**となりました。**リストラ**による失業者の増加や消費の冷え込みが見られ、1990年代後半には金融機関の破綻が相次ぎました。

③ 保守長期政権の解体（1980年代～2010年代）

さらに、国内政治です。1990年代前半、**自由民主党**（自民党）を与党とする**55年体制が崩壊**し、政界再編と**連立政権**の時代へと移っていきました。

(1) 1980年代は、中曽根内閣が民営化を進め、竹下内閣が消費税を導入した

〔**大平正芳内閣**〕のあと、〔**鈴木善幸内閣**〕のもとで**臨時行政調査会**（第２次）が置かれ、次の〔**中曽根康弘内閣**〕のときに調査会の答申にもとづく**行財政改革**が本格化しました。財政赤字を抑える取り組みとして**国有企業の民営化**が進められ、**日本電信電話公社**（電電公社）は**ＮＴＴ**になり、**日本専売公社**は**ＪＴ**になり、**日本国有鉄道**（国鉄）は**ＪＲ**７社に分割されました。このほか、貿易摩擦を受けた**プラザ合意**（1985）での円高加速や、**男女雇用機会均等法**の制定もこの内閣のときでした。

次の〔**竹下登内閣**〕では、シャウプ税制以来の改革として、大型間接税の**消費税**（税率**３％**）がスタートしました（1989）。しかし、贈収賄事件である**リクルート事件**が内閣総辞職の原因となりました。ちなみに、この内閣のとき、昭和天皇が亡くなり（1989）、昭和64年から平成元年へ移行しました（昭和64年はわずか７日間）。次の〔**宇野宗佑内閣**〕は短命に終わりました。〔**海部俊樹内閣**〕のとき、総評（日本労働組合総評議会）が解散し、労資協調路線の全国的労働組合である**連合**（日本労働組合総連合会）が成立しました。1990年代に入ると**湾岸戦争**（1991）への対応に迫られ、「多国籍軍」へ資金援助をおこない、戦後のペルシア湾へ海上自衛隊の掃海艇を派遣しました。

(2) 1990年代は、55年体制が崩壊し、非自民８党派の連立内閣が成立した

〔**宮沢喜一内閣**〕のとき、「バブル経済」が崩壊して平成不況が始まりました。また、湾岸戦争後の「国際貢献」の一環として、日本国憲法の範囲で**国連平和維持活動**に参加する**ＰＫＯ協力法**（1992）を制定し、自衛隊がカンボジアへ派遣されました（初の自衛隊の海外派遣）。

しかし、政界の汚職事件が相次ぎ、自民党金権政治への批判が強まりました。そして、「政治改革」を主張する自民党議員が離党し、内閣不信任案が可決されると、衆議院の解散総選挙では自民党が過半数割れして大敗する一方、自民党・共産党を除く８党派が過半数を制し、**非自民８党派の連立**による〔**細川護熙内閣**〕が発足しました（細川首相は日本新党の党首）。こうして、38年間続いた自民党長期政権は終了し、**55年体制は崩壊**したのです（1993）。

この内閣では、ＧＡＴＴのウルグアイ＝ラウンドで決定されたコメ輸入の部分開放が実施され、政治改革法で衆議院に**小選挙区比例代表並立制**が導入されました。あとをついだ〔**羽田孜内閣**〕は短命に終わりました。

政権を奪い返したい自民党は、８党派連立から離脱した社会党と組み、新党さきがけを含めた〔**村山富市内閣**〕を成立させました。55年体制で対立していた自民党と社会党が提携したのです。村山首相は**社会党**委員長で、片山哲首

相→第28章以来の社会党首班内閣です。このとき、**阪神・淡路大震災**（1995.1.17）や地下鉄サリン事件が発生しました。また、「戦後50年に際しての談話」（1995）を発表し、日本の戦争責任を表明しました。沖縄では、アメリカ海兵隊員の女子小学生暴行事件（1995）への抗議が高揚しました。翌年日米は普天間基地の返還に合意したものの、県内の辺野古への基地移設が決まり、沖縄では基地負担集中への抗議運動が続いています。

次の〔**橋本龍太郎内閣**〕は自民・社会・さきがけの連立です（橋本首相は**自民党**総裁）。このとき、日米安保共同宣言（1996）で冷戦終結後の新しい日米安保体制のあり方が表明され、「極東」から「アジア太平洋」まで協力の範囲が拡大しました。そして、京都で開かれた気候変動枠組条約締約国会議で**京都議定書**（1997）が採択されました。さらに、アイヌの自立と人権保護をうたったアイヌ文化振興法の制定で、北海道旧土人保護法→第20章が廃止されました。一方、消費税５％の開始やアジア通貨危機（1997）の影響で、マイナス成長となり平成不況が深刻化しました。

次の〔**小渕恵三内閣**〕は、途中から公明党が与党の自民党に協力するようになり、のちの**自民党・公明党の連立政権**のきっかけを作りました。この内閣のとき、日米安保共同宣言を受けた**新ガイドライン関連法**（ガイドラインとは、日米間で交換された、日米防衛協力のための指針のこと）を制定しました。

年表

●1980年代	
〔大平〕	
〔鈴木(善)〕	臨時行政調査会（第２次）
〔中曽根〕	**民営化**（電電公社・専売公社・国鉄）
〔竹下〕	**消費税**の導入（３％）
〔宇野〕	
●1990年代	
〔海部〕	湾岸戦争への対応
〔宮沢〕	ＰＫＯ協力法
〔細川〕	非自民８党派連立　※**55年体制の崩壊** **小選挙区比例代表並立制**
〔羽田〕	
〔村山〕	自・社・さ連立　**阪神・淡路大震災**
〔橋本〕	自・社・さ連立から自民党単独へ
〔小渕〕	自民党・公明党の連立
●2000年代	
〔森〕	
〔小泉〕	郵政民営化

(3) 2000年代は、自公政権が続いたのち、政権交代で民主党政権が成立した

2000年代、〔**森喜朗内閣**〕ののち〔**小泉純一郎内閣**〕は小さな政府をめざす「聖域なき構造改革」を掲げて規制緩和を進め、**郵政民営化**を実現しました。そして、アメリカでの同時多発テロ（2001.9.11）を契機とするアフガニスタン紛争や、イラク戦争では、アメリカの軍事行動に協力しました。次の〔**第１次安倍晋三内閣**〕は、教育基本法の改正で「わが国と郷土を愛する」文言を追加し、防衛庁を防衛省に格上げしました。〔**福田康夫内閣**〕ののち〔**麻生太郎内閣**〕では衆議院議員総選挙で自民党が大敗北し、内閣総辞職しました。

そして、自民党・公明党の連立政権に代わり、総選挙で圧勝した**民主党**へ政権交代し、民主党・社会民主党・国民新党の連立で〔**鳩山由紀夫内閣**〕が成立しましたが（2009）、政策実現の困難に直面しました。次の〔**菅直人内閣**〕のときには**東日本大震災**（2011.3.11）が発生し、東京電力福島第一原発の事故は、原子力行政やエネルギー政策のあり方が根本的に見直されるきっかけとなりました。〔**野田佳彦内閣**〕では消費税の増税を決定したのち、衆議院議員総選挙で民主党が敗北して、内閣総辞職しました。

こうして、再び自公連立を与党とする〔**第2次～第4次安倍晋三内閣**〕が成立しました（2012）。この内閣のときには安全保障関連法（いわゆる「安保法制」）（2015）が成立して集団的自衛権の行使が可能となり、2019年には天皇が退位し、平成31年から令和元年へ移行しました。そして、〔**菅義偉内閣**〕を経て〔**岸田文雄内閣**〕となり、現在に至ります。

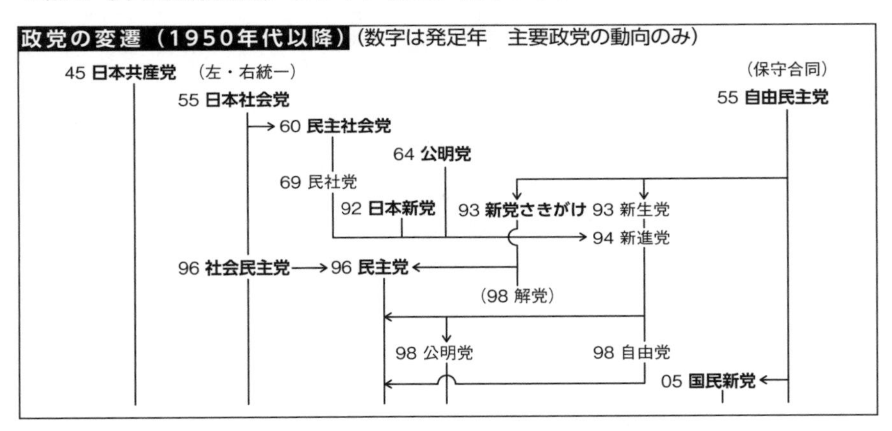

4 戦後の文化（1940年代後半～）

戦後の文化は、**1940年代後半以降**、現在に至る時期の文化です。敗戦後の民主化によって文化を自由に受容できるようになり、占領軍の影響でアメリカ文化が一気に流入しました。高度経済成長期以降、生活水準の向上を背景に、洋風のライフスタイルや大衆文化が日本の隅々に浸透していきました。

ノーベル賞 ※20世紀のみ掲載

湯川秀樹…物理学賞（1949）
朝永振一郎…物理学賞（1965）
川端康成…文学賞（1968）
江崎玲於奈…物理学賞（1973）
佐藤栄作…平和賞（1974）
福井謙一…化学賞（1981）
利根川進…生理学・医学賞（1987）
大江健三郎…文学賞（1994）

① 学問・文化

人文科学では、考古学の研究が盛んになり、弥生時代の登呂遺跡の発掘調査や、旧石器時代の**岩宿遺跡**の発掘調査がおこなわれました→第1章。社会科学では政治学の**丸山真男**、自然科学では物理学の**湯川秀樹**が有名です。湯川は、中間子理論で日本人初の**ノーベル賞**（物理学）を受賞しました（1949）。

主な世界文化遺産

※指定された順に日本史に関わるものを記載

- 法隆寺地域の仏教建造物（奈良）
- 姫路城（兵庫）
- 古都京都の文化財（京都・滋賀）
- **原爆ドーム**（広島）負の世界遺産
- 厳島神社（広島）
- 古都奈良の文化財（奈良）
- 日光の社寺（栃木）
- 琉球王国のグスク及び関連遺産群（沖縄）
- 紀伊山地の霊場と参詣道（和歌山・奈良・三重）
- 石見銀山遺跡とその文化的景観（島根）
- 平泉の文化遺産（岩手）
- 富士山（静岡・山梨）
- 富岡製糸場と絹産業遺産群（群馬）
- 明治日本の産業革命遺産（山口・鹿児島など）
- 「神宿る島」宗像・沖ノ島と関連遺産群（福岡）
- 長崎と天草地方の潜伏キリシタン関連遺産（長崎・熊本）
- 百舌鳥・古市古墳群（大阪）
- 北海道・北東北の縄文遺跡群（北海道・青森・岩手・秋田）

文化行政では、学界の代表機関として**日本学術会議**（1949）が置かれ、法隆寺金堂壁画→第7章の焼損を機に**文化財保護法**（1950）が制定されました。また、国際連合のユネスコで、遺跡・文化財や自然環境を人類共通の遺産として登録する**世界遺産**の条約が採択され、日本も条約を批准しました（1992）。

教育では、高度経済成長による豊かさや中流意識の広まりの影響で、教育熱が高まり、高校・大学への進学率が上昇して高等教育の大衆化が進むとともに、受験競争が激化しました。また、1960年代末、大学の民主的運営を求める学生運動（学園紛争）が起こりました。

② 文学・芸能・メディア

文学では、坂口安吾・**太宰治**（『斜陽』『人間失格』）が戦前の価値観に挑戦する作風を示し、**大岡昇平**（『俘虜記』）・野間宏（『真空地帯』）がみずからの過酷な戦争体験をもとにした小説を著しました。

映画では、**黒澤明**（『羅生門』）や溝口健二が、国際映画祭で受賞するなどの高い評価を受けました。

漫画では、**手塚治虫**の**『鉄腕アトム』**は少年向け漫画雑誌に連載されてテレビアニメも作られ、**長谷川町子**の**『サザエさん』**は新聞に連載されました。

歌謡曲では、並木路子「**リンゴの唄**」が敗戦直後の人々の共感を得て大流行し、**美空ひばり**が歌謡界の女王としてもてはやされました。

メディアでは、日本放送協会のラジオ放送→第25章に加えて民間ラジオ放送も始まり、**テレビ放送**（1953）は人々の生活に欠かせないものとなりました。

チェック問題にトライ！

高度経済成長期における東京都・大阪府の風景を写した次のイラストⅠ～Ⅲについて、古いものから年代順に正しく配列したものを、下の①～⑥のうちから一つ選べ。

Ⅰ

Ⅱ

Ⅲ

① Ⅰ－Ⅱ－Ⅲ　② Ⅰ－Ⅲ－Ⅱ　③ Ⅱ－Ⅰ－Ⅲ
④ Ⅱ－Ⅲ－Ⅰ　⑤ Ⅲ－Ⅰ－Ⅱ　⑥ Ⅲ－Ⅱ－Ⅰ

（センター試験　2010年度　追試験・改題）

「高度経済成長期」という時期から、1950年代後半から1970年代初めまでを意識し、Ⅰ・Ⅱ・Ⅲのイラストが示すものを考えます。

Ⅰ　1970年の日本万国博覧会（大阪府）です。イラストの奥に見える、岡本太郎が制作したシンボルタワーである「太陽の塔」がヒントになりますが、少し難しいですね。時期は、⑴1970年代の初めごろ、⑵いざなぎ景気（佐藤栄作内閣）、などを思い出しましょう。

Ⅱ　1964年の東京オリンピック開会式（東京都）です。時期は、⑴1960年代前半、⑵オリンピック景気（池田勇人内閣）、などを思い出しましょう。

Ⅲ　1960年の安保闘争で、国会議事堂を取り囲んだ、岸内閣に対する抗議行動です。時期は、1960年という西暦年代を特定したいです。

⇒したがって、⑥（Ⅲ→Ⅱ→Ⅰ）が正解です。

戦後の日本のエネルギー供給の変化を示す次のグラフについて説明した文として正しいものを、下の①～④のうちから一つ選べ。なお、Ⅰ、Ⅱ、Ⅲは、石油、石炭、原子力のいずれかである。

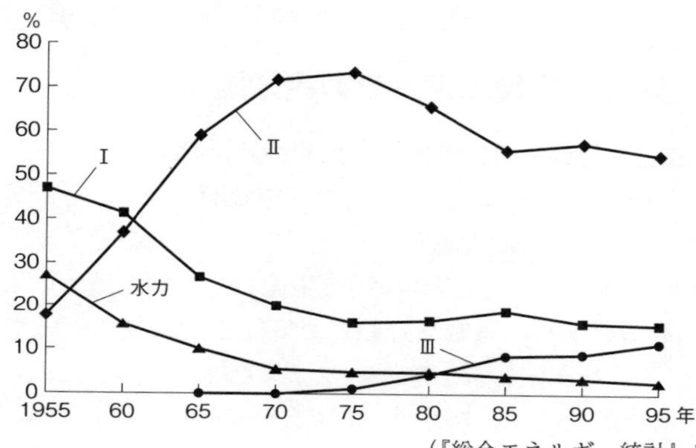

（『総合エネルギー統計』により作成）

① 主要なエネルギーが、ⅠからⅡに転換するなか、三池争議がおきた。
② Ⅰの供給確保のために、池田勇人内閣は列島改造論を発表した。
③ Ⅱは1960年代初頭まではもっぱら国内で産出された。
④ Ⅲを利用した発電所の建設をきっかけに、公害対策基本法が制定された。

（センター試験　2000年度　追試験）

解説　このグラフを見て、高度経済成長期のエネルギー革命を想起し、Ⅰ、Ⅱ、Ⅲと石油、石炭、原子力との組み合わせを推定していきましょう。

① グラフの傾向から、「ⅠからⅡに転換」は正しいと判断し、エネルギー革命に関する知識を用いて、グラフが下がっているⅠが石炭で、上がっているⅡが石油だと確定します。さらに、「三池争議」（三井三池炭鉱争議）はエネルギー革命による石炭産業の衰退を象徴する出来事なので、これも正しいです。

② 「池田勇人内閣」は誤りで、正しくは田中角栄内閣です。「Ⅰ（石炭）の供給確保のため」の「列島改造論」、というつながりも誤りです。

③ Ⅱ（石油）は国内でほとんど産出せず、中東から大量に輸入したので、「もっぱら国内で産出された」は誤りです。これは石炭に関する説明です。

④ ⅠとⅡが確定しているので、Ⅲは原子力です。「公害対策基本法が制定された」のは、大気汚染・水質汚濁といった公害を規制するのが目的であり、原子力「発電所の建設をきっかけに」制定されたのではありません。

⇒したがって、①が正解です。

歴史総合のための世界史　「グローバル化と私たち」❷ 世界秩序の変容とグローバル化

「冷戦の終結」宣言の1989年は、歴史の転換点となりました。**1980年代〜現在**の約40年あまりの時期における情勢や出来事を見ていきましょう。

① 冷戦終結期とその後のアメリカ合衆国

1981年に成立した**レーガン**政権は、政府が経済活動をサポートするというフランクリン＝ローズヴェルト以来の「**大きな政府**」から、政府の役割を減らして市場原理に任せる「**小さな政府**」へと転換しました。そして、減税・歳出削減（社会保障の削減も！）・規制緩和を実施して、自由競争による切磋琢磨で経済に活力を取り戻し、景気を好転させて結果的に税収を増やそうとする「レーガノミクス」を実施しました。イギリスでは「イギリス病」といわれた経済停滞を打破するため、「鉄の女」サッチャー首相が、1979年から財政赤字解消をめざし、「ゆりかごから墓場まで」を否定する**福祉削減**、国有企業の民営化、緊縮財政を実施しました。こうした政策は、政府の経済介入に批判的な自由主義の現代版で、**新自由主義**（**ネオリベラリズム**）と呼ばれます。

> 日本での新自由主義的な政治は、1980年代の**中曽根康弘内閣**による国営企業民営化や、2000年代の**小泉純一郎内閣**による郵政民営化に見られます→第30章。しかし、こうした公共・公益部門の民営化には、利益や効率を優先することによるサービスの縮小などの弊害も指摘されています。

しかし、アメリカは日本や西ドイツからの輸入増による貿易赤字と、ソ連を敵視する**新冷戦**下での軍事費増大による財政赤字の「**双子の赤字**」に苦しみました。巨額の対日貿易赤字を抱えたアメリカは日本に**市場開放**の圧力をかけ（**貿易摩擦**）、さらにイギリス・フランス・西ドイツ・日本と、為替相場への協調介入でドル安へ誘導することに合意しました（**プラザ合意**　1985）。

その後のアメリカは、ソ連とともに**冷戦の終結**を宣言（1989）したのち、イラクとの**湾岸戦争**（1991）では多国籍軍の中核を担い、パレスチナ暫定自治協定（オスロ合意　1993）を仲介し、コソヴォ自治州へのユーゴスラヴィアの干渉に対するＮＡＴＯ軍の空爆（1999）を主導するなど、冷戦終結後の地域紛争に積極的に介入しました。そして、21世紀初めの2001年９月11日に**同時多発テロ事件**が発生すると（ハイジャックされた旅客機がニューヨークの世界貿易センタービルに突っ込んだ映像は世界に衝撃を与えました）、アメリカのブッシュ（子）大統領は「**テロとの戦い**」を宣言し、「実行犯が属する組織アル＝カーイダを保護している」としてアフガニスタンのターリバーン政権を攻撃して崩壊させました（2001）。続いてアメリカは、イラクの大量破壊兵器保有を口実に、国連安保理決議もないまま**イラク戦争**を起こし（この単独行動主義は批判を浴びました）、フセイン政権を打倒しました（2003）。

この時期におけるアメリカの経済状況を見てみましょう。カナダ・メキシコと**北米自由貿易協定**（**ＮＡＦＴＡ**）を発足させ（1994）、これは特定の相手国と合意して自由貿易圏（関税の撤廃・削減など）を構築する**自由貿易協定**（**ＦＴＡ**）のモデルとなりました。しかし、サブプライム＝ローン問題が発端となり、アメリカの証券会社リーマン＝ブラザーズの経営破綻から、**世界金融危機**（**リーマン＝ショック**　2008）のような世界同時不況も発生しました。

② 冷戦終結期とその後の西ヨーロッパ

1980年代、ヨーロッパ共同体（ＥＣ）はギリシア・スペインなど南ヨーロッパ諸国も加えて、巨大な**統一市場**へと発展しました。そして、**マーストリヒト条約**（1992）で、経済統合であるヨーロッパ共同体（ＥＣ）は政治統合を視野に入れた**ヨーロッパ連合**（**ＥＵ**）に発展し、2013年までに中央・東ヨーロッパや東地中海の国々が加わり、５億人超の大経済圏となりました。さらに、加盟国の多くで**共通通貨ユーロ**が流通し、共通市場の統合度が高まりました。

しかし、2000年代、首脳会議で採択されたヨーロッパ憲法条約（ＥＵ新憲法）がフランスやオランダの国民投票で否決されて政治統合が弱められるなど、統合への歩みは停滞します。2010年代、ギリシア・イタリアなどの財政危機が表面化してユーロが下落し、また東ヨーロッパからの**移民**の流入、さらに中東やアフリカからの**難民**（シリア・アフガニスタンや南スーダンなど）の受け入れにドイツ・フランスなどで反対の声が高まりました。こうしたなか、イギリスでは国民投票でＥＵ離脱が支持されました（2016、正式離脱は2020年）。

③ 冷戦終結期とその後のソ連（ロシア）

ソ連では、軍事以外の日用品の生産や農業が不振で経済成長が鈍化し、**アフガニスタン**への軍事介入で国家財政が悪化しました。こうしたなか、1985年に共産党書記長となった**ゴルバチョフ**が改革を始めました。**ペレストロイカ**（たて直し）では、企業の自主性や個人営業の自由を認め、特権階級的な官僚による統制を改めました。**グラスノスチ**（情報公開）は、**チェルノブイリ**（**チョルノービリ**）**原子力発電所**の事故（1986）で情報が隠ぺいされて被害が拡大したこともあって推進され、言論・報道の自由化や検閲の廃止が打ち出されました。**新思考外交**では、新冷戦から転じて西側諸国との関係改善をめざし、アメリカのレーガン大統領と**中距離核戦力**（**ＩＮＦ**）**全廃条約**（1987）を締結しました（米ソが核弾頭そのものの削減に同意したのは画期的）。また、東ヨーロッパ諸国に対するソ連の指導性を否定し、アフガニスタンからの撤退も決定しました。そして、ゴルバチョフとアメリカのブッシュ（父）大統領は地中海のマルタ島で会談、**冷戦の終結**（1989）を宣言したのです。ヤルタ会談（1945．2）に始まった冷戦が、マルタ会談（1989.12）に終結したことは、「**ヤルタからマルタへ**」と表現されます。さらに、共産党独裁制の廃止で複数政党制となり、新設された大統領にゴルバチョフが選出されました。

こうしたなか、一連の改革に反発する共産党保守派がゴルバチョフを軟禁してクーデタを試みますが、ソ連の構成国である**ロシア共和国**の大統領で改革派の**エリツィン**の呼びかけで市民が抵抗し、クーデタは失敗に終わります。そして、ソ連共産党の解散や、バルト３国（エストニア・ラトヴィア・リトアニア）のソ連からの独立を経て、ゴルバチョフがソ連大統領を辞任し、1991年12月に**ソ連は消滅**したのです。ソ連を構成していた共和国は、**ロシア連邦**（旧ソ連のロシア共和国）を中心に**独立国家共同体**（**ＣＩＳ**）を設立し、国連常任理事国や核兵器保有などソ連が持っていた権利と義務はロシアが継承しました。

しかし、ロシアでは市場経済への移行が遅れ、政治も不安定で、ロシア連邦内の**チェチェン共和国**の独立紛争なども起きました。のち、エリツィンを継いだ**プーチン**政権のもとで、2000年代以降は資源輸出などによる経済成長を遂げました。一方で、ウクライナがＥＵやＮＡＴＯ加盟の意向を示すと、2014年にウクライナ東部のロシア系住民による分離運動が高まり、ロシアはクリミアを併合しました。さらに、ウクライナ東部での内戦にＮＡＴＯの東方拡大の問題もからみ合い、2022年にはウクライナとの間で紛争が勃発しました。

④ 冷戦終結期とその後の東ヨーロッパ

東ヨーロッパでは、ソ連支配への反発から、ゴルバチョフの新思考外交を受けて自由化・民主化が進みました（**東欧革命**　1989）。ポーランドでは複数政党制での選挙で「**連帯**」（ワレサ議長が率いる自主管理労働組合）が圧勝し、共産党支配を終わらせました。東ドイツではホネカー政権が崩壊したのち、**ベルリンの壁が開放**されました（1990年に**東西ドイツ統一**）。ハンガリー・ブルガリア・チェコスロヴァキアでも指導部が交代し、社会主義体制から民主主義・市場経済体制へ移行しました（ルーマニアでは反体制運動を弾圧したチャウシェスク大統領が拘束され処刑された）。1991年にはコメコンとワルシャワ条約機構の解体が決定し、東ヨーロッパがソ連の影響下から脱しました。

一方、地域紛争も生じました（バルカン危機）。独自の社会主義路線を保ってきた**ユーゴスラヴィア**（６カ国の連邦国家）では、冷戦終結後に連邦内のスロヴェニア・クロアティア・ボスニア＝ヘルツェゴヴィナがセルビア中心の体制に反発して独立を宣言し、内戦を経て独立に至りましたが、その過程でボスニアでは対立民族どうしの虐殺が発生しました（**民族浄化**）。さらに、新ユーゴスラヴィア連邦のセルビア国内における**コソヴォ**自治州（アルバニア系住民が多数）で独立運動が激化すると、セルビアがこれを弾圧し、これに対して1999年にはＮＡＴＯ軍がセルビアを空爆し、のちコソヴォはセルビアからの独立を宣言したものの、セルビア・中国・ロシアなどはこれを承認していません。

2000年代以降、東ヨーロッパ（チェコ・スロヴァキア・ポーランド・ハンガリー・スロヴェニアは2004年、ブルガリア・ルーマニアは2007年、クロアティアは2013年）や旧ソ連構成国のバルト３国（2004年）がＥＵに加盟し（ＥＵの東方拡大）、ヨーロッパ全域での統合が進みました。

⑤ 冷戦終結期とその後の東アジア

中国では、毛沢東の死去（1976）の後、プロレタリア文化大革命で失脚していた**鄧小平**が復権して（1978）「**四つの現代化**」（**農業・工業・国防・科学技術**）を掲げ、1980年代には**改革・開放**政策が展開されました。資本主義的要素を採用して生産意欲を高め（人民公社の解体と農業の個別経営化、国営企業にも経営の自主権を付与）、深圳などに設けた経済特区に外資を誘致するなどして、その後のめざましい経済成長の基盤が作られました。また、鄧小平は日本やアメリカ・西ヨーロッパ諸国と交流して先進技術を導入し、ソ連との関係改善でゴルバチョフの北京訪問も実現しました。しかし、民主化を求める運動が高まると、中国政府はこれを弾圧しました（**天安門事件**　1989）。

冷戦終結後の中国は、政治的には共産党一党独裁が存続するなか、「社会主義市場経済」のスタンスのもとで、1990年代には国営企業の改革や民間企業の意欲的な経営で経済が発展しました。また、イギリスから**香港の返還**（1997）を受けて特別行政区が設けられました（**一国二制度**）。現在の中国は、内陸部と沿岸部の経済格差、人口抑制をめざした「**一人っ子政策**」（1979～2016）による少子高齢化、海洋進出による東シナ海・南シナ海沿岸諸国との領土対立、民族問題などの問題が指摘されています。一方で、世界貿易機関（ＷＴＯ）への加盟（2001）を経て、繊維製品に加え電気製品も輸出する、19世紀のイギリスとは異質な「世界の工場」となり、世界有数の巨大市場としての期待も高まるなか、アメリカに迫る経済大国としての存在感が増しています。

台湾では、第二次世界大戦後に日本が撤退して以来の中国国民党による一党支配が続き、「開発独裁」で経済成長したものの、1980年代には民主化の世論も強まりました。こうしたなか、日本植民地時代の台湾に生まれた**李登輝**が、

Ⅳ 近代・現代

初の直接選挙を実施して総統に当選すると（1996）、その後は選挙での政権交代が定着しました。しかし、李登輝が「台湾独立」の主張を強めたことで中国との関係が悪化し、現在、中台関係のあり方が課題となっています。

韓国では、**日韓基本条約**（1965）を結ぶと→第29章、軍人の朴正煕が日本からの経済協力で「開発独裁」を進め、高まった民主化運動は全斗煥の**軍事政権**が弾圧しました（**光州事件**　1980）。のち、**民主化宣言**（1987）で大統領直接選挙を発表した盧泰愚が当選し大統領となり、南北朝鮮の国際連合同時加盟（1991）を実現しました。現在、軍人出身でない文民大統領が続いています。

北朝鮮では、経済が停滞するなかで金日成が死去し（1994）、ソ連消滅という状況下で社会主義政権の正統性が危機に陥ったものの、息子の金正日が権力を掌握しました。のち、韓国の金大中大統領が平壌を訪問して金正日と会談しました（**南北首脳会談**　2000）。日本の小泉純一郎首相の訪朝では（2002）、金正日が日本人拉致を認めたものの、国交正常化の交渉は停滞したままです。**核兵器開発**をめぐる問題では、2006年に核実験を強行して以来、アメリカとの緊張が高まっていましたが、2018年には初の米朝首脳会談が実現しました。

⑥ 冷戦終結期とその後の東南アジア

東南アジアでは、アメリカや日本などの投資や融資に依存した「開発独裁」の親米政権が、1980年代以降の**民主化運動**のなかで倒れる事例が生じました。**フィリピン**では、20年以上にわたって続いた親米のマルコス政権が民主化運動で倒され（1986）、アキノ大統領に代わりました。**インドネシア**では、軍事クーデタ以来30年以上も政権を維持した親米のスハルト大統領が、アジア通貨危機（1997）に対処できずに失脚しました（1998）。スハルトは、かつてポルトガルからの独立をめざした東ティモールを併合していましたが、彼の失脚で東ティモール独立運動が活発化し、独立を達成しました（2002）。

ベトナムでは、ベトナム戦争を経て南北統一を果たすと（1976）、社会主義化した南部から脱出する難民（ボート＝ピープル）が問題となりましたが、1986年から「**ドイモイ**（刷新）」政策による市場経済の導入が進められました。

カンボジアでは、親中国のポル＝ポト政権が誕生し（1975）、貨幣の廃止や農村での自給自足など急進的な社会主義政策を進め、都市住民を農村に強制移住させたほか、反対者を大量虐殺しました。これに対して、ベトナムは、ベトナム戦争における敵国であるアメリカと和解（米中接近→第29章）した中国に不信感を抱き、カンボジアへ侵攻して親ベトナム・親ソ政権を樹立させると（1978）、ポル＝ポトを支持する中国がベトナム北部を攻撃しました（**中越戦争**　1979）。そして、激化したカンボジア内戦が、ベトナム軍のカンボジアからの撤退で終結すると（1991）、国連の監視下で総選挙を実施し（1993）、シハヌークを国王とする立憲君主制のカンボジア王国が誕生しました。

> **ＰＫＯ協力法（国際平和維持協力法）**（1992）により国連平和維持活動（ＰＫＯ）に自衛隊を初めて派遣したのは、内戦終結直後の**カンボジア**でした→第30章。

ビルマでは、社会主義的政策の軍事政権が民主化運動で1988年に倒れたものの、軍が再び権力を掌握して民主化運動を弾圧し、運動の指導者アウン＝サン＝スー＝チーはその後断続的に自宅軟禁されました。ビルマは国名を**ミャンマー**と改め（1989）、低迷した経済の再建に市場経済を導入しました。スー＝チーは2016年に事実上の国家指導者になりましたが、近年は少数派でムスリムのロヒンギャへの対応で国際的な批判を受け、2021年には軍部のクーデタで拘束されました。

この地域の経済状況を見ましょう。韓国・台湾・香港・シンガポールは**輸出主導型工業化**を進め、1970年代〜80年代にアジアの**新興工業経済地域**（ＮＩＥＳ）として注目されました。さらに、東南アジア諸国連合（ＡＳＥＡＮ）はベトナム戦争後に反共の政治色を薄めて経済協力機構にモデルチェンジし、加盟国のインドネシア・タイ・フィリピン・マレーシアは、相対的に安価で質の高い労働力を基盤に、1980年代後半から輸出主導型の工業化を進めました。

> **プラザ合意**（1985）以降、日本は進行する**円高**を利用して東南アジアや中国への**直接投資**を増やし、アジアの経済発展に拍車がかかりました→第30章。

冷戦終結後の1990年代後半、もと共産主義のベトナム・ラオス・カンボジアがＡＳＥＡＮに加盟し、「ＡＳＥＡＮ10」（東ティモール以外の東南アジア諸国が加盟）となっています。一方、**アジア通貨危機**（1997）では韓国・タイ・インドネシアが打撃を受けましたが、その後は経済成長を維持しています。

⑦ 冷戦終結期とその後の南アジア

冷戦終結後の1990年代、**インド**は市場経済を取り入れた「新産業政策」を開始し、公共部門の制限や国の規制緩和や外国の資本・技術の導入などの自由化・民営化路線を進めました。そして、ヒンドゥー至上主義を掲げるインド人民党（これに対してインド国民会議派は世俗主義）が政権に就くと、経済の自由化や外資導入がさらに進み、グローバル化のなかでＩＴ関連のソフトウェア産業が急成長して世界有数のＩＴ大国となりました。近年は所得格差や宗教対立の問題が生じているが、総じて新興経済国としての地位が高まっています。

⑧ 冷戦終結期とその後の中東

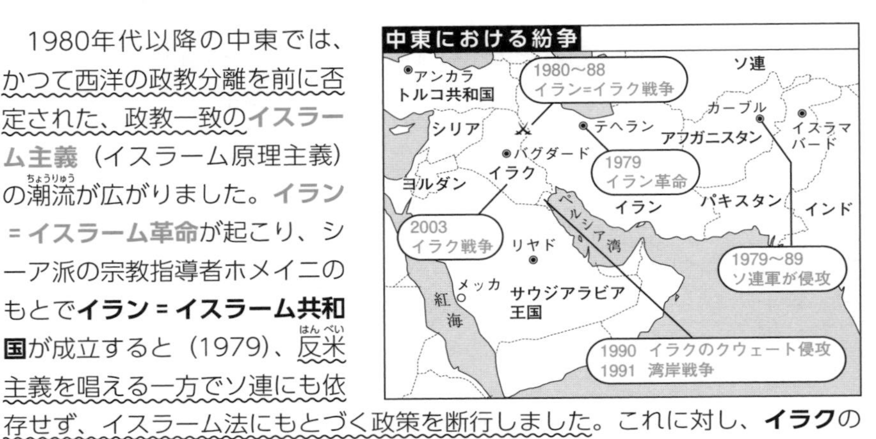

1980年代以降の中東では、かつて西洋の政教分離を前に否定された、政教一致の**イスラーム主義**（イスラーム原理主義）の潮流が広がりました。**イラン＝イスラーム革命**が起こり、シーア派の宗教指導者ホメイニのもとで**イラン＝イスラーム共和国**が成立すると（1979）、反米主義を唱える一方でソ連にも依存せず、イスラーム法にもとづく政策を断行しました。これに対し、**イラク**のフセイン大統領は、革命がイラクに及ぶのを恐れ（イラク国民も多くがシーア派でした）、イランを攻撃して**イラン＝イラク戦争**（1980～88）が勃発すると、ソ連に加えてイランを敵視するアメリカもイラク側を支援して武器を供与しました。のち、国連安保理決議で停戦に至るまで、多くの死者が生じました。

1990年代に勃発した**湾岸戦争**（1990～91）は、イラン＝イラク戦争で疲弊したイラクが、ペルシア湾に面し石油が豊かな隣国クウェートに侵攻して始まりました。冷戦終結後であり、国連安保理で「米ソのいずれかが拒否権を発動して機能停止」とはならずに決議が可決され、国連の集団安全保障体制のもとで組織された米軍中心の**多国籍軍**がイラク軍をクウェートから撤退させました。しかし、イラクのフセイン政権は存続して反米姿勢を続けました。また、**パレスチナ**では、投石などによる抗議運動の**インティファーダ**（パレスチナ全土での蜂起は1987年と2000年）をイスラエルが弾圧し、国際社会から非難されました。冷戦終結後には米ソが中東和平を進め、ＰＬＯ（パレスチナ解放機構）がイスラエル打倒を放棄して共存を模索するなか、アメリカの仲介でイスラエルとＰＬＯが**パレスチナ暫定自治協定**（**オスロ合意**　1993）を結び、パレスチナ自治政府が誕生しました。しかし、イスラエル右派政権の強硬路線とパレスチナでの強硬派（ハマース）の台頭で、和平が後退し現在に至ります。

> 日本は**湾岸戦争**で多国籍軍への経済支援や戦後の自衛隊掃海艇派遣をおこない、さらに国際貢献として**ＰＫＯ協力法**（1992）を定めました→第30章。

2000年代、アメリカ同時多発テロ事件（2001）を機に**アフガニスタン紛争**が起きました。アフガニスタンでは、ソ連の侵攻（1979～89）後にイスラーム主義の**ターリバーン**（1990年代に政権を掌握）と**アル＝カーイダ**（イスラーム過激派組織）が生まれ、後者の指導者ウサーマ＝ビン＝ラーディンが湾岸戦争（1991）を機に反米姿勢を強め、同時多発テロ事件を画策したとされます。アメリカの攻撃でターリバーン政権は崩壊し（2001）、のちに**イラク戦争**でフセイン政権が崩壊しました（2003）。これらの国々では政治的混迷が続いています。

2010年代、シリアでは、イラク・トルコとの国境地帯で「**ＩＳ**（イスラム国）」がイスラーム主義国家の樹立を宣言し、軍事掃討後も残存勢力のテロが続いています。また、北アフリカや西アジアのアラブ世界では、チュニジアでの**ジャスミン革命**を発端に「**アラブの春**」（2011）と呼ばれる民主化運動が高揚し（エジプトでは長期独裁のムバラク政権が崩壊）、抗議行動やデモにおける若者のＳＮＳ活用が注目されましたが、その後の民主化は停滞しています。

⑨ 冷戦終結期とその後のアフリカ・ラテンアメリカ

アフリカでは、1990年代になると民主化が進みました。冷戦下でアメリカやソ連の支援を受けていた強権的な政権が、冷戦終結で弱体化したからです。**南アフリカ共和国**では**アパルトヘイト政策**（少数の白人による非白人への人種隔離政策）が続いていましたが（同国と良好な経済関係を維持した日本は「名誉白人」扱い）、国際的非難と経済制裁を受けるなか、白人のデクラーク大統領は27年間投獄されていた黒人指導者**マンデラ**（アフリカ民族会議［ＡＮＣ］議長）を釈放し、さらにアパルトヘイト政策を法的撤廃（1991）、その後の全人種が参加した総選挙を経て、マンデラが黒人として最初の大統領に就任しました。現在、新興国として経済成長を遂げています。

一方、冷戦終結後のアフリカにおける、内戦にともなう諸問題に対し（1990年代、アフリカ東部の**ソマリア**では政権崩壊による飢餓の拡大、アフリカ中部の**ルワンダ**では大虐殺による大量の難民の発生）、国連をはじめとする国際社会は介入に消極的でした。2000年代に入ると、ＯＡＵ（アフリカ統一機構）に代わる地域共同体として**アフリカ連合**（**ＡＵ**）が発足（2002）、加盟国に対する平和維持軍の派遣もおこないました。

ラテンアメリカでは、1980年代以降、それまでの軍政と「開発独裁」から**民政移管**（選挙で選ばれた指導者による統治へ変化）による政治的安定と経済的発展がはかられました。**チリ**では親米軍事政権のピノチェト政権が倒れ（1990）、**アルゼンチン**ではフォークランド諸島の領有をめぐるイギリスとの戦争に敗れた軍事政権が崩壊しました（1983）。**ペルー**では民政移管したのち、日系２世のフジモリ大統領が誕生しました（1990）。また、1980年代には対外借款による**累積債務**の問題が諸国で表面化しましたが、1990年代以降はメキシコがアメリカ・カナダと北米自由貿易協定（ＮＡＦＴＡ）を結び、ブラジル・アルゼンチンなどが南米南部共同市場（ＭＥＲＣＯＳＵＲ）を作るなど、地域的な自由貿易圏が形成されました。一方で、**ベネズエラ**ではチャベス大統領が反米の姿勢を強めて社会主義政策をとるなど、ラテンアメリカへの強い影響力を持つアメリカ合衆国に対する反発は、20世紀末以降に再燃しています。

⑩ 冷戦終結期とその後のグローバル化(1)：ＩＴ革命、環境問題

ヒト（労働者や旅行者）・モノ（商品）・カネ（資本）・情報の移動が大量かつ高速となり、世界の経済と社会が緊密に一体化する**グローバル化**（グローバリゼーション）が進んでいます。これを支えているのは情報処理（**コンピュータ**）や通信（**インターネット**）の技術向上による**ＩＴ革命／ＩＣＴ革命**（情報通信技術：Information and Communication Technology）で、企業は情報通信技術を用いた国際分業を展開して**多国籍企業**化しました。**知識基盤社会**が到来するなか、情報技術を駆使した生産・流通・販売のネットワーク化も進みました。1990年代に普及した携帯電話が2000年代以降にスマートフォンへ移行し、日常生活上のさまざまなものがインターネットと接続し、電子商取引やＳＮＳネットコミュニティや**仮想通貨**が利用されています。**双方向的**な情報通信が拡大するなか、多様な意見の表明や共有ができる一方、デマの拡散など不確定で扇動的な情報の氾濫も見られます。個人情報の漏洩、一部の企業や国家による情報網の独占、サイバー攻撃の脅威などの問題も生じています。

> 日本での**多国籍企業**化は**プラザ合意**（1985）後の**円高**による輸出競争力低下が契機で→第30章、生産拠点の海外移転による**産業の空洞化**が進みました。

環境問題はグローバルな課題となり、スウェーデンのストックホルムで**国連人間環境会議**（1972）が開かれ、ブラジルのリオデジャネイロで開かれた**地球サミット**（環境と開発に関する国際連合会議　1992）では次世代にも経済的・社会的利益を残す「**持続可能な開発**」がめざされました。20世紀後半以降には、大気汚染が原因の酸性雨や、オゾン層の破壊による紫外線の地表到達などが問題となりました（1987年のモントリオール議定書でフロンガスなどを規制）。現在進行形の**地球温暖化問題**は、世界に深刻な対立を生んでいます。二酸化炭素などは温室効果ガスと呼ばれ、気候変動や海水面の上昇をもたらすことが指摘されています。**京都議定書**（1997）では先進国が大きな義務を負ったものの、中国・インドが義務を負わず、一方で大量排出国のアメリカが2001年に離脱するなど、実効性に欠けました。また、企業が環境規制のゆるい国に生産拠点を移す傾向にあることが問題化しています。現在、2015年の

国連サミットで採択された「持続可能な開発のための2030アジェンダ」にもとづく**持続可能な開発目標**（SDGs）が掲げられていますが、社会全体に広げた総花的な目標が、果たして2030年までに実現できるのか注目されます。

日本での環境問題は、高度経済成長期の公害問題として生じ、**公害対策基本法**の制定（1967）や**環境庁**の設置（1971）などがおこなわれました→第30章。

⑪ 冷戦終結期とその後のグローバル化⑵：自由化・地域統合と国家

冷戦の終結後、経済のグローバル化がいっそう進みました、第二次世界大戦後から関税撤廃と自由貿易を進めてきた**関税と貿易に関する一般協定**（GATT）は改組されて**世界貿易機関**（WTO）が発足し（1995）、モノに加えて情報・サービスを含めた流通部門の自由化がめざされています。アジアではASEANがASEAN自由貿易圏（AFTA　1993）を結成して域内関税引き下げなどを実行し、さらにアジア通貨危機（1997）を機に「ASEAN＋3」の枠組みで日本・中国・韓国との協力関係を強化しています。環太平洋地域では**アジア太平洋経済協力**（APEC　1989年発足、1993年首脳会議を開始）がオーストラリアの提唱で発足し、現在は日本を含む21カ国と地域が参加して、貿易・投資の自由化をめざしています。

さらに、関税の撤廃・削減を定める自由貿易協定（FTA）に加え、知的財産の保護や投資ルールの整備なども含める経済連携協定（EPA）を結ぶ動きも盛んです。これをアジア・オセアニアから南北アメリカ大陸にまたがる自由貿易圏として創設しようとしたのが**環太平洋パートナーシップ協定**（TPP）です。しかし、2017年に発足したアメリカのトランプ政権がTPPからの離脱を宣言するなど、先進国の一部では貿易自由化に反対して保護主義的な政策を復活させる動きがみられます。先進国の企業は、人件費の安い国・地域に生産拠点を移して利益を確保しようとするので、**雇用流出**で国内の雇用が失われる傾向があるからです。

また、地域統合にも懐疑的な見方が広がっており、それは国民投票にもとづくイギリスのEU離脱（2020）に象徴的に表れました。国民国家の消滅はナショナリズムの否定・消滅を意味し、愛国的な気持ちを刺激された人々は統合に反発します（**ナショナリズムの復興**）。国家を超越する形での自由化や統合の試みが、国際主義的なエリート・エスタブリッシュメント主導で進められてきたことへの反発も高まるなか、こうした大衆感情を利用する**ポピュリズム**の政治動向が生まれています（**排外主義**を唱える極右勢力の台頭など）。

近年、**新自由主義**（**ネオリベラリズム**）にもとづくヒト・モノ・カネ・サービスの自由な移動が、先進国では低賃金労働者や安価な商品の流入による雇用の喪失や農業の衰退を生んで国民全体の福祉・生活水準の低下をもたらし、途上国では進出したグローバル企業による労働者の搾取、伝統的産業・コミュニティや独自の文化・生活様式の破壊、環境の悪化などの問題を生じさせています。こうしたなか、「**反グローバル化**」の潮流も生まれています。

⑫ グローバル化する世界と日本

第二次世界大戦後の世界では、先進国（北半球の温帯に多い）と開発途上国（それよりも南に多い）との経済格差による利害対立が生じました（**南北問題**）。1970年代以降、産油国（原油価格の上昇で豊かに）やＮＩＥＳ（輸出主導型の工業化を推進）が経済力上昇で新興国となり、「南」の開発途上国のなかにも格差が生じました（**南南問題**）。近年はグローバル化が進むなか、開発途上国（新興国・途上国）を「**グローバル・サウス**」と呼ぶことが増え、現在では国際的な政治・経済面での存在感が増しています。

そして、これまで先進国としての地位を保ってきた**Ｇ７**に対し、新興国を含めた**G20**が世界経済の課題解決の場として重要視されています（リーマン＝ショック後の2008年から毎年開催）。また、2000年代以降に大きな経済発展を遂げたブラジル・ロシア・インド・中国・南アフリカ（**ＢＲＩＣＳ**）が国際社会への影響力を増大させ、ＢＲＩＣＳ首脳会議への加盟申請国が増加するなど、Ｇ７への対抗軸として注目されています。

現代の日本は、国内関連では、1990年代初めのバブル崩壊→第30章以降の「失われた30年」（実質経済成長率の低迷などに示される長期の不況）、少子高齢化による人口減少社会の到来、東日本大震災（2011. 3.11）における東京電力福島第一原子力発電所の事故とそれにともなう避難生活の解消や原発の解体の立ち遅れ、相次ぐ自然災害へ対応する「自助・共助・公助」のあり方、新型コロナウイルスの世界的流行（2020～）を受けた国家的・社会的な感染症対策などの課題があります。また、国際関連では、経済面で依存度を強めるアジア地域との関係や、海外からの訪日客が増えるなかでの「観光立国」のあり方、冷戦終結後の安全保障におけるアメリカとの一体化の強化と（2010年代には「安保法制」による集団的自衛権の行使も容認された→第30章）、それにともなう近隣諸国との摩擦・緊張などの課題があります。

日本と世界がどう歩んでいくのか、歴史を通して考えていきましょう。

歴史総合の問題にトライ！

問１　第一次世界大戦が始まった際に、フランスのほかに三国協商を構成していた国として正しいものを、次の①～⑥のうちから一つ選べ。**なお、正しいものは複数あるが、解答は一つでよい。**

①アメリカ合衆国　②イギリス　③イタリア
④チェコスロヴァキア　⑤日　本　⑥ロシア

問２　問１で選んだ国について述べた文として最も適当なものを、次の①～⑥のうちから一つ選べ。

① 血の日曜日事件が起こった。
② サルデーニャ王国を中心として統一された。
③ 奴隷解放宣言が出された。
④ ズデーテン地方を割譲した。
⑤ チャーティスト運動が起こった。
⑥ 中国に対して、二十一か条の要求を行った。

（共通テスト　試作問題・改題）

解説　**歴史総合でも、確実な知識によって正解を導く問題が出題される**と考えられます。問１は「三国協商（さんごくきょうしょう）」が英・仏・露なので→総合:第24章、②のイギリス、もしくは⑥のロシアを選びます。問２は、①がロシア→総合:第24章、②がイタリア→総合:第21章、③がアメリカ合衆国→総合:第21章、④がチェコスロヴァキア→総合:第27章、⑤がイギリス→総合:第25章、⑥が日本です→第24章。

⇒したがって、問１：②と問２：⑤、または問１：⑥と問２：①が正解です。

山本さんは、「自由」が歴史上様々な意味で使われていることに興味を持ち、次の**資料１～資料４**で使われている「**自由**」の意味の解釈を試みた。資料の解釈について述べた文として**適当でないもの**を、後の①～④のうちから一つ選べ。

資料１　ある運動の指導者がデモ参加者に向けて行った1963年の演説

> 私には夢がある、ジョージアの赤土の丘の上で、かつての奴隷の子孫たちとかつての奴隷主の子孫たちが、友愛に固く結ばれて一つのテーブルを囲む、そんな日が来るという夢が。（略）**自由**の鐘を鳴り響かせることができたとき、（略）神が創り給うた子供たち全てが（略）手と手を取り合う日が訪れるのを早めることができるのです。

資料２　1911年発刊の文芸雑誌の創刊号に発表された文章

> 元始、女性は太陽であった。真正の人であった。今、女性は月である。

（略）**自由**解放！女性の**自由**解放という声はずいぶん久しい前から私たちの耳もとにざわめいている。（略）それでは私の願う真の**自由**解放とは何だろう。言うまでもなく、潜んでいる天賦の才を、偉大な潜在能力を、十二分に発揮させることにほかならない。

資料3　ある議会で1789年に採択された宣言

国民議会を構成するフランス人民の代表者たちは、（略）人間の持つ譲渡不可能かつ神聖な自然権を荘重な宣言によって提示することを決意した。（略）
第一条　人間は**自由**で権利において平等なものとして生まれ、かつ生き続ける。

資料4　ある政治結社の指導者が行った1942年の演説

（略）私はどこに向かったらいいのか、そして４億のインド人をどこに導いたらいいのか。（略）もし彼らの目に輝きがもたらされるとすれば、**自由**は明日ではなく今日来なければならない。それゆえ私は「行動か死か」を会議派に誓い、会議派は自らにそれを誓った。

① 「自由」を、主に一党独裁体制の打倒という意味で使っていると考えられる資料がある。
② 「自由」を、主に人種差別の撤廃という意味で使っていると考えられる資料がある。
③ 「自由」を、主に性差別の克服という意味で使っていると考えられる資料がある。
④ 「自由」を、主に植民地支配からの独立という意味で使っていると考えられる資料がある。
（共通テスト　サンプル問題）

解説　**資料問題では、資料から読み取った情報を、知識と関連させながら判断しましょう。資料1**（「1963年」は第二次世界大戦後）は「私には夢がある」から公民権運動を主導したキング牧師の演説→総合:第29章、**資料2**（「1911年」は明治末期）は「元始、女性は太陽であった」から雑誌『青鞜』に掲載された平塚らいてうの文章→第24章、**資料3**（「1789年」は18世紀末）は「国民議会／フランス人民の代表者たち／自然権」からフランス革命時の人権宣言→総合:第20章、**資料4**（「1942年」は第二次世界大戦中）は「４億のインド人／会議派に誓い」からイギリスからの独立運動を主導した国民会議派ガンディーの演説→総合:第24章・第28章だと判断します。
②「人種差別の撤廃」は**資料1**、③「性差別の克服」は**資料2**、④「植民地支配からの独立」は**資料4**ですが、①「一党独裁体制の打倒」と**資料3**は一致しません。
⇒したがって、①が正解です。

上原さんの班と佐藤さんの班は、環太平洋地域における人やモノの移動とその影響についての発表を踏まえ、これまでの授業で取り上げられた観点に基づいて、さらに探究するための課題を考えた。課題**あ**・**い**と、それぞれについて探究するために最も適当と考えられる史料Ｗ～Ｚとの組合せとして正しいものを、後の①～④のうちから一つ選べ。

さらに探究するための課題

あ　自由と制限の観点から、第二次世界大戦後における太平洋をまたいだ経済の結び付きと社会への影響について探究したい。

い　統合と分化の観点から、海外に移住した沖縄県出身者と移住先の社会との関係について探究したい。

探究するために最も適当と考えられる資料

Ｗ　アメリカ合衆国における、日本からの自動車輸入台数の推移を示した統計と、それを批判的に報じたアメリカ合衆国の新聞の記事

Ｘ　アジア太平洋経済協力会議（ＡＰＥＣ）の参加国の一覧と、その各国の１人当たりＧＤＰを示した統計

Ｙ　沖縄県出身者が海外に移住する際に利用した主な交通手段と、移住に掛かった費用についてのデータ

Ｚ　移民が移住先の国籍を取得する条件と、実際に移住先で国籍を取得した沖縄県出身者の概数

①　**あ**－Ｗ　**い**－Ｙ　　②　**あ**－Ｗ　**い**－Ｚ
③　**あ**－Ｘ　**い**－Ｙ　　④　**あ**－Ｘ　**い**－Ｚ

（共通テスト　試作問題）

解説　**歴史総合では、現代的な諸課題を歴史と関連させる、「自由・制限」「平等・格差」「開発・保全」「統合・分化」「対立・協調」という視点が示されます。**教科書には、たとえば「近代化と私たち」全体の最終ページなどに、この５つの視点にもとづき、何をどのように調べるのかについての事例が載っています。

あ　本問での「自由と制限」は、自由な貿易を進めるか、何らかの制限を設けるか、という視点です。Ｗにある日米貿易摩擦（まさつ）→総合:第30章の資料は、「自由と制限」の視点から調べられますが、ＸにあるＡＰＥＣ（エイペック）→総合:第30章の資料は、「自由」の視点から調べられても、「制限」の視点が見いだせないでしょう。

い　本問での「統合と分化」は、移民が移住先の社会と融和（ゆうわ）するか、分断が生じるか、という視点です。Ｙにある沖縄からの移住経路の資料は、「統合と分化」の視点を見いだすのが困難ですが、Ｚにある移住先での国籍取得の資料は、「統合と分化」の視点から調べることができそうですね。

⇒したがって、②（あ－Ｗ　い－Ｚ）が正解です。

さくいん

本書の本文中の重要語句を中心に集めています。

あ

藍……233
INF 全廃条約……569
愛国社……340
ICT 革命……576
相対済し令……245
IT 革命……576
アイヌ……162
青木周蔵……361
赤狩り……536
赤松満祐……153
悪党……141
上知令……266
上げ米の制……244
赤穂事件……230
アジア＝アフリカ会議……540
アジア太平洋経済協力……577
アジア通貨危機……573
足尾銅山鉱毒事件……398
足利学校……191
足利高氏……146
足利尊氏……146,147,148
足利持氏……153
足利義教……150,153
足利義政……168
足利義満……150,160
足利義持……153
足軽……169
阿修羅像……104
飛鳥寺……99,100
飛鳥文化……99
吾妻鏡……184
ASEAN……543
安達泰盛……140
安土城……200
アパルトヘイト政策……575
アフリカ統一機構……546
アフリカの年……546
アフリカ連合……575
阿倍仲麻呂……59
阿部正弘……302
アヘン……313
アヘン戦争……313
阿弥陀堂……110
アメリカ……257,504
アメリカ独立革命……333
新井白石……231
アラブ石油輸出国機構……545
アラブの春……575
アラブ民族主義……544
アラブ連盟……517
有田焼……274
安政の大獄……303
安全保障理事会……512
安藤昌益……283
安藤信正……304
安和の変……78

い

EEC……537
EC……538
ECSC……537
井伊直弼……303
EU……569
イエズス会……198
イギリス……219,257,413
イギリス商館も閉鎖して退去……220
池大雅……288
異国警固番役……139
異国船打払令……259
いざなぎ景気……553
胆沢城……72
石井・ランシング協定……408,415
石井・ランシング協定が廃棄……417
石川達三……477
石田梅岩……283
石田三成……209
石橋湛山……421
石包丁……16
石山合戦……200
イスパニア……197
イスラーム主義……545,574
イスラエル……517
市川団十郎……276
一乗谷……171
1ドル＝360円……553
一木造……108
一国一城令……210
乙巳の変……43
一地一作人……203
一遍……181
一遍上人絵伝……185
伊藤仁斎……277
伊藤博文……345
糸割符制度……220
稲村三伯……280
稲荷山古墳……30
犬養毅……407
井上馨……360
井上財政……458
井上準之助……455,458
伊能忠敬……280
井原西鶴……275
今様……177,179
移民……313,403
移民法……449
壱与……23
イラク戦争……569
イラン＝イスラーム革命……574
入会地……154
磐井の乱……40
岩倉使節団……326
岩倉具視……360
鰯……234
岩宿遺跡……12
岩戸景気……553
石見大森銀山……171
院……118
院近臣……119
院政……117
院政期文化……177
院宣……119
インティファーダ……574
インド＝パキスタン戦争……544
インドシナ戦争……516
院庁下文……119
インフレーション……384
インフレ政策……462

う

植木枝盛……343
上田秋成……284
ヴェルサイユ条約……416
ヴェルサイユ体制……426
浮世絵……279
浮世草子……275
氏……34
氏族仏教……100
氏寺……100
歌川広重……287
打ちこわし……248
内村鑑三……436
駅家……56
厩戸王……39,41
浦賀……296

え

映画……449
永享の乱……153
栄西……181
永仁の徳政令……141
APEC……577
永楽通宝……161,167
英露協商……381
ええじゃないか……307
AU……575
会合衆……172
荏胡麻……164
エジプト王国……429
SDGs……577
蝦夷ヶ島……163
江田船山古墳……30
江戸……236
江戸初期の文化……273
江戸中・後期の文化……279
江戸の金遣い……240
江戸幕府……209
NPT……535
エネルギー革命……553
絵巻物……178
蝦夷……45,61
恵美押勝の乱……65
撰銭令……167
円覚寺……181
延喜の荘園整理令……87
延喜の治……76
延久の荘園整理令……91,118
円本……444
延暦寺……107

お

OAPEC……545
オイル＝ショック……548,556
王……19
応永の外寇……161
応永の乱……151
欧化政策……360
奥州藤原氏……95,120
往生伝……110
往生要集……110
王政復古の大号令……307
応天門の変……75
応仁の乱……167,168
大内氏……161
大内義弘……151
OAS……547
OAU……546
大臣……34
大鏡……178
大型動物……11
大首絵……287
大隈重信……361,384
大坂……236
大阪会議……340
大坂城……201
大坂の銀遣い……240
大坂の陣……209,210
大阪紡績会社……391
大塩の乱……262
大槻玄沢……280
大津事件……362
ODA……543
OPEC……545
大連……34
大森貝塚……15
大輪田泊……123

岡倉天心……441
御蔭参り……288
小笠原諸島……522
緒方洪庵……280
尾形光琳……279
沖縄……522
沖縄県……329
沖縄戦……485
沖縄返還協定……531
荻生徂徠……277
荻原重秀……230
荻原守衛……441
阿国歌舞伎……272
桶狭間の戦い……200
尾崎行雄……407
小山内薫……444
オスマン帝国憲法……357
オスロ合意……574
織田信長……199
小田原……170,171
小野妹子……42
オランダ……219
オランダ国王……296
オランダ風説書……222
オリンピック景気……553
蔭位の制……55

か

海運……238
海運業……419
改易……211
外貨獲得産業……391
改革・開放……571
海禁……310
海禁政策……160
改憲の阻止……525
開国勧告……296
改新の詔……44
海水面上昇……13
外戚……74
解体……141
解体新書……280
開拓使……330
開拓使官有物払下げ事件……343
開帳……288
貝塚……14
貝塚文化……16
海底電信ケーブル……403
懐徳堂……283
海舶互市新例……232
開発独裁……542
開発領主……89,136
貝原益軒……277
懐風藻……106
海保青陵……282
戒律……103
カイロ宣言……486
化学工業……419
加賀の一向一揆……169
嘉吉の土一揆……155,156
嘉吉の変……153
部曲……34
核拡散防止条約……535
学制……432
拡大EC……538
学童疎開……485
学徒出陣……485
核兵器……534
核兵器開発……572
掛屋……239
勘解由使……73
囲米の制……251
借上……165
華族令……347
刀狩令……201,203
学校教育法……498
学校令……436
活字印刷術……272
葛飾北斎……287
合衆国憲法……334
加藤高明……408
過度経済力集中排除法……499
神奈川……297
金沢文庫……184
仮名文字……110,111
蟹工船……444
狩野永徳……272
狩野派……192
姓……34
歌舞伎……272
株仲間……239,245
株仲間の解散……265
株仲間を奨励……249
鎌倉公方……152
鎌倉五山……186
鎌倉新仏教……179,180
鎌倉幕府……123,125
鎌倉幕府（の）滅亡……145,147
鎌倉府……152
鎌倉文化……179
上方……274
加耶諸国……28
樺太・千島交換条約……331
ガラ紡……389
刈敷……164
枯山水……191
河合栄治郎……477
河上肇……443
為替相場を固定……393
河村瑞賢……238
観阿弥……188
冠位十二階……41
官位相当制……55
閑院宮家……231
寛永期文化……273
寛永通宝……240
官営鉄道……323
官営八幡製鉄所……393
勧学院……109
環境庁……556
勘合……160
環濠集落……18
勘合貿易……160
韓国併合……370,375
韓国併合条約……377
官寺……101
漢字……35
乾漆像……104
『漢書』地理志……20
鑑真……59,103
完新世……13
寛政異学の禁……252
関税自主権の回復……359,363
関税自主権の欠如……298
寛政の改革……251
間接統治……496
貫高……171
貫高制……202
ガンディー……429
乾田……16
官田……86
関東管領……152
関東軍……375,453
関東大震災……410
関東都督府……375
関東取締出役……261
観応の擾乱……148
関白……75,77,201
桓武平氏……92,93
官物……88
漢訳洋書輸入の禁の緩和……245,280
管理通貨制度……462
管領……152

き

生糸……161,395
棄捐令……252
議会……337
器械製糸……390,393
機械紡績……392
企画院……478
企業勃興……391
紀元節……433
紀行文……183
技術革新……553
「魏志」倭人伝……21
寄進地系荘園……89,90
寄生地主制……387
寄生地主制は解体……500
偽籍……86
貴族院……346,350
北一輝……443
喜多川歌麿……287
北里柴三郎……438
北大西洋条約機構……515
北畠親房……190
北前船……263
北村透谷……439
北山文化……185
鬼道……22
義堂周信……186
畿内……56
絹織物……263
木下順庵……276
吉備真備……59
黄表紙……253,284
奇兵隊……306
基本的人権の尊重……502
義務教育……436
九カ国条約……417
旧石器時代……12
旧石器文化……11
宮中・府中の区別……348
キューバ革命……547
キューバ危機……534
己酉約条……222
旧里帰農令……251
教育基本法……498
教育勅語……437
教育令……432
狂歌……285
京学……276
行基……103
協調外交……413,417,418,451
共通通貨ユーロ……569
協定関税制……298
京都……163,165
京都大番役……127
京都議定書……576
京都五山……186
京都所司代……213
京都西陣……166
享保の改革……243
享保の飢饉……246
京枡……202
共和政……334
曲亭馬琴……285
極東国際軍事裁判……513
拒否権……512
漁労……14
キリシタン版……272
キリスト教……197
記録所……147
記録荘園券契所……92
義和団戦争……402
銀……310
金・ドル交換停止……557
金印……20
金閣……191
銀閣……191
緊急勅令……349
禁教令……220
キング……444
緊縮財政……385,458

金属器……16
禁中並公家諸法度……213
緊張緩和……535
金ドル本位制……513
金納……321
金肥……233
銀本位制が確立……386
金本位制を確立……394
禁門の変……306
金融恐慌……455,456
金融緊急措置令……507
金輸出……393
金輸出解禁……459,460
金輸出再禁止……462
金禄公債証書……320

く

空海……107
空也……110
公営田……86
陸羯南……435
盟神探湯……36
愚管抄……183
公卿……55
公事……91
公事方御定書……245
九十九里浜……234
九条頼経……133
薬子の変……73
楠木正成……146
百済……28
屈葬……15
工藤平助……250
国……56
国一揆……169
国造……35
口分田……57
熊沢蕃山……276
組頭……216
クラーク……330,436
グラスノスチ……569
蔵元……239
蔵物……239
蔵人頭……73
グローバル化……576
黒田清輝……441
郡……56
郡司……57
群集墳……32
軍団……58
軍部大臣現役武官制……368
軍部大臣現役武官制を改正……407
軍部大臣現役武官制を復活……473

け

桂庵玄樹……190
桂園時代……369
慶應義塾……437
慶賀使……223
軽工業……387
経済安定九原則……508
警察予備隊……520
傾斜生産方式……507
経世論……282
契沖……278
計帳……57
慶長遣欧使節……219
慶長の役……205
激化事件……343
戯作文学……439
血縁的結合……137
欠食児童……460
血税一揆……319
血盟団事件……465
検非違使……73
乾元大宝……77
元……139,160
原子爆弾……493
源氏物語……78,111
源氏物語絵巻……178
源信……110
遣隋使……41
憲政会……412
憲政党……367,368
憲政の常道……405,411,412,451
憲政擁護……407
現代……495
検地帳……203
建長寺……181
遣唐使……43,58
憲法……337
玄昉……59
憲法十七条……41
建武式目……148
建武の新政……145,147
県令……317
元老……369
元禄金銀……230
元禄文化……274

こ

小石川養生所……245
五・一五事件……466
弘安の役……139
公害対策基本法……556
郷学……283
江華島事件……328
合巻……264,285
合議制……132
工業生産額……420
皇極……43
高句麗……28
庚午年籍……47
甲午農民戦争……365
広州……310,313
光州事件……572
工場制手工業……236,262
工場法……399
公職追放……496
庚申講……288
甲申事変……364
更新世……11
香辛料……310
公選制……337
強訴……120,155
小歌……188
好太王碑……29
公地公民制……44
皇朝十二銭……62
高度経済成長……551
弘仁・貞観文化……106
弘仁格式……74
豪農……247
興福寺……102-104
興福寺阿修羅像……104
興福寺仏頭……102
光明皇后……64
公民権運動……536
公民権法……536
高野山……107
高麗……80,139
公領……89,91
五街道……236
古学……277
古河公方……170
五箇条の誓文……316
五カ所商人……220
五月危機……538
『後漢書』東夷伝……20
古義学派……277
古今和歌集……77,111
国学……105
国際連合……504,512
国際連合への加盟……526
国際連盟……417,426
国際連盟脱退……465
国司……57
国人一揆……150
国訴……248
石高……201
石高制……202
国定教科書……437
国風文化……109
国文学……278
国分寺……103
国分寺建立の詔……64
国分尼寺……103
国民……318,356
国民会議派……428,516
国民学校……482
国民国家……356
国民主権……501
国民所得倍増計画……528
国民精神総動員運動……477
国民政府……452
国民徴用令……478
国民之友……435
国有企業の民営化……562
黒曜石……15
国立銀行条例……325
国連人間環境会議……576
御家人……126,211
護憲三派……411,412
小御所会議……307
小作農……387
五山・十刹の制……186
後三年合戦……95
五・四運動……417,428
古事記……105
古事記伝……281
コシャマイン……163
55年体制……524-526,562
五重塔……100,108
子代の部……34
御成敗式目……134
戸籍……57
五大改革……496
五大改革指令……497,503
国会開設の勅諭……343
国会期成同盟……342
国家主義……435
国家総動員法……478
国家仏教……101
滑稽本……285
後鳥羽上皇……133
五人組……216
近衛声明……476
小林一茶……285
小林多喜二……444
五品江戸廻送令……300
古文辞学派……277
古墳時代……27
五榜の掲示……316
コミンテルン……426
コミンフォルム……514
小村寿太郎……363
米騒動……408
御霊会……110
ゴルバチョフ……569
ゴローウニン……259
権現造……273
金剛峰寺……107
今昔物語集……179
コンツェルン……396
健児……72
墾田永年私財法……67
近藤重蔵……258
コンドル……441

さ

座……164,166
再軍備宣言……491
最恵国待遇……297
在郷商人……263
最後の班田……87
採集……13
最澄……107

在庁官人……89
財閥……395
財閥解体……498,554
西面の武士……133
堺……172
坂田藤十郎……276
坂上田村麻呂……72
佐賀の乱……338
酒屋……167
酒屋役……153
防人……58
桜田門外の変……303
座繰製糸……390,393
鎖国……218
指出検地……171
薩英戦争……305
雑訴決断所……147
薩長同盟……307
薩長連合……307
札幌農学校……436
薩摩……218
薩摩藩……305
佐藤信淵……282
サミット……548
侍所……124,151,152
左右統一……525
三・一五事件……454
三・一独立運動……416,428
三跡……111
三貨……240
三月革命……425
産業革命……296,310,387
産業合理化……459
参勤交代……212
三権分立……334
三国干渉……366
三斎市……164
3C……555
三種の神器……555
三職……307
三世一身法……66
三大事件建白運動……345
三都……236
山東京伝……284
山東出兵……453
山東省……414
三筆……108
300歩＝1段……202
三部会……334
三奉行……213
サンフランシスコ講和会議……521
サンフランシスコ平和条約……521
三浦の乱……162

し

GHQ……495
シーボルト……280
ジーメンス（シーメンス）事件……407
自衛隊……524
紫衣事件……214
シオニズム……517
志賀潔……438
信貴山縁起絵巻……178
式亭三馬……285
式部省……55
資源ナショナリズム……545
四国艦隊下関砲撃事件……306
自作農創設特別措置法……500
寺社奉行……214
時宗……181
治承……124
閑谷学校……283
氏姓制度……33
自然主義……440
下地中分……138
七道……56
七分積金……252
執権……132
執権政治……131
湿田……16
十返舎一九……285
幣原外交……418
幣原喜重郎……418,451,454
地頭……124–126,133,137
地頭請……138
寺内町……172
品部……35
地主・小作関係……321
士農工商……215
司馬江漢……288
支払猶予令……456,457
シベリア出兵……408,415
私貿易……160
資本主義……311
島津氏……223
島原の乱……221
持明院統……146
市民革命……333
四民平等……319
下田……297
霜月騒動……140
下関条約……365
シャウプ税制改革……509
謝恩使……223
社会運動……396
社会主義……312,397
社会民主党……398
釈迦三尊像……100
写実主義……439
車借……167
写生画……288
洒落本……253,284
朱印船貿易……219
十一月革命……425
集会条例……342
衆議院……345,350
衆議院議員選挙法……345,351
宗教改革……197
自由党……343
自由貿易政策……311
自由民主党……525
重要産業統制法……460
十四カ条の平和原則……424
寿永の乱……124
儒教……36
宿駅……237
主権……298
守護……124,125,127,149
守護請……150
守護大名……148,150
朱子学……229,274,276
シュタイン……347
ジュネーヴ休戦協定……516
聚楽第……201
狩猟……11,14
受領……88
殉死の禁止……228
書院造……191
荘園公領制……92,118
荘園領主……89
蔣介石……452,470
城郭建築……271
城下町……171,172,217
荘官……89
蒸気機関……311
承久の乱……133
貞享暦……278
将軍……126
上皇……118
小国分立……18
小説神髄……439
正倉院宝庫……104
正倉院宝物……105
定朝……110
正長の土一揆……155,156
上智令……266
浄土教……110
正徳金銀……231
浄土宗……181
浄土真宗……181
常任理事国……417
尚巴志……162
消費税……562
蕉風（正風）俳諧……275
昌平坂学問所……253,282
障壁画……272
条坊制……61
定免法……244
縄文土器……14
縄文文化……12
醬油……263
条里制……57
秤量貨幣……240
生類憐みの令……230
昭和恐慌……455,460
昭和電工事件……504
承和の変……75
初期議会……351
初期荘園……67
殖産興業……323
植民地や権益……296
荘官……89
女子英学塾……437
女子挺身隊……485
諸宗寺院法度……214
女性参政権……497
女性参政権運動……448
女性の身売り……460
白樺派……444
新羅……28,58,59
芝蘭堂……280
清……310
新恩給与……126
辛亥革命……402
心学……283
新貨条例……325
親魏倭王……23
新劇……440
人権宣言……334
新興工業経済地域……549,573
新古今和歌集……183
壬午軍乱……364
真言宗……107
震災恐慌……455,456
震災手形……456
新思考外交……569
新思潮派……444
新自由主義……568
人種隔離政策……575
新植民地主義……540
壬申の乱……47
新体制運動……481
新中間層……449
新田開発……232
寝殿造……112
神皇正統記……190
新派劇……440
親藩……211
新婦人協会……422
神仏習合……104
神仏分離令……433
新聞紙条例……340
人民公社……541
人民戦線……491
人民戦線事件……477
神武景気……552
親鸞……181
新冷戦……535

す

隋……40
垂加神道……276
出挙……58

水稲耕作……16
水爆……534
水墨画……192
水力発電……419
枢密院……346,348
須恵器……36
スエズ運河……380
スエズ運河の国有化……544
菅原道真……58,76
杉田玄白……280
数寄屋造……273
調所広郷……267
鈴木商店……457
鈴木春信……287
スターリン……426
スターリン批判……539
崇徳上皇……122
スペイン……197
スペイン船の来航を禁止……220
スペイン内戦……491
角倉了以……237

せ

世阿弥……188
征夷大将軍……125
正貨……324,325
聖学……277
正貨蓄積……386
征韓論……328
世紀……85
生口……21
税権の回復……360
生産量……392
製糸業…300,387,390,419
政治小説……439
政体書……316
青銅器……17
青鞜社……422
政党内閣……405,410,412
西南戦争……339
政費節減……353
政府開発援助……543
清和源氏……93,94
世界遺産……565
世界恐慌……460,470,474
世界金融危機……569
世界第１位……395
世界の一体化……403
世界貿易機関……577
関ヶ原の戦い……209
関所……167,237
関孝和……278
石炭……311
石油危機……532,548
石油の国有化……545
石油輸出国機構……545
絶海中津……186
摂関政治……77
積極財政……461
雪舟……192
摂政……75,77
設備投資……553
全インド＝ムスリム連盟……428,516
選挙干渉……353
前九年合戦……94
全権委任法……490
戦後恐慌……418,420
戦国期文化……186
戦国時代……145,169
全国水平社……422
戦国大名……169
戦後の文化……564
禅宗様……184
漸次立憲政体樹立の詔……340
先進国首脳会議……548
全体主義国家……490
銭納……165
千利休……272
前方後円墳……28,31
全面講和論……521
川柳……285

そ

租……58
宋……80,159
惣……153
ソヴィエト……425
惣掟……154
宗祇……189
宗氏……161,222
装飾画……273
『宋書』倭国伝……29
増税……385
宋銭……123,160,165
宗全……168
造船業……419
惣村……153
曹洞宗……181
惣百姓一揆……248
僧兵……120
草木灰……164
雑徭……58
惣領制……137
惣領制が動揺……141
総力戦体制……425
蘇我氏……40
蘇我馬子……41
続縄文文化……16
塑像……104
側用人……230
SALT Ⅰ……535
ソ連……426,504,521
ソ連型社会主義……540
ソ連は消滅……570
ソ連邦は解体……560
尊王攘夷運動……301
尊王論……282
孫文……470

た

第１次オイル＝ショック……532,548,558
第１次五カ年計画……426
第一次護憲運動……406,407
第１次国共合作……470
第一次世界大戦……408,413,414,424
第１次中東戦争……517
第１次長州征討……306
第１次日韓協約……376
第１次石油危機……548
第１次戦略兵器制限交渉……535
第１回非同盟諸国首脳会議……540
第１回普通選挙……454
大学……105
大覚寺統……146
大学頭……229
大学別曹……109
大学令……409,443
大化改新……43
大韓帝国……371
大韓民国……506,515
大逆事件……399
大教宣布の詔……433
大航海時代……197,310
太閤検地……201,202
第五福竜丸事件……534
第３次日韓協約……377
第三世界……540
第３次中東戦争……545
大衆社会……448,449
大衆小説……444
大衆文化……442
大正～昭和初期の文化……442
太政官……54
太政大臣……122,151
大臣……34
大審院……361
大政奉還……304,307
大西洋憲章……493
大政翼賛会……481
大戦景気……418,419
代銭納……165
大東亜会議……484
大東亜共栄圏……493
第２次オイル＝ショック……549,558
第二次護憲運動……410,411
第２次国共合作……491
第２次産業革命……402
第二次世界大戦……480,490,492
第２次石油危機……549
第２次中東戦争……544
第２次長州征討……307
第２次日韓協約……377
大日本産業報国会……482
大日本帝国憲法……345,348
大日本史……277
大番催促……127
代表越訴型一揆……248
大仏造立の詔……64
大仏様……184
太平記……190
太平洋戦争……473,482,484,493
帯方郡……21
大宝律令……49,53
大犯三カ条……127
大名知行制……203
大躍進……541
太陽のない街……444
太陽暦……434
第４次中東戦争……548,558
平清盛……121,122
平忠常の乱……94
平将門……93
平頼綱……140
大量消費……449
大量生産……449
大連……371,374
台湾……366
台湾銀行……394,457
台湾出兵……328,329
高島炭鉱……323
多賀城……61
高橋是清……455,461
高橋財政……461
高松塚古墳……102
高松塚古墳壁画……102
高向玄理……42
高山樗牛……435
高床倉庫……16
兌換……325
兌換制度……325,385
滝川事件……466
滝沢馬琴……285
多極化……534
竹田出雲……286
太宰春台……277
大宰府……56
足高の制……245
但馬生野銀山……171
打製石器……12
橘奈良麻呂の変……65
橘逸勢……75
橘諸兄……64
竪穴式石室……31
竪穴住居……14
田堵……87
田荘……34
田中義一……453
田中正造……398

田沼意次……249
田沼時代……249
種子島……198
WTO……577
濃絵……272
為永春水……285
田山花袋……440
俵物……234,250
俵物の輸出……250
俵屋宗達……273
男性普通選挙……448
段銭……153
単独相続……141
壇の浦の戦い……125

ち

治安維持法……412
治安維持法の改正……454
治安警察法……398
チェチェン共和国……570
地縁的結合……141
地価……321
治外法権……298
近松門左衛門……275
地球サミット……576
知行国……119
地券……320
地下請……154
千島列島……522
地租改正……320
地租改正条例……321
地租改正反対一揆……322
秩父事件……344
秩禄……320
知藩事……317
地方改良運動……369
地方三新法……342
地方自治法……502
中央公論……439
中央集権体制……54
中華人民共和国
……507,515,521
中距離核戦力全廃条約
……569
中継貿易……162
中国共産党……428
中国国民党……428
中小動物……13
中ソ対立……534,541
中ソ友好同盟相互援助条約
……540
中尊寺金色堂……177,178
調……58
朝貢……19
張作霖……453
張作霖爆殺事件……453
逃散……154,155
町衆……172
鳥獣戯画……178
長州藩……305
朝鮮……161
朝鮮休戦協定……516
朝鮮式山城……46
超然主義……352
朝鮮出兵……201
朝鮮戦争……515,519,520
朝鮮総督府……377
朝鮮通信使……222
朝鮮民主主義人民共和国
……506,515
町人請負新田……232
徴兵告諭……319
徴兵制……334
徴兵令……319
直接統治……513
地理学……278
鎮護国家……103
鎮西探題……140

つ

築地小劇場……444
菟玖波集……189
対馬……218
津田左右吉……443,477
土一揆……155
鶴屋南北……286

て

定額……322
定期市……164,165
庭訓往来……191
帝国主義……380
帝国大学……436
適塾……280
適々斎塾……280
出島……221
デタント……535
手塚治虫……565
鉄器……17
鉄鋼業……419
鉄資源……29
鉄道国有法……395
鉄砲……197
デフレーション……385
デフレ政策……385,458
デフレ不況……386
テヘラン会談……493
寺請制度……214
寺子屋……284
寺島宗則……326,360
テレビ放送……565
天安門事件……571
天下統一……201
天慶の乱……93
転向……466
天正遣欧使節……199
天津条約……364
天台宗……107
天長節……433
天皇機関説……405,421
天皇機関説問題……466
天皇大権……349
田畑永代売買の禁止令
……217
天平文化……102
天賦人権思想……432
天保の改革……264
天保の飢饉……261
天保の薪水給与令
……260,266,296
天明の打ちこわし……251
天明の飢饉……250
天文学……278
天暦の治……76,77
天龍寺……186

と

ドイツ……413
ドイツ民主共和国……515
ドイツ連邦共和国……515
刀伊の入寇……80
問丸……165
問屋……167
問屋商人……239
問屋制家内工業……235,262
問屋場……237
唐……43,58
東欧革命……570
統監府……377
道鏡……65
銅鏡……31
東京裁判……496
東京専門学校……437
東京美術学校……441
道元……182
同志社英学校……437
同時多発テロ事件……568
堂島……239
東洲斎写楽……287
唐招提寺……103
唐人屋敷……222
統帥権……349
統帥権干犯……454
東大寺……103,104
銅鐸……17
東塔……102
東南アジア諸国連合……543
銅版画……288
逃亡……66
東方外交……535
同盟国……413,424
東洋経済新報……421
道理……134
棟梁……93,95
富樫政親……169
土偶……15
徳川家綱……228
徳川家斉……260
徳川家康……209
徳川綱吉……229
徳川吉宗……243
特需景気……552
読史余論……277
独占禁止法……499
独ソ戦……493
得宗専制政治……138,139
独ソ不可侵条約……492
徳富蘇峰……435
徳永直……444
独立宣言……333
土佐日記……111
外様……211
土倉……167
土倉役……153
土地税……87
ドッジ＝ライン……509
隣組……482
富岡製糸場……323
伴造……35
豊臣秀吉……199
豊臣秀頼……210
渡来人……35
虎の門事件……410
取付け騒ぎ……457
ドル＝ショック
……548,556,557
トルーマン＝ドクトリン
……514
トルコ共和国……429
登呂遺跡……19
屯田兵……329

な

内閣……346
内閣制度……347
内務省……323
中江兆民……432
長岡京……71
長崎
…218,258,297,487,493
中里介山……444
長篠合戦……200
中継貿易……199
中臣鎌足……43
中大兄皇子……43
中村正直……431
長屋王……63
長屋王の変……64
ナショナリズム……356
名代……34
ナチ党……490
夏目漱石……440
NATO……515
難波宮……44
名主……216
奴国……20
NAFTA……569
ナポレオン１世……335
ナポレオン＝ボナパルト
……335

生麦事件……305
納屋物……239
鳴滝塾……280
南海路……238
南学……276
南紀派……303
南京国民政府……470
南西諸島……522
南宋……139
南都六宗……103
南南問題……578
南蛮文化……271
南蛮貿易……199
南部仏印進駐……483
南北戦争……357
南北朝合体……151
南北朝時代……145,148
南北朝文化……185
南北問題……578
南鐐二朱銀……249
南路……59

に

新潟……297
NIES……549,573
二・一ゼネスト……508
ニクソン＝ショック……548
ニクソン訪中……543
2個師団増設……406
錦絵……286,287
西田幾多郎……443
西ドイツ……515
西廻り航路……238
二十一カ条の要求……414
二条良基……189
日ソ共同宣言……526
日英通商航海条約……362
日英同盟……413
日英同盟が廃棄……417
日英同盟協約……372
日独伊三国同盟……479,481,493
日独伊三国防共協定……491
日米安全保障条約……512,523
日米行政協定……523
日米修好通商条約……297
日米相互協力及び安全保障条約……527
日米和親条約……297
日満議定書……464
日明貿易……160
日蓮……182
日蓮宗……182
日露協約……375
日露戦争……370,373
日韓基本条約……530
日光東照宮……273
日産……462
日親……187
日清修好条規……328
日清戦争……363,365
日ソ共同宣言……526
日ソ中立条約……481
新田義貞……147
日窒……462
日中共同声明……532
日中戦争……473,475,476,491
日中平和友好条約……532
日朝修好条規……328
日朝貿易……161
日本人……435
日本人の海外渡航と在外日本人の帰国を全面禁止……221
日本郵船会社……392
日本列島改造……532
二・二六事件……466
二宮尊徳……283
日本共産党……422
日本銀行……386
日本国王……231
日本国憲法……501,503
日本社会党……398
日本書紀……106
日本鉄道会社……392
日本農民組合……421
日本美術院……441
日本労働総同盟……421
二毛作……164
ニューディール……471
ニュルンベルク国際軍事裁判……513
人形浄瑠璃……272,275
人情本……264,285
人掃令……204
人足寄場……252
寧波の乱……161

ね

ネオリベラリズム……568
根室……258
ネルー……429
年行司……172
年貢……91,216
年貢の銭納……165

の

能……188
農学……278
農業基本法……555
農業生産額……420
農業全書……278
農書……233
農地改革……499,554
農民層の分解……247
農民の階層分化……247
ノーベル賞……565
野口英世……443
ノルマントン号事件……360

は

俳諧……274
排外主義……578
ハイチ……335
廃刀令……320
廃藩置県……317
廃仏毀釈……434
破壊活動防止法……523
博多……172
パグウォッシュ会議……534
白色革命……545
白村江の戦い……45,46
幕藩体制……210
白鳳文化……101
幕領……211
箱館……297
土師器……36
馬借……167
バスティーユ牢獄を襲撃……334
長谷川等伯……272
畠山氏……169
旗本……211
八月十八日の政変……306
閥族打破……407
バテレン追放令……205
花の御所……151
埴輪……31
バブル経済……560,561
パフレヴィー朝……429
蛤御門の変……306
林子平……253
林鳳岡……229
林羅山……274
隼人……61
パリ講和会議……409,416
ハリス……297
パリ和平協定……543
パレスチナ……429
パレスチナ解放機構……545
パレスチナ暫定自治協定……574
パレスチナ分割案……517
パレスチナ問題……429,517
ハワイ真珠湾……484
藩学……283
反グローバル化……578
半済令……149
版籍奉還……316
藩専売制……263
伴大納言絵巻……75,178
班田収授法……57
バンドン会議……540
藩閥政府……318

ひ

PLO……545
PKO協力法……562
比叡山……107
東インド会社……310
東ドイツ……515
東廻り航路……238
東山文化……186
引揚げ……507
引付衆……135
非軍事化……495
菱川師宣……279
人返しの法……265
一橋派……303
ヒトラー……490
一人っ子政策……571
日比谷焼打ち事件……374
非暴力・不服従……429
卑弥呼……22
ひめゆり隊……486
評……45
兵庫……297
評定衆……134
評定所……213
平等院鳳凰堂……80,110
平泉……95,120
平賀源内……280
平田篤胤……281
平戸……219
広島……487,493
貧農……247
貧乏物語……443

ふ

武……29
ファシスト党……490
ファシズム……490
風俗画……272
フェートン号事件……259
夫役……91
フェノロサ……441
フェミニズム……536
不換紙幣……384
不換紙幣の整理……385
富貴寺大堂……178
復員……507
福沢諭吉……431
福祉削減……568
福島事件……344
副葬品……17
武家諸法度……211
富国強兵……322
藤原氏……62
藤原4兄弟……62,64
藤原京……48
藤原惺窩……274
藤原純友……93,94
藤原時平……76
藤原仲麻呂……62,65
藤原広嗣の乱……64
藤原不比等……62,63
藤原冬嗣……73

藤原道長……74,79
藤原基経……74,75
藤原百川……62,65
藤原良房……74,75
藤原頼経……133
藤原頼通……79
不戦条約……453
譜代……211
札差……239
二葉亭四迷……439
武断政治……227,377
府知事……317
普通選挙法……412
仏教……36
復古神道……281
仏頭……102
風土記……106
太占……36
不入……90
部分的核実験禁止条約
……535
不輸……90
プラザ合意……561,568
プラハの春……539
フランコ……491
フランシスコ゠ザビエル
……198
フランス革命……334
BRICS……578
ブレトン゠ウッズ体制
……513
浮浪……66
ブロック経済……471
プロレタリア文学運動
……444
プロレタリア文化大革命
……541
文永の役……139
文化財保護法……565
文化住宅……445
分割占領……513
分割相続……137
文久の改革……305
分国法……171
文治政治……227
文人画……287
分地制限令……217
文明開化……431,434
文禄の役……205

へ

平安京……72
平家物語……183
兵士……58
平氏政権……120
平治の乱……121,122
米州機構……547
平城京……61
平城太上天皇の変……73
平成不況……560,561
平民社……373
平和共存……534,539
平和五原則……540
平和主義……502
壁画……102
ベトナム戦争……528,542
ベトナム反戦運動……536
ベトナム民主共和国……516
紅花……233
ペリー……296
ペリー来航……295
ベルリンの壁……537,539
ベルリンの壁が開放……570
ベルリン封鎖……514
ペレストロイカ……569
変動相場制……548,557

ほ

保安条例……345
保安隊……524
貿易摩擦……560,568
法皇……120
封建制度……125
保元の乱……121,122
宝治合戦……135
北条氏……131
北条貞時……140
北条早雲……170
北条高時……146
北条時政……132
北条時宗……139
北条時頼……135
北条泰時……134
北条義時……133
奉書船以外の海外渡航が禁止……221
紡績業……387,388,419
法然……181
法隆寺……100
法隆寺金堂……100
宝暦事件……282
ポーツマス条約……374
北清事変……371
北爆……530
北伐……452,470
北部仏印進駐……481
北米自由貿易協定……569
北面の武士……119
北路……59
保守合同……525
戊申詔書……369,436
戊辰戦争……307,315
細川勝元……168
細川氏……161
渤海……58,60
北家……64
法華一揆……187
法華宗……182
法勝寺……120,178
堀田正睦……302
ポツダム会談……493
ポツダム宣言……487,493
北方領土……522
ポピュリズム……577
堀越公方……170
ポルトガル……197
ポルトガル船の来航を禁止
……221
ホロコースト……493
本位貨幣制……324
本格的政党内閣……409
本家……89
香港の返還……571
本陣……237
本草学……277
本多光太郎……443
本多利明……282
本朝十二銭……62
本能寺の変……200
本百姓……216
本領安堵……126

ま

マーシャル゠プラン……514
前野良沢……280
枕草子……78,111
マス（゠）メディア
……442,449
磨製石器……14
松尾芭蕉……275
マッカーサー……495
松方財政……383
松方正義……385
末期養子の禁……227
末期養子の禁を緩和……228
松平定信……251
末法思想……110
松前……218
松前氏……163,223
マニュファクチュア
……236,262
間宮林蔵……258
繭……390
円山応挙……288
万延小判……301
満洲国……464
満洲事変……455,464,470
曼荼羅……108
マンデラ……575
政所……125
万葉集……106

み

三池炭鉱……323
水城……46
水野忠邦……264
水呑……216
見世棚……165
密教……107
三菱……323
水戸学……282
ミドハト憲法……357
港町……172
南ベトナム解放民族戦線
……542
南満洲鉄道株式会社……375
源実朝……131,132
源高明……78
源義家……95
源義経……125
源義朝……122
源頼家……132
源頼朝……123,124
源頼信……94
源頼義……94
美濃部達吉……405,421
身分統制令……204
屯倉……34
三宅雪嶺……435
宮座……154
宮崎安貞……278
ミュンヘン会談……491
名主……91
明……152,160,310
民主化……495
民主化運動……572
明銭……161,167
民撰議院設立の建白書
……340
民族自決……424,427
民族浄化……571
民党……351,352
民部省……55
民法……351
民法典……335
民法典論争……351
民本主義……406,421
民力休養……353

む

無学祖元……181
ムッソリーニ……490
陸奥宗光……362
棟別銭……153
宗尊親王……135
村請制……203,216
村方三役……216
村方騒動……248
村田珠光……189
村田清風……267
室生寺……108
室生寺金堂……108
室町幕府……148
室町文化……185

め

明治十四年の政変……342
明治の文化……434
明治六年の政変……328,338
明徳の乱……151

明六社……431
明和事件……282
メーデー……421
目安箱……245
綿織物業……419
綿花……166,396
綿糸……392
綿布……395

も

蒙古襲来……138,139
毛利元就……170
最上徳内……258
目代……89
持株会社……396
持株会社整理委員会……499
本居宣長……281
基経……74
物部氏……40
木綿……161
桃山文化……271
もやい……216
モラトリアム……456,457
モリソン号事件……259
門戸開放……371
門前町……172
問注所……125
モンロー宣言……357

や

八色の姓……48
薬師寺……101,102
薬師寺東塔……102
矢内原忠雄……477
柳沢吉保……230
柳田国男……443
山鹿素行……277
山県有朋……318
山片蟠桃……283
山崎闇斎……276
山城の国一揆……169
邪馬台国……22
ヤマト政権……27
大和国柳生の徳政碑文……156
山名氏清……151
山名持豊……168
弥生土器……17
弥生文化……15
ヤルタ会談……493
ヤルタ協定……487

ゆ

結……216
唯一神道……188
由井正雪……228
友愛会……421
郵便制度……323
湯川秀樹……565
雪どけ……534,539
湯島聖堂……229
輸出額……395
輸出超過……300,420
輸出量……392,395
輸入額……395
輸入機械……389
輸入超過……300,390,396
輸入量……392
弓矢……14

よ

庸……58
陽明学……276
養老律令……53
ヨーロッパ共同体……538
ヨーロッパ経済共同体……537
ヨーロッパ石炭鉄鋼共同体……537
ヨーロッパ統合……537
ヨーロッパ連合……569
翼賛選挙……485
横穴式石室……32
横浜毎日新聞……439
与謝野晶子……373,440
吉野……148
吉野ヶ里遺跡……19
吉野作造……406,421
寄木造……110
四つの現代化……571
世直し一揆……248
読本……284
寄合……154
四カ国条約……417
四大公害訴訟……556

ら

来迎図……110
楽市令……200
ラクスマン……258
楽浪郡……20
ラジオ放送……445,449
蘭溪道隆……181

り

里……56
リーマン＝ショック……569
利益線……353
陸軍……406
立憲改進党……343
立憲政友会……369,409,412
立憲民政党……412
立志社……340
律宗……182
リットン調査団……464
琉球王国……162
琉球処分……329
琉球藩……329
柳条湖事件……464
領域……326
凌雲集……109
両替商……240
領家……89
領事裁判権の承認……298
領事裁判権の撤廃……359,362
梁塵秘抄……179
遼東半島……366
令義解……74
旅順……371,374
臨済宗……181
綸旨……147

れ

冷戦……504,505,512,515,519,529
冷戦の終結……559,570
レーニン……425
歴史学……277
レザノフ……258
レジスタンス……492
レッド＝パージ……520
連歌……189
連合国……413,424
連合国軍最高司令官総司令部……495
連帯……570
蓮如……187

ろ

老中……213
労働基準法……497
労働組合期成会……398
労働組合法……497
六斎市……166
60年安保闘争……527
六勝寺……120,178
六波羅探題……133
鹿鳴館……360
盧溝橋事件……475
ロシア……257
ロシア革命……415,424
ロシア連邦……570
ロッキード事件……532
ロマン主義……439
ロンドン海軍軍縮条約……454
ロンドン海軍軍備制限条約……454

わ

隈板内閣……368
ワカタケル大王……30
若年寄……213
倭寇……160,161
和算……278
ワシントン会議……410,417
ワシントン海軍軍縮条約……418
ワシントン海軍軍備制限条約……418
ワシントン体制……427
和田義盛……133
和同開珎……62
倭の五王……29
侘茶……189,272
ワルシャワ条約機構……515
湾岸戦争……560,574

写真・絵画の所蔵元

81ページ『伴大納言絵巻』: 出光美術館
142ページ『神護寺（真言宗）領紀伊国桛田荘絵図』: 宝来山神社
173ページ『一遍上人絵伝』: 清浄光寺（遊行寺）
206ページ『長篠合戦図屛風』: 写真：TopFoto/アフロ
255ページ『やれでたそれ出た亀子出世』: 大東急記念文庫
331ページ『東大寺領糞置荘開田図』: 正倉院宝物
331ページ『伯耆国河村郡東郷荘之図』: 東京大学史料編纂所所蔵模写を一部改変
332ページ『検地仕法』: 松本市文書館
378ページ Japanese soldier challenging Russian soldier, urged on by an Englishman and Uncle Sam : culture-images/時事通信フォト
447ページ『大日本婦人束髪図解』（松斎吟光）: 東京家政学院大学附属図書館大江文庫所蔵
東京家政学院大学附属図書館大江文庫所蔵© 東京家政学院大学 Image Archives / DNP artcom
※許可のない複製を禁止します。
468ページ『官報. 1925年4月22日』: 国立国会図書館デジタルコレクション

編集協力
オフィスファイン

イラスト・図版
佐藤百合子
清水眞由美
中口美保
たはら　ひとえ

本文デザイン
長谷川有香（ムシカゴグラフィクス）

校正
株式会社友人社
株式会社東京出版サービスセンター

DTP
株式会社明昌堂

山中裕典（やまなか　ひろのり）
河合塾講師、東進ハイスクール・東進衛星予備校講師。慶應義塾大学・大学院では日本史学を専攻し、私立中高一貫校の教員として大学受験指導に力を入れた経歴をもつ。現在、予備校で東京大・京都大・一橋大をはじめとする国公立大対策を中心に、早大・慶大をはじめとする難関私大対策なども担当する。特に、論述式問題の対策指導は、圧倒的な支持を得る。
授業では、オリジナル年表で歴史のタテのつながりとヨコのひろがりを把握することに加え、図解板書で歴史の構造を描き出して理解を深める。「歴史の全体像をつかみ、動きをイメージできれば、覚えた知識が使いこなせるようになる」をモットーに、あらゆる形式・内容の入試問題を解くときにベースとなる「ゆるぎのない基礎力」が身につく授業を展開する。今回の参考書は、その授業スタイルを生かしたもので、共通テスト対策にとどまらない、すべての入試対策のコアとなる参考書として使ってもらいたい、と願っている。

改訂版　大学入学共通テスト
歴史総合、日本史探究の点数が面白いほどとれる本
0からはじめて100までねらえる

2020年９月18日　初版　第１刷発行
2024年11月14日　改訂版　第１刷発行

著者／山中 裕典

発行者／山下 直久

発行／株式会社KADOKAWA
〒102-8177　東京都千代田区富士見2-13-3
電話　0570-002-301（ナビダイヤル）

印刷所／TOPPANクロレ株式会社
製本所／TOPPANクロレ株式会社

ISBN 978-4-04-606237-6　C7021